U0115441

大學叢書

新亞論叢

第二十期

《新亞論叢》編輯委員會
主編

稿　約

⑴本刊宗旨專重研究中國學術，以登載有關文學、歷史、哲學等研究論文為限，亦歡迎有關中、西學術比較的論文。

⑵來稿均由本刊編輯委員會送呈專家審查，以決定刊登與否，來稿者不得異議。

⑶本刊歡迎海內外學者賜稿，每篇論文以一萬五千字內為原則；如字數過多，本刊會分兩期刊登。

⑷本刊每年出版一期，每年九月三十日截稿。

⑸本刊有文稿行文用字的刪改權，惟以不影響內容為原則。

⑹文責自負，有關版權亦由作者負責，編委會有權將已刊登論文轉載於其他學術刊物。

⑺若一稿二投，需先通知編輯委員會，刊登與否，由委員會決定。

⑻來稿請附約二百字中文提要，刊登時可能會刪去。

⑼來稿請用 word 檔案，電郵至：socses@yahoo.com.hk

目次

附錄

編輯弁言

　　《新亞論叢》已出版了二十年，今期是第二十期，具有特殊的意義。第一期於一九九九年出版，當時只是幾位剛出身的同學合資，希望將新亞研究所同學的論文有機會刊登發表而已。誰知先後得到甚多老師、前輩及教授的支持，刊物得以每年出版，且聲譽漸隆。編委會特別多謝初發刊時，發表論文於論叢，表示支持的教授專家。

　　其後，論叢遇到財困，又因各編委忙於日常事務，幾欲停刊。最後卻又得到出版社的支持，負責印刷費用，使論叢可繼續發展，免於停刊。編委會亦覺得必須堅持下去，過去十年左右，論叢由地方性論文集，逐漸成為大中華區刊物，來稿及於泰國、新加坡、臺灣、澳門、內地各省市等。近數年，本刊委托臺灣萬卷樓印刷及發行，除印刷精美外，其發行網甚廣，論叢的影響力也日漸茁壯。編委會相信，我們的堅持，定能將論叢的水平不斷提高，發展成具有學術代表性的著名論文集。

　　在此，先向讀者道歉，《新亞論叢》有數期在內地印刷，由於當時電腦軟件未臻完善，且內地負責校對的同事未必認識繁體字，以致繁簡之間，出現不少錯誤，幾成為笑柄。發展至今期，此情況仍間中出現，論文在轉換繁簡過程中出現錯誤。編委會惟有增多檢校次數，盡量避免此情況出現，首先是評審專家，編委會要求可以的話，他們先更改簡體字，二、三校是由萬卷樓負責，最後定稿交主編決定。可是，無論如何認真，總有一兩處出錯，希望讀者原諒。

　　二十年了，人事滄桑，當年的熱血青年，很多已成為名教授，社會名人了。可是，我們熱愛學術的心，從未減退。編委會特別趁此機會，感謝曾為《新亞論叢》出力及鼓勵，但已離我們而去的教授前輩，李杜、張仁青、王富仁、傅璇琮、聶石樵諸位先生。仰天而望，只期薪火相傳而已！

　　最後，十分感謝萬卷樓的協助，他們認真出版事業，一絲不苟，歷任的編輯都逐字逐句與編委會商量。尤其是今期的楊家瑜女士，編輯校對論文後，都令編委成員深深感動，楊女士竟重檢引文，糾正作者的用字。此項工作是特別繁複及需要耐性，也要對論文內容有基本認識，才可順利完成。這種認真的學術態度，實在難能可貴。在此二十週年，謹期我中華文化，發光發亮！

　　由於今期是二十期刊慶，特別接納一些懷念或有特別意義的文章，刊登於附錄，以作紀念。

《新亞論叢》編輯委員會

二〇一九年

《詩經》中的「周道」、「周行」與時代語詞的消亡

張童洋

北京師範大學文學院

「周行」或「周道」，本義即為周人的道路，在《詩經》中指通往周的道路。顧頡剛先生將「周道」具化為「周王畿之大道，殆自岐山至豐、鎬，又東行至成周者。」[1] 這兩個在《詩經》中頻頻出現的語詞，在其他先秦典籍中卻極少被使用，如《左傳》，作為春秋史事最為翔實可靠的資料來源之一，十餘萬言中出現「周行」或「周道」者僅有四處，其中兩處為引詩，一處語義與本義相去甚遠。[2]《詩經》中的「周行」、「周道」語詞，主要集中於〈小雅〉，另有兩處在〈周南〉、〈檜風〉，這幾首詩的產生年代至少應不晚於春秋時期。[3] 那麼，由西周而至春秋，「周道」、「周行」兩個詞語為何被迅速棄用，甚至其本義幾乎湮滅不見於之後的先秦典籍中，這一有趣的現象值得深入探察。

1　顧頡剛：《史林雜識初編》北京：中華書局，1977年，頁122。

2　《左傳》引詩兩處：襄公五年，「周道挺挺，我心扃扃。」此應為逸詩。襄公十五年，引〈周南‧卷耳〉：「嗟我懷人，寘彼周行。」語義與本義相去甚遠的一處：昭公十二年，「昔穆王欲肆其心，周行天下」，此處周行指周遊。第四處為襄公十五年，「王及公、侯、伯、子、男、甸、采、衛大夫，各居其列，所謂周行也。」周行應指周代的制度。

3　其中帶有一定歷史資訊的〈小雅‧大東〉，毛序云：「刺亂也。東國困於役而傷于財，譚大夫作是詩以告病焉。」鄭箋：「譚國在東，故其大夫尤苦征役之事也。魯莊公十年，齊師滅譚。」（《毛詩正義》北京：北京大學出版社，1999年，頁779）詩中也有「東人之子，職勞不來；西人之子，粲粲衣服」之句，「西人」通常被認為是「周人」。王先謙認為「東人非獨譚人，大東、小東皆有之。」（王先謙：《詩三家義集疏》北京：中華書局，1987年，頁730）這說明〈大東〉一詩創作之時，周人對於遠在東方的諸國還具有較強的控制能力，至遲也應在西周中晚期。另外，〈檜風‧匪風〉的「檜」又作「鄶」，《史記》中記載鄭桓公「東徙其民雒東，而虢、鄶果獻十邑，竟國之。」（《史記》卷42，北京：中華書局，1963年，頁1758）《韓非子》〈內儲說下〉記有：「桓公襲鄶，遂取之。」（王先慎：《韓非子集解》北京：中華書局，2003年，頁259）鄭桓公死於平王東遷之前，所以程俊英認為「〈檜風〉全為西周時作品」。（程俊英：《詩經譯注》上海：上海古籍出版社，1985年，頁251）即便不確，詩作創作時間也應相去不遠。

一　「周道」、「周行」之本義

　　《禮記》〈禮運〉：「孔子曰：『于呼哀哉！我觀周道，幽、厲傷之，吾舍魯何適矣！魯之郊禘，非禮也，周公其衰矣！』」[4]《禮記》〈樂記〉中有「若此則周道四達，禮樂交通。則夫《武》之遲久，不亦宜乎！」[5]這裡的「周道」，前者是指周代治國之道，後者可以理解為周之道德。《老子》：「寂兮寥兮獨立不改，周行而不殆，可以為天下母。吾不知其名，強字之曰道。」[6]《韓非子・解老》：「聖人觀其玄虛，用其周行，強字之曰「道」，然而可論。」[7]這兩處「周行」含義是一致的，即王弼所說的「無所不至」。[8]《墨子》中亦有「周道」，〈備水〉：「城內漸外周道，廣八步。」〈旗幟〉：「巷術周道者，必為之門，門二人守之……」[9]這兩處「周道」比較特別，孫詒讓認為「周道」即「州道」，與《周禮》中的「州塗」、「環塗」含義接近，大略是指環城的道路。[10]

　　《老子》、《韓非子》、《墨子》等篇所言及的「周行」、「周道」，與《詩經》中的「周行」、「周道」並無太大關聯，在含義上也有著明顯的區別。而《禮記》中所提及的「周道」，從語義層面來看，則可視為《詩經》中「周道」的一種延伸，從「道路」到「方法、道理」、「道德」，物質化的實體被抽象成可辨而不可感的概念語詞。於是，在先秦典籍以及之後漢、唐諸儒的闡釋中，大體都是沿承《禮記》「周道」之義，加以廣泛使用並有所生發，「周道」的衍生義幾乎完全取代了其原義。從這個角度至少可以說，《詩經》中作為本義而言的「周行」、「周道」在隨後的春秋戰國時期，基本被棄用。

　　馬瑞辰釋「周道」：「周道猶周行，朱子《集傳》云『周行，大道』，是也。周之言『綢』，《廣雅》：『綢，大也。』周道又為通道，亦大道也。凡《詩》「周道」皆謂大路，即《孟子》云：『夫道若大路然』也。謂《詩》以大路之坦平喻王道之正直皆可，若遂以為周之政令，則非。」[11]這段解釋有兩處值得商榷。其一，以「周道」為通道、大路固然可以，但據《廣韻》，「周」為「職流切」，「綢」為「都聊切」，音韻既不相合，以「綢」釋「周」，認為「周道」為大路的意涵來自於「綢」，似乎比較牽強。其二，馬氏武斷地認為《詩》中的「周道」全部意為「大路」，也並不正確。

　　茲將《詩經》中使用「周行」、「周道」兩詞的九處詩句計七首詩列於以下：

4　鄭玄注、孔穎達疏、龔抗雲整理、王文錦審定：《禮記正義》北京：北京大學出版社，1999年，頁678。

5　同上註，頁1139。

6　王弼注、樓宇烈校釋：《老子道德經注校釋》北京：中華書局，2008年，頁63。

7　王先慎撰、鍾哲點校：《韓非子集解》北京：中華書局，1998年，頁149。

8　王弼注、樓宇烈校釋：《老子道德經注校釋》北京：中華書局，2008年，頁63。

9　孫詒讓撰、孫啟治點校：《墨子間詁》北京：中華書局，2001年，頁547、585。

10　同上註，頁522。

11　馬瑞辰撰、陳金生點校：《毛詩傳箋通釋》北京：中華書局，1989年版，頁430。

「嗟我懷人，寘彼周行」（〈周南・卷耳〉）

「顧瞻周道，中心怛兮」、「顧瞻周道，中心弔兮。」（〈檜風・匪風〉）

「人之好我，示我周行。」（〈小雅・鹿鳴〉）

「四牡騑騑，周道倭遲。」（〈小雅・四牡〉）

「踧踧周道，鞫為茂草。」（〈小雅・小弁〉）

「周道如砥，其直如矢。」「佻佻公子，行彼周行。」（〈小雅・大東〉）

「有棧之車，行彼周道。」（〈小雅・何草不黃〉）

　　據朱熹《詩集傳》，這幾處詩中的「周行」、「周道」也並非全指「大路」，其中〈檜風・匪風〉中的「周道」便釋為「適周之路也」。[12]可以說，「大路」這一含義實際上正來自於「適周之路」，屈萬里先生認為「周道」即是西周政府的官道，並引用〈小雅・大東〉的詩句，「指出『周道』是行達官、輸粟賦之路，禁止平民的通行」。[13]既為政府官道，那這樣的道路必然是寬廣且平坦的大道。〈大東〉中的詩句「周道如砥，其直如矢」很能說明這一點，大道既平坦如磨刀石，又堅直如長箭，〈大東〉這首詩寫的是東方諸國苦於西方周人的征役，那麼這裡的「大路」就應該也是「適周之路」。所以，「周道」之為「大路」，並不是如馬瑞辰所敷衍，以「周」為「綢」，以「綢」為「大」，而在於通往周的道路本來即是寬廣的大路，此後便漸以「周道」代指「大路」。此外，朱熹解釋〈鹿鳴〉中的「周行」為「大道也」，並進而說「古者於旅乞語，故欲于此聞其言也。」[14]從中可見「周行」由「大路」衍生向「大道理」之義的幾分端倪。

　　將《詩經》中「周行」、「周道」最初之本義追溯為通往周的道路，將「周」理解為「宗周」或周人的都邑，可從散盤銘文中得到確認：

　　　「封于單道，封于原道。封于周道。以東。封于東韠彊右。還，封于鄙道。以南，封于䃊逨道。以西。至于堆莫。湄井邑田。自根木道。左至于井邑封。道以東一封。還，以西一封。陟崗，三封。降以南，封于同道。[15]

　　馬承源先生認為這裡的單、原、周、鄙、同等都是邑名，以「周」為「周人的舊邑，其人以邑為氏」，將「封于單道，封于原道。封于周道」解釋為「樹立封土于單、原、周等地的大道旁。」並認為散盤為西周厲王時期之物。[16]《殷周金文集成釋文》也

12 朱熹：《詩集傳》北京：中華書局，1958年，頁86。

13 轉引自雷晉豪：《周道：封建時代的官道》北京：社會科學文獻出版社，2011年，頁7。

14 朱熹：《詩集傳》北京：中華書局，1958年，頁99。

15 馬承源：《商周青銅器銘文選》卷3，北京：文物出版社，1986年，頁298。

16 同上註，頁298。

將此盤定於西周晚期。[17]這表明在西周時期，將某地附近的大路稱為「某道」，大概是一種可以鑄在銅器上的較為正式的命名方式。按《周禮‧考工記》：「經塗九軌，環塗七軌，野塗五軌。」[18]經塗是城內貫穿南北的大路，城外則有環繞城邑的環塗，以及郊野之外的野塗。散盤銘文中的某道既有可能是某地附近的環塗，也有可能是野塗。而《詩經》中的「周道」、「周行」，多以行役勞苦、歸期渺茫的旅人之口述出，則應該是由周人都邑延伸至野的野塗，順延詩句中作者望向宗周的目光，我們將「周道」、「周行」寬泛地解釋成通往周的道路，更為合適。

《詩經》中反映齊魯兩國史事的兩首詩，表明將通往某地的道路命為「某道」的情況于春秋早期依然存在。〈齊風‧南山〉：「魯道有蕩，齊子由歸」、「魯道有蕩，齊子庸止。」這首詩通常被認為是齊國大夫對齊襄公與魯桓公夫人私通一事的譏刺。[19]〈齊風‧載驅〉：「魯道有蕩，齊子發夕」、「魯道有蕩，齊子豈弟」、「魯道有蕩，齊子翱翔」、「魯道有蕩，齊了游敖。」關於這首詩，《毛詩》認為與《南山》一樣，都是「齊人刺襄公」，[20]也有人認為說的是齊襄公嫁女於魯莊公，齊女遲遲不行。[21]「魯道」被解為由齊國通往魯國的道路，歷來沒有什麼疑義。宮闈之事，常常不脛而走，很容易招來紛紛議論。《左傳‧定公十四年》記敘宋國野人作歌嘲諷衛國夫人南子與宋國的公子朝通姦：「既定爾婁豬，盍歸吾艾豭？」[22]令衛國太子羞愧不已。鄉下之人對本國這類事情尚且能及時知曉，《齊風》的這兩首詩也當是為時事所作，不出魯桓、莊之世。

《詩經》中的「魯道」側證了「周行」、「周道」的命名本義，但這一本義在春秋時期即被拋棄，即便這兩個語詞依然留存下來。與本義同時被拋棄的，還有周在整個道路體系中的重要地位，周不再被人們突顯為道路的終點或者起點，或者說，周道的特殊性在被有意無意地淡化、抹去。所以，地理事實上依然存在卻漸漸淪為平庸的周道，隨後便不再被人們提及。

---

17 中國社會科學院考古研究所編：《殷周金文集成釋文》卷6，香港：香港中文大學出版社，2001年，頁135。

18 鄭玄注、賈公彥疏、趙伯雄整理、王文錦審定：《周禮注疏》北京：北京大學出版社，1999年，頁1155。

19 毛亨傳、鄭玄箋、孔穎達疏、龔抗雲等整理、肖永明等審定：《毛詩正義》北京：北京大學出版社，1999年，頁340。

20 同上註，頁352。

21 王先謙：《詩三家義集疏》北京：中華書局，1987年，頁391。

22 左丘明撰、杜預注、孔穎達正義、浦衛忠等整理、胡遂等審定：《春秋左傳正義》北京：北京大學出版社，1999年，頁1603。

二　戒懼心態、道路觀念與時代語詞

　　在西周時期，以小邦克滅大國的周人普遍存在著一種戒懼心態。殷墟卜辭中經常出現有「大邑商」一詞，如「受余又又……于大邑商」、「告于茲大邑商」、「不……亡……在大邑商」等等，有時候也稱「天邑商」，如「〔天邑商〕公宮〔衣〕」[23]，楊寬先生認為是指「整個商的王畿」。[24]商人對自己王都這種帶有驕傲態度的稱呼，被周人所完全接受，成王時期的何尊銘文記有「隹珷王既克大邑商，則廷告于天……」[25]《尚書》中〈多士〉是周公在新都洛邑面對對遺留的商人貴族發布的一篇訓示之辭，周人將勝利完全歸於天命，借此來昭告統治的合法性，以穩固政治根基，並依然保持著謙遜與恭謹，稱商為「天邑商」：「肆而多士，非我小國敢弋（翼）殷命，惟天不畀，允罔，固亂弼我；我其敢求位！」「予一人惟聽用德，肆予敢求于天邑商，予惟率肆矜而。」[26]

　　在《孟子》中出現了「大邑周」一詞：「有攸不惟臣，東征綏厥士女，匪厥玄黃，紹我周王見休，惟臣附于大邑周。」[27]楊伯峻先生認為此句是亡逸的古《尚書》中的文句，並說：「甲文中有『大邑商』、『天邑商』之辭，金文中亦有『大邑周』之辭，不僅別人尊之如此稱呼，自稱亦如此也。」[28]商人以「大邑商」自稱比較常見，但金文中似乎並無「大邑周」一詞。且細察《孟子》此句文義，「大邑周」一詞是由於攸國臣民渴望依附於周，而對作為征伐者的周國的一種尊稱。周人視於攸人，正如同商人視於周人。〈大誥〉中卻有「小邦周」：「天休于寧王，興我小邦周。」[29]周人始終自認為蕞爾小邦，即便戰勝了商人，也並未敢如商人一般，常常以大邑、天邑自居。武王甚至經常無法安眠，懷著「戰戰兢兢，如履薄冰」的心態，以期盡早「定天保，依天室。志我共惡，俾從殷王紂。」[30]

　　這種心態，還表現在周人對於商人祖先的祭祀。許倬雲先生根據周原卜辭推斷，「周人曾祭祀商人的先王成湯太甲與帝乙」，提出「武王克商，把商人的一切罪狀都歸於商紂。武庚甚至還可以奉商祭祀，商的先王當然更得適當的敬禮。」並根據《逸周書・世俘解》所記載的武王在取得勝利之後，在「廟」中進行了一系列儀式，進一步提出「當

23　胡厚宣：《甲骨文合集釋文》北京：中國社會科學出版社，1999年，第36507、36511、36530、36545則。

24　楊寬：《商代的別都制度》，《復旦學報（社會科學版）》，1984年第1期。

25　馬承源：《商周青銅器銘文選》卷3，北京：文物出版社，1986年，頁20。

26　顧頡剛、劉起釪：《尚書校釋譯論》北京：中華書局，2005年，頁1512、1517。

27　焦循撰、沈文倬點校：《孟子正義》北京：中華書局，1987年，頁434。

28　楊伯峻：《孟子譯注》北京：中華書局，1988年，頁150。

29　孔安國傳、孔穎達疏、廖名春等整理、呂紹剛審定：《尚書正義》北京：北京大學出版社，1999年，頁347。

30　黃懷信、張懋鎔、田旭東：《逸周書彙校集注》上海：上海古籍出版社，1995年，頁503。

時戰陣之後，連戰袍也未更換，即『格於廟』了。這個『廟』自然不是新建的周廟，當是在商人的神廟中行禮。」[31] 這些行為明顯出於安撫商人的政治目的，但以商周時期對於祭祀的重視程度來看，周人的所作所為仍然顯得有些委曲求全，戒懼的心態昭然可見。

武王克商之後，周人的政治也未穩定，管叔、蔡叔以及紂王之子武庚一同興起的叛亂，令周人的權力核心遭到重擊。這一系列重大的時代動盪，給周人以不可磨滅的記憶，並於周初催生了許多訓誡辭令，如〈康誥〉、〈酒誥〉、〈無逸〉等等。以及一些帶有時代色彩的語詞，比如「天命不易」，〈大誥〉：「而亦不知天命不易」，〈君奭〉：「我後世子孫大弗克恭天下，遏佚前人光在家，不知天命不易。」[32] 在〈周頌・敬之〉裡也有「敬之敬之，天惟顯思，命不易哉」的詩句。天命不易，即天命不可改變，並不是說天命始終不發生變化，而是指上天的決定是不會改變的。這既是周人對於商國覆滅的一種解答，以訓導並收服商人，也是周人自我的時時警醒。再如〈召誥〉：「我不可不監于有夏，亦不可不監于有殷」。[33]〈大雅・蕩〉有同樣的表述：「殷鑒不遠，在夏後之世。」「監」與「鑒」相通，[34] 都是鏡子的意思。雖然「殷鑒」一詞，並沒有常常應用，但以前代衰亡的史事反觀當代，以銅鏡作喻，卻是周初普遍存在的觀念認識。

「天命不易」、「殷鑒」可以視為周代初期的時代語詞，而「周行」、「周道」則是在周代封邦建國之後產生並流行的時代語詞。

傳統觀點一般認為周公「兼制天下，立七十一國，姬姓獨居五十三人。」[35] 但《左傳・昭公二十六年》記有：「昔武王克殷，成王靖四方，康王息民，並建母弟，以蕃屏周。亦曰：『吾無專享文、武之功，且為後人之迷敗傾覆而溺入于難，則振救之。』」[36] 學者一般認為周人於克商之後，百廢待興，尚未有足夠能力改變疆界，劃分領土，即便是成康時期，「周人的封建，大約只用於在中原，亦即殷商舊地，加上在東方與北方開拓的疆土，如齊燕諸國，往南則不過及於淮漢一帶，所謂漢上諸姬。」[37] 康王之後，分封還在陸陸續續地發生，〈大雅・崧高〉記有宣王增改申伯的封疆，命他「式是南鄭，因是謝人，以作而庸。」而作為春秋初期大國的鄭國，更是在西周末期才建立。開拓邦土，建設國家，是一個極其漫長的過程。

沈長雲先生根據《逸周書・世俘解》推斷，「平均計之，一國之人約為四千九百

---

31 許倬雲：《西周史（增補二版）》北京：生活・讀書・新知三聯書店，2018年，頁114。

32 顧頡剛、劉起釪：《尚書校釋譯論》北京：中華書局，2005年，頁1279、1554。

33 同上註，頁1441。

34 《詩三家義集疏》中「魯『鑒』作『監』」，魯即魯詩（王先謙：《詩三家義集疏》北京：中華書局，1987年，頁928）。

35 王先謙撰、沈嘯寰、王星賢點校：《荀子集解》北京：中華書局，1988年，頁114。

36 左丘明撰、杜預注、孔穎達正義、浦衛忠等整理、胡遂等審定：《春秋左傳正義》北京：北京大學出版社，1999年，頁1472-1473。

37 許倬雲：《西周史（增補二版）》北京：生活・讀書・新知三聯書店，2018年，頁160。

人」，此「國」就是聚族而居的族邦。[38]即便周人作為大邦百十倍於一「國」，分布到廣闊的中原、漢水乃至齊魯及北方，力量已然分散殆盡。可見初封之後，以少數人遠離周人的政治中心建立政權，對領土進行有效控制，屏除威脅，維持國祚不衰，是一件極其艱難困苦的事情，且非一日即能功成。周代初期那種普遍存在的戒懼心態和憂患意識，也就在這一時期隨之延續下來，一方面，長久地形塑了西周時期周人通過夙夜匪懈、常懷警惕來穩定國家的思維定式，另一方面，也使得周人及與周人血緣親近的諸侯，對宗廟所在的周都心存依恃，主動做出緊密的聯繫，以借重宗周故地的力量。其中一個重要的表現，就是道路觀念的變化。

〈召南·行露〉：「厭浥行露，豈不夙夜，謂行多露。」「謂」即是「畏」，詩句中說不敢夜晚趕路，是害怕沾滿路上的露水，這實際上是對困頓勞累的牢騷，同時內在隱含的是先秦時期對於道路的普遍敬畏心理。《左傳》中子大叔有相似的表達：「跋涉山川，蒙犯霜露，以逞君心。」[39]跋又作軷，《儀禮·聘禮》：「出祖，釋軷，祭酒脯，乃飲酒于其側。」鄭玄即引「跋涉山川」注解此句，「然則軷，山行之名也，道路以險阻為難，是以委土為山，或伏牲其上，使者為軷祭酒脯祈告也。」[40]《說文解字》釋「軷」：「出將有事于道，必先告其神，立壇四通，樹茅以依神為軷。既祭犯軷，轢牲而行為範軷。」[41]由於道路險難，路途遙遠，令出行者難免心懷畏懼，由這種畏懼心理而產生了對於道路的祭祀儀式，有學者根據《山海經》、《左傳》等典籍中的記載推斷，「道神崇拜產生的時間，當在商周時期甚至更早。」[42]

但道路觀念，在西周中後期有所更新。比如〈大雅·烝民〉：「仲山甫出祖，四牡業業。」出祖也就是祭祀路神，詩中仲山甫受王命去東方建城，完成王命的恭敬又緊迫的心理，完全取代了對路途的擔憂，「四牡彭彭，八鸞鏘鏘」，在寬闊大路上的壯志昂揚，使得對於路神的祭祀儀式變得有些敷衍。在韓侯朝見周王的〈大雅·韓奕〉一詩中，更可見道路觀念有所改變。「奕奕梁山，維禹甸之。有倬其道，韓侯受命。」通過這條去往王都的寬廣大路，韓侯獲得了周王的豐厚賞賜：「淑旂綏章，簟茀錯衡，玄袞赤舄，鉤膺鏤錫，鞹鞃淺幭，鞗革金厄。」以及周王授予的榮耀與權柄：「王錫韓侯，其追其貊。奄受北國，因以其伯。實墉實壑，實畝實藉。獻其貔皮，赤豹黃羆。」在這首詩中，也寫到「韓侯出祖」，但是道路不再是一種險阻，尤其是通往王都的大道，對於韓侯而言是穩固其所受封土的根基，是提高其統治力量的本源所在。

---

38 沈長雲：〈西周人口蠡測〉，《中國社會經濟史研究》，1987年第1期。

39 左丘明撰、杜預注、孔穎達正義、浦衛忠等整理、胡遂等審定：《春秋左傳正義》北京：北京大學出版社，1999年，頁1074。

40 胡培翬撰、段熙仲點校：《儀禮正義》南京：江蘇古籍出版社，1993年，頁1136。

41 許慎撰、段玉裁注：《說文解字注》卷14，上海：上海古籍出版社，1981年，頁727。

42 劉懷榮、孔哲：〈先秦祖道儀式與《詩經》別情詩考論〉，《清華大學學報（哲學社會科學版）》，2013年第5期。

西周時期周人一貫地戒懼心態在不同時期製造出了不同的時代語詞，周初的「天命不易」、「（殷）鑒」這類時代語詞，在周代後期的疆土擴張運動中漸漸少有提及。在封邦建國的時代，分布在各地的諸侯既覺力量不足，便要加深與宗周故土的聯繫，對於通向宗周道路的期待，以及「周行」、「周道」這種飽含依賴與嚮往的語詞，便都於此時產生。

作為時代語詞的「周道」，始終帶有權力核心的象徵色彩。那「周道如砥，其直如矢」，但行走其上的只能是「佻佻公子」，因為「周道」是一條「君子所履，小人所視」的高貴道路。所以當人們看到「踧踧周道，鞫為茂草」時，不免心中憂傷，不能自已。對於上層貴族而言，「人之好我」，便「示我」以「周行」。而對於下層小臣和普通小民而言，這一時期諸侯國與宗周的頻繁聯繫，帶來的是不斷為王事奔走時思鄉的憂傷和勞役中的痛苦：「顧瞻周道，中心怛兮……誰將西歸，懷之好音」，「四牡騑騑，周道倭遲。豈不懷歸，王事靡盬，我心傷悲！」「有棧之車，行彼周道。」

三　權力瓦解與時代語詞的消亡

但正如周初的「天命不易」、「（殷）鑒」等時代語詞一樣，「周道」、「周行」在封邦建國漸趨完成，尤其是平王東遷、宗周覆滅之後，也褪去了時代的色彩，被新時期生成的文字與典籍所遺忘。

其實，西周時期所分封的各個諸侯國始終處於一路建設一路播遷的過程，顧棟高作《春秋列國爵姓及存滅表》中，其中二十個國家在春秋時期曾經遷徙，不乏諸如晉、鄭、吳、秦、楚等影響久遠的大國。[43]春秋時期，各諸侯國的統治能力相對於西周時期已經有了很大進步，由於各種因素的影響，尚且需要歷經遷徙，那麼封邦建國的初期，各個諸侯國改易國土應該更為頻繁。這表明了，對於一個諸侯國而言，開疆闢土的人群才是邦國得以成立的核心要素，族群的重要性遠遠大過於國土。許倬雲先生分析西周時期的東方各國，認為其內部「以周與殷遺及東方舊族結合為基本原則，對於殷周以外的土著，則一方面以商周融合的勢力楔入，另一方面也以『夏政』、『商政』、『戎索』來遷就當地文化。」並且指出「一個分封的侯國，擁有三批屬民，一是擔任官司的人，一是分配的殷民舊族，一是附著在封地上的原居民。」[44]擔任官司的人一般即是掌握著邦國核心權力的周人，但人數稀少且遠離周地的周人為了更好地施行統治，便只能選擇與一部分殷民舊族以及當地原居民相合作，將周人文化與當地文化相結合，這樣的合作與結合必然會產生出一個新的群體，在周族意識的影響下，新的群體當然還不能稱為新的族

43 顧棟高撰，吳樹平、李解民點校：《春秋大事表》北京：中華書局，1993年版，頁563-608。
44 許倬雲：《西周史（增補二版）》北京：生活・讀書・新知三聯書店，2018年，頁158、164。

群，所以相對鬆散的群體需要一個強有力的統治力量和更深刻的文化認同，來加以集聚凝結。

連接著諸侯國與宗周的「周道」、「周行」，顯然並不利於新的群體的熔鑄。有的學者分析周道的性質，認為周道的作用有三個方面：「在政治上便於周王到各地巡察和各諸侯國到王都朝見周天子；在經濟上便於周王室向各諸侯國徵取貢賦；在軍事上便利軍隊的調動，以加強對各地諸侯的控制和抵抗周邊少數族的內侵。」[45]〈小雅‧大東〉的詩句可證明周王室確實藉由周道控制各國，徵收賦稅，以至於「小東大東，杼柚其空。」

西周時期周王室與各諸侯國的關係，或許可以與春秋時期的宗主國與附庸小國相類比。《左傳》中常見小國受到大國的威壓，如襄公八年，鄭國想要背棄晉國而依附楚國，派人去告知晉國，陳述背叛的一個重要理由是鄭人為晉伐蔡，卻遭到蔡的宗主國楚的報復。

> 使王子伯駢告于晉，曰：「君命敝邑：『修而車賦，儆而師徒，以討亂略。』蔡人不從，敝邑之人不敢寧處，悉索敝賦，以討于蔡，獲司馬燮，獻于邢丘。今楚來討曰：『女何故稱兵于蔡？』楚我郊保，馮陵我城郭。⋯⋯民知窮困，而受盟于楚。孤也與其二三臣不能禁止，不敢不告。」[46]

這顯示了宗主國與附屬國之間的關係，宗主國對於附屬國提供保護與力量上的支援，如楚對蔡，但同時附屬國要承擔起一系列沉重的任務，以作為代價，如鄭為晉整合全國的軍事力量，以討伐蔡國。在徵伐中，附屬國在損耗實力的同時，卻很少能獲得足夠的實際利益，鄭國甚至還遭到了來自楚國的報復。春秋時期大國紛起，小國尚且可以有所選擇，而西周時期，宗周作為唯一正當的統治核心，其對於諸侯國的威壓足可想見。

襄公二十四年，「范宣子為政，諸侯之幣重，鄭人病之。」[47]作為附屬國的鄭國去朝聘宗主國晉國，需要帶上豐厚的貢獻品，但晉鄭之間相隔不遠，交流甚多，晉國又索要無度，以至於鄭國的執政子產冒著觸怒晉人的危險，修書告病。

無論是下達軍事指令，還是徵斂財物，道路是勾連起權力核心與其附屬力量的重要紐帶，與春秋時期相似，「周道如砥，其直如矢」，聯通兩地的平直寬闊的「周道」，在政治層面上，卻呈現出一端對於另一端俯視與威壓的情勢，這種情勢使得諸侯國的經濟、政治、軍事各個方面都受到一定程度的管控與干擾，而更重要的是從周道的盡頭，藉由血緣和親緣的紐帶，不斷輸送來周人的族群意識和王權觀念，內在地拆解著諸侯國

---

45 楊升南：〈說「周行」、「周道」——西周時期的交通初探〉，《人文雜誌叢刊第二輯‧西周史研究》，1984年，頁65。

46 左丘明撰、杜預注、孔穎達正義、浦衛忠等整理、胡遂等審定：《春秋左傳正義》北京：北京大學出版社，1999年，頁858-859。

47 同上註，頁1004。

以地域層面為基礎的新的群體建設，諸侯國內部的向心力常常被更具正統性的來自周人族群核心的周王室的向心力所動搖。

《國語‧周語》中記錄周穆王時期，祭公謀父對於先王制度的一段表述，可以視為建立分封制度初期的設計意圖，也是周王室居於中心對四野施加影響的理想狀態。

> 夫先王之制：邦內甸服，邦外侯服，侯衛賓服，蠻夷要服，戎狄荒服。甸服者祭，侯服者祀，賓服者享，要服者貢，荒服者王。日祭、月祀、時享、歲貢、終王，先王之訓也，有不祭則修意，有不祀則修言，有不享則修文，有不貢則修名，有不王則修德，序成而有不至則修刑。於是乎有刑不祭，伐不祀，征不享，讓不貢，告不王……[48]

甸服是王畿之內的諸侯，侯服、賓服大致即是以周人其他親緣族群為主的各個諸侯國，雖然這段記載所呈現的整飭的制度規章不一定符合實情，但是我們至少可以相信，侯服、賓服這些諸侯國一年內要多次參加周人的族群祭祀活動。而周王所做出的修意、修言、修文等行為，實際上即是以一種道德教化的形態來凝聚束縛各諸侯國，而一旦這種努力失敗，便訴諸以武力，通過軍事行為將離心離德的國家重新納入到統治序列中。這樣，各個諸侯國的內部權力始終被周王室所干涉和塑造，那麼地域層面的群體建設便始終難以完成。而在這樣一種理想化的五服制度中，當宗周作為圓心來聯結一圈又一圈擴大的同心圓時，周道的作用和重要程度便顯而易見了。

阿諾德‧湯因比總結了這樣一個規律，「即新地方比舊地方更具刺激力，」例如波斯文明「在軍事、政治、建築和文學方面的偉大成就幾乎全部出現在波斯世界的兩段，印度斯坦或安納托利亞」，「這些成就都出現在新地方。」[49] 從宗周故地走出，通過與殷商文化與當地文化相結合，周人文化在新地方獲得了更大的刺激，經歷過西周時期的發展，許多諸侯國已經在實力上淩駕於東遷之後縮居洛水一帶的周王室，並開始選擇一定程度上淡化和消解以周王室為核心的族群文化的影響。各諸侯國紛紛建立自己的祖先序譜，它們往往將國家的源頭追溯至第一任國君，而不再是所有周人的共祖以及受到所有周人景仰的文王、武王，同姓不婚的規則、不滅同姓國的默契也因而在春秋時期被逐漸打破。

各諸侯國努力進行的群體建構也表現在對「周道」、「周行」的擺脫，當周道兩端的權力走向平衡，甚至呈現出諸侯國對周王室倒灌的形式，中心力量的疲弱，讓提供向心力量的周道失去了西周時期的巨大作用和榮耀，隨著西周「周道」在事實上的消亡，「周道」所隱含的權力象徵意味也煙消雲散了，周王室與諸侯國之間的強弱異勢使得瀰

48　上海師範大學古籍整理組校點：《國語》上海：上海古籍出版社，1978年，頁4。

49　（英）阿諾德‧湯因比著、D. C. 薩默維爾編、郭小凌等譯：《歷史研究》上海：上海人民出版社，2014年，頁104。

漫於周道之上的已然陳舊的戒懼心態也隨之消散。東周重建的「周道」已然淪為一條普通的道路，失去了權力色彩的「周道」、「周行」這兩個時代語詞的本義，也只有在人們引述《詩》句時，才有可能被從塵封的記憶中拾起。

四　「周道」、「周行」含義衍化的物質原因

以本義使用的「周道」、「周行」兩個時代詞語在春秋時期的消亡，除了受到時代變遷和權力變易的影響，另一個不容忽視的是物質層面上的原因。

〈周頌・天作〉記錄了文王時期的修路功業：

> 天作高山，大王荒之。彼作矣，文王康之。彼徂矣，岐有夷之行。子孫保之。

顧頡剛先生認為此詩：「蓋自太王居於岐陽，至於文王，累世築治道路，遂使險峻之岐山竟有坦夷之行道。其功鉅，故特作一篇，為宗廟之樂章，示子孫以不忘。」[50]可見於西周初期修治道路實屬不易，開通坦途，便足以紀念，被世世代代所傳頌。

《逸周書・大聚解》中有周公對文王的稱頌，與〈天作〉一詩相呼應：

> 周公曰：聞之文考……闢開修道，五里有郊，十里有井，二十里有舍。遠旅來至，關人易資，舍有委。[51]

但文王時期所修建的道路，由於人力物力不足，可能只是初步的修整建設。有的學者從馬車與道路的關係來考察「周道」，認為「周原興闢道路的時間，正與馬車成為國家戰略工具的時間點合致，顯示出強烈的相關性。」[52]《詩經》中出現了大量關於馬車的描述，如〈小雅・車舝〉：「高山仰止，景行行止。四牡騑騑，六轡如琴。」〈大雅・韓奕〉：「四牡奕奕，孔脩且張。」「奕奕梁山，維禹甸之，有倬其道。」從《詩經》中我們發現，除了與戰爭、軍隊相關的詩篇之外，但凡詩作中對馬及車有具體描摹的時候，多數情況下會出現對道路的描寫，駿馬、飛馳的車、寬廣的道路構成一組不能分割的意象群體，而且這些詩作絕大多數都出現在〈雅〉、〈頌〉之中。一般來說，〈雅〉、〈頌〉詩作總體的創作年代會早於國風，我們或許可以這樣解釋，在周王室與諸侯國聯繫緊密的西周時期，王事繁忙，官吏奔走，來往的馬車與平坦的道路構成了一段時期人們共同記憶。七首寫有「周道」、「周行」的詩篇，除了心傷周道廢棄的〈小雅・小弁〉，以及以「周行」別有含義的〈小雅・鹿鳴〉之外，也大體也符合這個規律。西周

50 顧頡剛：《史林雜識初編》北京：中華書局，1977年，頁122。

51 黃懷信、張懋鎔、田旭東：《逸周書彙校集注》上海：上海古籍出版社，1995年，頁414-418。

52 雷晉豪：《周道：封建時代的官道》北京：社會科學文獻出版社，2011年，頁41。

初期，文王開闢道路，有〈周頌・天作〉一詩作為紀念，那麼當西周中後期馬車與道路或者「周道」頻繁地共同出現在詩篇之中，我們不難推想，這個時期一定是馬車逐漸精工、道路建設水準逐漸提高的年代，那麼凝結著人們驕傲心理和深刻記憶的「周道」或者「周行」這兩個語詞，也於那個時代應時而生。

　　有趣的是，〈齊風・載驅〉一詩中對於「馬車—道路」意象模式的模仿，上文提到此詩記錄的是齊襄公嫁女於魯莊公，是春秋早期的詩作。詩中描述到：「載驅薄薄，簟茀朱鞹。魯道有蕩，齊子發夕。四驪濟濟，垂轡濔濔。魯道有蕩，齊子豈弟。」這或許是對於西周時期那種馬車行於坦途的追憶與可以模仿，當然也有可能是於此時，齊魯兩地的道路建設正在大規模地進行，道路水準提高，使魯國也出現了媲美於「周道」的「魯道」，如同西周中後期歷史的一段重演。

　　隨著諸如「魯道」的建設與逐漸增多，春秋時期「周道」所帶來的盛況已經不再新鮮，這也許即是「周道」、「周行」本義消失的物質層面原因。《左傳・襄公三十一年》記有子產推許稱讚晉文公，其中有「司空以時平易道路」一句，[53] 說明在晉文公時期對道路的養護已經形成一定的規章制度，而晉文公「平易道路」的目的在於招待朝覲的諸侯及外交使臣，足以表明彼時晉國已經出現了無論從功能和建設水準上都與「周道」彷彿的「晉道」。

　　《國語》中有單襄公對陳國道路不滿的一段記載：

> 定王使單襄公聘于宋。遂假道于陳，以聘于楚。火朝覿矣，道茀不可行，候不在疆，司空不視塗，澤不陂，川不梁，野有庾積，場功未畢，道無列樹……
>
> 單子歸，告王曰：「陳侯不有大咎，國必亡。」王曰：「何故？」對曰：「夫辰角見而雨畢，天根見而水涸，本見而草木節解，駟見而隕霜，火見而清風戒寒。故先王之教曰：『雨畢而除道，水涸而成梁，草木節解而備藏，隕霜而冬裘具，清風至而修城郭宮室。』故《夏令》曰：『九月除道，十月成梁。』其時儆曰：『收而場功，待而畚梮，營室之中，土功其始，火之初見，期於司里。』此先王所以不用財賄，而廣施德於天下者也。今陳國火朝覿矣，而道路若塞，野場若棄，澤不陂障，川無舟梁，是廢先王之教也。
>
> 周制有之曰：『列樹以表道，立鄙食以守路，國有郊牧，疆有寓望，藪有圃草，囿有林池，所以禦災也，其餘無非穀土，民無懸耜，野無奧草。不奪民時，不蔑民功。有優無匱，有逸無罷。國有班事，縣有序民。』今陳國道路不可知，田在草間，功成而不收，民罷于逸樂，是棄先王之法制也……」[54]

---

53 左丘明撰、杜預注、孔穎達正義、浦衛忠等整理、胡遂等審定：《春秋左傳正義》北京：北京大學出版社，1999年，頁1128。

54 上海師範大學古籍整理組校點：《國語》上海：上海古籍出版社，1978年，頁67-70。

　　單襄公的這一段言辭，援引「先王之教」，並借重周制對陳國的道路建設加以指責，甚至將道路建設與國家的興滅聯繫在一起。白壽彝先生認為，「春秋時期的諸夏之國，除了陳國等少數例外，大多數還是按著宗周時期底辦法去做了。」[55]無論是「雨畢而除道」、「九月除道，十月成梁」，還是「列樹以表道，立鄙食以守路」，或許尚且無法確定即是宗周時期的辦法，但是各國對於「周道」建設的學習與發展，並在春秋時期發展出一套更為成熟的道路修建與維護辦法，當無疑義。隨著各諸侯國坦途大路的紛紛修建，作為一個時期周人共同驕傲的「周道」、「周行」也就失去了光彩。

五　結語

　　《詩經》中「周行」、「周道」兩個語詞，本來即是由特定的時代背景所製造。一方面，以小邦克大國的周人常懷的戒懼心態，在封邦建國時期延續在分居各地的周人心中，「天命不易」、「（殷）鑒」到「周道」、「周行」其實是一脈相承的時代語詞。另一方面，道路建設的艱難、道路技術的發展，以及寬廣大路的出現，使周人產生了深刻的時代記憶，並為之驕傲，故而將「周道」、「周行」與賓士於其上車馬都一同寫入了詩作中。

　　但是這樣的時代語詞，一旦褪去了時代的色彩，便很容易被人們遺忘。所以「周道」、「周行」作為通往宗周這一道路本義，在隨後的春秋時期就很少再被使用，取而代之的是意指周代制度、周代道德的衍生之義。「周道」、「周行」的本義主要使用於《詩經》中，而少見與其他典籍，從這一現象中我們可以得知，具有歷時性的時代語詞，往往不會出現在記錄下一個時代的史書中，也不會輕易出現在追求共時性表達的論著性典籍中，是一種正常的現象，而春秋戰國時期流傳於今的作品幾乎多為史書或者論著性典籍。

　　當《詩經》中的「周道」、「周行」的本義隨著時代的逝去而被人們的記憶所拋棄時，卻以特殊詩歌意象的面貌，被之後的楚辭作品所借鑒承續下去，如世傳為東方朔《七諫》中的「何周道之平易兮，然蕪穢而險巇。」[56]以及劉向的《九歎》：「征夫勞於周行兮，處婦憤而長望。」[57]於是，「昭告周行，維祇所在」中用作時代語詞的「周行」或「周道」，[58]本身附著的歷史要素和政治性質都隨著本義一道不復存在，其文學上的內在象徵意味卻被後來人不斷地強化，從而被納入到後世詩歌意象的序列之中。

55　白壽彝：《中國交通史》上海：上海書店，1984年，頁26。

56　洪興祖撰、白化文點校：《楚辭補注》北京：中華書局，2006年，頁243。

57　同上註，頁289。

58　黃懷信、張懋鎔、田旭東：《逸周書彙校集注》上海：上海古籍出版社，1995年，頁104。

《詩經》中生命意志的詩意表達

趙南楠

武漢大學外國語學院

　　學界普遍認為西元前九世紀至西元前三世紀之間，是人類文明的「軸心時代」。這段時期是人類文明的重大突破時期。在軸心時代裡，各個文明都出現了偉大的精神導師。在這個時期，世界產生了三個高文化區域：中國、印度和希臘。這個時期是世界歷史的軸心。人類每一次新的飛躍，都要回顧軸心時代。因為至今人們的生活依然是在依靠古代社會所出現的、所創造的、所思考的。正如雅斯貝斯所說，在所有這三個世界裡，這個時代的新事物是，人意識到了作為整體的存在，意識到了他的自身和他的局限，認識到了世界的可怕和自身的軟弱。

　　《詩經》是誕生於人類偉大的軸心時代的重要詩篇，它保存了從西周初期到春秋中葉五百餘年的民歌和朝廟樂章。上帝就像一個大孩子，在世界的不同地方同時拋出了代表各自民族精神的時代巨子，塑造了各自不同的文明形態。「再想下去，那時候地球上出現許多天才，偉大的人格、偉大的思想，而柏拉圖、亞里士多德壓根兒不知道老子、孔子、釋迦牟尼。以相貌、風度論，老子、釋迦也比較漂亮瀟灑。可憐老子、釋迦，當時也一點不知希臘神話，沒有讀過荷馬史詩。」[1] 這就是當代文化鉅子木心對軸心時代的遐想。什麼是《詩經》的現代意義？高度發展的文明直接通於上古時代，而那個時代恰是人類學者所最熟知的，他驚見神話原型竟活生生地存在於現代社會中。比如希臘悲劇中的酒神形象薩蒂爾（Satyr）乃是人類的原型，是人類最高最強的感情衝動的表達。同樣，閱讀《詩經》，我們常常會感到詩人的生存處境與人生困苦就是我們自己的另一個存在，彷彿那些受苦受難的靈魂穿越千年的風霜又重新附著在我們的身心之上。雖然世界發生了巨變，我們的生命困擾與兩千多年前的周人並沒有本質的不同。生離死別的悲苦與生存處境的艱難仍然像影子一樣的揮之不去。作為那段美好而莊嚴時光的化石，《詩經》的慷慨悲歌今天讀起來依然具有強烈的現實感。尼采是十九世紀西方知識界最嚮往希臘文化並將之發揚光大的思想巨擘，他是文藝復興之後再次復興希臘精神的人。他在《悲劇的誕生》中提出了這樣一個問題：希臘人對於痛苦的關係。換句話說，人何以承受悲苦人生？他認為希臘人是人類迄今最完美、最強大和最具生命魅力的類型，然而，希臘人以其豐富的力量，充沛年輕健康乃是悲觀主義者。他認為求悲觀主義

1　木心講述《文學回憶錄》桂林：廣西師範大學出版社，2016年，頁34。

的意志乃是強壯和威嚴的標誌，人們不怕承認可怕之物，在它背後站著勇氣和驕傲。一切偉大的思想都來自悲觀主義。真正偉大的人物都是一開始就悲觀、絕望，置之死地而後生。尼采提出的這個命題對《詩經》時代的人們同樣成立。因為不同的文化種類都是為了解決這個人生難題，或者說是要解決這個難題提供通道和辦法。本文擬以希臘文化的視鏡解讀《詩經》中對生命意志的求索與詩意呈現。一方面借助世界文學的視鏡，更深切地認識本民族的文化底蘊，同時也有助於拓展本民族文學走向世界的胸襟和視野。

一　《詩經》中的人生苦難

　　尼采這樣讚美希臘人：這個民族勢必受過多少苦難，才能變得如此之美！他堅信，唯有作為審美現象，此在與世界才顯得合理。對希臘神話中酒神狄奧尼索斯的老師和同伴西勒尼，國王提出了這樣一個問題：對於人來說，什麼是絕佳最妙的東西？他答道：「可憐的短命鬼，無常憂苦之子呵，妳為何要強迫我說些妳最好不要聽到的話呢？那絕佳的東西妳壓根得不到的，那就是：不要生下來，不要存在，要成為虛無。而對妳來說次等美妙的事體便是──快快死掉。」[2]希臘人認識和感受到了人生此在的恐怖和可怕；為了終究能夠生活下去，他們不得不在這種恐怖與可怕面前設立了光輝燦爛的奧林匹斯諸神的夢之誕生。「我的朋友，解釋和記錄自己的夢，／這正是詩人的事業。／相信我，人最真實的幻想／總是在夢中向他開啟：／所有詩藝和詩體／無非是真實之夢的解釋。」[3]希臘人了解人生的悲苦並正視之，用迷人的夢境去克服一切。

　　《詩經》的作者們同樣無比清醒地認識到人生的悲苦，並為我們清晰地展現了生命的無常與惆悵。比如〈唐風‧山有樞〉這樣寫道：「山有樞，隰有榆。子有衣裳，弗曳弗婁。子有車馬，弗馳弗驅。宛其死矣，他人是愉。／山有栲，隰有杻。子有廷內，弗灑弗掃。子有鐘鼓，弗鼓弗考。宛其死矣，他人是保！／山有漆，隰有栗。子有酒食，何不日鼓瑟！且以喜樂，且以永日。宛其死矣，他人入室！」[4]詩分三章，每章開始都以「山有……，隰有……」起興，並以「宛其死矣，他人……」結束，在語氣上造成了一種咄咄逼人的態勢。山能更長久地擁有樞，隰也能更長久地擁有榆，而人這可憐的短命鬼，很快就像一滴水那樣消失在渺渺塵寰中。讀者彷彿聽見時間的腳步聲聲不息，死神在步步緊逼。作者懇切地勸告對方：盡情的奏樂彈琴吧，盡情地歡樂喜悅吧，只有這樣，妳的生命的長度才能增加。在妳死後，妳的衣裳、車馬、庭院、鐘鼓、酒食都將不再屬於妳。我們今天再讀此詩，仍能感到作者在放浪形骸的外表下蘊藏著很深的惆悵和

2　（德）弗里德里希‧尼采著，孫周興譯：《悲劇的誕生》北京：商務印書館，2016年，頁32。
3　同上註，頁20。
4　轟石樵主編，雒三桂、李山註釋：《詩經新註》濟南：齊魯書社，2003年，頁219。

空虛。這首行樂之詞，乃以澀苦之音出之，讓人感到痛徹心脾的悲涼。在這裡，詩人流露出了一種超善惡的悲觀主義，它敢於把道德本身置於現象世界。因為在道德面前，生命由於是某種本質上非道德的東西而必定持續不斷而無可避免地遭受到不公。一切有生之物，都有一種尋求快樂的本性，那是一種偉大的力量。凡是血肉之軀都要受到它的支配，好像毫無辦法的海草都要跟著潮水的漲落而擺動一般，這種力量不是議論社會道德的空洞文章所能管得了的。〈唐風・山有樞〉的作者同樣質樸地追求生命意志的光大，他毫不掩飾這一點。道德要求人們克制自己的欲望，甚至否定人們追求快樂的本能，是一種否定生命的意志，尼采在《曙光》中甚至對缺少人格魅力的人做這樣的描述：「他知道自己沒有魅力；他知道如何巧妙地把自己的這一缺陷隱藏起來。嚴厲的道德，嚴肅的面容，對於人和生存深深的不信任，粗俗的笑話，對於一種更為優秀的生活方式的蔑視，感傷和矯飾，犬儒哲學，所有這些都是他用來掩飾自己的缺點的面具。」[5]在尼采看來，道德就是一副扼殺生命意志的面具，是那些有缺陷的偽善者用來掩飾自己的偽裝。同樣感人的還有〈曹風・蜉蝣〉：「蜉蝣之羽，衣裳楚楚。心之憂矣，於我歸處。／蜉蝣之翼，采采衣服。心之憂矣，於我歸息。／蜉蝣掘閱，麻衣如雪。心之憂矣，於我歸說。」[6]此詩是以蜉蝣之朝生暮死，感嘆人生短促之詩。川端康成有言：凌晨四點，發現海棠花未眠，如果說一朵花很美，那麼我就要活下去。審美的需求與滿足，在川端康成看來，亦是此在與世界存在唯一合理性。正因如此，閱讀〈蜉蝣〉能給讀者帶來一種淒婉無暇之美：蜉蝣之羽，就像一件楚楚動人的美麗衣裳，是多麼光彩照人呀。當蜉蝣蛻變後，它麻衣如雪，簡直就像白雪公主，但生命戛然而止，就此終結。作者悵然地對自己說：生命如此美好，但卻太匆匆！我終將像妳一樣消失，但不知魂歸何處。這樣，生命的透鏡取代道德成為一個「神」，這個藝術之神創造了悲苦人生之外的另一個世界，這個「神」幫助我們在幻覺中解脫苦難，並在它創造的藝術形象中盡情享受此在。這就是高於一切的藝術精神的不朽魅力！

〈小雅・頍弁〉也發出了這樣的生命喟嘆：「有頍者弁，實維在首。爾酒既旨，爾殽既阜。豈伊異人？兄弟甥舅。如彼雨雪，先集維霰。死喪無日，無幾相見。樂酒今夕，君子維宴。」[7]這是一首樂見君子燕飲的詩。這裡引用的是詩的第三章。詩人以生命短暫、相聚無多反襯當珍惜親族歡宴之理。生命猶如那場雪，冰雪很快就會消融，我們的生命說不定哪天就完結了，相聚的日子不多了。我們要樂在今宵，飲盡生命最後的歡樂！這才是君子親族歡聚燕飲的意義。以上三首《詩經》作品都以詩意的語言為我們呈現了人生苦短，人生不再的惆悵。這種旋律也反覆出現在希臘文化之重要載體荷馬史

5　（德）弗里德里希・尼采著，田立年譯：《曙光》桂林：漓江出版社，2000年，頁201。

6　聶石樵主編，雒三桂、李山註釋：《詩經新註》濟南：齊魯書社，2003年，頁273。

7　同上註，頁446。

詩《伊利亞特》中。比如：第一卷阿基琉斯同阿伽門農爭吵結怨，開篇就是：「女神啊，請歌唱佩琉斯之子阿基琉斯的致命的忿怒，那一怒給阿開奧斯人帶來無數的苦難，」[8]苦難是這樣廣大無邊，就連英雄阿基琉斯本人也無法倖免。他的母親忒提斯傷心落淚，對他說：「我的孩兒啊，不幸的我為什麼生下你？／但願我能待在船邊，不流淚，不憂愁，／因為你的命運短促，活不了很多歲月，／你注定要早死，受苦受難超過眾凡人；／我在廳堂裡，在不幸的命運中生下了你。」[9]人類的苦難就像一把高懸的利劍隨時隨地都會降臨到世人的頭上。希臘悲劇的通識與基調，是一切都無法抵抗命運。人必須正視命運，正視人生此在的局限與弱點。〈召南・小星〉同樣反映了周人對命運的看法。「嘒彼小星，三五在東，肅肅宵征，夙夜在公。寔命不同。」[10]詩之首章以微光閃爍的小星聯想到自己夙夜在公的命運。莎翁在《裘力斯・凱撒》中同樣對命運發出這樣的質疑：「人們有時可以支配他們自己的命運，要是我們受制於人，親愛的勃魯圖斯，那錯處並不在我們的命運，而在我們自己。」（Men at some time are masters of their fates; the fault, dear Brutus, is not in our stars, but in our selves, that we are underlings.）[11]與《小星》中的主人公不同的是，莎翁筆下的人物並不認為那顆命運之星主宰一切。

二　《詩經》中的人生處境

　　人作為個體面對世界總是悲苦無助的。最古形態的希臘悲劇只以狄奧尼索斯也就是酒神的苦難為課題，唯一出現在舞臺上的主角正是狄奧尼索斯。希臘舞臺上的所有著名角色，普羅米修斯、俄狄浦斯等等，都只是那個原始的主角狄奧尼索斯的面具而已。他就像一個迷誤、抗爭、受苦的個體。根據種種神奇的神話敘述，狄奧尼索斯年輕時曾被泰坦諸神所肢解，這樣一種解體，即真正狄奧尼索斯的苦難，宛若一種向氣、水、土、火的轉變。因此，我們就必須把個體化狀態視為一切苦難的根源和始基。從這個狄奧尼索斯的微笑中產生了奧林匹斯諸神，從他的眼淚中產生了人類。

　　《詩經》的作者們作為生命個體也發出了相似的生存喟嘆。他們呈現了各種形態的人生困苦之狀，表現了我們的先民對自身生存處境的深沉思考與敏銳反省。比如〈邶風・柏舟〉：「泛彼柏舟，亦泛其流。耿耿不寐，如有隱憂。微我無酒，以敖以遊。」[12]此詩首章，詩人以柏舟泛於水流起興。柏舟之漂浮於水，無所依歸，像詩人自己的無所

8　（古希臘）荷馬著，羅念生、王煥生譯：《荷馬史詩・伊利亞特》北京：人民文學出版社，頁1。

9　同上註，頁17。

10　聶石樵主編，雒三桂、李山註釋：《詩經新註》濟南：齊魯書社，2003年，頁45。

11　（英）威廉・莎士比亞著，朱生豪等譯：《莎士比亞全集》（六）北京：人民文學出版社，1994年，頁104。

12　聶石樵主編，雒三桂、李山註釋：《詩經新註》濟南：齊魯書社，2003年，頁56。

依靠，深深的憂慮使他夜不能寐，非飲酒遨遊所能解除。這樣的場景很像人生此在的一個隱喻。叔本華在《作為意志和表象的世界》裡描述了類似的場景：「有如在洶湧大海上，無邊無際，咆哮的波峰起伏不定，一個船夫坐在一隻小船上面，只好信賴這脆弱的航船；同樣地，在一個充滿痛苦的世界裡面，孤獨的人也安坐其中，只好依靠和信賴principium individuationis（個體化原理了）」。[13]這個場景深刻地揭示出個人在生活和世界面前的無能為力感，法國文豪福樓拜亦有類似的表述：你坐上船駛入大海，一切都消失了：只有萬頃波濤，波濤……在我的小艇上我算什麼，我！保護我吧，上帝，海是那樣大，而我的船卻如此之小！

　　詩的第二十三章是這樣的：「我心匪鑒，不可以茹。亦有兄弟，不可以據。薄言往愬，逢彼之怒。／我心匪石，不可轉也。我心匪席，不可卷也。威儀棣棣，不可選也。」[14]所謂依靠和信賴個體化原理，就是堅持詩人的自我，堅持不懈地走自己的路。詩人處境儘管不堪，但他依然堅持自己的是非標準，絕不動搖。用尼采的話說，就是每個事件都是一個行為，每個行為都是一個意志的結果，世界化身為許多行為者，有個行為者悄悄潛伏在每個事件背後。人從自身投射出他最堅信不疑的三個「內心事實」，即意志、精神、自我，——他由自我的概念才得出存在的概念，他按照他的形象，按照他的自我即原因的概念來設定「物」的存在。〈柏舟〉的作者一再強調的是我的「心」非「鑒」，不能如鏡子那樣不分妍醜好壞而全部容納。我的「心」非「石」非「席」，豈能聽人之轉運卷曲？詩人借助這些形象在向我們傾訴他那不可動搖的生命意志。並用「威儀棣棣」來從正面樹立自己的精神與自我形象。《左傳・襄公三十一年》載衛國大夫北宮文子論威儀之言曰：「有威而可畏謂之威，有儀而可象謂之儀。君有君之威儀，其臣畏而愛之，則而象之，故能有其國家，令聞長世。臣有臣之威儀，其下畏而愛之，故能守其官職，報族宜家。順是以下皆如是，是以上下能相同也。」[15]這就是古人對具有貴族品格的士的形象的一次完整展示，它表現出極具生命魅力的精神情操。

　　當代文化鉅子木心在極為殘酷的生存環境中依然盡力保存了這份古風。他的信條是：容忍，最大度的容忍，自尊，最高度的自尊。木心曾回憶他在文革中被監禁時想起的一句話：「哦，上帝，你要救我就救我，你要毀滅我就毀滅我，但我時時刻刻把持住我的舵。」[16]世上最大的事，是一個人知道什麼才是他自己的。〈柏舟〉的作者與叔本華、福樓拜、木心一定心有靈犀，他們用相似的場景呈現出了人生此在的悲辛與困苦，但都勇敢地面對命運的挑戰，在自己身上克服時代的桎梏。

　　〈小雅・小弁〉的作者這樣悲嘆道：「弁彼鸒斯，歸飛提提。民莫不穀，我獨于

---

13 （德）叔本華著，石沖白譯：《作為意志和表象的世界》北京：商務印書館，1986年，頁464。

14 聶石樵主編，雒三桂、李山註釋：《詩經新註》濟南：齊魯書社，2003年，頁56。

15 楊伯峻前言，蔣冀騁標點：《左傳》長沙：嶽麓書社，1988年，頁259。

16 木心講述：《文學回憶錄》桂林：廣西師範大學出版社，2016年，頁387。

罹。何辜于天，我罪伊何？心之憂矣，云如之何？」[17]那些鼓翅飛翔的寒鴉，成群安閑地向回飛。人們的日子都好過，唯我憂愁。不知何時得罪了老天爺，我的罪過是什麼？我心裡憂傷啊，可是又能怎麼樣呢？這是詩之首章，詩人呼天自訴，發出沉痛的天問，詰問自己為什麼遭逢不幸。它使人想到《聖經舊約約伯記》中約伯的故事。這一作品在形式上是一部描寫人與命運之間悲劇性鬥爭的戲劇。它的中心論題是惡：何以善者吃虧，惡人興盛。約伯是位有德之人，敬畏神，遠離惡事。他突然遭到一連串災難的襲擊：他的財產遭到搶劫，孩子被殺，他自己也受到疾病的困擾。故事的最後並未給出解決個人受難問題的良方。人類必須從這樣的哲學反思中求得慰藉：宇宙比人類偉大，上帝所尋求的宏偉目標實在是不能用人類的公正和善行標準加以限制的。老子也曾這樣詛咒：天地不仁，以萬物為芻狗；聖人不仁，以百姓為芻狗。他們都深刻反思了人的存在在世界中的位置這樣一個哲學命題。

　　〈小雅·小弁〉的第四、五章最見華彩：「菀彼柳斯，鳴蜩嘒嘒。有漼者淵，萑葦淠淠。譬彼舟流，不知所屆。心之憂矣，不遑假寐。／鹿斯之奔，維足伎伎。雉之朝雊，尚求其雌。譬彼壞木，疾用無枝。心之憂矣，寧莫之知？」[18]詩人看到楊柳依依，快活地揚起茂密的枝條，蟬兒歡樂地歌唱。水潭的岸邊，蘆葦長得多麼茂盛。自然界的一切都在奏響歡樂頌的樂章。只有詩人自己像漂泊的小舟，不知魂歸何處。他多麼地憂傷，無法入睡。美麗的小鹿在奔跑，腳步像在飛，雄野雞一大早就高聲鳴叫，尋找它心儀的伴侶。詩人就像那棵病樹，枝葉脫落，毫無生氣。他忍不住大聲地喊道：我的心是多麼憂傷，難道沒有人知道我的衷腸？〈小弁〉作者的沉痛傾訴，的確具有感人至深的藝術力量。他的痛苦不僅屬於他個人，也是每個時期、每個地方和種族的人們都可能遇到的苦難。偉大的俄羅斯先哲陀思妥耶夫斯基在《白癡》中也發出這樣的生命喟嘆：「有一次，在一個陽光明媚的日子裡，他上山走了許久，懷著一種苦痛的，但是什麼也不能體現的心情。他的眼前是明淨的天空，下邊是一面湖，周圍是沒有邊際的、永無窮盡的、光亮的地平線。他觀看了許久，心中感到莫名的苦痛。他現在想起，他曾經將兩只胳膊伸向明亮的、無盡的蔚藍天空，痛哭起來了。他所感到痛苦的，是他對這一切完全陌生。這算什麼筵席？這算什麼永遠偉大的佳節？（它沒有盡期，很早就誘引他，從孩提時代就經常誘引，但他怎麼也參加不進去。）每天早晨升起同樣光輝的太陽；每天早晨瀑布上出現虹彩，每天晚上，最高的雪山上遙遠的天邊燃起紫紅的火焰；每只在炎熱的陽光下面，在他身旁嗡鳴的小蠅參加到合唱隊裡；它知道自己的地位，愛這個地位，而且感到幸福；每根小草都不斷生長，幸福異常！一切東西都有自己的道路，一切東西全都知道自己的道路，它歌唱而去，歌唱而來：只有他一個人什麼也不知道，什麼

17 轟石樵主編，雒三桂、李山註釋：《詩經新註》濟南：齊魯書社，2003年，頁394。

18 同上註，頁395。

也不明白，他既不了解人們，也不了解聲音，對於一切都是陌生的，成為被遺棄的孤兒。」[19] 這一長段主人公的獨白表明，他也同〈小弁〉的作者一樣，遭受到孤獨感的可怕襲擊，前不見古人，後不見來者，念天地之悠悠，獨愴然而涕下！詩人的情感越是豐富，就越要承受常人無法理解的孤獨寂寞。這樣的人生哀樂與嘆息在《詩經》中比比皆是。比如〈小雅・正月〉：「謂天蓋高，不敢不局。謂地蓋厚，不敢不蹐。維號斯言，有倫有脊。哀今之人，胡為虺蜴。／瞻彼阪田，其菀其特。天之扤我，如不我克。彼求我則，如不我得。執我仇仇，亦不我力。」[20] 前一章言呼號而得不到回應，詩人絕望而憤懣。後一章自敘特立獨行的兀然性格，也是在追述煢獨不幸的由來。一個遭受排擠而陷於困苦的貴族人物。詩人是個有卓犖性格的人，也是一個對現世苦難有著深刻體驗的人。〈小雅・鴻雁〉：「鴻雁于飛，肅肅其羽。之子于征，劬勞于野。爰及矜人，哀此鰥寡。」[21] 鴻雁肅肅地振翅飛行，使臣們在野外十分勞苦，安集流民。詩雖未嘗明言流民如何，但以鴻雁起興，則使人頓覺滿目瘡痍，一片蕭索之意。這正是比興手法所具有的象徵作用。木心在談到希臘文化時說過，最早的文學，即記錄人類的騷亂、不安，始出個人的文學。所有偉大的文藝，記錄的都不是幸福，而是不安與騷亂。《詩經》的偉大就在於它真實再現了先民的生活苦樂。

三　《詩經》中的酒神精神

尼采在《悲劇的誕生》這樣描述酒神精神：「就悲劇歌隊的起源而言，在希臘人的身體蓬勃盛開，希臘人的心靈活力迸發的那幾個世紀裡，興許就有一種本地特有的心醉神迷。……我的本能，我那種為生命代言的本能，就轉而反對道德，並且發明了一種根本性的有關生命的相反學說和相反評價，一種純粹藝術的學說和評價，我把它叫作狄奧尼索斯的學說和評價。」[22] 無論是通過所有原始人類和原始民族在頌歌中所講的烈酒的影響，還是在使整個自然欣欣向榮的春天強有力的腳步聲中，那種狄奧尼索斯式的激情都蘇醒了。因此，酒神精神是與原始生命活力息息相關的生命衝動，它就是生命最豐富、最激情、最熱烈的呈現。《詩經》中處處體現了這樣的酒神精神。

〈小雅・湛露〉這樣寫道：「湛湛露斯，匪陽不晞。厭厭夜飲，不醉不歸。」[23] 詩之首章以湛露、匪陽、不晞為喻，引出不醉無歸之意。這是一個春風沈醉的夜晚，賓客把酒言歡，觥籌交錯。對酒當歌，人生幾何，譬如朝露，去日苦多。慨當以慷，憂思難

19　（俄）陀思妥耶夫斯基著，耿濟之譯：《白癡》北京：人民文學出版社，1981年，頁572。

20　聶石樵主編，雒三桂、李山註釋：《詩經新註》濟南：齊魯書社，2003年，頁376。

21　同上註，頁349。

22　（德）弗里德里希・尼采著，孫周興譯：《悲劇的誕生》北京：商務印書館，2016年，頁12。

23　聶石樵主編，雒三桂、李山註釋：《詩經新註》濟南：齊魯書社，2003年，頁330。

忘。這就是此詩以湛露、匪陽、不晞為喻的深層意義。人生是短促的，就像那朝露，太陽升起照耀之下，它的生命光芒就消隱不見了。那麼，既然我們無法阻止時光匆匆的腳步，就讓我們心醉神迷地陶醉在生命春天的每分每秒！

〈小雅・出車〉同樣高奏生命凱歌：「我出我車，于彼牧矣。自天子所，謂我來矣。召彼僕夫，謂之載矣。王事多艱，維其棘矣。……／春日遲遲，卉木萋萋。倉庚喈喈，采蘩祁祁。執訊獲醜，薄言還歸。赫赫南仲，玁狁于夷。」[24]詩之首章言王事危急，必須迅速從事。此章總起，寫將士受命出征，軍情緊急。但在這首歌頌赫赫武功的詩中，對戰爭過程本身卻是省略的。而且最後一章戰勝歸來對沿途的春天的美景作了動人的描述：春天的日子長又長，草木長得繁榮茂盛。黃鸝唧唧地鳴叫，來來往往采蒿人。「遲遲」、「萋萋」、「喈喈」、「祁祁」四組美妙的疊音字，像一首春天奏鳴曲在詩的結尾奏出。詩人早已把慘烈血腥的戰爭場面拋諸腦後，他只願盡情地燕饗春天的歡欣、歡暢與歡樂。詩篇從而變成一首奇異的歡樂頌，歌唱生命的春天和不朽的生命意志。類似的詩意表達也出現在〈小雅・伐木〉中：「伐木丁丁，鳥鳴嚶嚶。出自幽谷，遷于喬木。嚶其鳴矣，求其友聲。相彼鳥矣，猶求友聲。矧伊人矣，不求友生？神之聽之，終和且平。」[25]深林幽谷中伐木的清聲，嚶然和諧的鳥鳴，特別是鳥的幽谷喬木之遷，實際都是殷求友生故舊，以達至人際和諧的象徵。連鳥兒為了尋求自己的友伴，都會遷出幽谷，重新在喬木上安家。況且我們人類呢？生命意志支配著鳥兒去尋求自己的伴侶，生命意志也同樣支配著人類去尋求友誼，建立人類命運的共同體。詩人彷彿具有這樣一種天賦：把人類和萬物都看作單純的幻影或者夢境，他像一位高明的魔術師，手執魔杖一點，世界就夢幻般地呈現出神奇的力量，讓讀者陶醉在這美的芬芳之中。

〈陳風・澤陂〉同樣讚美了生命的旺盛意志：「彼澤之陂，有蒲與荷。有美一人，傷如之何？寤寐無為，涕泗滂沱。」[26]詩之首章以澤中之荷起興，嘆息自己無法得到心愛的美人。在那湖光瀲灩的艷陽下，美麗的荷花與碩大無朋的蒲葉，其蓬勃的生命熱力給詩人留下深刻印象，它就像那位讓他愛而不得的美人。美之所以值得追求，就是因為它能夠給我們的生命帶來無窮的快樂。荷花的美映襯著詩人腦海中浮現出的美人形象，它們就像烈酒一樣燃燒著詩人的青春熱血，他將自己的生命激情寄託在這嬌羞溫柔的荷花上。類似的詩情也表現在〈小雅・皇皇者華〉中：「皇皇者華，于彼原隰。駪駪征夫，每懷靡及。」[27]詩人以原隰之地的光華明燦的花起興，繼言奔走疾馳的征夫使臣們無暇顧及個人的私懷。那一片燦爛的星河般明艷的原野之花同樣像烈酒一樣激盪著征夫們的心靈世界。也許他們想起了青梅竹馬的阿嬌，她那可愛的臉龐像一隻斑斕的蝴蝶閃

24　同上註。

25　同上註，頁309。

26　同上註，頁265。

27　同上註，頁304。

耀在那花海之中。

〈小雅‧鶴鳴〉是一首讚美生命和諧的巔峰之作。它之所以迷人，是因為詩人選取了「鶴」這樣一種迷人的禽鳥來禮讚賢人那偉大卓絕的形象。「鶴鳴于九皋，聲聞于野。魚潛在淵，或在于渚。樂彼之園，爰有樹檀。其下維蘀。他山之石，可以為錯。／鶴鳴于九皋，聲聞于天。魚在于渚，或潛在淵。樂彼之園，爰有樹檀，其下維穀。他山之石，可以攻玉。」[28]中共早期領導人張聞天的名字就來自此詩。聲聞於天也。詩人想像並描繪了這樣一個美好的世界——「樂彼之園」：一流的人才就像那隻鳴於沼澤的鶴，朝野共同瞻仰他那優美豐贍的形象。也有人像潛伏在水裡的魚，養精蓄銳，等待潛龍在天的時機。這個樂園中既有堪當大任的大才——檀木，也有芸芸眾生的普通花草。這個世界是開放包容，兼容並蓄的：我們願意引進人才，用他山之石，雕琢璞玉。這首詩讓我想起宋徽宗的一幅繪畫作品：恢宏高大的宮殿上空，飛舞盤旋著一群潔白的仙鶴，它們那優美的飛翔姿態，就像北宋文人的群像。它又讓人聯想到北宋文人的生活。北宋文人的生活追求，顯現出整個國家、民族的精神追求。「物」之所以美好，是因為宋代文人眼中的「物」都罩上了「唯靈主義」的精靈，神靈和空靈。物質的善與精神的善，靈魂與肉體都在被山川河流鑄就的宮殿廟宇中靜穆安詳地接受信眾的朝聖與禮讚！這裡沒有靈與肉的撕裂與對峙，一切都像保留在蛋殼裡的蛋黃與蛋清那樣渾然一體，怡然自得！飛翔的鶴群唱和吟詠著生命的讚歌，這就是中國式的酒神精神的最高體現！

尼采斷言，所有真正的悲劇都以一種形而上學的慰藉來釋放我們，即使說，儘管現象千變萬化，但在事物的根本處，生命卻是牢不可破、強大而快樂的。這種慰藉具體而清晰地顯現為薩蒂爾也就是酒神合唱歌隊，顯現為自然生靈的合唱歌隊，這些自然生靈彷彿無可根除地生活在所有文明的隱秘深處，儘管世代變遷，民族更替，他們卻永遠如一。《詩經》中有許多詩篇都印證了尼采的信念。現代最負才情的女作家張愛玲也用自己的語言描述了這個不朽的生命意志：「蠻荒世界裡得勢的女人，其實並不是一般人幻想中的野玫瑰，燥熱的大黑眼睛，比男人還剛強，手裡一根馬鞭子，動不動抽人一下，那不過是城裡人需要新刺激，編造出來的。將來的荒原下，斷瓦頹垣裡，只有蹦蹦戲花旦這樣的女人，她能夠夷然地活下去，去任何時代、任何社會裡，到處是她的家。」[29]張愛玲筆下的女人永遠活躍地展現她們的生命意志，一如往昔歲月中的《詩經》向我們呈現的生命場景，那些文字就像天上的星辰，永遠閃耀光芒。

---

28 同上註，頁354。

29 《張愛玲珍藏全集》武漢：長江文藝出版社，2000年，頁567。

西周冊命儀式的禮制尋繹[*]

李明陽[**]

中國社會科學院《中國社會科學》雜誌社

　　商代的政體是諸方國以宗教凝聚形成的鬆散的部落聯盟。與此形成鮮明對比，周代對外以分封奠定國家格局，對內以宗法確定等級秩序，從而持續了近八百年的長久統治，並創立了輝煌燦爛的禮樂文明。作為分封制和宗法制的具體形式，冊命儀式是周王室意志的集中體現，周王對臣僚和諸侯國君的冊命，不僅是官爵、土地、物質的封賞，更是在祖先神的見證下，公開訂立權責對應的盟約，由史官載錄、製成彝器、置於宗廟，光耀祖先、澤被後世。

　　青銅銘文中出現的大量賞賜、冊命儀式，為我們還原了禮儀的具體場景，也呈現了西周禮樂文明的精神內涵。需要說明的是，關於冊命的界定諸家有不同的看法，本文中，冊命儀式指周王向其臣屬發布職任、賞賜勳爵和財物的儀式。賞賜雖在功能上與冊命不盡相同，但銘文中的記載方式卻差異不大。有學者試圖根據賞賜的名物辨別是否為冊命儀式[1]，然賞賜的物品至多能顯示受封者的階層等級，但並不能確定其等級是否有躍升；很多銘文並沒有直言授予官職和土地，卻包含著冊命的意涵，因此本文以文體學意義上的冊命銘文為研究對象，其中也包含賞賜銘文。

　　前人關於冊命儀式的研究，已經做出了較為豐碩的成果。清儒朱為弼[2]參酌金文材料，最早對冊命禮儀做了詳細的闡釋；齊思和先生[3]繼承朱為弼的思路，參考歐洲冊命儀式對其說法提出了修正；陳夢家先生[4]將賞賜與冊命分開，對銘文中與周代賞賜和冊命的語詞和制度做出了系統的梳理，為隨後的研究奠定了堅實的基礎。此後黃偉然先生[5]、張光裕先生[6]、黃盛璋先生[7]等紛紛發表看法，推動冊命禮制研究漸趨細緻，陳漢

---

* 本文為國家社科基金重大項目「中國古代都城文化與古代文學及相關文獻研究」（18ZDA237）階段性成果。謹以本文懷念敬愛的師姐貢方舟女士。

** 《中國社會科學》雜誌社編輯，從事先秦史研究。

1 例如黃盛璋：〈西周銅器中服飾賞賜與職官及冊命制度關係〉，《傳統文化與現代化》1997年第1期。

2 朱為弼：《補周王錫命禮》、《侯氏入覲錫命禮》、《王覲錫命禮》、《巡狩錫命禮》、《諸侯嗣位錫命禮》、《公侯錫作牧伯禮》、《附古錫命禮》，氏著《蕉生館文集》，咸豐四年刊本。

3 齊思和：《周代錫命禮考》，氏著《中國史探研》北京：中華書局，1981年。

4 陳夢家：《西周銅器斷代》上冊，北京：中華書局，2004年。

5 黃偉然：《殷周史料論集》香港：三聯書店，1995年。

6 張光裕：〈金文中冊命之典〉，《香港中文大學中國文化研究所學報》卷10，下冊，1979年。

平先生[8]綜合前人看法並加以詳細論證，代表了當時冊命制度研究達成的共識。

隨著新出青銅銘文的公布和金文資料的整理出版[9]，何樹環教授[10]系統整理了此前學者關於「冊命」的界定，逐一檢討得失。近年來，一批優秀的博士生將研究重點聚焦於冊命制度，如景紅艷[11]、闆志[12]等，發現了更多值得關注的新資料，並將研究推向深入。

本文將在前輩諸家基礎上，嘗試進一步釐清「王若曰」、「對揚王休」等爭論點，梳理冊命（及賞賜）制度的基本儀式過程，並尋繹西周冊命儀軌逐步建立、豐富的進展過程。

一　「王若曰」臆解

「王若曰」，在冊命銘文中用以引出周王或諸侯國君的任命和賞賜緣由和內容，也經常出現在《尚書》、《逸周書》和青銅銘文中。「王若曰」之「若」字意涵眾說紛紜，這關係到其所引導的內容的史源和史料價值，也直接指向了冊命儀式的具體過程和冊命銘文的載錄方式，因此筆者不揣冒昧，參考已有觀點初步釐析如下。

由於古文獻中經常出現「王若曰」和「王曰」，因此我們遇到的首要問題是，「王若曰」與「王曰」意涵是否相同。關於這一點，前人看法不一。

古代訓詁家認為「王若曰」即「王順曰」，如《史記‧晉世家》引《尚書‧文侯之命》「王若曰：父義和，丕顯文、武，能慎明德，昭登於上，布聞在下，維時上帝集厥命于文、武」，裴駰《集解》引馬融之說，釋「王若曰」為「王順曰」[13]，對於「王順曰」的涵義，孔晁注《逸周書‧芮良夫》「芮伯若曰」：「若，順也。順其事而告之也。」[14]董作賓先生認為「王若曰」的說法商代已有，「王曰」為「王若曰」之省，「亦有重用『王若曰』，或省為『王曰』者，似已不拘」[15]；楊筠如先生也認為「王若曰」

7　黃盛璋：〈西周銅器中冊命制度及其相關問題新考〉；石慶邦主編：《考古學研究》西安：三秦出版社，1993年。

8　陳漢平：《西周冊命制度研究》上海：學林出版社，1986年。

9　中國社會科學院考古研究所編：《殷周金文集成》（修訂本）北京：中華書局，2006年；吳鎮烽主編：《商周青銅器銘文暨圖像集成》、《續編》上海：上海古籍出版社，2012、2016年（簡稱《銘圖》、《銘續》）等。本文所引銘文，皆依據《銘圖》，同一器物首次出現時標注器號，錄文採用寬式釐定，儘量使用通用漢字。

10　何樹環：《西周錫命銘文新研》臺北：文津出版社，2007年。

11　景紅艷：《西周賞賜制度研究》，陝西師範大學博士論文，2006年。

12　闆志：《西周青銅器賞賜銘文研究》，北京大學博士論文，2009年。

13　司馬遷撰，裴駰集解，司馬貞索隱，張守節正義：《史記（修訂本）》北京：中華書局，2014年，頁2011。

14　黃懷信、張懋鎔、田旭東撰：《逸周書彙校集注》上海：上海古籍出版社，2007年，頁998-999。

15　董作賓：〈王若曰古義〉，《說文月刊》卷4（合刊本），1944年。

與「王曰」沒有區別。[16]

「王若曰」與「王曰」經常出現在同一篇銘文中，且形成了「王若曰……王曰……」的模式，因此二者必有區別。學者對其區別提出了多種看法。清儒王先謙首倡「王若曰」釋為「王如此說」[17]，于省吾先生認為「王若曰」「係第三者稱述之詞，而非王之直接命詞。」[18]陳直先生、張懷通教授將「王若曰」與「王曰」的區別歸結為直接引語和間接引語[19]。王占奎教授反對將「王若曰」釋為「王如此說」的看法，他從神祇信仰角度出發，主張「若」為「事神之象，也即事神者之象。由於神意是由事神的巫師傳布的，故若又可指代神意」，「王若曰」指「以神的名義，王說」[20]。彭裕商教授雖也疑惑「命書或王言的開首可以是『王若曰』，也可以是『王曰』，其間並無嚴格的規定」，但他分析前人所舉殷墟甲骨文中例證後認為，「王若曰」當為周人的說法，其所引導的內容不是王一般的談話，而主要是指王命，分為命官、訓告、命事、重要講話和對話五類，語感在強調其莊嚴性。[21]

不難看出，王先謙提出「王如此說」是因為「王順曰」說不通，而「王順曰」之所以說不通，是受到了孔晁的誤導。事實上，《說文》馬部釋「馴」，段玉裁注「古馴、訓、順互相假借」；《說文》言部云「訓，說教也」，段注：「說教者，說釋而教之，必順其理」[22]，因此，東漢以來「順」「訓」相通，裴駰所言「王順曰」當為「王訓曰」。當然，西周時的「訓」並非東漢以後的「說教」，而是在儀式上發布訓命的特殊方式。至於直接引語與間接引語，古人似乎沒有如此嚴格的規定。因此，以上說法中，彭教授相對保守，卻較為信實。本文在此基礎上進一步討論，「王若曰」引導的內容是否為即時的、口頭表述？這涉及銘文對王之訓命的載錄方式問題。

在「重要講話」中，彭教授引清華簡〈保訓〉篇予以說明，認為清華簡〈保訓〉和《尚書‧顧命》為當時史官實錄，並非王提前寫就的。顯然，〈保訓〉和〈顧命〉相當於「遺詔」性質，且先王病重，無法書寫詔冊，因而口述，請史官代書。彭教授將「汝以書受之」釋為「文王命武王記錄其講話」，「受」為「授」之通假，當釋為「用書面的形式公布」，因此，〈保訓〉為文王命武王代其宣布遺詔。

在「對話」一類中，彭教授文中所舉《尚書‧洛誥》和《逸周書‧祭公》其實也為書面文獻，而非談話。《尚書‧洛誥》是成王居於鎬京，周公居於洛邑，君臣二人在八

---

16 楊筠如：《尚書覈詁》西安：陝西人民出版社，1959年，頁98。

17 王先謙撰：《尚書孔傳參正‧盤庚上》北京：中華書局，2011年，頁432。

18 于省吾：〈「王若曰」釋義〉，《中國語文》，1966年第2期。

19 陳直：《讀金日札　讀子日札》北京：中華書局，2008年，頁19；張懷通：〈「王若曰」新釋〉，《歷史研究》，2008年第2期。

20 王占奎：〈「王若曰」不當解作「王如此說」〉，《周秦文化研究》西安：陝西人民出版社，1998年。

21 彭裕商：〈「王若曰」新考〉，《四川大學學報》，2014年第6期。

22 許慎撰，段玉裁注：《說文解字注》上海：上海古籍出版社，1981年，頁467、91。

個月中相隔兩地，將往返書信綴合起來而成的文獻，並非口頭對話；而《逸周書・祭公》王若曰：「祖祭公！次予小子，虔虔在位，昊天疾威，予多時溥愆。我聞祖不豫有加，予維敬省。不弔，天降疾病，予畏之威，公其告予懿德」，多四字句式，文辭典重，有明顯的書面化傾向，當是宣讀提前寫好的冊書，而非口頭交談。

彭教授以毛公鼎為例，對比「王若曰」與「王曰」同篇的現象，指出：「完全看不出『王若曰』的段落和『王曰』的段落有什麼不同」。為驗證這一看法，我們看毛公鼎銘文：

> 王若曰：父𢝫，丕顯文武，皇天引厭厥德，配我有周，膺受大命，率懷不廷方，亡不閈于文武耿光，唯天壯集厥命，亦唯先正略又辥厥辟，恭勤大命，肆皇天亡𢦦，臨保我有周，丕鞏先王配命，旻天疾威，司余小子弗及，邦將害吉，𧃤𧃤四方大縱不靖，嗚呼，攦余小子圂湛於囏，永鞏先王。
>
> 王曰：父𢝫，今余唯肇經先王命，命汝辥我邦我家內外，惷於小大政，屏朕位，虩許上下若否于四方，尸毋動余一人在位，引唯乃智，余非庸又昏，汝毋敢荒寧，虔夙夕惠我一人，雍我邦小大猷，毋折緘，告余先王若德，用仰昭皇天，申固大命，康能四國，欲我弗作先王憂。（《銘圖》02518）

「王若曰」引導的內容為敘述毛公祖先服侍周王室的功績，語言多以四字句式為主，呈現典範的詩體特徵，與「王曰」引導的具體任命內容和口語化表達方式有明顯不同。與此近似，我們看師訇簋銘文：

> 王若曰：師訇，丕顯文武，膺受天命，亦則于汝乃聖祖考克敀肱先王，作厥爪牙，用夾紹厥辟，奠大命，盠穌於政，肆皇帝亡𢦦，臨保我有周，雩四方民亡不康靖。
>
> 王曰：師訇，哀哉，今日天疾威降喪，首德不克規，故亡承于先王，向汝彶純恤周邦，綏立余小子，哉乃事，唯王身厚稽，今余唯申就乃命，命汝汝雍我邦小大猷，邦佑潢辥，敬明乃心，率以乃友捍禦王身，欲汝弗以乃辟陷於囏，錫汝秬鬯一卣、圭瓚、夷訊三百人。（《銘圖》05402）

師訇簋「王若曰」的部分與毛公鼎近似，只追述祖輩的功績，至於具體冊命內容，則以「王曰」引導，內容具體卻更為瑣碎，句式較「王若曰」鬆散。可見，相比於「王曰」，「王若曰」引導的內容在話語方式上更為純熟、典麗，似乎形成了較為穩定的套語格式。

命官、訓告和命事三類，也應事先撰寫過冊書，結合上述辨析筆者認為，「王若曰」與「王曰」不同之處，即帶有書面語背景，而這種書面語背景或與商周之際的占卜儀式有關。

眾所周知，商代神權與政權合一，商王即是大巫師，殷墟卜辭中，經常出現「王占曰」之類表示商王祭祀的內容，因此可以說，部落之間起到凝聚力量的是神權。作為商代的部落之一，周人建國之前受殷人的統治，必然了解商人在宗廟中祭祀的儀軌，在建國初期周人承襲了商人的祭祀方式，以實現控制全域的目的。

　　過常寶教授[23]受日本學者白川靜先生[24]啟發，援引「若」字的甲骨文和金文形式指出，「王若曰」與「王占曰」情況近似，「若」表示商王在占卜時面對甲骨刻辭上的燒痕（神的指示），借助神的權威發布預言或訓令。由於周代很多祭祀活動文獻中僅保留了祭名，卻並未述及祭祀的場景和儀式過程，在銘文和傳世文獻中很難證明周王發布訓令時究竟是否依據甲骨刻辭，我們只能說，在話語方式上，「王若曰」引導的內容有可能存在著書面化的文化傳統，王宣讀訓令和冊命臣僚時，也確實存在傳遞和宣讀冊書的現象，這一點下文還會詳論。當然，也許「王若曰」是在禮儀中涉及神權的環節時發布的訓告，以形成莊嚴肅穆之感。

　　總之，青銅銘文中「王若曰」與「王曰」經常混用，然二者引導的內容卻略微有所區別。依據青銅銘文和簡帛文書的比對，「王若曰」引導的內容不僅在語感上具有莊嚴性，而且多述及祖輩的功動和家族間的關係，文辭具有明顯的書面化風格。因此，「王若曰」帶有早期周王親自宣讀冊書的文化傳統，是周王室通過祖先神的權威，凝聚宗族力量、確立臣屬關係、維護社會穩定的重要力量。

二　「對揚王休」釋義

　　「對揚王休」是西周賞賜、冊命銘文中經常出現的頌揚辭，往往出現在周王或諸侯國君賞賜之後、作器用途之前，用以表示受賞賜者對賞賜者的感激。然而，圍繞「對揚王休」的釋義，亦是前輩學者聚訟紛紜的焦點。

　　《詩經・大雅・江漢》「虎拜稽首，對揚王休」與青銅銘文語例非常相似。鄭玄箋云：「對，答；休，美；作，為也。虎既拜而答王策命之時，稱揚王之德美，君臣之言宜相成也。」唐孔穎達疏繼承這一訓釋，云：「上既受賜，今復謝之。言虎拜而稽首。遂稱揚王之德美。」[25]可見古人採用「添字解經法」，將「對揚」釋為「對答稱揚」，而「休」即「美德」。

　　沈文倬先生對經傳注疏中「對答稱揚」提出異議，指出「對揚」是冊命的禮儀環節，「對」是對答，使用儀式中固定的一兩句簡單的辭令回應王的賞賜，「揚」是一種儀

23　過常寶：《先秦散文研究——早期文體及話語方式的生成》北京：人民出版社，2009年，頁18。

24　（日）白川靜著，何乃英譯：《中國古代民俗》西安：陝西人民美術出版社，1988年，頁63。

25　阮元校刻：《十三經注疏・毛詩正義》卷18，北京：中華書局，2009年，頁1237。

態，「趨行身軀小仰」，且手中作舉物狀。[26]然而林沄先生、張亞初先生則對沈文倬的看法提出反對，認為「對揚」可以在行禮時使用，也可以在事後用，它是作器者說的話，而並非關於禮節的描寫。[27]馬承源先生傾向於沈文倬先生的看法，徵引《禮記・玉藻》「進則揖之，退則揚之」，認為「對揚」是告退的姿態。[28]葛志毅先生指出，對揚王休非策命禮的儀注，幾乎所有策命金文都在銘末以「對揚」後接「用作」語，此乃受冊命者述作器原因的程式化用語。[29]

　　爭論的焦點在於，「對揚王休」究竟是禮儀的某個環節還是引起作器原因。查能飛博士傾向於後者，認為：其一，「對揚……休」、「對……休」及「揚……休」與「拜稽首」禮節無必然聯繫；其二，「對揚」是作器者在鑄造器物時的一句感謝語，引導作器原因；其三，稱美賞賜者具有宗法意義，體現了被冊命、賞賜者的身分。[30]本文對此並不完全認同，筆者認為，「對揚王休」是冊命儀式的一個環節，而並非作器時書寫的感謝用語，原因如下：

　　一方面，僅「拜稽首」並未完成對賞賜者的應答，因此其應與「拜稽首」相連，完成禮儀並退場；而「用作……」是典型的作器用途用語，用以標示器主，因此「對揚王休」不必與之連讀；另一方面，賞賜者看不到器物，「對揚王休」在作器時充當感謝語，則實現不了感謝的效果。事實上，冊命銘文中記載過「對揚」的內容，我們看縣妃簋銘文：

> 唯十又三月既望，辰在壬午，伯屖父休于縣改，曰：「叡，乃任縣伯室，錫汝婦爵郱之戈、瑁玉、黃𠂤。」縣改奉揚伯屖父休，曰：「休伯敢𢼸恤縣伯室，錫君我唯錫償，我不能不眾縣伯萬年保，肆敢施于彝，曰：『其自今日孫孫子子母敢忘伯休。』」（《銘圖》05314）

「休伯敢𢼸恤縣伯室，錫君我唯錫償，我不能不眾縣伯萬年保」即在賞賜典禮上「奉揚伯屖父休」時言說的具體內容。因此，「對揚王休」表示禮儀的應答和退場環節。

　　關於「對揚王休」的理解，關鍵在於「休」字。「休」具有「美德」之意，然而此處卻不應釋作「美德」，而應釋作「賞賜」，例如效尊銘文：

> 唯四月初吉甲午，王觀于嘗，公東宮納饗于王。王錫公貝五十朋，公錫厥世子效王休貝廿朋。效對公休，用作寶尊彝。嗚呼，效不敢不萬年夙夜奔走揚公休，亦其子子孫孫永寶。（《銘圖》11809）

26　沈文倬：〈對揚補釋〉，《考古》，1963年第4期。

27　林沄、張亞初：〈《對揚補釋》質疑〉，《考古》，1964年第5期。

28　馬承源主編：《商周青銅器銘文選》第3冊，北京：文物出版社，1988年，頁97。

29　葛志毅：《周代分封制度研究》哈爾濱：黑龍江人民出版社，2005年，頁134。

30　鄔芙都、查能飛：《西周「非對揚王休」銘文研究》北京：科學出版社，2017年，頁14。

周王到嘗地觀禮，公東宮向王獻食物，王賞賜公東宮貝五十朋，公東宮將王賞賜的貝轉賞給效二十朋。「休」應作「賞賜」理解，表示效感謝公東宮的賞賜，並許為之驅馳效力，並頌揚他的賞賜。最明顯的例子，即易旁簋銘文：

> 易旁曰：遣叔休于小臣貝三朋、臣三家。對厥休，用作父丁尊彝。（《銘圖》05009）

「休」無疑釋作「賞賜」。與此近似，何尊銘文所謂：

> 唯三月初吉庚午，王在華宮，王呼虢仲入右何，王錫何赤韍朱衡、鑾旂，何拜稽首，對揚天子魯命。用作寶簋，何其萬年子子孫孫其永寶用。（《銘圖》05227）

即稱美、宣揚王的冊命。因此「休」不應釋為「美德」，「對揚」的內容只能是賞賜或冊命。

筆者發現，「對揚王休」的早期形態為「對……休」和「揚……休」，例如西周早期：

> 庚嬴鼎銘文：唯廿又二年四月既望己酉，王格琱宮，卒事。丁巳，王蔑庚嬴曆，錫祼章、貝十朋。對王休，用作寶鼎。（《銘圖》02379）

> 中鼎銘文：唯十又三月庚寅，王在寒次，王令太史貺福土，王曰：中，茲福人入事，錫于武王作臣，今貺畀汝福土，作乃采，中對王休命，鑄父乙尊。唯臣常中臣。（《銘圖》02382）

> 小臣宅簋：唯五月壬辰，凡公在豐，令宅事伯懋父，伯錫小臣宅畫干、戈九、錫金車、馬兩，揚公伯休，用作乙公尊彝，子子孫永寶，其萬年用饗王出入。（《銘圖》05225）

類似例證很多，可知「對……休」與「揚……休」表示相近的意涵，這更說明「對揚」並非銘文書寫時的套語，「對」、「揚」應理解為「稱美」、「宣揚」，即儀式中用簡單的辭令表達對賞賜者的感謝，同時做如沈文倬和馬承源等先生闡釋的動作；而「對揚……休」是「對……休」與「揚……休」的重疊，因其構成四字句式而在西周中期銘文中廣泛採用。

查能飛博士還提到一個現象：周王冊命，但對揚對象為冊命儀式的佑者[31]，他舉例如下：

> 倗伯再簋銘文：唯廿又三年初吉戊戌，益公蔑倗伯再曆，右告，令金車、旂。再拜手稽首，對揚公休，用作剌考寶尊，再其萬年永寶用享。（《銘圖》05208）

> 柞鐘銘文：唯三年四月初吉甲寅，仲太師右柞，柞錫鞍、朱衡、鑾，司五邑甸人事。柞拜手，對揚仲太師休，用作大林鐘，其子子孫孫永寶。(《銘圖》15323)

可惜的是，這兩則銘文似乎並不支持這一看法。前者，倗伯爯並非王賞賜，而是益公勉勵倗伯爯，因此對揚的對象無疑是益公；後者是西周晚期的器物，銘文中未提賞賜者，仲太師即是賞賜行為的主體，銘文寫作存在紕誤，因此對揚的對象只好是仲太師。由此可知，「對揚」的對象是賞賜者，除非使臣代王賞賜，否則根本不存在周王賞賜卻向佑者「對揚」的現象。因此，所謂「西周時期逐漸出現王臣家臣化趨勢」[32]的推論似乎也應另做考慮了。

總之，「對揚王休」是史官對儀式環節的真實記錄，而不是製作銘文時表示感謝的套語。「對」、「揚」分別代表「稱美」、「弘揚」，「休」表示賞賜，典禮中受賞賜者以一兩句簡單、固定的辭令對賞賜者應答，表示將牢記賞賜者的勉勵，忠於賞賜者，並伴隨特定動作退場。

三　冊命禮制的確立

陳漢平先生根據《尚書·周書·多士》「為殷先人，有冊有典」判斷「商代已有冊命制度」[33]，是靠不住的。顯然，「冊」不只包括冊命，還包括祭祀鬼神和約劑文書，從語境看，將「冊」與「典」連用，「冊」更像是指書類文獻。因此，冊命作為周代分封諸侯、任命官員的基本儀式，是從周初開始的。或者說，具有宗法制和分封制意義的冊命禮始自西周時期。

事實上，即使西周早期的青銅銘文，關於儀式的記載也是非常模糊和籠統的。其中關於禮儀的記載，似乎還不是單純的冊命禮，甚至我們說，除諸侯國君和重要人物的任命之外，當時的冊命和賞賜沒有獨立的儀式，而是對臣僚參與和輔助周王完成其他重要典禮後的獎賞。例如天亡簋銘文：

> 乙亥，王有大醴，王同四方，王祀于天室，降，天亡宥王，殷祀于王，丕顯考文王，事喜上帝，文王監在上，丕顯王作笙，丕肆王作庸，丕克訖殷王祀。丁丑，王饗，大宜，王降亡嘉爵、褪囊，唯朕有蔑，敏啟王休於尊簋。(《銘圖》05303)

周王統一四方，在宗廟祭祀祖先。天亡在殷祀之禮中擔任王的賓佑，輔助王祭祀上帝和祖先。兩天後，王舉行宴會，賞賜天亡官爵和禮物，勉勵天亡勤勉於王事。賜予天亡官職和禮物，具有冊命—賞賜的意義，然而從銘文來看，殷祀時有「佑」，而賞賜天亡時

---

32 同上註，頁58。

33 陳漢平：《西周冊命制度研究》上海：學林出版社，1986年，頁10。

卻並沒有提及「佑」，也許意味著此時似乎並沒有清晰的賞賜和冊命禮儀規範。與此近似，靜鼎銘文云：

> 唯七月甲子王在宗周，令師中暨靜省南國相，執庱。八月初吉庚申至，告于成周，月既望丁丑，王在成周太室，命靜曰：「俾汝司在曾鄂師。」王曰：「靜，錫汝邑、旂、鞁、采睪。」曰：「用事。」靜揚天子休，用作父丁寶尊彝。（《銘圖》02461）

周王要到南國巡狩，派其臣僚靜先行建立行宮。行宮告成後，周王在太室舉行典禮，冊命靜管理駐紮在曾、鄂的部隊，賜予靜青銅彝器，並勉勵他勤於王事。這些銘文清晰載錄了王的囑託，然而並沒有記載佑者和史官的活動。誠然，沒有載錄不代表根本不設佑者和冊命史官，然而如果想證明西周早期冊命禮制已經成熟，似乎還需要更充分的證據。

西周中期，是周代禮儀制度迅速發展的黃金時代，陳夢家先生將西周銘文分出兩個鮮明的階段：「周初至穆百年間為一階段，恭王開始了另一階段」[34]，劉雨教授認為，「周初述及的禮制多沿襲殷禮，而周禮多數是穆王前後方始完備」[35]。冊命禮進入西周中期也發生了非常明顯的變化，雖然有時也緊隨其他典禮之後，但從銘文看，其隆重程度已經明顯提高。我們看趩鼎銘文：

> 唯三月王在宗周。戊寅，王格于太廟，密叔右趩即位，內史即命，王若曰：「趩，命汝作齒師塚司馬，適官僕、射、士，訊小大有鄰，取徵五鋝，錫汝赤鞁幽衡、鑾旂，用事。」趩拜稽首，對揚王休，用作季姜尊彝，其子子孫孫萬年寶用。（《銘圖》05304）

銘文側重記載王的命令，然而「密叔右趩即位，內史即命」的出現具有標誌性意義。「即位」、「即命」表示「就位」、「待命」，具有鮮明的禮儀起始意義。近似地，申簋蓋銘文云：

> 唯正月初吉丁卯，王在周康宮，格太室，即位。益公入右申〔立〕中廷，王命尹冊命申……（《銘圖》05312）

「王格太室，即位」和〔立〕中庭」也具有明顯的儀式載錄傾向，意味著對於史官來講儀式的過程激動人心，因而有意識地強調儀式本身的重要性。在此後的銘文中，史官保持了儀式中佑者、史官方位的關注，並將之固定作為冊命銘文的書寫傳統，例如殷簋銘文：

---

34 陳夢家：《西周銅器斷代》上冊，北京：中華書局，2004年，頁147。
35 劉雨：〈西周金文中的「周禮」〉，《燕京學報》，1997年新3期。

> 唯王二月既生霸丁丑，王在周新宮，王格太室，即位。士戍右殷立中廷，北向，
> 王呼內史音命殷。……（《銘圖》05305）

西周晚期冊命銘文呈現簡約化的傾向，只記載王的命令，不再詳細記載佑者和受冊命者的方位，並不意味著禮制發生了變化，而是此時人們對這種程式化的儀式感到厭倦，佑者已經由固定職官擔任和方位也已經確定化，這些信息在銘文中已經不再重要了。

海外漢學家關於青銅紋飾的研究也暗合了上述判斷。白川靜先生發現，昭穆時期「大鳳紋」取代了「饕餮紋」，此時「鎬京辟雍」建成，《詩經》中的很多篇目與此有關，鎬京辟雍為很多典禮儀式提供了場地。[36] 傑西卡・羅森教授觀察微史家族的器物，也指出：

> 西周早期青銅器相對較小而且複雜。要充分欣賞它們，至少有時候他們應該在近距離內被觀察。有理由認為，宗教儀式可能是一種相對來講私人的事情，由與青銅器相關的少數人舉行。西周後期的青銅器通過純粹的數量和組合，來達到它遠距離的影響。他們的表面不再裝飾極小的細節。……它們的相對粗糙的文飾不妨從更遠處來看。[37]

據此，李山教授指出：「從周穆王到恭王、懿王、孝王時期，小到銘文字體，大到禮樂制度，一切皆變。」[38] 總之，器物文飾與銘文寫法相印證，為我們清晰展示了冊命儀式的演進軌跡，即西周中期周王室的冊命儀式形成了一套穩定的儀軌。從銘文來看，這套儀軌終西周之世得以延續，並通過銘文的方式展示出來，形成了一套規矩嚴整的禮儀制度。

四　冊命禮的制度要素

關於冊命禮制，前人的討論已經非常豐富了。拜讀過諸家說法之後，仍發現有可進一步延伸討論之處。在此謹以牧簋銘文為例，分析冊命禮的制度要素。

> 唯王七年十又三月既生霸甲寅，王在周，在師汙父宮，格太室，即位，公族緢入右牧，立中廷，王呼內史吳冊命牧。王若曰：「牧，昔先王既命作司土，今余唯或雯改，命汝辟百寮，有炯事包乃多亂，不用先王作型，亦多虐庶民。厥訊庶右鄰，不型不中，乃侯之籍，以今輈司服厥辠厥辜。」王曰：「牧，汝毋敢弗帥先王作明型用，雪乃訊庶右鄰，毋敢。」（《銘圖》05403）

36　（日）白川靜著，袁林譯：《西周史略》西安：三秦出版社，1992年，頁68-76。

37　（英）羅森著，孫心菲等譯：《中國古代的藝術與文化》北京：北京大學出版社，2002年，頁43。

38　李山：《西周禮樂文明的精神建構》石家莊：河北教育出版社，2014年，頁174。

其一，宗廟：冊命禮舉行的地點

冊命禮舉行的地點，前輩學者幾乎都有涉及。基本共識是，多舉行於太廟。所謂「師汈父宮」、「康宮」等「某宮」，與西周宗廟制度有關，亦指祭祖的宗廟。在各宗廟中，「周康宮」出現頻次最高，典禮往往在這些宗廟的「大室」舉行。

值得一提的是，大室因繪有記載祖輩功勳和王室傳統的壁畫，[39] 又稱為「圖室」，如無更鼎（《銘圖》02478）和善夫山鼎（《銘圖》02490）銘文。除周太廟外，有時周王巡狩，將冊命禮定在諸侯國宗廟或行宮舉行。

將冊命禮定在宗廟舉行，除《禮記・祭統》所言「古者明君爵有德而祿有功，必賜爵祿於大廟，示不敢專也」[40] 之外，也與周初承襲殷禮有關。眾所周知，商代以宗教權力凝聚各方國力量，將各部族的祭祀權收歸「中央」，年終各部族首領到殷廟祭祖，以此凝聚政權。周人雖沒有歸攏各部族祭祖的權力，卻承襲宗廟禮儀，將重要典禮設在宗廟舉行，在祖先神和共同的至上神「帝」[41] 的見證下完成冊封和任命儀式，體現了周代的「宗法制」精神。

其二，佑者：典禮的見證人

佑者是冊命禮的輔助者和見證者。王國維先生將青銅銘文中的佑者與《周禮・大宗伯》中的儐者聯繫起來，提出「周冊命之制，王與受冊者外，率右者一人，命者一人」。[42] 陳夢家先生沿用此說，認為「『右』即儐相，義為贊導賓客……儐及相即金文所謂右。」[43] 此後，楊寬先生[44] 等學者相繼表示贊同，這一觀點幾成定論。對此觀點提出挑戰的是黃明磊博士，他依據《儀禮》和《周禮》鄭玄注提出，「充當『儐』的是禮儀活動中來自主方『佐禮』的『有司』，而來自客方輔佐客人行禮之人則稱之為『介』」，「『請事』與『入告』是『接賓』的主要內容」，「『儐者』還有『傳辭』之責」[45]，因而認為佑者與「儐」有著截然區別，「佑」更近於「介」。

顯然，「『請事』與『入告』是『接賓』的主要內容」是指士昏禮而言的，不能遷移到朝聘禮中。從銘文看，「佑」似乎更像來自主方（即冊命者，而非受冊命者）而非客方，顯然，司馬井伯曾擔任利簋（《銘圖》05111）、七年趞曹鼎（《銘圖》02433）等十個器主的佑者；榮伯曾擔任宰獸鼎（《銘圖》05376）、輔師嫠簋（《銘圖》05337）等七个器主的佑者；等等。說明佑者絕不是受冊命者自己邀請的，而是由周王室選定的，前

---

39 李山：〈《詩・大雅》若干詩篇圖贊說及由此發現的〈雅〉〈頌〉間部分對應〉，《文學遺產》，2000年第4期。

40 阮元校刻：《十三經注疏・禮記正義》卷49，北京：中華書局，2009年，頁3484。

41 李明陽：〈論春秋天神崇拜中的帝〉，《亞洲研究》第21輯，2017年。

42 王國維：〈殷周制度論〉，氏著《觀堂集林》北京：中華書局，1959年，頁52。

43 陳夢家：《西周銅器斷代》北京：中華書局，2004年，頁411。

44 楊寬：《西周史》上海：上海人民出版社，2003年，頁367。

45 黃明磊：《冊命禮與西周官制研究》，陝西師範大學博士論文，2018年，頁152-153。

輩學者幾乎一致認為，儘管無法確證佑者與受冊命者的官職存在隸屬關係，但佑者並非低級官吏（「有司」），因此佑者不應是介。同時，經過考證和統計佑者稱謂後，黃明磊博士指出，「西周時期擔任冊命禮『佑者』的穆公、康公、武公、益公等，應該都是諡號……周公、召公、畢公、毛公、虢公等西周時期生稱『公』的執政大臣從未出現在冊命場合，更未擔任過一場冊命禮的『佑者』。」[46]筆者認為這一推論似乎有些大膽，如上文提到的，一些貴族多次出任佑者，而且被寫入銘文中。倘若如其所言，諡號並非生稱，書寫這些銘文時，佑者應該去世，而多達十個器物以井伯為佑者，這些銘文究竟是何時寫成的呢？莫非是周王集中邀請井伯擔任佑者，井伯很快去世，等井伯去世後，大家集體撰寫銘文？按此說法，如果佑者在世，則銘文上又該怎樣稱呼佑者呢？總之，冊命禮中提到的佑者，不都是諡號，或者說，應該多數是生稱。

由此可知，「佑」並非「介」，不能以東漢末年的鄭玄注作為論證西周史的絕對依據。「佑」與「儐」或許是有關係的，而且一些宗族固定地擔任周王室的客卿，經常擔任佑者，並在其稱謂前增加了「司徒」（如無叀鼎銘文）、「宰」（如趞鼎銘文，《銘圖》02479）、「司馬」（如走簋銘文，《銘圖》05329）、「司空」（如師𩵋簋銘文，《銘圖》05364）等官名，這似乎意味著佑者在周王室呈現職官化傾向，具體情況還有待更多出土文獻佐證。

佑者與冊命者的關係，可以用《詩經·大雅·文王》所謂「文王陟降，在帝左右」[47]、即「祖先賓於帝庭」的商周信仰類比，或許「祖先賓於帝庭」的普遍信仰與冊命禮中佑者的設置存在某種關聯。

其三，王若曰：宣命

宣命的最大爭議即「代王宣命」說。「代王宣命」說源於前人關於「王若曰」的考證，例如陳夢家先生指出：「冊命既是預先寫就的，在策命時由史官授於王而王授於宣命的史官誦讀之」[48]，意指「王若曰」後面的內容為史官代王宣命之辭，而「王曰」的內容則為王親自講話，這一看法，上文討論「王若曰」時已經釐清，「王若曰」為「王訓曰」，並不具有「史官宣命」的性質；此外，對「王呼史官冊命某」句式的誤解也是促成「代王宣命」說的原因，在此簡要討論。

我們看頌鼎銘文：

> 唯三年五月既死霸甲戌，王在周康昭宮。旦，王格太室，即位。宰引右頌入門，立中廷。尹氏授王命書，王呼史虢生冊命頌。王曰：「頌，命汝官司成周賈二十家，監司新造，賈用宮御。……」（《銘圖》05374）

46 同上註，頁164。
47 阮元校刻：《十三經注疏·毛詩正義》卷16，北京：中華書局，2009年，頁1083。
48 陳夢家：〈王若曰考〉，《尚書通論》北京：中華書局，2005年，頁155。

陳佩芬教授解釋「王呼史虢生冊命頌」為「尹氏將王的命書授予史虢生宣讀」[49]。這種解釋顯然不對：受、「授」通假，「尹氏授王命書」應是「尹氏把命書交給王」；關鍵是「王呼史虢生冊命頌」，冊命禮最核心的內容顯然記載在冊書裡，倘若冊命頌的任務交給史虢生，則為何不記載錄或繕寫冊書的內容呢？因此，冊書的內容即「王曰」的內容，而「王呼史虢生冊命頌」只是冊命禮開始的標誌。

對此，師虎簋和虎簋蓋銘文可以說明這一點：

> 唯元年六月既望甲戌，王在杜居，格于太室，邢伯入右師虎，即立中廷，北向。
> 王呼內史吳曰：「冊命虎」……（《銘圖》05371）

> 唯卅年四月初吉甲戌，王在周新宮，格于太室，密叔入右虎，即立。王呼內史
> 曰：「冊命虎。」（《銘圖》05399）

兩個「曰」字，說明「冊命虎」三個字為王呼告的內容，是為宣布冊命禮開始。我們再看史懋壺蓋銘文記載：

> 唯八月既死霸戊寅，王在鎬京溼宮，親令史懋路筮，咸。……（《銘圖》12426）

「親令」，雖然說明代王宣命的現象已經出現，甚至十分盛行，但至少確認了從制度上講，宣讀冊命者應為周王。

因此可以斷定，「王若曰」即王對受冊命者宣讀命書。冊命典禮上，命書由史官寫就，交給周王宣命。除非如《尚書・顧命》為遺詔等特殊情況，周王無法宣命，才會由史官代為宣命。宣命後，可能交給佑者。「王呼史官冊命某」，只是冊命儀式的開始，用以提醒受冊命者和佑者即位，並非代王宣命之意。

其四，授予官職、賞賜物品

關於冊命銘文與周代官制的研究，前輩學者作了很好的研究，黃明磊[50]的博士論文依據最新發現的文獻，做出了很大突破，讀者自可參看。

其五，對揚王休：答謝詞，前文已有考證，在此不再贅述。

五　結論

本文在前人基礎上考證了「王若曰」、「對揚王休」的含義，梳理了冊命禮的形成和發展過程，補充了對冊命地點的解釋，並對「佑者」的身分和「代王宣命」問題提出了辨析和說明，重新討論了「王呼史官冊命某」的語義並進一步梳理了冊命禮的執行過

49　陳佩芬：《夏商周青銅器研究》西周篇（上）上海：上海古籍出版社，2010年，頁411。
50　參見黃明磊：《冊命禮與西周官制研究》，陝西師範大學博士論文，2018年。

程，認為：

　　西周冊命銘文中，「王若曰」與「王曰」經常混用，然而究其本義，二者微有區別：「王若曰」的文化淵源可能與商王主持祭祀、根據卜兆代神下令，因此其本應周王親自宣命，而非史官宣命；「王若曰」引導的內容為周王命令中更莊嚴的部分，經常涉及祖輩的功勳和家族間傳統，在形式上具駢麗化傾向和書面語風格。銘文中的「對揚王休」是史官對禮儀過程的載錄，指在周王賞賜後，被賞賜者用一兩句固定的套語對周王致謝並伴隨特定的肢體動作退場的言語和行為。西周中期，伴隨著鎬京辟雍的建成，在建構禮樂文化的一系列思潮推動下，冊命禮制逐漸完善。

　　禮儀是「為宣揚某種價值觀念而必須付出的代價，受當時社會生產力和經濟發展水準的制約」，是「固化的、為社會所公認的行為規範和典章制度」。[51]任何禮儀都不是一成不變的，西周中期逐步確立的禮儀規範，代表了當時周王室與諸侯、王臣的相處方式，體現了當時任命和賞賜官員的最高理想。需要說明的是，上述要素在賞賜典禮中同樣存在，因而模糊了賞賜銘文與冊命銘文的界限。

51　貢方舟：〈《國語》《左傳》禮研究——論春秋「禮」之嬗變〉，北京師範大學博士論文，2015年，頁18。

孔子的動物觀及其政治意義的構建

張朋兵

天津師範大學文學院

　　動物是與人類共同生活在藍色星球上的智慧生靈，但在東、西方社會卻出現了兩個完全不同的動物學敘事傳統。針對相關問題，無論是十七、八世紀的歐洲思想界、科技界，抑或是二十世紀國內任鴻雋、梁啟超、馮友蘭等學者，[1]都曾撰文進行過專門討論。然隨著李約瑟十五卷本《中國科學技術史》的相繼出版，這一問題（包括動物科學在內）顯得愈加複雜，人們也因此把這個問題稱之為「李約瑟難題」。

　　如今要想清楚地解決這個問題，恐怕還需很長的路要走。但正本還需清源，如何認識古代中國的動物，需要從人類早期文化中尋蹤覓跡，尤其是先秦兩漢時賢哲們的有關論述。因為這一時期正值中國傳統動物學說的形成和奠基期，先哲們如何看待現實世界中的動物以及處理人與動物之間的關係，直接決定了後代學者對動物觀念的繼承以及古代中國動物學傳統的發展。在古代賢者有關動物的諸多論述中，以孔子的言辭最為典型。以下將從三個方面分而論之，以對上述問題在源頭上有個回應。

一　多識鳥獸草木：命名定號與博物傳統

　　據《論語‧陽貨》記載，孔子曾督促自己的學生研習《詩經》以熟悉動物界：

> 子曰：「小子何莫學夫詩？詩，可以興，可以觀，可以群，可以怨。邇之事父，遠之事君；多識於鳥獸草木之名。」

他說《詩》除了眾所周知的「興」、「觀」、「群」、「怨」等四大功能外，還可「多識鳥獸草木之名」。在這裡，識別動物之名只是學《詩》所獲眾多才學之一，這句話更深層的意思還在於孔子如何看待所載動植物知識的《詩經》以及如何認識動物形象。按照孔子的說法，獲得動物知識的途徑是釋讀文學作品中的動物名，故而《詩》被當作解讀動物的文獻資料和權威辭書來使用。也就是說，孔子把為動物命名及精通名號看作是解讀

1　參見韓琦：《中國科學技術的西傳及其影響》石家莊：河北人民出版社，1999年，頁170-203；劉　鈍、王揚宗主編：《中國科學與科學革命：李約瑟難題及相關問題研究論著選》瀋陽：遼寧教育出　版社，2002年，頁8-9。

《詩經》文本的必然結果，同時也把命名定號放在了處理人與動物關係的重要位置上。

　　在先秦典籍記錄中，孔子教人如何給陌生動物命名及辨識動物，這是當時反覆呈現的思想主題。有一則材料說齊侯遇見僅有一隻腳的怪鳥，就去詢問孔子，孔子回答說：「此名商羊。」[2]大家都不識別之物，獨孔子認定為商羊，這不僅說明孔子異於常人的聖人智慧，而且還為陌生動物命名。諸如此類的故事還見於另一處，文獻記載說孔子有次認出了裝在甕中的異獸為「羵羊」：

> 季桓子穿井獲如土缶，其中有羊焉。使問之仲尼曰：「吾穿井而獲狗，何也？」對曰：「以丘之所聞，羊也。丘聞之：木石之怪曰夔、蝄蜽，水之怪曰龍、罔象，土之怪曰羵羊。」[3]

這則故事的重點不在於介紹羵羊究竟為何物，而在於孔子如何建立起陌生動物與常見動物之間的聯繫，並為它定名，這直接決定了人們如何看待現實中的動物以及動物在人們敘事話語體系中的社會定位。

　　從言語修辭角度看，為動物命名或直呼其名其實是一種強大的語言支配手段，足以產生同巫術一樣的儀式效力，我們可稱之為語言巫術。能叫出某個動物的名字，意味著對物象十分了解，也即從某種程度上控制了動物。在儒家經典文獻裡，就經常會看到借呼名以祝禱的文化現象，《詩經·魯頌·駉》即是一例。詩中對馬的列舉高達十六種之多，每個章節都是先禱祝魯僖公馬匹的體格有多健壯，其次羅列馬的各種形色，末兩句再以暗示性的誦語結尾。吟誦馬的名稱，馬匹就壯碩有力，這無異於語言巫術似的祈禱，因此有論者認為它是祭祀馬祖時念的禱辭。[4]

　　呼名祝禱體現了語言運用的一種策略，即通過直呼其名來召喚物怪和神靈，期冀得到它們的降臨襄助。同時，呼名立號也是一種相當有效的語言治療手段，人們相信如此做便可避免疾病的發生或降服妖魔鬼怪。因為蟲害、異獸、物怪等各有其名，只要努力叫出它們的名字，就意味著十分通曉它們的習性，進而找到相應的對付策略以避凶就吉。《莊子》裡面有個故事說齊桓公外出狩獵時遇到了鬼，回來臥病不起。門人報告說他這是自己嚇自己，桓公於是問世上是否真的有鬼，巫祝說有，並給他臚列了各式各樣的妖魔鬼怪的名字和藏身之所。後來桓公才知道，他所見之鬼為水怪「委蛇」，見到它的人會成為一方霸主，桓公聽後驚出一身冷汗，病也痊癒了。[5]

　　另外，在一些數術、方技等實用類文獻中也經常會看到借呼名治病的例子。睡虎地秦簡有一類專門涉及動物物怪的文獻，其記錄方式是先說物怪附體的症候，再囑咐物怪

2　（漢）劉向撰，向宗魯校證：《說苑校證》北京：中華書局，1987年，頁465。

3　徐元誥撰，王樹民、沈長雲點校：《國語集解》北京：中華書局，2002年，頁190-191。

4　（清）汪梧鳳：《詩學女為》上海：上海古籍出版社，2002年，頁778。

5　（晉）郭璞注，（唐）成玄英疏：《莊子注疏》北京：中華書局，2011年，頁350-352。

之名，結尾給出驅鬼之法。馬王堆漢墓帛書《雜療方》也有類似的以命名的方式辟邪的記述，其中一則談及含沙射人的蜮的文獻說：

> 即不幸為蜮蟲蛇蜂射者，祝，唾之三，以其射者名名之，曰：「某，女（汝）弟兄五人，某索（智）知其名，而處水者為魜，而處土者為蚑，棲木者為蜂、蛅斯，蜚（飛）而之荆南者為蜮。」[6]

祝禱者通過呼名巫術的方式產生法力，從而控制致病鬼蜮。《管子》也說用呼名巫術可以控制靈怪，進而起到預言的效力。其中說涸澤精怪名「慶忌」，倘若叫出它的名字，便可將其驅逐至千里之外的邊地；又言涸川之精相貌似蛇，名叫「蟡」，如果誰能喊出它的名字，誰就能下河捕獲魚鱉。[7]

　　在奇禽異獸領域，呼名立號發揮著重要的施行功能，這一點在祭祀用牲的命名上表現得比較突出。祭祀用的動物都有儀式性的專名，這種專名就是所謂的「牲號」。《周禮》說大祝有「辨六號」之責，其中之一便是牲號。命名牲號的目的是為了將獻祭之物跟平常動物區別開來，以示對鬼神的敬重。有了牲號，動物身分就發生了質變，它就能脫凡入聖，進入神聖領域。在參與祭祀的巫祝看來，為犧牲命名定號是儀式性控制和威力展示的一種常規姿態，給獻祭之物以牲號，無疑等於在儀式層面賦予了供祭之物以某種神秘功能。

　　再從政治和哲學的角度看，命名定號其實是儒家「正名」理論在動物世界的投射與延伸。先秦諸子曾對「名」有過不同程度的討論，但也基本形成一個共識，那就是對動物準確的命名或精通動物名號便可對名號所指稱的外部世界或社會秩序起到實質性的控制或思維上的把握。儒家學派就認為命名具有調整社會秩序的功能，可以有效地推進社會人事的治理，正如孔子所強調的那樣：「名不正，則言不順；言不順，則事不成；事不成，則禮樂不興；禮樂不興，則刑罰不中；刑罰不中，則民無所錯手足。」[8]名稱的失序會造成語言的混亂，語言的混亂則會引發它所指稱的外部秩序的失控。名稱就像一根無形的紐帶，連接起了人與外部世界的聯繫，人們通過名號從而認識和支配社會乃至整個動物界。

　　正名和使用名號是中國古代行政管理職能比較集中的體現，有了名號，也就有了某種授權的職能，可以使呼名的人確立權威和自信。君王要想控制臣民，就要使職官與外在名號相符。相應地，凡是涉及到動物的職官就要有相應的官員去管束它，所以「正官」其實就是「正名」。《淮南子》有一則故事就反映了這樣的理念：

6　馬王堆漢墓帛書整理小組編：《馬王堆漢墓帛書》（第四冊）北京：文物出版社，1980-1985年，頁128-129。

7　黎鳳翔撰，梁運華整理：《管子校注》北京：中華書局，2004年，頁827-828。

8　楊伯峻：《論語譯註》北京：中華書局，1980年，頁141。

孔子行遊，馬失，食農夫之稼，野人怒，取馬而繫之。子貢往說之，卑辭而不能
得也。孔子曰：「夫以人之所不能聽說人，譬以大牢享野獸，以《九韶》樂飛鳥
也。予之罪也，非彼人之過也。」乃使馬圉往說之。至，見野人曰：「子耕於東
海，至於西海。吾馬之失，安得不食子之苗？」野人大喜，解馬而與之。

這則故事暗示我們討回走失的馬似乎對聖人來說是件小事，用不著重視，所以孔子
先派弟子去，接著又派地位更低的使役去，這與《論語》記載說有一次馬廄失火，孔子
問人不詢馬是一個道理。從材料看，聖人和動物界的關係似乎不是那麼直接、緊密，聖
人要處理動物的事情，不是直接去辦理，而是通過任命合適的官吏去溝通、協調。馬的
事情當由專門負責馬廄的人去處理，這樣才比較妥當，因為只有使役雜吏才更懂得與野
人溝通的語言、技巧，這其實反映的正是「正官」的主題。

依孔子來看，如何給職官命名以及與它所指向的官職相符合，涉及到能否成功管理
和治理的問題。名號是由聖人頒定的，聖人倘能正確命名，就能確立他在社會政治生活
中發號出令的特權，如此一來，命名定號本身其實就意味著賦予了某種政治權威，誠如
葛瑞漢（Graham）所言：「聖人可能或多或少進行分析，儘管如此，他首先做的畢竟是
設立名號來辨別、分類、定位……照孔子的見解，在宇宙和社會中人人各就各位，如果
有誰憑他完美的覺悟自發而為，那無非是不假思索地遵循名號的正確性，也就是遵循對
正確的相似關係、相反關係、相關關係的命名。」[9]聖人為自然社會中的動物命名立號，
又用名號來施行權力，輔助教化，進而調整社會秩序，真正達到了有效治理的目的。

儒家普遍認為名號是一劑消解社會怪異、匡扶正義的政治良藥，孔子為動物的命名
和解釋行為發揮的正是如此功效，所以在當時文獻的記述中，孔子不但被塑造成是一位
通曉奇禽異獸名號的智慧聖人，而且還是釋讀動物名物的文獻字典學專家。《說文解
字》曾在好幾處借重孔子的權威對獸名辨字析義、考鏡源流。如對「犬」字的解釋就援
引了孔子的看法，釋其為「視犬之字，如畫狗也。」[10]接著在解釋「狗」字時依舊沿用
孔子言辭。孔子對「牛」、「羊」、「烏」等動物名的解釋，在《說文》中頻頻顯現。

聖人賢哲通過命名立號能使現實世界中的奇禽異獸無怪可言，同樣，文獻字典學家
通過對未知世界奇獸異怪的辨字析義消除了人們的心理困惑，許多著述或篇章都顯示出
字典編纂對動物名稱解釋的偏愛，這其實也就是我們所說的博物傳統。從先秦兩漢流傳
下來的許多字典辭書來看，盡可能多地解釋現實世界中的動物名、推溯字源和釋義是當
時學者主要關心的問題。以《山海經》為例，它至少有一部分寫定於先秦時代，相傳由
聖賢大禹糾合各地史料及未知名物編纂而成。《吳越春秋》記載說禹召集湖澤山川神

9　Graham, Angus C. 1978. *Later Mohist Logic, Ethics and Science*. Hong Kong: Chinese University Press. p.384.

10　（漢）許慎撰，（清）段玉裁注：《說文解字注》上海：上海古籍出版社，1988年，頁473。

靈，「問之山川脈理、金玉所有、鳥獸昆蟲之類及八方之民俗」[11]，又命伯益解釋物名。後代學者在論及《山海經》時也常常將其列入志怪博物一類，就是注意到其載錄動植物、礦產、民俗等多種名物知識之博雜而言的。再如《爾雅》，它將天地萬物囊括其中，為解釋動物名專闢大量篇章，涉及動物的有蟲、魚、鳥、獸、畜等五大類。郭璞在《爾雅序》中對此說：「若乃可以博物不惑，多識於鳥獸草木之名者，莫近於《爾雅》。」[12]這裡引用的依舊是孔子《論語》中對《詩》的權威評論，目的是強調《爾雅》作為博物資料彙編的重要史料價值。

　　先秦兩漢時流傳的許多文獻，尤其是涉及地理名物與物怪類的，對動植物知識名的載錄和解釋可謂窮盡所能，許多文獻從題目上看雖無博物之名，但從編纂目的和記述模式上都已有博物之實。可以說，中國古代的動物學在很大程度上可歸為「名物學」或「博物學」，而名物學或博物學對應的恰恰是文獻文本中的動植物名物知識。與此同時，社會上也把人們對動植物知識的博聞多識以「博物」稱之，如聖賢孔子、子產等就因通曉現實中的動物以及在文獻釋讀方面的卓越才能而被譽為「博物」君子，[13]博物之名從通曉動植物之名上升到了君子學養層面，秦漢時期更發展為博物化、知識化的審美趨向進而直接引發了名物學的興盛。

二　「不語怪力亂神」：審慎迴避與經典闡釋

　　孔子是一位熟悉並精通動物界的古代聖賢，文獻多次將他與認識自然、教化動物鳥獸聯繫在一起，如孔子曾對捕獲野獸提出過指導意見，就人與動物及如何平衡兩者關係發表過深刻見解。但另一方面文獻又很少言及孔子對奇禽異怪本身做出直面的解釋，這不禁讓人心生疑惑。針對這一點，《論語》有一個經典性的總結：「子不語怪、力、亂、神」[14]。對此，傳統學者認為這是孔子不可知論的體現，其實不然。這句話的言外之意其實是說，孔子不把怪事當怪事來討論，因為談論怪事只會惹人生疑，產生不必要的麻煩，這是不明智的舉措，故而聖賢不為。但是作為為萬世立法者的聖賢孔子以及儒家「有德者必有言」的垂訓，他又不得不對未知動物做出一番解釋，因此他採取了一種謹慎迴避的態度，即既不刻意解釋，也不直接闡述，而是妥善為動物命名，適當分類，從

11　（漢）趙曄撰，吳慶峰點校：《吳越春秋》濟南：齊魯書社，2000年，頁81。

12　（清）阮元校刻：《十三經注疏》北京：中華書局，2009年，頁5582。

13　《孔叢子·嘉言》：「夫子適周見萇弘，言終退，萇弘語劉文公曰：『吾觀孔仲尼有聖人之表·河目而隆顙，黃帝之形貌也。修肱而龜背，長九尺有六寸，成湯之容體也。然言稱先王，躬履謙讓，洽聞強記，博物不窮，抑亦聖人之興者乎？』《左傳·昭西元年》：『晉侯聞子產之言，曰：「博物君子」。』」

14　楊伯峻：《論語譯註》，頁76。

而使怪異無怪可言，這才算得上智慧。前文所舉羵羊的例子，便是如此。眾人都認為它是異常物怪，唯孔子不但不驚異，反倒在木石之怪、水之怪、土之怪之間辨別歸類，尋找界線，這就將陌生之物羵羊與已知範疇統籌了起來，從而消解了人們對物怪的恐慌與疑慮。

羵羊的例子提示我們，聖人為聖的表現在於辨名物、通關係，進而正風俗、定人心。聖人不贊成在物怪和異常事件上表現失當，更不希望鬼神煩擾人事，這種認識在當時描述其他聖賢的文獻中也能看到。《左傳》記載說有一回鄭國發大水，兩條龍在水潭裡纏鬥，鄭人心生恐懼故而提出祭祀，子產卻堅決反對：

> 龍鬥於時門之外洧淵，國人請為禜焉。子產弗許，曰：「我鬥，龍不我覿也；龍鬥，我獨何覿焉？禳之，則彼其室也。吾無求於龍，龍亦無求於我。」乃止也。[15]

常人因不懂得疏通異常事件與已知動物習性的關聯，故而生出些許差錯。子產對祭祀表示懷疑，是因為水潭是龍之棲息地，並不是人所居之地，人非要去祭祀它，不免事與願違，收不到預期效果，也就間接駁斥了兩龍相爭的「異常事件」實非異常。《左傳》也有一種類似的說法，說鬼神非其族類，不應該舉行祭祀；《論語》也認為非其鬼而祀之，無異於諂媚。子產對祭祀提出異議的態度，頗有聖人之風，所以孔子也十分推崇他。

福柯（Foucault）曾表示奇獸物怪世界是個「與其他生物形式一樣自然的原型的變態，即使它們向我們呈現了不同的現象；它們是通向相鄰形式的途徑；它們準備並規劃了後繼的聯結，恰如它們自身是由那些先於它們的聯結所規劃的一樣；它們絕非打亂了物之序，而是有助於物之序。也許，正是由於怪誕生物，自然才成功地產生較為固定且又具較為對稱性結構的生物。」[16]也就是說，奇獸異怪其實是已知動物界的變體和異數，人們之所以覺得奇怪，是因為不知該如何劃分未知與已知之間的界限。相反，聖人卻能將其類比、分類，進而擴大視域範疇，拓展人們的見識，這是聖賢區別於常人最重要的體現。

儒家經常會把物怪當作「祥瑞」或「災異」徵兆來解讀，但聖人對此卻不盡然，而是採取謹慎迴避的態度，同時將未知納入已知的範疇，這種認知也影響了後世某些儒家著述的撰錄習慣，即他們只對奇禽異怪或異常事件做書面記錄，而不申說具體緣由。東漢應劭在《風俗通義・怪神》篇就曾表述出類似的觀點：

> 傳曰：「神者，申也。怪者，疑也。」孔子稱『土之怪為羵羊』，《論語》：「子不語怪、力、亂、神。」故采其晃著者曰〈怪神〉也。

---

15 阮元校刻：《十三經注疏》，頁4534。

16 （法）福柯著，莫偉民譯，《詞與物：人文科學的考古學》上海：上海三聯書店，2001年，頁162。

他將「神」、「怪」與先前的孔子的不名蟦羊和不語神怪聯繫起來，將當下案例與歷史著錄相提並論，將孔子的片言隻語闡述地無隙可乘，進而消解了人們思想上的疑慮，並暗示理想的聖人或人君形象應該對神怪不宜過分重視，也不要冷漠處之。在這裡，應劭顯然是以孔子後學自居的，他本身也將儒家經典和他本人的注疏當成孔子未竟事業的延續來對待，故而才有《怪神》結集。結合應劭所處的時代，正值漢室傾頹之際，現實世界中令人深感疑慮或恐懼的現象頻出，但儒家經生們卻唯經是從，以正己修身和匡扶天下為己任。在應劭看來，他在文獻層面上的撰述工作正是對異常現象——亂亡之象給出的理智回應，這也正是後世儒家在著述層面上埋首精研的價值所在。

照此來看，無論是現實中的聖賢將奇禽異獸之名命名得無怪可言，抑或是儒家後學在文本層面上的撰述、疏通行為，它們都是一以貫之的系統性工作。雖然兩者在記述方式上有簡繁之別，但最終旨趣和價值取向卻是相近的。不過需要注意的是，這種撰述理念不光在應劭時代比較流行，至遲在戰國時期就已初露端倪。陸威儀（Lewis）就曾指出，戰國後期社會上傾向於將儒家經典——「經」看作是文本文獻中的聖人，因為經是至高無上聖人言辭的智慧結晶；而把解釋經的「傳」看作是文本中的賢達，賢達的任務主要是闡發、疏解經中所蘊藏的微言大義。[17] 這種認知理念在《春秋》及傳注它的《公羊傳》、《穀梁傳》、《左氏傳》三傳中有突出的表現，這個表現就是經、傳對物怪和異常事件在文本層面上的詳略載錄問題。

聖人不輕易對物怪做出議論，那是因為它可能引發社會的混亂，人心的滌蕩，與儒家正風、正俗觀念相牴牾。因此儒家經書通常會對這類事件予以審慎的解說，只記錄不解釋，而把闡釋的任務留給後世注家或辭書字典、讖緯等經外文獻。《荀子·天論》就曾表示：「萬物之怪，書不說。」這是說世事萬物中的物怪或異常之事應該被記錄而不予被解釋。《淮南子·說山訓》亦云：「六畜生多耳目者不詳，讖書著之。」即認為動物反常事件和異象應該是緯書而不是經書解釋的範圍。也就是說，儒家經書對物怪或反常事件只做簡單記述，這與聖賢孔子只對動物命名定號，而把解釋和申說大義的責任留給弟子、後學、賢者等大同小異。

三　「西狩獲麟」：仁獸的出現與政治道德的建構

孔子對動物的表述及看法，還涉及到一次重要的文化大事件，即發生在魯哀公十四年（西元前481年）的「西狩獲麟」。關於此次事件始末及《春秋》緣何絕筆於此，一直以來都聚訟不斷。但可以確定的是，依照《春秋》的記事原則及書寫體例，「西狩獲

17 Lewis, Mark Edward. 1999. *Writing and Authority in Early China*, New York: State University of New York Press. pp.297-302.

麟」在當時是被當作一件動物異常事件來看待的。首先，麟非中國之獸，古人認為它是仁義的象徵。麟在周初已被作為吟頌的對象，《周南・麟之趾》便是以麟角喻人，《詩序》說「〈麟之趾〉，〈關雎〉之應也。〈關雎〉之化行，則天下無犯非禮，雖衰世之公子，皆信厚如麟趾之時也。」[18]《禮記・禮運》云：「天降膏露，地出醴泉，……鳳皇、麒麟皆在郊棷。」麟為靈獸，它的出現本應是應天命、合王道的，結果意外被殺，就已昭明此事的蹊蹺和不同尋常。再者，《春秋》所記春天的狩獵活動共記兩次，無一次不含譏諷。比如桓公四年春正月就記錄為「公狩於郎」。《穀梁傳》在注疏時並沒有給出任何解釋，只是記錄了四時狩獵之名依次為田、苗、搜、狩。范寧注曰：「春而言狩，蓋用冬狩之禮。」[19]《左傳》云：「書時，禮也。」《公羊傳》認為這是譏刺桓公狩獵距都城太遠，因為諸侯田獵不過郊。很明顯，這是一次違禮事件，因為《春秋》對諸侯狩獵有嚴格規定，春天狩獵只能用「苗」而不能用「狩」，用「狩」則意味著違背禮儀規範，有僭越天子職權之嫌，故而被當作非常事件記錄在冊。

傳統儒家認為頒行王政要敬授天時，四時農事、祭祀、狩獵等活動皆要以時為序。《禮記・月令》在孟春之月記載云：「命祀山林川澤，犧牲毋用牝。禁止伐木，毋覆巢，毋殺孩蟲、胎夭、飛鳥，毋麛毋卵。」春天是動物交配、繁殖的季節，因此不能射殺懷胎的母鹿、待哺的幼鳥，如果捕殺便是違時亂序。現代學者也認為麟與曆數之間有莫大的關聯，它曾作為西周曆法的象徵。[20]麟與鳳凰、靈龜、神龍並稱四靈，四靈對應的正好是天上的星辰符號四象。這麼看來，麟的意外出現及被殺，也就暗示著頒象授時制度的混亂、西周曆數的終結，這正是禮崩樂壞時代的表徵。魯國曾一度是西周禮樂秩序的文化象徵，韓宣子讚譽道：「周禮盡在魯矣。」[21]但如今看來，以禮儀著稱的魯國都淪落至此，其他諸侯國的情況想必就更糟了。《左傳》最後以「吾道窮矣」的喟然長歎作結，就宣布了孔子對日漸淪喪的周代禮儀制度也顯現出深切痛惜與回天乏力之感。

根據以上的分析，孔子對「獲麟」的態度其實是站在維護周禮的角度上考慮的，他希冀以物歸其時、狩獵有序來回歸西周禮樂傳統，並在文字層面（「經」）對違禮僭越行為予以道德評判和文化裁決。相應地，圍繞此次事件的核心要素——麟也被納入至禮儀層面詮釋，獲麟不再是動物世界裡的一次孤立事件，而是涉及到了人事與政治。

從儒家士人的政治理想角度看，傳注家對西狩獲麟之事予以了充分的解讀，以公羊家最為詳盡，他們希望借孔子作《春秋》事托古改制。漢儒董仲舒《春秋繁露》就認為西狩獲麟是受天符命，具有改制之義，他在《符命》篇中說：「西狩獲麟，受命之符也。然後托乎《春秋》正不正之間，而明改制之義。」董氏以符應之說言《春秋》改制

18　阮元校刻：《十三經注疏》，頁594。

19　同上註，頁5151。

20　尹榮方：〈「麟」字原義與「西狩獲麟」的文化意義〉，《管子學刊》，2017年第3期，頁91。

21　阮元校刻：《十三經注疏》，頁4406。

精義，此受命之王便是素王孔子。劉向《說苑・至公》云：「夫子行說七十諸侯，無定處，意欲使天下之民各得其所，而道不行，退而修《春秋》，采毫毛之善，貶纖介之惡。人事浹，王道備，精和聖制，傷痛與提案而麟至，此天知夫子也。」這裡，西狩獲麟不但被解釋成素王孔子降臨的聖祥美瑞，更被塑造成孔子為素王的聖王神話。

董仲舒賦予《春秋》新義，目的是使其成為繼周後的新王，欲借新王身分維護大一統。他將魯國歷史分成所見、所聞、所傳聞三段，在〈王道〉篇中據遠近親疏關係而言：「親近以來遠，故未有不先近而致遠者也。故內其國而外諸夏，內諸夏而外夷狄，言自近者始也。」後漢何休將此總結為「三科九旨」，即「新周，故宋，以《春秋》當新王」，此一科三旨；「所見異辭，所聞異辭，所傳聞異辭」，此二科六旨；「內其國而外諸夏，內諸夏而外夷狄」[22]，此三科九旨。「新周」，《史記索隱》云「親周，蓋孔子之時周雖微，親周王者，以見天下之有宗主也」；「故宋」，其實就是「故殷」，孔子為殷商遺民。此三科九旨歸結為一點其實就是一科，核心是宗周、親王，維護中央大一統。漢代公羊學家站在功利主義立場，刻意提高西狩獲麟和孔子修《春秋》事的重要性，其實是想以此為漢代現實政治張目，雖然未必盡合孔子之義，但它為漢儒申說大義提供了充足的闡釋空間。

而在漢代緯書家言說體系裡，「西狩獲麟」又被賦予了神學政治色彩，具有豐富的言說內涵。首先，讖緯學家援經入緯，把西狩獲麟的新王身分解釋成「赤帝」。《春秋緯》說：「《經》十有四年春，西狩獲麟，赤受命，蒼失權，周滅火起，薪采得麟。」[23] 按照五行相生相剋原理，周為蒼後，漢為赤後，赤帝受命即意味著代蒼而起，漢又為火德，故「周滅火起」。《尚書緯・中候》說：「夫子素案圖錄，知庶姓劉季當代周，見薪采者獲麟，知為其出，何者？麟者，木精；薪采者，庶人燃火之意，此赤帝將代周。」[24] 麟為木精所化，微者劉季以伐採為業，故獲麟暗示周亡漢興。其次，從宿命論角度看，麒麟是孔子將亡之兆。孔子生則麟至，麟再至，卻被捕殺。漢儒把此事與顏淵、子路等仁人之死結合起來解讀，更加劇了孔子所面臨時代的悲情色彩，也進一步暗示了孔子所崇尚的周道難以為繼，預示著孔子之命將要終結，因此伏無忌《古今注》說「夫子知命之終，乃抱麟解紱，而涕泗焉」。再次，麟為漢王受命找到了合理性和合法性依據。「西狩獲麟」徐疏曰：「實為聖漢將興之瑞，周家當滅之象。今經直言獲麟，不論此事，若似麟來，周王更欲中興之兆，得謂之微辭矣。」[25] 帝王享祚天下必承天受命，上天也會降下祥瑞以褒獎之。所以在緯書敘事體系裡，「西狩獲麟」被進一步解說成漢皇受命禎祥，如《孝經・援神契》說：

---

22 同上註，頁4764。

23 （日）安居香山、中村璋八輯：《緯書集成》上海：上海古籍出版社，1994年，頁1776。

24 安居香山、中村璋八輯：《緯書集成》，頁1197。

25 阮元校刻：《十三經注疏》，頁5071-5072。

魯哀公十四年，孔子夜夢三槐之間，沛豐之邦，有赤煙氣起。乃呼顏淵、子夏往視之，驅車到楚西北範式街，見芻兒捕麟，傷其左前足，薪而覆之。孔子曰：「兒來，汝姓為誰？」兒曰：「吾姓為赤誦，名子喬，字受紀。」孔子曰：「汝豈有所見耶？」兒曰：「見一禽，巨如羔羊，頭上有角，其末有肉。」孔子曰：「天下已有主也，為赤劉，陳項為輔。五星入井，從歲星。」兒發薪下麟示孔子，孔子趨而往，麟蒙其耳，吐三卷，圖廣三寸，長八寸，每卷二十四字，其言赤劉當起，曰周亡赤氣起，火耀興，玄丘制命，帝卯金。

　　這是借重孔子為素王的身分來傳達劉氏代周的政治使命，也就從源頭上解決了草根漢皇承天受命的合理性及合法性，同樣的闡述在《孝經右契》、《論語摘衰聖》、《春秋演孔圖》等其他緯書中也都有相近的載錄。

　　要之，「西狩獲麟」本是一次違禮的歷史事件，孔子旨在借獲麟之事批評諸侯僭越禮法、違背周道，但在流傳過程中，儒家士人賦予了獲麟以新的政治話語與文化意涵，西狩獲麟的本義被儒家士人不斷建構起的新理論、新思想所遮蔽和消解，獲麟之事經歷著一次次「從禮法到政治，從政治到神學的詮釋路徑」。[26] 從解說方法上看，讖緯學家對獲麟之事的解釋要遠比董仲舒的改制新義更趨完善，這是因為漢代讖緯家不但重塑了西狩獲麟的新王形象，又摻雜著當時流行的五行、受命等學說，又與古帝王系統相符合，可以說是集「王霸雜用」於一體的新的闡釋體系了。

四　餘論

　　至此我們認為，孔子及古代賢哲們對動物及動物學界的認識更多地是指向人事、政治權力與社會道德的，在某種意義上可以說是動物觀念的文化史，而不是單純的動物科學本身，這種認識論決定了中國古人如何看待現實中的動物以及建立與它們之間的關係。英人李約瑟認為中國古代雖對人類科技貢獻良多，但近代科學（包括動物科學）並沒有在東方出現。[27] 通過以上分析我們或許可以給出謎底：古代中國人並沒有把動物獨立於人類社會之外看待，動物也從來都不是一個樸素單一的科學命題，相反卻滲透著複雜的物我關係和歷史文化訊息。古代中國人對動物的描述顯然是圍繞著社會人事活動來討論的，他們更傾向於在人與動物之間建立起某種隱含的內在道德邏輯以解決自己面臨的問題，動物彷彿就像一面鏡子，它成了人們反觀自我、審視自身的重要文化參照。

　　鑒於此，動物世界經常被納入到社會道德體系中加以考量，古代中國人也據此構建起這樣一套動物學政治敘事理論：即動物領域一旦出現異怪或異常現象，肯定是人事社

---

26 王洪軍：〈「西狩獲麟」的三重敘事及其思想建構〉，《社會科學輯刊》，2015年第2期，頁204。

27 （英）李約瑟著，潘吉星譯：《東西方的科學與社會》天津：天津人民出版社，1998年，頁73-74。

會出了問題，《左傳·莊公十四年》說這是「人之所忌，其氣焰以取之，妖由人興
也。」這種思維觀要求理想的人君或現實統治者自我反省，適時對其統治策略做出調
整，以繼續享祚天命；反之，如有仁獸或祥瑞降臨，則意味著人君之德比及鳥獸，漢儒
董仲舒總結為「天瑞應誠而至，皆積善累德之效也。」[28]先秦兩漢的儒士們通過構建起
「動物—仁德」這樣對應的政治敘事模式，其實也就建構了一套統治階層內部自我評
價、調節和完善的運行機制，其目的是要使王者像仁獸一樣比德而居，並希望對現實中
的王權起到一定的抗衡與制約作用。

　　人類學家坦比亞（Tambiah）說：「生活在同一個社會中的人，對動物總有些共同的
表述方式；在他們的現實生活中（無論是日常生活還是特別事件），動物既是社會實踐
的對象，又是大家帶著特定目光關注的對象。表述動物、料理動物、關注動物的這些方
式，構成了一整個體系。」[29]中國古代的賢哲們難以將動物界劃歸為一門獨立的知識看
待，他們更願意相信動物所遵循的一整套生存法則同樣適用於人類社會。這樣，現實世
界中的動物就不再是一個孤立無援的領地，而總是與人事社會的變遷、政權的轉移、道
德善否等有機聯繫在一起，這就從根本上決定了中國古代的動物觀其實質是社會文化史
的動物觀，而不是生物科學的動物觀。

28　（漢）班固：《漢書》北京：中華書局，1962年，頁2500。

29　Tambiah, S. J. 1969; rpt.1985. *Culture, Thought, and Social Action*. Cambridge, Mass: Harvard University Press. pp.8-9.

從「登山訓道」和《道德經》看人對上帝和「道」信任的理據

程春蘭

惠州學院外國語學院

　　《創世紀》第十章出現的各國家圖譜顯示，在不同土地上居住的民族都起源於一個共同祖先。東方文明中的「道」和西方文明中的「上帝」共同定義了宇宙的概念，主導了人類文明的思想體系。東西方之間的橋樑正是人類文明的交叉帶和誕生地。人類歷史上的各種文明在其相互滲透和重疊中，共同推進了人類文明的進程。當今世界不斷重複的災難和悲劇促使有智慧的人士為了子孫後代的福祉採取行動。人們已經深刻地認識到，各國命運都緊密聯繫在一起，大家榮辱與共。習近平主席提出「人類命運共同體」的概念，未雨綢繆地向世界傳遞了人類文明的走向和對人類未來美好願景的深沉思考。歷史與未來會再次明證，中華文明中的道與猶太教中的「道」將在人類文明新征程中煥發永恆的生命力。

一　「有物混成，先天地生」與創世神話

　　哈佛大學教授塞繆爾·亨廷頓，在一九九三年提出了「文明的衝突」，他將世界文明分成西方文明、中華文明、日本文明、伊斯蘭文明、東正教文明、拉丁美洲文明以及非洲文明等，他在《文明的衝突與世界秩序的重建》一書中闡述，「人類在經歷了君主衝突、民族國家衝突和意識形態衝突之後，將進入文明衝突階段」。不過對於亨廷頓的「文明的衝突」，大多數學者和政治家並不認同。他們認為，人類世界因權力不對稱、財富分配不公、資源分布不平衡等，在不同國家和種族之間造成的紛爭，遠大於基督教、儒教、與伊斯蘭之間的文明衝突。「文明衝突論」只注意到文明之間的差異，忽視了不同文明之間的共性。人類的歷史上各種文明在其相互滲透和重疊中，共同推進了人類文明的進程。正如伊朗前總統哈塔米所言，人類文明是多樣化與平等的，一種文明不應該排斥另一種文明或凌駕於其上。[1]每個民族的文化中都有著其「特殊價值」的元

1　關世傑：《中華文化國際影響力調查研究》北京：北京大學出版社，2016年。

　注解：1. 本文有關《聖經》內容的所有引文均出自簡化字現代標點和合本。

　　　　2. 有關《道德經》的內容均出自中華書局出版的《道德經》。

素，由於時空等諸多因素的影響，人類各個族群中的文化總會在不斷衝撞中發生變動。各種民族文化中特有的元素，有時會成為人類社會文化創新的源泉。

我國學者于歌認為：「美國人所熱衷推行和維護的自由、人權、民主的價值觀和制度，看起來是世俗的價值觀和制度，但實際上起源於基督教的價值觀和宗教改革，體現著基督教信念。這些價值觀與新教一起，構成了延續二百年的美國式價值觀和社會體系，構成了美國的國家和社會的本質。」[2]歷史早就證明了不同文化之間的相互理解、相互吸收和滲透不僅是完全可能的，而且也是非常必要的。

在全球化形式下的今天，我們深感有責任去努力尋找人類文化中確實存在的「普遍價值」的要素，也就是全人類最基本的共同價值標準。唯有如此，才能在不同文化中找到共同的話語，並就所遇到的共同問題，形成對話，達成共識，解決問題。借用道教的術語來說，就是找到共生之道、共榮之道，從而構建人類命運共同體。東方文明兼容並蓄，諸子百家在形成各自思想學說的流派之前，都共用一個相同的宇宙論和思想體系──道家老莊哲學。道家定義了東方文明中人與自然的關係，通過無形的「道」強調天人合一。

《道德經》第二十五章：「有物混成，先天地生。寂兮寥兮獨立不改，周行而不殆，可以為天下母。吾不知其名，強字之曰道。強為之名曰大。大曰逝，逝曰遠，遠曰反。故道大、天大、地大、人亦大。域中有大，而人居其一焉。人法地，地法天，天法道，道法自然。」道存在一個言語無法描述的終極實在，客觀存在、真實可靠，並且有靈，「其中有『精』，其精甚真，其中有信」。亙古的本質和宇宙的來源，是人類意義世界的根源，「自古及今，其名不去」（《道德經》21）。「執古之道，以禦今之有」（《道德經》14）。它指出了「道」自遠古以來永遠都不遠離現實的真諦。唯有「道」之採納，就能解決當今世界人類社會一系列的問題。對現實人生有著決定性的意義和應用價值，道應該成為人類的精神家園。《道德經》首先樹立了中國古文明特殊意義上的那不迷信、符合邏輯、無局限、中國特色的「上帝」概念。「是謂無狀之狀，無物之象，是謂恍惚。」（《道德經》14）。中國的「道」或「上帝」，雖然是無形、無狀、幽隱而沒有名稱，不可描述。卻是有「精」有「靈」客觀真實。且我們文化裡的神祇的誕生，似乎也與自然界中的物質和現象息息相關，比如：天神、山神、河神、水神、土地神等等。神靈通常和自然力量聯繫在一起，崇拜神靈與崇拜自然之間似乎沒有明確的界限。

作為西方文化源頭的，猶太哲學定義了西方文明中人與自然的關係，猶太教通過人格化的上帝使人成為凌駕於自然之上的管理者。東方的「道」和西方的上帝有一些共同的特徵：他們是萬能的、無所不在和永恆的。

上帝既有人格化的啟示性又充滿了神秘莫測，當摩西對神說：「我到以色列人那裡，

2　于歌：《美國的本質》北京：當代中國出版社，2006年版，序論。

對他們說：『你們祖宗的神打發我到你們這裡來。』他們若問我說：『他叫什麼名字？』我要對他們說什麼呢？」神對摩西說：「我是自有永有的」（《出埃及記》3：13-14），此亦如「道隱無名」，上帝似乎也希望「大音希聲，大象無形」（《道德經》41）、「繩繩兮不可名，復歸於無物。」（《道德經》14）他警告百姓不可拜偶像：「所以你們要分外謹慎，因為耶和華在何烈山從火中對你們說話的那日，你們沒有看見什麼形象。唯恐你們敗壞自己，雕刻偶像，彷彿什麼男像女像……。」（《申命記》4：15-16）上帝禁止百姓敬拜侍奉的，還包括地上水中的一切有形的生物，甚至日月星辰等空中萬象。上帝通過自然力量來表達意願和決定，但他本身卻是個無法被識別的概念，亦如「道可道非常道」。

　　《聖經》中的很多歷史故事與古巴比倫時代的傳說有著諸多相似之處。比如，受神靈旨意的史前大洪水、伊甸園的故事與《吉爾加美什》史詩。人類文明的創世神話也有著極其相似的共同特性：《創世紀》的故事與巴比倫史詩《埃努瑪─埃利什》有共通性。《聖經》開篇對耶和華神創世的描繪：起初神創造天地。地是空虛混沌，淵面黑暗；神的靈運行在水面上。神說：「要有光」，就有了光。神看光是好的，就把光暗分開了。神稱光為晝，稱暗為夜。有晚上，有早晨，這是頭一日。《創世紀》以時間狀語開篇，"In the beginning, God created heaven and earth," 起初神創造天地。有學者認為 "In the beginning" 這個時間狀語翻譯有誤，讓人以為它將描述宇宙的起源，讓人認為，上帝創造天和地，是時間存在以來的第一件事。事實上，《聖經》開篇所用的希伯來語與古代近東，美索不達米亞神話《洪荒世界》（*Enuma Elish*）極其相似，是 "when on high"（當在天國時），水流滾滾，充斥著種種物體。也就是說，上帝開始開創天地時，大地是一片混沌，虛空無形，他的呼吸掠過混沌的表面。因此，在《創世紀》第一章中並沒有描述無中生有，即：天地及其中的一切是從完全的虛無中創造出來的。相反，它是一個組織原來存在物質的過程，並且給這些混亂混沌的物質賦予秩序。

　　《聖經》可以說是最早的猶太族群向上帝立下永久誓言的一個記載，《聖經》的首章《創世紀》，我們所看到的上帝的能力和智慧似乎並未因自然界的存在而消減和限制。他並不是從神話走來，但似乎是全能的存在。他無形無體在一團如火的雲中隱現，他創造天地主宰萬物。

　　與道之可以為天下母相似，西元前一五〇〇年左右的米洛斯文明（古希臘文明的源頭之一）的宗教，也是以母性的主導地位為特徵，身為主神的女神主宰著包括天空、大地、海洋在內的整個宇宙。她是善之源，也被視為惡之源，但她的惡又包含著善，雖然她帶來了風暴並沿途製造死亡，但這是為了使大自然更加充滿生機。有死才有生，死亡是生命的前提。世間眾生要為女神及其聖獸諸如公牛、蛇等作出犧牲。與整個信仰體系的女性取向相應，主持典儀的也是女祭司。[3]美索不達米亞神話《洪荒世界》（*Enuma*

3　Edward McNall Burns, Philip Lee Ralph. *Word Civilizations* Sixth Edition. W. W. Norton & Company, Inc. 500 Fifth Avenue, New York, N.Y., 101.

Elish）則是另一種創世神話：在一場激戰中，馬杜克戰勝了混沌之神提亞馬特，於是便用她的屍體創造世界，他像掰蚌殼一樣將提亞馬特的屍體劈成兩半，用屍體的上半部創造了天空，用屍體的下半部創造了大地，將她體內的一切變成了泉水、河流、湖泊或大海，或其他東西。並將提亞馬特軍隊將領的血液集合起來創造了人類。

三國時代吳國人徐整所著的《三五曆記》又作《三五曆》、《三五曆紀》，內容皆論三皇以來之事，為最早記載盤古開天傳說的一部著作，其載如下：

> 天地渾沌如雞子。盤古生在其中。萬八千歲。天地開闢。陽清為天。陰濁為地。盤古在其中。一日九變。神於天。聖於地。天日高一丈。地日厚一丈。盤古日長一丈。如此萬八千歲。天數極高。地數極深。盤古極長。故天去地九萬里。後乃有三皇。天氣蒙鴻，萌芽茲始，遂分天地，肇立乾坤，啟陰感陽，分布元氣，乃孕中和，是為人也。首生盤古。垂死化身。氣成風雲。聲為雷霆。左眼為日。右眼為月。四肢五體為四極五嶽。血液為江河。筋脈為地里。肌肉為田土。髮為星辰。皮膚為草木。齒骨為金石。精髓為珠玉。汗流為雨澤。身之諸蟲。因風所感。化為黎甿。

二　人類的地位與尊嚴

中國有女媧摶土造人的傳說。《說文解字》確定了女媧之「媧」為「古之神聖女，化萬物者也」，關於女媧造人的最早文字記載是《淮南子‧說林訓》，但直到漢末應劭的《風俗通義》，女媧的神格才首度定位人類的母親。所記載的傳說中，女媧用日月星辰之光可以照進的仇池山，山頂岩洞瀑布清泉邊的黏黃土，仿照映在泉中的自己的樣子捏泥人創造了華夏的子民。

巴比倫神話中用陶土捏泥人的神話隨處可見。《聖經》中人類的創造是上帝最具神性的行為。從《創世紀》（1：26）中我們讀到神說：「我們要照著我們的形象，按著我們的樣式造人，使他們管理海裏的魚、空中的鳥、地上的牲畜和全地，並地上所爬的一切昆蟲。」神就照著自己的形象造人。乃是照著他的形象造男造女。神就賜福給他們，又對他們說，「要生養眾多，遍滿地面，治理這地；也要管理海裏的魚、空中的鳥、地上各樣行動的活物。」（《創世紀》1：26-27）上帝為何要按自己的樣子造人？這就如同父母看到自己的樣子在孩子身上得到繼存和延續。這說明了上帝對人類的大愛，也說明了人類於上帝的重要性，暗示了人類生命的神聖性，他們值得被特殊關懷和保護。於是，我們在《創世紀》（9：6）就讀到「那些讓人類流血的人，他們必須用自己的血液來償還」。由此可見人的生命價值。因此，殺生是絕對被禁止的。

有了上帝的庇護，人類便不會成為自然盲目力量的受害者，上帝擔憂著人類的福

祉，我們在《創世紀》（1：28-29）中讀到這樣的信息：「上帝保佑他們並對他們說要富饒多產，填滿各地並且掌管它，管理海中的魚，天上的鳥，以及一切爬行在地的生物」。他將人安置於伊甸園並吩咐：「園中各樣樹上的果子，你可以隨意吃」（《道德經》2：16）。由此可見，人類雖不同於神靈，卻是莊嚴而有尊嚴的生物。他安撫人類：「你不要害怕，因為我與你同在；不要驚惶，因為我是你的神。我必堅固你，我必幫助你，我必用我公義的右手扶持你。」（《以賽亞書》41：10）

《出埃及記》第二十章，十誡部分談到安息日，上帝要求確保所有的人能在住所休息，「這一日你和你的兒女、僕婢、牲畜，並你城裏寄居的客旅，無論何工都不可作，……所以耶和華賜福與安息日」。有學者認為，《聖經》不但表達了道德和法律的融合，而且立法規範了對社會上弱勢群體的關心。如：對孤兒、外地人、寡婦的關愛和對老人的尊重（《利未記》19：32），我們讀到「在白髮人面前你要站起來，也要尊敬老人」、「當孝敬父母，使你的日子在耶和華你神所賜你的地上得以長久。」（《出埃及記》20：12）、「在你們的地收割莊稼，不可割盡田角，也不可拾取所遺落的。不可摘盡葡萄園的果子，也不可拾取葡萄園所掉的果子，要留給窮人和寄居的。」（《出》19：9-10）、「不可詛罵聾子，也不可將絆腳石放在瞎子面前」（《出》19：14）、「要愛人如己」（《出》19：18）、「若有外人在你們國中和你同居，就不可欺負他。和你們同居的外人，你們要看他如本地人一樣，並要愛他如己，因為你們在埃及地也做過寄居的。」（《出》19：33-34）

在古巴比倫的漢莫拉比等法典中，財產受到高度重視，人的生命卻是廉價的。比如，妻子若偷取丈夫財物會被處死，購買盜竊之物的人會被處死，對有欺詐顧客抬高酒的價格的行為的人，也會處以死刑。在《聖經》的價值觀體系裏，人的生命是神聖且至高無上的。人的生命和財產是無法相提並論的。所以絕不會對侵犯個人財產和私有財產的人處以死刑。在古巴比倫的漢莫拉比法典中，殺人者可以用賠償錢財來贖回自己的性命。《聖經》中，造成人身傷害的罪行必須等同償還，殺人者必須為自己的行為付出生命的代價。但若果是意外傷人，則可寬大處理：「誤殺人的……，定例乃是這樣：凡素無仇恨、無心殺了人的，就如人與鄰舍同入樹林砍伐樹木，不料，斧頭脫了把，飛落在鄰舍身上，以至於死，這人逃到那些城的一座城，就可以存活……其實他不該死，因為他與被殺的素無仇恨。」（《申命記》19：4-6）

《聖經》中，即便是奴隸，也能獲得與巴比倫時代完全不同的境遇，比如：漢莫拉比法典有這樣的條文，不管是男奴還是女奴，若逃到其主人以外的人家，這家若不依傳令者之命，將奴隸交出，此家主人就會被處死。而《聖經》中的規定是：「若有奴僕脫了主人的手，逃到你那裏，你不可將他交付他的主人。他必在你那裏與你同住，在你的城邑中，要由他選擇一個所喜悅的地方居住，你不可欺負他。」（《申命記》23：15）如果主人打壞了他的奴僕或是婢女的某個身體部位，即便是打落一顆牙，就必須因此讓他

們獲得自由。而在巴比倫時代的亞述法典中，主人殺死奴隸也不會受到懲罰。

　　貧窮，似乎是人類社會永遠都會存在的一種現象。因此。忙碌勞作，給予施捨，也成了《聖經》中一個永恆的話題：「在耶和華你神所賜你的地上，無論哪一座城裏，你弟兄中若有一個窮人，你不可忍著心、攥著手，不幫補你窮乏的弟兄；總要向他鬆開手，照他所缺乏的借給他，補他的不足……給他的時候，心裏不可愁煩，……原來那地上的窮人永不斷絕，所以我吩咐你說：『總要向你地上困苦窮乏的弟兄鬆開手。』」（《申命記》15：7-11）「你弟兄中，若有一個希伯來男人，或希伯來女人被賣給你，服侍你六年，到第七年就要任他自由出去。你任他自由出去的時候，不可使他空手而去。要從你羊群、和場、酒醡之中，多多地給他，耶和華你神怎樣賜福與你，你也要照樣給他。……你待婢女也要這樣。你任他自由的時候，不可以為難事，因他服侍你六年，較比顧工的工價多加一倍了。耶和華你神，就必在你所作的一切事上賜福與你。」（《申命記》15：12-18）

　　《聖經》裏充滿了人文關懷，「新娶妻之人，不可從軍出征，也不可托他辦理什麼公事，可以在家清閒一年，使他所娶的妻快活。」（《申命記》24：5）

　　在東方文化中，「道」是蔭庇萬物之所。善良之人珍貴它，不善的人也要保持它。（「道者萬物之奧，善人之保，不善人之所保。」〔《道德經》62〕）大道廣泛流行，左右上下無所不到。萬物依賴它生長而不推辭，完成了功業，辦妥了事業，而不占有名譽。它養育萬物而不自以為主，可以稱它為「小」，萬物歸附而不自以為主宰，可以稱它為「大」。正因為它不自以為偉大，所以才能成就它的偉大、完成它的偉大。（大道氾兮，其可左右。萬物恃之而生而不辭，功成不名有。衣養萬物而不為主，常無欲，可名於小；萬物歸焉而不為主，可名為大。是以聖人之能成大也，以其不為大也，故能成大。〔《道德經》34〕）

　　在《創世紀》（1:26-30）中，上帝為他所創造的完美世界做了完美的安排：他讓人類以果實和稻穀為食，讓動物們以綠色植物和草木為食。

　　人類這個地球上的寄居者，是上帝在其造人的最後一個環節，將自己的氣息吹入人體，使之有了生命，也因著上帝的氣息而賦予了某種意義上的神性，上帝使其成為萬物之靈長，命其管理宇宙間的所有物種。然而，真正的神性不止是權力，為所欲為的權力，真正的神性是效仿上帝，用與上帝相仿的良善方式施展權力。不應該有物種和族類間的血腥和暴力。然而，「對人類有害的是，人類學會了管理其外部環境（extra-specific environment）中的所有力量，卻對自己所知甚少，以至於無助地處於人類內部的選擇（intra-specific selection）的撒旦式運作的擺布之下。說人對人是狼（Homo homini lupus）──人是人的獵物──都過於輕描淡寫了。」[4]上帝有著不可動搖的道德標準，

4　Konrad Lorenz, *Civilized Man's Eight Deadly Sins*, 25.,195.

儘管人類是他充滿愛意的傑作，但當人類墮落超越其容忍限度時，他只得用洪水來懲罰人的墮落，捍衛其神聖的正義。

東方文明的思想家們相信敬畏意識對社會平衡很有必要。這樣的認識可以讓人類從傲慢中冷靜下來。人若失去敬畏意識，災難也就不遠了。這一認識是基於對人類本性的敏銳觀察，是對人類傲慢和自滿的警告。

三　人類的良善與邪惡關乎道德選擇

伊甸園中有兩棵樹：一棵是生命樹，一棵是能區分善惡的智慧樹。儘管生命樹常常是世界各地神話傳說的中心內容，比如，巴比倫史詩《吉爾加美什》中，那株能讓人永保青春的卻被蛇偷吃了的植物。但在《聖經》中，重心卻是圍繞能分辨善惡的智慧樹，生命樹則屈居次要地位。顯然生命的重點不再是人的永生或必死，而是關乎人的道德。人類不應該圍繞於對永恆生命的追尋，而應該關注，在上帝創造的美好世界和人類能腐蝕這種美好的自由意志間，所展開的道德衝突和緊張狀態。敗壞上帝所創造的美好而秩序的世界的邪惡存在於人的道德，這意味著人類是邪惡的源泉，也就是說，邪惡是一種道德選擇，是人類打開了潘朵拉的盒子，人類要為邪惡的出現負責。

在《創世紀》第四章，該隱對亞伯充滿嫉恨並欲殺之，上帝就對他說：罪就伏在門前，它必戀慕你，你卻要制服它，這顯然是一種道德選擇。那些犯了罪的人，常常認為自己能僥倖躲過懲罰，但他們的所做所為都會對社會造成損害，罪孽堆積會導致道德的不潔，它讓神靈厭惡。而罪孽又並非獨立存在，它是會相互傳染的，個人的罪孽，個體的所為所行會影響整個社會的命運。恩格斯曾說，「善惡觀念從一個民族到另一個民族、從一個時代到另一個時代變更得這樣厲害，以致它們常常是互相直接矛盾的。」[5]人類社會的每一次的道德淪喪都充斥著人類自身的邪惡和毀滅行為。比如，古巴比倫的傾覆、尼尼微的坍塌、古羅馬的滅亡。因此，人類的行為決定著上帝如何對待他的子民，一個正直、善良且萬能的上帝是不會允許邪惡的存在的。

蛇（撒旦）告訴夏娃如果她吃了分辨善惡之樹的果實，她就會像上帝一樣能辨善惡，這點撒旦沒有欺騙夏娃。但上帝有別於人類的特點之一是，他能分辨善惡，並且擇善而從之。《聖經》中，上帝是絕對善良的「他是磐石，他的作為完美，他所行的無不公平，是誠實無偽的神，又公義，又正直」（《申命記》32：4）。

因為猶太基督教上帝被認為是良善與正義的，西方文化便不可能繞開惡和不正義的問題。「耶和華啊，我與你爭辯的時候，你顯為義。但有一件事，我還要與你理論：惡人的道路為何亨通呢？大行詭詐的為何得安逸呢？」（《耶利米書》12：1）一個萬能的

5　《馬克思恩格斯文集》卷9，北京：北京人民出版社，2009年，頁98。

善良的上帝怎麼可能容忍邪惡不受到懲罰？於是，我們在《以賽亞書》和《箴言》中分別得到這樣的回答：「禍災！那些稱惡為善、稱善為惡，以暗為光、以光為暗，以苦為甜、以甜為苦的人。」（《以賽亞書》5：20）「惡人雖然連手，必不免受罰，義人的後裔，必得拯救。」（《箴言》11：21）

對於善惡得報問題，《太上感應篇》裏是這樣回答的：太上（道教的尊稱）曰：「禍福無門，惟人自召。善惡之報，如影隨形」、「是以天地有司過之神，以人所犯輕重以奪人算，算減則貧耗，多逢憂患，人皆惡之，刑禍隨之，吉慶避之，惡星災之。算盡則死。」[6]

過去有幾個讀書人去謁見高僧明本，向他求解為何有的人行善，子孫卻不成器；有的人作惡多端，家中卻一派興旺，明本的回答是一般的凡夫俗子缺乏慧眼，而混淆善惡，卻以此懷疑抱怨上天的報應不靈驗。「天地鬼神禍善禍淫，完全與聖人看法相同，而不是與世俗之人採取同樣標準」。[7]凡是想行善積德的人，都要遵從自己的內心，要出於純粹的濟世之心，愛人之心絕不能只為做給他人看。

> 「凡是大家都知道的行善，就是陽善；人們都不知道的行善就是陰德。世上那些享有盛名而實際上卻做得不好的人，大多會有大禍臨頭；而那些因無辜背上惡名子孫往往會飛黃騰達。」[8]

道教的善惡沒有明顯的非此即彼，因此，只有聖人才能具備入木三分，明察秋毫的判斷力——對世間人事有著深刻的理解和高屋建瓴的智慧和視野。

《太平經》則是用「承負」的觀點來勸善懲惡，在第三十九卷《解師策書訣第五十》中有這樣的表述：……小小失之，不自知，用日積久，相聚為多，今後生人反無辜蒙過其謫，連傳被其災，故前為承，後為負也。負者，流災亦不由一人之始，比連不平，前後更相負，故名為負。負者，乃先人負於後生者也；病更相承負也，言災害未當能善絕也。」《太平經》卷十八至三十四《解承負訣》中言及「凡人行，或有力行善，反常得惡；或有力行惡，反得善。因自言為賢者非也。力行善反得惡者，是承負先人之過，流災前後積來害此人也。其行惡反得善者，是先人深有積蓄大功，來流及此人也」。《聖經》中，上帝也有類似於承負的表達，「恨我的，我必追討他的罪，自父及子，直到三、四代；愛我、守我誡命的，我必向他們發慈愛直到千代。」（《申命記》5：9-10）

摩西所擔心的是，「我知道我死後，你們必全然敗壞，偏離我吩咐你們的道，行耶和華眼中看為惡的事，惹他發怒，日後必有禍患臨到你們。」（《申命記》31：29）他再

6　侯藹奇等注譯《太上感應篇》西安：三秦出版社，2006年，頁85-86。

7　同上註。

8　同上註。

三告誡人們：「你若聽從耶和華你神的話謹守這律法書上所寫的誡命、律例，又盡心、盡性歸向耶和華你的神，他必使你手裏所辦的一切事，並你身所生的，牲畜所下的，地土所產的，都綽綽有餘，因為耶和華必再喜悅你，降福與你，像從前喜悅你列祖一樣。」（《申命記》30：10）「我今日呼天喚地向你作見證，我將生死禍福陳明在你面前，所以你要揀選生命，是你和你的後裔都得存活。」（《申命記》30：19）

上帝展現神跡，或作為對其選民德性的特殊恩賜，或作為對違背其意旨的選民（his chosen people）懲罰。

伊甸園的故事是人類對上帝誡命的首次違背，受到了嚴屬的懲罰。人類必須知道伴隨著他們自由的就是責任，必須承認惡是自己所選擇的。伊甸園的故事還傳達著一種觀點：邪惡，它是人類行為的後果，人類所處的困境，所遭受的一切苦難皆因其忤逆上帝的良好意願。而邪惡又是災難的前兆。伊甸園的故事在告訴人們世界原初是美好的同時，也試圖揭示邪惡並不是形而上的存在，它來自人類自身的行為，是道德的現實，人類掌握自己的道德，是道德的主體。他們有能力腐蝕美好的事物。也有能力避開邪惡。在古近東神話裏，善良與邪惡這兩種宇宙力量的鬥爭，在《聖經》故事裏則投射於反叛的人類與上帝美好的願景之間。上帝本來是把人間造成了一個美好的天堂，把人類做成他的樣子，並為其安排好一切生活所需，讓人類「滋生繁衍遍布全地」。在《創世紀》中，有七處用到「這很好」（it was good），說明上帝對其創造很是滿意。人類掌握道德，但當時的人類並沒有善用自己的道德自由。亞當、夏娃、該隱，大洪水時期生活的一代人，以及巴別塔的建造者們都曾不斷地蔑視上帝，違抗他的意願。並受到嚴屬的懲罰。

在東方文明中，沒有某個唯一指向的神氏直接操控著獎勵和懲罰，只有遵從道所帶來的內心的安寧與滿足，而違反道人生的自我實現就會受阻，就會不圓滿。這裏的自我實現與西方文明中的神的獎勵相類。如是，西方文明中的神的獎勵和懲罰可以近似等同於東方文明中的禍福觀，所不同的是，福禍雖主宰個體的命運，但它的降臨完全取決於人的為善或為惡的行動選擇，沒有來自神的直接干預。

四　信任是一切關係的前提

中國文化中，「信」的觀念最初起源於宗教祭祀。《左傳·桓公六年》曰：「所謂道，忠於民而信於神也。上思利民，忠也；祝史正辭，信也。」「忠信」分別指君民關係和人神關係，雙重維度的問題意識——君對民的忠實和民對君的信任。[9]

信任就其本質而言，是信任方與被信任方之間的一種倫理結構關係，存在於信任雙方。如果說，個體的人格和德行從內在的實質上，為社會信任關係的建立，提供了某種

9　樊浩：《缺乏信用，信任是否可能》，《中國社會科學》，2018年第3期。

前提條件。那麼，公共領域的制度建設，則在外在的形式上，構成了信任關係形成的現實依據和擔保；考察社會領域中的信任問題，需要同時關注以上兩者的相互關聯。

社會學家發現，「沒有信任，那些被認為理所當然的日常人際社會生活將完全沒有可能，在充滿偶然性、不確定性的全球化發展進程中，信任已經成為一個非常緊迫的中心問題。」[10]誠信缺失是全世界普遍存在的現象，要解決當前誠信危機問題，加強誠信價值觀建設，引導人類真正走向文明就必須從傳統文化中尋求智慧。

在道德信用缺失的背景下，倫理信任可能遭遇風險，然而信任又不可或缺，實現「道德信用—倫理信任」的良性循環，迫切需要在全社會積累信任的倫理信心。而要想在社會生活中獲得信任的倫理信心，就必須從文化源頭上找尋智慧。每一種文化都會為此提供終極信念。在宗教型文化中，這種信念是上帝或佛祖；在倫理型的中國文化中，是基於人倫神聖和人性本善的「誠」的信念。所以，信任問題總是與關乎終極信念的文化問題相伴隨。概而言之，在西方是上帝的誡命，東方則是「道」先秦道家重誠尚信，如老子說：「信言不美，美言不信。」（《道德經》第81章）「輕諾必寡信。」（《道德經》第63章）「信者，吾信之；不信者，吾亦信之，德信。」（《道德經》第49章）強調與人講話開闊有度善於誠實守信——「居善地，心善淵，予善天，言善信，正善治，事善能，動善時。」（《道德經》第8章），指出「信不足焉，有不信焉。」（《道德經》第17章）——人若對道德信念奉行不足，也就會造成更多失信。

信任之「信」不僅是由誠實守信的道德信用，而形成的倫理現實，而且是基於倫理實體如家庭、民族、國家的文化信念，就像宗教型文化基於上帝所生成的倫理信念一樣。愛和忠誠顯然是十誡的基礎，上帝用「愛」來喚起以色列人對他的忠誠和信任。正如馬克思所說，「我們現在假定人就是人，而人對世界的關係是一種人的關係，那麼你就只能用愛來交換愛，只能用信任來交換信任，等。」[11]

登山訓道，即摩西十誡，是上帝唯一的一次對以色列人，直接揭示天啟。它陳述了上帝的一些無條件的最基本的誡命，十誡的前半部分是關於以色列人和上帝之間的淵源，其餘的誡命是有關以色列和作為其同伴的族群被禁止謀殺、通姦、搶劫、作偽證和一切貪婪的行為。十誡幾乎貫穿了摩西五經中的《出埃及記》、《利未記》、《申命記》，涵蓋了依照神的旨意制定的人類行為準則和社會倫理道德：「不可隨夥布散謠言，不可與惡人連手妄作見證；不可隨眾行惡，不可在爭訟的事上隨眾偏行，作見證屈枉正直……若遇見你仇敵的牛或驢失迷了路，總要牽回來交給他。」（《出埃及記》23：1-4）「你們不可偷盜，不可欺騙，也不可彼此說謊。不可指著我的名起假誓……不可欺壓你的鄰

10　（波蘭）彼得・什托姆普卡著，程勝利譯：《信任：一種社會學理論》北京：中華書局，2005年，「前言」，頁1-2。

11　《馬克思恩格斯全集》卷3，北京：人民出版社，2002年，頁364。

舍，也不可搶奪他的物……你們施行審判，不可行不義，不可偏護窮人，也不可看重有勢力的人……不可在民中往來搬弄是非，……不可心裏恨你的弟兄；總要指摘你的鄰舍，免得因他擔罪。」（《利未記》19：11-17）「你若看見弟兄的牛或羊失迷了路，不可佯為不見，總要把它牽回來交給你的弟兄。你的弟兄若離你遠，或是你不認識他，就要牽到你家去，留在你那裏，等你弟兄來尋找，就還給他。你的弟兄無論失落什麼，或是驢，或是衣服，你若遇見，都要這樣行，不可佯為不見。」（《申命記》22：1-3）誡命強調了社會的公正、個人的道德修為以及鄰里的責任。宗教終極便是遵從上帝的誡命。若遵行誡命則蒙福：「你若留意聽從耶和華你神的話，謹守遵行他的一切誡命，就是我今日所吩咐你的，他必使你超乎天下萬民之上。你若聽從耶和華你神的話，這以下的福必追隨你，臨到你身上：你在城內必蒙福，在田間也必蒙福。」（《申命記》第28章）「所以，你們要守我今日所吩咐的一切誡命，使你們膽壯，能以進去，得你們所要得的那地，並使你們的日子，在耶和華向你們列祖起誓應許給他們和他們後裔的地上得以長久，那是流奶與蜜之地……你在那裏撒種，用腳澆灌，像澆灌菜園一樣……從歲首到年終，耶和華你神的眼目時長看顧那地……他必按時降秋雨春雨在你們的地上，使你們可以收藏五穀、新酒和油。也必使你吃得飽足，並使田野為你的牲畜長草。」（《申命記》11：8-13）

倫理型文化的精髓是以倫理為終極價值和終極歸責。孟子認為要想取得周圍人的信任，達到誠心正意，必須借助於「明善」。荀子則從否定性角度指出，天地為大，但如果不誠就不能化生萬物；聖人為知，但如果不誠就不能化育萬民。他主張君王在治理國家時應謹慎處理事務並講究誠信：「道千乘之國，敬事而信，節用而愛人，使民以時。」（《荀子・榮辱》）

因此，如果缺乏信任的倫理信念和倫理素質，將會導致信用焦慮中信任問題蔓延；另一方面是「誠」的形而上的終結，使道德信用與倫理信任缺乏共同的精神家園和信念支持，在問題焦慮中動搖文化信心。

良善、仁愛是信任的橋樑與紐帶，在希伯來聖經裏，上帝是正直且富於同情心，上帝的意願符合美德的標準，而人類的美德又與上帝的意願相契合。繼而產生了正義和尊重生命的絕對基準。

猶太人創造了西方的文明，歷史上有無數的民族和文明消失了，而猶太民族，在埃及為奴三百多年，又淪為巴比倫之囚達半個世紀，西元七〇年，羅馬皇帝提圖斯，蕩平聖殿到二十世紀，猶太民族開啟了長達一千多年的史詩般的流亡史，「散居各地」（diaspora）的猶太人在世界各地流亡和經商，他們的經文和記憶裏記載著，倍受基督教和伊斯蘭教支持者的迫害和殺戮的經歷；被禁止擁有土地，被同業公會禁止參加產業，店鋪遭他國民眾的瘋狂劫掠；被排斥和被逐出教會並被驅逐出境；因被他國拒絕入境而被迫在海上漂蕩；被限制在隔離區裏；雖然沒有任何政治組織，沒有任何法律強制

的社會團結，他們用自己的金融和貿易智慧建造文明不可或缺的小鎮和城市……是什麼使這個了不起的民族，在面臨亡國滅種的重重危難中，仍然保存了它在種族和文化上的完整性，使身體和靈魂自我維繫下來？無疑，是虔誠的信仰，對上帝的信任才使得他們能夠樂觀地把最悲劇，最災難的歷史事件，看作是神「更偉大的計畫」，並用令人難以想像的虔誠捍衛其最古老的典儀和傳統。

　　一九九二年，以色列學者莎洛・施瓦茨（Shalom Schwartz）將其領導的團隊，在個體層面測試五十七種價值觀，歸納為存在任何一種文化中的十種基本價值觀。它們源於人類的十種普遍需求，包括個人的生物需要、群體生存與福利的需求、社會人際交往的需要。它們是權力（power）、成就（achievement）、享樂主義（hedonism）、鼓舞（stimulation）、自我引導（selfdirection）、普世主義（universalism）、仁慈（benevolence）、傳統（tradition）、遵從一致（conformity）、安全（security）。施瓦茨強調不同文化的價值觀存在一定的共性。[12]《創世紀》第十章出現的各國家圖譜顯示在不同土地上居住的民族都起源於一個共同祖先，東方的道和猶太民族的上帝所擁有的共同的本質特徵是：它們是永恆的、萬能的和無所不在卻又無形的。[13]「道」是全能的。「道」是不可能片刻背離的。可以背離的東西就不是「道」了。所以，君子在不被人看見和不被人聽見的情況下也要戒懼、謹慎。（天命之謂性；率性之謂道；修道之謂教。道也者，不可須臾離也；可離，非道也。是故君子戒慎乎其所不睹，恐懼乎其所不聞。」〔《中庸》第一章〕）在東方，一個超越宗教的世界之所以成為可能，這要歸功於道家。

　　在全球範圍內，《道德經》僅次於西方的《聖經》，是發行量最大、普及率最高的經書，它被翻譯為二十多種不同地區和國家的語言，其譯本數量也位居第二，影響力也是同樣深遠。中國特色的「上帝」或「神性」，雖然是無形無狀、有不可描述的隱形本質，可卻是真實的、可靠的、客觀的存在，並且有「靈」，「其中有『精』，其精甚真，其中有信」。

　　「當今世界超過十億人聲稱其思想遺產源自古希臘。超過二十億人宣稱自己是中國思想傳統的後裔。」[14]大多數西方人認為《道德經》古老而神秘：《道德經》是偉大的中國經典中最簡潔的──總共只有五千字──也是被翻譯成幾乎所有歐洲語言的中國文獻，他們認為《道德經》啟示性和不可譯性並存，正因如此，它所包含的大量寶貴的資訊，迄今，從未真正被歐洲人理解。道家的自然哲學也是西方思想體系中，對神學和形而上學感到幻滅的思想者們苦苦求索的。

　　《道德經》認為「人」應嚴格服從「地」，即大環境；「地」也要嚴格「配天」，服

12　關世傑：《中華文化國際影響力調查研究》北京：北京大學出版社，2016年。

13　（韓）崔英鎮著，吳萬偉譯：《東方與西方：道家與猶太哲學》北京：中國政法大學出版社，2018年。

14　Richard Nisbett, *The Geography of Thought: How Asians and Westerners Think Differently* Free Press, 2004,3, Kindle edition. P.3.

從「天」，即上天旨意的運行規律；而「天」本身也要嚴格地服從「道」，即天下一切的原本和起源，是非的準則。「道」自生自在，是一切規律的給予者和支配者。《道德經》很明顯的是要樹立「道」作為亙古的本質和宇宙的來源，其有決定性的現實意義和應用價值。唯有「道」之採納就能解決當今世界和人類社會的一系列問題老子的最終目的，是為普及「聖人」之道、「以道蒞天下」。「侯王若能守之」，就意味著能順利地樹立與推行那符合天道、高度和諧的國家。「治大國若烹小鮮」就像小菜一碟那麼容易地達到以道興國、以德治國之目標（第63章「天下難事必作於易」），「聖人」高尚榜樣的塑造力和號召力，也理所當然地將從此由上而下流行天下，以普照神聖文明之光代替世俗社會裏不健康和不真實的低級行為。這豈不就是當今中國乃至世界所急需的中國神聖文明之復興、大文化的發展與繁榮、以及和諧幸福社會建設的最佳路線！中國史上歷代皇帝、各朝代的重要宰相、每一時代的學者等均對《道德經》持重視態度。這說明中國的治國歷史和未來發展的道路上缺少不了對「王道」及「以道興國、以德治世」的探索。

　　英國著名的史學家、哲學家阿諾德·約瑟夫·湯因比曾預言：「十九世紀是英國人的世紀，二十世紀是美國人的世紀，到了二十一世紀，人類會因為過度的自私和貪婪而迷失自己，道德淪喪，信仰疲乏，心靈空虛，世界必將出現空前危機。要拯救三大生存危機，唯有中國的文化，所以二十一世紀是中國人的世紀。」[15]

五　結語

　　環境惡化和難以持續的經濟發展，加上大規模殺傷性武器的存在，這些都將成為二十一世紀最嚴峻的挑戰。戰爭、自然災害，盲目無序的經濟競爭和自然資源掠奪，使我們人類賴以生存的這個星球已經千瘡百孔，無數生命體因人類自身的貪婪而歷經痛苦和煎熬。「……我們對生態所作的事取決於我們對人與自然的看法。更多的技術和科學並不能讓我們擺脫生態危機，除非我們找到一種新的宗教或者重新思考舊宗教。」[16]

　　習近平總書記在主持中央政治局集體學習時指出，拋棄傳統等於割斷精神命脈，提出要挖掘、闡發中華優秀傳統文化講仁愛、重民本、守誠信、崇正義、尚和合、求大同的時代價值。猶太教中的上帝與中國的道應為人類命運共同體，而創建人類文明的共同精神家園中，擔負起使命。如《禮記》所載「萬物並育而不相害，道並行而不相悖」。道和神有效地描述了人類與自然關係上的兩種認知和選擇，有人認同是神創造了高於自然的人類，並以信奉超自然宗教的超驗之神來安頓身心，有人遵從無所不在的天道，相信它對人的際遇負有終極責任，並藉以安生立命。

15　（坡蘭）阿諾德·約瑟夫·湯因比著，劉北成譯：《歷史的研究》上海：上海人民出版社，2005年。
16　Lynn White, Jr, *The Historical Roots of Our Ecologic Crisis*, JASA21 (June 1969): 42-47.

孟子的論辯方法初探
——從語用論辯術的視角來看

楊召富

北京師範大學哲學學院

一　前言

　　處在百家爭鳴的戰國時期的孟子以「善辯」而聞名於世。為了推行他的「仁政」思想，遂與各國君王進行論辯。本文借鑒語用論辯學派評價自然語言論證的方法，採擷孟子論辯的幾個片段，試圖從邏輯學、論辯術和修辭學三個維度出發，來探究孟子的論辯實踐。可以看出，孟子在論辯中非常重視邏輯方法，精通論辯策略，巧用修辭技巧，實施策略操控，辯證地看待事物的發展狀況，在邏輯理性、論辯合理性和修辭有效性之間取得了理性的平衡，通達論辯之道。

　　古代文學評論大師劉勰（約西元465年-約520年）在《文心雕龍·論說》中寫道：「一言之辯，重於九鼎之寶；三寸之舌，強于百萬之師」。可見，他對論辯的評價達到了前所未有的高度。戰國中期的孟子，是繼孔子之後儒家學派的代表人物之一，人稱「亞聖」，以其雄辯的口才聞名於世。孟子的論辯，以小取大，由淺入深，邏輯嚴密，對堅持己方主張來說，具有氣勢恢宏的說服力；對於反駁對方觀點來說，具有堅不可摧的辯護力。儘管孟子本人也曾自我嘲諷，「予豈好辯哉？予不得已也。」（《孟子·滕文公下》）但從《孟子》中體現的具體論辯來看，孟子顯然有過謙之嫌，與其說孟子「好辯」，不如說他「善辯」。

　　對孔子本人的敬佩及其思想的推崇是孟子「好辯」的原因之一。與墨子[1]不同的是，孟子並不是一個論證理論家，而是一個以論證著稱的論證實踐者，並沒有形成自己系統的論證理論，但他的論證實踐極大地啟發了後來中國學者對論證理論的發展。生活在戰國中期，儒家學派的思想出現了信仰危機的徵兆。他視孔子為三聖之首，極力推崇孔子的「仁學」思想，試圖繼承和發揚孔子的思想，曾感歎「楊墨之道不息，孔子之道不著」（《孟子·滕文公下》）[2]，孟子下定決心「正人心，息邪說，距詖行，放淫辭」

---

1 墨子（約西元前468年-西元前376年），又稱墨翟，是墨家的創始人，戰國時期著名的思想家、教育家、科學家、軍事家、論辯理論家（甚至邏輯學家）。他的論辯理論著作是第一部分，通常被稱為《墨經》或墨家論證理論，由墨子的弟子和追隨者編纂而成。

2 楊伯峻：《孟子譯注》北京：中華書局，2010年，頁168。

（同上），並直言「能言距楊墨者，聖人之徒也」（同上）。其次，孟子善辯的另一個原因是，他和孔子一樣，具有強烈的社會責任感。他在孔子人性論的基礎上提出了仁政思想。除此之外，他一生致力於說服他的目標聽眾——梁惠王、齊宣王、滕文公等諸侯，接受他關於人道政策的基本政治立場，提倡人道治理，即仁政，使統治者成為真正的君主，老百姓安居樂業。

　　借鑒語用論辯學派[3]評價自然語言論證的方法，本文試圖從三個維度，即邏輯學維度、論辯術維度和修辭學維度出發，來探究孟子的論辯實踐。邏輯學的角度是指，孟子在論辯過程中遵循邏輯理性，遵循邏輯規律，遵守邏輯規則；論辯術的角度是指，孟子在與齊宣王等各諸侯論辯、與弟子及其他持相左意見的士人辯論的過程中，基於雙方共許的論辯前提，借助批判性的言語行為，說服對方接受己方立場，消除彼此之間的意見分歧；修辭學的角度是指，充分考慮到論辯發生的語境及其變化，論題的選擇，巧妙、恰當地運用表達手段，並以說服目標聽眾的品質作為衡量論辯效果的關鍵標誌。邏輯學維度是任何一個論辯實踐必須考慮的維度，是任何論辯實踐的理性基石。從整體上講，不合乎邏輯理性的交流和論辯是不能成功的。而論辯術維度裡滲透著邏輯學維度，否則論辯術維度缺乏邏輯的理性根基，論辯就會犯下諸多謬誤，甚至成為詭辯。修辭學維度是為了達到說服目標聽眾的效果而設計的，如果過分追求論辯方法和表達技巧，可能會適得其反，出現所謂的策略操控的脫軌——謬誤，這是任何言語活動都不允許的[4]。不能說孟子的論證實踐沒有任何瑕疵，但他的論證時刻滲透了邏輯理性、論辯合理性和修辭有效性三個方面，並在某些方面達到了一個均衡。換言之，孟子在推行仁政的論辯過程中，達到了邏輯理性的、論辯術的以及修辭學三者之間的平衡。

3　論證的語用論辯理論由 Frans van Eemeren 和 Rob Grootendorst（1944-2000）在二十世紀七〇年代在阿姆斯特丹大學創始，並在接下來的四十年中發展起來的。一貫地，該理論中的論證被視為從言語行為理論和話語分析中的語用洞察所激發的交際角度，與批判理性主義和形式論辯術中的論辯性洞察所激發的批判性角度相結合的觀點。由於人們在生活的各個方面都使用辯論來說服別人他們對信仰、想法或行動的看法。Frans van Eemeren 和 Rob Grootendorst 認為，為改進其分析、評價和生產創造充分的理論基礎至關重要。他們發展這一理論基礎的總體規劃是從一個抽象的論證理想模型逐步發展到各種論證實踐的具體現實。參見 F. H. van Eemeren, B. Garssen, E. C. W. Krabbe, et al.: *Handbook of Argumentation Theory* (Berlin: Springer Netherlands, 2014), 523-524.

4　策略操控是由 van Eemeren F. H. 最早提出。他認為，為了有效地說服目標聽眾，在論辯術標準理論的批判性討論模型的基礎上加入修辭維度，在潛在論題的選擇、聽眾需求和表達手段三個方面精心設計，讓論辯的結果朝著有利於論辯者自己的方向發展。當然，如果過分追求修辭有效性並越過了論辯合理性的邊界，打一個形象生動的比喻，火車在行駛的過程中，車輪離開了軌道，會導致交通事故，造成乘客受傷或者鐵路受損。借此形象地比喻策略操控已經脫軌，論辯性話步犯了謬誤。參見 F. H. van Eemeren: *Strategic maneuvering in argumentative discourse: extending the pragma-dialectical theory of argumentation* (Amsterdama/Philadelphia: John Benjamins Publishing Company, 2010),41.

二　邏輯理性

　　孟子的論證實踐在邏輯理性方面體現在，他在論辯的過程中幾乎都遵循了邏輯思維的基本規律，其論辯思維過程保持確定性、一致性、明確性和充足理由性。邏輯思維的基本規律是指，對於人類所有的思維形式——概念、命題、推理和論證來說，都必須遵守的基本要求。本文中，筆者從明確概念這一角度來說明孟子在論辯的過程中，是如何遵循邏輯基本規律，實現邏輯理性的論辯效果的。

　　「知言」是論辯得以開展的初始必要條件。孟子認為，在論辯中，既要能夠識別在語言使用過程中的「詭辭」[5]，又要知曉如何正確地使用語言，對這兩者均要有一個確切的認識。具體到下面這個齊宣王與孟子的論辯事例中，「知言」體現為對論辯過程中的關鍵概念、語詞的使用要正確，才可辯。

> 齊宣王問曰：「湯放桀，武王伐紂，有諸？」孟子對曰：「於傳有之。」曰：「臣弑其君可乎？」（《孟子·梁惠王下》）[6]

儒家雖然崇尚君臣之義與上下有別的人倫思想，但又高度讚揚湯武的為人。然而，桀紂是君，而湯武為臣。所以，齊宣王故意刁難孟子，認為儒家思想有出入。桀紂雖大逆不道，但他們仍然是君上。湯武雖品行高尚，仍為臣子。君上行為失範，臣子應當直言勸諫，而非代為君主，對其誅殺之，是為弑君。所以，「湯武非受命，乃弑之」。面對這一二難困境，

> （孟子）曰：「賊仁者謂之賊，賊義者謂之殘，殘賊之人，謂之一夫。聞誅一夫紂矣，未聞弑君也。」（同上）

「誅」「弑」的含義均為「殺」，但其用法不同。「誅」指處死、討伐，其對象是罪人，而「弑」，即殺死，專指以下殺上。顯然，「誅」與「弑」在作用的客體方面並非具備同一性的基本條件。繼而，破壞仁義之人是為獨夫（一夫）而非君上。基於此，「誅一夫」並非「弑君」。

　　孟子及時糾正了齊宣王的詭辭，成功地反駁了齊宣王設置的二難詰問，也在此體現了論辯過程中要遵守的一條基本的邏輯規律——同一律，即主體在同一（論辯）思維過程中，對其使用的概念、語詞，必須具有確定的涵義。齊宣王在這裡將「一夫」與「君」這兩個概念混淆使用，違背了同一律對於概念、語詞使用的基本要求，對孟子沒有構建成真正的「二難」困境。孟子在遵循同一律的基礎上，並指出齊宣王的邏輯錯誤所在，成功都反駁了齊宣王的詰問和二難困境。

5　詭辭是指假話，異端邪說等。
6　楊伯峻：《孟子譯注》北京：中華書局，2010年，頁44。

三　論辯合理性

以 van Eemeren 創建的荷蘭阿姆斯特丹學派為首的語用論辯學派在評價論證時，考慮到了一個語用維度[7]，即強調在論辯的過程中除了發話者、受話者以及話語內容之外，還有一個重要的語境要素需要考慮其中。語境，是指語言使用的環境，也就是言語行為發生的環境[8]。語用論辯學派的標準理論認為，論辯要經歷衝突階段、開始階段、論辯階段和結論階段，並為論辯制定十大批評性討論規則[9]，論辯過程中論辯方若違反一條或者多條討論規則，均論辯視為是不合理的和謬誤性的。這些階段對應於論辯性話語必須經歷的不同階段，論辯雙方依據是非曲直解決意見分歧。[10]在下面一則論辯中，孟子守經達權[11]，考慮語境的不同，具體問題具體分析，辯證地看待問題，面對對方對己方主張的質疑，與論辯的另一方進行批判性交流，最終達致意見分歧解決，從而實現論辯合理性，充分體現出孟子的論辯術思想。

　　　　淳于髡曰：「男女授受不親，禮與？」孟子曰：「禮也。」曰：「嫂溺，則援之以

7　熊明輝：〈自然語言論證評價的邏輯分析〉，《哲學研究》，2006年第10期，頁102-108。

8　van Eemeren 主張，對論辯性話語的產生、理解和評價要受到微觀語境（上下文）、中觀語境（即時情景）、宏觀語境（制度約束）和互文語境等四種語境因素的約束。參見吳鵬，熊明輝：〈策略操控：語用論辯學之修辭拓展〉，《福建師範大學學報（哲學社會科學版）》，2015年第3期，頁64-69。

9　語用論辯學派為對了批判性討論的模型進行規範，特制定了十條規則，又被稱作「論辯十誡」：① 自由規則：處於論辯中的雙方都不能阻止對方提出自己的立場（或者阻止對方對自己的立場進行質疑）；② 關於舉證責任的規則：在論辯過程中，每當被對方要求時，那麼提出立場的這一方則有義務為對立場進行辯護；③ 立場規則：如若論辯的一方對對方提出的立場實施攻擊，則該攻擊行為須與對方實際提出的立場相關；④ 相關性規則：論辯雙方若想要為立場進行辯護，則為之提出的論證必須與立場具有相關性；⑤ 未表達前提規則：論辯中的任何一方都不能將對方表述的未表達前提錯誤地呈現出來，亦不可對自己已經含蓄表達的前提進行否認；⑥ 出發點規則：雙方都不能將自己或者對方已經接受的（實質性或者程式性）出發點進行否定或者錯誤地呈現；⑦ 論證型式規則：如果沒有通過正確地使用合適的論證型式來為某個立場辯護，則就不能認為對該立場實施了決定性的辯護；⑧ 有效性規則：論辯過程中所涉推理都一定是邏輯有效的，或者通過使未表達的前提明晰化的手段使論辯過程中所涉推理是邏輯有效的；⑨ 結論規則：如若失敗的對立場辯護失敗，則必然導致正方撤回自己的立場，並且，若如立場辯護成功，則必然導致反方撤回自己對立場的質疑；⑩ 語言使用規則：論辯中的任何一方都不能使用含糊不清的表述，而且對對方的陳述須盡可能地謹慎而又準確地進行解釋。語用論辯理論規定，在論辯過程中，任何一方違背了其中的一條或多條規則，則被視為犯了謬誤，這些語用標準使對論辯的評價成為可能，參見 F. H. van Eemeren, R. Grootendorst, A. F. S. Henkemans: *Argumentation: Analysis, Evaluation, Presentation* (Mahwah: Lawrence Erlbaum Associates, 2002),82-183.

10　F. H. van Eemeren: *Argumentation Theory: A Pragma-Dialectical Perspective*(Berlin:Springer Netherlands, 2018), 36.

11　出自《春秋公羊傳·桓公十一年》，「權者反於經，然後有善者也。」其中，「經」指原則性，「權」指變通性。守經達權，孟子這裡也稱「執中有權」講。

手乎？」曰：「嫂溺不援，是豺狼也。男女授受不親，禮也；嫂溺，援之以手者，權也。」曰：「今天下溺矣，夫子之不援，何也？」曰：「天下溺，援之以道；嫂溺，援之以手──子欲手援天下乎？」（《孟子·離婁上》）[12]

　　淳于髡以一個設問開啟了論辯的衝突階段。孟子在應對淳于髡提出的難題時，顯現了高超的智慧。孟子認為，「男女授受不親」是當時封建社會的禮制規定，一為原則性；眼睜睜地看到嫂子掉進水裡處於危險之中卻不施以援手，儘管遵循封建禮制的規定，但卻背離了「仁義」[13]這一更高的準則。而不拘束於封建禮制的束縛，在具體情況下，即當嫂子掉進水裡面臨生命危險時，對待特殊情形特殊處理，一為變通性。這些都是雙方接受的前提，基於這些出發點，論辯進入了開始階段。孟子辯證地將原則性與變通性統一起來，以反問「子欲手援天下乎？」，既痛斥了淳于髡歪曲理解封建禮制這一失範行為，又自然而然地引申出自己主張推行仁政，施行「王道」以拯救天下黎民百姓為己任的遠大政治抱負，由此進入了論辯階段。權變表面上似乎背離了守「經」的封建禮制原則，甚至有違「經」的基本要求，但其實孟子在這裡卻真正地恪守「仁義」的道德原則，順理成章地完成了「經」賦予的使命，最終實現了人性善這一理論基石，為說服君上推行仁政鋪平了道路，論辯進入了結束階段。

　　孟子在論辯的過程中，考慮到了場景，即語境的變化，隨之思維認識也跟著變化。辯證地觀察周圍以及語言使用中事物的發展變化情形，與此同時，在思維上規範對事物是非方面的認識，不斷地修正自己的信念，使之更加符合對現實複雜情形的處理。在恪守封建禮節的基礎上，變通地把握形勢的變化，既體現在思維認識的轉變上，又要體現在論辯過程中的語言使用和觀點主張的闡述，以及論辯過程中論辯雙方的論辯回合上。

　　拒絕墨守成規，守經達權是孟子論辯思想的重要體現，是孟子論辯的方法論，也是對孔子中庸思想的繼承和發展，是孟子施展其論辯才華的理論根基。體現在論辯術中，孟子應對淳于髡的難題，考慮語境場景的變化，具體問題具體分析，針對對方提出的難題，提出自己的主張，以轉變對方立場，達成論辯出發點的一致認同。基於雙方認同的論辯前提或出發點，通過批判性交流，即對對方的觀點進行駁斥，對自己的觀點進行辯護和證明，循環往復，直至最終達到意見分歧的解決，使雙方對事物或者觀點的是非認知或者判斷趨於一致。換言之，守經達權是「辯證」這一哲學思想在孟子論辯實踐中的具體體現，「盡信《書》，則不如無《書》。」（《孟子·盡心下》）為等也是孟子執中有權

---

12 楊伯峻：《孟子譯注》北京：中華書局，2010年，頁193。

13 「仁」與「義」是儒家最重要的兩個道德範疇。仁意味著每個人都應該幫助那些需要幫助的人，而義意味著每個人都應該與他人分享幸福。孟子特別推崇這兩個概念。他把仁、義作為人生的最高追求。「當仁是心靈的居所，義是人生之路時，偉人的事業就完美無缺了」。參見 Mencius: *The works of Mencius*. Trans. by J. Legge (Beijing: Foreign Language Teaching and Research Press, 2011), 262.

思想的具體應用，這些為孟子進一步闡述自己的仁政主張打下堅實的基礎，新一輪的論辯也隨之開啟。

四　修辭有效性

修辭，是一種旨在巧妙運用語言加工技術，從而提高語言表達能力、增強論辯的感染力與說服力的表達效果的語言活動。孟子在為其仁政主張作論辯的過程中，熟練地運用了當時較為流行的言語修辭方法。其中孟子運用最多的修辭手法是比喻。設問、反問以及引用等修辭手法也常被用到。孟子說：「非文辭不為功」，意在強調修辭在論辯中起到的重要作用。van Eemeren 等人在其創建的語用論辯學派的標準理論中加入修辭維度，繼而在論辯過程中，論辯雙方實施一系列的策略操控[14]話步，從而使己方在遵循論證合理性的基礎上，使論辯結果朝著更加有利於自己的方向發展，最終達到修辭有效性。

比喻在孟子的論辯中隨處可見，「善譬而喻」是其語言表達的特色之一。所謂比喻，是指在語言表達的過程中提到甲（類）事物與乙（類）事物，它們之間存在一些相似或者相近的屬性，並籍以乙（類）事物的屬性來表達甲（類）事物的屬性的一種修辭技巧。在孟子的論辯中，常常用具體的事物來表達抽象的事物，用淺顯的事例來表達深刻的道理等等，「言近指遠」，符合孟子善言的個性特徵。

齊宣王在位期間，內政不修，百姓生活窮苦，「仰不足以事父母，俯不足以畜妻子，樂歲終身苦，凶年不免於死亡」（《孟子‧梁惠王上》）。但齊宣王一味想推行霸道，「欲闢土地，朝秦楚，蒞中國而撫四夷也」。於是，孟子就給齊宣王打了一個形象的比喻，指出他的這種稱霸的欲望只是一種難以企及的妄想而已：

孟子曰：「以若所為，求若所欲，猶緣木而求魚也。」（《孟子‧梁惠王章句上》）[15]

14　策略操控包括三個方面：首先，可以從可用的「潛在論題」中做出選擇，這種選擇（並不總是清楚地描述）可以作出論證性的選擇，在某種情況下和在話語的某個特定點上論證者可以使用；其次，可以選擇如何調整策略操控中的論辯性話步以滿足「受眾需求」，與將要達到的聽眾相關的要求；第三，對「表達手段」的使用，涉及到如何以策略上最好的方式表現論辯性話步的選擇。需要強調的是，在論辯性實踐中，盡可能地從可用的潛在論題中做出適當的選擇，適當地回應一個被感知到的觀眾需求，並且利用表達手段，這三者可以永遠在一起，並在每一個論辯性的話步中表現出來。如果不同時選擇如何利用潛在話題、如何滿足受眾需求以及如何使用表達手段，就不可能進行策略操控。因此，在對論辯性話語進行分析和評價時，對於每一個論辯性話步和每一個系列話步，都有必要對所發生的策略操控的三個方面進行識別，並找出這三個方面在操控中具體是如何形成的。參見 F. H. van Eemeren: *Strategic maneuvering in argumentative discourse: extending the pragma-dialectical theory of argumentation* (Amsterdam/Philadelphia: John Benjamins Publishing Company, 2010), 93-95.

15　楊伯峻：《孟子譯注》北京：中華書局，2010年，頁18。

意思是，「依照您現在的所作所為，想要去實現那麼大的欲望，就好比想要爬到樹上去捉到魚一樣。」「以若所為，求若所欲」為本體，「緣木求魚」為喻體。「以若所為，求若所欲」的結果可以用「緣木求魚」來回答。很顯然，「緣木求魚」是一種勞而無功的蠢人行為，因此，可想而知，齊宣王「以若所為，求若所欲」只能是一種實現不了的妄想。

孟子這個比喻構思地相當巧妙。一種重大的政治現象作本體，即實現稱霸天下的雄心，而以日常生活中的小事作喻體，即想要爬到樹上去做魚。回答諸如齊宣王能否實現霸道的政治願望此類的政治問題十分困難，但回答諸如在日常生活中爬到樹上去捉魚這樣的問題卻是不言而喻的。以緣木求魚注定會失敗這類生活小事作比喻，類推到推行霸道這類政治大事也必定會失敗，以小見大，由淺入深，發人深省，齊宣王立刻領會到孟子的要義，這為孟子勸齊宣王推行仁政的政治理念鋪平了些許道路。事實也正如此。

孟子說，「君子之言不下帶，而道存焉！」君子的言語裡通常講的都是日常看得見的小事，而欲要說明的卻是深邃的大道理。孟子用「緣木求魚」這樣淺顯易懂而攜帶幽默色彩的日常小事作比喻，來說明齊宣王推行霸道這一政治構想的宏偉問題，孟子語言的使用特色昭然若揭。

五　孟子的論辯之道

孟子善辯，是一位名副其實的語言巨匠，他反對霸道，推行王道，但在他與各位諸侯、弟子以及對手論辯的過程中，練就了自身特有的論辯之道[16]，即在遵守邏輯理性的前提下，成功地實施了策略操控，巧妙地在論辯合理性和修辭有效性之間達到了一個微妙的平衡。以下面一段孟子與弟子陳臻就「受」與「非受」的論辯為例：

> 陳臻問曰：「前日于齊，王餽兼金一百而不受；于宋，餽七十鎰而受；于薛，餽五十鎰而受。前日之不受是，則今日之受非也；今日之受是，則前日之不受非也，夫子必居一於此矣。」

> 孟子曰：「皆是也。當在宋也，予將遠行，行者必以贐，辭曰『餽贐』，予何為不受，當在薛也，予有戒心，辭曰『聞戒，故為兵餽之』，予何為不受？若于齊，則未有處也。無處而餽之，是貨之也，焉有君子而可以貨取乎？」（《孟子‧公孫丑下》）[17]

---

16 在中國哲學中，源於道家的「道」一詞至今仍是一個普遍的概念。根據 Combs 的說法，在英語世界裡，道的字面意思是「路」或「路徑」，但從語境上看，它也是指一種熟練的、巧妙的或有效的方法或進路。參見 S. C. Combs: *The Dao of rhetoric* (Albany: State University of New York Press, 2006), 23.

17 楊伯峻：《孟子譯注》北京：中華書局，2010年，頁99。

在邏輯理性方面，弟子陳臻提出了一個二難推理[18]：

如果前日不接受饋贈是對的，那麼今日接受饋贈就是錯的；如果今日接受饋贈是對的，那麼前日不接受饋贈就是錯的。或者前日不接受饋贈是對的，或者今日接受饋贈是對的。所以，或者今日接受饋贈是錯的，或者前日不接受饋贈是錯的。

於此，孟子就陷入了兩難境地。但孟子認為，事物是發展變化的，當事物發生、發展的時間、地點和條件均發生了變化，那麼對一事物的是非判斷也應發生相應的變化：受宋是因為路途遙遠，乘坐交通工具需要路費；受薛是因為，擔心在戰亂路途中遇到壞人，需要花錢購買武器以作防身之用；而不受齊的原因是，在齊國沒有接受別人饋贈的理由，所以不受。孟子以子之矛攻子之盾，憑藉高超的邏輯智慧成功破斥了這個二難推理。孟子的二難推理可以構造如下：

如果前日不接受饋贈是對的，那麼今日接受饋贈也是對的；如果今日接受饋贈是對的，那麼前日不接受饋贈也是對的。或者前日不接受饋贈是對的，或者今日接受饋贈是對的。所以，或者今日接受饋贈是對的，或者前日不接受饋贈是對的。孟子否定了弟子陳臻提出的二難推理中兩個假言前提的後件，得出了「或者今日接受饋贈是對的，或者前日不接受饋贈是對的」的結論。孟子的時代儘管並非熟知二難推理這個邏輯理論，但孟子對陳臻提出的二難困境的破斥，根據排中律和不矛盾律對論辯的對象進行討論，與邏輯推理的有效性規則完全符合，彰顯邏輯理性，使自身在論辯立於不敗之地。

另外，孟子在與弟子陳臻的這段論辯中，突顯出明顯的辯證法思想[19]。上述論辯中，就「知言」「知類」來看，孟子對在審視「受」與「不受」之是非兩者之間，沒有絕對的差別，而決定是非的判別標準是依賴於當時當地的實際情形，具體問題具體分析，在不違背客觀現實的基礎上，將是非認知判斷置於辯證法的背景之下，使辯證意識和辯證態度融入是非判斷的斷定之中，運用辯證思維規範自身對處於發展變化中的事物的是非認知，不斷修正自身對客觀事物情形的是非斷定。而這種對客觀事物是非判斷的辯證認識，體現了主體尊重客觀性和發揮主觀能動性的統一。反映在論辯中，即是對於論辯過程中的關鍵概念予以澄清和解釋，繼而使論辯雙方在進一步論辯之前達成實質性或者認識上的出發點上的共識和接受，使論辯順利開展下去非無裨益。

在論辯合理性方面，范・愛默倫在評價論證時，建構了一個由衝突階段、開始階段、論辯階段和結束階段這四個階段組成的批判性討論模型[20]。在衝突階段，論辯雙方對同一議題產生意見分歧，其論辯性目標是使處在意見分歧困境中的具體議題以及論辯雙方在論辯中應該承擔的角色獲得清晰性。在開始階段，論辯性目標是去為討論建立一

18 王澤宜：《孟子的論辯藝術》濟南：濟南出版社，1996年，頁27-29。

19 張曉芒：《中國古代論辯藝術》太原：山西人民出版社，2002年，頁150-151。

20 S. Greco, F. H. van Eemeren and A. F. S. Henkemans: *Argumentation: Analysis and Evaluation, 2nd Edition* (New York and London: Routledge Taylor and Francis Group, 2017), 21-23.

個清晰的出發點。這種出發點是由主觀間可接受的程式性和實質性出發點所構成——互相讓步，並且也包括對舉證負擔分配達成一致認同。在論辯階段，其論辯性目標是，從在開始階段確立的出發點出發，檢驗在衝突階段形成意見分歧的立場的可行性。在結束階段，論辯雙方的論辯性目標是確立批判性檢驗測序的結果，決定正方在反方對其主張的立場提出質疑的情況下是否堅持自己的立場，或者反方在考慮正方為辯護自己的立場而做出的論證之後是否仍然堅持對正方觀點的質疑。

　　回到孟子與弟子陳臻就「受」與「非受」的論辯中來。陳臻質問孟子，為什麼孟子之前在齊國不受，在宋國和薛國卻受，至此與孟子產生了意見分歧，開啟了論辯的衝突階段；由於齊、宋、薛都是雙方熟悉的國家，「受」與「非受」所攜帶的含義都是雙方認同的，這些都可作為論辯的出發點，由此，論辯順理成章地進入開始階段；在接到弟子陳臻的二難質疑之後，孟子辯證地分析了事物發展的不同情形，並運用以牙還牙的策略成功地破斥了對方設置的二難困境，由此完成了論辯階段；結論階段，面對孟子的兩個問句「予何為不受？」「焉有君子而可以貨取乎？」顯然，陳臻也陷入了孟子設置的兩難境地，不得不接受了孟子「皆是也」的主張。

　　在修辭有效性方面，孟子常常用形式多樣的問句來緊緊抓住對方，使另一方在不知不覺中朝著否定自己的反面方向發展，「誘問」便屬於孟子這種典型的修辭策略之一。「誘問」，並非有疑而問，而是有著明確的論辯目的，即為了使論辯的對方積極思考己方的論題，因勢利導，誘使對方放棄自己的主張，轉而去接受己方的主張，故而有意向對方發問。「誘問」這一論辯技巧在論辯中經常被論辯雙方使用，己方在誘問之前應該能夠對對方的回答有所預期，己方往往胸有成竹，往往採取連續發問的形式，它具備循循善誘，扣人心弦，誘敵入彀的修辭效果，使論辯具有極強的感染力和無可辯駁的說服力。在孟子與弟子陳臻就「受」與「非受」的論辯這一案例中，面對陳臻提出的二難困境，孟子沉著文靜，積極從對方的論辯前提出發，不默守陳規，辯證地看待事物發展變化，守經達權，具體問題具體分析，靈活應對，運用「知言」的心理戰術，辯證施辯，得出與論辯對方相反的結論，成功地破斥了論辯對方提出的二難困境。更為重要的是，孟子的兩個誘問「予何為不受？」「焉有君子而可以貨取乎？」採取守經達權的策略，層層誘問，在分析「受」與「不受」的不同條件的基礎上，步步緊逼，絲絲入扣，氣勢恢宏，使論辯對方瞠目結舌，論辯對方在接受己方前提的基礎上，不知不覺地接受與對方立論相反的己方觀點，理由充足，辯護有力，克敵制勝，不給對方反駁的機會。孟子駕馭語言的嫻熟技巧彰顯了精彩絕倫的論辯技巧。

六　結語

　　孟子「好辯」是歷史和時代使然，而他「善辯」則是自身語言修煉、學識積累的結

果。孟子的論辯方法技巧是中國傳統文化的知識圭臬，在百家爭鳴的時代，其論辯之道，運用邏輯推理，服務於自身推行「仁政」學說的政治論證的需要的同時，最終服務於使百姓安居樂業的社會責任感，通過一系列的策略操控的論辯性話步，在邏輯理性、論辯合理性和修辭有效性之間找到了一種理性的平衡[21]，吹響了社會變革的歷史號角。

---

21 M. Xiong, L. Yan ,"Mencius's Strategies of Political Argumentation," 25.

淺談《左傳》女性人物稱謂

張丹

中國人民大學國學院

一　引言

　　《左傳》以《春秋》為綱，並仿照春秋的體例，按照魯國君主繼位的順序，記載了自魯隱西元年（西元前722年），到魯哀公二十七年（西元前468年）的二百五十四年的歷史。《左傳》不僅記載了春秋時期幾百年動亂的歷史，同時也記載了各類禮儀制度、社會風俗、典章制度、政治關係等豐富的社會文化現象。書中人物龐雜繁複，人物關係錯綜複雜，且春秋時期人物稱謂特別是女性稱謂不僅與現代社會、甚至與同時期的男性稱謂也截然不同，但是春秋時期人物稱謂有著明顯的規律性。

　　本文以《左傳》為文本，結合方炫琛先生歸納的《左傳人物名號研究》（男性180條、女性42條）、重澤俊郎先生的《左傳人名地名索引》以及方朝暉先生的《春秋左傳人物譜》等，整理歸納出《左傳》中有明顯命名規律的女性人物稱謂一七二個（但像豫讓妻、伯宗妻、秦惃妻這種簡略人物稱謂不納入此次研究範圍），其中異人同名、一人多稱謂的情況非常普遍，因此本文資料統計是以人物稱謂為單位的，而非女性人物的數量。同時從人物稱謂的組成要素和由於人物生活狀態、身分地位變化而變化的人物稱謂這兩個方面入手，區分姓、氏、名、字四個不同的概念。分析《左傳》中體現的春秋時期女性人物稱謂的特點，旨在探究人物稱謂所體現的春秋時期的婚姻宗法觀念和血緣姻親文化。

　　春秋時期的女子，不僅有姓有氏，也有名有字，甚至一些貴族女子還有自己的謚號。《說文解字》：「姓，人所生也。」姓，從女，從生，生亦聲。《春秋左傳》曰：「天子因生以賜姓。」又如《左傳・隱公八年》左氏傳曰：「天子建德，因生以賜姓」。在母系社會，子女隨母姓，隨著社會的發展，進化到父系社會後，姓逐漸演變成隨父親。同時隨著歷史的發展，同一祖先的子孫不斷繁衍增多，這個家族往往會細化成許多分支，並散居於各地。除了保留姓以外，每個分支的子孫一般會為自己另外取一個名稱作為區分標誌，由此便產生了「氏」。氏是會隨著歷史、社會地位的發展而變化，因官職、封邑的改變而改變，一般來說會越分越細，越來越多，因此一個人的後代可能會有幾個氏或者父子兩代不同氏的情況。而關於名和字的命名，一般女子出生三月時父親會給取一個名，《說文解字》對「名」這樣解釋：「名，自命也。從口夕，夕者，冥也，冥不相

見，故以口自名」。意為黃昏後天黑後彼此看不見，所以自己稱呼自己的名字來辨認。而到了十五歲最晚二十歲，女子行笄禮時便會取一個字，在此之後別人便不再稱呼其名而稱其字。

　　《左傳》中的人物稱謂，紛繁複雜，往往是同一個人物稱謂指稱不同的人，又或者一個人有著多種人物稱謂。不管是什麼樣的人物稱謂，實際上是歷史學家或者後人對於這些歷史人物的稱呼和記載，它與現實中女性人物的稱謂並不完全一致，有的受到當時社會情況的制約，或為了體現春秋筆法和微言大義，從而對人物稱謂有所改變。研究《左傳》女性人物稱謂的命名規律，我們可以發現母家姓對於女性人物稱謂命名的重要地位，這不僅對於我們更好地熟悉《左傳》的文本，而且對研究春秋時期的婚姻觀念和社會意識形態有著非常積極的意義。

二　古代的姓、氏、名、字

（一）姓與氏的區別

　　姓氏有別，這又是春秋時期與今不同的一大特點，《說文》：「姓，人所生也」，從女從生，因此人出生便有了姓，出生於同一族便同姓，源於母系社會，這是由於當時的子女「知其母，不知其父」。上古有八大姓，分別是姬、姜、姚、嬴、姒、妘、媯，上古時期的姓大多都是從女偏旁，例如姬，姒，媯、妘、姞、嬴、姜等。

表一　春秋時期的姓

春秋時期的姓	國名
姬	周、吳、魯、晉、鄭、衛、燕、虞、虢、隨、巴、魏、韓
姜	齊、紀、申、呂、許
嬴	秦、趙、徐
姒	杞、越。
媯	陳
芈	楚
子	宋國（商朝後代）

　　氏是姓的分支，用以區別子孫、辨別宗支，《說文》中說氏為象形字，象物體欲傾倒而將其支撐住的形象，是「支」的本字，其本義是古代貴族標誌宗族系統的稱號。「姓」和「氏」不同，「姓」為「氏」之本，「氏」自「姓」出。故《通志‧氏族略

序》：「三代之前，姓氏分而為二。男子稱氏，婦人稱姓。氏所以別貴賤，貴者有氏。賤者有名無氏。」[1]因此姓的作用是別婚姻，《國語》云：「同姓不婚，懼其不殖」[2]，「異姓則世德，異德則世類……同姓則同德，同德則同心，同心則同志。」又如《左傳・僖公二十三年》：「男女同姓，其生不蕃」，周朝時期的人們在漫長的歷史中逐漸認識到近親結婚不利於後代的繁衍，所以用姓別婚姻。而氏的作用便是明貴賤，氏用來區別貴賤，貴族有氏，平民有名無氏。姓用來區別婚姻，同姓不能通婚。關於氏的來源，《左傳・隱公八年》記載：「天子建德，因生以賜姓，胙之土而命之氏。諸侯以字為諡，因以為族。官有世功，則有官族，邑亦如之」；《左傳・僖公五年》「諸侯之子稱公子，公子之子稱公孫，公孫之子則無稱謂，以祖父之字為氏」。

　　因此張舜徽《說文解字約注》：

> 古者男子稱氏，婦人稱姓，論其興起，則姓先而氏後。姓百世而不變，氏數傳而可易。姓既肇於母權方盛之世，氏殆起於父權大立之後矣，《太平御覽》引《風俗通義》，言氏之類有九：或氏於號，或氏於諡，或氏於爵，或氏於國，或氏於官，或氏於字，或氏於居，或氏於事，或氏於職。

一般來說，氏的來源於：

1. 以國名為氏，例如周天子封諸侯時，呂尚先人封於呂，姜姓，以呂為氏；商的後代封於宋，因此是子姓，以宋為氏。
2. 以封邑為氏，例如屈原，楚武王封其祖先熊瑕於屈地，其後史稱為屈瑕，或莫敖瑕，其後裔子孫中多以先祖封地名稱為姓氏，稱屈氏。
3. 以官名為氏，例如司馬氏，其祖先為西周掌管軍事大權的大臣程伯休父，周宣王允許他以官職為姓，後代便以司馬為氏。
4. 以居地為氏，例如百里奚，百里氏出自姜姓，周朝時，有姜姓的虞國人，入秦後被賜予百里作為采邑，其後代子孫就以居地名為氏，稱百里氏。
5. 以職業為氏，如巫氏、卜氏、匠氏、陶氏，巫、卜、匠、陶皆為職業名稱。
6. 以祖父之字為氏，如周平王的庶子字林開，其後代以林姓傳世。
7. 以祖先諡號為氏，如莊辛莊氏，據〈急就篇〉所記載，楚國君主楚莊王後代以祖上諡號為姓，成為莊氏。

　　從西周初年分封制看，周公「兼制天下，立七十一國」[3]，其中分封姬姓國五十三個。周初分封制分封的對象一般是王族姻親、一些功臣以及古代帝王的後代，例如將功

1　鄭樵：《通志・氏族略序》（全3冊）北京：中華書局，1995年，頁12。
2　韋昭注：《國語・晉語四》上海：上海古籍出版社，1978年，頁234。
3　荀子：《荀子・儒效篇》北京：中華書局，2007年，頁204。

臣姜尚分封於齊；將王族召公奭封於燕、叔虞（周成王弟）封於晉、康叔（周武王弟）封於衛等；而將古代帝王後代例如將舜的後代封於陳、殷商後代封於宋等。然後設立五等爵位「公侯伯子男」加以統治，《孟子‧萬章》：「公侯皆百里，伯七十里，子男五十里，凡四等。不能五十里，不達于天子，附于諸侯曰附庸。」[4] 以此形成了一個等級森嚴的統治秩序。

　　姓氏之分實際上是母系社會向父系社會轉變時的產物，姓起源於母系，而氏產生於父系。而由於宗支的繁殖，到了春秋後期至於戰國時期，姓與氏的界分又不是那麼明確了，姓開始變得漸漸淡薄，例如晉獻公為姬姓，卻娶大戎狐姬、驪姬為妻，這是因為他們雖為同姓，但晉國與戎狄的血緣關係很淡薄了，這種情況演變到秦漢以後，便產生姓與氏逐漸合一的情況，於是後世遂將其合稱為「姓氏」。

（二）名與字的區別

　　春秋時期名與字是不一樣的概念，《說文解字》：「名，自命也」。而對於字是這樣解釋的：「字，乳也」，又如《廣雅》所釋：「字，生也」。[5] 由此可見，古代漢語中的人們的「名」其實類似於現代漢語中的「名字」，而古人的「字」如今卻逐漸消失不為人們常用。同時名與字的命名方式和時間也大有不同，《白虎通義‧姓名篇》中所說：「名者，幼小卑賤之稱」[6]，一般來說都是「三月命名」，《周禮‧媒氏》鄭司農注云：「子生三月父名之」[7]，由此可見，春秋時期的「名」是父親在孩童三月時所取的人物稱謂，人人皆有名，其不分地位高低貴賤。同時由於周朝時期女性人物自笄禮之後只稱字不稱名，因此《左傳》中女性稱「名」的記載並不多：

1. 棄：《左傳‧襄公二十六年》：「初，宋芮司徒生女子，赤而毛，棄諸堤下。共姬之妾取以入，名之曰棄，長而美。」
2. 玄妻：遠古仍氏女子，《左傳‧昭公二十八年》：「昔有仍氏生女，黰黑而黑，而甚美，光可以鑒，名曰玄妻。樂正後夔取之。」

　　春秋時期的取名體現了「積極五法和消極八避」[8] 的原則：「名有五，有信，有義，有象，有假，有類。以名生為信，以德命為義，以類命為象，取於物為假，取於父為

4　孟子：《孟子‧萬章篇》北京：中華書局，2009年修訂版，頁219。
5　王念孫：《廣雅疏證》（叢書集成初編本）北京：北京商務印書館，1936年版，頁521。
6　班固：《白虎通義‧姓名篇》（叢書集成本）卷3下，臺北：臺灣商務印書館，1986年，頁225。
7　《周禮‧媒氏》，中華書局，1980年阮刻本，頁733。
8　林素英：〈從先秦之命名取字透視其人文精神〉，載《煙臺師範學院學報》（哲學社會科學版）2002年，第19期第1期。

類。不以國，不以官，不以山川，不以隱疾，不以畜牲，不以器幣。周人以諱事神，名，終將諱之。故以國則廢名，以官則廢職，以山川則廢主，以畜牲則廢祀，以器幣則廢禮。晉以僖侯廢司徒，宋以武公廢司空，先君獻、武廢二山，是以大物不可以命。」（《左傳・桓公六年》）這說的是春秋時期的人物起名遵循積極五法，分別指的是信、義、象、假、類五種情況。信指的是用出生時的特徵起名，義指的是用表示德行的詞起名，象指的是用類似的物體起名，假指的是借用事物的名稱起名，類指的是用和父親有關的字起名。同時還要避免八種情況，即不用本國的國名，不用本國官名，不用本國山河名稱，不用有關的疾病名稱，不用牲畜的名稱，不用器物禮品的名稱等。春秋時期的人們認為人的命運是由上天賦予的，如果孩子出生時有特殊的事情或者記號標示，便被視為天命所授，例如《左傳・隱公元年》中宋武公女兒仲子因出生時手上有「魯夫人」的紋路而歸於魯國。所以通過孩子的命名來將這些跡象或者預兆記錄下來，《左傳》女性的取名便體現了「以名生為信」的原則，例如宋平公之妾：「初，宋芮司徒生女子，赤而毛，棄諸堤下。共姬之妾取以入，名之曰棄，長而美。」（《左傳・襄公二十六年》）又如「昔有仍氏生女，鬒真而黑，而甚美，光可以鑒，名曰玄妻。樂正後夔取之。」（《左傳・昭公二十八年》）

　　而周朝女子「十五歲，行笄禮，取一字，表成人，可婚配」，《禮記・曲禮上》「婦人許嫁，笄而稱字」，「男女非有行謀，不相稱名」。[9]女子的笄禮相當於春秋時期男子的冠禮，即女子的成人禮。鄭玄亦云：「女子許嫁，笄而字之，其未許嫁，二十則笄」，[10]說明女子最早十五歲、最晚二十歲時會行成人禮，此時會取一個字，別人不能再稱其名，只有介紹婚姻的時候，男女雙方才可以詢問對方叫什麼名。《儀禮》云：「昏有六禮，納采、問名、納吉、納征、請期、親迎。」[11]即從求婚到完婚婚禮過程的六個禮法。問名指的便是男方請媒人去女方詢問名字以及出生年月，此處的名一般指的就是女子出生三月時所命之名，或者以姓氏為名之類的名號之名。問名在六禮中是非常重要的一個流程，不僅要詢問生辰八字來占卜婚姻是否合適，更是避免同姓結婚的重要手段。

　　春秋時期女子的取字方式也有一套原則，一般歸納來說，是「女子排行＋母家姓」的方式，春秋時期用孟（伯）仲叔季表示排行，鄭玄云：「孟仲叔季兄弟姊妹，長幼之別字也。孟伯俱長也。孟伯之字無適庶之異，蓋從心所欲而自稱之耳」（《左傳・隱公元年》），那麼我們此處便不再細分孟和伯的區別。

1. 伯姬：伯表示排行老大。魯宣公之女、魯成公的妹妹，嫁宋共公為夫人，死後隨夫諡，因此又稱共姬，或宋共姬。
2. 孟任：春秋時魯國大夫的女兒，魯莊公姬姜妾，排行老大。黨氏，任姓。

9　《禮記》卷68，〈曲禮上〉北京：中華書局，1980年阮刻本，頁928。

10　《十三經注疏》（修訂本）北京：中華書局，1980年阮刻本，頁1471。

11　《儀禮・士昏禮》，《十三經注疏》標點本，北京：北京大學出版社，1999年，頁134。

3. 叔姜：魯莊公妾，魯閔公的母親，排行為季。齊國人，姜姓。

4. 孟子：魯惠公元妃，排行老大。宋國人，子姓。

由此可見，春秋時期女子的名與字之間並無聯繫，同時這種取字方式有著非常大的有限性，可以組合出來的字是非常有限，例如姜姓的女子最多只能取五個字：孟姜、伯姜、仲姜、叔姜、季姜。因此常常不同的人物有著相同的字，如果不依靠語境便難以辨認。

三　春秋時期女性人物稱謂

春秋時期女性的人物稱謂有著較為明顯的規律性，大致有兩種分析方式，即從人物生活狀態分析和人物稱謂組成元素分析。

（一）從人物生活狀態分析

縱向觀察春秋時期女性人物的一生來看，其在待嫁、已嫁與死後不同的時期有著不同的人物稱謂，一般來說，待嫁的女子多以字（排行＋母家姓）的方式來稱謂；出嫁後的女子多以國、地、氏＋母家姓的方式來稱謂；死後的女子多以冠以謚號＋母家姓的方式來稱謂。由於《左傳》並非像《史記》紀傳體為歷史人物做傳的體例，而是根據時間順序記載春秋時期的歷史，一個歷史人物穿插在不同的歷史記錄中，往往同一個人有著不同的人物稱謂，隨著其婚姻狀態、生活狀態、社會地位等因素的變化而變化，這也便能解釋《左傳》中一人多稱謂的原因。

1　待嫁女子的稱謂

待嫁女性的稱謂，一般來說以女子排行＋母家姓這種方式居多，例如在《左傳》中，伯姬大多指稱姬姓的未嫁王族長女，一指魯宣公女，後嫁宋共公，其在未嫁時的人物稱謂為伯姬，出嫁之後改稱宋伯姬或共姬；二指魯莊公女，後嫁杞國，出嫁後稱杞伯姬；三指晉獻公女兒，文公姐姐，未嫁時稱伯姬。

2　出嫁以後婦女的稱謂

由於男女分別，各自排序的女子排行，只適用於一國之內區分各個姐妹的人物稱謂，而當女子出嫁到別國，國君、卿大夫為了區別不同的妻妾，或魯國人為了區別不同國家的女子，此時國、地、氏便此時就發揮了其具有獨特的區別作用。因此出嫁後的婦女稱謂多以國、地、氏來命名，或從屬於母國、地、氏名，或從屬於夫國、地、氏名。

（1）母國名＋母家姓

①齊姜：齊桓公之女，晉文公的夫人，齊女，姜姓。

②秦嬴：一指秦穆公女，楚共王夫人，二指秦女，晉幽公夫人，嬴為母家姓。

（2）夫國名＋母家姓

①芮姜：芮伯妻，芮國姬姓，姜為母家姓。

（3）氏、邑名＋母家姓

①趙姬：晉文公女，嫁趙衰，

3　死後的婦女的稱謂

死後的婦女的稱謂，大多冠以配偶或本人的謚號：

①武姜：《左傳・隱公元年》：「初，鄭武公娶于申，曰武姜。」鄭武公妻，申國人姜姓，武為鄭武公謚號，從夫謚。

②文姜：魯桓公妻，齊國人姜姓，自謚文，「道德博聞曰文，學勤好問曰文」以此表諷刺意。

（二）從稱謂組成元素分析

從女性人物稱謂的組成看，大致由四種元素構成：國、地、氏名（分為母國、夫國兩種情況），母家姓，排行，謚號（夫謚、自謚）。從人物稱謂中，我們可以分辨出女性人物的籍貫國籍、婚姻狀況、家庭背景、道德水準等情況，因此春秋時期的女性人物稱謂有著豐富的社會意義。女性命名方式不僅從屬於夫君、母國，而且其人物稱謂的最大的作用就是在於「別婚姻、識血緣」，以此來滿足春秋時期人們禁止同姓結婚的要求。整理、分析《左傳》中的女性人物稱謂分析來看，春秋時候女性人物稱謂的命名方式有以下幾種：

1　簡稱法

（1）單稱母家姓

①姜：魯宣公之妻。《左傳・宣公元年》：「三月，遂以夫人婦姜至自齊。」此處稱婦，是由於婆婆尚在。

②姬：趙衰妻趙姬。《左傳・僖公二十四年》：「姬曰：『得寵而忘舊，何以使人？必逆之。』」

（2）母家姓＋氏

①姜氏：鄭武公夫人，《左傳‧隱公元年》：「姜氏欲之，焉辟害？」

②己氏：莒女，《左傳‧文公八年》：「穆伯如周弔喪，不至。以幣奔莒，從己氏焉。」

③風氏：魯莊公妾，僖公母。《左傳‧文公四年》：「冬十有一月壬寅，夫人風氏薨。」

（3）單稱名

女子三月取名，行笄禮時取字，出嫁時不再稱名，所以春秋稱名的女子記載並不多。

①棄：宋平公妾。《左傳‧襄公二十六年》：「初，宋芮司徒生女子，赤而毛，棄諸堤下，共姬之妾取以入，名之曰棄。」

②玄妻：遠古仍氏女子，意為美麗的女子。

在簡稱法命名方式的人物稱謂中，單稱「母家姓」以及用「母家姓＋氏」的這兩種方式，其實只是一個很模糊、並不準確的一種稱謂，其同名異人的現象更容易出現，只有放在特定的語境中才可以辨認。

2 字（女子排行＋母家姓）

鄭玄注《儀禮‧仕冠禮》云：「伯仲叔季，長幼之稱」[12]，春秋時期，兄弟姊妹之間的排行是用孟（伯）、仲、叔、季來表示的，而《禮記‧曲禮》中「男女異長」[13]說明這個排行指的是男女分別，各自排序。這種命名方式在《左傳》中非常普遍，因此也說明《左傳》人物稱謂大多是以稱字為主的。

①孟子：《左傳‧隱公元年》：「惠公元妃孟子。」杜預注：「子，宋姓也」。為魯惠公夫人，宋國是殷的後代，故子為宋姓，且姊妹排行老大故稱孟子。

②仲子：《左傳‧隱公元年》：「宋武公生仲子，仲子生而有文在其手，曰『魯夫人』。」是宋武公女兒，歸於魯國。宋國子姓，仲表排行。

③伯姬：成公九年，魯女歸於宋者。魯國姬姓，姊妹排行老大。

　　僖公十五年，晉女歸於秦者。晉國姬姓，姊妹排行老大。

　　宣公十五年，晉女歸於潞者。晉國姬姓，姊妹排行老大。

④叔隗、季隗：《左傳‧僖公二十三年》：「狄人伐廧咎如無咎，獲其二女叔隗、季隗。」杜預注：「廧咎如無咎，赤狄之別種，隗姓」。叔、季表示在姐妹中的排

12　（漢）鄭玄注，（唐）賈公彥疏：《儀禮注疏‧仕冠禮》，《十三經注疏》上海：上海古籍出版社，2008年，頁355。

13　《禮記‧曲禮》，《十三經注疏》北京：中華書局，1980年阮刻本，頁189。

行，而由於組合方式非常有限，往往像伯姬、孟子這樣的名字代表很多不同的女子，像鄧曼不僅指鄭莊公妻，也是楚武王妻，還有齊桓公妻和宋共公妻都是同名。因此有時在字前加「子」來表示該女子已出嫁，例如文公十二年「二月庚子，子叔姬卒」，楊伯峻《春秋左傳注》云：「書子叔姬者，明其已嫁也。若未嫁之女，則不冠以子字。」[14]

3　國、地、氏名＋母家姓

隨著社會生產力的發展，母系社會逐漸過渡到父系社會，賜土以命氏的治理國家的方法、手段便產生了。周朝實行分封制，各諸侯大多都依地建國，以國為氏，例如舜的後代封於陳，媯姓，以陳為氏，而夏禹後代封於杞，姒姓，以杞為氏。在很多情況下，春秋時期的國、地、氏大多都是統一的，所以我們在此可以歸納為一類。

（1）母國、地、氏名＋母家姓

①鄧曼：楚武王夫人，鄧女，曼姓。《左傳‧莊公四年》：「四年春，王三月，楚武王荊尸，授師孑焉，以伐隨。將齊，入告夫人鄧曼曰：『餘心蕩。』」

②向姜：莒子妻，向國人，姜姓。《左傳‧隱公二年》：「莒子娶于向，向姜不安莒而歸，夏，莒人入向，以姜氏還。」

③驪姬：晉獻公妾，驪戎是國名，姬姓。

④（大戎）狐姬：晉獻公妾，大戎是唐叔後代，姬姓，以狐為氏。

⑤雍姞：《左傳‧桓公十一年》：「宋雍氏女於鄭莊公。」雍氏為鄭大夫，姞姓。

（2）夫國、地、氏名＋母家姓

①芮姜：芮伯妻，芮國姬姓，姜為母家姓。

②息媯：《左傳‧莊公十年》：「蔡哀侯娶于陳，息侯亦娶焉。」息為夫國名，母國陳國為媯姓。

③雍姬：鄭祭仲女，嫁於雍糾，雍糾之雍姞的族人，雍為夫氏，姬是母家姓。

（3）國、地、氏名＋國、地、氏名＋母家姓

①齊燕姬：《左傳‧哀公五年》：「齊燕姬生子，不成而死。」齊為夫國名，燕表示母國名，姬姓。

②宋華子：《左傳‧僖公十七年》：「宋華子生公子雍。」杜注：「華氏之女，子姓。」母家為宋國，子姓，是華氏之女。

---

14 楊伯峻：《春秋左傳注》（修訂本）北京：中華書局，1990年，頁188。

不難看出，這種人物稱謂的組合方式在《左傳》中最為常見的，其他人物稱謂有很大程度上以此為基礎變化而來。

4 諡號＋母家姓

《說文》：「諡，行之跡也。」又如《白虎通》所說：「諡者，別尊卑，彰有德也。」諡號指的是古代帝王、諸侯、卿大夫、貴族女子等死後，朝廷根據他們的生平行為給予的一種稱號，以褒貶善惡，體現尊卑貴賤，是只有貴族才能享有的一種特權。諡號來自於諡法。諡法規定了若干個有固定含義的字，大致分為三類：屬表揚的有：文、武、景、烈、昭、穆等；屬於同情的有：哀、懷、愍、悼等；屬於批評的有：煬、厲、靈等。也有用表揚嘉善的詞語來形容道德惡劣的歷史人物，以此來表諷刺反語的意味。

春秋時期，有些諸侯夫人不從夫諡而採用自己的諡號，是為了尊夫人，所以一些卿大夫的夫人也有諡號。《左傳》中用諡號和母家姓組合的人物稱謂也有很多，大致可以分為兩類：

（1）夫諡號＋母家姓

①武姜：《左傳‧隱公元年》：「初，鄭武公娶于申，曰武姜。」申國姜姓，武為鄭武公諡號。
②莊姜：衛莊公之妻，齊國人故姜姓，從夫諡。
③懷嬴：秦穆公之女，晉國世子公子圉妻子，即晉懷公，從夫諡。後又嫁晉文公重耳，所以又叫文嬴。

（2）自諡號＋母家姓

①聲子：隱公元年，魯惠公繼室，宋國人子姓，自諡聲，「不生其國曰聲」。
②厲嬀：隱公三年。衛莊公的之妻，陳國人嬀姓，自諡厲，「殺戮無辜曰厲」。
③文姜：僖公六年，魯桓公妻，與齊襄公亂倫導致魯桓公在齊國被殺害。齊國人姜姓，自諡文，依《諡法》而言：「諡者，行之跡也」，「經緯天地曰文，道德博聞曰文，學勤好問曰文，慈惠愛民曰文，潛民惠禮曰文，賜民爵位曰文。」[15]無論從哪個方面，文這個諡號都是對一個人蓋棺定論的最高評價，文姜性急惡劣卻得此美譽，亦表諷刺意。

---

15 《逸周書彙校集注卷六‧諡法解》（修訂本）上海：上海古籍出版社，2007年，頁377。

5　多種成分稱謂

（1）國、地、氏名＋排行＋母家姓

①宋伯姬：魯宣公之女、宋共公的夫人，宋為夫國名，伯表家裡排行老大，魯
女，姬姓。

②杞叔姬：魯莊公女，姬姓，杞桓公妻，嫁到杞國，叔為排行。

③鄫季姬：魯僖公女，鄫表夫國名，季為排行，魯女姬姓。

（2）諡號＋排行＋母家姓

①聲孟子：宋國人，齊頃公的夫人，生齊靈公，子姓，排行孟，死後諡號「聲」。

（3）女子排行＋母家姓＋名

①季羋畀我：《左傳・定公四年》：「己卯，楚子取其妹季羋畀我以出。」季表示她
的排行，羋為母家姓，畀我是她的名。

（4）母親之氏＋諡號＋母家姓

①顏懿姬，鬷聲姬：魯國人，姬姓，均嫁給齊靈公呂環。因二人為姑、侄關係，
不得別為「伯（孟）、仲、叔、季」＋姬，或者「長、少」＋姬，故而以母姓氏
為別，顏、鬷為其二母之氏，《春秋左氏傳舊注疏證續》中說魯國顏氏源於叔仲
惠伯之子叔仲皮，鬷氏出自叔仲惠伯之子子碩，懿、聲為二人的諡號。[16]

（5）國、地、氏名＋諡號＋夫人

《左傳》中存在很多這樣的人物稱謂，比如晉穆夫人、秦穆夫人、楚莊夫人，這樣
的人物稱謂大多跟從夫君的稱號，從夫國名從夫諡，是有著非常明顯身分地位的標誌詞。

除此之外，《左傳》為了區別嫁到一國的姐妹，其人物稱謂常常採用在國名＋母家
姓前加長、少來區別。例如《左傳・成公十七年》中長衛姬和少衛姬。總的來說，多種
成分組成的人物稱謂由於組合形式靈活，應用型較強，在《左傳》女性人物稱謂中占據
非常大的比例。

6　周王室女性稱謂

《左傳》中除了上述諸侯貴族女子的人物稱謂方式，作為天子的周王室為了有別尊
貴有著獨特的一套稱謂，周天子的妻妾、女兒在母家姓前加「王」以此來稱謂，周王室

---

16 吳靜安：《春秋左氏傳舊注疏證續》長春：東北師範大學出版社，2005年，頁244。

的王后如果去世，則以「王＋諡號＋后」的方式來稱謂，以區分身分。

①王姬：周天子的女兒。

②王姚：《左傳・莊公十九年》：「初，王姚嬖于莊王，生子頽。」杜注：「王姚，莊王之妾也。姚姓。」

③王穆后：《左傳・昭公十五年》：「秋八月戊寅，王穆后卒。」穆是其自諡號，按《諡法》說：「布德執義曰穆，中情見貌曰穆」。

通過研究女性人物稱謂的組成元素和組合方式，運用資料統計的方法，在歸納出來的六種人物稱謂方式中，排行＋母家姓和國、地、氏＋母家姓這兩種組成方式在《左傳》中占有相當的比例，是春秋時期女性人物稱謂的主要形式。而多種成分組成稱謂由於組合靈活，使用簡便，同時在特定的環境中能準確地指代特定的人物，因此在《左傳》中也非常普遍存在。

表二　春秋時期女性人物稱謂組成方式

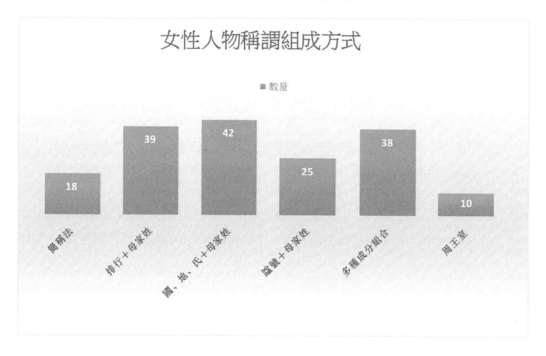

三　《左傳》女性人物稱謂體現的社會特點

（一）在女性人物稱謂中突出母家姓以別婚姻

研究《左傳》女性人物稱謂發現，母家姓在人物稱謂中出現的頻率最高，因為這與當時的同姓不婚的要求相符合，《左傳・昭公元年》：「同官不及同姓，其生不殖」，「男

女辨姓，禮之大司也」，春秋時期的人們在漫長的的血淚歷史中慢慢認識到近親結婚的弊端，以女性人物稱謂中突出母家姓達到「別婚姻」的目的。另外，部族內部經常有因為爭奪美人而引起的紛爭，從而導致削弱部族力量，古代人以極力禁止同姓結婚這種方式來避免這種情況。因此春秋時期的人們在求親擇偶的時候，首先要考慮的就是對方的血統，弄清對方是否與自己同屬於一個血緣系統，在這個時候，作為區別血緣的姓就顯得尤為重要，自然成為擇偶的首要標準。

同時在春秋時期動亂的社會環境中，有些國家為了避免遭到大國的侵略從而結合成某種小集團，而維持這種小集團關係的穩定最重要的一種手段就是結為姻親。通過歸納研究發現，異性氏族之間的婚姻關係存在著相對穩定性，例如魯國的國君夫人大多來自齊國，為姜姓；秦國的國君夫人大多來自晉國，為姬姓，這些像齊魯之好、秦晉之好的歷史習俗也漸漸固定下來。

而隨著社會的發現，宗支的繁殖，同姓之間的人們的血緣關係開始變得淡薄，在《左傳》中最突出的例子就是，《左傳·僖公二十三年》中說：「晉公子有三焉，天其或者將建諸！君其禮焉。男女同姓，其生不蕃。」鄭國大臣叔詹認為晉文公重耳是上天的寵兒，因為即使他的父母同姓結婚卻沒有招致禍患。由此可以看出同姓結婚在春秋時期的人們眼裡是非常嚴重的一件事情，同姓而生出的孩子一定會遭遇不幸，因此晉文公的存活與成功被認為是一個奇蹟。其實不然，其最重要的原因就在於重耳的母親雖為姬姓，但卻是狄人，與其父晉獻公的血緣關係已經很遠了，這也就是戰國後期姓氏逐漸不分的重要原因。

（二）與《左傳》男子人物稱謂命名方式的不同

春秋時期女性人物稱謂的命名方式與男性最大的不同在於，首先，女性人物稱謂中必然會有母家姓，而男性只有在字、號上標明自家的氏，而不寫姓。例如屈原，為羋姓屈氏，名平，字原或靈均；祁奚，為姬姓祁氏，名奚；解狐，解氏，名狐。

其次，女性人物稱謂的字與名之間並無意義上的聯繫，而王引之在研究春秋時期的名與字的關係時，在《春秋名字解詁》提出「名字者，自昔相承之詁言也」，「名之於字，義相比附」，並提出「五體六例」的說法，即同訓（即意義相同）、對文（即意義相對、相反）、連類（即意義相類）、指實（即聯繫實物命名）、辨物（即取物名作名、字），測以六例：一曰通作；二曰辨訛；三曰合聲；四曰轉語；五曰發聲；六曰並稱。[17]這種說法認為名、字的產生雖有先後，但在意義上是有密切聯繫的。字由名而滋生，往

---

17 王引之：《春秋名字解詁》，收入《經義述聞》卷22、卷23，南京：鳳凰出版社（原江蘇古籍出版社），2000年，頁634。

往是名的表述或闡明，又叫「表字」或「表德」。例如《左傳‧昭公七年》：「及正考父佐戴、武、宣，三命茲益恭。」宋公孫考父字正，王引之的《經義述聞》中「正，成也。[18]祭法皇帝正名萬物，魯語作成命萬物，正名，即成名也。」「考，成也。」故而公孫考父的名與字之間是相同的意義。又如《左傳‧宣公四年》：「以賢，則去疾不足；以順，則公子堅長」中，去疾的字為子良，良與去除疾病的意義大致相同。而字與名之間是相反關係的也有很多，《左傳‧襄公二十三年》中然明曰：「蔑也，今而後知吾子之信可事也。小人實不才。若果行此，其鄭國實賴之，豈唯二三臣？」中「蔑」的意思為不明亮，與「明」的意義相反。王引之的這種說法在春秋時期男性人物稱謂中體現非常明顯，但女性人物稱謂卻一般不遵從這種起名、字方式。而且在春秋時候，古人在表達對一個人尊敬的時候皆「先字後名」，即連言名字的時候，以通稱之字放在最前。而女子的人物稱謂一般只包括國、地、氏名，母家姓，排行，諡號四個要素，與女子的名並無意義上的聯繫。

（三）遠古時期社會習俗的遺留

從母家姓的普遍存在，我們可以窺探到母系社會的遺留。姓本身就是母系社會的產物，同姓的血緣集團是由同一個老祖宗繁衍發展而來的親族，人們只知其母而不知其父，雖然春秋時候的母家姓的普遍出現在女性人物稱謂中，並不再能說明只知其母這種情況，但卻從另外一個側面顯現出母系社會的遺留。

同時春秋時期普遍存在的「媵」制，《左傳‧昭公十八年》：「諸侯娶一國，則二國往媵之，以姪娣從。」《儀禮‧士婚禮》：「媵，送也，謂女從者也。」《公羊傳》曰：「媵者何？諸侯娶一國，二國往媵之，以姪娣從。姪者何？兄之子也。娣者何？弟也。諸侯一聘九女，諸侯不再娶。」指的是當一國的諸侯娶其他國家的女子為妻時，女方應該有兩個同姓國的姪娣來陪嫁。姪指的是陪嫁的男子應為兄弟之子，娣指的是女方的姊妹，諸侯一次娶九女，此後不再娶。同時如果姪娣不滿婚嫁年齡，則等到十五歲再出嫁。由此便造成大量的姐妹、姑姪共侍一夫的情況，這種情況，不僅在女性人物稱謂中，還是史料中都非常明顯。大戎狐姬、小戎子都嫁給晉獻公，齊靈公以顏懿姬，鬷聲姬姑姪為妻等等，這不僅讓人們聯想到上古時期帝堯之二女，名曰娥皇、女英，同嫁於帝舜這一傳說。從《左傳》女性人物稱謂角度去探究春秋時期存在的媵制，實際上也從側面體現出春秋時期女性人物社會地位是從屬於男性的。在婚姻的演變史上，媵制是西周和春秋時期所特有的一種婚制，其實質上是遠古群婚習俗的遺留。隨著社會的發展，到了戰國，社會制發生巨大的變革，嫁女陪媵制逐漸沒落，但陪送侍女丫環、妻死妹續

---

18 王引之：《經義述聞》南京：鳳凰出版社（原江蘇古籍出版社），2000年，頁311。

弦等一些現象還保留著，這可以說是媵制的一種演變。除此之外，《左傳》中兄弟共妻、私通野合之事數不勝數，魯桓公的夫人文姜與齊襄公亂倫，衛宣公與其庶母夷姜私會等，雖然《左傳》的作者等後代文人以後代的儀禮觀念看待這些情況而大加批判，但卻真實地反映了春秋時期的社會風俗，這也與遠古時代許多遺風的存留和群婚制有著莫大的關係。

五　結語

綜上所述，從人物稱謂組成要素和人物生活狀態兩種分析角度入手，在研究《左傳》春秋時期女性人物稱謂的命名特點時，我們發現母家姓對於春秋時期的人們「別婚姻」的重要作用，這也是春秋時期女性人物稱謂與男性稱謂不同的重要的原因。在春秋時期，女性的社會地位從屬於男性，是男性社會進行姻親、維繫國家之間關係的重要手段，這些女性的人物稱謂像一張張名片，從籍貫、婚姻、家庭背景、道德評價等方面對女性的身分進行標識。通過了解這些，我們感受到兩千多年前，在同一片土地生活過的我們的祖先，以一種不同於今人的人物稱謂方式被史書所記載，在體悟獨特的春秋社會文化、婚姻觀念的同時，我們也感受到中華文化的一脈相承。

從「厚積而化」到「因是而化」
——〈齊物論〉「物化」思想之探析與啟示

楊治中

新加坡國立大學中文系

一　前言

〈逍遙遊〉與〈齊物論〉乃是《莊子》內篇之第一和第二篇。從內七篇的思想性體系而言，可謂奠基之作；就兩篇文章的義理而言，雖然兩篇文章論述之側重點各有不同，但其主旨卻是一以貫之。清人方潛即認為〈逍遙遊〉之意旨乃是「狀大體大用也，無己故無體，無功無名故無用，是為大體大用，後六篇皆言闡此旨。」[1]若依此說，既然主旨在於闡明「無己無用」方為「大體大用」；那麼，「無己無用」之內涵在首兩篇中如何生發與推演，其現實意義又如何來認知就成為非常值得探討的問題。

從〈逍遙遊〉之文意來看，明人屈大均說：「莊生之學，貴乎自得。鯤鵬之化，心之寓焉者也。彷徨逍遙，適其適之至也。化其心为鯤鵬，化其身为大樗，夫既已無己矣，而又何功與名乎哉。」[2]以此而言，「鯤鵬之化」乃是言說心境之所寓，其心可為「鯤鵬」，其身可為「大樗」，關鍵還是要落在「化」字上；心中「無己」，自然能去功、名之羈絆而使心身入「化」，從而得其「大體大用」。

從〈齊物論〉之文意來看，民國章炳麟說：「此篇先說喪我，終明物化，泯絕彼此，排遣是非，非專為統一異論而做。」[3]以此而言，「喪我」之意或是上承〈逍遙遊〉中的「無己」之心「化」而生之；己既已無，則與之對應的彼自然也不存在；因此「彼此」、「是非」之議論可滅，「物化」之境界可得，其關鍵即在這「化」字上。民國初年劉咸炘又說：「此篇初明萬物之自然，因明彼我之皆是，故曰齊物。後人多誤認為破是非。雙遣兩忘，乃佛家所主。佛家主空，一切俱不要。道家主大，一切俱要。根本大異，豈可強同。」[4]據此而論，明白了萬物本自然而生，其性亦各不相同即可明瞭彼我皆是一物的事實；而後人所談之「破是非」大多是受了佛家的影響，而且佛家在「空相」這一涵義上是主張「是」與「非」兩者都要拋棄的；但是道家卻主張「大體大

1　錢穆：《莊子纂箋》臺北：東大圖書公司，2017年，頁1。

2　同上註，頁7。

3　同上註，頁8。

4　同上註，頁8。

用」，那麼「是非、彼此」自然也可以包容其中。只是世人常常為「是非之辨」所惑，故而深入剖析「是非」之心產生的根源，才能通而「化」之，「齊」萬物而為一。

二　「物化」思想在〈逍遙遊〉中的「緣起」以及在〈齊物論〉中的「推演」

（一）〈逍遙遊〉中「物化」思想之緣起──厚積而化

〈逍遙遊〉開篇先以神物橫空出世，令人驚詫之下心懷大開。文首所言「北冥有魚，其名為鯤。鯤之大，不知其幾千里也。化而為鳥，其名為鵬。鵬之背，不知其幾千里也」一段之中的鯤鵬之「變」，其關鍵就要落在「化」字上。雖然「化」只有一字，然而其作用時間卻貫穿於鯤鵬之化的全部過程之中，可謂是於頃刻之間不斷進行。時有時化，日有日化，數月乃至經年亦有所化；魚子化為鯤，[5] 大鯤化為鵬，自極小而至極大，累積「小化」而終成「大化」。經此過程，外在之形變或是必然結果，而內在之質變才是終極目標。故而其後文中所論，所舉各例，雖然在承接上文的基礎上繼續討論「小大之辯」的問題；然而小大之轉換並非單指形骸之外在變化，還需要「遊於形骸之內，必須先在心中發聾振瞶，開啟其大知」[6]。因為只有對自己的人生經歷進行深刻地反省才能激發出人性的覺知，從而重新確立更為高遠的目標。故而這亦是內在精神境界之提升與變化。可是，如果沒有自生活中點滴不斷地累積而來的「小化」之量變，又如何終成「大化」之質變呢？

文末雖未明言所「化」，然而「化」之意蘊已經隱於其中。正如文末所言：「彷徨乎無為其側，逍遙乎寢臥其下。不夭斤斧，物無害者。無所可用，安所困苦哉？」此處「彷徨」與「逍遙」乃是對言，而且「逍遙、彷徨乃信步所至，意無所屬，安逸而無所拘束，關鍵在於不失己性，此即所謂『無為之業』，故曰『逍遙，無為也』，而彷徨亦非在塵垢之外散步之意。塵垢之外不過是超越世俗之禮而已。『忘其肝膽，遺其耳目』，即身心皆釋，若有若無，有如呼吸，是謂『茫然』，必須如是，然後才能無為。」[7] 依此來看，莊子所言之「無為其側」，「物無害者」以及「無所可用」正是身心釋然，有如呼吸般自然的「無為」狀態；也是心與天合，物我一如的大「化」之境。莊子雖未如文首一般開篇即點出「化」的意味，但是讀者於此處略加揣摩，便可心領神會；從文學的角度來講，這也是一種「言有盡而意無窮」的表現方法。

5　錢穆：《莊子纂箋》：「羅勉道曰：《爾雅》，鯤，魚子。」，頁1。

6　勞悅強：〈遊於變與常之間──莊子逍遙義解〉，《杭州師範大學學報》，2017年，第39版第6期，頁5。

7　同上註，頁3。

（二）〈齊物論〉中「物化」思想之推演——因是而化

　　〈齊物論〉雖然開篇並沒有明言「化」字，但是「化」之意蘊已在其中。文首說：「南郭子綦隱机而坐，仰天而噓，荅焉似喪其耦。」顏成、子游看到南郭子綦形如槁木，心如死灰，不明所以，故而心疑發問，而南郭子綦回答說：「偃，不亦善乎，而問之也！今者吾喪我，女知之乎？女聞人籟而未聞地籟，女聞地籟而未聞天籟夫？」其實南郭子綦已經回答了子游的問題，但是子游並未理解老師的意思，仍然追問其中的差別；南郭子綦只好又以風過萬木為例，告訴他同樣的風吹過樹木會因為其形狀的差異而發出不同聲音。子游不明其意，仍然追問人籟、地籟、天籟的區別；南郭子綦只好無奈地說：「夫吹萬不同，而使其自己也，咸其自取，怒者其誰邪？」清人姚鼐在此處解釋說：「喪我者，聞眾竅比竹，舉是天籟；有我者聞之，祇是地籟人籟而已。子綦所言，皆天籟也。子游不悟，所謂見指不見月也。」[8]依此可見，「喪我者」即是不以自我為中心者；既能「喪我」，自然亦無分別之心。而眾竅所出之聲，俱是各依其形，自然各不相同；能使其「自己」者，便是自依天性，亦是天籟之音。而「有我者」以自我為中心，故而人籟、地籟、天籟各有其分別；子游之不悟者，亦在此處。故而明人錢澄之也說：「天籟即在地籟中，自己謂各自成聲，自取謂各因其竅。」[9]如此看來，前文所言之「喪其耦」即與後文所言之「吾喪我」相呼應，[10]都是人與萬物同化為一的狀態；而「吾喪我」亦是子綦化通三者的訣竅。明人葉秉敬說：「吾喪我，與篇末物化相應。蓋不見有物，物化而合為一我。不見有我，我喪而同乎萬物。」[11]此語真可謂是一語中的。

　　然而從日常生活來看，大多數人和子游一樣，無法體會「我喪而同乎萬物」的境界，而這都是「咸其自取」的結果；因為人們的心每天都處在「與接為構，日以心鬥」的精神緊張狀態裡，根本無暇體悟「天籟」。生活中的種種是非之言發射之時如「機栝」一般萬箭穿心而去；不發之時又如「守勝」一般變為己見成心。[12]更何況人心以「喜怒哀樂，慮嘆變慹，姚佚啟態」為用；形魂顛倒[13]之時耳聽幻聲，眼見幻形；[14]即使事物「日夜相代乎前」又如何能「知其所萌」呢？故而清人胡遠濬說：「自大知閑閑

8　錢穆：《莊子纂箋》，頁9。

9　同上註。

10　錢穆：《莊子纂箋》：「司馬彪曰：耦，身也，身與神為耦。耦，本亦作偶。余樾曰：偶當讀為寓，寄也。即下文所謂吾喪我。」，頁8。

11　同上註，頁8。

12　錢穆：《莊子纂箋》：「王先謙曰：留不發，若詛盟然。吳倰曰：守勝，常守其勝。王敔曰：堅持己見也。」，頁10。

13　錢穆：《莊子纂箋》：「王閩運曰：姚，同佻，佚蕩也。慮嘆則變怖，姚佚則出態，魂形相傾倒也。」，頁10。

14　錢穆：《莊子纂箋》：「方潛曰：樂出虛，幻聲也；蒸成菌，幻形也。」，頁10。

以下，言心之種種名利狀態，皆如幻而有，生滅變異，更歷旦暮，而卒莫得所由起。今欲追變異生滅旦暮之故，其仍由心生乎？謂心還取自心也。」[15] 以此來看，名利之欲皆是由心而起，其性雖然虛幻，然而其影響卻是實際的存在；而且名利之來去變化每天都是無窮無盡的，想要探究其從何而來都無處著手。故而要明瞭人心紛亂，皆因名利而起；名利所出，又因「是非」而生；而「是非」之所生之地，正是人心；人心不能「喪我」，又如何體同萬物呢？因此，莊子在這裡特別強調要做到「吾」喪我；即首先從自己做起，把心裡的「我」去掉，[16] 這樣才能遠離是非之辨，回歸自己的「真宰」本心。清人姚鼐又說：「第求無彼無我，乃彭蒙田駢慎到之術，非真知道者。真知道者必求真宰。真宰者，不見其朕，而無處不可見。百骸九竅以下，又恐人執妄心為真宰也。」[17] 可見「真宰」之心，亦非唾手即得；雖然「真宰」之存無處不在，然而「真宰」之得，還需時時注意「妄心」作祟，不能把痴妄之心也當作「真宰」來看待。尤其是在實際生活中，多數人的生存狀況基本上都是「一受其形，不亡以待盡」。清人王闓運說：「保其形以待盡，是待死而已。」[18] 清人馬其昶也說：「真宰不亡，而今亦待盡，此言其形化，其心與之然。」[19] 可見「真宰」本該長存於心，只因人們不明其理，卻以為「心」與「形」同；雖然外形之化乃是自然事實，但是其心卻不必隨著外形的變化而一同老去。只是人心每日都忙著「與物相刃相靡，其行盡如馳，而莫之能止」，根本無暇思考其中的道理；其結果就只能是「終身役役，而不見其成功」，「苶然疲役，而不知其所歸」；如此在人世間麻木而生的狀態，莊子謂之「大哀」！

　　當然，莊子所謂的「大哀」乃是就其心隨形化而言，而這裡的「其形化，其心與之然」一句也是在〈齊物論〉中第一次正式出現「化」字，而且此一「化」字的出現位置非常重要；即點明常人之觀念即是「形」、「心」同論。但是在莊子看來，「人之生也，固若是芒乎」，難道我們都要一起茫昧[20]、糊塗下去嗎？故而姚鼐說：「其形化而心逐之，無復真宰，是茫然無知者矣。然人生本來，豈若是芒哉？世自有覺者，然非隨其成心之謂也。」[21] 誠然，心逐形化者的確是缺乏「大知、大識」，而其人生也的確不該如此茫然。然而世間的覺者畢竟是少數；對大多數人而言，心隨形化已經固化為成心，人們又怎麼能不「隨其成心而師之」呢？因此唐人成玄英又說：「凡域情滯境，執著一家

15　錢穆：《莊子纂箋》，頁10。

16　勞悅強：《夢中占夢——莊子真的這麼說》新加坡：城市書房，2016年，頁164。

17　錢穆：《莊子纂箋》，頁11。

18　同上註。

19　同上註。

20　錢穆：《莊子纂箋》：「陸德明曰：芒，茫昧也。」，頁11。

21　錢穆：《莊子纂箋》，頁12。

之偏見者，謂之成心。」[22]清人王闓運也說：「成心，已是之見。」[23]錢穆先生在這裡又進一步解釋說：「成心與成形對文。各隨其成心而師之，所以為芒，而是非橫生也。」[24]如此看來，人從出生「成形」那一刻起，就無可避免地要與世間的種種「成心」羈絆不清了。「成心」之生，即是執著偏見之故；「成心」之固，亦是偏見生根之象；如果人人都以自己的「成心」為標準來做出判斷，又如何能不盲目呢？而更令人頭痛之處在於──「成心」又是「是非」生發之所。如果我們依然隨著成心前行，就必然會「茫昧」而迷失在種種是非之辨中忘卻何為「真宰、真君」。因此文中又說，「奚必知代，而心自取者有之，愚者與有焉」，而這裡的「知代」就是了解「是非」之根的第一步。明人錢澄之說：「知代，謂知日夜之相代，而自取真君者。」[25]錢穆先生也在這裡解釋說：「知代，即知化矣。知化者，無成心也。心自取，謂後心認取前心而妄執以為真我。蓋愚者雖不知化，亦能自取己心，惟一成不化耳。」[26]以此來看，雖然「知代」者亦是「無成心」的「知化」者，但是仍然要注意成心亦會前後發生變化，或許後者亦是新生出來的「成心」；而且那些不「知化」的人也會將自己已有的「成心」當作標準，祇是不願意改變罷了。可惜的是，世人不但日日以是非心自處，而且還不醒悟這些是非心正是從各自的成心裡生發出來。[27]如此即萬物日夜變異生滅於前，因為成心已在而麻木無感，自然亦不知其所由，故而也無法「知代」，又遑論「知化」呢？由此可見：成心不破，是非不滅，而化心不得。

那麼，如何來破「成心」，滅「是非」呢？莊子說要用「以明」之志，習「因是」之法。因為「道惡乎隱而有真偽，言惡乎隱而有是非」，「道隱於小成，言隱於榮華。故有儒墨之是非，以是其所非，而非其所是。欲是其所非而非其所是，則莫若以明」。在這裡，「以明」即是認清現實狀況的必要前提。錢穆先生說：「明，芒之對文。各師成心則芒，知化則明矣。則陽篇云：雞鳴狗吠，是人之所知，雖有大知，不能以言讀其所自化，又不能以意其所將為。若明此理，則知代而化，成心泯而是非亦泯矣。」[28]如此看來，此處之「以明」正是與前文之「茫昧」相呼應，亦是「知化則明」的原因。正如雞鳴狗吠之聲從何而來雖為常識；但是人縱然有大知大能，也無法懂得雞狗之語而明瞭其自化何理？又意欲何為？因此，所謂的「以明」就是「以明己」也，即首先要從自己做起，向內求索，讓自己的心裡先明白起來。當我們知道了自己何時有「代」，又何時能

---

22 同上註。

23 同上註。

24 同上註。

25 同上註。

26 同上註。

27 此處與錢穆《莊子纂箋》：「穆按：『世人皆堅執有是非，而不悟其生於各自之成心，我無如之何也。』」意思相同。頁12。

28 錢穆：《莊子纂箋》，頁12。

「化」，那麼心中自然明朗；心中明朗，則自己的「成心」亦無處躲藏；「成心」失去了
躲藏之所，那麼「是非」之心也自然會隨之而熄滅了。可是問題就在於世間之物既無
「彼是」之分，那麼人們就應該最先了解「自彼則不見，自知則知之」的道理。「彼」
即從「是」而來，「是」又因「彼」而存，「彼是」之說即為二者同時並起於心。[29]故而
莊子認為，最實際的方法就是向「聖人」學習，因為只有「聖人不由而照之於天，亦因
是也。」清人吳汝綸說：「由，用也。不用而寓諸庸，即照於天之說也。」[30]王闓運又
說：「專因是以化其非也。世所積是，聖不能非。世所積非，聖可以是。愚者難悟，先
務順之。必先是之，乃可無非。」[31]民國學者劉咸炘也說：「因是，因其皆是，所破特
彼我之相非耳」。[32]錢穆先生更是明確地指出：「上文言因是因非，聖人獨因是而無所
非，故曰亦因是也。」[33]於此可見，儘管實際生活中的是非之辨可能會出現種種不同的
狀況，但是聖人的處理方法與常人不同，他們能夠根據具體的情況「專因是以化其
非」。而正是由於「因其皆是」，故而亦無所非；無所非者自無彼我之分，是非之辨。從
這一角度來看，「因是」之法的確可謂是破解「彼我是非」之辨的秘訣。

當然，為了進一步闡釋「因是」之法的具體運用狀況，莊子還舉出了非常生動的例
子來說明。例如「道樞」之論：「彼是莫得其偶，謂之道樞。樞始得其環中，以應無
窮。是亦一無窮，非亦一無窮也。故曰莫若以明。」馬其昶說：「莊子因是之學，不類
子莫之執中。無方所，故謂之兩行。無對待，故謂之通一。蓋因是為是，我無與焉。彼
是者，我見所生，是彼非此，有方所而對待起，所謂偶也。彼是莫得其偶，即因是已。
此環中之所以妙也。」[34]民國曹受坤也說：「孔子稱舜之大知，則謂執其兩端，用其中
於民。而自謂無知，亦曰我扣其兩端而竭焉。惟環無端，不論由何點起，左旋右轉，皆
復原位。故原位非終點，起點亦非始境，無所往而不通，亦無所往而不中。故可以隨
成，可以應無窮也。」[35]據此而論，實際生活中的「因是」就是一種具體而又實在的行
動方法。恰似樞處環中一般，可以左右自由旋轉，起點可為終點，終點亦可轉為起點，
於此又何來其「偶」？既無其「偶」，又何來「彼是」之對待？既無「彼是」之對待，
那麼就祇有一「是」而已！有此一「是」，則物無其「彼」；隨處可行，隨處可停，隨機
應化，而得以自如面對與處理無窮之變化矣！這好比在現實生活中，每個人周圍每天都
會圍繞著各種各樣的是是非非；倘若我們自己沒有公允的立場，那就只能做「牆頭

29　錢穆：《莊子纂箋》：「穆按：方生謂同時並起。」，頁13。

30　錢穆：《莊子纂箋》，頁13。

31　同上註。

32　同上註。

33　同上註。

34　同上註。

35　同上註。

草」，整天在別人「公說公有理，婆說婆有理」中打轉；其結果就只能陷入在是非的漩渦裡無法自拔。而倘若我們有自己公允的立場，那麼完全可以「任憑風浪起，穩坐釣漁船」；不論別人如何搬弄是非，我皆平心處之；待時間過去，「是」自然還在那裡，而「非」也就自然散去了。故而，明「因是」之理，自無「指、馬」之議，「成、毀」之論；「舉莛與楹，厲與西施，恢恑憰怪，道通為一」，而且「惟達者知通為一，為是不用而寓諸庸。庸也者，用也；用也者，通也；通也者，得也。適得而幾矣！因是已，已而不知其然，謂之道。」如果參考章炳麟在此處的訓詁「庸用通得，皆以疊韻為訓。得借為中，古無舌上音，中讀如冬，與得聲」[36]一句來看，通者即是得者，得者亦抑或即是「懂」（冬）者。那麼，懂者自然就會「因是而即止」，[37] 不知其然而「未嘗有心」，[38] 真正地懂得「道通為一」的真諦。

那麼，既然「因是」可以破成心，滅是非，通達於道；「道」與「成心」的關係又是什麼呢？原來上古之人，其「智識」也有可以達到登峰造極之境界者。[39] 起初他們「有以為未始有物者，至矣盡矣，不可以加矣」，此類人可以「忘天地，遺萬物，外不察乎宇宙，內不覺其一身，故能曠然無界，與物俱往，而無所不應」；[40] 後來者智識有所降低，「以為有物矣，而未始有封也」，而此類人尚無彼此之分界；再後來者智識又有降低，「以為有封焉，而未始有是非也」，此種人已經有了彼此之分界，但是還沒有是非之辨。明人陸長庚說：「未始有物之先，即無極也；有物，即太極也，有封，即動靜陰陽也；有是非，即五性感動而善惡分，萬事出也。」[41] 故而再其後之人由於「是非之彰也，道之所以虧也；道之所以虧，愛之所以成」，因喜好而心成「障翳」[42]，其心自為聾盲，如此一來，又如何見「道」呢！由此可見，藏在是非背後的成心正是阻礙我們回歸「真宰」，體悟大道的元凶，必須藉著「因是」之法破而去之，才能與道合而為一。

與此同時，莊子亦擔心自己的論述也會引來是非之辨，從而使人忽略了自己的本意，因此他又說：「今且有言於此，不知其與是類乎？其與是不類乎？類與不類，相與為類，則與彼無以異矣。」如此用心良苦地「自破其非」，[43] 可見莊子性情之真。接下來他甚至還反常識地提出：「天下莫大於秋毫之末，而大山為小；莫壽乎殤子，而彭祖為夭。天地與我並生，而萬物與我為一。」馬其昶在這裡解釋說：「秋毫性足，殤子反

---

36 同上註，頁14。

37 錢穆：《莊子纂箋》：「王敔曰：已，止也。謂因是而即止也。」，頁15。

38 錢穆：《莊子纂箋》：「宣穎曰：不知其然，未嘗有心也。穆按：已而自以為然者仍非道。」，頁15。

39 錢穆：《莊子纂箋》：「成玄英曰：至，造極之名。」臺北：東大圖書公司，2017年，頁15。

40 錢穆：《莊子纂箋》：「郭象曰：此忘天地，遺萬物，外不察乎宇宙，內不覺其一身，故能曠然無界，與物俱往，而無所不應。」，頁15。

41 錢穆：《莊子纂箋》，頁15。

42 錢穆：《莊子纂箋》：「吳汝綸曰：愛，隱也，障翳也。」，頁15。

43 錢穆：《莊子纂箋》：「王夫之曰：此欲顯其綱宗，而先自破其非。」，頁17。

真，故稱久大。天地並生，故彭祖夭；萬物為一，故大山小。」[44]依此來看，無分別心即無彼是之分；無彼是之分即無形體大小、時間長短之分；無形體大小、時間長短之分，秋毫自可與大山性通為一；殤子亦可與天地壽通為一。而接下來，莊子又進一步說：「既已為一矣，且得有言乎？既已謂之一矣，且得無言乎？一與言為二，二與一為三。自此以往，巧歷不能得，而況其凡乎？故自無適有，以至於三，而況自有適有乎？無適焉，因是已。」章炳麟曾在此處以佛理解釋說：「依幻有說，與萬物為一。若依圓成實性，惟是如來藏，一尚無有，人與萬物，何形隔器相，何得有言？以藏識中有數識，既見為一，不得無一之名。呼此一聲，為能詮之名。對此一者，為所詮之事。是一與言為二。識中一種，更與能詮所詮異分，是二與一為三。本自無性，而起三數。故曰自無適有，以至於三。無適者，不動之謂。一種一事一聲，泊爾皆寂，然後為至。所因者何？因其本是一也。此說齊物之至，本自無齊。」[45]當然，章炳麟以佛家之「如來藏」與「藏識」的關係來解釋文中萬物無齊的道理自然有其新鮮處；然而就其直接明快而言，倒不如錢穆先生的註釋更為言簡意賅，他說：「老子云：道生一，一生二，二生三，三生萬物，即本此。」[46]其後錢先生還進一步補充說：「無適，即各止於彼我之分，即因是也。亦即所謂休乎天均也。」以此來看，萬物各有其性，根本無法「齊」而論之，故而「齊物之至，本自無齊」；唯有「因是」而「各止於彼我之分」，方能體同萬物而歸於道。至此，莊子在〈齊物論〉中所闡釋之主體內容已經非常明確；民國曹受坤更是於此處一針見血地指出：「至是齊物論正文已完，以下不過條列，以申述前旨。」[47]

當然，曹受坤所說亦有其理。下文之論述以及所舉之堯問舜、齧缺問王倪、瞿鵲子問長梧子、麗姬悔泣、夢中占夢、罔兩問景等六個故事從內容上來看，的確可以說是對前文論述的舉例和進一步補充說明；但是所論之言，所舉之例讀來亦是精彩非常。尤其需要注意的是，第五個故事「夢中占夢」之後的議論部分所言「化聲之相待，若其不相待，和之以天倪，因之以曼衍，所以窮年也。忘年忘義，振於無竟，故寓諸無竟」之語句也是文章中第二次出現「化」字。晉人郭象說：「是非之辯為化聲，化聲之相待，俱不足以正，故若不相待，和之以自然之分，任之以無極之化，則是非之境自泯，而性命之致自窮也。」[48]以此來看，既然「化聲」仍為「是非之辨」，未離「彼我」之相待；那麼亦無法「和之以自然之分」而化通為一，又何談泯滅是非之境呢？此處之「化聲」亦似與前文之「形化」對言；因為「形化」亦是其心未離「彼我」之相待，故而形貌前後改變，其心亦隨之變化；這與「化聲」有相通之處。同時，「化聲」也可以看作是對

---

44 錢穆：《莊子纂箋》，頁17。

45 同上註。

46 同上註。

47 同上註，頁18。

48 同上註，頁23。

前文子綦所言之「夫吹萬不同，而使其自己也，咸其自取，怒者其誰耶」一句的呼應；因為子綦所論之萬竅各依其性成聲，雖然其聲各不相同，然而其性卻是相同；不若「化聲」之所出尚有彼我是非之分也。從這一角度來看，既然心隨「形化」可借「因是」之法破而去之；那麼「化聲」亦可藉「因是」之法平而滅之。「因是」則知「形」能以「心」為根而得以重現光彩；「因是」亦可知萬竅聲異但是其性相通。故而郭象亦在下文註釋中說：「忘年，故玄同生死；忘義，故彌貫是非。是非死生，蕩而為一。至理暢於無極，故宗之者不得有窮。」[49]可見，在貫通了生死是非的狀況下，萬物皆可化而為一；如此又怎會無路可行呢？

　　行文至此，文末「物化」思想的提出亦可謂是水到渠成。不但在行文結構上與前文之「喪我」相呼應，而且在論述內容上也完成了由開篇之「不明喪我，不知天籟→成心自取，日似心鬥→心隨形化，不知其代→以『因是』之法，破是非之根→成心障道，不得真宰→自破其非，例舉明義→提出物化，心與天合」的思想推演過程。尤其特別的是文末莊生化蝶一節，莊子將論述者本身亦置於文末之要緊處；一方面可見其一貫奇詭的譬喻風格，另一方面亦可視為是莊子似要與讀者親自面談之性情真切處。而且在此與物神交同化的譬喻之後又以點睛之筆提出「物化」，亦可謂是卒章顯旨，一語驚醒夢中人。故而清人王先謙說：「周蝶必有分，而其人入夢方覺，不知周蝶之分也。謂周為蝶可，謂蝶為周亦可，則一而化矣。」[50]馬其昶也說：「物有分，化則一也。至人深達造化之原，絕無我相，故一切是非利害，貴賤生死，不入胸次，忘年忘義，浩然與天地精神往來。」[51]

　　綜上所述，「物化」思想或可視為由〈逍遙遊〉之「厚積而化」思路生發，具體先闡明「物化」乃是作用於「厚積」的全部過程之中，祇有自「小化」不斷累積而來的量變才能成就「大化」之質變；而且惟有心中「無己」者方可與天地萬物同化為一而成其大體大用。而〈齊物論〉則上承這一思路，具體在於闡明世間萬物各有其性，「存異」自是必然；人們不能「無己」而「喪我」是因為成心之阻礙，唯有藉「因是」之法破而去之，才有可能泯滅彼此是非化融為一，成其大體大用。如果說「物化」思想在〈逍遙遊〉中重在自我精神世界的積累和超越，那麼在〈齊物論〉中即開始強調與外部世界的溝通與交流。當然，自〈齊物論〉之文意來看，「存異」正體現了道生萬物的豐富性和多樣性，這也是我們首先必須承認和尊重的現實存在；而「化同為一」則是莊子的精神追求，也是終極目標。其實，結合莊子所生活的時代背景以及中國幾千年來社會歷史發展的進程來看，「存異化同」或者仍然是一個美好而長遠的努力方向；或許，首先學會如何在具體生活實踐中來「存異思同」才是莊子「物化」思想的真精神。

---

49 同上註。

50 同上註。

51 同上註。

三　「物化」思想之現代生活啟示──太極拳功力訓練中的「化勁」習得實踐

　　明代內家拳宗師王宗岳之傳世名篇〈太極拳論〉[52]一文是歷代各太極拳流派所公認的，太極拳心法研究的基礎理論性著作。結合其拳論及筆者自己多年來的太極拳習得經驗來看，太極拳練習的核心還是要著重在「化勁」的訓練上；也就是說，太極拳是一門以「化」功而見長的內家拳功夫。

　　拳論開篇部分所言之「太極者，無極而生，陰陽之母也。動之則分，靜之則合」[53]兩句，從實際練拳的角度來看，正是說明了在開始練習之前的靜立準備階段，首先應該將身體從頭到腳之筋肉、關節不斷地放鬆至僅僅能維持身體自然站立的狀態；而且大腦也要隨之放空，以達到不起心動念，渾然忘我的狀態。而在此身心放鬆，放空之雙重作用下，習拳者起初會產生下半身消沉入地，而上半身虛浮於空中的感覺。如果能夠忽略這種感受繼續放鬆，放空，那麼上半身虛浮的感覺也會消失。而此時由於頭頂百會穴可以上接於天氣，腳底湧泉穴又可以下通於地氣，再繼續下去就會產生身體化為氣柱狀與天地融通為一的感受；而至此身體的官能感受基本消失，似入定境；而此種身心混沌一如的狀態亦可謂是習拳者本身內在小宇宙的「無極」之境。當然，五官感受的基本消失並不代表毫無生機；相反地，練習者的靈覺（或可稱之為第六感）卻變得十分敏銳。因此，當練習者於此基礎上準備開始習拳之心念一動，「太極」之生機亦隨之被激發出來。生機動，則氣自腳下地湧入，經丹田而行至兩臂，並帶動兩臂自左右身側浮起；兩臂上下移動之時，陰陽兩勁即分。隨後身體以腰脊為軸，左右鬆胯而帶動兩臂之上下左右移動及腳步之前後左右移動，即為進、退、盼、顧、定之五行步法及掤、捋、擠、按、採、挒、肘、靠之八卦身法。[54]而如果身體不需要移動時，就要再次恢復到習拳之初的「無極」狀態，這就是所謂的「動之則分，靜之則合」。

　　而接下來文中所言之「無過不及，隨曲就伸。人剛我柔謂之走，我順人背謂之黏。動急則急應，動緩則緩隨。雖變化萬端，而理為一貫」[55]四句談的即是太極拳在具體運用過程中的「化勁」技巧；即不可用本身肌肉之拙力與對方相抗，而是要順著對方的勁路用曲線旋轉和延伸拉長的方式來化解其勁力。如果對方的來勢剛猛，即可以用鬆柔勁

52　王宗岳：見〈https://baike.baidu.com/item/王宗岳太极拳论/8218912#1〉，瀏覽日期2019年8月27日。

53　文句見於王宗岳：〈太極拳論〉。

54　張三豐《太極拳經》：「長拳（太極拳古名長拳）者，如長江大海滔滔不絕也。掤、捋、擠、按、採、挒、肘、靠，此八卦也。前進、後退、左顧、右盼、中定，此五行也，『掤、捋、擠、按』，即乾、坤、坎、離四正方也。『採、挒、肘、靠』，即巽、震、兌、艮四斜角也。『進、退、顧、盼、定』，即金、木、水、火、土也。合之則為『十三勢』也。」（〈https://baike.baidu.com/item/太极拳论/6166753〉，瀏覽日期：2019年8月27日。）

55　見王宗岳：〈太極拳論〉。

貼著對方勁力的走向隨之移動；而如果對方想要撤力而去，亦可以用鬆柔勁黏黏在其拳／腳之上隨之跟回。對方勁力來得快就快跟，來得慢就慢隨；不論其如何變化，化其勁力的原理還是一樣的。而再接下來文中所言之「由招熟而漸悟懂勁，由懂勁而階及神明。然非用力日久，不能豁然貫通焉」[56]兩句，更是文中的精髓之所在。它直接告訴我們──這種高明的「化勁」技巧之獲得需要通過長期的套路練習和推手實踐來積累經驗。而從實際的練習過程來看，剛開始學習太極拳時的套路練習是最為枯燥和費神的部分；因為每一個動作的開與合，位置的高與低，勁力的鬆與沉都需要根據每個人的身體狀況調整到恰如其分。而這不但需要練習者本身長年累月的練習和體悟，同時也需要太極拳老師能夠在旁不斷地指導和修正每一個動作細節方面的問題。雖然練習的過程相當地費時與費力；但是當拳架正確、穩定、流暢之後，太極拳進一步提升的基礎也由此而奠定；至此亦可進入太極拳練習的實際運用階段，即太極推手的練習與實踐。當然，剛開始的推手練習仍然避免不了「成心」作祟，畢竟大部分的練習者都很難擺脫長久以來形成的用力習慣；所以在練習時處處都會不自覺地用肌肉的僵力來頂或抗對方的勁力。但是和拳友長期切磋的經驗表明，推手練習者彼此都會在不同的階段不斷地放棄自己固有的用力習慣；並開始主動地將在拳架練習中累積而來的鬆沉經驗運用到推手練習的過程中去；而且能夠在此基礎上去逐漸地琢磨和應用每一個小小的化勁技巧；如此才會慢慢地體悟到太極拳的「化勁」原理。而體悟到原理之後，還要通過不斷地練習和修正才能逐步地鞏固所學並達到以體膚之高敏感度來準確判斷他人勁力大小之變化，並隨意化去的通透階段。而且這種「化勁」能力的獲得無法依靠聰明才智「頓悟」而來，必須經過長期的積累和磨練，才有「豁然貫通」的一天；這也是太極拳練習者有所謂「十年不出門」說法的由來。而當練習者真正地達到通透的階段時，其皮毛感應外界力量之敏感程度就能夠做到「一羽不能加，蠅蟲不能落，人不知我，我獨知人」[57]的大化之境界。而在這種情況下，所謂「四兩撥千斤」的真正含義就是在準確感知對方勁力的來路後，通過施加一個很小的力量，使之改變方向，並化去旁邊；而不是常人所認為的「以很小的力量來撥動很大的力量」的非常不科學的解釋。而下文所言之「每見數年純功，不能運化者，率皆自為人制，雙重之病未悟爾。欲避此病，須知陰陽；黏即是走，走即是黏，陽不離陰，陰不離陽；陰陽相濟，方為懂勁。懂勁後，愈練愈精，默識揣摩，漸至從心所欲。本是捨己從人，多誤捨近求遠」[58]一段文字更是具體地說明了太極拳練習者之所以無法達到「懂勁」而通透的階段，就是不能在實際的習拳和運用過程中來體會「陰陽」兩種勁法的運化關係。而所謂的「黏」與「走」，其實都是在感應對方勁力之

---

56 同上註。

57 同上註。

58 同上註。

時所採用的化勁技巧，即以或陰或陽之勁法緊貼對方的發力點，並能自然地跟隨著對方的勁路方向任意移動而不會丟掉的高超化勁能力；而懂得這一點的練習者才會在長期的推手練習和具體運用中逐漸地達到隨心所欲化解對方的境界。而一切化勁習得的基礎，都必須做到「捨己從人」；即放棄自己長期以來形成的，習慣性地用肌肉的僵力去和對方頂抗的方法，鬆柔地順著對方的勁力走向來化解。而非「捨近求遠」，即放棄近身控制對方的機會，卻選擇從遠處來進行安全地自我防守；文中所言之「差之毫釐，謬以千里」亦是此意。

另外需要特別說明的是：太極拳高階段化勁的習得並不能只依靠長期的套路演習和推手實踐等外在的功架磨練，還需要在一定基礎上進行太極內功（椿功）的輔助性訓練；即通過氣功的練習來增強神經系統的敏感度和發勁的強度。一般來說，當外在拳架的銜接性和準確性到了一定階段之後，就需要體會和練習體內氣路的走向。筆者在剛開始練習站椿時，閉目之後心念浮動，根本無法體會何謂混沌「無極」，何謂「氣感」？後來太極拳老師傅啟發筆者說：「只需將身體放鬆，大腦放空，多數情況下三十分鐘內即會產生氣動」。筆者當下突然領悟到這與莊子在〈齊物論〉中所討論的「喪我」乃至「物化」的思想有「神似」之處，故而按照這一方法「放鬆」和「放空」。果然，大約十分鐘後，筆者就開始在一股自然外氣的作用下，自動地在原地先左後右旋轉，並在大約半小時後停止。雖然剛開始練習時身體不太適應如此劇烈的動作，但是有了若干次經驗後才體會到：只要放鬆身體，隨著氣動自然動作就會很順遂。在其後的一年之內，筆者經歷了自發性左右大幅度旋轉腰胯，輪甩大臂和小臂，前傾跑和後退跑，以及身體軀幹上下震動等一系列較大的，疏通身體經絡的動作；直至一年後動作才逐漸變小，並轉為和緩，而且大多以靜立／靜坐椿為主。至此，筆者在練拳過程中即能清晰地感受到從準備練拳時的混沌「無極」狀態到念由心生所引出的「太極」狀態，再由此而產生出陰陽兩勁之分別以及感受到氣息在體內流動運行的狀態。於此，不但筆者的五官敏感度大為提高，而且大腦也不易疲倦，情緒波動亦較小，內心亦更為簡單和沉靜。尤其是在練拳架時更能體會氣動若流水般的舒暢感，而與此同時，練拳時彈抖發勁的強度也大為增加。

由此可見，真正的太極拳習得不僅僅是對練習者身體和神經系統反應能力的訓練和磨練，也是對練習者思維習慣和心智的改變和鍛鍊。如果沒有長年累月的堅持與厚積，就無法一步步地從「小」化之技巧訓練而累積成為「大」化之技能境界。如果不能夠「捨己」，「無己」乃至「喪我」；就無法放棄自己固有的習慣和成見，體會到太極拳鬆柔的真正內涵；從而在實際運用中做到「因是而化」；並最終修煉到與天地萬物融合為一的「物化」之最高境界。前輩武者嘗言武術之終極追求乃是「以武入道」，筆者以身試煉，信之確鑿！

四　結語

　　總而言之，「物化」思想在〈逍遙遊〉和〈齊物論〉中的生發和推演是有跡可循的。〈逍遙遊〉所重乃是「厚積而化」，強調的是由小及大的積累和質變的過程；其根本在於自我精神境界的突破和超越。而〈齊物論〉所重乃是「因是而化」，強調的是要承認區別的基礎上破除成心才有能機會化同為一；其根本在於自身和外界的溝通與交流。如果將兩者結合起來看，「厚積而化」應該是我們在日常生活中每天都需要進行的基本學習行為；而「因是而化」則是我們在正確認知外部環境和世界的條件下與天地萬物溝通的基本方法；或者亦可以說是我們如何自內向外突破的學習過程。如果可以秉持「無己」和「喪我」之心，則遠可與莊子神交，近可以明經救世！因讀聖賢書而得以體悟古人精神之高絕，亦可藉古人精神之高絕來提升個人之生活品質。讀書生活本自一體，合則思深，分則行淺，後學者不敢不慎！

楚系金文「人物審美批評」及其 對《楚辭》創作之影響*

譚梅

清華大學人文學院

一　楚系金文人物的審美批評

提到人物審美批評，人們通常認為這一風氣興於東漢盛於魏晉，實際上早在銅器銘文中人物審美批評的影子就已經出現，楚系金文中就有著大量人物審美批評話語。楚系金文中的人物審美批評與後世文學批評中的人物品藻並不完全一致，但其對後世文學批評的影響卻是不可否認的，劉明今《方法論》中即認為：

> 中國古代文論產生的契機有二：一是因觀風俗、識美刺，而促成教化論批評；另一便是人物品藻，因品藻人物而關注其才性，關注其體現才性的文學，以至品賞文學之美，由此形成以才性論為中心的文學批評。[1]

楚系金文中的人物審美批評可按其性質大致分為如下幾類：

（一）道德審美批評

楚系金文人物審美批評中，道德審美批評所占比重較大，相關銘文數量較多，道德審美批評主要從銅器器主自身品德及其對君主的忠信程度兩方面展開，具體表現如下：

1 品德批評

對器主自身品德的評價是道德審美批評的重要組成部分，楚系金文在評價個人品德時多稱「恭持明德」或「為德無暇」，例如：

競孫旟也鬲：

> 正月（盡）期，吉晨（辰）不貣（忒），競孫旟也，作鑄𦅅彝……恭持明德，卲

---

* 【基金項目】二〇一七年度國家社會科學基金重大項目（17ZDA250）階段性成果。

1　劉明今：《中國古代文學理論體系：方法論》上海：復旦大學出版社，2000年，頁79。

事辟王，奮哉不服。[2]

曾伯陭壺：

> 唯曾伯陭乃用吉金鐪鋚，用自作醴壺……為德無瑕……子孫用受大福無疆。[3]

《禮記·大學》曰：「大學之道，在明明德，在親民，在止於至善」。鄭注云：「明明德，謂顯明其至德也」，孔疏曰：「『在明明德』者，言『大學之道』，在於章明己之光明之德。謂身有明德，而更章顯之，此其一也。」[4]競孫旟也鬲銘文中出現的「明德」可釋為至德、光明之德，銘文說「恭持明德」即秉持光明無上的道德，曾伯陭壺銘文中的「為德無瑕」是謂德行純淨無瑕疵，由此可見楚人對自身品德修養有很高的要求。

以上兩器均是對男性的品德評價，而楚人對自身品德的要求是遍及男女的，楚系金文中的女性也遵循著同樣的道德審美準繩，例如：

蔡侯申尊：

> 元年正月初吉辛亥，蔡侯申虔恭大命，上下陟祐，鐭敬不惕，肇佐天子，用作大孟姬媵彝缶，禋享是台，祗盟嘗呐，佑受無已，齊諿整肅，籲文王母，穆穆亹亹，聰憲訴盧，威義遊遊，霝頌託商……子孫蕃昌，永保用之，千歲無疆。[5]

蔡侯申尊銘文從許多方面對大孟姬的形象進行了描述，而其中的「齊諿整肅，籲文王母」即是對她的道德審美批評，崔恆升《安徽金文訂補》中認為：

> 禤，于省吾謂即古齋字，文獻通作齊。《詩·大雅·思齊》：「思齊大任」，毛傳訓齊為莊。諿字右旁或隸定為段、皮、只等字，因字跡剝蝕模糊不清，難以辨認……整肅即整齊嚴肅。籲，各家考釋不一：有節（箾）、類、籲……待考。文王即周文王……《周本紀》記載文王「篤仁、敬老、慈少」，大概與其母教導有關……文王母為其高祖妣，故蔡侯要求其女發揚婦道，以標榜文王母儀。[6]

在蔡侯看來，文王之母以其莊嚴肅穆之德教導啟發文王，盡到了一個優秀母親的責任與義務，文王之母是女性的標竿與典範，故而其在作器時也以文王母之德來要求自己的女兒，蔡侯對女兒的要求實即反映出時人對女性品德具有較高的認識與評價標準。

2　吳鎮烽：《商周青銅器銘文暨圖像集成》卷6，上海：上海古籍出版社，2012年，頁489。

3　中國社會科學院考古研究所：《殷周金文集成釋文》卷5，香港：香港中文大學出版社，2001年，頁453。

4　（唐）孔穎達：《禮記正義》北京：中華書局，1980年，頁1673。

5　中國社會科學院考古研究所：《殷周金文集成釋文》卷4，香港：香港中文大學出版社，2001年，頁272。

6　崔恆升：《安徽金文訂補》合肥：黃山書社，1998年，頁171。

2　忠信批評

楚系金文中對人物的審美批評是豐富多面的，除了批評器主品德外，其中還有對人物忠信程度的評價與衡量，楚系金文中表達臣子忠信程度的主要語辭如下：

王孫誥鐘：

> 隹（唯）正月初吉丁亥，王孫誥睪（擇）其吉金自乍（作）龢鐘……敬事楚王……以樂楚王、者（諸）侯、嘉賓，及我父兄、諸士。趩趩（諲諲）熙熙，萬年無期，永保鼓之。[7]

鬒鎛鐘：

> 鬒擇吉金，鑄其訉（反）鐘……余呂王之孫，楚成王之盟僕，〔男〕子之埶（槷）。余不特甲天之下，余臣兒難得。[8]

蔡侯申編鐘：

> 隹正五月初吉孟庚，蔡侯〔申〕曰：余唯（雖）末小子，余非敢寧忘，有虔不貳（忒），佐佑楚王……自作歌鐘，元鳴無期，子孫鼓之。[9]

曾侯與鐘 M1：1：

> 有憸（嚴）曾侯，鼝＝（業業）厥諲（聖），親塼（搏）武攻（功）。楚命是靴（靜？），遳（複）戁（定）楚王……[10]

楚太師登鐘：

> 隹（唯）王正月初吉庚午，楚大（太）師登臂（辥）紁（慎），紁（慎）𧙗（獨）、函𪔟……餘保辥楚王，㤒段□□，萬年〔母（毋）〕改，子子孫孫永寶鼓之。[11]

《禮記・緇衣》云：「子曰：『大臣不親，百姓不寧，則忠敬不足，而富貴已過也。大臣不治，而邇臣比矣』」[12]，臣子對君王忠敬不足則可使百姓不寧國家大亂，君臣間

7　劉彬徽，劉長武：《楚系金文彙編》武漢：湖北教育出版社，2009年，頁91。

8　同上註，頁112。

9　同上註，頁173。

10　湖北省文物考古研究所：〈隨州市博物館・隨州文峰塔 M1（曾侯與墓）、M2發掘簡報〉，《江漢考古》，2014年第4期，頁15。

11　吳鎮烽：《商周青銅器銘文暨圖像集成》卷28，上海：上海古籍出版社，2012年，頁421。

12　（唐）孔穎達：《禮記正義》北京：中華書局，1980年，頁1649。

的忠信被認為是促使國家穩定的條件之一。而據上述銘文可知，楚人十分重視對君王的
忠信，楚系金文中向楚王表忠信的主要是楚及其附屬國的王孫臣子，「敬事楚王」、「佐
佑楚王」、「復定楚王」、「保辟楚王」是銘文中較常出現的忠信批評用語。此外，也有如
鄹鎛鐘銘文自稱「楚成王之盟僕」，以盟僕自稱則其恭謙忠敬之態立現。忠信是楚王對
臣子的基本要求，也是臣子的基本操守，不光楚系金文對人物的忠信極其重視，楚地其
他出土文獻中同樣也表現出對忠信的關注，《郭店楚簡‧忠信之道》即云：

> 不訛不孚，忠之至也。不愇弗智（知），信之至也。忠厡（積）則可罜（親）
> 也，信厡（積）則可信也。
>
> 忠之為術（道）也，百工不古，而人羖（養）膚（皆）足。
>
> 大舊而不俞（渝），忠之至也。
>
> 忠，悬（仁）之實也。[13]

　　楚系金文和楚簡的共同表現說明楚人對忠信問題十分關注，而這種忠信意識亦在楚
地長久延續，屈原屢遭排斥放逐卻依舊對楚王忠心不二，司馬遷稱其「信而見疑，忠而
被謗」即為明證。

（二）才略、儀容審美批評

　　才略、儀容審美批評即指楚系金文中對人物才能、氣度、儀容的審美評價。首先，
我們來分析才略審美批評，才略審美主要從人物的施政能力、武功謀略以及才智水準等
幾個方面展開，詳見如下例證：

1 施政能力批評

　　對於楚國統治階層來說，理政治民是他們應該具備的基本才能，楚系金文中常用
「惠於政德」來評價青銅器主的施政能力，例如：
　　王子午鼎：

> 隹（唯）正月初吉丁亥，王子午羃（擇）其吉金，自乍（作）𤔲彝遲鼎……余不
> 畏不差，惠于政德……命（令）尹子庚，緊民之所亟（極），萬年無諆（期），子
> 孫是制。

---

13 荊門市博物館：《郭店楚墓竹簡》北京：文物出版社，1998年，頁163。

王孫遺者鐘：

> 隹（唯）正月初吉丁亥，王孫遺者罩（擇）其吉金，自乍（作）龢鐘……惠於政德……用樂我嘉賓父兄及我朋友。余怂旬心，延永余德，龢溺民人。余專（敷）旬于國。諲諲熙熙，萬年無諆（期）。世萬孫子，永保鼓之。

王孫誥鐘：

> 隹（唯）正月初吉丁亥，王孫誥罩（擇）其吉金自乍（作）龢鐘……余不畏不羨（差），惠于政德……萬年無期，永保鼓之。[14]

對於批評施政能力的「不畏不差，惠於政德」，趙世綱〈王子午鼎銘文試釋〉一文認為：

> 余不畏不差，意即我不畏懼也不軟弱。「惠」，《說文》：「仁也」。《論語・公冶長》：「其養民也惠。」……意即王子午，既能施以德政，又能以身作則，作出榜樣。[15]

而伍仕謙〈王子午鼎、王孫亳鐘銘文考釋〉中則認為：

> 畏，《廣雅・釋言》「威也」。《列子・黃帝》「不畏不怒」注「畏，威也。」「差，失誤也」。故不畏不差，猶言我既不威猛也無失德，接下句，惠於政德，淑於威儀，就是說我為政以恩德服人……[16]

「不畏不差，惠於政德」很明顯是對王子午施政能力的描述，「惠於政德」趙氏及伍氏都理解為施行德政，甚確。連秀麗《周代吉金文學研究》中也認為：「政德，政令德業。『惠於政德』，即在政令德業方面廣施惠愛」。[17]「不畏不差」通常與「惠於政德」連用，應當也是對其為政能力的評價，而不是像趙、伍二人解釋的不威猛或不畏懼。伍氏考釋中實則已經指出「差」乃失誤之意，「不畏不差」應理解為施政不偏不倚，無差錯失誤或許更為合理。

施政得當與否與民生發展息息相關，在上述「惠於政德」批評語句之後基本都能見到如「命（令）尹子庚，緊民之所亟（極）」、「延永余德，龢溺民人」等與其子民相關的話語，可見楚人認為施政不偏不倚才能和順人民保證國家和社會的安定，德政與民生是緊密相扣的，王孫遺者、王孫誥鐘及王子午鼎批評政德所傳達的思想內容即是如此。

14 劉彬徽、劉長武：《楚系金文彙編》武漢：湖北教育出版社，2009年，頁87、91、94。

15 趙世綱、劉笑春：〈王子午鼎銘文試釋〉，《文物》，1980年第10期，頁29。

16 中國古文字研究會、中華書局編輯部：《古文字研究》第9輯，北京：中華書局，1984年，頁281。

17 連秀麗：《周代吉金文學研究》北京：中國社會科學出版社，2011年，頁159。

綜合以上道德審美批評與才略批評來看，不論是在對器主的施政能力還是道德要求上，楚系金文都是以「德」為評價和衡量的標準的，楚人對「德」的重視也見載於史籍，《左傳・宣公十二年》載：

> 丙辰，楚重至于邲，遂次于衡雍。潘黨曰：「君盍築武軍而收晉屍以為京觀？臣聞克敵必示子孫，以無忘武功。」楚子曰：「非爾所知也。夫文，止戈為武。武王克商，作《頌》曰：『載戢干戈，載櫜弓矢。我求懿德，肆于時夏，允王保之。』」……今我使二國暴骨……無德而強爭諸侯，何以和眾？[18]

《左傳》中這段關於楚王不築京觀的記錄正反映了楚人對德的重視，楚王不願聽取臣子建議築京觀曝露俘虜屍首與諸侯強爭，正是因為其「求懿德」，楚王言語間雖自認德行不夠，但其不築京觀，求與眾和的行為卻恰恰襯托出他德行無瑕，這種對「德」的重視與楚系金文以德批評人物顯然是一脈相承的。

2 武功謀略批評

除了施政才能外，楚系金文也十分重視人物的武功謀略，楚系金文中評價人物武功謀略的例證如下：

王孫誥鐘：

> 隹（唯）正月初吉丁亥，王孫誥睪（擇）其吉金自乍（作）龢鐘……肅𢿧（哲）臧武，聞于四國……武于戎攻（功），誨（謀）猷不（丕）飤（飭）……趩趩（諻諻）熙熙，萬年無期，永保鼓之。[19]

楚太師登鐘：

> 隹（唯）王正月初吉庚午，楚大（太）師登𦣹（辥）𥾝（慎），𥾝（慎）獃（獨）、圅彝，武于戎（工）功……萬年〔母（毋）〕改，子子孫孫永寶鼓之。[20]

楚王盦章戈：

> 楚王盦（熊）璋嚴龍（龔）寅作𨍏戈，以邵（昭）𧆥（揚）文武之戊（茂）用（庸）。[21]

18　（唐）孔穎達：《春秋左傳正義》北京：中華書局，1980年，頁1992。

19　劉彬徽，劉長武：《楚系金文彙編》武漢：湖北教育出版社，2009年，頁91。

20　吳鎮烽：《商周青銅器銘文暨圖像集成》卷28，上海：上海古籍出版社，2012年，頁421。

21　劉彬徽，劉長武：《楚系金文彙編》武漢：湖北教育出版社，2009年，頁202。

競瞁矛：

> 競（景）瞁（畏）自乍（作）萃矛，用牉（揚）各（文）德武烈。[22]

曾候與鐘 M1：1：

> 有憼（嚴）曾候，雧=（業業）厥謼（聖），親塼（搏）武攻（功）……曾候惢
> （莊）武……伐武之表，懷燮四旁（方）。[23]

據上述引文，楚系金文批評人物武功的主要用語有「肅哲臧武」、「武于戎功」、「親搏武功」，評價人物謀略的主要用語為「誨（謀）猷不（丕）飲（飭）」，楚王酓章戈、競瞁矛則直接表明其文武並重的態度。

趙世綱《淅川下寺春秋楚墓青銅銘文考索》提到：

> 「肅哲臧武」，即肅哲善禦之意，與「肅哲聖武」意近。[24]

劉彬徽《楚系青銅器研究》提到：

> 「武于戎功，誨猷不飲」，前句與《詩·江漢》：「肇敏戎公」意義相同，後句讀
> 「謀猷丕飭」，兩句意為敏於兵戎之事，謀劃極為穩當，算無遺策也。[25]

鄒芙都《楚系銘文綜合研究》則認為：

> 「肅折臧戜」，臧，《說文》：「善也。」「戜」，伍仕謙先生引吳大澂說有強禦
> 意。銘意為王孫誥肅敬、聖哲、善美、孔武。[26]

尚武不僅僅是於對兵戎之事的熱衷，更包含著楚人對勇武無畏精神的推崇。楚人崇尚武功謀略自有其歷史原因，楊寬《西周史》中提到：

> 西周時代，周和楚之所以不斷發生激烈的衝突，原因在於雙方……被稱為「荊
> 蠻」或「楚蠻」的一族人民居住的地區早就不限於荊山一帶，而分布到了長江中
> 游和下游……當時楚國圖謀擴展，關鍵就在於取得江漢之間「楚蠻」人民的支
> 持。至於西周王朝，當然要防止和壓制楚國的擴展……然而西周王朝採用的這種

---

22 吳鎮烽：《商周青銅器銘文暨圖像集成》卷33，上海：上海古籍出版社，2012年，頁131。
23 吳鎮烽：《商周青銅器銘文暨圖像集成》卷28，上海：上海古籍出版社，2012年，頁15。
24 淅川縣博物館：《淅川下寺春秋楚墓》北京：文物出版社，1991年，頁359。
25 劉彬徽：《楚系青銅器研究》武漢：湖北教育出版社，1995年，頁313。
26 鄒芙都：《楚系銘文綜合研究》成都：巴蜀書社，2007年，頁81。

壓制楚國擴展的辦法都沒有起到多大作用[27]。

　　楚人從西周至戰國不斷擴張疆土必定借助武力，而精妙的謀略則是保證擴疆戰爭順利進行的基礎，可以說擴疆攻伐是促進楚人尚武崇謀風氣興起的主要原因之一。

　　楚人不僅崇尚武功，也對武的內涵有著深刻的理解，《左傳・宣公十二年》即載楚莊王語：「夫文，止戈為武……夫武，禁暴、戢兵、保大、定功、安民、和眾、豐財者也。」鄭注云：「此武七德」，正義曰：「楚子既引四篇，乃陳七德，則四篇之內有此七者之義。戢干戈、櫜弓矢，禁暴、戢兵也。」[28]除此之外，楚人也從不掩飾其勇武之心，《左傳・桓公二年》載：「秋七月，杞侯來朝，不敬……蔡侯、鄭伯會于鄧，始懼楚也」鄭注云：「楚武王始僭號稱王，欲害中國」[29]楚武王不受周天子封而自立不僅展現出其「欲害中國」的野心，更展現了其勇武無畏的精神。《左傳・文公九年》又載：「范山言于楚子曰：『晉君少，不在諸侯，北方可圖也。』」[30]綜合楚系金文和歷史文獻的記載來看，楚地對武功謀略的崇尚是上及君王，下至臣子的普遍風氣，楚系金文出現諸多批評武功謀略的語辭絕不是偶然。

3　才智批評

　　批評施政才能與武功謀略主要是就男性而言的，對於女性人物，楚系金文其實也有著很高的才智審美標準。例如前文引述的蔡侯申尊：

　　元年正月初吉辛亥，蔡侯申虔恭大命，上下陟祒，龖敬不惕，肇佐天子，用作大孟姬媵彝缶，……聰憲訴龖，……子孫蕃昌，永保用之，千歲無疆。[31]

　　蔡侯申尊銘文中的「聰憲訴龖」即是對大孟姬才智水準的評價，于省吾〈壽縣蔡侯墓銅器銘文考釋〉一文提到：

　　《呂氏春秋・下賢》：「悤悤乎其心之堅固也。」高注：「悤悤，明貌。」……「害」應讀為「介」，《詩經》中訓「大」訓「求」之「匃」均作「介」……《楚辭・悲回風》：「介眇志之所惑兮。」王注：「介，節也。」《孟子・盡心》：「柳下惠不以三公易其介。」劉注：「介，操也。」……「介」既然訓「節」訓「操」訓「堅固」，本銘就女子言之，則系堅貞之義……「龖」字金文屢見，而不見於

27　楊寬：《西周史》上海：上海人民出版社，2018年，頁672-674。

28　（唐）孔穎達：《春秋左傳正義》北京：中華書局，1980年，頁1992。

29　同上註，頁1743。

30　同上註，頁1847。

31　中國社會科學院考古研究所：《殷周金文集成釋文》，卷4，香港：香港中文大學出版社，2001年，頁272。

後世字書。其字從劦易聲，在此應讀作「揚」……根據上述，則「息害欣膚」應讀為「聰介欣揚」，係「聰明、堅貞，喜氣揚揚」之意。[32]

「聰憲訴膚」實即指大孟姬聰慧聰明，這實即反映出當時人們對女子的才智要求，結合上文對其「齊諶整肅，籍文王母」的道德評價來看，此時代的人們對女子的審美標準是「德」、「智」兼備的。

其次，我們來分析楚系金文中的儀容審美批評，楚系金文對人物的氣度儀容也十分關注，具體例證如下：

王子午鼎：

> ……嬰（惼）恭糖（舒）屖（遲），畏期趩趩（翼翼）……恕（淑）于威義（儀），闌闌（簡簡）獸獸（肅肅），命（令）尹子庚，緊民之所亙（極），萬年無諆（期），子孫是制。

王孫遺者鐘：

> ……余嬰（惼）恭糖（舒）屖（遲），畏期趩趩（翼翼）……諲諲熙熙，萬年無諆（期）。世萬孫子，永保鼓之。

與兵壺：

> 隹（唯）正月初五吉壬申，余鄭大（太）子之孫與兵，睪（擇）余吉金自作宗彝……余嚴敬茲禋祭穆穆熙熙，至于子子孫孫。參拜頌首于皇考烈祖，俾萬世無期，極于後民，永寶教之。

王孫誥鐘：

> 隹（唯）正月初吉丁亥，王孫誥睪（擇）其吉金自乍（作）龢鐘……恕（淑）于威義（儀），嬰（惼）恭糖（舒）遲，畏忌趩趩（翼翼）……趞趞（諲諲）熙熙，萬年無期，永保鼓之。[33]

楚系金文中批評人物氣度儀容的主要用語為「溫恭舒遲」、「畏忌翼翼」、「淑于威儀」以及「嚴敬茲禋祭，穆穆熙熙」。關於此類批評氣度儀容的語辭，諸家都有釋讀。

「溫恭舒遲」，劉彬徽《楚銅研》釋為：

> 恭敬閒雅之意。龢恭，即經典之嚴恭，《尚書·無逸》：「嚴恭寅畏」，嚴恭義為嚴

---

32 吉林大學古文字研究室：《古文字研究》第1輯，北京：中華書局，1979年，頁45-46。

33 劉彬徽，劉長武：《楚系金文彙編》武漢：湖北教育出版社，2009年，頁87、94、638、91。

恪恭敬。**糖犀**讀為舒遲。《禮記·玉藻》:「君子之容舒遲」,舒遲意即閒雅。[34]

「畏忌翼翼」常與上文「溫恭舒遲」連用,也是對人物儀容氣度的評價,趙世綱〈王子午鼎銘文試釋〉一文中說:

畏、威同音通假,**期**可能為忌的異體。「畏忌」意即有所顧忌。《左傳·昭公二十五年》:趙簡子問禮于子產,子產說:「為刑罰、威獄,使民畏忌,以其震曜殺戮」。「威忌」為西周至春秋銅器銘文中常用語。如:⋯⋯周公望鐘:「余畏糞威忌,鑄辟龢鐘」⋯⋯「趩」即翼,同音通假。畏忌翼翼,意有所顧忌,小心翼翼。[35]

「淑于威儀」,伍仕謙〈王子午鼎、王孫**亯**鐘銘文考釋〉一文中說:

淑,善也,《詩·柏舟》「威儀棣棣」,注「君子望之儼然可畏,禮容俯仰,各有威儀」。故淑于威儀,謂禮容美善,望之可親。[36]

「嚴敬茲禮**榮**,穆穆熙熙」,王人聰〈鄭大子之孫與兵壺考釋〉一文解釋說:

嚴,訓為恭敬,《詩·六月》:「有嚴有翼。」馬瑞辰云:「嚴、翼皆恭也。」《玉篇》:「嚴,敬也。」嚴敬為同義並列複合詞,即恭敬之義⋯⋯穆穆,重言形容詞。《爾雅·釋訓》:「穆穆,敬也。」**趑趑**,**趑**字從走,臣聲,通熙。《荀子·儒效》:「熙熙兮,其樂人之臧也。」楊倞注:「熙熙,和樂貌。」[37]

很明顯,此句是說器主有恭敬之態,和樂之貌。

注重個人氣度儀容的傳統淵源已久,《禮記·曲禮下》即載:「天子穆穆,諸侯皇皇,大夫濟濟,士蹌蹌,庶人僬僬」,鄭注云:「皆行容止之貌也」,正義曰:

此一節論天子至庶人行容之貌,云「天子穆穆」者,威儀多貌也。天子尊重,故行止威儀多也。「諸侯皇皇」者,自莊盛也。諸侯不及穆穆,而猶有莊盛。鄭注《聘禮》云:「皇皇,莊盛也。」「大夫濟濟」者,濟濟,徐行有節。大夫降于諸侯,不得自莊盛,但徐行而已也。「士蹌蹌」者,鄭注《聘禮》云:「容貌舒揚也。」案鄭意則不得濟濟也,但舒揚而已。「庶人僬僬」者卑盡之貌也。庶人卑

34 劉彬徽:《楚系青銅器研究》武漢:湖北教育出版社,1995年,頁311。

35 趙世綱、劉笑春:〈王子午鼎銘文試釋〉,《文物》,1980年第10期,頁29。

36 中國古文字研究會、中華書局編輯部:《古文字研究》第9輯,北京:中華書局,1984年,頁291。

37 中國古文字研究會、中山大學古文字研究所:《古文字研究》第24輯,北京:中華書局,2002年,頁237。

賤，都無容儀……崔云：「凡形容，下不得兼上，上得兼下……」[38]

「天子穆穆，諸侯皇皇，大夫濟濟，士蹌蹌，庶人僬僬」即是對不同階層的人們儀容氣度的評價與描述，據孔穎達解釋「穆穆」用來形容天子威儀無限的氣度，而「皇皇」則多指諸侯行容莊盛，而楚系金文中常出現的「淑于威儀」、「穆穆熙熙」正體現著楚貴族對自身儀容舉止的要求，楚人用這樣的批評標準來衡量自身的氣度儀容，足證其對儀容的講究與重視。

除了對男性氣度儀容的審美批評以外，楚系金文中也有著對女性人物的氣度儀容審美批評。事實上，雖然目前發掘的楚系金文中有與女性相關的大量媵器銘文，但這些媵器銘文卻很少對女性儀容氣度做出直接的批評與描述，故而楚系金文中有關女子氣度舉止的銘文寥寥可數，正因如此，這些為數不多的品評女子氣度舉止的銘文更需我們重視，試看如下例證：

姚朱姬簠：

穆穆曾孟毓朱姬作持。[39]

蔡侯申尊：

元年正月初吉辛亥，蔡侯申虔恭大命……用作大孟姬媵彝缶，禋享是台……穆穆畺畺……威義遊遊，需頌託商。康諧穆好，敬配吳王，不諱考壽，子孫蕃昌，永保用之，千歲無疆。[40]

姚朱姬簠銘文中的「穆穆曾孟毓朱姬」，蔡侯申尊銘文中的「穆穆畺畺」、「威義遊遊，需頌託商」都是對女性儀態容貌的批評用語。「穆穆」金文常見，通用於男女儀態審美批評，上文與兵壺即稱器主「穆穆熙熙」，于省吾〈壽縣蔡侯墓銅器銘文考釋〉說到：「《爾雅・釋訓》：『穆穆，敬也。』『畺畺』典籍皆訛作『亹亹』……《毛傳》：『亹亹，勉也』。『穆穆畺畺』係敬恭亹勉之義。」[41]「穆穆」即指女子恭敬莊重的儀態。

「威義遊遊」，「威義」同樣通用於男女儀態審美批評，陳秉新〈壽縣蔡侯墓出土銅器銘文通釋〉一文認為：「威，據文義當讀威，蓋亦威字別構。從戈，妥聲，妥，古綏字，綏、威古音同在微部。義，讀為儀。遊遊于省吾先生讀為優優，訓為寬閑安適。」[42]《禮記・中庸》即載：「大哉聖人之道，洋洋乎發育萬物，峻極于天。優優大

38 （唐）孔穎達：《禮記正義》北京：中華書局，1980年，頁1267。

39 劉彬徽，劉長武：《楚系金文彙編》武漢：湖北教育出版社，2009年，頁694。

40 中國社會科學院考古研究所：《殷周金文集成釋文》卷4，香港：香港中文大學出版社，2001年，頁272。

41 吉林大學古文字研究室：《古文字研究》第1輯，北京：中華書局，1979年，頁46。

42 楚文化研究會：《楚文化研究論集》第2集，武漢：湖北人民出版社，1991年，頁360。

哉，禮儀三百，威儀三千，待其人然後行。」正義曰：「『優優大哉』，優優，寬裕貌……『威儀三千』者，即《儀禮》行事之威儀。」[43]由此可見「威義遊遊」應當是對女子端莊閒適的容貌儀態的評價與描述。

「靈頌託商」，陳秉新〈壽縣蔡侯墓出土銅器銘文通釋〉一文提到：

> 需頌託商，舊皆不得其解。于省吾先生認為是「依託《商頌》那樣的頌揚得體，以善頌吳王」的意思，然亦覺迂遠。愚以為這兩句語氣相貫，語義相連，都是就大孟姬應保持怎麼樣的儀容而言，不必求之過深……需頌託商，儀容美好而有章度」。[44]崔恆升《安徽金文訂補》中也認為：「《說文頁部》：「頌，貌也。從頁公聲。籀文作𩠉。」……「商」通章，章度。「需頌託商」即美好的儀容，依託于章度。[45]

實際上，上述對女子進行審美批評的銘文基本都將女性的儀容以及德才作為評價與審美的重點。不僅金文如此，先秦詩文也表現出同樣的傾向，例如〈周南·關雎〉：「關關雎鳩，在河之洲。窈窕淑女，君子好逑」。正義云：「思得淑女以配君子，故窈窕然處幽閒貞專之善女，宜為君子之好匹也」。[46]又如〈邶風·靜女〉：「靜女其孌，貽我彤管。」《毛傳》云：「既靜德，又有美色，又能遺我以古人之法，可以配人君也。」[47]《詩經》中提到的不論是「窈窕淑女」還是「靜女」，實則都體現出當時人們對女子的審美要求，「窈窕」實即指容貌舉止美麗端莊，「淑」是為善，實即是對女子內在德行的要求，「靜女」，毛傳已言明實即「既靜德，又有美色」。而楚系金文中的「威義遊遊」、「聰憲訴𧪀」等批評用語所建構的女子形象與〈關雎〉、〈靜女〉詩文中的女子形象是有所重疊的，由此可見楚系金文對女性的審美要求與先秦社會的審美潮流在大體上是保持一致的。

二　楚系金文與楚辭

楚系金文中的人物審美批評是楚人審美取向與審美觀念的反映，這種審美取向不僅為後世文學批評奠基，更對《楚辭》的創作有著深刻的影響。楚系金文人物審美批評中所表現出的對個人品德、忠信、武功謀略、施政能力等方面的評價與審美都能在《楚辭》中找到與之相對應的主題，具體情況見下表：

43　（唐）孔穎達：《禮記正義》北京：中華書局，1980年，頁1633。

44　楚文化研究會：《楚文化研究論集》第2集，武漢：湖北人民出版社，1991年，頁360。

45　崔恆升：《安徽金文訂補》合肥：黃山書社，1998年，頁172。

46　（唐）孔穎達：《毛詩正義》北京：中華書局，1980年，頁273。

47　同上註，頁310。

表一　楚系金文人物審美批評對《楚辭》創作的影響

人物審美批評	楚辭所對應句子	出處
品德與施政能力批評	紛吾既有此內美兮，又重之以修能。扈江離與辟芷兮，紉秋蘭以為佩。	離騷
	長太息以掩涕兮，哀民生之多艱。	離騷
	民生各有所樂兮，余獨好修以為常。	離騷
	既莫足與美政兮，吾將從彭咸之所居。	離騷
	貴真人之休德兮，美往世之登仙。	遠遊
	寧廉潔正直，以自清乎？	卜居
	欲寂漠而絕端兮，竊不敢忘初之厚德。	九辯
	朕幼清以廉潔兮，身服義而未沫。	招魂
	主此盛德兮，牽於俗而蕪穢。	招魂
	上無所考此盛德兮，長離殃而愁苦。	招魂
	獨廉潔而不容兮，叔齊久而逾明。	沉江
忠信批評	交不忠兮怨長，期不信兮告余以不閒。	湘君
	所作忠而言之兮，指蒼天以為正。	惜誦
	竭忠誠以事君兮，反離群而贅肬。	惜誦
	思君其莫我忠兮，忽忘身之賤貧。	惜誦
	事君而不貳兮，不知寵之門。	惜誦
	吾聞作忠以造怨兮，忽謂之過言。	惜誦
	忠不必用兮，賢不必以。	涉江
	忠湛湛而願進兮，妒被離而鄣之。	哀郢
	或忠信而死節兮，或訑謾而不疑。	惜往日
	忠昭昭而願見兮，然霠曀而莫達。	九辯
	信直退而毀敗兮，虛偽進而得當。追悔過之無及兮，豈盡忠而有功。	沉江
武功謀略批評	操吳戈兮被犀甲，車錯轂兮短兵接。	國殤
	旌蔽日兮敵若雲，矢交墜兮士爭先。	
	天時墜兮威靈怒，嚴殺盡兮棄原野。	
	帶長劍兮挾秦弓，首身離兮心不懲。	
	誠既勇兮又以武，終剛強兮不可凌。	

人物審美批評	楚辭所對應句子	出處
儀容氣度批評	步余馬于蘭皋兮，馳椒丘且焉止息。	離騷
	高余冠之岌岌兮，長余佩之陸離。	離騷
	撫長劍兮玉珥，璆鏘鳴兮琳琅。	東皇太一
	浴蘭湯兮沐芳，華采衣兮若英。	雲中君
	沅有芷兮澧有蘭，思公子兮未敢言。	湘夫人
	既含睇兮又宜笑，子慕予兮善窈窕。	山鬼
	九侯淑女，多迅眾些。	招魂
	容態好比，順彌代些。	招魂

近年來關於楚文學源頭的探討成為了楚學研究的熱點之一，連秀麗《周代吉金文學研究》中提到：「楚系銘文是鑄刻於青銅器上特殊的楚詩樣式，是春秋戰國這一特定的歷史時段楚地文化的代表性成就之一，楚系銘文是楚辭最早的萌生階段，在通向楚辭的道路上有著巨大的貢獻。」[48]而湯漳平《從兩周金文看楚文學之淵源》也認為：「為了尋求楚辭的源頭，人們自然會想到早期的楚詩……近年來出土的兩周楚國青銅器銘文確實又可稱為楚詩的……」[49]

任何一種文學樣式的興起都必有其基礎，《楚辭》能夠成為楚文學的突出代表其產生過程也不是一蹴而就的，無庸置疑，楚系金文是《楚辭》創作的源頭之一。以上兩文雖然都持這樣的觀點，但主要還是從文學形式、體裁出發探尋楚系金文與《楚辭》創作的聯繫。實際上，楚系金文與《楚辭》在內容上也有著十分緊密的關聯，筆者認為《楚辭》作品中能夠找到與楚系金文人物審美批評相對應的主題，楚系金文的人物審美批評從思想和題材選取上都對《楚辭》有著深刻的影響，上表即能夠充分說明楚系金文人物審美批評與《楚辭》創作的關係。

前文已經提到人物審美批評是一個時代的人們審美取向與觀念的體現。楚系金文中的人物審美批評同樣反映出楚人的審美取向，而這樣的審美取向對《楚辭》創作無疑是有影響的。

首先來看上表列出的楚系金文「道德審美」這一審美取向對《楚辭》創作的影響，「道德審美批評」中包括了「品德批評」及「忠信批評」兩方面內容，主要是對男、女性個人品德以及忠信程度的審美評價，其所反映的是楚人對自身品性高潔、忠心不二的審美要求，而這樣審美要求一直延續到《楚辭》的創作中。

表格中的「紛吾既有此內美兮，又重之以修能。扈江離與辟芷兮，紉秋蘭以為

48 連秀麗：《周代吉金文學研究》北京：中國社會科學出版社，2011年，頁223。
49 姚小鷗：《出土文獻與中國文學研究》北京：北京廣播學院出版社，2000年，頁151。

佩」、「民生各有所樂兮，余獨好修以為常」、「貴真人之休德兮，美往世之登仙」、「欲寂漠而絕端兮，竊不敢忘初之厚德」、「上無所考此盛德兮，長離殃而愁苦」等句都是楚人道德審美觀念的體現。

「紛吾既有此內美兮，又重之以修能。扈江離與辟芷兮，紉秋蘭以為佩」是屈原對其品德的描述，王逸解釋到：「言己之生，內含天地之美氣，又重有絕遠之能……佩，飾也，所以象德……德仁明者佩玉……言己修身清潔，乃取江離、辟芷以為衣被。」[50] 而《離騷》中的另外一句：「民生各有所樂兮，余獨好修以為常」也反映了屈原對自己道德修養的高要求，洪興祖《楚辭補注》云：「下文云：汝河博謇而好修。又曰：苟中情其好修。皆言好自修清潔也。」[51] 屈原以清雅的花木以佩飾自身，正象徵其志行超俗，言己身好修清潔則體現他高潔的自我道德審美要求，這與楚系金文人物審美批評中提到的「為德無暇」、「恭持明德」所表現出的審美取向高度一致，《楚辭》所做的實際上就是將楚系金文中這樣與道德審美有關的四字批評範疇擴寫擴大（包括下文即將論述的《楚辭》中德政、忠信等主題的創作，事實上也都是對楚系金文中相對應批評範疇的擴寫），而《楚辭》其他篇章創作中常提到的「休德」、「厚德」、「盛德」顯然也是受到這一審美觀念影響。

此外，楚系金文人物審美批評中「忠信」觀念也對《楚辭》創作有著深刻的影響。提到忠君愛國，世人總以楚國屈原為代表，而在楚系金文中，楚人就已經表現出了由下而上的對楚王絕對忠誠的觀念，楚系金文中的「敬事楚王」、「保辟楚王」等句正是當時「忠信」觀念的體現，楚系金文的強烈的「忠信」意識也影響著楚國後世文學創作，《楚辭》中的作品即蘊含著鮮明「忠信」審美取向。

表格中提到的〈湘君〉中的：「交不忠兮怨長，期不信兮告餘以不閑」、〈涉江〉中的：「忠不必用兮，賢不必以」〈哀郢〉中的：「忠湛湛而願進兮，妒被離而鄣之」、〈惜往日〉中的：「或忠信而死節兮，或訑謾而不疑」、〈九辯〉中的「忠昭昭而願見兮，然露曀而莫達」、〈沉江〉中的：「信直退而毀敗兮，虛偽進而得當。追悔過之無及兮，豈盡忠而有功」等句都在用直白簡明的語辭來描述其對「忠信」的理解和推崇。特別是〈惜誦〉一篇，其所出現的與「忠信」有關的語句和文辭遠超其他篇目，《楚辭補注》中即提到：「此章言己以忠信事君，可質於明神，而為讒邪所蔽，進退不可，為博采眾善以自處而已。」[52]《楚辭》中屈、宋等人的創作都表現出對「忠信」的極度推崇和關注，這種「忠信」意識絕不是憑空興起的，他與楚系金文人物審美批評中的「忠信」觀念必定有著密切的關聯，楚系金文「敬事楚王」等句所表現出的至下而上的絕對忠君意識對

50　（宋）洪興祖：《楚辭補注》北京：中華書局，1983年，頁5。

51　同上註，頁18。

52　同上註，頁129。

屈原等人的文學作品創作，乃至人生信條應該產生了深刻影響。

其次，我們來分析「才略、儀容審美批評」對《楚辭》創作的影響，「才略、儀容審美批評」主要從施政能力、武功謀略等幾個方面展開，展現楚人對「德政」的審美要求及對勇武多謀精神的推崇。

據上表統計，與楚系金文施行「德政」審美相對應的有《離騷》中「長太息以掩涕兮，哀民生之多艱」，「既莫足與美政兮，吾將從彭咸之所居」等句子。

「哀民生之多艱」，王逸《章句》云：「言己自傷所行不合於世……哀念萬民受命而生，遭遇多難，以隕其身。」[53]「既莫足與美政兮，吾將從彭咸之所居」，《章句》云：「言時世之君無道，不足與共行美德、施善政者，故我將自沉汩淵」。[54]屈原為民生艱難而感歎，為時世無道沒有人與他共施善政而惋惜，這說明他有強烈的施行美政的意識，而這正是其「德政」審美觀念的體現，這與楚系金文施政能力批評中所要求的「惠於政德」有很高的契合度。此外，上表統計〈卜居〉中的：「寧廉潔正直，以自清乎？」，〈招魂〉中的「朕幼清以廉潔兮，身服義而未沫」，〈沉江〉中的「獨廉潔而不容兮，叔齊久而逾明」等句子同樣也是「德政」審美取向的反映，這些句子中都提到了一個共同的語辭即「廉潔正直」，「廉潔正直」是政德的基本要求，屈原強調「廉潔正直」正體現他對施政有很高的審美要求。

同樣，楚系金文武功謀略審美批評中所表現出的對武功謀略的推崇對《楚辭》創作也有一定影響，上表提到的〈國殤〉即表現出鮮明的崇武意識，「操吳戈兮被犀甲，車錯轂兮短兵接」、「天時墜兮威靈怒，嚴殺盡兮棄原野」表現出了戰士勇敢殺敵的肅殺場面，「旌蔽日兮敵若雲，矢交墜兮士爭先」、「帶長劍兮挾秦弓，首身離兮心不懲」、「誠既勇兮又以武，終剛強兮不可凌」則體現出將士們奮勇拚搏不懼剛強和不畏生死的勇武精神與氣概。〈國殤〉的崇武觀念顯然與楚系金文中對武功謀略的注重是一脈相承的。

此外，楚系金文所表現出的對人物「氣度儀容」的關注也影響著《楚辭》創作。楚系金文批評人物「氣度儀容」時常用「淑于威儀」、「溫恭舒遲」、「穆穆熙熙」等句，表現出對莊重閒雅的氣度儀態的偏愛。而根據表格統計情況可以看出《楚辭》作品中同樣如此，《離騷》中寫到「步余馬于蘭皋兮，馳椒丘且焉止息」，「高余冠之岌岌兮，長余佩之陸離」，王逸《章句》解釋說：「步，徐行也」，「岌岌，高貌……言己懷德不用，復高我之冠，長我之佩，尊其威儀。」[55]步馬徐行，則其閒適之貌立現，這與楚系金文中「溫恭舒遲」所傳達出的閒雅之態實相類似，高冠長佩則又突顯出人物的威儀之態，與楚系金文中所描述的「淑于威儀」也十分相似。而〈東皇太一〉中的：「撫長劍兮玉

53　同上註，頁14。

54　同上註，頁47。

55　同上註，頁16-17。

珥，璆鏘鳴兮琳琅」以及〈雲中君〉中的：「浴蘭湯兮沐芳，華采衣兮若英」，主要描述的是迎神降神環節的人物儀容，長劍環佩都是莊嚴之物，華彩重服也突顯氣氛的肅穆恭敬，這樣的行容舉止也與楚系金文中常提及的「穆穆熙熙」之態相像。

楚系金文中關於女性人物審美批評所體現出的審美取向也對《楚辭》女性形象描寫有所影響，上文已經提到楚系金文評價女性多用「穆穆」、「嚚頌託商」等語詞，其所構建的女性形象是淑善端莊，美好而又有章度、才德的，而《楚辭》中也有類似的對女性形象的描述。例如表格提到的〈湘夫人〉：「沅有芷兮澧有蘭，思公子兮未敢言」，心有所慕之人，卻羞澀不敢之言，這種婉約之情正體現了女子的矜持端莊，這與楚系金文中的「穆穆」所表達的莊敬之態相類似。〈山鬼〉中又描寫到：「既含睇兮又宜笑，子慕予兮善窈窕」，善是對女子內在品德的要求，窈窕則多指其容貌秀美，而〈招魂〉中的：「九侯淑女，多迅眾些」，「容態好比，順彌代些」則用更加直接的語言來描述女子容貌的美好和儀態的端淑，以上種種實際都與楚系金文所表達出的對女性的審美標準重合。

綜上所述，楚系金文中的人物審美批評對《楚辭》的創作有啟發和引導作用，楚系金文是《楚辭》創作的源頭之一，其對《楚辭》創作的影響值得我們重視。

道家視域下「為學」與「為道」
的關係再論
——基於《淮南子》中「聖人之學也，
欲以反性於初」的探討

李素軍

北京師範大學中國哲學研究所

　　基於對原初真性的偏愛，道家文化具有對於禮樂制度極強的反思性和解構性，並因而表現出崇古的歷史觀，漢初《淮南子》[1]中的道家學派也秉持了這一觀念，認為歷史經歷著從上古的至德之世至於衰世的逐漸演變，這種演變的主要原因是道德的失落和人性的逐漸荒蔽。但對於人心不古的現世，《淮南子》並沒有持悲觀遁世的態度，而是較為積極地提出了返歸本性的方法。除了做「閉九竅，藏心志，棄聰明，反無識，芒然仿佯於塵埃之外，而消搖於無事之業」的虛心節欲的心性修養工夫外，《淮南子・俶真》篇中也提出了「是故聖人之學也，欲以反性於初，而游心於虛也。達人之學也，欲以通性於遼廓，而覺於寂漠也。若夫俗世之學也則不然，擢德擾性，內愁五藏，外勞耳目，乃始招蛻振繾物之毫芒，搖消掉捎仁義禮樂，暴行越智於天下，以招號名聲於世。此我所羞而不為也」之說，認為聖人通過學，可返歸於與道冥合的本初之性。但道家從先秦時起就認為「為學日益，為道日損」，「為學」與「為道」的目的與方式似恰好相紐，且道家向來不以具體學問的增長為利，甚至認為智慮的開啟和運用有害於虛靜道心的修養。如此，《淮南子》提出的通過「學」而至於反性的路徑何以可能就成為一個值得探討的問題。

一　得道且與世俯仰的「聖人」形象

　　依道家人性觀，人之本性即道性的在世呈現，反性於初即是返歸於道性。而「聖人」在原始的道家文獻中本應是已得道之人，又何談返歸於道？為此我們要先考察道家語境下，特別是《淮南子》中，「聖人」的確切指向。

---

[1]　《淮南子》在《漢書・藝文志》中被列為雜家，但近代學者多以其為道家學派，本文認為其為道家總攬之作，茲不詳論。

　　「聖人」在儒家經典和道家文獻《道德經》中都是最高的理想人格，當然其所謂「聖人」都是指在各自哲學視域下的德性圓滿者。所不同在於儒家的「德性」是指具有價值判斷和倫理意義的道德；而在《道德經》中所謂「德」，按照張岱年先生的理解，是「萬物生長的內在基礎」[2]，鄭開先生就此認為此「德」需從「性」上來理解，「從作為萬物之性來看，它是具體的，因為萬物芸芸，各具其性；從『自得於道』的關係上說，它又是抽象的，因為『德』亦非具體的『物』，而是『物』的普遍本質（『性』）」[3]。依此，在《道德經》中得道的聖人之「德」既代表著人之為人的具體真性，是人成其為自身的依據，也表達著聖之為聖，或稱聖與道相貫通的抽象關係。在《道德經》中，聖人作為道成肉身者，無一不是具體的，具體到可以無差地替換為「理想的統治者」，但同時又是超越的，因為「聖人」始終朝向於不以有形界為限的道體。而在《莊子》中，除了「聖人」以外，還出現了「真人」、「至人」、「神人」等人格預設。如〈大宗師〉中提及真人「其寢不夢，其覺無憂，其食不甘，其息深深」，「古之真人，不知說生，不知惡死。其出不欣，其入不距」，〈徐无鬼〉中云「故無所甚親，無所甚疏，抱德煬和，以順天下，此謂真人」，以示「真人」有與天為徒的風采。〈逍遙遊〉中有「是故至人無己，神人無功，聖人無名」，關於「至人」、「神人」、「聖人」是異名同實還是異名異實，學界歷來紛爭云云，但不可否認的是，三者都是得道者，且依《莊子》全文看，「真人」、「至人」、「神人」確有高於「聖人」之意。如〈人間世〉中有「名實者，聖人之所不能勝也」，〈胠篋〉篇中表示「由是觀之，善人不得聖人之道不立，跖不得聖人之道不行。天下之善人少而不善人多，則聖人之利天下也少而害天下也多」等，對「聖人」的評價並非至高，而在《莊子·外物》篇中則直接云「聖人之所以駴天下，神人未嘗過而問焉；賢人所以駴世，聖人未嘗過而問焉；君子所以駴國，賢人未嘗過而問焉；小人所以合時，君子未嘗過而問焉」之說，在此，神人、聖人、賢人、君子，小人已經形成了一個由高到低的人格境界序列，「聖人」明顯不再是最高的人格理想。

　　在《淮南子》中，其人格理想主要表現為「真人」、「至人」和「聖人」，〈俶真訓〉在承襲莊子之說的前提下，有論曰「聖人之所以駴天下者，真人未嘗過焉；賢人之所以矯世俗者，聖人未嘗觀焉」，以及「是故聖人內修道術，而不外飾仁義，不知耳目之宣，而遊於精神之和。若然者，下揆三泉，上尋九天，橫廓六合，揲貫萬物，此聖人之遊也。若夫真人，則動溶於至虛，而遊於滅亡之野。騎蜚廉而從敦圄。馳於外方，休乎宇內，燭十日而使風雨，臣雷公，役夸父，妾宓妃，妻織女，天地之間何足以留其志」，可見到了《淮南子》，「真人」與「聖人」有別已經相當明顯，二者雖然都是得道者，但「真人」在境界上無疑高於「聖人」。其中論述「真人」時如：

2　張岱年：《中國古典哲學概念核心範疇要論》北京：中華書局，2017年，頁154。

3　鄭開：《道家形而上學研究》北京：中國人民大學出版社，2018年，頁377。

古之真人，立於天地之本，中至優遊，抱德煬和，而萬物雜累焉，孰肯解構人間之事，以物煩其性命乎（〈俶真訓〉）；

所謂真人者也，性合於道也。故有而若無，實而若虛；處其一不知其二，治其內不識其外（〈俶真訓〉）；

乘雷車，服駕應龍，驂青虯，援絕瑞，席蘿圖，黃雲絡，前白螭，後奔蛇，浮游消搖，道鬼神，登九天，朝帝於靈門，宓穆休於太宜之下（〈覽冥訓〉）；

居而無容，處而無所，其動無形，其靜無體，存而若亡，生而若死，出入無間，役使鬼神（〈精神訓〉）；

故閉四關則身無患，百節莫苑，莫死莫生，莫虛莫盈，是謂真人（〈本經訓〉）；

稽古太初，人生於無，形於有，有形而制於物。能反其所生，若未有形，謂之真人。真人者，未始分於太一者也（〈詮言訓〉）。

　　以上皆在強調「真人」有與道未分的冥合狀，是所謂性合於道者，有而若無，實而若虛，常在形體與精神上都表現出一種超逸絕塵之姿，因為「真人」能擺脫「形」的滯礙，出離世俗而真正無待悠遊於宇宙大化，帶有逍遙世外的神仙風範，是「得道」而不與世俗沾染者，這與《莊子》中所言真人「登高不栗，入水不濡，入火不熱」的與天為徒狀不謀而合。對比而言，「聖人」則略遜一籌，他們雖然也有體道之能，但畢竟要與世俗交接且要通過不斷地修養，做內聖工夫才能保守本初之性的實在的人，是「真正追求『治己』、『治人』之統一，以『為治』為志業的」[4]人，所以《淮南子》在論說「聖人」時，常有碌碌於人間之辭，如

是故聖人內修其本，而不外飾其末，保其精神，偃其智故。漠然無為，而無不為也；澹然無治也，而無不治也（〈原道訓〉）；

是故聖人一度循軌，不變其宜，不易其常，放準循繩，曲因其當（〈原道訓〉）；

聖人守清道而抱雌節，因循應變，常後而不先（〈原道訓〉）；

聖人之治天下，非易民性也，柎循其所有而滌蕩之，故因則大，化則細矣（〈泰族訓〉）；

人之性有仁義之資，非聖人為之法度而教導之，則不可使鄉方（〈泰族訓〉）；

4　戴黍：《《淮南子》治道思想研究》廣州：中山大學出版社，2005年，頁50。

> 故聖人事窮而更為，法弊而改制，非樂變古易常也，將以救敗扶衰，黜淫濟非，
> 以調天地之氣，順萬物之宜也（〈泰族訓〉）；

> 故無益於治，而有益於煩者，聖人不為（〈泰族訓〉）；

> 聖人見禍福於重閉之內，而慮患於九拂之外者也（〈泰族訓〉）。

可見聖人雖也是得道者，或更準確地說，當是聞道者，但卻並未脫離世俗，是與社會的實在生活相關聯的在世間行為者，特別是在論說政治以及人間禍福之徵微時，《淮南子》只用「聖人」不用「真人」，是要說明「聖人」絕非遺世獨立，拋棄世務，而是處處顯示出經營世事之意，尤其在如〈修務訓〉、〈泰族訓〉篇中的「聖人」，雖然也是以無為而治為最高的政治追求，但已深切地浸染了夙興夜寐的儒家氣息。所以《淮南子》中理想的「聖人」之義無疑是對於《道德經》的回歸，即既是得道者，又是人間的理想君王，在「聖人之學也，欲以反性於初」的具體語境中，「聖人」的語義甚至可以不限於已得道者，而可以開放為向著聖人之道努力的人。

當然，「聖人」作為道家最高人格理想被取代的現象反映了道家在超越境界上的追求又超拔了一個層次，即從人間的最高得道義上又分裂出一個超人間的得道義。《道德經》中並沒有討論方外之世，而《莊子》中已經升格出一個形體和精神皆超越於有限的人格形態，故「真人」、「神人」之屬成為了「道」之大全的直觀表達，「聖人」由此在境界上降了一等，至《淮南子》中，「聖人」可看作是「真人」的外化，是「真人」為時空所限的「有」的形態，或者說是「真人」的一隅展現。縱觀《淮南子》全書，提及「真人」十一次，而論說「聖人」和「至人」[5]二百多次，可見其作者雖嚮往「真人」境界，卻依然將重點放在對現世人的關懷上，正如其在《要略》中指出的「夫作為書論者，所以紀綱道德，經緯人事，上考之天，下揆之地，中通諸理」，足見《淮南子》是道家在世間的實踐派，具有強烈的現實精神，也正是在這種現實精神的引導下，才將道家由學至道的可能性生髮了出來。

如此聖人之學，反性於初，應是在表達得道而未究竟之人，擴而言之是向著得道努力的人，需要在「學」中，且能在「學」中不斷地回返於原初之性，所以「學」與「得道」是一個雙向流動的關係，「學」可成就「聖人」，且「聖人」須要通過學而通達於道，這是《淮南子》中反覆肯定的觀點。

5　「至人」在《淮南子》也有與「聖人」類似的特徵，但「至人」是較為矛盾的存在，他們有時超越於形體界限，有逍遙世外的一面，但更多時候也會造就「至人之治」的功業，以表明其有在世應務的一面，但「至人」又不及「聖人」用心於世務，所以「至人」可以量化為在「神人」與「聖人」之間的存在。整部《淮南子》，只提及至人八次，可見「至人」並非其最看重的道家形象。

二　由「學」至「道」中「直觀」能力的起用

　　湯用彤先生在《魏晉玄學論稿》中談及聖人觀的分類時指出，中國傳統中聖人不可學不可至，原始道家正是如此，因為明確反對智慮、聰明對人的本性的扭曲，所以反對由學以至聖的可能性。顯然，《淮南子》中顯示了一種決然不同的，可由學而反性，也便是可學而達道的路徑。如上，《淮南子》肯定聖人有「學」的行為，且需要「學」的行為，而且也並不認為這與道家所言「為學日益，為道日損」的主旨相違背。那麼「聖人」究竟所學何事且其學是如何達成的呢？

　　顯然其所學的重點必不是技藝或名相之屬，因為這樣的「學」無疑是俗人之「招蟯振緒物之毫芒」，而欲向聖人進路者所學當是大本大根之「道」，〈齊俗訓〉中即言「五帝三王之輕天下，細萬物，齊死生，同變化，抱大聖之學心，以鎮萬物之情，上與神明為友，下與造化為人。今欲學其道，不得其清明玄聖，而守其法籍憲令，不能為治，亦明矣」，明確所學在「道」。而矛盾的是，「道」在道家視域中是超越於形名，不可言說的，故「學道者」必面臨一定的困境，因為「學」本身有將「所學者」物件化的意味，當然也只有物件化的客體才能為人所學，但「道」在原始道家中是關乎生存的而非認知的頂級形態，是一個拒絕成為物件化的關係範疇，一旦將其物件化，「道」就成為置於外在的存在客體，而僅僅增加關於客體物件的知識，對於道性的返歸是沒有效用的。「反性於初」，是要返回一種與人無間隔的，與人的生存同時展開的構成性境域，此構成性境域所表達的正是人成為自身的過程和狀態，道就在其中顯現並與人冥合無二，所以莊子說「道行之而成」，在這個意義上而言，「道」只能通過體悟內化於己，而無法通過為人所效仿學習的客體物件的角色就為人把握。正如余敦康先生所言「道是從傳統的天人之學中抽象出來的，也就是說，它是一個關係範疇，而不是一個存在範疇，所以它不是一個可以由理智去把握的知識的物件，而必須要用滲透著感性經驗的直覺去體驗」[6]，若將「道」作為客體去認知，所得也只能是關於「道」的知識，即具體的「理」，張祥龍先生有論曰「失此天勢的境域就只是『元氣』，而失去境域的道就只是『理』，連紋（文）理都沒有了的道就是概念『實體』和『總規律』了」[7]，可謂得其真義。「理」作為「道」的外在展現，是客觀不變的規律，可以為人掌握並運用，僅掌握道之「理」有助於黃老之學施行權術，但卻不能從「性」上實現復歸，也無助於返回天人合一的生存境域。

　　但《淮南子》卻認為致力於道者，由學以反性，即由為學以達道是可能的，所以問題的關鍵就變為通過將「道」物件化的「學」是否能達到與「道」冥合的「體」？換言

6　余敦康：《魏晉玄學史》北京：北京大學出版社，2004年，頁85-86。
7　張祥龍：《海德格爾與中國天道思想》北京：生活‧讀書‧新知三聯書店，1996年，頁291。

之，可表述為通過思維認知「理」，是否能達到體驗「道」，也可以擴大為「體道」如何可能？當然我們或可說，大可不必將「學」理解為理性的認知行為，而直接將其等同於領會和體悟，「學道」便是「體道」，但若將其放回原文，則可見「聖人」、「達人」與「俗人」三種等級之人皆有所「學」，故「學」字在意義上當是一貫的。同時，即便將「學」等同於「體」，那麼問題便成為是否存在不通過認知便可直接通達「道」的狀態？這與體道如何可能實際上是相同的問題域。

中國哲學，特別是道家哲學對於「知」並不曾持有樂觀的態度，其所貴者並不是知識的增加而是生命智慧的提升。「道」因其非實體性非概念性，是超越於人的感官能力和認識能力的，如陳靜所言「道是思的物件，甚至用『物件』這種區分了彼此的語言來論道已經隔了一層，對於道的屬性已經有所誤解，對於道，也許只能說道在玄思中呈明」[8]。雖然在道家看來，「道可道，非常道」，但不可說並不意味著不可顯示，不可被指示。實際上，不可說者顯示的方式有多種，其中一種就是通過語言，而語言恰是思維所運用的工具之一，只是顯示不可說者的語言不能是對概念做清晰界定的判斷性語言，而描述性語言恰可以指向言外之意。雖然描述性語言只能給予人單個的，經驗的印象，但通過語言描述的局部是可以窺見，或說透視到道之大全的。

以《淮南子》為例，我們能夠看到作者極盡鋪陳之能事描述「道」，《原道》篇中開篇便是近似於賦體的鋪陳描述以揭示「道」，「夫道者，覆天載地，廓四方，柝八極，高不可際，深不可測，包裹天地，稟授無形；原流泉浡，沖而徐盈；混混滑滑，濁而徐清。故植之而塞於天地，橫之而彌於四海；施之無窮，而無所朝夕。舒之冥於六合，卷之不盈於一握。約而能張，幽而能明，弱而能強，柔而能剛，橫四維而含陰陽，紘宇宙而章三光。甚淖而𣶗，甚纖而微。山以之高，淵以之深，獸以之走，鳥以之飛，日月以之明，星曆以之行，麟以之遊，鳳以之翔」，這段話雖沒有對「道」做清晰的界定，但卻描述了「道」具有對時空和具象之物的超越性和無限性，同時是生命體得以成其為自身的本體根據。且在此段論述中，「道」雖然是一個語言物件，也展現了能為人理解的特徵，但我們清楚地知道，「道」的本真並不是一個「什麼」，而遠在其語言邏輯所及的範圍之外，對「道」的學習也絕非僅僅效仿其「弱而能強，柔而能剛」等具體屬性，「道」能夠在語言邏輯的展開中激越起人對「道」的內在體悟的渴望。且《淮南子》在描述「道」時有兩個特徵，一是多用比喻。如〈俶真〉篇中「夫無形者，物之大祖也；無音者，聲之大宗也。其子為光，其孫為水。皆生於無形乎！夫光可見而不可握，水可循而不可毀。故有像之類，莫尊於水」，以人與大祖的關係揭示萬物與道的關係，表示我們可以通過光和水等可見的實體去聯想「道」體，這雖然有將「道」具象化的傾向，但卻同時引導我們通過對形象的不斷消解和突破對於「是什麼」的執著而至於對關係本

8　陳靜：《自由與秩序的困惑》昆明：雲南大學出版社，2004年，頁175。

體的體證。二是反覆渲染道之「大」，這一點陳靜也有所提及，即「《淮南子》想說道大，正是就道在空間的廣大無垠上放縱無窮的想像，以言說天地、四方、八極、四海、六合、四維這些已經不小的空間與道的關係，來突顯道的廣大」[9]，作者在對於道「大」的誇張性描述中，有試圖通過無限之「大」來突破感官之極，衝破思維能力的極限而至於虛境的引導，表達「道」的本源性與本體性特徵，以及其臨在於萬物並變動不居地周流於萬物的特徵。

以上，我們明白，能在描述中呈現和為思維把握，並為行為仿效的具體屬性皆是「道」之「理」，但「理」之本卻遠在理性邏輯之外，〈齊俗訓〉中有言「故曰：『得十利劍，不若得歐冶之巧；得百走馬，不若得伯樂之數』」，可見聖王所學，並非「巧之具」，而是「其所以為巧」者。既如此，通過對於「道」的思維把握（即「學」的能力）到對於「道」的內化體悟，必然要經歷從理性認知到妙悟於心的騰躍，這種騰躍能否實現決定了道家視域下的聖人能否通過「學」而「反性於初」。

西方哲學認為理性的邊界之外是不可知的，能以非知解的方式，直覺的方式獲得圓滿大全的只有上帝，而在中國哲學中，得道者，或稱覺悟者實是可以實現這種騰躍的，實現的方式即「直觀」，在《莊子》中被稱為「葆光」或「一知之所知」，「照之於天」等，牟宗三先生稱其為「智的直覺」。「智的直覺」是一種對「無限」的體認和把握的能力。於儒家而言，「智的直覺」是良知、本心，能收攝一切並成就一切，在佛教中可等同於如來藏自性清淨心，對於道家而言，「智的直覺」即相當於「道心」。「道心」原是普遍存在的，但卻容易為嗜欲、聰明、智慮以及外界環境等遮蔽，所以返歸於本性的聖人之學，實是對「道心」做的激發工夫。過程是首先經由人的邏輯思維達到對「道」的認知，再通過對理性能力的逼仄，拔高和提越人的認知極限，並迫使人放棄邏輯的認識能力而起用觀照玄覽的直覺，實現最後的一躍，以至於明朗道性，「性反於初」。徐復觀先生已經認識到這種由知識向智慧的轉換，並將其稱之為「統一觀照的智慧」[10]，認為「此種統一觀照的智慧，與分解性的知識、性格不同……但統一觀照的智慧，亦必以某程度的分解性的知識為其基底；因此老莊，有其是莊子，實際上必承認知識在某一限度內的意義。所以《齊物論》說『故知止其所不知，至矣』〈大宗師〉說『以其知之所知，養其治之所不知……是知之盛也』」[11]，如果道家的《莊子》中確含著由知識向智慧的騰躍，那麼這其中最後一躍必然動用此直觀能力，《淮南子》用力於以可為認知能力把握的描述性語言啟發對「道」的直覺和體悟，也正是基於對此直觀能力的肯定，否則學「道」便只能停留於認知道之「理」和把握道之規律的階段，無論此「理」如何接近於「道」本身，都不能真正超拔人的境界，將「道」內化為與己同在的心性。

---

9 同上註，頁177。

10 徐復觀：《中國人性論史（先秦卷）》上海：上海三聯書店，2001年，頁387。

11 同上註。

所以若否認人的直觀能力的存在，那麼「體道」本身就會成為荒謬而不可實現的，但是在道家哲學中，「體道」不僅是可以實現的，更是人人都可以實現的。所以由「學」至「道」的能力即經由學而至「道」的中間環節正是此直觀能力的發用，且此發用定是在對於「道」的分解的「學」上進行的，因為人對於道的偏離已經形成，返歸於道必然有賴於有意識，且有方向性的工夫加持，方向的尋覓和對道的認知性理解是起用直觀能力的前期積累和基礎。所以聖人之學對於返性於初非但沒有滯礙，反而起到了對於超越性鋪路和引導的作用。

三　聖人之學與本性回歸的雙向成就

但接下來的問題是，聖人之學為何要反性於初？即聖人之學以反性的必要性和意義何在？

首先要肯定在《淮南子》中，「聖人」的「得道」並不完全等同於「體道」，「聖人」也是要做修養工夫的人，如〈原道訓〉中有「聖人內修其本，而不外飾其末」，「聖人將養其神，和弱其氣，平夷其形，而與道沈浮俯仰」，〈俶真訓〉有「夫聖人用心，杖性依神，相扶而得終始」等，所以「聖人之學」的範圍就相應地擴大為了「聞道」（或「知道」）之人，或向著究竟的「聖人」盡力修為之人的學，這一點上文已有提及。

「聖人」之所以要回歸於「道性」，與傳統道家和《淮南子》對於人性歷史變遷的看法有關。《淮南子》以及先秦道家文獻皆認為上古的道德至世時才有人性和愉寧靜且無偽詐的狀態，而在嗜欲充塞和智慮盡用的現實中，由原初道性而來的「人性」有不斷被侵蝕的可能。徐復觀先生在論及老子時談到：

> 老子認為人雖秉虛無之德而生；但既生之後，便成為一定的形質；此一定之形質，與其所自來的以虛無為本性的德，不能不有一距離。形質中的心，有「知」的作用；形質中的耳目口鼻等，有「欲」的要求。「知」與「欲」的自身，即表現形質對德的背反。因為心的「知」，和耳目口鼻等「欲」，會驅迫人向前追逐，以喪失其德，因而使人陷於於危險。所以他要使人回歸到自己的德上面去，便要有一種克服「知」與「欲」的工夫。這種工夫，他稱之為『為道日損，損之又損，以至於無為』[12]

道家之學，包括《淮南子》都認為在道德日衰的現世，人的真性早已被形色界的嗜欲遮蔽，其〈俶真訓〉中有「人性安靜，而嗜欲亂之」、「嗜欲連於物，聰明誘於外，而性命失其得」，〈齊俗訓〉中有「人性欲平，嗜欲害之」、「人之性無邪，久湛於俗則易，

---

12 同上註，頁300-301。

易而忘本，合於若性」等論說，表達了原初本性雖然淳厚且真樸，但同時卻也是最輕易為嗜欲所害者，而學道的工夫，恰是做抵禦嗜欲之害的修養。但還應當承認的是，無論是老子還是莊子，對於被遮蔽的人性都持有回歸的渴望，不管這種回歸是否能夠實現，他們都相應地提出了修持的方法，甚至在《莊子》、《列子》等文獻中，還有對修持階段的分解，所以返歸於「道」境，在道家理論中是被允許且被肯定的。方東美先生在《原始儒家道家哲學》中認為原始道家的「道」呈現為兩種趨向，即「道之發用，呈雙趨向：順之，則道之本無、委生萬有；逆之，則當下萬有，仰資於無，以各盡其用，故曰「有之以為利，無之以為用」[13]，認為「道」與「器」之間存在雙向的互動發用，道既要以其道性成就萬物，萬物在道性耗竭時，又返求於道以獲得滋養。他認為「反者，道之動」是「蓋實有界之能，由於揮發或浪費，有「用竭」之虞，故當下有界，基於迫切需要，勢必上求援於「道」或「無」之超越界，以取得充養。故老子之強調「反者，道之動」實涵至理」[14]，這的確圓融地解釋了道與物的相對關係。一方面，離開物的道無法彰顯自身（此「物」泛指宇宙間萬物），同時物離開道也不能成其為自身，以此也能恰如其分地解釋為何「聖人」需要不斷地做回返於「道」的工夫。徐復觀先生認為「所謂反者道之動的『反』，即回歸、回返之意。道要無窮的創生萬物；但道的自身，絕不可隨萬物而遷流，應永遠保持其虛無的本性；所以它的動，應同時即為它自身的反。反者，反其虛無的本性。虛無本性的喪失，即是創造力的喪失。同時，道既要永遠保持其虛無本性，它便不允許既生的萬物，一直僵化在形器界中，而依然要回到『無』，回到道的自身那裡去；這是萬物之『反』，也即是道之『反』。否則道之自身，便也將隨萬物的僵化而僵化」[15]，所以向「道」而行的「學」，是在不斷復返於本體源頭以解除本有之性的桎梏，保持其鮮活顯現，特別是在為嗜欲、智慮充斥的環境中，不斷地返歸於本性就更為必要。

　　同時，《淮南子》認為雖然被遮蔽而再度返回後的人性狀態已經不再是至德之世中「百姓日用而不知」的狀態，而成為一種「刻意」為之的清淨（此「刻意」是指反性工夫的加持），但此返歸之「性」更具有穩定性。因反性工夫對於本原之性具有解蔽、啟動並固持的作用，而「聖人」只有在學「道」的基礎上——當然「學道」只能到達對於道的理性思索的邊緣，需起用直觀能力以騰躍——才能達到對於「道性」的不斷回歸。還需注意的是，《淮南子》認為聖人之已「得道」，在此即「知道」，也正是進行反性工夫的條件，故有所謂「是故不聞道者，無以反性。……是故凡將舉事，必先平意清神；神清意平，物乃可正」，明確只有「聞道」者，也便是對「道」有所認知者才有可能實

---

13 方東美：《原始儒家道家哲學》北京：中華書局，2012年，頁196。

14 同上註。

15 徐復觀：《中國人性論史（先秦卷）》上海：上海三聯書店，2001年，頁306。

現以本性為指向的返歸，以「聞道」作為反性的前提，這是正向肯定了由學以達道的可能性和必要性。聞道者方可反性，而反性者必是已聞道者，這是「聖人」與「學」之間的雙向成就。

最後我們還要考察聖人之學，反性於初的哲學是否有其價值——如上已論，「聖人之學」中「聖人」並非最高義，其「得道」並不等於完全意義的「體道」，所以在更廣泛的意義上講，即指向著「聖人」努力的「聞道」者之學——這種看起來不同於原始道家思維的論斷，彷彿是對道家精神的反叛。誠然，不能否認這個論斷的複雜性及其與原始道家思想的衝突性，但在特殊的時代背景和思想潮流下，這種理論又是極為大膽且合理的。就理論本身而言，原始道家的「照之於天」本就暗示了體道需要「直觀能力」的起用；且從思想脈絡上看，道家在莊子哲學視野下被發展為逍遙的精神追求，而戰國時期興起的黃老學說則偏重於道家的實踐功能，漢初《淮南子》既有對老莊思想的承續，又在政治觀上深受黃老思想的影響，「聖人之學也，欲以反性於初」所包含的聖人觀念、重智重學思想以及在理想和現實的鴻溝間遊遁的張力都表現了老莊思想和黃老思想的融合，甚至表現出楚地黃老學超現實的浪漫主義情懷和齊地黃老學致力於現實探索的精神結合，反映了道家理論多元融合的包容態勢。從修養身心的路徑上而言，老子的「滌除玄覽」，莊子的「心齋」、「坐忘」，以及黃老學所倡導的「閉關止遁」等方法都是內縮型的，是建立在對理性認知的消解上的，向後的實踐觀，而通過理性對本體之道的認知，達到在認知基礎上的騰躍和超脫，以此使聖人更明確和有意識地修持和護養本性，是學以反性所啟示的更為積極的實踐路徑。這是漢初時代背景下道家既要維護理想又要觀照現實的雙重任務所造就的觀念，所以這其中既有對道家玄思品格的肯定，將聖人置於遠高於達人和俗人的境界，同時又將道家向著現實層拉進了一步，支持了聖人可以由學而至的理想，顯示出相當圓融的哲學智慧。

由上，「聖人之學也，欲以反性於初」既肯定了人對於「道」的理性認知，又肯定了道家直觀能力，即「智的直覺」的實存。其理路是將「道」所展現的可以被理性認知的一面作為人可把握的物件，而在認知的極限處通過統一觀照的直觀能力的騰躍達到對於「道」的內在體悟，這是對自先秦以來，特別是自莊子哲學以來人性為偽性所遮蔽後的失落態度的調整，通過「學」以達到「道」的路徑無疑提供了道家在人性衰頹之世的積極自我救贖之路。

〈司馬遷行年新表〉
——前一三五至一〇八年

張偉保　　溫如嘉

澳門大學教育學院

一　引論

我們研究太史公司馬遷的一生事蹟，必須依據《史記》和《漢書・司馬遷傳》。其中，《史記》列傳第七十：〈太史公自序〉和《漢書・司馬遷傳》的〈報任安書〉是最集中記錄其一生經歷與抱負，實為研究司馬遷生平的第一手資料。從其性質而言，則具有口述史的意義[1]。就司馬遷的生年而言，論者往往根據其他文獻加以分析，終於造成不斷的紛擾。這個問題可說是眾說紛紜，莫衷一是。其中，最具影響力的是王國維的〈太史公行年考〉[2]。王氏主張史遷生於漢景帝中元五年，即西元前一四五年。持反對意見的代表是郭沫若的〈「太史公行年考」有問題〉[3]。郭氏主張史遷生於漢武帝建元六年，即西元前一三五年。兩者相距恰共十年。[4]直到今天，王國維的主張為大部分學者的認可，故絕大多數司馬遷評傳、年表或生平簡介均採用王氏「前一四五年說」。

王國維是二十世紀極其重要的文獻學家，在甲骨學、金石學、簡帛學、敦煌學、歷史學、文學評論、通俗文學、美學等眾多領域均有重大貢獻。在〈太史公行年考〉中，王氏首先指出司馬貞的〈史記索隱〉引用張華《博物志》說：「太史令、茂陵顯武里大夫司馬年二十八，三年六月乙卯除六百石也」[5]。王氏認為引文司馬下奪「遷」字，並認為「三年者，武帝之元封三年。」[6]然而，他隨即引張守節《(史記)正義》於〈自

1　相關理論探討可參看拙文〈開拓口述歷史的界限：以自述式書面材料為例〉，載於李向玉主編《眾聲平等：華人社會口述歷史的理論與實務》，澳門理工學院，2013年，頁517。

2　按：為方便查證，以下討論中涉及王國維、郭沫若二文，均據施丁《司馬遷行年新考》西安：陝西人民教育出版社，1995年，〈附錄〉，頁147-228；王國維的〈太史公行年考〉，原收於氏著《觀堂集林》卷11，現收於本書頁147-170。

3　郭沫若文原載於《歷史研究》1955年第6期，現收於施丁《司馬遷行年新考》，頁224-228。

4　詳細的討論可參看程金造《史記管窺》西安：陝西人民出版社，1985年，頁85-104；特別是頁88-89。

5　王國維：〈太史公行年考〉，頁149。

6　同上註。按：元封三年即西元前一〇八年，亦即是說史遷生年為前一三五年。

序〉「為太史令五年而當太初元年」[7]下云：「案遷年四十二歲。」[8]他指出二者相差十歲，並認為「《正義》所云當亦本《博物志》，疑今本《索隱》所引《博物志》「年二十八」，張守節所見本作「年三十八」。三訛為二，乃事之常；三訛為四，則於理為遠。」[9]他肯定地說「史公生年當為孝景中元五年，而非孝武建元六年。」[10]王氏這一說法基本上成為史遷生年的主流意見。然而，審核王氏行文，其所陳述只屬推論。故郭沫若根據多條現存漢簡對十位數字的書寫習慣，指出「這個斷案的根據是異常薄弱的……漢人寫『二十』作『廿』，寫『三十』作『卅』，寫『四十』作『卌』。這是殷周以來的老例，如就廿與卅，卅與卌而言，都僅是一筆之差，定不出誰容易、誰不容易來……究竟是司馬貞錯，還是張守節錯，機數是一比一。」[11]郭氏更認為「有個確切的根據可以判定這個疑案，但卻被王國維所遺漏了。司馬遷〈報任安書〉裡面有這樣一句話：「今僕不幸早失二親」。司馬遷的母親死於何時雖然不知道，但他的父親司馬談是死於漢武帝元封元年（西元前110年）。在這一年，依王國維的推定，司馬遷當為三十六歲。三十六歲死父親，怎麼能夠說「早失」呢？這正給予王說一個致命傷。但司馬遷的生平如推遲十年，則元封元年為二十六歲。二十六歲死父親，要說「早失」是可以說得過去的。」[12]

　　如前文所述，關於司馬遷生年的爭論仍持續不斷，近年更有愈演愈烈的趨勢。其中，張大可教授與袁傳璋教授在《渭南師範學報》二〇一七年第一、九期及二〇一八年第一、五、十三期[13]的互動，針鋒相對地作出細密的討論，反映這個問題仍極具爭議性。因此，有學者認為「二種觀點各有欠缺，不能成為定論。」[14]除王國維、瀧川資言、鄭鶴聲、張大可等以「前一四五年說」為史遷編寫年表外，也有學者嘗試將二說並列，以資比較，如趙光賢的〈司馬遷的生年考辨〉[15]和藤田勝久的〈司馬遷的生年與二

7　王國維：〈太史公行年考〉，頁149。按：太初元年即西元前一〇四年，亦即是說史遷生年當為前一四五年，與上引《索隱》之說相差了十年。

8　同上註。

9　王國維：〈太史公行年考〉，頁149。

10　同上註。

11　郭沫若：〈「太史公行年考」有問題〉，頁226-227。

12　同上註，頁227-228。

13　依出版次序為張大可〈司馬遷生年十年之差百年爭論述評〉、張大可〈評「司馬遷生年前135年說」後繼論者的「新證」〉、袁傳璋〈王國維之《太史公行年考》立論基研發覆〉、〈「司馬遷生年前145年論者的考據」虛妄無徵論〉、張大可〈解讀袁傳璋「虛妄論」提出的一些問題〉。按：最後一篇作第十三期，疑或有誤，因為該期出版於2018年7月。除了這些單篇論文外，二人均出版了相關的專著對此詳加討論，即袁傳璋《司馬遷生平著作考論》合肥：安徽人民出版社，2005年和張大可《司馬遷生年研究》北京：商務印書館，2019年。

14　謝保成主編：《中國史學史》第1冊，北京：商務印書館，2006年，頁159。

15　趙光賢：〈司馬遷的生年考辨〉，載於《北京師範大學學報》，1983年6月。

十南游〉[16]。由於他們的編排方式皆沿用王國維〈行年考〉作對比，似未能十分清晰的證成「前一三五年說」。

因此，本文嘗試以「前一三五年說」獨立編成〈司馬遷行年新表〉（西元前135-108年），以別於王國維的〈太史公行年考〉的〈舊表〉。〈新表〉的擬訂，並不以推倒「前一四五年說」為目標，而是要讓讀者對「前一三五年說」的論述，能以獨立而完整的狀態來加以考察，並以此判斷其內容的是否合理。這樣區分也可避免因牽合〈舊表〉而產生的混亂狀態。此外，由於〈太史公自序〉和〈報任安書〉均屬於口述史性質的史料，其行文一方面是直抒胸臆，另一方面則兼顧文氣，故二文記事或難免疏略[17]，故筆者嘗試從其行文的次序及用詞來判斷其相關年分。通過這種編排，期望能為「前一三五年說」作出較客觀的分析。

二　〈司馬遷行年新表〉：西元前一三五至一○八年

年分	年歲	經歷	大事記	備註
前一四○年（建元元年）		「司馬氏世典周史……太史公（司馬談）學天官於唐都，受易於楊何，習道論於黃子。太史公仕於建元、元封之間。」（〈太史公自序〉，以下簡作〈自序〉）	漢武帝即位。詔舉賢良方正直言極諫之士。董仲舒上〈舉賢良對策〉。	不能確定司馬談在建元哪年出仕，姑繫於元年。
前一三六年（建元五年）		司馬談為太史令。	置五經博士。	按：裴駰《集解》引臣瓚曰：〈茂陵中書〉：司馬談以太史丞為太史令。司馬貞《索隱》曰：公者，遷所著書尊其父云公也。[18]談由太史丞升太史令，雖缺年月，宜在遷出生前。說見下年。

16　（日）藤田勝久：〈司馬遷的生年與二十南游〉，載於《司馬遷與〈史記〉國際學術研討會論文集》，2000年9月1日，頁620。

17　例如，無論是〈太史公自序〉或《漢書・司馬遷傳》，都沒有記載他的字是「子長」，需要由揚雄和王充的論著中考訂出來。

18　（日）瀧川資言：《史記會注考證》北京；藝文出版社，1972年，頁1333。

年分	年歲	經歷	大事記	備註
前一三五年 （建元六年）	一	太史公既掌天官，不治民。有子曰遷。遷生龍門。	五月，竇太后崩。 武安君田蚡為丞相，黜黃老、刑名百家之言。 淮南王安治攻戰之具，積金錢，以備舉事。	司馬談的早期經歷不可知，然據其仕履和專業考之，則非治民之官，其經歷大約是先仕為郎，再升遷為太史丞。因此，文中用「既」字，可據以理解為史遷出生時，談已任太史令。又，即使有論者不同意此點，仍不會影響以下的分析。
前一三四年 （元光元年）	二		武帝從董仲舒之建議，令郡國舉孝廉。	
前一三三年 （元光二年）	三		武帝詔問公卿：今欲舉兵攻之（匈奴），如何？王恢建議「宜擊」。 武帝遣方士入海求蓬萊安期生之屬。	
前一三二年 （元光三年）	四		春，河水徙，從頓丘東南流。 夏五月，復決濮陽瓠子，注巨野，通淮、泗，泛十六郡。	
前一三一年 （元光四年）	五		冬，魏其侯竇嬰有罪，棄市。 春三月乙卯，丞相蚡薨。	
前一三〇年 （元光五年）	六	開始學習書、數等基本文化知識。	河間獻王劉德來朝，獻雅樂。	年十歲則誦古文，顯示他之前已依照傳統教育程序進行學習。
前一二七年 （元朔二年）	九	耕牧河山之陽。	孔臧為太常，與公孫弘等議請「為博士官置弟子五十人」。 博士孔安國兼侍中。	顯示仍在農村居住，部分時間會落田和放牛羊。
前一二六年 （元朔三年）	十	「年十歲則誦古文」，開始誦習古文等古典知識。	公孫弘以游俠郭解「當大逆不道」論罪，族誅。	年紀日長，可能在父親安排下移居長安。古文包括《左傳》、《國語》、《世本》、《弟子籍》、《五帝德》、《帝繫》和《史籀篇》等。

年分	年歲	經歷	大事記	備註
前一一七年（元狩六年）	十九	在父親刻意培養下，已具備相當豐富的學養。	司馬相如卒。	數年間，曾隨孔安國學習《古文尚書》、董仲舒學習《公羊春秋》，向父親學習天文學。
前一一六年（元鼎元年）	二十	二十而南遊江淮、上會稽、探禹穴、窺九疑。北涉汶、泗，講業齊、魯之都，觀孔子之遺風。鄉射鄒、嶧，厄困鄱、薛、彭城，過梁、楚以歸。遊歷的原因是從事歷史考察和資料收集工作，應是父親給予的任務。	五月，赦天下。	此段遊歷，估計共需三數年之久。例如，〈孔子世家〉說：「適魯，觀仲尼廟堂車服禮器，諸生以時習禮其家，余祗回留之，不能去。」又〈孟嘗君列傳〉說：「吾嘗過薛，其俗閭里率多桀子弟，與鄒、魯殊。問其故，曰：孟嘗君招致天下任俠姦人入薛中，蓋六萬餘家矣。世之傳孟嘗君好客自喜，名不虛矣。」以上二例，足以說明史遷在曲阜及薛主要是做歷史考察工作，故需時頗久。王鳴盛曰：「此遊所涉歷甚多，閱時必甚久，約計當有數年。」[19]
前一一三年（元鼎四年）	二十三	南遊後，在一、二年之內，始入仕為郎中。〈報任安書〉（以下簡稱〈報書〉），：說「僕賴先人緒業，得待罪於輦轂下二十餘年矣。」[20]這是史遷自言得以入仕的原因。	上行幸雍，祠五畤。是時吏治皆以慘刻相尚，獨左內史兒寬勸農業，緩刑罰，理獄訟，務在得人心。[21]	據〈自序〉，曰：「於是遷仕為郎中。」論者認為「於是」應解釋為「之後」，是合理的。但據上下文意，兩者亦不致相差太久。如假設在一、二年之內，當不會引起爭論。

---

19 同上註，頁1358；參看王鳴盛：《十七史商榷》上海：上海書店出版社，2005年，頁2。
20 瀧川資言：《史記會注考證》，頁1354。
21 司馬光：《資治通鑑》長沙：嶽麓書社，2009年，頁232-233。

年分	年歲	經歷	大事記	備註
前一一二年	二十四	〈五帝本紀〉曰：「余嘗西至空峒」[22]，或即因出仕郎中而陪伴聖駕。	冬十月，上祠五畤於雍，遂逾隴，西登崆峒……於是北出蕭關，從數萬騎獵新秦中，以勒邊兵而歸。上又幸甘泉，立泰一祠壇。[23]	
前一一一年（元鼎六年）	二十五	奉使西征巴蜀以南，略邛、莋、昆明。還報命。[24]	平南夷，設牂柯等五郡；夜郎入朝，以為夜郎王；派騎兵逐匈奴，分武威、酒泉置張掖、敦煌郡，徙民以實之。	徐廣曰：「元鼎六年，平西南夷，以為五郡。其明年，為元封元年是也。」[25]
前一一〇年（元封元年）	二十六	是歲，天子始建漢家之封，而太史公留滯周南，不得與從事。故發憤且卒。[26] 據《博物志》：元封三年六月乙卯除（太史令）[27]，以守喪二十七月計，談於是年三月逝世。	四月，禮祠地主於梁父。封泰山下東方，如郊祠泰一之禮。天子獨與侍中、奉車都尉霍子侯上泰山，亦有封，其事皆禁。[28]	司馬談遺命：「余先，周室之太史也……汝復為太史，則續吾祖矣……為太史，毋忘吾所欲論著矣。」「遷俯首流涕曰：小子不敏，請悉論先人所次舊聞，不敢闕。」[29]
前一〇九年（元封二年）	二十七	余從負薪塞宣房。[30]	夏四月，上還祠泰山。至瓠子，臨決河，命從臣將軍以下皆負薪塞河堤，作〈瓠子之歌〉。[31]	按：史遷雖身在喪期，亦奉命行事。
前一〇八年（元封三年）	二十八	父卒三歲，而遷為太史令。[32]	夏，朝鮮斬其王右渠降，以其地為樂浪、臨屯、玄菟、真番郡。[33]	張華《博物志》逸文曰：太史令，茂陵顯武里大夫司馬（遷），年

22 （日）瀧川資言：《史記會注考證》，頁1366。

23 司馬光：《資治通鑑》長沙：嶽麓書社，2009年，頁223。

24 （日）瀧川資言：《史記會注考證》北京：藝文出版社，1972年，頁1336。

25 同上註。

26 同上註。

27 同上註。

28 司馬光：《資治通鑑》長沙：嶽麓書社，2009年，頁228。

29 （日）瀧川資言：《史記會注考證》北京：藝文出版社，1972年，頁1336。

30 同上註，頁509。

31 班固：《漢書》鄭州：中州古籍出版社，2007年，頁33。

32 （日）瀧川資言：《史記會注考證》北京：藝文出版社，1972年，頁1336。

33 班固：《漢書》鄭州：中州古籍出版社，2007年，頁33。

年分	年歲	經歷	大事記	備註
				二十八，三年六月乙卯除，六百石。[34]

三　小結

　　上表以「前一三五年說」為基礎排列了司馬遷的早期事蹟，其主要根據為〈太史公自序〉和《漢書·司馬遷傳》的〈報任安書〉，二者皆具口述歷史的性質。通過〈新表〉，可以清楚觀察到司馬談很早便致力於培養史遷為歷史學家。[35]「年十歲則誦古文」，表示了史遷在前此已打下相當的學術基礎。「二十南游」前則已精熟古今歷史，特別是從孔安國習《古文尚書》及隨董仲舒習《公羊春秋》，而根據司馬遷「必為太史」的預言和負責《太初曆》的編纂，他必然從父親研習了高深的曆法知識。[36]同時，二十歲以後的壯遊，也是一次極具意義的田野考察工作。本文通過分析司馬遷在曲阜和薛的活動，肯定是一次時間頗長、目標明顯的學術活動。整體而言，〈新表〉所載司馬遷的行事，從內容的緊湊度和合理性來考慮，或可獲得部分學者的信賴。然而，若要更全面掌握司馬遷的生卒，則仍需對司馬遷出仕後的經歷作出較全面的考察，方可達致。

---

34 （日）瀧川資言：《史記會注考證》北京：藝文出版社，1972年，頁1336。

35 按：這種父子相繼的重大工作，除史遷父子外，漢代還有劉向與劉歆、班彪與班固，都是較著名的例子。

36 參看拙文〈《史記》載孔安國「蚤卒」為錯簡考〉，收於拙著《振葉尋根：澳門教育史、歷史教育與研究》臺北：萬卷樓圖書公司，2016年，頁233-253。

漢代動物皮製品雜論

官德祥

香港新亞研究所

一 前言

漢代絲綢生產名聞古今，商人為此絡繹於途。人們焦點很自然放在此名貴品身上，但是卻忽略了另一重要物產——動物皮製品，它比絲綢歷史悠久。無論是在上層及下層社會，從人首到腳部，都能見到它的蹤跡。皮製品用途多元，用者廣泛，至今天仍流行未衰。

我國皮革生產早於周代已臻成熟，北方的馬牛羊和南方的犀兕等皮，都是皮革手工業優良原料。春秋戰國爭霸，各國利用動物皮為材，製造不同類別的軍事裝備。凡此種種皆為秦漢皮革業發展打下堅實基礎。[1]就作者粗略搜集資料所得，有關漢代皮製品超過廿種，皮料來自不同類別的動物有十五種之多。作者利用這些材料共撰成文章三篇，一篇暫名為〈漢代的皮裘〉，另一篇為〈漢代皮製軍需用品〉[2]。本文則是第三篇——雜談幾種日常動物皮製品：（一）皮鞋、（二）皮襪、（三）皮弁、（四）皮軒、（五）皮席和（六）皮帶。希望透過上述六種皮製用品，能一窺動物皮於漢代社會生活中所作出的貢獻。

二 漢代皮鞋——草鞮與韋鞮

在未詳談漢代皮鞋以前，先就漢代前的皮鞋使用歷史作一簡述，以見其源流。

早於商代便有皮造鞋的地下考古發現。河南柘城孟莊商代遺址便發現一隻商代鞋底的中段，形狀與現在草鞋相類。[3]商代履制大致分為四個層面：第一層面為高級權貴或武士，所穿為皮革制高幫平式「翹頭鞮」。第四層面屬下層社會，所穿「粗屨」是用草、麻、樹皮製之，類似今日民間之草鞋，式樣簡單，僅做一鞋底，其上用繩紐繫於腳

---

1 蔡鋒：《中國手工業經濟通史》福州：福建人民出版社，2005年，頁340、662。

2 官德祥：〈漢代的皮裘〉及〈漢代皮製軍需用品〉，待刊稿。

3 「……據北京造紙研究所檢測，……其纖維較粗，視野中無禾草類雜細胞，均為纖維狀纖維，鑒定為韌皮類纖維，屬樹皮的可能性較大。這只寬約九點四釐米的粗屨，尺幅與成人腳寬相一致，是目前所見唯一商代鞋的實物。」見宋鎮豪：《夏商社會生活史》下冊，北京：中國社會科學院出版社，1994年，頁597。

上,可稱為屝,也可稱為屨。[4]《世本》云:「于則作屝屨。」宋衷注:「于則,黃帝臣,草履曰屝,麻皮曰屨。」《字書》說:「草曰屝,麻曰屨,皮曰履,黃帝臣于則造。」商代履制構形初具。[5]又,《儀禮》〈士冠禮〉載:「夏用葛,冬皮屨可也。」由此看來,古代鞋的質料,履有用麻、皮革、絲帛製作。屨有麻、葛、皮革作之者,屝有草、麻作之者。履的製工較精細,屝無疑粗糙。[6]

另外,《周禮》卷八載:「屨人掌王及后之服屨。為赤舄、黑舄⋯⋯葛屨。」注引《士喪禮》曰:「夏葛屨,冬皮屨,皆繶緇純。」[7]從「冬皮屨」,可見屨有用皮材料製作。有學者認為《周禮》中的複底鞋最典型,其鞋幫或皮或緞,其鞋底為雙層,上層納製底,下層木製底。此鞋稱作「舄」。舄是古代貴族男女參加祭祀、朝會所穿的禮鞋。[8]學者認為參加者在清晨或雨雪之日站於泥地,時間一長,晨露及雨雪浸潤的泥地難免會將鞋底弄濕,為解決此一問題,特在舄下加上一個木製的托底。這說法也有其道理。[9]總之,皮製的鞋主要用於貴族禮祭儀式中。

關於皮製的鞋,值得一提趙武靈王的胡皮靴。春秋戰國時期,趙武靈王胡服騎射。根據《史記》記載,趙武靈「吾欲胡服」到「於是遂胡服矣」。[10]而與胡服一起引入便是胡人鞋式——胡靴。此胡靴可追源溯始到樓蘭皮靴。[11]鋤頭下考古發現樓蘭一雙靴面和靴底被縫緇為一體的皮靴,見證皮靴起源傳說中的「裹腳皮」。[12]

以上是簡略交代先漢前的皮鞋發展。

4　同上註,頁598。

5　同上註,頁596。

6　同上註,頁595。

7　李學勤主編:《周禮注疏》上冊,北京:北京大學出版社,1999年,頁215。

8　履,禮也,飾足所以為禮也。舄,複其下曰舄。舄,臘也,行禮久乾臘也。參見原田淑人:《增補漢六朝の服飾》插圖39,《東洋文庫論叢》,第49期(1967年),頁148-149。

9　高春明:《中國服飾名物考》上海:上海文化出版社,2001年,頁749。

10　《史記》卷43〈趙世家第13〉北京:中華書局,1982年2版,頁1807。

11　「樓蘭皮靴出土時穿在一具女乾屍腳上,靴飾基本完好,羊皮呈灰白色,靴內微黃的羊毛依稀可辨。從線跡來看,手工極為精巧,且針身頗細並以筋線縫之。靴統高二十餘釐米,前部開叉,還用二釐米寬的皮條製成搭襻,整雙靴子由靴統和靴底兩大部件組合而成。它完全脫離了用整塊獸皮裹在腳上的原始鞋狀態,基本上符合今天幫底分件的要求。可見,四千年前還處於原始社會的西域婦女就已經懂得選用不同牢度的獸皮分別製作幫和底了。這也是摩擦原理運用於製鞋的最早實例。」見駱崇騏:〈中國皮鞋史話〉,載《皮鞋科技》,第18卷第2期(1989年),頁27。

12　「這雙穿在一具女屍足下的樓蘭皮靴,雖有殘損但仍能依稀看出它由棕色單層毛皮縫合而成,其整體結構分為前幫、後幫、靴底三個獨立體。經科學測定,此靴距今已約有四千年的漫長歲月。這是迄今世界上年代最久遠、結構最完整、唯一看得見摸得著的皮靴實物。更有價值的是樓蘭皮靴見證了古靴針線縫製工藝、鞋幫拼接工藝、幫底分件工藝的發明和應用。幫底分件工藝,是鞋幫與鞋底各自成件,分別製作,組合成鞋的工藝。」見全岳:〈中國鞋史系列篇之——皮鞋工藝結構演變簡史〉,載《西部皮革》,第41卷第5期(2019年),頁144-145。

　　到了西漢，皮鞋則被稱為「鞮」，凡經過鞣製生革所製成的稱之為「草鞮」，經過熟皮鞣製而成的鞋履則稱之為「韋鞮」。此時期的皮鞋一般為老百姓所能負擔，與周朝集中於貴族禮制所專用，有所分別。[13] 漢代豐富的皮革資源，讓「鞮」成為百姓容易負擔的手工業製成品。

　　至於在漢代官方正式場合中，士人都是穿「皮履」。[14] 《急就篇》卷四曰：「皮給履。……皮可以給履舄之用也。」[15] 皮履是漢代士人時尚用品。關於漢代士人穿履的例子，還有以下幾條材料可茲參考：

（1）《史記》卷五十五〈留侯世家〉：「（張）良嘗閒從容步游下邳圯上，有一老父，衣褐，至良所，直墮其履圯下，顧謂良曰：『孺子，下取履！』良鄂然，欲毆之。為其老，彊忍，下取履。父曰：『履我！』良業為取履，因長跪履之。父以足受，笑而去。良殊大驚，隨目之。父去里所，復還，曰：『孺子可教矣。後五日平明，與我會此。』……」

（2）《太平御覽》（第3冊）卷六九七〈服章部十四〉〈履〉條引《漢書》：「王莽好高冠厚履。」[16]

（3）《風俗通》曰：「孝文身履革舄而衣弋綈」[17]

又，漢元帝時期史游《急就篇》卷二曰：「鞮，生革之履。」東漢許慎《說文》曰：「鞮，革生鞮也。」[18] 今俗作鞋。[19] 其實物曾在長沙楚墓出土。山西陽高漢墓所出者式樣稍有變化。《急就章》又載：「鞮鞮……鞮謂韋履頭深而兌底者也，今俗呼謂之趿子。鞮，薄革小履。」[20] 張傳官〈補曰〉：「熟曰韋，生曰革。」履與鞮的分別在哪？揚雄《方言》載：「履，禪者謂之鞮，粗者謂之屦。」由此可知，漢代鞋履之名目形制繁多。

13　絲綢所做的絲履，由於昂貴材料，工藝複雜，則是皇室貴族所推崇。

14　孫機《漢代物質文化資料圖說》（增訂本）上海：上海古籍出版社，2008年，頁295。

15　見張傳官撰：《急就篇校理》北京：中華書局，2017年，頁378。

16　（宋）李昉等：《太平御覽》（第3冊）卷697〈服章部14〉〈履〉條，北京：中華書局，1960年，頁3109。今本《漢書》不見載。

17　同上註，頁3112。今本《風俗通》則未見。

18　「鞮鞮，革履也」，（漢）許慎撰；（清）段玉裁注：《說文解字注》三篇下〈革部〉上海：上海古籍出版社，1981年，頁108。《《周禮》釋文》云：「許慎曰：『鞮，履也。』呂忱曰：『鞮，革履也。』」與今本異；徐堅、玄應引與今本同。《曲禮》「鞮屦」注：「無絇之菲也。」《周禮》「鞮鞻氏」注：「鞮鞻，四夷舞者所扉也。」《王制》「西方曰狄鞮」注：「鞮之為言知也。」

19　見張傳官撰《急就篇校理》北京：中華書局，2017年，頁180。

20　「鞮䩕，小兒履也。」（漢）許慎撰；（清）段玉裁注：《說文解字注》三篇下〈革部〉上海：上海古籍出版社，1981年，頁108。《急就篇》有鞮。《釋名》曰：「鞮，韋履深頭者之名也。」見張傳官撰：《急就篇校理》北京：中華書局，2017年，頁183。另見陳溫菊：《詩經器物戶釋》臺北：文津出版社，2001年，頁128。

　　若僅以質料而論，有用皮革製成的「革鞜」。《漢書》卷八十七下〈揚雄傳〉載：「革鞜不穿。」[21]。又有冬季穿的「韋鞮」。[22]據崔寔《四民月令》載道：「八月制韋履，十月作白履。」[23]雖然石聲漢認為「暑小退……及韋履賤好，豫買，以備隆冬栗烈之寒」，其內容與「四民」和「月令」都很難黏上，但也不能一口否定《四民月令》並無此事。[24]總之，「八月制韋履」是熟皮鞣製而成的鞋履。至於十月作「白履」。石氏認為白履的「白」字，解作「帛」或作為「最樸素」的履。[25]此其說值得參考。

　　關於漢代皮製革履的記載，《居延漢簡》及《居延新簡》還有以下記述，透露出革履的不同形制：

1. 「戍卒濟陰郡定陶池上里史國。縣官帛□袍一□□三斤，縣官枲履二兩，縣官帛布二兩一領，縣官□□二兩，縣官帛布絝一兩七斤，縣官革履二兩不閡，縣官裘一領不閡。」[26]

2. 〈戍卒被兵簿〉載：
   縣官革履二兩不閡
   縣官裘一領不閡（509.26　圖81　甲2049）[27]

3. 革履（268.38）
   皮鞋（《集成》七，頁156）[28]

4. 《居延新簡》「白革履一兩。」（EN.14）[29]

據上可見，漢代不同皮鞋形制如有「二兩」及「一兩」之別。漢代除了用動物皮製鞋外，漢人還有利用動物皮來製「襪」。根據作者搜集材料所及見，漢代的皮襪主要以狗皮為主。[30]

21　《漢書》卷87下〈揚雄傳〉北京：中華書局，1962年，頁3560。

22　高春明：《中國服飾名物考》上海：上海文化出版社，2001年，頁748。

23　夏劍欽、王巽齋校點：《太平御覽》卷697〈服章部〉14，石家莊：河北教育出版社，1994年，頁467。

24　石聲漢：《四民月令校注》北京：中華書局，2013年2版，頁61。

25　同上註，頁69。

26　陳直認為「本簡衣履有九種名稱，較一般三四種者不同，且有裘服，尤為僅見，或定陶所發，較他縣為優。……本簡閡字與絡字相通，革履用絮絡底，裘衣用絮絡裡也。」陳直：〈居延漢簡解要〉載《居延漢簡研究》北京：中華書局，2009年，頁390。陳直：〈居延漢簡解要〉載《居延漢簡研究》北京：中華書局，2009年，頁389。

27　（日）永田英正：《居延漢簡研究》（上）桂林：廣西師範大學出版社，2007年，頁229-231。

28　沈剛：《居延漢簡語詞匯釋》北京：科學出版社，2008年，頁165。

29　葛紅麗：《居延新簡詞語文字研究》北京：人民出版社，2018年，頁28。

30　官德祥：〈漢文化中的狗角色〉載《中國農史》2018年第5期，頁87-104及〈漢代文獻含「狗」或「犬」之詞的歷史分析〉載《新亞論叢》，第18期（2017年），頁131-140。

三　見載於漢代竹簡的「狗」皮襪

漢代襪有布帛製，亦有以皮革製成的。東漢許慎《說文》〈韋部〉中有明確解釋：「韤，足衣也。」[31]主要用狗皮革製成的稱狗皮襪、狗布絑或犬絑。[32]在出土漢簡中亦有記載，茲舉例子如下：

1. 犬絑（EPT58：115）據敦煌簡考為即狗布絑，當為地方特產性布匹。（陳直：1986B，頁81）陳直把狗布絑釋為布匹未準確，狗布絑即是用狗皮製造的襪。
2. 絑即襪，犬絑即用犬皮所作的襪子。（《集成》11，頁113）
   〈居延漢簡〉載：「戍卒被兵簿」：「犬襪二兩資錢五百」（85.7，圖588）[33]。
   《釋文》：「犬絑二兩為錢五百」（頁412）[34]
   裘錫圭〈居延漢簡甲乙編釋文商榷〉解：犬（襪）即狗皮（襪）。[35]
3. 犬絑（19.40；303.34）《合校》均作「犬絑」。
4. 狗皮襪。官府所發之物，以別於自有之物私襪。（《集成》7,230）[36]
5. 犬絑一兩　73EJT25：66[37]（《肩水金關漢簡》）
6. 狗皮襪二兩一出（148）[38]（《疏勒河流域出土漢簡》）

綜合上述幾枚簡文，大致反映出邊地主要有用狗皮製襪，並記錄了每兩的價格。至於除了狗皮製襪外，有否使用其他材料製襪，從作者所涉獵出土的漢簡中暫未得見。

四　漢代頂頭禮冠──「鹿」皮弁

古代禮書中講的玄冠、緇布冠、皮弁、爵弁、冠卷、頍、巾幘等七種等級制冠式，大體均能追溯到夏商時期。[39]皮弁，以皮革為冠衣。與委貌同制，似覆杯，前高廣，後

---

31 （東漢）許慎撰；（清）段玉裁注《說文解字注》五篇下〈韋部〉，上海：上海古籍出版社，1981年，頁236。

32 張末元編著：《漢朝服飾裝圖樣資料》香港：太平書局，1963年，頁25。

33 （日）永田英正著，張學鋒譯：《居延漢簡研究》（上）桂林：廣西師範大學出版社，2007年，頁102。

34 陳直把犬絑歸入衣服類，見陳直：《居延漢簡研究》北京：中華書局，2009年，頁106。

35 見裘錫圭：〈居延漢簡甲乙編釋文商榷〉，收載於《裘錫圭學術文集》2《簡牘帛書卷》上海：復旦大學出版社，2015年，頁142。

36 沈剛：《居延漢簡語詞匯釋》北京：科學出版社，2008年，頁27-28。

37 甘肅簡牘保護研究中心、甘肅省文物考古研究所、甘肅省博物館、中國文代遺產研究院古文獻研究中心、中國社會科學院簡帛研究中心：《肩水金關漢簡（叁）》下冊，上海：中西書局，2013年，頁35。

38 林梅村、李均明編：《疏勒河流域出土漢簡》北京：文物出版社，1984年，頁41。

39 宋鎮豪：《夏商社會生活史》下冊，北京：中國社會科學院出版社，1994年，頁588。

卑銳。是說皮弁前高後卑，形制與用皂絹製作的委貌冠接近。[40]弁的外形又如何？弁如兩手相合抃時也。以爵韋為之，謂之爵弁；以鹿皮為之，謂之皮弁；以靺韋為之，謂之韋弁也。[41]

另外，周禮弁師掌王之皮弁。弁為爵頭色（赤而微黑色。爵通雀）之革或布製成。[42]《三禮冠弁圖》云：「皮弁以鹿皮淺毛黃白色者為之。」《左傳》僖公二十八年：「楚子玉自為瓊弁玉纓。」杜注：「弁以鹿子皮為之。」《五經通義》云：「皮弁冠前後玉飾。」知皮弁冠上當有玉飾品。《釋名》載：「弁以鹿皮為之，謂之皮弁。」畢沅曰：鄭注士冠禮云：「皮弁者，以白鹿皮為冠。」成蓉鏡曰：「以鹿皮。」[43]《初學記》卷二十六〈冠第一〉：「鹿皮為之謂之皮弁。以靺韋為之。謂之韋弁。」[44]行大射禮於辟雍，執事者冠皮弁應是當時實況。總言之，皮弁主要是以鹿皮製成，行禮儀時所採用。鹿皮為製弁之材料，一直沿用到兩漢。

西漢皮弁仍流行於傳統禮制儀式中。如《史記》卷二十八〈封禪書〉載：「乙卯，令侍中儒者皮弁薦紳，射牛行事。封泰山下東方，如郊祠太一之禮。」[45]又，《漢書》卷七十六〈趙尹韓張兩王傳〉：「延壽於是令文學校官諸生皮弁執俎豆，為吏民行喪嫁娶禮。」[46]即為明證。閻步克曰：「秦漢統治者著手整飾冠服。《後漢書》〈輿服志〉所敘東漢冠服，就是戰國秦漢的服制變遷的一個結集。那個冠服體制施行於東漢，但其中所反映的分等分類觀念，我們認為是可以代表整個秦漢的。」[47]

東漢人劉熙《釋名》〈釋首飾〉云：「弁如兩手相合抃時也；以爵韋為之，謂之爵弁；鹿皮為之，謂之皮弁。」[48]《後漢書》〈志三十〉〈輿服下〉：「委貌冠，皮弁冠同制，長七寸，高四寸，……委貌以皂絹之，皮弁以鹿皮為之。行大射禮於辟雍，……。執事者冠皮弁，衣緇麻衣，……所謂皮弁素積者也。」[49]皮弁，質也。石渠論玄冠朝服。[50]這反映由上古至東漢用鹿皮製皮弁的傳統，一直未有變更。遂有唐杜佑《通典》

---

40 宋鎮豪：《夏商社會生活史》下冊，北京：中國社會科學院出版社，1994年，頁589。

41 王國珍：《《釋名》語源疏證》上海：上海辭書出版社，2009年，頁160及陳溫菊：《詩經器物戶釋》臺北：文津出版社，2001年，頁126。另見周錫保：《中國古代服飾史》臺北：南天書局，1989年，頁85。

42 陳衍撰；潘林校注：《周禮疑義辨證》北京：華夏出版社，2011年，頁107，注3。

43 （東漢）劉熙撰，（清）畢沅疏證，王先謙補：《釋名疏證補》北京：中華書局，2008年，頁157。

44 見（唐）徐堅：《初學記》卷26〈弁第2〉北京：中華書局，1962年，頁623。

45 《史記》卷28〈封禪書〉，頁1398。同見《漢書》卷25上〈郊祀志〉，頁1235。

46 《漢書》卷76〈趙尹韓張兩王傳〉，頁3210。

47 閻步克：《官階與服等》香港：三聯書店，2008年，頁162。

48 （東漢）劉熙撰，（清）畢沅疏證，王先謙補《釋名疏證補》北京：中華書局，2008年，頁157。

49 《後漢書》〈志第30〉〈輿服下〉北京：中華書局，1965年，頁3665。

50 同上註，頁3665，〈注2〉。

載：「皮弁服，以白鹿皮為冠，象上古也」之說。[51]

　　東漢末，王莽納女為后，曾賜贈皮弁予官員，此事並不見於傳世《漢書》，而《通典》則有載，茲摘錄如下：「平帝立，王莽納女為后以固權。遣宗正劉宏、尚書令平晏納采，太師孔光、大司徒馬宮等四十九人，賜皮弁素積。」王文錦〈注〉曰：「皮弁，鹿皮為冠也。素積，以十五升布為衣，積素以為裳。」[52]總括而言，兩漢距古未遠，時人仍繼承此傳統，喜在禮儀（行大射禮）上穿戴白鹿製的皮弁。除此之外，上位者還把皮弁當作名貴禮物，賜贈下屬。

五　漢代馬車尊貴裝飾──「虎」皮軒

　　虎豹的毛皮常被認為是高貴稀有之物。呂思勉認為：「皮以虎為貴，豹次之，鹿為下」，其言甚是。[53]虎豹常被禮儀制度借用，以示勇猛，同時標榜尊貴的身分等級。《史記》卷四十〈楚世家〉「若使澤中之麋蒙虎之皮，人之攻之必萬於虎矣。」[54]虎帶有辟邪驅鬼，百獸之長。《風俗通義》〈祀典〉〈畫虎〉載：「虎者、陽物，百獸之長也，能執搏挫銳，噬食鬼魅。今人卒得惡遇，燒悟，虎皮飲之，擊其爪，亦能辟惡，此其驗也。」一般人不能帶著虎到處走。用虎皮製物，帶著此物以收虎能「辟邪驅鬼」之效。[55]

　　《獨斷》載曰：「尚書御史乘之，最後一車懸豹尾，以前皆皮軒虎皮為之也。」[56]《漢官六種》載：「馬有廄，車有府。皮軒，以虎皮為軒。」[57]唐杜佑《通典》載：「漢制，皮軒車，以虎皮為軒。」[58]據此「虎皮為軒」為漢時實況，殆無異議。《漢書》二十五下〈郊祀志〉：「時，南郡獲白虎，獻其皮牙爪，上為立祠。」[59]如果用白虎皮為軒，應該相當奪目。

　　另外，《漢書》五十七上〈司馬相如傳〉載曰：「……前皮軒，後道游；……。」[60]文穎曰：「皮軒，以虎皮飾車。天子出，道車五乘，游車九乘，在乘輿車前，賦頌為偶

51 唐杜佑、王文錦點校《通典》二冊，卷56〈禮16〉〈沿革16〉〈嘉禮1〉北京：中華書局，1992年，頁1581。

52 唐杜佑、王文錦點校《通典》二冊，卷58〈禮18〉〈沿革18〉〈嘉禮3〉北京：中華書局，1992年，頁1634。

53 呂思勉：《呂思勉讀書札記》中冊，上海：上海古籍出版社，2005年，頁592-593。

54 《史記》卷40〈楚世家〉，頁1734。

55 潘攀：《漢代神獸圖像研究》北京：文物出版社，2019年，頁134。

56 同上註，頁140。

57 見（清）孫星衍等輯，周天游點校：《漢官六種》北京：中華書局，1990年，頁14。

58 唐杜佑，王文錦點校：《通典》二冊，卷64〈禮24〉〈沿革24〉〈嘉禮9〉北京：中華書局，1992年，頁1802。

59 《漢書》卷25下〈郊祀志〉，頁1249。

60 《漢書》卷57上〈司馬相如傳〉，頁2563。

辭耳。」師古曰：「文說非也。言皮軒最居前，而道游次皮軒之後耳，非謂在乘輿之後也。皮軒之上以赤皮為重蓋，今此制尚存，又非猛獸之皮用飾車也。道讀曰導。」[61]顏氏說反映「以虎皮為軒」至唐代才起變化。[62]再者，朱一清等〈司馬相如校注〉中曰：「前皮軒，用虎皮裝飾的車為前驅。」[63]作者認為皮軒用虎皮飾車，史書屢有載記，合乎事實。至於顏氏說「皮軒」位置在前，作者同意其看法。

最後，關於皮軒還有一件事，很值得一提。當了廿七天皇帝的昌邑王賀，因淫亂被廢，其中一罪狀或與「皮軒」有關。《漢書》卷八十九〈循吏傳〉曰：

> 會昭帝崩，亡子，昌邑王賀嗣立，官屬皆徵入。王相安樂遷長樂衛尉，（龔）遂見安樂，流涕謂曰：「王立為天子，日益驕溢，諫之不復聽，今哀痛未盡，日與近臣飲食作樂，鬥虎豹，召皮軒，車九流，驅馳東西，所為詩道。……」王即位廿七日，卒以淫亂廢……。[64]

昌邑王賀的被廢，「召皮軒」也許是就眾多「淫亂」控罪之一。作者同意王子今的評價：昌邑王乃飆車一族。[65]至於飆車是否犯「淫亂」，則見仁見智。

六　東漢刺史羊皮席[66]

根據傳世的文獻所記載，漢代皮席用料主要來源自以下幾種動物——羊[67]、貂。《後

---

61 《漢書》卷57上〈司馬相如傳〉，頁2564，〈注5〉。

62 關於秦漢時期虎的研究，可參見王子今：《秦漢時期生態環境研究》北京：北京大學出版社，2007年，頁197-216。

63 朱一清：《司馬相如校注》北京：人民文學出版社，1996年，頁54。

64 《漢書》卷89〈循吏傳〉，頁3638。另見辛德勇：《海昏侯劉賀》北京：生活・讀書・新知三聯書店，2016年，頁119-147。

65 《南昌新聞網訊》載在中國秦漢史研究會第十五屆年會暨海昏歷史文化國際學術研討會上，中國人民大學國學院專家王子今以《劉賀昌邑——長安行程考》為題，發布了他對於劉賀歷史的最新研究成果。劉賀即位前獲乘七乘傳在王子今看來，當時劉賀即位，獲得了朝廷給出的為史籍所見規格最高的交通等級。參見網址〈https://kknews.cc/zh-hk/history/gb6xnbm.html〉瀏覽日期：2017年7月14日。另外，昌邑王賀召皮軒，車九流，驅馳東西，說明其生前有喜歡「馳逐」競技的特點，又，《漢書》卷68〈霍光金日磾傳〉：「……駕法駕，皮軒鸞旗，……。」《漢書》卷68〈霍光金日磾傳〉，頁2940。師古曰：「皮軒鸞旗皆法駕所陳也。北宮、桂宮並在未央宮北。」參見《漢書》卷68〈霍光金日磾傳〉，頁2944，〈注46〉。《後漢書》〈志29〉〈輿服上〉：「……皮軒鸞旗，皆大夫載。」《後漢書》〈志第29〉〈輿服上〉，頁3649。

66 《釋名》曰：「席，釋也，可卷可釋也。」見（東漢）劉熙撰，（清）畢沅疏證，王先謙補：《釋名疏證補》北京：中華書局，2008年，頁196。

67 羊的繁殖力和適應力最強，可以減低自然災害中的損失和保證損失後迅速恢復；而馬和牛的繁殖力及其對環境的適應力遠不如羊，……而羊可以啃食馬吃過的草根；牛則能在較短的時間內獲得所需

漢書》卷五十一〈李陳龐陳橋列傳〉載：

> ……拜兗州刺史。以清約率下，常席羊皮，服布被。遷張掖太守，有威重名。[68]

此條載羊皮席的材料並不常見，說明東漢地方刺史喜用羊皮為席。漢碑每以「吉羊」為「吉祥」。鄭玄〈注〉：「羊者，善也。」[69]刺史用羊為席應有取其「吉祥」及「善」之心。

至於《居延漢簡》亦發現有關「羊皮席」的記載：

> 羊韋（EPT40：6B）韋，去毛熟製的皮革。羊韋，或當羊皮製作的衣物。（《中國簡牘集成》九，頁204）[70]

另外，《長沙東牌樓東漢簡牘》七〈雜帳〉[71]記：「皮席一枚……皮二席一枚。」雖然沒有明言皮席是否羊皮製，但估計普通皮席多以羊皮製作的。

據漢代材料載，除了羊皮席外，還有用貂皮造席。若只從就價格相比，羊皮席當然沒有「貂皮席」那麼珍貴。基本上，貂皮主要是來自外國，是名貴貢品之一。東漢時期作品《釋名》卷六〈釋牀帳第十八〉便載有：「貂席，連貂皮以為席也。」葉德炯曰：「《西京雜記》：『昭陽殿設綠熊皮席，毛皆長一尺餘。』此亦貂席之屬。」[72]又，《太平御覽》〈獸部〉二十四引《東觀漢記》曰：「建武二十五年，烏桓國詣闕朝賀，獻貂皮。」與今本《東觀漢記》卷一〈世祖光武皇帝〉載：「（建武）二十五年，烏桓獻貂豹皮，詣闕朝賀」相若。[73]可見貂皮是烏桓國的高檔賀禮價值不菲。

七　漢代馬車用具皮製帶子

這裡談論的皮帶不是繫在人腰上，而是用於馬和馬車上的皮製帶子。二〇一九年深圳博物館展出之〈劉賀墓園車馬坑〉出土的「銅鎏金當盧」。當盧置馬面額前的裝飾物，因位於馬頭顱正中，「盧」通「顱」，故稱當盧，使用方法為用「皮帶」將其繫連在

草食……有研究表明，在今天的內蒙古地區，一個普通的牧人一般可以放牧一五〇至二百隻羊，如果他騎在馬上就能控制約五百隻羊，若兩個騎馬的牧人就可以管理大約兩千隻羊。馬利清：《原匈奴、匈奴——歷史與文化的考古學探索》呼和浩特：內蒙古大學出版社，2005年，頁391。

68 《後漢書》卷51〈李陳龐陳橋列傳〉，頁1683。

69 （東漢）劉熙撰，（清）畢沅疏證，王先謙補：《釋名疏證補》北京：中華書局，2008年，頁249。

70 沈剛：《居延漢簡語詞匯釋》北京：科學出版社，2008年，頁95。

71 長沙市文物考古研事所，中國文物研事所編：《長沙東牌樓東漢簡牘》北京：文物出版社，2006年，頁116。

72 （東漢）劉熙撰，（清）畢沅疏證，王先謙補：《釋名疏證補》北京：中華書局，2008年，頁197。

73 （東漢）劉珍等撰，吳樹平校注：《東觀漢記校注》上冊，鄭州：中州古籍出版社，1987年，頁11。

馬絡頭上。另外，獨輈車馬頭上有「鞁具」，馬與車之間亦有皮製的「靷」作牽引，《說文解字》三篇下〈革部〉載：「靷，所以引軸者也。」[74]《居延漢簡》記載有「皮繩（《集成》十一，頁108）」字樣，「皮繩」之應用功能，應與皮帶相同而異名。[75]

　　另外，《鹽鐵論》〈散不足二十九〉載：「古者椎車無柔……，大夫士則單榠木具，盤韋柔革。……今庶人富者……中者錯鑣塗采，珥靳飛軨。」「今者」指漢朝，說明漢朝上層有錢人愛用「珥靳」，而「珥靳」就是「用珠玉裝飾服馬當胸的皮帶」。[76]除此之外，皮帶上還可裝飾黃金，為漢代富人時尚奢侈用品。[77]

　　最後，作者要介紹「皮帶靰」。《玉篇》〈革部〉曰：「靰，皮帶靰。鞿同靰。」《字彙》〈革部〉：「鞿，皮帶。」王子今於其一篇論文〈額濟納漢簡膠靰及相關問題〉中引《額濟納漢簡》釋文：

> 第九隧膠二靰重十三兩（2000ES9SF3:23A）
>
> 少一錢少錢（2000ES9SF3:23B）

王氏在論文中提出「煮膠」的問題很有意思，這是皮用品製作的關鍵程序。[78]誠如王子今說「因革煮製的膠曰『靰』，是我們得到的新知識」。[79]這「靰」確實令我們更加深了解皮革製作的重要發現。

八　結語

　　兩漢時期，皮製用品大行其道，不讓絲綢錦繡專美。無論從人首及腰至腳都有它的份兒。皮製品除在日常穿戴衣飾，作出其貢獻外。它在其餘生活領域中都有所發揮，如文中提到的皮製草鞋、韋鞋、鞁鞋、白鹿弁、虎皮軒、羊皮席、貂皮席等等，不一而足。本文僅雜論當中六種，漢代的皮製品總數，絕不止此數目。根據作者所考得，皮製用品來除本文曾引述過的動物外，還有牛、犀、狸、狐、羱、豹、鼠、馬、貊及麗子等

---

74 （東漢）許慎撰，（清）段玉裁注：《說文解字注》三篇下〈革部〉，上海：上海古籍出版社，1981年，頁109。

75 沈剛：《居延漢簡語詞彙釋》北京：科學出版社，2008年，頁165。

76 王利器校注：《鹽鐵論校注》北京：中華書局，1996年，頁226。

77 蔡鋒：《中國手工業經濟通史》福州：福建人民出版社，2005年，頁663。

78 （後魏）賈思勰：《齊民要術》卷9〈煮膠第90〉條：「煮膠法：煮膠要用二月、三月、九月、十月，餘月則不成。沙牛皮、水牛皮、豬皮為上，驢、馬、駝、騾皮為次。破皮履、鞋底、格椎皮、靴底、……但是生皮，無問年歲久遠，不腐爛者，悉皆中煮。……其脂肕鹽熟之皮，則不中用。……」（後魏）賈思勰原著，繆啟愉校釋：《齊民要術校釋》（第2版）北京：中國農業出版社，1998年，頁679。

79 見王子今：〈額濟納漢簡膠靰及相關問題〉收載於孫家洲主編：《額濟納漢簡釋文校本》北京：文物出版社，2007年，頁193-200。

多種，所造出皮製品還有用於軍事用途方面如：鞮瞀、面具、守御器及皮盾等。至於日常生活用途，還有製皮衣裘、皮絝、皮褥及皮船等。

　　總括而言，我國能利用動物皮作為生活材料，一方面是要歸功漢朝時人在畜牧業和狩獵業上的非凡成就，為此提供有利條件。另一方面，有賴漢代大一統的政治環境得以成就各項經濟產業，當中包括皮革手工業。這使皮革能得以大量生產和行銷各地商品市場。我國祖先們具智慧地採用不同動物的皮，製成各類生活用品，還不斷改良革新，大大豐富兩漢人民的生活素質。

論今文經學「為兆民」與
「一律平等」思想
—— 以蒙文通〈孔子和今文學〉為中心

戢雪怡

中國人民大學國學院

　　蒙文通經學思想突出的一個特點就是將經學與政治緊密聯繫在一起，蔡方鹿先生就認為：「治經與政治緊密聯繫，以經學的形式來闡發儒家之革命論、平等說等政治思想，體現了蒙文通經學的又一特色。」[1]而蒙文通對於儒家政治思想的闡釋，主要集中在〈儒家政治思想之發展〉與〈孔子和今文學〉二文中，兩者內容基本相似，後者對前者有所豐富。在這兩篇文章中，蒙文通明確表示今文經學的根本精神在於其革命性，由此對董仲舒《公羊》學一派的改制說進行了批評。而今文經學與「革命」、「素王」學說相配套的有一套完整的制度，這些制度最終歸宿都是萬民平等的思想，平等的思想的形成，既源於時代的影響，又與先秦諸子百家互相交融、影響有很大的關係。蒙文通所認為的今文經學革命與平等的思想，在一定程度上受到了新社會政治思想的影響，他通過對今文經學根本精神的闡釋，來將新社會的發展納入到今文經學的系統當中，由此找到今文經學在社會主義社會的生存與發展空間。

一　今文經學的實質 ——「革命」、「素王」、「禪讓」三位一體

　　蒙文通在文章開頭便提出了孔子受到後世的推崇是從漢代開始，而漢代所推崇的是今文經學，因此「今文學的實質內容，就是儒家獨尊之所在」。[2]並由儒學在社會上為顯學，卻不為專制君主所容，來倒推得出儒學是符合社會多數人民的利益的結論。由此，蒙文通引出了兩個核心觀點，一是突顯今文經學的崇高地位與重要作用，二是表明儒學的思想內核一向是符合人民的根本利益的，孔子思想的最高準則即是為兆民。那麼，蒙文通所認為的今文學的實質內容又是什麼呢？他說：

1　蔡方鹿：〈蒙文通經學思想的特點〉，收在《中華文化論壇》，2005年第4期，頁121。
2　蒙文通：〈孔子和今文學〉，《經學抉原》上海：世紀出版集團，2006年，頁216。

今文學思想，應當以《齊詩》、《京易》、《公羊春秋》的「革命」、「素王」學說為其中心，禮家制度為其輔翼。[3]

提出，今文經學的中心在於「革命」與「素王」說。

儒家的革命學說最早可追溯到所謂的「湯武革命」，《周易・革卦》中講：「天地革而四時成。湯、武革命，順乎天而應乎人，革之時義大矣。」[4]學界對於這句話，主要有兩種不同的說法，劉小楓就在《儒家革命源流考》裡講這句話，一是描繪了自然現象，二是闡述人倫政治，前者是認為革命是有如自然時節更替的政權更迭，政權更迭的正當性來源於自然意義上的變化，也就是說，「革命是天道運行的自然規律，王朝更替為天道必然」。[5]後者則是強調革命的正當性在於道義正當性，即君主的仁義與德性、人民的意願與利益等道德方面的正當合理。

而蒙文通在〈孔子和今文學〉中闡發的革命說，主要側重於道義。此文開篇便論述了「革命」說的源流及嬗變，認為孟子學說是革命說的來源，「『革命』學說，當導源於孟子。」[6]蒙文通提出，孟子乃「革命」說的先驅者，孟子民貴君輕的思想可以看作是「革命」說的前提，在此基礎上，孟子認為當桀紂不仁不義之時，就不再是「君」，而只是獨夫，故而認為湯武並未「弒君」。而後蒙文通指出，與孟子齊名的荀子，雖然主張以君為貴，但他同樣提出了「天之生民，非為君也。天之立君，以為民也」[7]，提出君權天授，根本在為人民的利益，「天下歸之謂之王，天下去之謂之亡」[8]，認為桀紂已失天下，因此湯武未曾篡奪天下。由上可以看出，孟子、荀子都肯定了人民的地位與作用，君權所存在的意義是「為民」，孟荀二人的學說為革命說的來源。蒙文通援引孟荀二人的學說，作為革命說的來源，強調從人民利益視角出發下的湯武革命，也就是說，蒙文通所認為的今文經學的革命論，強調的是道義正當性。

而後，蒙文通又引《易傳》，說：

孟荀是先否認桀紂所受的天命，然後提出湯武不弒篡。《易傳》則是承認桀紂所受的天命，但是卻認為這個天命是可以革去的，明確提出了「革命」的概念。這便是現在所用的「革命」一辭的語源。[9]

在這裡，蒙文通不僅肯定了湯武革命的思想，也將現代語義上的「革命」一詞追溯到今

3　蒙文通：〈孔子和今文學〉，《經學抉原》上海：世紀出版集團，2006年，頁222。

4　阮元校刻：《周易正義》，《十三經注疏》卷5，北京：中華書局，2009年，頁124。

5　張分田：《中國帝王觀念》北京：中國人民大學出版社，2004年，頁369。

6　蒙文通：〈孔子和今文學〉，《經學抉原》上海：世紀出版集團，2006年，頁222。

7　王先謙：《荀子集解》北京：中華書局，2012年，頁487。

8　同上註，頁316。

9　蒙文通：〈孔子和今文學〉，《經學抉原》上海：世紀出版集團，2006年，頁224。

文經學，暗示了今文經學的前瞻性。

接著，蒙文通引用了在他看來並非儒家嫡派、喜引讖緯的《齊詩》以及善言災異的京房、谷永的學說，來闡述漢代今文經學的革命思想，肯定了「四始」、「五際」說，認為陰陽五行說只是今文學家基於統治者的壓力，而給革命說披上的外衣，但這與〈經學導言〉中蒙文通批判齊學為旁支、內學靠不住的態度有所矛盾。他曾說：「齊國、魏國傳出來的，都只算旁支，哪裡比得上魯國傳出來的嫡派」，[10]「就今文學裡邊有一部分是讖緯、是災異的內學，這部分學問是很靠不住的」[11]，並在言及魯學、齊學的差異時講道：「《魯詩》是專講故訓的，《齊詩》、《韓詩》便取《春秋》，採雜說，都講五際、六情」[12]，可見在〈經學導言〉中蒙文通對《齊詩》及五際說是有所否定的。因此，蒙文通前後的論述之中確有矛盾之處。

在堅持革命說的基礎上，蒙文通對董仲舒提出了嚴厲的批評，認為董仲舒淪為了專制君主的工具。他引眭弘的話說：「先師董仲舒有言：雖有繼體守文之君，不害聖人之受命。」繼而認為董仲舒「對夏、商、周三代的更替，不是從湯、武革命的觀點上來認識，」[13]而是將「異姓改代」變成了「繼體之君」。因此，改制說與革命說的核心區別在於是否另立「一王大法」，是否承認新政權與舊政權之間的徹底割裂與變革。由此，蒙文通進一步提出了董仲舒「改制」說與「素王」說之間的矛盾，及其導向的結果：

> 董仲舒既改革命為改制，就不能不改素王為「王魯」，素王是代周而王的是孔子，是德若舜、禹的賢者，而《春秋》是另立一套「一王大法」。王魯則代周而王的是魯君，是當時的現實君主，只不過是改制以當新王。今文家講革命，講素王，同時也講「禪讓」，故今文家多主禪讓。講改制，講王魯，其必然的結論就是因時王而改制，當然也就不需要禪讓。這在董仲舒的《春秋繁露》中有很清楚的反映，他甚至還說「堯、舜不擅移」。[14]

「革命」與「素王」之間是相輔相成，缺一不可的，正因為有了異姓改代的革命之行，才會有「素王」的產生，也就是說，「革命」是為了實現成為「素王」目標的現實舉措，當董仲舒放棄了「革命」說之時，就放棄了「素王」說。而改制說與王魯說又會導致「禪讓」的不必要甚至不合理，因為禪讓在本質上是政權的交替更迭，而在改制說下，不需要革去天命、另立新王，只需要在現有制度基礎上順時而變即可。並且，董仲舒的「堯、舜不擅移」講君權天授，不可隨意將天命轉予他人，即是阻斷了禪讓的合理

10　蒙文通：〈經學導言〉，《經學抉原》上海：世紀出版集團，2006年，頁28。

11　同上註，頁23。

12　同上註。

13　蒙文通：〈孔子和今文學〉，《經學抉原》上海：世紀出版集團，2006年，頁230。

14　同上註。

合法性，這與董仲舒的天譴說也是相呼應的。董仲舒認為當君王有了失職行為時，由上天以自然界災異變化來警告君主，既只是警告，那麼君主的天命就不會從根本上被否定，庶民也就沒有權力革去君主的天命，這與蒙文通所主張的今文學家的革命說是不相符的。由此，便也可以知道蒙文通的「革命」、「素王」、「禪讓」是三位一體的，三者相互統一，缺一不可，共同統攝在革命的主題之下。

二　歷史與理想之間

與今文學家革命說相對應的是「一王大法」，蒙文通在〈儒家政治思想之發展〉中說：「一王大法者，在制不在義，在行事不在空言。」[15]所謂「王法」，即是與革命、素王思想一以貫之的一系列典章制度。蒙文通認為，經學家迫於統治者的壓力，將理想託於三代，並以理想與歷史為標準，釐清漢代經學家所講的種種制度。

蒙文通具體論述了今文學的井田、辟雍、封禪、巡守及明堂制度，並將其與漢朝制度進行對比，言：

> 井田制度和當時的豪強兼併相矛盾，辟雍選賢和當時的任子為郎相矛盾，封禪禪讓和當時家天下傳子相矛盾，大射選諸侯和當時以恩澤封侯相矛盾，明堂議政和當時的專制獨裁相矛盾，像這樣處處與時代相矛盾的制度，正是一種反抗現實的意識形態。而當時的儒者又不敢鮮明地提出來作為反抗綱領，而託之於古聖先賢以避難免禍。這樣做雖可使理想制度不致遭到扼殺，但卻無法避免要和真實的歷史陳跡在某些部分發生矛盾了。西漢末年和東漢時期長時間在經學上所存在的今古文學之爭，便是這一矛盾的總爆發。[16]

蒙文通援經據典，認為漢家經師所講的制度分為兩類，一類是現實實行的制度，一類是今文學家託於三代的未實行的理想制度，而這兩類之間有著不可調和的矛盾，反映了今文學家對現實的反抗與鬥爭，二者之間的衝突不斷衍化、加深，就爆發於漢代的今古文學之爭。在蒙文通看來，以《王制》為核心的今文學家所主張的制度，與以《周官》為核心的古文學家所主張的制度之間有著明顯的分界，今文學家是託古言今，於三代制度之中寄託自己的政治理想，而古文學家的制度，只是歷史陳跡。這是蒙文通對廖平以禮制平分今古的思想的繼承與發展。蒙文通認為，唯有自己的老師廖平「長於《春秋》，善說禮制，一屏瑣末之事不屑究，獨探其大源，確定今古兩學之辨，在乎所主制度之差。」[17]廖平反對以六經為古史，在〈尊孔篇〉講「故六經者非述古，乃知

15　蒙文通：〈儒家政治思想之發展〉，《經學抉原》上海：世紀出版集團，2006年，頁152。

16　蒙文通：〈孔子和今文學〉，《經學抉原》上海：世紀出版集團，2006年，頁250。

17　蒙文通：〈井研廖師與漢代今古文學〉，《經學抉原》上海：世紀出版集團，2006年，頁107。

來」[18]，講六經是對未來的判斷，寄託著聖人的理想。蒙文通在廖平思想的基礎上，通過經與史的互動，釐清理想與現實之別，進而釐清今古文經學的制度之別，對廖平的「今文是經學，古文是史學」的主張作了進一步闡釋。

在區分今古文學的同時，蒙文通指出，今文經學一系列理想制度的最終歸依都是萬民平等的思想：

> 井田制度是在經濟基礎上的平等，全國普遍建立學校是在受教育和作官吏機會上的平等，封禪是在出任國家首腦上的權利的平等，大射巡狩是在封國爵土上的平等，明堂議政是在議論政治上的平等。[19]

由此，以平等為核心，今文經學從經濟、教育、政治三個大的方面建立起了一套較為完整而系統的制度，這一套恢弘的制度一方面體現了今文經學的集大成性，體系完備而具體，一方面集中體現的平等的理想與現代社會提倡的平等思想相契合，體現了今文經學的先進性，這兩個層面結合，今文經學便能夠成為現實社會的指導。

三　今文學家的進步性與局限性

在蒙文通看來，今文學家受時代背景的限制，勢必有著一定的局限，這就是禪讓的軟弱性。

蒙文通在論述封禪時講道：

> 雖然今文學都承認湯、武征誅是革命，但在今文學中還找不出像干寶那樣明確提出「君德窮至於攻戰受誅也」的武裝革命的思想，他們所理想的革命方法只不過是以「素王」為目標的「禪讓」。禪讓就是由皇帝求索天下德若舜、禹的賢人，把帝位禪讓給他，讓他接受天命。很顯然，這充分暴露了今文學家的知識分子的軟弱性，他們不滿於現實政治，希望來一次革命，但他們又在暴力革命面前退縮了，而希望用和平的方式來達到革命的目的，於是便大力倡導禪讓。無疑地，這只能是一種幻想。要想要求坐在金鑾寶殿上的統治者退位讓賢，這無異乎是與虎謀皮，是絕不可能實現的。[20]

蒙文通認為今文學家所講的禪讓，是知識分子軟弱的體現，今文學家的革命說是不徹底的反抗，在君主專制的階級社會裡，要求統治者主動退位讓賢只能是虛無縹緲的幻想，永遠也無法實現。他說今文學家「無法認識在階級社會中任何要求一律平等的理想

---

18 廖平：〈尊孔篇〉，《四譯館雜著》成都：存古書局，1921年，頁16。
19 蒙文通：〈孔子和今文學〉，《經學抉原》上海：世紀出版集團，2006年，頁251。
20 同上註，頁239。

都只能是幻想」，[21] 由此，蒙文通對暴力革命是有所贊同的，對農民起義也持肯定態度，他在文章的開頭論及漢以來今文經學革命說的延續時，便講道：

> 但自戰國以來的儒家，有一個大缺點，他們總認為「無土不王」。「湯以七十里，文王以百里」這些事實成為他們的迂腐成見，而他們認為必須要有七十里或百里才能革命。後來陳涉等揭竿而起，似乎才打破了這種迷信。《史記》說：「陳涉之王也，魯諸儒持孔氏之禮器往歸陳王，於是孔甲為陳涉博士，卒與涉俱死。」可見這一次人民大起義為儒生所擁護而打破了原有的成見，陳涉雖失敗，而劉邦卻成了功。這對部分儒生受到絕大的啟發。司馬遷對陳涉、項羽、劉邦的事就說過：「然王跡之興，起於閭巷，合從討伐，軼於三代，……安在無土不王？」三代自然是指湯、武。這就證明他知道農民是可以起而革命的，所以他反駁了「無土不王」的陳腐見解。[22]

從「無土不王」到農民革命，革命的主體發生了變化，而蒙文通對此變化持肯定態度。這種肯定農民作為革命主體的態度，似乎與當時無產階級作為革命主體的思想不謀而合，他這種對今文學家軟弱性的批判、對武裝鬥爭的讚賞可能在一定程度上借鑒了階級鬥爭的方法。

儘管蒙文通批評了今文學家的軟弱性，但他同時也講，在君主專制社會的時代背景下，今文學家能提出革命學說，已經是歷史的一大進步。他對眭弘、蓋寬饒二人敢於要求君主退位讓賢並以身殉道的行為是大為讚賞的。除武裝鬥爭外，蒙文通認為這種敢於逆龍鱗的殉道行為是今文學家不屈的鬥爭精神的另一種體現，在君主專制社會仍然具有重要的意義。

四　今文經學平等思想的形成

經學的發展今文經學平等思想的形成首先摻雜著時代的因素。由於春秋戰國時期，戰亂頻仍，舊有的不平等制度逐漸崩潰，民間教育興起與發展，游士與布衣卿相相繼出現，貴族與庶民在教育與政治權利上的差距逐步縮小，而漢高祖又出自民間。在此時代背景下，漢代儒生自然會逐漸打破貴族與庶民之間的高牆。

但是，孔子與孟子出於時代的局限，仍然站在貴族立場上，維護舊貴族、舊制度，強調「君君、臣臣、父父、子子」的舊有秩序，「儒家從孔孟這種維護舊貴族、舊制度的思想轉變而為今文學主張一律平等的思想是一個不簡單的過程，是通過和先秦諸子各

---

21 同上註，頁251。

22 同上註，頁218。

學派的相互鬥爭、相互影響而逐步發展的結果。」[23]

　　蒙文通明確講道，今文經學的平等思想是取自墨家與法家，今文學家所言的「法夏」、「法殷」就是兼收墨家、法家的思想。

　　墨家從庶民的角度出發，反對世襲貴族，提出「兼愛」與「尚賢」的思想，主張不別親疏、不論貴賤，人人一律平等，消除了貴族與庶民在經濟、政治權利上的差異。同時墨家認為這種平等源於天的意志，而蒙文通認為儒家擯棄了墨家的天志說，只擷取其精華——一律平等的思想。並且，輸出墨家諸多大義的明堂，成為了今文學家各種理想制度的匯聚之地。此外，蒙文通又從社會發展的角度，探求禮樂的來源，以禮樂起源於調和人欲、規範秩序來回應墨家對儒家禮樂的批評。

　　至於法家，雖是站在君權的立場，但客觀上從抑制貴族特權的角度縮小了貴族與庶民之間的差別。商鞅、吳起的變法都採取措施取消貴族的特權，《公羊傳》的「譏世卿」主張便是今文經學受到法家思想影響的例證。

　　墨家與法家分別從維護庶民、抑制貴族兩個角度，減小貴族與庶民的差別，由此，吸收了墨家、法家精神的今文經學，在堅持自身儒家思想為中心的同時，不斷豐富擴大，形成了一律平等的思想。

　　但是，蒙文通又認為今文經學中，唯有魯學最為正宗醇正，對齊學的駁雜提出了批評。他在〈經學導言〉中就講：「魯學是謹守舊義的，齊學是博採雜說的，一個純篤，一個浮誇，這便是它們的大區別了」[24]，而蒙文通所講的駁雜，是「孔子六經裡邊自然也有諸子百家的理論」[25]，是「齊學尊百家言」、「齊乃諸子所萃聚」[26]，恰恰是他在〈孔子和今文學〉中大肆褒獎的諸子思想相互鬥爭與影響的現象，這其中不免有矛盾之處。

五　經學與政治──新社會時期尋求今文經學的立身之地

　　蒙文通晚年所作的《孔子與今文學》不可避免地打上了時代的烙印，是他在新社會為了尋求今文經學立身之地所做的努力。

　　首先，在研究方法上，蒙文通受到了馬列主義的影響。他在《孔子與今文學》的結尾講道：「至於用馬列主義的科學方法來分析批判，則力有未能。」這句話含義微妙，一方面似乎講自己的研究並未採取馬列主義的方法，另一方面好像又是在說有所借鑒，但力有所不及。實際上，在此篇文章中，確實有受到馬列主義影響的部分。

　　例如，在對孔子的評價上，蒙文通在此文開篇便提出要辯證地看待孔子的作用。他

---

23 同上註，頁253。

24 蒙文通：〈經學導言〉，《經學抉原》，頁23。

25 蒙文通：〈孔子和今文學〉，《經學抉原》，頁26。

26 蒙文通：〈經學抉原〉，《經學抉原》，頁85。

既認為孔子受到歷史的局限，有其落後的一面，又肯定了孔子的進步性，認為孔子的根本主張是「為兆民」，而這一思想是今文經學的導源。

再如，蒙文通在論述中引入了階級鬥爭的觀念，在批判今文經學家禪讓說的軟弱性、革命說的不徹底性時，就引入階級社會與暴力革命的概念，因此，蒙文通晚年堅持以今文學家革命說為根本，在一定程度上可能也受到了馬列主義的影響。

最為重要的是，蒙文通重新構建了今文經學的系統，在此體系下，今文經學所主張的革命學說與平等思想恰好與現代社會的無產階級革命及平等的思想相契合。也就是說，新社會的精神內核依然能夠追溯到經學中去，彰顯了今文經學進步性與前瞻性，這種進步性突出了今文經學在現代社會依然有它的價值，而前瞻性則表明今文經學往往走在社會發展的前面，能夠為社會發展提供指導。

至於今文經學與現代社會價值相衝突的部分，蒙文通將其解釋為歷史的局限性，並表明今文經學是跟隨社會的發展而不斷演變進步的。在今文經學形成發展的過程中，蒙文通強調這不是一人一時之功，不能完全歸功於孔子，而是在長期君主專制的高壓下，今文經學家共同努力的結果，認為今文經學是在社會變革的洪流中不斷成長起來的。這也就表明了，今文經學能夠因時而變，在堅持中心主張的同時，不斷豐富自身學說，也就是說，今文經學有著源源不斷的發展活力，自然在現代社會也有價值所在。

由此，在今文經學本身就有充足價值並且不斷發展的兩條邏輯下，蒙文通搭建起了完整的邏輯鏈條，並強調今文經學義、制並重，構建起今文經學完備的體系，最終指向今文經學對政治的意義上。這既是受到時代衝擊的今文經學家的被動反應，又是對今文經學無限價值的主動彰顯。

「公共文本」與漢魏五言詩「文本」的生成*

郭晨光

北京師範大學文學院

　　在中國詩歌史上，如無名氏古詩、樂府、蘇李詩等早期詩歌被認為「擁有一套共用材料」——「組成詩歌『共用材料』的一系列主題、話題和程式句在整個三世紀而且直到西晉末期都一直作為詩歌創作的背景而存在。」[1]如時常表現為樂府和古詩的某些相互引用的段落和語句、語義以及結構的重複、近似[2]。鄭振鐸先生也說：「《古詩十九首》是絕不遲疑的襲用著他人之辭語。」[3]這些具備「互文性」的「公共文本」構成了早期詩歌的「共用資料庫」，不僅包含文本形態，還涉及口述、表演、儀式等非文本形態。這裡涉及參與文本的幾個角色：最初的作者製作了本文、片段（文本原生層）的初貌，口傳詩歌的人、表演詩歌的樂師以及後代擬作者都會對他們進行複製。在每個過程中，都會出現由於需要而進行改動。詩歌文本在流傳過程中，最終決定文類體裁和次文類體裁歸屬的標題、作者署名等可能有變化。如《古詩十九首》之〈西北有高樓〉等九首，《玉臺新詠》署名「枚乘雜詩（樂府）」，古辭〈飲馬長城窟行〉被署名蔡邕等。

　　更重要的是，在原生文本層之外，留下了後人對其不斷增刪、綴合、拼接，甚至是誤抄、篡改的文化痕跡，由此形成文本的衍生層。原生本文的初貌，以及同期模擬、抄寫以及後來的增添、變形和擴展的衍生文本形成了統一體，已難分彼此。有些甚至原本已逸，後人改作、假託之文代替、擠壓了原本的生存空間[4]。我們今天所接受的早期詩歌文本，並非是其創作時刻的本來狀態，而是一個複雜的「變遷史」，是被當下和歷時性建構的整體，其中有個性的東西越來越模糊，最後統一變為反覆出現的、無名氏的

---

* 【基金項目】國家社會科學基金「魏晉南北朝擬詩研究」（批准號：18FZW054）階段性成果；北京師範大學基本科研業務專項基金資助階段性成果。

1　（美）宇文所安：《中國早期古典詩歌的生成》北京：生活・讀書・新知三聯書店，2012年，頁152。

2　如《古詩十九首》之〈行行重行行〉、〈青青陵上柏〉、〈冉冉孤生竹〉等時常被前人類書及詩文注視為樂府。相似語句有〈行行重行行〉「行行重行行，與君生別離」與〈隴西行〉「行行重行行，白日薄西山」，〈青青河畔草〉「青青河畔草，鬱鬱園中柳」與〈飲馬長城窟行〉「青青河畔草，綿綿思遠道」、「願為雙鴻鵠」、「思為雙飛燕」、「飛來雙白鵠」等。

3　鄭振鐸：《中國俗文學史》北京：商務印書館，2013年，頁47。

4　如顏延之〈庭誥〉言：「李陵眾作，總雜不類，元是假託，非盡陵制。」

「共用」文本。這個積累過程，還不能稱為「經典」，而是屬於經典化的最初階段，即「文本實體」（text）的形成[5]。如果仍用傳統的「作者—文本」模式研究，顯然無法真正呈現文本生成者與文本之間的複雜關係。對早期詩歌「本文」作者問題的反思促使我們審視文本形成的複雜過程，本文試圖從「文本資料庫」提供了詩歌的話語生成模式基礎上，分析資料庫中不同文本片段的當下和歷時性配置方式，希望能將基於文本複雜形成過程研究引向精細與深入。

一　「公共文本」的當下建構與五言詩文本的生成

原生文本在流傳過程中，產生了大量的「衍生文本」。一方面，「衍生文本」是「原始文本」在相近時間片斷內對同一材料的差異性記載，數量可能有多個；另一方面，它們與原生文本存在時間上的先後關係，每一個衍生的新文本，都是不同「時間點」的產物。「同時記載」和「先後記載」構成了文本的當下和歷時性建構。[6]先看前者，較早表現為以演唱、表演為目的的文本：

第一，中國古典詩歌的發展大體經歷了《詩》—歌詩—詩三個階段。早期「古詩」中穿插的大量領唱、對話、歌唱套語、音樂母題、道德評價等，顯然是受漢樂府音樂文化的影響，早期文人詩的初始狀態即「歌詩」。這些歌詩雖有文士的參與製作，用於敘述。其較早的傳播不僅在對既有文本進行口述，還有在樂工、藝人之間的表演、演唱，形成了所謂的「口頭詩學」文本。[7]樂工根據記憶將其寫錄，而且儲存了大量表演套語和程式化的範式和慣例，以便在表演場合快速製作，流暢敘事。在對口頭文本的記錄以及傳播過程中，文本被不斷迅速的複製、模擬、再生產，產生了缺少固定文本或文本流動的文化，故文本變體和異文司空見慣。可以說，「古詩（樂府）」文本的特殊保存管道形成了具有在流傳過程中不斷被修改以適應社會普遍需要的集體創作，形成了以特定表演娛樂為目的的「公共話語模式」。[8]如東漢時期的所謂民間音樂，主要是這些公侯貴戚、豪富吏民之家的流行音樂，文人常常參加歌筵舞席，並且參與製作流行於社會上層

5　「text」一詞可以追溯到拉丁文「textus」，意為「被織造之物」，其過去分詞詞幹「texere」則有「編織、交互、聯結、構造」之意。作者即是編織著者，將各種元素、材料、片段等編織為全新、有條理的實體。

6　參見孫少華：《文本系統與漢魏六朝文學的綜合性研究》，《中國社會科學》，2016年第5期。

7　（美）約翰‧邁爾斯‧弗里著，朝戈金譯：《口頭詩學：帕里—洛德理論》上海：社會科學文獻出版社，2000年。在此需指出，帕里—洛德理論的研究物件是口頭詩歌，主要指不具備讀寫能力的民間歌手創作和傳播的詩歌史詩。此點與中國早期詩歌不同。在此我們只是藉其解決詩歌是如何創作傳播詩歌這一問題。

8　「『表演性』是解讀「古詩十九首」的關鍵。詩意的完整性依靠男女皆有的歌手、聽眾、讀者共同參與進行。」參見田曉菲《"Woman in the Tower: 'Nineteen Old Poems' and the Poetics of Un/concealment."》*Early Medieval China* 15 (2009).

的音樂歌辭，這在傅毅、張衡時代已經是常見的生活景象了。以魏文帝〈善哉行·朝遊〉為例，據《宋書·樂志》載：

> 朝遊高臺觀，夕宴華池陰。大酋奉甘醪，狩人獻嘉禽。（一解）齊倡發東舞，秦箏奏西音。有客從南來，為我彈清琴。（二解）五音紛繁會，拊者激微吟。淫魚乘波聽，踴躍自浮沈。（三解）飛鳥翻翔舞，悲鳴集北林。樂極哀情來，寥亮摧肝心。（四解）清角豈不妙，德薄所不任。大哉子野言，弭弦且自禁。（五解）

據《藝文類聚》卷二十八錄魏文帝〈銅雀園詩〉：「朝遊高臺觀，夕宴華池陰。大酋奉甘醪，狩人獻嘉禽。齊倡發東舞，秦箏奏西音。飛鳥翻翔舞，悲鳴集北林。樂極哀情來，寥亮摧肝心。」相比《宋書》所錄歌辭，少了「有客從南來，為我彈清琴。五音紛繁會，拊者激微吟。淫魚乘波聽，踴躍自浮沈」、「清角豈不妙，德薄所不任」十句。又《文選·鮑照〈代君子有所思〉》「笙歌待明發」李善注：「魏文帝〈東門行〉曰：『朝遊高臺觀，夕宴華池陰』」，《文選·江淹〈魏文帝遊宴〉》「逍遙臨華池」李善注：「魏文帝〈東門行〉曰：『朝遊高臺觀，夕宴華池陰』」，題目皆作〈東門行〉。說明文帝〈銅雀園詩〉相當於「公共文本」，同時被用作相和歌辭瑟調曲〈善哉行〉、〈東門行〉的歌辭。這種「公共話語模式」並不要求獨創性和新穎性，在演唱層面是高度程式化的，也無所謂抄襲的問題。且屬於「魏晉樂所奏」，可見在文帝所作當下就交付樂工，其對入樂歌辭進行了改動，刪掉了相當部分（考慮也許《藝文類聚》並未寫錄文帝詩的全貌），但主體內容和風格仍舊保留下來，是「有限度的變化」。

第二，漢魏五言詩還有一類使用「公共文本」，並不以公開場合的演唱、表演為目的，主要表現為用「口頭詩學」寫作書面文本。「當書面文字進入了口頭傳統之中，那麼以程式、主題、故事類型來進行創作的方式將最終失去它們存在的理由。研究還表明，書面詩人也可以寫程式化的詩行，其創作繼承了口頭傳統」。[9]仍以建安文人改造樂曲為例，吳兢《樂府古題要解》云：「按蔡邕云：『清商曲，其詞不足采著。』」[10]曹丕〈燕歌行〉：「援琴鳴瑟發清商，短歌微吟不能長。」可知清商曲辭短小，注重音韻暢諧而文學性不強。他們從曲辭中獲得題材資源，拋棄口頭創作方法，且清商曲辭多為五言，五言詩的興盛與曹操大興清商樂（新樂）有密切關係，聯繫早期五言詩來源於新聲「雜曲歌辭」（清商曲辭、相和歌辭都可歸於雜曲）[11]，由於文人不能隨意為內廷樂府製撰新詞，他們在五言樂府的影響下，只能創作雜詩（新詩）一展才華。考之當時詩作

---

9 （美）約翰·邁爾斯·弗里著，朝戈金譯：《口頭詩學：帕里—洛德理論》北京：社會科學文獻出版社，2000年。

10 吳兢：《樂府古題要解》，載丁福保輯《歷代詩話續編》北京：中華書局，2010年，頁43。

11 戴偉華：〈論五言詩的起源——從「詩言志」、「詩緣情」的差異說起〉，《中國社會科學》，2005年6期。

全部或大多數用於「魏樂所奏」的只有「魏之三祖」，曹植詩作只有「晉樂所奏」。其他諸子除了奉詔製作朝廷雅樂外，均找不到入樂演奏的記錄。[12]他們用「口頭詩學」寫作書面文本，也遵循一定的程式化，方法如下：

（一）更換韻首位置。《詩品》言：「若『置酒高殿上』、『明月照高樓』，為韻之首。故三祖之辭，文或不工，而韻入歌唱。」[13]「置酒高殿上」、「明月照高樓」為韻首（「公共素材」），為入樂演唱標誌。後代擬作無論是否入樂演唱，將韻首置於詩作開端，無疑標誌著其為「樂府體」。阮瑀〈雜詩〉「我行自凜秋，季冬乃來歸。置酒高殿上，友朋集光輝」，字雖不誤，但將其置於非韻首，顯然為無法入樂的非樂府體，成為典型的文人徒詩。

（二）還有將「文本資料庫」（如《古詩十九首》為口頭、書面雙重屬性的「過渡文本」以及樂府詩）中的詩作片段進行拼接或截取，製造出新的單一文本，如《古詩·今日良宴會》「彈箏奮逸響，新聲妙入神」幾句，《北堂書鈔》作曹植詩引神一韻，逯欽立按：「此詩《書鈔》引作曹植詩，當有所據。」[14]可能就屬此類情況。還如曹丕〈於明津作詩〉「遙遙山上亭，皎皎雲間月。遠望使心懷，遊子戀所生。驅車出北門，遙望河陽城。」只有短短幾句（《藝文類聚》卷二十七也引這幾句作魏文帝詩）。《樂府詩集》作〈長歌行〉古辭，多出「凱風吹長棘，夭夭枝葉傾。黃鳥飛相追，咬咬弄音聲。佇立望西河，泣下沾羅縷。」六句，文義更加完整。可能為文帝將其進行了部分截取，成為單獨的文本片段流傳。

（三）對《古詩十九首》意象、句法、套語以及總體風格的全方位模擬，去掉其利於入樂的口語，加以人工藝術技巧的雕琢。如《詩藪》內篇卷二載：「子建雜詩，全法《十九首》意象，規模酷肖，而奇警絕到弗如。〈送應氏〉、〈贈王粲〉等篇，全法蘇、李，詞藻氣骨有餘，而清和婉順不足。」又舉例說：「『人生不滿百，戚戚少歡娛』，即『生年不滿百，常懷千歲憂』也。『飛觀百餘尺，臨牖御欞軒』，即『兩宮遙相望，雙闕百餘尺』也。『借問歎者誰？云是蕩子妻』，即『昔為倡家女，今為蕩子婦』也。『願為比翼鳥，施翮起高翔』，即『思為雙飛燕，銜泥巢君屋』也。子建詩學《十九首》，此類不一，而漢詩自然，魏詩造作，優劣俱見。」[15]時人多從《古詩》中汲取五言詩寫作素材，而加以結構、修辭上的雕琢技巧。《詩品》「魏文帝」條曰：「新歌百許篇，率皆鄙

12　錢志熙認為：「曹氏一門具有為舊曲新聲配詞的特權，文人如王粲、繆襲，可以奉命為雅樂作詞，但卻不隨便能為屬於內廷的樂府製撰新詞。」載《漢魏樂府的音樂與詩》鄭州：大象出版社，頁152。筆者同意此論斷，《文心雕龍·樂府篇》只論「魏之三祖」，而稱「子建士衡，咸有佳篇，並無詔伶人，故事謝絲管，俗稱乖調。」〈明詩篇〉則論及「文帝陳思」、「王徐應劉」等建安諸子。將其分而論之隱含了樂府與詩歌的差異。

13　鍾嶸著，曹旭注：《詩品箋注》北京：人民文學出版社，2009年，頁203。

14　逯欽立：《先秦漢魏晉南北朝詩》北京：中華書局，1983年，頁330。

15　胡應麟：《詩藪》北京：中華書局，1958年，頁30。

直如偶語。唯『西北有浮雲』十餘首，殊美瞻可玩，始見其工也。」[16]「西北有浮雲」乃文帝〈雜詩〉，將其與所作樂府相區別，無疑說明了〈雜詩〉脫離音樂環境、追求文采藻麗的文人詩特點。

　　《古詩十九首》作為當時重要的「詩歌資料庫」，其流傳應略早於建安十六年（以丕、植兄弟為中心的鄴下文人集團形成）但流傳不廣，「保存於西晉的秘閣，陸機元康八年（西元298年）始為秘書郎，讀秘閣所藏《古詩》。」[17]陸機之前，只有曹、王等宗室成員和文學精英有機會接觸此類文學資源，而諸子在鄴下的集體創作經歷，也給予了他們採用「公共文本」寫作此類詩作提供了便利。可以說，此類「公共文本」的當下建構，使得早期五言詩逐漸脫離音樂，確立了徒詩體制。更重要的是，這種詩作由於人工性因素的增強，「始見作用之跡」，使作詩成為專門之藝，成為掌握早期五言徒詩寫作的入門方法，而有別於漢人因事而激所抒發的自然藝術狀態。

二　「公共文本」的歷時性建構與五言詩文本的生成

　　再看「先後記載」的文本，「公共文本」主要表現為文本層累和形成縱向的文本族譜兩類。第一，有些「公共文本」中最早的意象、主題、文獻元素等片段經過不同管道（如口耳相傳等），在長期流傳過程中，必然產生許多包括「誤讀」在內的變體異文，這些新產生的衍生文本不斷遮蔽、擠壓甚至替代原文本，直到與原本形成不可分割的統一體，即層累過程，且傾向把文義更完整的定為作品的原貌。如《古詩十九首》之〈東城高且長〉（《玉臺》作枚乘）、〈凜凜歲云暮〉和〈明月皎夜光〉是否為西漢太初以前的作品，特別是〈明月皎夜光〉「玉衡指孟冬」句，李善以「孟冬」為時令，認為是漢武帝太初元年改曆之前的作品（還有〈青青陵上柏〉「驅車策駑馬，遊戲宛與洛」，李善根據所屬地名推斷為東漢之作，「非盡是乘明矣」），引起大量學者的爭論。[18]在此筆者不打算繼續分辨詩作產生的精確時間，只想換一種思路。《古詩》的文本定本肯定出自更晚的編輯者之手，他們共同參與了將這些口頭詩歌、民間記憶整合為固定的文本。將作品中出自久遠以前的段落，如同滾雪球一樣輾壓、層累[19]，這些錯亂的季節、地名，前後不一致的段落等可能就由這一聚合集結過程導致。先以〈塘上行〉，《宋書·樂志》題

---

16 鍾嶸著，曹旭注：《詩品箋注》北京：人民文學出版社，2009年，頁114。

17 俞士玲：〈陸機〈擬古詩〉十四首考〉，《古典文獻研究》，2004年第1輯，頁275。

18 如葉慶炳：《中國文學史》認為「孟冬」指方位而非時令，《十九首》應全屬東漢作品。」臺北：學生書局，1982年，頁80-82。葉嘉瑩：〈也談古詩十九首之時代問題——兼論李善注之三點錯誤〉指出：「『玉衡』與『招搖』混為一談；『孟冬』指季節；漢初改曆乃是將夏曆十月改稱正月。李善說法不足信。」《現代學苑》第2卷第4期，1965年7月，頁131-134。

19 如「梁武〈西洲曲〉，絕似〈子夜歌〉，疊累而成，語語渾稱，風格最老，〈擬青河畔草〉亦然。」陸時雍：《詩鏡總論》，載丁福保輯：《歷代詩話續編》北京：中華書局，2006年，頁1048。

為「（魏）武帝詞」（晉樂所奏）為例：

〈塘上行〉

蒲生我池中，蒲生我池中，其葉何離離。傍能行人儀，莫若能縷自知。眾口鑠黃金，使君生別離。（一解）念君去我時，念君去我時，獨愁常苦悲。想見君顏色，感結傷心脾。今悉夜夜愁不寐。（二解）莫用豪賢故，莫用豪賢故，棄捐素所愛。莫用魚肉貴，棄捐蔥與薤。莫用麻枲賤，棄捐菅與蒯。（三解）倍恩者苦栝，蹶船常苦沒。教君安息定，慎莫致倉卒。念與君一共離別，亦當何時共坐復相對。」（四解）出亦復苦愁，入亦復苦愁。邊地多悲風，樹木何修修。從君致獨樂，延年壽千秋。

「本辭」亦載《樂府詩集》和《玉臺》，影宋本《樂府詩集》署名有「魏文帝」《玉臺》作「甄后」。《文選‧塘上行》李善注：「《歌錄》曰：『塘上行，古辭。或云甄皇后造，或云魏文帝，或云武帝。』」作者的歸屬差異極大。「本辭」載：

蒲生我池中，其葉何離離。傍能行仁義，莫若妾自知。眾口鑠黃金，使君生別離。念君去我時，獨愁常苦悲。想見君顏色，感結傷心脾。念君常苦悲，夜夜不能寐。莫以豪賢故，棄捐素所愛。莫以魚肉賤，棄捐蔥與薤。莫以麻枲賤，棄捐菅與蒯。出亦復苦愁，出亦復苦愁，邊地多悲風，樹木何修修。從君致獨樂，（趙本作「從軍致獨樂」[20]）延年壽千秋。

與上文除了用作和聲的重複語句外，異文主要有「傍能行人儀（仁儀）」、「莫若妾（能縷）自知」、「莫以豪賢（發）故」，少第四解「倍恩者苦栝，蹶船常苦沒。教君安息定，慎莫致倉卒。念與君一共離別，亦當何時共坐復相對。」有學者認為這些片段更符合曹操的作者身分。[21]

先看署名「甄后」的相關文獻，據《鄴都故事》載甄后被郭后所譖，被文帝賜死，臨終作詩「蒲生我池中，綠葉何離離。豈無兼葭艾，與君生別離。莫以豪賢故，棄捐素所愛。莫以魚肉賤，棄捐蔥與薤。莫以麻枲賤，棄捐菅與蒯。」（《藝文類聚》魏文帝甄皇后作，所載與此詩相同）《歌錄》曰：「〈塘上行〉，古辭。或云甄皇后造，或云魏文帝，或云武帝。曰：『蒲生我池中，葉何一離離。』」（李善注陸機〈塘上行〉題下引）詳載此曲調本事和「蒲生」詩（即「古辭」[22]），應為甄后所作，可能含部分民間記憶，但

---

20 明代趙均稱源於南宋陳玉父本的小宛堂覆宋本。在近代影響最大，一般認為是趙本被認為比較忠實地再現了宋本《玉臺》的面貌。

21 參見田曉菲：〈《玉臺新詠》與中古文學的歷史主義解讀〉，《華東師範大學學報》，2016年第2期。

22 「古辭」一般有兩種含義，一是漢代古老的歌辭，二是「原始的歌辭」。「蒲生我池中，葉何一離離」作為原始歌辭（即下文所謂的「核心文獻」）保存在後來的文本中，也是衍生文本得以圍繞形成的基礎。

均作為「核心文獻」[23]保留在署名不同的版本中。歷代如陸機、謝惠連、沈約等同題擬樂府，均嚴格按照古題古意表達棄婦的哀怨，即後人大多認為屬甄后之作的原因。

再看文帝說，「孝穆此書則用文帝一說耳。題首又字，蓋其本文其甄皇后三字，則後來傳刻所竄入觀下〈代擬劉勳妻詩〉，本文帝作而刻本改題。」[24]趙本列為卷二第三首，題為《又甄皇后樂府塘上行一首》（列在魏文帝曹丕的兩首詩之後，意為「魏文帝〔之〕甄皇后」），可備一說，且文帝曾寫作〈燕歌行〉等思婦遊子之詩。若從文本層累角度，「邊地、從軍、延年、千秋均非本詞所應有，蓋鄴都故事所載乃刪節之本。」[25]可見「邊地多悲風，樹木何修修。從君致獨樂，延年壽千秋。」是基於核心文獻的衍生文本，應為入樂所加。「劉坦之《選詩補注》謂：『文帝從軍邊地，而甄后念之，益無稽矣。』」[26]其說雖有誤，但指出文帝多從軍之作，如〈陌上桑〉「遠從軍旅萬里客」等，更符合「從軍（非『從君』）致獨樂」（同期王粲〈從軍行〉「從軍有苦樂」）「邊地多悲風，樹木何修修」與蒲生詩的景物描寫相去甚遠，更具軍旅色彩。文帝作為〈塘上行〉的作者亦可。

綜上，有關武帝、文帝的獨立流傳的片段、主題、文獻因素在同甄后本事、「蒲生」詩（古辭）等各種元素等不斷編織、疊加成全新、有條理的文本實體。這些前後不一致的文本（如同音字的混淆「從君〔軍〕致獨樂」）就由這一聚合集結過程導致，從「蒲生」詩（古辭）到「本辭」（即最初或前次入樂之辭[27]）再到「晉樂所奏」。由樂工增損（如左延年閑於增損古辭以就樂）衍生的新文本導致了不同作者歸屬。考慮核心文獻，作者可能是甄后，「本辭」可能由樂工增入文帝從軍之辭，「晉樂所奏」再次增加了可能為曹操的文本片段。不同的作者歸屬由於不同文本的層累、疊加所致。還須指出，保留核心文本增補（即「並」[28]）文人辭，也是當時入樂歌辭的主要創作方法，如〈怨歌行〉「為君既不易，為臣良獨難。忠信事不顯，乃有見疑患。周旦佐文武，金縢功不刊。推心輔王政，二叔反流言。待罪居東國，泣涕常流連。皇靈大動變，震雷風且寒。拔樹偃秋稼，天威不可干。素服開金縢，感悟求其端。公旦事既顯，成王乃哀歎。吾欲竟此曲，此曲悲且長。今日樂相樂，別後莫相忘。」（晉樂所奏）作者認為是無名氏古辭或曹植、魏明帝等。《樂府解題》載：「古詞云：『為君既不易，為臣良獨難。』言周公推心輔政，二叔流言，致有雷雨拔木之變。」指出核心文獻（古辭）和本事。《晉

---

23 「核心文獻」即「文獻衍生時賴以產生的原點和基礎」，參見程章燦：〈中國古代文獻的衍生性及其他〉，載《中國典籍與文化》，2012年第1期。

24 紀昀：《玉臺新詠考異》卷2，清文淵閣四庫全書本。

25 同上註。

26 同上註。

27 崔煉農：〈《樂府詩集》「本辭」考〉，《文學遺產》，2005年第1期。

28 《宋書·樂志》載：「凡古辭樂章，今之存者，並漢世街陌謳謠，〈江南可採蓮〉、〈烏生〉、〈十五〉〈白頭吟〉之屬也。」

書‧桓伊傳》：「伊便撫箏而歌〈怨詩〉曰：『為君既不易，為臣良獨難。忠信事不顯，乃有見疑患。周旦佐文武，金縢功不刊。推心輔王政，二叔反流言。』」可見作為核心文本以獨立片段流傳的。「待罪居東國，泣涕常流連……公旦事既顯，成王乃哀歎」應為曹植所作，與其遭遇、心態和祈求明帝給予輔佐機會相符。末四句為入樂配詞。另，《樂府詩集》引《古今樂錄》曰：「魏曲五篇，一、明明魏皇帝……五、為君既不易。並明帝造，以代漢曲。」這種由併入作者之辭而導致作者歸屬的變化。如〈長歌行〉「岧岧山上亭，皎皎雲間星。遙望使心思，遊子戀所生。驅車出北門，遙觀洛陽城」，後用曹丕〈與明津作詩〉「凱風吹長棘，夭夭枝葉傾。黃鳥鳴相追，咬咬弄好音。佇立望西河，泣下沾羅纓。」由於曹丕詩只有六句，完整的詩作被《樂府詩集》稱作「古辭」。

　　第二，後來記載的文本在文本傳播中被不斷類比，這一過程的不斷重複生成了一個又一個的新文本，從而形成了具有縱向、譜系性的「文本族譜」，也形成了一定的「文化傳統」。同時文本在傳抄、流變過程中也會產生文本歧義、「誤字」等，造成了文本系統的多樣、複雜性。通過對比、分析，盡量還原文本產生的原生面貌。以古辭〈飲馬長城窟行〉（《玉臺新詠》作蔡邕）為例：

> 青青河邊（五臣作「畔」）草，綿綿思遠道。遠道不可思，宿昔夢見之。夢見在我旁，忽覺在他鄉。他鄉各異縣，輾轉不相見。枯桑知天風，海水知天寒。入門各自媚，誰肯相為言！客從遠方來，遺我雙鯉魚。呼兒烹鯉魚，中有尺素書。長跪讀素書，書中竟何如？上言加餐食，下言長相憶。

　　首句「青青河邊（「畔」）草」，「畔」、「邊」同義（「畔」明顯更文人化），音近形異字保留在不同的文本中，反映了口頭與文本的雙重屬性。「宿昔夢見之。夢見在我旁，忽覺在他鄉。他鄉各異縣，輾轉不相見。」使用民歌頂真手法——「用前一句的結尾來做後一句的起頭，使鄰接的句子頭尾蟬聯而有上遞下接趣味的一種措辭法。多見於歌曲。」[29] 這種疊唱既朗朗上口，又便於記憶，為歌詩的傳唱提供極大便利。後半部分「客從遠方來」以下明顯為樂府體片段拼接，語言質樸，口語化、生活化氣息濃厚。與《古詩十九首》之〈客從遠方來〉、〈孟冬寒氣至〉後半部分「客從遠方來」結構相似，但與「端綺」、「雙鴛鴦」、「長相思」、「書劄」、「區區之心」等文雅意象的抒情資源配置明顯有別。「此篇流宕曲折，轉掉極靈，抒寫復快，兼樂府、古詩之長。」[30] 據此推斷，這類詩作程式化的寫作方式源於創作者對樂府曲辭的熟悉，並逐漸與樂府傳統融為一體，從而無形中在腦中就有了與樂府類似的語言表述程式而製作出來。這個過程伴隨

---

29 陳望道：《修辭學發凡》上海：復旦大學出版社，2014年，頁35。
30 陳祚明：《采菽堂古詩選》上海：上海古籍出版社，2008年，頁102。

著作者的反覆實踐，「公共資料庫」中的文獻元素、文本片段的互相引用、衍生、再書寫，且在文本流傳、闡釋、再書寫過程中呈現「開放性」特徵，形成了既不屬於「口頭詩學」，也不是穩定文本的詩學，處於兩者之間的過渡階段，即所謂的「過渡文本」[31]。此詩由於大量使用「公共文本」而被《文選》認為是無名氏疊累而成，稱「古辭」（《玉臺》署名蔡邕，或有其據[32]）。

　　這種過渡文本一旦被寫定為書面文本後，在傳播過程中便具備相當的穩定性，書面文本會逐漸擠壓文本以口傳的方式，對口傳文本原有情境的描述、書面文本語體風格的確定、包括對同音字的辨識等，都將持久影響文本的傳播形態。首句「青青河邊（『畔』）草」，「邊」、「畔」讀音、意義近似，究竟哪個是文本生成的最初狀態（原生文本）？畢竟同期資料庫還有《古詩十九首·青青河畔草》（《玉臺》寫作枚乘〈雜詩〉）類型。僅從此詩顯然無法判別，我們可從影響文本的傳播形態考慮。與蔡邕時代接近的傅玄曾擬作〈青青河邊草篇〉（《樂府詩集》作〈飲馬長城窟行〉），如下：

> 青青河邊草，悠悠萬里道。草生在春時，遠道還有期。春至草不生，期盡歎無聲。感物懷思心，夢想發中情。夢君如駕鴛，比翼雲間翔。既覺寂無見，曠如參與商。（《玉臺》多「夢君結同心，比翼游北林。既覺寂無見，曠如商與參。」）河洛自用固，不如中嶽安。回流不及反，浮雲往自還。悲風動思心，悠悠誰知者。懸景無停居，忽如馳駟馬。傾耳懷音響，轉目淚雙墮。生存無會期，要君黃泉下。

　　題目和首句均作「青青河邊草」，「草生在春時，遠道還有期。春至草不生，期盡歎無聲。」仍用民歌頂真手法，「夢君如駕鴛，比翼雲間翔。既覺寂無見，曠如參與商。」《玉臺》多出四句「夢君結同心，比翼游北林。既覺寂無見，曠如商與參。」可以看出曾入樂重複演唱的痕跡，也屬「過渡文本」，屬歌唱（口傳）文本向書面文本的過渡。可以說，本首是模擬的是蔡邕，而非陸機〈擬青青河畔草〉一脈。再看劉宋荀昶擬作〈擬青青河邊草〉：

> 熒熒山上火，苔苔隔隴左。隴左不可至，精爽通寤寐。寤寐衾幬同，忽覺在他邦。他邦各異邑，相逐不相及。迷墟在望煙，木落知冰堅。升朝各自進，誰肯相攀牽？客從北方來，遺我端弋綈。命僕開弋綈，中有隱起珪。長跪讀隱珪，辭苦聲亦淒。上言各努力，下言長相懷。

---

31 所屬樂府或古詩界限的差別主要是樂府詩寫本時常使用拼接片段，且所拼接的片段沒有內部統一性，而古詩更傾向於單一片段或組詩組成。從此點看，〈孟冬寒氣至〉顯然比〈客從遠方來〉更具過渡階段的特點。

32 蔡邕曾作五言詩〈翠鳥〉，託物見志，也有名歌的餘意。

首句「熒熒山上火，苕苕隔隴左」，在替換意象基礎上，句式秉承〈青青河邊草〉。「隴左不可至，精爽通寤寐。寤寐衾幬同，忽覺在他邦。他邦各異邑，相逐不相及。」仍用民間頂真修辭，最後「客從北方來」以下繼承了蔡邕拼接樂府體的模式，「上言各努力，下言長相懷」是對蔡作「上言加餐食，下言長相憶」直接繼承。《玉臺新詠》吳兆宜注：「此與卷二傅玄作，俱擬〈飲馬長城窟行〉，與卷中陸機詩異。」點明所擬原本為蔡邕〈青青河邊草〉，而與陸機〈擬青青河畔草〉截然不同。荀昶屬劉宋時期，與蔡、傅相比，所作已非「過渡文本」，已成為較為成熟的書面文本形態，且由於新的文化環境和作者意識形態，對既有文本進行改造，如「命僕開弋綈，中有隱起珪。長跪讀隱珪，辭苦聲亦淒。」、「命僕」、「弋綈」、「隱起珪」、「跪讀」等意象、動作顯然與劉宋士族文化環境、貴族化的文本寫作模式密切相關。

可以說，「青青河邊（畔）草」同屬於早期詩歌資料庫中原本不分的公共資源，從陸機〈擬青青河畔草〉開始，成為不同文本不同配置資源——使用「河邊」代表口頭、表演的擬樂府歌辭文本，「河畔」則是文人徒詩文本兩種不同模式。從此點推斷，蔡邕原始的書寫文本應為〈青青河邊草〉，不應作「畔」，五臣有誤，在抄寫過程中混淆了同義音近的字。蔡、傅、荀氏之作均屬相和歌辭瑟調曲，即便定格為穩定的文本後，仍不同程度保留了入樂、表演等口頭痕跡。而陸氏擬作則是完全成為文人案頭化的文本，而非入樂歌辭。這種相同資源的配比方式一直影響整個六朝的相關創作，形成了縱向的「傳統之流」，構成了一個具體譜系性的「文本之流」。再看陸機〈擬青青河畔草〉一脈，劉鑠〈代青青河畔草〉（逯欽立寫作〈擬青青河邊草詩〉）有誤，據《宋書・本傳》載：「劉鑠擬古三十餘首，時人以為跡亞陸機。」顯然繼承的詩陸氏傳統。鮑令暉〈擬青青河畔草〉，《玉臺》題為鮑令暉「雜詩」，所擬為枚乘（陸機）「河畔」一脈，既然原題為〈雜詩〉，擬詩與原作性質應相同，所以也可題為「雜詩」。再看蔡邕「河邊」一脈，何遜〈擬青青河畔草轉韻體為人作其識節工歌〉，屬相和歌辭瑟調曲，題目透露出曾入樂的資訊。考六朝之詩題，無此格，顯然為後人所加。《玉臺》作〈學青青河邊草〉、《樂府詩集》作〈青青河畔草〉，後者應有誤。《四庫全書總目》一四八《集部・別集類》云：「〈青青河邊草〉為蔡邕之作，〈青青河畔草〉為枚乘之作；六朝人所擬，截然有別。此效邕題而題作『畔』字，明為後人據《十九首》而改。」[33]可謂一語中的。蕭統〈飲馬長城窟行〉：「亭亭山上柏，悠悠遠行客。行客行路遙，故鄉日迢迢。迢迢不可見，長望涕如霰。如霰獨留連，長路邈綿綿。胡馬愛北風，越燕見日喜。蘊此望鄉情，沈憂不能止。有朋西南來，投我用木李。並有一劄書，行止風雲起。扣封披書劄，書劄竟何有。前言節所愛，後言別離久。」《古詩紀》云：「一云擬〈青青河畔草〉。」從標題、頂真手法以及「有朋西南來」拼接，顯然繼承的是蔡邕一脈，《詩紀》有誤，應為〈擬青青河邊草〉。

---

33 紀昀編：《四庫全書總目提要》北京：中華書局，2016年，頁1275。

三　「公共文本」與五言詩私人化書寫方式的生成

　　上文詳論「公共文本」與漢魏五言詩文本的生成以及程式化寫作方式。那麼詩人如何用這些「公共文本」進行私人化的書寫？這裡所謂的「私人化書寫」（相對於「公共話語模式」，可稱為「私人話語模式」），主要是指與「公共文本」製作的詩歌相比，更多涉及個體自身的具體的情、事，而且從詩題顯展示其創作目的，如同題共作代言詩，時人同題共作如王粲〈為潘文則作思親詩〉〈清河作詩〉，徐幹、曹丕〈於清河見挽船士新婚與妻別詩〉，曹丕〈清河作詩〉〈代劉勳妻王氏雜詩〉〈寡婦詩〉（為阮瑀妻作），曹植〈代劉勳妻王氏雜詩〉〈見挽船士兄弟辭別詩〉，以及眾多贈答詩，等等。從中可以看出如何使用「公共素材」施用於個人感情、事件。還有一類私人化書寫指所製詩歌並不以流通、面向大眾為目的，其創作目的只是單純抒發個人感情和思想，是詩人一種私人化、個性化行為，類似於「獨白詩」[34]（此類詩作較少遵循、使用「公共文本」，呈現出極強的個性化特點，故不在本文的討論範圍），兩者的區別在於前者雖有發自內心的情誼交流，但詩作仍以流通為目的，須遵循社交應酬等「公共話語模式」。從文本角度講，很大程度上表現為使用語言、結構、藝術手法等與「公共文本」相同或相近的構築詩行，從選材編排角度套用或替換的規則；在排列上呈現出明顯的有序性；在題材和風格上表現出極強的一致性，從後世評價角度表現出後世文人普遍的詩學理想、審美取向和心理追求。以下分別敘之：

　　第一，使用語言、結構、藝術手法等與「公共文本」相同或相近的構築詩行，呈現一定的模式化傾向。類似的語言如「與君結新婚」、「涼風凍秋草」（徐幹／曹丕〈清河見挽船士新婚與妻別詩〉）與「與君為新婚」（〈冉冉孤生竹〉）、「東風搖百草」（〈回車駕言邁〉）、「弦歌發中流，悲歡有餘音」（曹丕〈於清河作詩〉）與「上有弦歌聲，音響一何悲！」（〈西北有高樓〉）、「慷慨有餘音」（曹植〈棄婦詩〉）、「鬱鬱河邊樹，青青田野草」（曹丕〈見挽船士兄弟辭別詩〉）與「青青河畔草，鬱鬱園中柳」（〈青青河畔草〉）、「青青河畔草，綿綿思遠道」（〈飲馬長城窟行〉）、「山川阻且遠」（曹植〈送應氏〉）與「山川阻且難」（〈涉江采芙蓉〉）、「人生不滿百」（曹植〈遊仙詩〉）與「生年不滿百」（〈生年不滿百〉）等。

　　結構上，根據各詩的思維流程，歸納出「情節──景致──感懷」、「感懷──情節、景物──感懷」（含「景致──感懷」）兩大類結構類型，與「公共文本」思維結構程式多有相似。具體如下：

　　「情節──景致──感懷」類型：徐幹／曹丕〈清河見挽船士新婚與妻別詩〉「新婚、別離」（情節）──「涼風、秋草、蟋蟀、寒蟬、枯枝」（景致）──「歲月飛馳，

---

34 戴偉華：〈獨白：中國詩歌的一種表現形態〉，《中國社會科學》，2003年第3期。

渴望相守」（感懷）、曹植〈送應氏〉其一「步登、遙望」（情節）──「洛陽宮室、垣牆、荊棘、新少年、荒疇、中野、無人煙」（景致）──「氣結不能言」（感懷）與〈回車駕言邁〉：「迴、邁、涉、顧」（情節）──「東風搖草」（景致）──「無故物、速老、盛衰、立身、非金」（感懷）、〈驅車上東門〉「驅、遙望」（情節）──「白楊、松柏、陳死人」（景致）──「聖賢不在，及時行樂」（感懷）。

　　「感懷──情節、景物──感懷」類型：曹植〈送應氏〉其二「清時難得、人命若朝霜」（感懷）──「親昵集送、置酒河陽、山川阻遠」（情節）──「雙飛鳥」（感懷），含「景致──感懷」類型：曹丕〈與清河作詩〉「方舟戲水、弦歌悲響」（景致）──「傷人心、雙飛鳥」（感懷）〈代劉勳妻王氏雜詩〉「翩翩床前帳」（景致）──「緘繩何時披」（感懷）與〈青青陵上柏〉「人生天地間，忽如遠行客」（感懷）──「遊戲宛洛、斗酒相樂」（情節）──「戚戚何所迫」（感懷）〈去者日以疏〉「去者疏、來者親」（感懷）──出郭見丘墳、古墓、松柏（情節＋景物）──思鄉（感懷）

　　綜上，結構程式使用「景物」、「情節」、「感懷」三要素進行調配，其中「感懷」是核心，一般處於句尾，也可以配置於句首。在此基礎增添或刪減要素並對之進行不同的順序變化，如「感懷──景致──感懷」類型去掉首句感懷之句，就成為「景致──感懷」類型，或可將「情節」移置句首，如曹植〈送應氏〉其二「親昵集送、置酒河陽、山川阻遠」（情節）──「清時難得、人命若朝霜」（感懷）──「雙飛鳥」（感懷），更改順序後也不失為一首首尾相接的完整詩作。採用這樣可以調配的結構模式，有助於詩人學習簡易的作詩方法並快速製作。

　　藝術手法上，多用疊字、重複、頂針等技巧。疊字多平仄相對，如〈青青河畔草〉「青青」對「鬱鬱」，「盈盈」對「皎皎」均一平一仄，曹丕〈代劉勳妻王氏雜詩〉「翩翩床前帳」、〈見挽船士兄弟辭別詩〉「鬱鬱河邊樹，青青田野草」改為仄平相對。重複有曹丕〈清河作詩〉「昔將爾同去，今將爾同歸」。頂真有徐幹／曹丕〈清河見挽船士新婚與妻別詩〉「列列寒蟬吟，蟬吟抱枯枝。枯枝時飛揚，身體忽遷移。不悲身遷移，但惜歲月馳。歲月無窮極⋯⋯」，等等。

　　第二，在排列上呈現出整體的有序性。如早期詩歌一個熟悉的主題「夜不成眠」，詩中一旦提到「不眠」主題，預期之中的話題一定會緊接出現「著衣、徘徊、音樂、清風、床幃、月光、禽鳥。」[35]除了「不眠」主題，其餘詩作也有許多部分借鑒此類程式句，如曹丕〈清河作詩〉首句「方舟、戲水」簡要交代事件，第三句「弦歌、悲響」至末句「晨風鳥、翔北林」就按順序使用了「音樂、禽鳥」母題。還有習慣在詩尾結束前插入「山川阻隔」主題（如〈李陵組詩〉、〈行行重行行〉），如曹植〈送應氏〉其二最後四句「山川阻且遠，別促會日長。願為比翼鳥，施翮起高翔」。有些詩作在「禽鳥」母

35　（美）宇文所安：《中國早期古典詩歌的生成》北京：生活・讀書・新知三聯書店，2012年，頁96。

題後，融入個人感情的句子，如曹丕〈雜詩〉「願飛安得翼，欲濟河無梁。向風長歎息，斷絕我中腸」體現了在「公共文本」流露性情的意願，且不以「禽鳥」母題結尾，也是有意識用樂府句寫作徒詩的重要方法。

　　將物、景等帶有感情色彩的意象與程式句配合。漢魏詩歌多為「離別、相思」主題，多採用哀怨、憂傷的清商樂，如「曲度清且悲」、「悲感激清音」、「弦歌發中流，悲響有餘音」，須配合同種感情基調的景、物如「涼風」、「孤雁」、「蟋蟀」、「寒蟬」、「枯枝」等秋冬季景觀。曹睿〈傷歌行〉在「不寐、攬衣、徘徊」之後卻用「春鳥向南飛」，不僅與秋鳥南飛的客觀事實不符，且歡快的意象與下文「悲聲」、「哀鳴」、「泣涕」等情感矛盾。本詩《樂府詩集》稱「古辭」，宋本《玉臺》尾聯是「感物懷所思，泣涕忽沾裳」，而《文選》版本增加「佇立吐高吟，舒憤訴穹蒼」這種個性化的抒情方式，「吳氏注本據以增入，然二句頗激，或孝穆以其竭情而刪之亦未可定。」[36]在「古辭」基礎上增刪曹睿辭，錯亂的季節可能由於古詩層累、疊加所致，[37]抑或轉錄過程的誤抄。

　　將韻腳與全詩天衣無縫的結合起來。如〈豔歌何嘗行〉寫分離落淚的雙鵠夫妻，結尾卻使用「今日樂相樂，延年萬歲期」這樣歡快的「公共文本」，顯然為入樂所加，內容上與全詩無關，只是傳達演唱結束、祝福觀眾的意思。此期文人在使用進行私人化書寫方式時，開始將套語等「公共文本」與全詩主旨結合起來，如曹植〈送應氏〉其二尾句「原為比翼鳥，施翮起高翔」，與朋友的比翼雙飛的願望套語與依依不捨的送別主題拼合，「故能首尾圓合，條貫統序」（《文心雕龍‧熔裁》），且在韻腳設置上，注重押韻，韻腳「常」、「霜」、「方」、「陽」、「觴」、「腸」、「長」、「翔」通押「陽」韻。類似的還有徐幹／曹丕〈於清河見挽船士新婚與妻別詩〉在送別主題下尾句使用套語「願為雙黃鵠，比翼戲清池」，全詩「歌」、「支」交叉用韻，增加難度，考驗技巧。

　　第三，在題材和風格上表現出極強的一致性，從後世評價角度表現出後世文人普遍的詩學理想、審美取向和心理追求。「（古詩）文溫以麗，意悲而遠」（《詩品》）。「溫」，即《十九首》代表的「公共文本」在感情上表現出「中和」、「雅正」，對感情加以約束，不至放縱。還有同為「公共文本」的漢樂府，其語言的複沓明顯展現了音樂的節奏，而反覆詠歎，多用來表現舒緩而非激烈的感情。眾多套語、套句的使用，「也可說是重疊的表現法」，[38]增加了感情的婉轉、延宕和含蓄的效果。元人楊載論述「五言古詩」言：「須要寓意深遠，託詞溫厚，寫景要淡雅，反覆優遊，雍容不迫……推人心之

---

36 紀昀：《玉臺新詠考異》卷2，清文淵閣四庫全書本。

37 考慮曹丕〈短歌行〉讚美「翩翩春燕」的「厥貌淑美」、「歸仁服德」，感情基調歡快。所以本詩不太可能歸於失敗寫作導致。

38 朱自清：《中國歌謠》上海：復旦大學出版社，2004年，頁188。

至情，寫感慨之微意，悲懨含蓄而不傷，美刺婉曲而不露，要有三百篇之遺意方是。[39]
因古詩多用集體共同製作的「公共文本」，才能「推人心之至情」。漢魏詩人書寫個人情
事時多用技巧、程式結構全篇，致有「漢詩自然，魏詩造作」之譏，但大量使用「公共
文本」，相應在題材和風格上表現出較強的一致性，如呂本中言：「讀《古詩十九首》及
曹子建詩，如『明月入我牖，流光正徘徊』之類，詩皆思深遠而有餘意，言有盡而意無
窮也。」（《苕溪漁隱叢話・前集》卷一引《呂氏童蒙訓》）如曹植〈代劉勳妻王氏雜詩〉
「誰言去婦薄？去婦情更重。千里不唾井，況乃昔所奉。遠望夫為遙，踟躕不得並。」
第二人稱的複疊使用表現棄婦的怨情更委婉，無怪被評為「故蘇子之戒愛景光，少卿之
屬崇明德，規善之辭也。魏武之悲東山，王粲之感鳴鶴，子恤之辭也。甄后致頌於延
年，劉妻取譬於唾井，繾綣之辭也。子建言恩，何必衾枕，文君怨嫁，願得白頭，勸諷
之辭也。究其微旨何殊經術？」[40]說明早期漢魏詩集合《詩經》溫柔敦厚的微詞婉旨，
雖為抒情之作，大量使用「公共文本」而較少有個人極端感情的介入，具備共同的詩學
理想、審美取向和心理追求，也由此形成了含蓄蘊藉的藝術風格。此種情形下，文本生
成的個人風格較多在煉字煉句、駢偶、用典等方面展現，在詩歌技藝、美學功能上得到
了長足的進步。

---

39 楊載：《詩法家數》，載何文煥輯《歷代詩話》北京：中華書局，2006年，頁731。
40 徐禎卿：《談藝錄》，載何文煥輯《歷代詩話》北京：中華書局，2006年，頁768。

「無情」詩論
——謝靈運山水詩詩藝新探

王浩達
北京師範大學文學院

謝靈運一生創作頗豐，玄言、四言、散文辭賦皆不在少數，而謝靈運對文學最重要的貢獻卻不在於此。劉勰言：「宋初文詠，體有因革，莊老告退，而山水方滋」[1]，一語足道之謝靈運的最高文學成就——開創山水詩。學者亦普遍將山水詩溯源於謝靈運處，傅剛、陶文鵬等皆在著作中有詳細論述。[2]但在其他學者眼中又有不同，如王國瓔在《中國山水詩研究》中直接將山水詩的源頭溯源於先秦《詩經》及《楚辭》。[3]但不管將山水詩的發展階段如何劃分，謝靈運都是絕對無法繞過的部分。謝靈運不但是山水詩的開創者，更是直接推動山水詩走向成熟的先行者。

一　山水詩中的「無情」與「去情」

何謂山水詩？「是指描寫山水風景的詩。雖然詩中不一定純寫山水，亦可有其他的輔助母題，但是呈現耳目所及的山水之美，則必須為詩人創作的主要目的。在一首山水詩中，並非山和水都得同時出現……但不論水光和山色，必定都是未曾經過詩人知性介入或情緒干擾的山水，也就是山水必須保持其本來面目。」[4]細觀此山水詩概念，可歸納出山水詩應有兩點條件必須滿足，一為以表現山水之美為詩歌創作的主要目的，二為對「無情山水」的描寫，但是大多數的山水詩人都做不到這等地步。謝靈運的山水詩既在詩頭中常有對人生苦悶的情感抒發，又往往在詩尾玄言處包含有自己的思考，談何「未曾經過詩人知性介入或情緒干擾的山水」？謝靈運的山水詩難道也不符合這條概念麼？

謝靈運的山水詩是符合這條概念的。首先謝靈運山水詩常以情——去情——理的模

1　周振甫：《文心雕龍今譯》北京：中華書局，2013年，頁61。

2　傅剛：《魏晉南北朝詩歌史論》直接將第七章第四節命名為「山水詩傳統建立者謝靈運」；陶文鵬、韋鳳娟：《靈境詩心——中國古代山水詩史》，頁93-112亦有詳細論述。摘自蔣寅：〈超越之場：山水對於謝靈運的意義〉，《文學評論》，2010年第2期，頁90-97。

3　王國瓔：《中國山水詩研究》臺北：聯經出版事業公司，1986年，頁9-36。

4　同上註，頁1。

式展開，即在現世生活中罹患的各種煩惱令謝靈運無比痛苦，因此他一直尋覓脫去煩惱的途徑，此謂以情入詩。經過尋找，他發現借山水之美恰好可洗去凡塵之憂（暫時），所以沉浸在山水中無法自拔，在詩中將各類美景、甚至衰景都描摹地細緻無比，冀望得到靈性的昇華，此謂以景去情。第三步則為玄理的闡發，正是魏晉以後謝靈運常被詬病之處，這也是受到當時文學大環境的影響，如三玄在文人層面大範圍普及，知識分子益加重視個人的精神世界等等。在其中可非常容易地發現，最重要的一步正是對自然山水的描摹，若無自然，全詩只剩牢騷，玄言也無法抒發；更何況這也是謝靈運詩最受人讚譽之處，因此謝靈運山水詩最主要的地方恰恰是對「山水」的描摹。

其次，謝靈運筆下的山水雖然是作為去除現世煩惱的手段而存在，但在描寫中卻並無個人主觀情感的涉及。也正是因為這種寫法，謝靈運常被後世學者所抨擊。《南齊書‧文學傳論》：「今之文章作者雖眾，總而為論，略有三體，一則啟心閒逸，託辭華曠，雖存巧綺……酷不入情，此體之源，出靈運而成也。」[5]《文學傳論》將當時文人風格分為三類，並分別抨擊，這三類風格正是由於學者學習「元嘉三大家」而導致的，由此直接點名批評謝靈運的山水「酷不入情」、鮑明遠的語言「驚險淫豔」，顏延之雖未提名，但觀其所言，正是「雕繢滿眼」、「錯彩鏤金」一路。

再如潘德輿《養一齋詩話》所評：「真性為詞氣所沒，不待觀其人而知其品之舛矣。」[6]認為謝靈運詩中毫無真性，甚至對謝靈運進行人身攻擊，可謂謝靈運山水詩中對山水的描寫確實是極其壓抑感情。謝靈運的山水詩既以山水描寫作為主要表達目的，又在山水描寫中極力避免加入自身的主觀感情，這種寫法在整個古代文學史上是非常具有特色的。即使是極力模仿謝靈運的謝朓，其山水詩都未達到謝靈運對山水描寫如此客觀的地步。謝靈運的山水詩，好似西方的寫實畫，現世是什麼樣子，謝靈運就描寫成什麼樣子，即「巧似」。鍾嶸《詩品》有評：「故尚巧似，而逸蕩過之。頗以繁蕪為累。」[7]而其他名家的山水詩，則更貼近中國的水墨畫，現世的樣子並不重要，重要的是詩中所蘊含的詩人的感情、詩歌的意蘊，所謂「得意」可「忘言」也。魏晉之後的文學審美，寫意越來越受到歷代批評家的重視，如皎然，嚴羽等；而寫實則越來越被人所鄙夷，謝靈運也由此在後世毀譽參半。就像李澤厚先生所言：「謝靈運儘管刻畫得如何繁複細膩，自然景物卻並未能活起來，他的山水詩如同顧愷之的某些畫一樣，都只是一種概念性的描述，缺乏個性和情感。」[8]

5　（梁）蕭子顯：《南齊書》北京：中華書局，1972年，頁908。

6　郭紹虞：《清詩話續編》上海：上海古籍出版社，1983年，頁2019。

7　鍾嶸著，周振甫譯注：《詩品譯注》北京：中華書局，1998年，頁49。

8　李澤厚：《美的歷程》桂林：廣西師範大學出版社，2000年，頁176。

二　獨特山水

謝靈運這種「尚巧似」且「酷不入情」的寫實手法，一定需要細緻無比地雕琢，就像西方山水畫每筆都要求細細勾勒，需要各類工具各種畫筆的配合才能完成，達到「照片」的效果；可是中國山水畫卻截然不同，率性而為，潑墨即成，畫家的個人情感成為畫的靈魂，使山水畫中的山水成為山水的不是相似，而是「意」。寫意詩人作詩，可全憑胸中一口不可不吐之氣一貫而下，然而謝靈運作詩卻需要細細勾摹雕琢。這種雕琢雖可寫出「池塘生春草，園柳變鳴禽」這樣不滅的名句，卻也會導致「拙句自多」。[9]也正是因為這種極致地雕琢和寫實，康樂詩才缺乏一個可一以貫之、總領全詩的「意」，也就呈現出了一個多名句，少名篇的面貌。正像鍾嶸所言：「名章迥句，處處間起」。[10]

通過比較三首非常著名的山水詩，可分析出謝靈運山水詩的獨特性：

登池上樓　　謝靈運

潛虯媚幽姿，飛鴻響遠音。

薄霄愧雲浮，棲川怍淵沉。

進德智所拙，退耕力不任。

徇祿反窮海，臥屙對空林。

衾枕昧節候，褰開暫窺臨。

傾耳聆波瀾，舉目眺嶇嶔。

初景革緒風，新陽改故陰。

池塘生春草，園柳變鳴禽。

祁祁傷豳歌，萋萋感楚吟。

索居易永久，離群難處心。

持操豈獨古，無悶徵在今。[11]

望廬山瀑布　　李白

日照香爐生紫煙，遙看瀑布掛前川。

飛流直下三千尺，疑是銀河落九天。[12]

9　（明）許學夷：《詩源辨體》卷8：「靈運詩極雕刻，故拙句自多，至玄暉則琢磨日深，故拙句自少。」

10　鍾嶸著，周振甫譯注：《詩品譯注》北京：中華書局，1998年，頁49。

11　張兆勇：《謝靈運集箋釋》北京：中國社會科學出版社，2017年，頁20。

12　（清）王琦注：《李太白全集》北京：中華書局，1977年，頁989。

　　　　　山居秋暝　　王維
　　空山新雨後，天氣晚來秋。
　　明月松間照，清泉石上流。
　　竹喧歸浣女，蓮動下漁舟。
　　隨意春芳歇，王孫自可留。[13]

　　三首詩都是山水詩中的代表作，由於作者和時代等方方面面的因素，三首山水詩呈現出來的情致面貌自然也大相逕庭，為釐清謝靈運山水詩在「無情」方面的獨特性，此處主要比較的是三首詩情韻意方面的差異。

　　〈登池上樓〉篇幅最長，依循的套路依舊是情──去情──理的路數。此詩作於景平元年（西元423年）春，是時謝靈運遭受了第一次沉重的政治打擊，正處於人生低谷中，滿腹沉淪。因此在去情的過程中，即使是春風、新陽、春草、鳴禽等生機勃發的大自然也很難消磨掉謝靈運的人生煩惱。但在玄言尾巴處，謝靈運依然振奮精神，借古人持守節操一事鼓勵自己，達成去除煩情的步驟。最後引《周易》「遁世無悶」作為玄言總結。謝靈運大部分山水詩正是如此，好似一條記敘文，從頭到尾地講述出遊的原因、出遊的所見，以及所見導致的所感，即玄理昇華，或者玄言結尾。

　　若以圖形為喻，謝靈運詩就是三塊割裂的方形，即情──自然──玄理三者羅列在一塊，整體並不圓融混一。因此與其他最優秀的山水詩相比，詩歌境界無甚高明。但正是謝靈運這種情景分離的寫法，反而使自然之景拋開了人類主觀價值取向的拖累，成為了一個獨立的主體，而不是作為人類價值取向的附屬品存在，給人以一種陌生化的震撼。單獨取出謝靈運詩中描寫自然景色的句子，我們會發現多數描寫雖然「酷不入情」，卻都可令人拍案叫絕，這也是謝靈運山水詩的價值所在。如本詩「池塘生春草，園柳變鳴禽」、再如：「林壑斂暝色，雲霞收夕霏。」（〈石壁精舍還湖中作〉）、「野曠沙岸淨，天高秋月明。」（〈初去郡〉）、「春晚綠野秀，岩高白雲屯。」（〈入彭蠡湖口〉）、「密林含餘清，遠峰隱半規。」（〈游南亭〉）、「雲日相暉映，空水共澄鮮。」（〈登江中孤嶼〉）等等。[14] 名句多而名篇少是謝靈運詩的常態，情與景割裂導致的無情之景也恰似西方「自然主義」的審美，即客觀地再現場景，盡最大努力使「人」對場景的影響達到最低。

　　〈望廬山瀑布〉是首經典七絕，學界一般認為此詩為開元十三年（西元725年），李白出遊經過廬山時所作。是詩雄奇壯闊，想像宏大，詞色鮮明，造句誇張，完美契合李白詩歌的風格特色，幾乎令人不敢將其歸入山水詩一脈中來。山水詩本應以清新雅致取勝，李白卻反其道而來，著眼於奇偉，以嫋嫋紫煙映襯飛流瀑布，場面宏麗驚人，在山

13 陳鐵民校注：《王維集校注》北京：中華書局，1997年，頁451。
14 皆選自張兆勇：《謝靈運集箋釋》北京：中國社會科學出版社，2017年。

水詩中獨樹一幟。詩中不管是香爐峰，還是廬山瀑布，都蘊含著詩人強烈的個人情志，閱其詩，都會令人產生「奪志之意」，不敢與之異議爭鋒。中唐詩人徐凝亦有一首〈廬山瀑布〉，卻在後世為蘇軾所嘲。

依舊以圖形為喻，李白詩好似一塊圓團，任李白隨手拿捏，想像雄奇處直接信手撕扯出三千尺高峰，情調雅致時又可細細雕琢出秋毫之末。如「兩岸青山相對出，孤帆一片日邊來」（〈望天門山〉）、「西嶽崢嶸何壯哉，黃河如絲天際來。黃河萬里觸山動，盤渦轂轉秦地雷。」（〈西嶽雲臺歌送丹丘子〉）、「秋水明落日，流光滅遠山。」（〈杜陵絕句〉）、「雁引愁心去，山銜好月來。雲間連下榻，天上接行杯。」（〈與夏十二登岳陽樓〉）等等，[15]既是名篇，又有佳句。所見之景大同小異，然而眾位詩家詩風卻迥然不同，太白詩之雄偉壯麗，千古少見，此乃李白山水詩之特色。

〈山居秋暝〉為五言律詩，應是王維隱居終南山時所作。王維不但是盛唐的頂尖詩人，更是一位精通音律的畫家。蘇軾曾言：「味摩詰之詩，詩中有畫，觀摩詰之畫，畫中有詩。」[16]可見王維詩是和王維畫緊密聯繫在一起的。王維的水墨畫和王維的山水詩幾可混融為一物，常人詩歌對人形象思維的限制和畫面被紙面篇幅所限制的情況完全不適用於王維，讀王維詩好似瀏覽一副漫無止境的水墨畫，整段天地完全被意境統籌在詩歌中的隻言片語中。除此之外，受家庭和世道的影響，王維的佛學造詣也甚是深厚，佛理融匯進詩歌語言在王維詩中屢見不鮮。這種作詩特色與謝靈運的玄言尾巴完全不同，謝靈運的玄言、感情和山水是割裂的，王維的佛理、感情卻與山水交織在一起，「人」在王維的山水中是必不可少的，也是謝靈運詩所不可捉摸的。〈山居秋暝〉開頭「空山」一詞，就將佛理融匯進山水之中，在隨後的詩句中，感情、哲理、佛言以及山水好似被王維揉碎了一般，徹底地交織在一起，不分彼此，也不覺晦澀。「竹喧」、「浣女」、「蓮動」、「漁舟」將自然之動與人類之動、自然之音與人類之音巧妙地搭配在一起，實在是匠心獨具，境界圓融。王維詩中空明的境界美離不開情、景、理三者的混融交織，山水的寧靜與佛心的空明結合在一起產生了神妙的反應，達到了一個只可意會不可言傳的意境，佛祖的拈花一笑可謂如此。

謝詩如三塊堆積，李詩如百變圓團，王詩則好似混融的一個圈，山水、佛理和詩人內心的情致結合地巧妙絕倫，情景交融，物我合一是對王維詩最恰適的評價。如：「深林人不知，明月來相照。」（〈竹里館〉）、「江流天地外，山色有無中。」（〈漢江臨眺〉）、「人閑桂花落，夜靜春山空。」（〈鳥鳴澗〉）、「聲喧亂石中，色靜深松裡。」（〈清溪〉）[17]等等。

15　皆選自（清）王琦注：《李太白全集》北京：中華書局，1977年。

16　（宋）蔡正孫：《詩林廣記》20卷，前集卷5，清文淵閣四庫全書本。

17　皆選自陳鐵民校注：《王維集校注》北京：中華書局，1997年。

這三種山水就像一死一生一為仙，謝靈運的山水就是山水，極力描摹語言，讓詩中的山水與現實的山水達到絕似的程度，不敢越出半步，《文心雕龍》：「儷采百字之偶，爭價一句之奇；情必極貌以寫物，辭必窮力而追新。」[18]此之謂也。

三家詩風大不同，李白山水詩雄壯而有情、王維山水詩清新而有情，謝靈運山水詩卻是清新而無情。儘管如此，亦清晰可見將山水之美與人情之致結合，是山水詩人創作的常態，也是諸多批評家所青睞的路數。但若按王國瓔先生的定義，則唯有謝靈運的無情詩方可稱為真正的山水詩。這種無情山水詩是獨屬於謝靈運的特色，後人學習他的詩歌時，要麼僅學其皮毛，既無情致，又無自然美感，成為《南齊書》所嘲弄的「酷不入情」詩；要麼將山水與人情結合，將「巧似」寫實轉為求情寫意。

謝靈運此種詩歌寫作手法出現的原因非常複雜，不可將之簡單視為山水詩方興還未鼎盛的初始形態而忽略其研究意義，還要考慮多方面的因素。

三　詩藝求源

上個世紀八十年代以後，學術界產生過一次關於探討山水詩來源的小熱潮，如王鍾陵《中國中古詩歌史》、趙昌平〈謝靈運與山水詩起源〉、莊嚴、章鑄的〈中國山水詩審美發生學初探〉等。學者目光多聚焦於山水詩脫胎於哪類文體或者何種思潮，並由此得出各類結論，如王瑤認為山水詩來源於玄言的發展；曹道衡、袁行霈等認為山水詩源於隱逸思想和隱逸生活；莊嚴、章鑄等認為山水詩的出現與當時審美意識的變化相關；趙昌平認為山水詩是由宴飲、行旅詩發展而來[19]等等。但是關於謝靈運的詩藝，即謝靈運寫詩技巧來源的關注卻並不多見。蒲友俊在〈「感物」與「觀物」──兼論山水詩的產生〉中提出，謝靈運的山水詩和後世山水詩的一大不同之處，正是後世山水詩受儒家「感物」影響為主，而謝靈運的山水詩更多是受到道家「觀物」影響的。「以人感物」與「以物觀物」的不同，導致了謝靈運山水的描寫「感情是淡到沒有的」。[20]謝靈運在描寫山水時，通常都是極力避免自身主觀因素對山水的影響（同時將自己在現實的苦悶之情瓦解在山水中），這在整個山水文學史上都堪稱罕見甚至絕無僅有。這種特殊的「無情」山水詩產生的原因，也就是對謝靈運無情詩筆出現原因的探索，非常值得關注。

18　周振甫：《文心雕龍今譯》北京：中華書局，2013年，頁61。

19　王國瓔：《中國山水詩研究》臺北：聯經出版事業公司，1986年，緒言綜述；趙昌平：〈謝靈運與山水詩起源〉，《中國社會科學》，1990年第4期；莊嚴、章鑄：〈中國山水詩審美發生學初探〉，《社會科學戰線》，1992年第2期等。

20　蒲友俊：〈「感物」與「觀物」──兼論山水詩的產生〉，《四川師範大學學報（社會科學版）》，總第100期，頁55-56。

1 家族與交遊者的影響

謝靈運家族對山水一直保有著較高的興趣，這對謝靈運詩歌的山水傳統產生過十分積極的影響。如《世說新語·品藻》：「明帝問謝鯤：『君自謂何如庾亮？』答曰：『端委廟堂，使百官準則，臣不如亮！一丘一壑，自謂過之。』」[21]其中一丘一壑，即代指謝鯤對山水的鍾慕。另外《蘭亭集》中謝安「森森連嶺，茫茫原疇。迴霄垂霧，凝泉散流」、謝萬「青蘿翳岫，修竹冠岑。谷流清響，條鼓鳴音。元萼呦潤，飛霧成陰」、謝繹「蹤暢何所適，回波縈遊鱗」[22]等山水佳句，雖不至揚名古今詩壇，卻亦有清新可愛之姿。即使身為女子的謝道韞，也不光「詠絮之才」一例，她對〈大雅·崧高〉的欽慕、〈泰山吟〉中「峨峨東嶽高，秀極沖青天」[23]等描寫，也無不顯示出一位女子對山水的鍾情。儘管諸位謝靈運同族前輩的山水詩仍囿於玄言，但也僅是時代的局限所致，這種情況也在等待謝靈運的改變。早在謝靈運之前，謝混其實對山水玄言的問題已有研究，其詩成就雖不很高（《詩品》中將其列為中品），卻也是使山水獨立的一種有益探索。

謝家與山水之間結下了數代的緣分，這種緣分又在謝靈運處達到頂點，謝靈運的無情山水也繼續發揚著前輩的風格。文學的發展從來不是一蹴而就，山水是否應藏有人情，在今人目光看來應是藏情山水為佳；但在魏晉時代，山水自進入文學眼中之日，便無甚人情蘊含，在山水詩發展的初期階段，無情才符合魏晉文人審美的要求，好似謝家前輩的山水詩，謝靈運的無情山水有了第一個原因。不管是《蘭亭集》中謝家諸人的刻畫，還是謝道韞〈泰山吟〉的描寫，都未將情感與山水結合起來。而力去詩中玄言的謝混，在自身的作品中，也並未完全達到理想狀態。緊隨其後的謝靈運，在詩中對自然山水的描寫、對情感的渲染以及對玄理的闡發自然也不會有三者結合的意識。這種情況在後世王孟詩中才得到徹底的改善，即完全地情景交融，佛道融匯。

至於交遊者對謝靈運無情山水的影響，也不可忽視。《宋書》於「山澤四友」處有載：「靈運既東還，與族弟惠連、東海何長瑜、潁川荀雍、泰山羊璿之，以文章賞會，共為山澤之游，時人謂之四友。惠連幼有才悟，而輕薄不為父方明所知。靈運去永嘉還始寧，時方明為會稽郡。靈運嘗自始寧至會稽造方明，過視惠連，大相知賞。時長瑜教惠連讀書，亦在郡內，靈運又以為絕倫，謂方明曰：『阿連才悟如此，而尊作常兒遇之。何長瑜當今仲宣，而餉以下客之食。尊既不能禮賢，宜以長瑜還靈運。』靈運載之而去。」[24]

21　徐震堮：《世說新語校箋》北京：中華書局，1984年，頁280。

22　（宋）桑世昌：《蘭亭考》12卷，卷1，清知不足齋叢書本。

23　逯欽立：《先秦漢魏晉南北朝詩》北京：中華書局，1983年，頁912。

24　（梁）沈約：《宋書》北京：中華書局，1974年，頁1774。

　　謝靈運的「山澤四友」中，僅族弟謝惠連成就較高，何長瑜在《先秦漢魏晉南北朝詩》中存詩兩首，荀雍存一詩，羊詩散佚。史書所載謝靈運對何長瑜的評價不可謂不高，其稱何長瑜乃當時王粲，僅給謝惠連做家庭教師、被謝家以「下客」的待遇招攬，實在是屈才，甚至把何長瑜要走，「載之而去」。若何長瑜大才真若此，則是謝靈運慧眼識珠；然而何長瑜在《詩品》中僅位列下品，鍾嶸甚至為此感歎：「才難，信矣！以康樂與羊、何若此，而（二）人之辭，殆不足奇。乃不稱其才，亦為鮮舉矣。」[25]可見何長瑜才氣甚為一般。時人眼中和後人眼中何長瑜皆不足為奇，為何謝靈運對其如此讚賞？作為一流的文學家，謝靈運自當具有一定的文學鑒賞能力，謝靈運作此言，定是何長瑜的詩作有合於謝靈運之處。

　　何長瑜僅存詩兩首，一為離合詩，即每句首字有相離合的聯繫，通過每句首字離合關係可猜出一字來，謝靈運、謝惠連皆有相關離合詩佳作。如謝靈運〈作離合詩〉：

　　　　古人怨信次，十日眇未央。
　　　　加我懷繾綣，口脈情亦傷。
　　　　劇哉歸遊客，處子忽相忘。[26]

　　其中「古」離「十」，剩一「口」字；「加」離「口」，剩一「力」字；「劇」離「處」，剩一「刂」字，合「口」、「力」、「刂」三字則為「別」。不但如此，其謎底和詩題結合尚恰到好處，匠心獨運。

　　再看何長瑜離合詩：

　　　　宜然悅今會，且怨明晨別。
　　　　肴蔌不能甘，有難不可雪。[27]

　　其謎題是一「岡」字，與謝靈運詩比，高下分明立判，此離合詩作為謎題確實足夠，卻未能似謝靈運一般將謎題與詩旨結合，這就是最大的硬傷。由此可見，何長瑜才力確實不足為奇。何長瑜另一首〈嘲府僚詩〉則為自己埋下了禍根，觀其詩亦無出色之處；

　　　　陸展染鬢髮，欲以媚側室。
　　　　青青不解久，星星行復出。[28]

　　府僚將白髮染黑，希望討得「側室」的歡心；但是染出來的黑髮維持的不會長久，

25 鍾嶸著，周振甫譯注：《詩品譯注》北京：中華書局，1998年，頁88。
26 張兆勇：《謝靈運集箋釋》北京：中國社會科學出版社，2017年，頁55。
27 逯欽立：《先秦漢魏晉南北朝詩》北京：中華書局，1983年，頁1201。
28 同上註，頁1200。

很快就又會變成星星點點的斑駁白髮。此詩甚不莊重，《宋書》載此詩傳出後「輕薄少年遂演而廣之，一時人士並未品目」，由此激怒臨川王劉義慶，為自己的死埋下禍根。

　　從現今材料中，我們可看出何長瑜不智、不莊、才力亦有限。謝靈運的人生軌道除才力甚足之外，其實亦如此，可能這才是謝、何二人交好之因。再看荀雍一首〈臨川亭詩〉；

> 目極依春路，披褐懷良辰。
> 明發戒徒御，臨流餞歸人。[29]

　　此詩歸屬送別，可謂乾巴無味，窺一管而知全豹，羊璿之詩應亦類似。此三人於謝靈運的山水融情一事絕對毫無推動，甚至可將謝靈運詩帶至索然無味的境界，不足觀哉。換言之，此三人於謝靈運的無情山水，推動作用明顯。

　　關鍵在於謝惠連，靈運、惠連的唱和之作頗多。謝靈運甚至有一首〈登臨海嶠初發彊中作，與從弟惠連，見羊何共和之〉（以下稱〈登海嶠〉），希望與惠連、羊、何三人共和。關於幾人詩風，在這些唱和之作中即可見一斑，盡是客觀地描寫山水，人情和玄理全部分割。〈登海嶠〉在這些唱和詩中可謂藝術水準較高的一類，並且略微加入人情的描寫，這在謝詩中尚屬少見，應是謝靈運的實驗之筆。如「隱汀絕望舟，鷘棹逐驚流」、「日落當棲薄，繫纜臨江樓」、「秋泉鳴北澗，哀猿響南巒」等[30]。粗略觀之，似已有後世王維「蓮動下漁舟」之感，但是謝詩在詩情的把握，境界的渾圓以及佛道之理的融匯上仍欠缺不止一籌。「哀猿」為哀景，「日落」句較客觀地描寫，「繫纜」為人跡入景，「驚流」則屬驚景、壯景，由此可見此詩中融匯於情的句子與全詩惜別思念的主旨並不相符。此詩乃元嘉六年秋，謝靈運辭別四友後的出遊之作，全詩表達的是在出遊過程中對故友們的思念。景與情的結合可謂模糊，絕非後世成熟的「樂景襯哀情」等等類似的手法。

　　在另一首〈九日從宋公戲馬臺集送孔令〉（下文稱〈九日〉）中，更體現出謝靈運這種景情搭配隨心所欲的特點。上文說過，在自然山水中融入人情在謝詩中甚是少見，只有〈登海嶠〉等個例，這種初期融匯情景的實驗筆法也並不算成功。更多的還是情景分離之作，如〈九日〉：「季秋邊朔苦，旅雁違霜雪。淒淒陽卉腓，皎皎寒潭絜。」[31]描寫的自然之景可謂苦寒淒切至極，然而謝靈運筆鋒一轉，開始為當代歌功頌德，下文緊接的「良辰感聖心，雲旗興暮節」實為突兀。唐以後每一個成熟的山水詩人都不會做如此不和諧的情景交接，另外這也絕非後世的「哀樂相襯」手法。這些例子更加驗證了謝靈運情、景、理三段堆砌，看似交雜實則分離的作詩手法，無情山水明矣。

29　同上註，頁1201。
30　張兆勇：《謝靈運集箋釋》北京：中國社會科學出版社，2017年，頁56。
31　同上註，頁6。

謝惠連的應和之作對於山水也是極盡客觀描寫的，如與謝靈運應和的〈七月七日夜詠牛女詩〉：「落日隱檈楹，升月照簾櫳。團團滿葉露，析析振條風。」[32]生活在這群友人之間，謝靈運的山水客觀而無情當然有理可循。另外，謝靈運、顏延之二人亦交好，《宋書‧隱逸‧王弘之傳》載：「謝靈運、顏延之並相欽重。」[33]《宋書‧武三王‧劉義真傳》[34]載：「與陳郡謝靈運、琅邪顏延之、慧琳道人並周旋異常，云得志之日，以靈運、延之為宰相。」又有顏延之問鮑明遠「清新可愛」、「雕繢滿眼」之語，綜相佐證，二人交遊亦不稀少。顏謝二人詩風相差甚遠，於情之一字感悟卻相差不多。謝靈運之詩多無情山水，顏延之之詩亦為枯燥典故。

　　不管是家族，抑或交遊者，都並未將謝靈運的山水詩帶向蘊情山水的路子，他的交遊者和族人也都缺少蘊情山水的意識，更兼謝靈運身處山水詩的發展初期，即使是偶爾有一句既有情又帶景的實驗之筆，也未能打破這種情景分離的局限。

2　朝堂和世道的傾軋

　　魏晉時代，頗有英雄必問出處之風，世家大族竊據朝堂高位，而升斗小民則難登大雅之堂。謝靈運出身甚是顯赫，仕途本當坦蕩，但人生總如此不盡人意。如果說，家族與交遊者的影響，帶給的是謝靈運將山水褪去人情的寫作手法，即上文所述謝靈運「無情詩論」的第一重含義，那麼，朝堂和世道的傾軋，帶給謝靈運更多的則是「無情詩論」的第二重含義，即「情——去情——理」的寫作道路。

　　《南史‧謝靈運傳》載：「靈運多怨禮度，朝廷唯以文義處之，不以應實相許。自謂才能宜參權要，既不見知，常懷憤惋。」[35]世家的力量自王莽時期就掌握了管理天下的權利，王權要靠世家的協助才能實現，這種情況直到魏晉達到頂峰，順世家則坐擁天下，逆大族則舉國皆敵。劉裕篡晉後，吸取了前代政權為世家大族把控的教訓，不敢予以世家子弟太多實權，家族的顯赫反而成了謝靈運官位亨通的掣肘。

　　謝靈運自謂有「天下一鬥」之才，然朝堂卻有意忽視自己的才能，不予以自己協理天下的權力，內心常懷憤鬱之氣。「出為永嘉太守。郡有名山水，靈運素所愛好。出守既不得志，遂肆意遊遨，遍歷諸縣，動踰旬朔。理人聽訟，不復關懷，所至輒為詩詠以致其意。」[36]謝靈運被排擠出京後，在永嘉任太守短短一年中就創作了大量的詩歌，堪稱人生中最高產的時期。「靈運因祖父之資，生業甚厚，奴僮既眾，義故門生數百，鑿山浚湖，功役無已。尋山陟嶺，必造幽峻，岩嶂數十重，莫不備盡。登躡常著木屐，上

32　逯欽立：《先秦漢魏晉南北朝詩》北京：中華書局，1983年，頁1195。

33　（梁）沈約：《宋書》北京：中華書局，1974年，頁2282。

34　同上註，頁1635。

35　（唐）李延壽：《南史》北京：中華書局，1975年，頁538。

36　同上註。

山則去其前齒，下山去其後齒。嘗自始寧南山伐木開徑，直至臨海，從者數百。臨海太守王琇驚駭，謂為山賊」[37]。在縱情山水的遊覽中，謝靈運並非如普通隱士一般賞玩體悟山水，或者說謝靈運從未有過隱士的山水遊覽行為。大肆鋪張，奢侈無度是謝靈運出遊最恰當的寫照。據史書記載，由於謝靈運一行出遊聲勢過大，甚至使當地官員誤以為山賊襲城，烏煙瘴氣若此。自永嘉回京後，謝靈運依若此樣。「出郭遊行，或一百六七十里，經旬不歸」[38]，政務完全荒廢。

　　謝靈運在江陵、建業等地為官時，最初因「構扇異同，非毀執政」，被「出為永嘉太守」，「不得志」，因此「在郡一周，稱疾去職」[39]，整日只得遊山玩水；若謝靈運胸無大志，做個悠閒世家公子亦無不可，但懷揣滿腹才華卻不能實現自己的抱負，謝靈運痛苦至極。謝靈運為世道所逼，滿腹才情無法在朝堂實現，更兼政治嗅覺不夠敏銳，一生從未被重用過。即使「每有一首詩至都下，貴賤莫不競寫，宿昔間士庶皆遍，名動都下」[40]，抑或「靈運詩書皆兼獨絕，每文竟，手自寫之，文帝稱為二寶」[41]，也只是「唯以文義見接，每侍上宴，談賞而已」[42]。做個宮廷文人，謝靈運是絕不甘心的──即使是修纂《晉史》這類的大事，謝靈運都覺與自己治國的抱負相違[43]，更何況到頭來只做了個宮廷中舞文弄墨的詩寵呢？

　　以上種種，帶給了謝靈運無數的痛苦，理想與現實相違，他既放不下身為世家的驕傲，安安分分地如陶潛般做個隱士，又不屑於從低微處做起，憑巧言與其他朝堂小人爭利。這種折磨使他的「憤惋」在一般情況下難以抒發，只有在山水的遊覽中找到自己內心的平和。因此他不會將情感寄與山水，山水只是他消磨自身怨懟的工具，所以他的山水是無情的。若謝靈運將自身的消極情感皆注入山水，他又怎麼能憑藉著消極的山水洗盡自身的消極情感。

　　看這首〈過始寧墅〉，此詩完美闡釋了謝靈運如何在山水中洗去自身的煩惱之情：

　　　　過始寧墅
　　　束髮懷耿介，逐物遂推遷。
　　　違志似如昨，二紀及茲年。
　　　緇磷謝清曠，疲薾慚貞堅。
　　　拙疾相倚薄，還得靜者便。

---

37 （唐）李延壽：《南史》北京：中華書局，1975年，頁540。

38 同上註，頁539。

39 同上註。

40 同上註。

41 同上註。

42 同上註。

43 同上註。「使整祕閣書遺闕，又令撰晉書，粗立條流，書竟不就。」

　　　剖竹守滄海，枉帆過舊山。

　　　山行窮登頓，水涉盡洄沿。

　　　岩峭嶺稠疊，洲縈渚連綿。

　　　白雲抱幽石，綠筱媚清漣。

　　　葺宇臨回江，築觀基曾巔。

　　　揮手告鄉曲，三載期旋歸。

　　　且為樹枌檟，無令孤願言。[44]

　　此詩作於永初三年，謝靈運被排擠出建康後，赴任永嘉的過程中，途經故鄉始寧所寫。被貶永嘉，謝靈運的情緒可想而知。此詩歷來的諸家皆將此詩分為三層，歸納之後，正是「情——去情——理」的三層線索。「前八句寫詩人違志做官已二紀，到頭來發現自己既不善於做官，身體又有了病，在心力交瘁的情況下，萌發了辭官歸里，避世隱居的念頭；中間十句寫詩人利用外任之便，回鄉探望，遊山玩水之後，發出了對故鄉山水之美的由衷讚歎：最後四局寫詩人決心三年任期一滿，就回鄉隱居，終老山林。」[45]諸家所注皆大同小異，在第二層次的入景之前，謝靈運懷揣著對自身品格消磨的羞愧、二十年違志的苦悶和長久病痛的煩擾等負面情緒難以消解；他帶著這些情緒入景，目之所及盡是山水岩洲、白雲綠竹，他的情感逐漸在這樣的景致中得到消磨，不管是功名難立的艱辛、渾身病痛的折磨，還是志向違背的煩惱、離群索居的孤苦，都轉換成了對山水的喜愛，希望早日辭官歸鄉。至於第三層的玄理闡發，在此詩中略有特殊，需結合第八句的「靜」與之理解，由此得出最後四句正是謝靈運作為玄學家對「靜」的一種闡釋[46]。〈登池上樓〉、〈初去郡〉、〈富春渚〉、〈七里瀨〉等詩皆類此。

　　閱讀謝靈運的很多詩篇，我們很容易地發現謝靈運並沒有太多直接抒發自身懷才不遇的詩篇，大多都在敘離別或思念之情，這也不難理解。面對王室朝堂的逼迫，謝靈運當然不敢在詩中表露太多心跡；而當他真正的表露出自身的心跡，真正的將所有負面情感爆發開來時，他的生命也就走向了盡頭。「韓亡子房奮，秦帝魯連恥，本自江海人，忠義感君子。」[47]此之謂也。

　　另外，謝靈運尚有部分詩歌在「去情」這一環節未成功，如〈南樓中望所遲客〉、

44　張兆勇：《謝靈運集箋釋》北京：中國社會科學出版社，2017年，頁20。

45　劉心明：《謝靈運鮑照詩選譯》南京：鳳凰出版社，2011年，頁12。

46　張兆勇：《謝靈運集箋釋》北京：中國社會科學出版社，2017年，頁12。「『靜』是玄學家的一個重要的審美範疇，大謝云萬物不是最後歸於靜，而是萬物藏於靜……具體到本詩，從構思上說，大謝是用反語表明結論獲得的不易與堅定。」此言乃對大謝三年期滿後一定要返歸故鄉，得到「靜」的堅定信念的玄理解釋。

47　同上註，頁69。

〈於南山往北山經湖中瞻眺〉、〈郡東山望溟海〉等。由此可見山水也並非萬能，比如情緒太過消極，或者如〈南樓中望所遲客〉中客人一直未至等情況，山水也無濟於事。張國星提出：「雖然寫法不同，句有長短，但都表示出一個共同問題：詩人已身歷山水之中了。而且詩人的情感，不論曾為喜為憂，都已平息淡化，象徵著他的情緒由於外境的轉移，進入了平靜。」[48]因此，無論情感有沒有在山水中達成消磨，謝靈運都在努力地用山水滌清自身的情緒，依舊是在「無情詩」這條道路上走得越來越深。

3 玄學、佛學的興起

　　玄學和佛學作為魏晉一代思潮，毫無疑問是深深地影響著謝靈運山水詩創作的。魏晉之際士子無不對玄學經典爛熟於心，當時知識分子對於三玄的掌握就好似南宋以後讀書人對四書五經的掌握程度一樣，玄學不但是觀賞自己內心的學問，更是一塊叩響當時上流社會的敲門磚。玄學帶來的清談，深深地影響著有晉一代知識分子的思想境界，玄學帶來的魏晉風流、魏晉風度即使在千百年後也依舊為讀書人所欽慕、並仿效。

　　玄學是如何影響到謝靈運「無情詩」的呢？一般來說，玄學與道家的關係最為緊密，而道家的思想就甚為「無情」。「天地不仁，以萬物為芻狗」[49]，天地是無情的；「安時而處順，哀樂不能入也」[50]，人是無情的；「垂拱而天下治」[51]，人與天下盡皆無情。「聖人無情乃漢魏間流行學說應有之結論，而為當時名士之通說」[52]。社會整體傾慕「無情聖人」，魏晉盛極一時的人物品評也多青睞於清俊隱逸、風流超然、不以物喜、不以己悲，恰似「無情」者的那類人。「在『聖人無情有性』的觀念主導下，情感被視為理性衰弱的負面結果，純然負價值的東西」[53]。「情」在謝靈運時代是被抑制的一種東西，極端者甚至認為這是需要完全被拋棄的無用物，人是不需要有物動於外的情的。蔣寅說：「對無情的追求，對無用的滿足，熱情與冷漠，激動與平靜，投入與逃離，在他們身上往往形成巨大的反差。所有衝突和對立，最終都表現為以定力克勝的漠然超脫。實際創作中對情感的尊崇與理論上的貶抑這種矛盾情形，正是社會觀念轉變時期特有的現象。」[54]

---

48 張國星：〈佛學與謝靈運的山水詩〉，《學術月刊》，1986年11期，頁64。

49 陳鼓應：《老子注釋及評價》北京：中華書局，1984年，頁74，出自《道德經》第5章。

50 （清）郭慶藩撰：《莊子集釋》北京：中華書局，1961年，頁134，出自《莊子‧養生主》。

51 （清）王先謙撰：《尚書孔傳參正》北京：中華書局，2011年，頁539。

52 湯用彤：〈魏晉玄學論稿──王弼聖人有情義釋〉，《湯用彤學術論文集》北京：中華書局，1983年，頁254。轉引自蔣寅：〈超越之場──山水對於謝靈運的意義〉，《文學評論》，2010年第2期，頁91。

53 蔣寅：《古典詩學的現代詮釋》（增訂本）第12章，北京：中華書局，2009年。轉引自蔣寅：〈超越之場──山水對於謝靈運的意義〉，《文學評論》，2010年第2期，頁91。

54 蔣寅：〈超越之場──山水對於謝靈運的意義〉，《文學評論》，2010年第2期，頁91。

　　社會上既然崇尚無情，熟讀三玄的謝靈運又何能免俗。正如蔣寅所說，「以定力克勝的漠然超脫」，謝靈運也是以修煉定力來超脫情感的。但是這種修煉卻需要靠山水的協助，在對山水的描寫中，謝靈運好似站在上帝視角，將山山水水、花花草草修整的活靈活現——也僅是活靈活現。他好似竭力以一個道家聖人的目光去看待自然萬物，也在憑藉自然萬物達到聖人無情的這一境界。

　　謝靈運的無情山水體現著道家的自然觀，「創作主體總要經過一番『忘我』的功夫，使精神進入虛靜的狀態……從而達到『不知何者為我，不知何者為物』的境界。所以在純正的山水詩中，感情的因素總是趨向於淡到沒有的。」[55]

　　在佛學方面，謝靈運亦有心得。不管是與佛教徒的交遊，抑或是自身佛學素養的修煉，都是研究謝靈運學者的關注重點，相關研究已很多，不再贅述。謝靈運自身也創作了大量與佛學有關的作品，如《維摩經十譬頌》等。由此可知謝靈運的佛學造詣相當深厚是毫無疑問的，這種深厚的佛學素養給謝靈運帶來了消解自身憤恨的途徑。假設謝靈運未曾找到山水這一排憂解難的神器，那麼謝靈運就極有可能沉浸在佛學所言的「心」中去。向內關照自己、悟空是佛學的修身之路，〈述祖德詩〉：「遺情舍塵物，貞觀丘壑美」[56]句，恰好體現了謝靈運「悟空」的佛學思想，拋棄塵世間的各種污穢，自身才會感受到山川之美。對於山川之美，謝靈運是超脫的。山川是色，佛理是空，佛家雖言「色即是空」，卻也有「四大皆空」之說。在得道高僧眼中，世間的一切繁華都是空明，山水之樂自然也歸屬為空。謝靈運既然對山水之色是超脫的「空」，又怎麼會將自己的真情蘊入山水中！

　　再看「無情詩論」的另一重含義，「情——去情——理」的「去情」之路，又是一種謝靈運對佛理的觀照。「謝靈運的山水詩在抒情描寫上大都循著一個程式：開始時，詩人總是懷著各種強烈的人世情感步入山水。通過對自然的觀照，情感漸漸平息淡泊，最終完全泯滅在景物境界裡。而後再由欣賞（有些則經過問答式的物我交流）轉為思考，末以表示釋然，與初時情感發生根本轉變的說理結束……恰又與佛學中從『人我』出發，借助禪定功夫，與關照物件中悟出萬化皆空之理，返照於心，覺悟到自我也是『空』，否定一切情欲物念，發現『佛性我』，達到般若境界的參禪過程相吻合。」[57]張國星提到謝靈運常抱有的一個山水詩描寫程式，恰好就是本文「無情詩論」的第二重意義。相比於張國星稱其為「抒情描寫」的程式，我更傾向於稱它為「無情描寫」的詩藝。既然已「否定一切情欲物念，發現『佛性我』」，又何必再言抒情描寫。

---

55 蒲友俊：〈「感物」與「觀物」——兼論山水詩的產生〉，《四川師範大學學報（社會科學版）》，總第100期，頁55-56。

56 張兆勇：《謝靈運集箋釋》北京：中國社會科學出版社，2017年，頁34。

57 張國星：〈佛學與謝靈運的山水詩〉，《學術月刊》，1986年11期，頁62。

4 魏晉審美價值的轉向

　　魏晉審美價值影響謝靈運的「無情詩筆」有兩個途徑。一是魏晉時人審美普遍要求詞句的雕琢，而不重視對詩意的發揮；二是魏晉創作論要求文學家創作詩歌前需要「滌除玄覽」，將不必要的情感盡皆拋棄。

　　首先，魏晉南北朝的審美傾向在中國古代文學史中可謂獨樹一幟，若說到中國古代文學的唯美主義，魏晉南北朝可謂是最貼近的。當然，魏晉作為文學自覺性開始萌發的時代，其文學保有這種色彩可謂擁有著相當充分的理由。從魏晉伊始到陳朝滅國的幾百年中，中國古代文學的文學性逐漸得到奠基，但文學也在這一過程中越來越走向媚途。宗白華云：「漢末魏晉六朝是中國政治上最混亂，社會上最苦痛的時代，然而卻是精神史上極自由、極解放、最富於智慧、最濃於熱情的時代，因此也就是最富有藝術精神的一個時代。」[58]自慷慨悲涼的建安風骨到妖嬈變媚的梁陳宮體，魏晉文論也逐漸發生著變化。關於魏晉南北朝文論的變遷，目前學術界大多以此為準：自曹丕將文學地位提升到「國之大事」以來，從陸機對文學本質的思考，到劉勰對諸家作品的評論，再到鍾嶸為詩人「定品第，溯流別」等，然而此乃後世歸納出的一條健康的文學文論發展道路。但如果魏晉主流文論真如此發生發展，魏晉南北朝文學也就不會到宮體這等浮豔的地步。

　　以上述後世歸納出的文論發展道路來看，後世面對魏晉文學，應以極情盡性、盡在言外為評詩最高標準；但以魏晉南北朝時人的眼光來看，對詞彙的雕琢以及語句的華麗才是文人應追求的極致境界，情性和境界並不非常重要，如此也可解釋顏、謝文壇盟主的地位以及陶潛在當時時代評價的問題。這樣在如今看來略有畸形的審美觀，才在後世發展成了宮體詩這類的豔詩。聞一多《宮體詩的自贖》也在側面意味上證明了南朝到唐初之間審美價值的轉向，從而引導了後世對魏晉文論的反撥。

　　魏晉南北朝之前，詩是枯燥的、乏味的，代表作是班固的〈詠史〉；魏晉南北朝之後，詩是抒情的、重意的，正如唐詩的百花齊放一般。夾在中間的謝靈運，他的詩風自然與前輩後輩不同，深深地被當時審美價值影響的他，詩歌是極度追求美的、唯美論的。所以他把山水描繪的盡態極妍，這正是他對於美的追求；而情、意、理都是第二位甚至三、四位的東西了。

　　這種對山水美的追求，是與當時歷史條件分割不開的。魏晉南北朝是中國古代南方第一次大規模得到開發的時期，北方經過多年征戰，人文和自然都已凋蔽不堪；自晉朝南移以後，南方本就清新秀麗、又未經過戰火大範圍破壞而得以保全的山水更得到了知識分子的欣賞。謝氏家族對山水自然一以貫之的青睞也是由此而來，這些都為山水進入謝靈運的眼中做了鋪墊。當然，朝堂的逼迫、社會的黑暗、大園林地主階級的出現，以

58　宗白華：《美學散步》上海：上海人民出版社，1981年，頁177。

及頗有資財的家產等等都是謝靈運關注山水的原因，前文也已有論述。這就是魏晉審美價值轉向重雕琢而輕情意一途，給謝靈運造成的影響。

其次，魏晉創作論也在影響著謝靈運的「無情詩筆」。從陸機到劉勰，在文學審美價值轉向的影響下，魏晉的創作論都是以道家「虛靜」的觀念為主導所產生的。陸機〈文賦〉：「佇中樞以玄覽」[59]、劉勰《文心雕龍·神思》：「陶鈞文思，貴在虛靜，疏瀹五藏、藻雪精神」[60]等皆是如此。結合上文玄學對謝靈運影響的闡述，我們發現審美價值是和玄學一樣在精神層面上影響謝靈運文學創作的。

秉持著這種文學創作觀念，謝靈運在詩歌創作過程中，甚至創作詩歌之前，就應拋出自身所有雜念和俗世的塵情，到達一個無欲無求的境界，進而來創作。當然，這種境界常人難以到達，所以謝靈運取巧，在創作過程中逐漸消弭這種外在的情感，並在山水的描寫中毫不猶豫地採用冷處理這種「無情詩」的創作方法。歷來評價謝靈運的山水詩，要麼以雕琢批評謝靈運冷酷，要麼以自然讚譽謝靈運清新。但結合謝靈運的人生和創作，以及魏晉南北朝文學價值的轉向，倒不如說謝靈運的山水詩特點為「清冷」。愛用冷色調的詞彙是謝靈運詩一大特點，也是謝靈運無情詩的表現。太過熱烈的詞彙會影響到謝靈運追慕「聖人無情」大道，在謝靈運眼中，只有多用如「幽」、「萋」、「青」等字眼，才會更似天上的仙人。

四　結語

謝靈運的「無情詩」並非真正的無情，謝靈運的山水詩多以情、景、理三者方形堆積的形式進行創作，在創作過程中，謝靈運以山水之美抵銷塵世煩情，或無法抵銷，暫且緩解。但無論這種感情是否消解，謝靈運都是在努力地達到消解自身煩憂的目的，這是「無情詩論」也是他「無情詩藝」的重要表現之一，即「去情」。另外，也是更容易理解的一點，則正是他對山水的無情客觀描寫。不管是魏晉之際的物質層面還是人文層面，社會影響還是時代思潮，都對謝靈運這兩種「無情詩論」的表現藝術形式產生過重要的交叉影響。

59　（唐）李善等：《六臣注文選》北京：中華書局，2012年，頁310。
60　周振甫：《文心雕龍今譯》北京：中華書局，2013年，頁249。

論初唐五律行旅詩的章法結構與五律定型[*]

余丹

北京師範大學文學院

　　初唐行旅詩吸收了南北朝、隋代詩人行旅詩的藝術特點，又在初唐的具體背景下產生了一些新特點，對於豐富行旅題材的書寫範式具有不可忽視的意義。南北朝至隋代的行旅詩以五古為主，這主要與留下作品的詩人所處時代靠前（主要在劉宋時期）以及被以聲律的新體詩的表現範圍有關。初唐行旅詩延續魏晉南朝以五古作行旅詩的傳統並有所發展，同時出現了大量律詩，以五律為主，兼有五七言律化的絕句。從行旅詩體裁的發展上看，這部分律體行旅詩具有自身特色，與初唐其他律體有一定不同。沈佺期的五律素來有「律詩正宗」之稱。明人許學夷說：「沈、宋才力既大，造詣始純，故其體盡整栗，語多雄麗，而氣象風格大備，為律詩正宗。」[1]王世貞也認為，「五言至沈、宋，始可稱律」[2]。沈佺期〈早發平昌島〉云：

> 解纜春風後，鳴榔曉漲前。陽烏出海樹，雲雁下江煙。積氣沖長島，浮光溢大川。不能懷魏闕，心賞獨泠然。[3]

本文通過討論這首詩詩題、首聯、頷聯與頸聯、尾聯四個部分所反映出的章法結構，思考行旅題材對於詩體選擇的方式，進而探討初唐行旅詩寫作對於五律定型的貢獻。

一　詩題：抒情與敘事的消長

　　〈早發平昌島〉作於唐中宗神龍三年（西元707年），沈佺期赦歸返京途中。題目可以提煉為三個部分：時間副詞「早」、動詞「發」、地點名詞「平昌島」，無疑是對行旅背景的提示。這在初唐五律行旅的寫作中並不罕見，通常行旅詩的題目至少寫明一項信息——地點名詞，如分陝、瓜步江、大庾嶺、散關等，即詩人途經之地。位於地名之

---

*　【基金項目】國家社會科學基金重大項目「中國古代都城文化與古代文學及相關文獻研究」（18ZD A237）。

1　（明）許學夷著：《詩源辯體》北京：人民文學出版社，2001年，頁146。

2　（明）王世貞著：《藝苑卮言》南京：鳳凰出版社，2009年，頁52。

3　（唐）沈佺期、宋之問撰，陶敏、易淑瓊校注：《沈佺期宋之問集校注》北京：中華書局，2017年，頁126。

前的動詞，如入、至、渡、經、度、過等，提示詩人與該地的相對地理位置——剛到或已離開此地。這是最常見的命名方式之一，可總結為「動詞＋地點名詞」，如〈至分陝〉、〈渡瓜步江〉等。這類詩題所對應的詩歌文本多受途徑地名的影響，若是分陝、分水戍等具有歷史典故或政治意義之地，多為詠史懷古；若是大庾嶺、散關等行旅艱險之地，則多感歎行旅之艱、羈旅之苦。

　　在此基礎之上，還有三種常見的命名方式。其一，「時間副詞＋動詞＋地點名詞」，如〈早發平昌島〉、〈夜宿七盤嶺〉；或「地點名詞＋時間副詞＋動詞」，如〈散關晨度〉、〈深灣夜宿〉。常見的時間副詞有早、晨、曉、夕、夜、晚等六個，前三者相應的動詞是行、發、度，後三者相應的則是宿、次、泊。動詞「泊」相應的地名一般是江河名，如「湘江」。可見行旅多在早上出發，晚上休息。這類詩歌文本多詳細記錄行旅過程、交通方式和沿途景觀。其二，「動詞＋地點名詞（途徑地）＋動詞＋地點名詞（目的地）」，如〈度荊門望楚〉；或「動詞＋地點名詞（目的地）＋動詞＋地點名詞（途徑地）」，如〈下江南向虁州〉。在此基礎之上，還有「動詞＋地點名詞（目的地）＋時間副詞＋動詞＋地點名詞（途徑地）」，如〈入蜀秋夜宿江渚〉、〈至陳倉曉晴望京邑〉。相較於前兩類，這類詩歌文本多運用時空轉換的寫作視角，增加對目的地的聯想和描寫。其三，「地點名詞＋動詞＋人名（寫作物件）」，如〈大劍送別劉右史〉、〈端州別高六戩〉；或「（時間副詞）＋動詞＋地點名詞＋動詞＋人名（寫作物件）」，如〈渡吳江別王長史〉、〈晚渡漳沱敬贈魏大〉；或「地點名詞＋時間副詞＋動詞＋動詞＋人名（寫作物件）」，如〈焦岸早行和陸四〉。人名前的動詞常為送別、別、寄、贈、和等，交代了詩歌的寫作對象即讀者。這類詩多為今昔對比、自我詠懷，具有很強的寫作目的和交際功能，宋之問〈途中寒食題黃梅臨江驛寄崔融〉與崔融〈和宋之問寒食題黃梅臨江驛〉是代表之作。以上四種命名類型無論律詩、絕句還是古體詩，南北朝還是隋唐，都可以看到這些規律[4]。

　　值得進一步討論的是，詩題對行旅時間的記錄多為一日之朝、夕，很少有「日記體詩」[5]出現。究其原因，最主要是因為唐人的記錄意識與時間意識不強，遠不及宋人。

4　行旅詩題目含地點名詞始於《詩經》、《楚辭》，如〈豳風‧東山〉、〈九章‧涉江〉、〈九章‧哀郢〉。漢魏古體詩較多，僅馬援〈武溪深〉、梁鴻〈適吳詩〉、曹丕〈於明津作詩〉、〈至廣陵於馬上作詩〉等數首題目含地名。自西晉陸機、東晉陶淵明始，行旅詩命名逐漸注重對途徑地名的記錄，如〈赴洛道中作〉、〈辛丑歲七月赴假還江陵夜行塗口〉。至南北朝更常見，如謝靈運〈永初三年七月十六日之郡初發都〉、顏延之〈北使至洛〉、鮑照〈還都道中〉、謝朓〈晚登三山望京邑〉、吳筠〈使廬陵〉、何遜〈還度五洲〉、王褒〈始發宿亭〉、庾信〈將命使北始渡瓜步江〉。隋唐律詩大幅增加，詩題命名方式及其承載的行旅背景信息更為豐富，與詩歌文本的關聯性也更緊密。這是初唐較之前代的獨特性，也是本文討論初唐行旅詩題目的意義所在。

5　現有「日記體詩」的研究成果，以胡傳志、馬東瑤的貢獻為主。參見胡傳志：〈日課一詩論〉，《文學遺產》，2015年第1期，頁82-89；馬東瑤：〈論宋代的日記體〉，《文學遺產》，2018年第3期，頁58-68。馬東瑤將「日記體」界定為詩題、序或注中標示了日期的作品，「借鑒了日記的時間性和記

其次，旅人留宿某地、離開某地的時間多為每天日出或日落時，因此對時間流逝最為直觀的感知便是太陽之升落。再次，旅人在長時間、長距離的行旅過程中，容易逐漸失去對具體日期的記憶、辨別能力。只有在除夕、寒食、上巳等重要節日或是對詩人而言具有標誌意義的時間節點，才會記錄日期，如張說〈四月一日過江赴荊州〉、宋之問〈寒食江州蒲塘驛〉兩詩的內容與詩題所示日期緊密相關。以宋之問〈桂州三月三日〉為例，此詩作於景元元年（西元710年）至先天元年（西元712年）流欽州時，大篇幅回憶昔日長安上巳佳節的盛況，「兩朝賜顏色，二紀陪歡宴」，再三抒發得赦返京之願：「曲水何能更祓除」、「逐伴誰憐合浦葉」、「願得佳人錦字書」[6]。

此外，初唐行旅詩中有敘事性很強的長題目出現，標示行旅或寫詩緣由。如陳子昂〈入東陽峽與李明府舟前後不相及〉、〈合州津口別舍弟至東陽峽步趁不及眷然有憶作以示之〉、崔湜〈景龍二年余自門下平章事削階授江州員外司馬尋拜襄州刺史春日赴襄陽途中言志〉、鄭愔〈貶降至汝州廣城驛〉、房融〈謫南海過始興廣勝寺果上人房〉、沈佺期〈神龍初廢逐南荒途出郴口北望蘇耽山〉、宋之問〈至端州驛見杜五審言沈三佺期閻五朝隱王二無競題壁慨然成詠〉、〈傷王七秘書監寄呈揚州陸長史通簡府僚廣陵以廣好事〉、張說〈盧巴驛聞張御史張判官欲到不得待留贈之〉。上文所論四種類型的詩題則是對行旅詩傳統的借鑒和對個人行旅體驗的保留，而這些題目則是對個人行旅體驗的詳細解釋，將個人行旅體驗清晰地傳達給讀者。

二　首聯：交通工具與行旅過程

上文從〈早發平昌島〉的題目與內容的關係切入，揭示了初唐行旅詩所呈現的一種章法。以下將從此詩的首聯入手，即「解纜春風後，鳴榔曉漲前」兩句，揭示初唐行旅詩在首聯經常運用的另一種寫作程式，即行旅過程的敘事習慣，尤其是對交通方式的刻意強調。沈佺期於神龍元年長流驩州，得赦後途經平昌島、越州（今廣東合浦）、貞陽峽（今廣東英德）、韶州、樂昌、郴州、潭州（今湖南長沙）等地回京。首聯是對詩題「早發平昌島」之「早發」的描寫。詩人從平昌島出發的詳細動作是「解纜」、「鳴榔」，這對應「發」字，可知沈佺期此行的交通工具是船。解纜，即解去繫船的纜繩，開船，如「解纜出南浦，征棹且凌晨」（王褒〈別陸子雲詩〉）。「鳴榔」本指「以長木叩舷為聲」、「以驚魚令入網也」（李善注〈西征賦〉），引申為扣舷而歌，如「惜別耐取

錄性特色的詩歌類型，發端於魏晉，勃興於兩宋」。她關注到文天祥一批作於崖山兵敗後的紀行詩，「集中從八月三十日的〈發高郵（三十日）〉開始，中間經淮安、桃源、邳州、徐州、沛縣、魚臺、潭口，過黃河，經汶陽、鄆州，過東阿、高唐，經平原、陵州（德縣）到獻縣，渡滹沱河，至河間，直到〈保涿州三詩〉，其後到達燕京，幾乎是逐日書寫，運用題後加日期的方式進行標注，比陸游的入蜀紀行詩有更為明確的時間意識」。

6　（唐）沈佺期、宋之問撰，陶敏，易淑瓊校注：《沈佺期宋之問集校注》，頁560。

醉，鳴榔且長謠」（李白〈送殷淑〉）[7]。「早」字對應「春風後」、「曉漲前」六字。詩人於春風吹拂的早晨，在漲潮之前，從平昌島乘船出發。

行旅詩首聯往往照應詩題中「時間副詞」和「動詞」，注重細緻記錄行旅過程，特別強調交通工具，這種寫作程式在初唐其他行旅詩中很普遍。如王勃「飭裝侵曉月，奔策候殘星」（〈易陽早發〉）、盧照鄰「拂曙驅飛傳，初晴帶曉涼」（〈至陳倉曉晴望京邑〉）、駱賓王「捧檄辭幽徑，鳴榔下貴洲」（〈渡瓜步江〉）、「攬轡疲宵邁，驅馬倦晨興」（〈北眺春陵〉）、陳子昂「遙遙去巫峽，望望下章臺」（〈度荊門望楚〉）、沈佺期「獨遊千里外，高臥七盤西」（〈夜宿七盤嶺〉）、宋之問「曉泊錢塘渚，開簾遠望通」（〈錢江曉寄十三弟〉）、陳子良「我行逢日暮，弭棹獨維舟」（〈入蜀秋夜宿江渚〉）、姚崇「夜渚帶浮煙，蒼茫晦遠天」（〈夜渡江〉）[8]。

由此觀之，首聯對於行旅過程的動作描寫大致有三個規律性特徵：其一，首聯常描寫交通工具的運行狀態，水路行舟用弭棹、倚棹、歸棹、鳴榔等詞，陸路坐車用攬轡、驅馬、征鞍、停軺等詞，呈現旅人在路上的動態過程。這也常見於五言排律，如「弭棹凌奔壑，低鞭躡峻岐」（王勃〈泥溪〉）、「倚棹春江上，橫舟石岸前」（盧照鄰〈葭川獨泛〉）、「倚棹攀岸筏，憑船弄波月」（張說〈江路憶郡〉）、「斂轡遵龍漢，銜淒渡玉關」（來濟〈出玉關〉）、「秣馬臨荒甸，登高覽舊都」（陳子昂〈峴山懷古〉）[9]。其二，首聯常交代行旅時間，早上啟程用侵曉月、乘月、候殘星、侵星、初晴、曉涼、晨興等詞，晚上則夜渚、宵邁。還常以朝夕對比來形容行旅時間之長、路途之艱險，如「晨攀偃寒樹，暮宿清冷泉」（盧照鄰〈于時春也慨然有江湖之思寄此贈柳九隴〉），「朝發崇山下，暮坐越常陰」（沈佺期〈從崇山向越常〉）、「晨征犯煙磴，夕憩在雲關」（王勃〈長柳〉）。此外，通過沿途景觀暗示行旅時間，如「關山凌旦開，石路無塵埃」（王勃〈散關晨度〉）[10]，早上啟程很早，以至於路上沒有塵埃。其三，首聯中地名是對詩題的照

7　以上兩首詩見於（梁）蕭統編，（唐）李善注：《文選》上海：上海古籍出版社，2007年，頁395；（唐）李白著，王琦注：《李太白全集》北京：中華書局，2015年，頁830。

8　以上九首詩見於（唐）王勃著，蔣清翊注：《王子安集注》上海：上海古籍出版社，1995年，頁91；（唐）盧照鄰著，祝尚書箋注：《盧照鄰集箋注》上海：上海古籍出版社，2011年，頁127；（唐）駱賓王著，（清）陳熙晉箋注：《駱臨海集箋注》上海：上海古籍出版社，1985年，頁92、59；（唐）陳子昂撰，徐鵬校點：《陳子昂集》北京：中華書局，2013年，頁19；（唐）沈佺期、宋之問撰，陶敏，易淑瓊校注：《沈佺期宋之問集校注》，頁219、504；（清）彭定求等：《全唐詩》北京：中華書局，2018年，頁230、344。

9　以上五首詩見於（唐）王勃著，蔣清翊注：《王子安集注》，頁93；（唐）盧照鄰著，祝尚書箋注：《盧照鄰集箋注》，頁173；（唐）張說著，熊飛校注：《張說集校注》北京：中華書局，2013年，頁363；（清）彭定求等：《全唐詩》，頁232；（唐）陳子昂撰，徐鵬校點：《陳子昂集》，頁19。

10　以上四首詩見於（唐）盧照鄰著，祝尚書箋注：《盧照鄰集箋注》，頁65；（唐）沈佺期、宋之問撰，陶敏、易淑瓊校注：《沈佺期宋之問集校注》，頁120；（唐）王勃著，蔣清翊注：《王子安集注》，頁89、80。

應和詳細描寫,如貴洲、巫峽、章臺、貞陽、七盤西、端溪、錢塘渚等詞。總的來說,首聯注重行為性內容,可視為敘事性增強,這有助於行旅境遇的記錄。

三　頷聯、頸聯：時空轉換與行旅景觀

再看〈早發平昌島〉的頷聯與頸聯,「陽鳥出海樹,雲雁下江煙。積氣沖長島,浮光溢大川」,是詩人行旅途中所見之景:日出海上,歸雁棲江,江天相接。這兩句歷來備受稱讚,明人陸時雍云「中聯語氣高朗」(〈唐詩鏡〉)[11],又有張延登云「長虹飲川,紅綃燁燁」(〈沈詩評〉)[12]。初唐五律行旅詩的中間兩聯多為細緻的行旅景觀,如「堰絕灘聲隱,風交樹影深。江童暮理楫,山女夜調砧」(王勃〈深灣夜宿〉);「複嶂迷晴色,虛岩辨暗流。猿吟山漏曉,螢散野風秋」(王勃〈焦岸早行和陸四〉);「驚濤疑躍馬,積氣似連牛。月迴寒沙淨,風急夜江秋」(駱賓王〈渡瓜步江〉)。[13]正如明人張遜業所言,駱賓王五律「秀麗精絕,不可易及」(〈駱賓王文集序〉)、王勃五律「未脫六朝沿染,而沉思工致,亦未易及也」(〈校正王勃集序〉)。正因兩人行旅詩常見「精絕」、「工致」的景觀描寫,由此難以看到沿途景觀的地域特色。

初唐四傑之後,行旅詩中間兩聯對於沿途景觀的描寫,具有鮮明的地域性特徵。如杜審言「往來花不發,新舊雪仍殘。水作琴中聽,山疑畫裡看」(〈經行嵐州〉),「仲冬山果熟,正月野花開。積雨生昏霧,輕霜下震雷」(〈旅寓安南〉),宋之問「我行殊未已,何日復歸來。江靜潮初落,林昏瘴不開」(〈題大庾嶺北驛〉)、「竹迷樵子徑,萍匝釣人家。林暗交楓葉,園香覆橘花」(〈過蠻洞〉)。[14]顯然暗示了詩人地理環境與生存環境的變化。關注到沿途物候的變化,嵐州地處寒冷的北方,則「往來花不發,新舊雪仍殘」;安南在溫暖的南方,則「仲冬山果熟,正月野花開」。嶺南素來是瘴癘之地,大庾嶺北驛在宋之問筆下是「林昏瘴不開」。湘贛一帶盛產柑橘,遂有「園香覆橘花」、「數處橘為洲」之句。綜合來看,不同路線的行旅詩展現了不同類型的景觀和物候,呈現出蜀地、嶺南、隴右、吳越等不同特色的地域文化。

此外,如何在同一旅途所作的不同詩作中區分行旅路線呢?在五律中,中間兩聯往往通過地名的變換來實現,以此記錄行旅的動態性和過程性。如駱賓王〈北眺舂陵〉頷聯「既出封泥谷,還過避雨陵」,陳子昂〈度荊門望楚〉頷聯「巴國山川盡,荊門煙霧

---

11 （明）陸時雍：《唐詩鏡》,清文淵閣四庫全書本,頁36。

12 轉引自陳伯海主編：《唐詩匯評》上海：上海古籍出版社,2015年,1冊,頁186。

13 以上三首詩見於（唐）王勃著,蔣清翊注：《王子安集注》,頁92、91;（唐）駱賓王著,（清）陳熙晉箋注：《駱臨海集箋注》,頁92。

14 以上兩首詩見於（唐）杜審言：《杜審言詩集》,頁4、8;（唐）沈佺期、宋之問撰,陶敏、易淑瓊校注：《沈佺期宋之問集校注》,頁427、575。

開」、〈落第西還別劉祭酒高明府〉頷聯「地連函谷塞，川接廣陽城」，張說〈下江南向
夔州〉頸聯「城臨蜀帝祀，雲接楚王臺」[15]。前兩詩的頷聯從距離出發點較近的地理空
間，到距離目的地較近的地理空間，如駱詩從「封泥谷」到「避雨陵」，陳詩從「巴
國」到「荊門」，兩句之間的空間變換暗示著時間的推進。後三詩的地名並非詩人所在
之地，如陳詩中「函谷塞」、「廣陽城」的想像，盧詩中「長安」、「帝鄉」，張詩中「蜀
帝祀」、「楚王臺」，都是對途經之地或目的地的聯想和描繪，在空間對比中標示了行旅
的路線。

四　尾聯：詩人境遇與情感訴求

　　尾聯「不能懷魏闕，心賞獨泠然」，則體現詩人境遇與情感訴求的聯繫。魏闕，〈莊
子・讓王〉云：「中山公子牟謂瞻子曰：『身在江海之上，心居乎魏闕之下，奈何？』瞻
子曰：『重生。重生則輕利。』」[16]高誘注：「魏闕，王者門外，闕所以懸教象之書於象
魏也，巍巍高大，故曰魏闕。」[17]後代指朝廷，如「仲連輕齊組，子牟眷魏闕」（謝靈
運〈游赤石進帆海詩〉）、「魏闕心恒在，金門詔不忘」（孟浩然〈自潯陽泛舟經明海〉）、
「空持釣鼇心，從此謝魏闕」（李白〈同友人舟行〉）[18]。沈佺期此詩作於遇赦返京途
中，心中遠謫驩州的陰霾早已散去，多次作詩敷宣皇恩，如「質幸恩先貸，情孤枉未
分。自憐涇渭別，誰與奏明君」（〈答寧愛州報赦〉）、「喜氣迎冤氣，青衣報白衣。還將
合浦葉，俱向洛城飛」（〈喜赦〉）。不僅如此，遠在遇赦詔還前，他便表達對於早日返京
的渴望，如「兩地江山萬餘里，何時重謁聖明君」（〈遙同杜員外審言過嶺〉）、「雨露何
時及，京華若個邊」、「何年赦書來，重飲洛陽酒」（〈初達驩州〉）[19]。可見沈佺期實際
無時不刻都「懷魏闕」，卻說「不能懷魏闕」，即不能再想朝廷之事。

　　為何有如此反差？結句提示了原因。心賞即心愛，如「滿目皆古事，心賞貴所高」
（謝靈運〈入東道路〉）、「朋從天外盡，心賞日南求」（沈佺期〈三日獨坐驩州思憶舊
遊〉）。泠然，〈莊子・逍遙遊〉云：「夫列子禦風而行，泠然善也。」郭象注：「輕妙之

---

15 以上四首詩見於（唐）駱賓王著，（清）陳熙晉箋注：《駱臨海集箋注》，頁59；（唐）陳子昂撰，徐
　　鵬校點：《陳子昂集》，頁19、40；（唐）張說著，熊飛校注：《張說集校注》，頁362。

16 （清）郭慶藩集釋：《莊子集釋》北京：中華書局，2016年，頁979。

17 何寧：《淮南子集釋》北京：中華書局，1998年。

18 以上四首詩見於逯欽立輯校：《先秦漢魏晉南北朝詩》北京：中華書局，1983年，頁1162；（唐）孟
　　浩然著，佟培基箋注：《孟浩然詩集箋注》，頁210；（唐）李白著，王琦注：《李太白全集》，頁
　　929。

19 以上四首詩見於（唐）沈佺期、宋之問撰，陶敏、易淑瓊校注：《沈佺期宋之問集校注》，頁123、
　　124、85、95-97。

貌。」[20]詩句如「風馭忽泠然，雲臺路幾千」（宋之問〈送田道士使蜀投龍〉）、「泠然委輕馭，復得散幽抱」（沈佺期〈同工部李侍郎適訪司馬子微〉）[21]，多是形容道士馭風的輕妙之態。尾聯連用兩個〈莊子〉典故，當有超然之意。他看到日出海上、歸雁樓江，尤其是「積氣沖長島，浮光溢大川」的壯麗之景，加之遇赦返京的欣喜，便自我勸告：不能再心懷朝廷、情繫仕宦，先看這令人心情歡暢的美景吧。[22]因此清人顧安評論：「同一遷謫詩，之問〈經梧州〉結句『流光雖可悅，會自泣長沙』，何等咽塞；此詩『不能懷魏闕』句，何等灑然！」（〈唐律消夏錄〉）[23]

　　綜合來看，尾聯多是詩人境遇和個人情感的綜合表達，是整首詩的關鍵所在。初唐五律行旅詩的尾聯大致可據詩人境遇分為以下三種情感內涵。其一，抒發羈旅之苦、懷鄉之思，實際是對返京的渴望，這種私人化的情感表達是最常見的，如「客行無與晤，賴此釋愁顏」（王勃〈長柳〉）。其二，自我勸告之語，有對將來仕途的信心，也有對自我的勉勵等，如「即今揚策度，非是棄繻回」（王勃〈散關晨度〉）。其三，對寄贈對象的傾訴之語，有對親友的不捨，也有對京城的念想，如「倘遇忠孝所，為道憶長安」（盧照鄰〈大劍送別劉右史〉）、「何時似春雁，雙入上林中」（張說〈南中別陳七李十〉）[24]。

五　初唐行旅詩對五律定型的詩學意義

　　上文從沈佺期〈早發平昌島〉詩入手，總結出四種相對固定的章法結構[25]，即詩題與文本內容的張力，首聯多寫交通工具與行旅過程，領聯和頸聯通過時空轉換描寫行旅景觀，尾聯則由於詩人境遇和情感訴求有不同抒情。結合初唐五古行旅詩的創作來看，初唐詩人既通五古，又善五律，在行旅途中對於詩體的選擇可見其態度。五古行旅詩可以盡情陳情言志，注重敘事，不受約束，因此景觀真實性更大，寫實性更強，特別是寫作技巧與山水景觀的相互遷就，形成生新的局面。此外，五古具有古樸性，有助於塑造詩人敘事的真實性，如崔湜被貶途中作長篇幅的古體詩述懷，回京則用短小的律詩表達

20　（清）郭慶藩集釋：《莊子集釋》北京：中華書局，2016年，頁17。

21　以上兩首詩見於（唐）沈佺期、宋之問撰，陶敏、易淑瓊校注：《沈佺期宋之問集校注》，頁605、185。

22　關於《早發平昌島》尾聯，楊恩成認為「對於一個去國離家的人來說，如果他失去了身在江湖之上，心存魏闕之下的崇高節操，而沉浸在眼前令人賞心悅目的景色中，那是多麼讓人傷心的啊！言外之意則是說，自己身在江湖、心存魏闕，所以，眼前的景色儘管令人賞心悅目，但對自己來說，心頭終有一種寂寞清冷之感。」可見他將「泠然」釋為「寂寞清冷之感」，因此產生不同理解。參見周嘯天編：《唐詩鑒賞辭典》北京：商務印書館國際公司，2012年，頁109-110。

23　轉引自陳伯海主編：《唐詩匯評》，1冊，頁186。

24　以上四首詩見於（唐）王勃著，蔣清翊注：《王子安集注》，頁80；（唐）盧照鄰著，祝尚書箋注：《盧照鄰集箋注》，頁133；（唐）張說著，熊飛校注：《張說集校注》，頁290。

25　五律的章法結構在五絕、七絕中也有類似的模式化表達，因數量較少，不再做細緻分析。

再度返京的欣喜。由此反觀五律行旅詩，這些詩作更多著眼於五律的章法結構，更多呈現出五律的體制面貌而非行旅的面貌。盛唐五律的成熟體現在格律的成熟、意象的獨立、意境的圓融等方面，而初唐五律行旅詩往往配合寫景造境抒發情感，相對來說失去景觀的真實性，情、景、事的融合未達到成熟階段，但是初唐五律行旅詩的創作可視為江山之助對於五律的鍛造和錘鍊。

　　進一步而言，五律行旅詩相對固定的章法結構主要受到三方面因素的影響。其一，宮廷應制、贈答等寫作模式的沿襲。初唐詩人處在群體與個體的過渡狀態中，他們的詩歌既有一定的個性特色，又反映出並未完全脫離文學侍從群體的事實。如蘇味道為安撫使奉使嶺南，途中作〈九江口南濟北接蘄春南與潯陽岸〉等詩，雖是行旅之作，但詩歌意象、語言風格不出宮廷應制、贈答等寫作模式，個性化特徵不突出。其二，相似身分、行旅體驗、情感經歷帶來的寫作模式。他們重視行旅詩的實用功能，通過詩歌來抒發情感、表達訴求，因此影響了詩歌面貌，使得詩歌普遍具有強烈的抒情色彩和相似的內容，從而限制了詩歌在個性化上的表達。如文士被貶比例在初唐達到相當高的程度，尤其是被長時間、遠距離貶謫的文士，政治資源有限，對統治者有強烈的依賴，當被外放時，惆悵憂慮之情促使其在羈旅途中創作大量行旅詩來抒發較為相似的情感。其三，受到行旅詩題材和詩歌體裁的限制，具有相對固定的寫作程式，這充分體現在五律的創作上，如首聯、頷聯、頸聯和尾聯的寫作規律。

　　初唐五律創作受時代、詩人身分、創作觀念等因素限制，在格調、氣骨方面還未及盛唐。即便如此，初唐五律行旅詩的創作對於五律定型和走向成熟仍具有重要的詩學意義。第一，對遣詞造句的影響。初唐五律行旅詩創作在寫作技巧上趨於成熟，尤其是典型意象的提取、情景交融的淬鍊和對於圓融意境的追求。第二，對於詩體成熟的影響。五律行旅詩的創作強調詩歌的情感線索，在一定程度上形成了與同時期其他作品不同的特色，豐富了律體行旅詩的創作方法。第三，對詩歌情感、氣象的影響。在敘述旅行過程的同時插入對於人生經歷的敘述，擴充了詩歌容量，豐富詩歌層次，這些都為後世提供了藝術借鑒。行旅詩是詩人境遇的結晶，凝聚著個體的精神和情感，從中可以強烈感受到生命活動和心靈吶喊。

　　總的來說，五律創作只有在詩人充分自由、獨立的基礎上，才能具有更加靈活的構思和富於變化的表現方式，這在盛唐詩人那裡得以實現。初唐五律行旅詩獨特的章法結構，在遣詞造句、詩體成熟和情感氣象等方面，對於五律的定型具有重要的詩學意義。本文所呈現的五律行旅詩全景，歸根結柢是初唐五律轉型與時代變遷的剪影，這是在南北朝至盛唐之間拉開的一道別致的圖景。

自他兼利，頓漸俱收
——永明延壽「頓悟圓修」思想研究

伊雷

北京師範大學哲學學院

　　五代宋初僧人永明延壽（西元904-976年）在「禪理」上主張「以心為宗」，在「禪行」上則強調「頓悟圓修」，這些觀點的形成深受法眼文益和圭峰宗密的影響。首先，作為法眼宗初祖的文益與三祖延壽之間的思想聯繫是有跡可循的。文益曾說：「三界唯心，萬法唯識。」[1] 延壽則說：「此識此心，唯尊唯勝。」[2] 文益強調：「理無事而不顯，事無理而不消，事理不二，不事不理，不理不事。」[3] 延壽則認為，「若論理事，幽旨難明，細而推之，非一非異。」[4] 他還說：「理事無礙者，理則無為，事則有為，終日為而未嘗有為，終日不為而未嘗無為，為與無為，非壹非異，同法性源，等虛空界。」[5] 文益主張「理在頓明，事須漸證」[6]，他認為「理事相資，還同目足」。而延壽也表達了相同的意思，他反問：「若有目而無足，豈到清涼之池？」[7] 他明確說：「理行兼備，因果同時，圓解圓修，方成宗鏡。」[8] 他不但主張「理行兼備」，還主張「理行俱圓」。他說：「若入宗鏡，理行俱圓。」[9] 禪宗講究「頓悟」，但「頓悟」之後是否還需起修？法眼宗師弟將華嚴宗「理」、「事」範疇納入禪修視野，從而對這一問題給予了肯定回答。對此，延壽說：

> 但悟一心無礙自在之宗，自然理事融通，真俗交徹。若執事而迷理，永劫沈淪，或悟理而遺事，此非圓證。何者？理事不出自心，性相寧乖一旨。若入《宗鏡》，頓悟真心，尚無非理非事之文，豈有若理若事之執？但得本之後，亦不廢

1　（五代）文益：《三界唯心頌》，《景德傳燈錄》卷29，《大正藏》第51冊，頁454上。

2　（宋）延壽：《宗鏡錄》自序，《大正藏》第48冊，頁416下。

3　（宋）道原：《景德傳燈錄》卷28，《大正藏》第51冊，頁449上。

4　（宋）延壽：《萬善同歸集》卷上，《大正藏》第48冊，頁958中。

5　（宋）延壽：《萬善同歸集》卷下，《大正藏》第48冊，頁992中。

6　（五代）文益：《宗門十規論》，《續藏經》第63冊，頁36下。

7　（宋）延壽：《萬善同歸集》卷上，《大正藏》第48冊，頁958下。

8　（宋）延壽：《宗鏡錄》卷40，劉澤亮主編：《永明延壽禪師全書》北京：宗教文化出版社，2008年，頁689。（下引該書，簡稱《永明全書》）

9　同上註，頁686。

圓修。[10]

其次，延壽是繼圭峰宗密之後五代宋初時期提倡「禪教一致」主張的最著名禪師，他繼承了宗密「禪教融通」的思想。在宗密那裡，「禪理」和「禪行」是兩個層面，他認為「本覺真性」是「禪門之源」，也即是「禪理」，忘情契之是「禪行」。更為重要的是，宗密不但強調「本覺真性」是「禪門之源」，同時還是「萬法之源」、「眾生迷悟之源」、「諸佛萬德之源」、「菩薩萬行之源」。因此，「本覺真性」就不僅是「禪」之「理」，而且是「教」之「理」。所以，他所講的「禪教一致」從根本上來說，指的是二者在「理」上的一致。

宗密這裡所所講的「本覺真性」其實指的就是「本覺真心」，也就是澄觀所講的「一真法界」。澄觀認為「一真法界」為最高「法界」，宗密則用「本覺真心」來詮釋「一真法界」。他說：「一真者，未明理事，不說有空，直指本覺靈源」，他認為「一真法界」就是《大乘起信論》中所說的「一心」。對此，他說：「《起信論》中於此壹心，方開真如、生滅二門，此明心即一真法界。」[11]其所著《禪源諸詮集都序》講得更為明確：

> 無量義統唯二種：一不變，二隨緣。……不變是性，隨緣是相。當知性相皆是一心上義。今性相二宗互相非者，良由不識真心。……故馬鳴菩薩以一心為法，以真如生滅二門為義。……心真如是體，心生滅是相用。……但歸一心自然無諍。[12]

同時，宗密強調「禪」和「教」在「行」上也可以一致。儘管「講者偏彰漸義，禪者偏播頓宗」[13]，但他認為「頓悟資於漸修」。[14]

延壽完全繼承了宗密上述的思想，他也從「理」和「行」兩個層面出發，闡明「禪」和「教」的一致性，其「頓悟圓修」思想的提出，正是其「禪教一致」主張在「禪行」上的具體表現，這一思想廣泛地吸收了禪、華嚴、天臺等宗的法門。通過研究這一思想既可以看出延壽在禪法上融合「空」、「有」二宗的特色，又可以揭示他「援教入禪」以針砭「末世誑禪」的內在理路。從禪宗史上來看，延壽這一思想的提出符合當時禪教融合之大趨勢，是唐宋禪宗宗風轉變的典型代表之一。

---

10 同上註，頁250。

11 （唐）宗密：《華嚴經行願品疏鈔》卷1，《續藏經》第7冊。

12 （唐）宗密：《禪源諸詮集都序》卷上之一，《大正藏》第48冊，頁401中下。

13 同上註，頁399下。

14 同上註。

一　以心為宗

　　呂澂先生認為，「延壽關於禪教一致思想來自宗密，因而他就從頓悟、圓修上立論。頓為南宗所特別提倡，圓則指《華嚴》教而言，以南宗的頓悟和《華嚴》的圓修結合起來，就成了延壽全部議論的基礎。」[15]無可否認，「頓悟圓修」在延壽「禪教一致」思想體系中的重要性。其《宗鏡錄》云：「此論見性明心，不廣分宗判教。單提直入，頓悟圓修，亦不離筌蹄而求解脫，終不執文字而迷本宗。」[16]延壽說：「《宗鏡》略有二意：一為頓悟知宗，二為圓修辦事」。[17]然「頓悟圓修」只是延壽「禪行」之主張，在其整個思想體系中，作為「禪理」的「性宗圓教」思想更為根本，「性宗圓教」才真正是延壽「禪教一致」思想「全部議論基礎」。[18]

　　作為合成詞的「性宗圓教」，「性宗」來自宗密，「圓教」來自華嚴宗判教。延壽受華嚴判教影響，把禪宗判為「頓教」。延壽之所以提出「性宗圓教」主張，正是因為他受到了華嚴宗判教的啟發，他在批判「禪宗頓教」基礎上，也要創立「禪宗圓教」——「圓頓宗」。

　　宗密把「禪」分為三宗，把「教」判為三種，其意圖是通過「三種教義」來印證「禪宗三種法門」，最後把「禪三宗」、「教三種」總會為「一味」。對此，他說：「禪三宗者：一息妄修心宗，二泯絕無寄宗，三直顯心性宗。教三種者：一密意依性說相教，二密意破相說性教，三顯示真心即性教。」[19]宗密認為「禪三宗」和「教三種」是一一對應關係：「將識破境教」（密意依性說相教中的一種）與「息妄修心宗」相扶會；「密意破相顯性教」與「泯絕無寄宗」全同；「顯示真心即性教」與「直顯心性宗」全同。宗密還把「教三種和禪三宗」都簡化為「相、空、性」三宗。就教而言，「性宗」包括《華嚴》、《密嚴》、《圓覺》、《佛頂》、《勝鬘》、《如來藏》、《法華》、《涅槃》等四十餘部經，《寶性》、《佛性》、《起信》、《十地》等十五部論；「空宗」包括諸部般若千餘卷經及三論等；「相宗」主要包括《解深密》等數十本經和《瑜伽》、《唯識》數百卷論。就「禪」而言，相宗主要指南侁、北秀、保唐、宣什等各系，空宗主要指牛頭、石頭等，性宗主要指菏澤、洪州等。

　　宗密認為如果仔細研究「相、空、性」三宗，就會發現「第一第二」是「有空相對」，「第三第一」是「性相相對」，第二第三是「破相與顯性相對」。在處理「性」、

15　呂澂：《中國佛學源流略講》北京：中華書局，1979年版，頁253。

16　（宋）延壽：《宗鏡錄》，《大正藏》第48冊，頁614上。

17　同上註，頁653中。

18　伊雷：〈永明延壽「性宗圓教」思想研究〉，《北京化工大學學報〔社會科學版〕》，2014年第2期，頁66。

19　（唐）宗密：《禪源諸詮集都序》，《大正藏》第48冊，頁402中。

「相」二宗關係時，宗密主張「會相歸性」。他根據《大乘起信論》的「真如不變隨緣」思想融通「性」、「相」二宗。他把「性」「相」都歸結為「真心」。延壽和宗密表達了相同的思想。他說：「一真心具不變隨緣二義，不變是性，隨緣是相，性是相之體，相是性之用。」[20]

宗密認為性、相二宗關係好理解，關鍵是如何詮釋「性」、「空」二宗關係，這是他論述三宗關係的重點。他認為「性」、「空」二宗有十方面不同：一、「法義真俗異」，空宗以「壹切差別之相為法」，性宗則以「壹真之性為法」；二、「心性二名異」，空宗「壹向目諸法本源為性」，性宗「多目諸法本源為心」；三、「性字二體異」，空宗「以諸法無性為性」，性宗「以靈明常住不空之體為性」，宗密強調二者「性字雖同，而體異也」；四、「真智真知異」，空宗「以分別為知，無分別為智」，並強調「智深知淺」，性宗「以能證聖理之妙慧為智」；五、「有我無我異」，空宗「以有我為妄，無我為真」，性宗「以無我為妄，有我為真」；六、「遮詮表詮異」，「空宗之言但是遮詮」，「性宗之言有遮有表」，宗密認為「但遮者未了，兼表者乃的」；七、「認名認體異」，空宗「對初學及淺機，恐隨言生執，故但標名而遮其非，唯廣以義用而引其意」，性宗「對久學及上根，令忘言認體」；八、「二諦三諦異」，空宗「所說世出世間壹切諸法不出二諦」，性宗「則攝壹切性相及自體總為三諦」；九、「三性空有異」，「空宗」和「性宗」對三性（遍計執、依他起、圓成實）看法不同，空宗認為「諸經每說有者，即約遍計依他，每說空者，即是圓成實性，三法皆無性也」，性宗則認為「即三法皆具空有之義，謂遍計情有理無，依他相有性無，圓成情無理有相無性有」；十、「佛德空有異」，空宗說「佛以空為德」、「無有少法是名菩提，色見聲求皆行邪道」，性宗「則一切諸佛自體，皆有常樂我淨」。[21]在區分完二宗之後，宗密強調二者在實質上是統一的，他說「執情破而真性顯，即『泯絕』是『顯性』之宗。不難看出，宗密的立場是「性宗」。延壽則完全繼承了他的這一立場。延壽說：「若依教是華嚴，即示一心廣大之文；若依宗即達摩，直顯眾生心性之旨。」[22]

就其含義而言，「性宗圓教」既可以作為兩個概念，又可以作為一個概念。若作兩個概念解，「性宗」指禪宗中的「直顯心性宗」，「圓教」指《華嚴經》。延壽說：「性宗唯論直指，即同曹溪見性成佛也。」[23]他又說：「以《華嚴》之實教，總攝群經，標無盡之圓宗，能該萬法，可謂周遍無礙，自在融通，方顯我心，能成宗鏡。」[24]若作一個概念解，他說：

20　（宋）延壽：《萬善同歸集》，《大正藏》第48冊，頁992中。

21　（唐）宗密：《禪源諸詮集都序》，頁406上。

22　（宋）延壽：《宗鏡錄》卷34，《大正藏》第48冊，頁614上。

23　（宋）延壽：《萬善同歸集》卷上，《大正藏》第48冊，頁959上。

24　（宋）延壽：《宗鏡錄》，《大正藏》第48冊，頁448。

今《宗鏡》所論，非是法相立有，亦非破相歸空，但約性宗圓教，以明正理，即以真如不變，不礙隨緣，是其圓義。若法相宗，一向說有真有妄。若破相宗，一向說非真非妄。此二門各著一邊，俱可思議。今此圓宗，前空有二門俱存，又不違礙，此乃不可思議。[25]

可見，「性宗圓教」的最根本含義應是《大乘起信論》所講的「真如不變，不礙隨緣」。總的來看，延壽在使用「性宗圓教」這一語詞時，傾向於把它當成一個概念，也即認為「性宗」即「圓教」。

「性宗圓教」的外延非常廣，但總的來說主要包括兩大部分：一是《大乘起信論》的「真心」及「容通」思想；二是《華嚴經》及華嚴宗的「唯心」及「圓融」思想。這兩大體系融合在一起，共同構築了延壽的「禪理」思想。

在延壽的整個思想體系中，「禪理」思想居於核心地位，而「以心為宗」正是其最重要的「禪理」觀點。所謂「以心為宗」指的是「以真心為宗」。對此，他曾明確說：「唯一真心，周遍法界，又此心不從前際生，不居中際住，不向後際滅，升降不動，性相壹如，則從上稟受，以此真心為宗。」[26]「真心」是相對「妄心」而言的。延壽對「真心」和「妄心」進行了區別，在他看來「真心」指的是「無相真心」，「妄心」則指的是「緣慮能知之心」，其《宗鏡錄》云：「以要言之，但一切無邊差別佛事，皆不離無相真心而有。」[27]在延壽看來，「真心」是「妄心」之「體」，他說：「真實心為體，緣慮心為用，用即心生滅門，體即心真如門，約體用分二，惟是壹心，即體之用，用不離體，即用之體，體不離用，開合雖殊，真性不動。」[28]這種詮釋明顯依據的是《大乘起信論》「一心二門」思想。既然「真心」是「妄心」之「體」，那麼「妄心」為什麼會產生？對此延壽認為「本心湛寂，絕相離言，性雖自爾，以不守性故，隨緣染淨。」[29]也就是說，由於真心隨緣染淨，所以妄心才能產生。

延壽對於這一問題的回答，在其別的著作中也有所涉及，其所著《萬善同歸集》云：「一切色境，皆是第八識親相分現量所得，實無外法，眼見色時未生分別，剎那轉入明瞭意識分別形象作外量解，遂執成塵境。」[30]再如其《警世》云：「三界唯是一心，以前五識眼耳鼻舌身及第八識，皆是現量所得，無心外法，以第六明瞭意識，比量計度，而成外境，全是想生，隨念而至，若無想念，萬法無形。」[31]這裡說得很明確，

25 同上註，頁440。

26 同上註，頁430。

27 同上註，頁420。

28 （宋）延壽：《萬善同歸集》，《大正藏》第48冊，頁991。

29 （宋）延壽：《宗鏡錄》，《大正藏》第48冊，頁439。

30 （宋）延壽：《萬善同歸集》，《大正藏》第48冊，頁991。

31 （宋）延壽：《警世》，《大正藏》第48冊，頁997。

他所講「妄心」其實指的是唯識宗所講八識中的「意識」。他認為「外境」的產生，正是由於「意識」比量計度的結果。延壽強調「壹切境界，唯心妄動，心若不起，外境本空」[32]，所以「心外無境」，只不過是「迷倒之人，執為外境」。因此，他說：「若了一心之旨，心外自然無法可陳。」[33]

二　頓悟圓修

以上是延壽在「禪理」上的主要觀點。在「禪行」上，延壽則主張「先悟後修」。首先，他十分重視「禪理」與「禪行」二者的有機統一。他說：「一心之旨，義理昭彰，解雖分明，行須冥合。因解成行，行成解決。」[34]也就是說，在「理」上如果明白了他所講的「以心為宗」，在實踐上還有一個如何「行」的問題。延壽強調「解行相應，如結網而終是取魚，裹糧而必須前進。」[35]在他看來，「行」更為重要，如果沒有「行」，那麼「解」就是毫無意義的。其次，在修行次第上，他強調「先悟後修」[36]，而這正是延壽「頓悟圓修」思想的主旨。

延壽所講的「頓悟圓修」集中體現了他的「禪行」思想。「頓悟圓修」包含兩個層面：「若約上上根，是頓悟頓修，若約上根，或是頓悟漸修。」[37]延壽說的這些概念也來源於宗密，其所著《萬善同歸集》云：

> 問：上上根人頓悟自心，還假萬行助道熏修不？答：圭峰禪師有四句料簡：一漸修頓悟，如伐樹片片漸斫壹時頓倒；二頓修漸悟，如人學射，頓者箭箭直注意在的，漸者久久方中；三漸修漸悟，如登九層之臺，足履漸高所見漸遠；四頓悟頓修，如染壹綟絲萬條頓色。上四句多約證悟，惟頓悟漸修，此約解悟，如日頓出霜露漸消。《華嚴經》說：初發心時便成正覺，然後登地次第修證。若未悟而修，非真修也。惟此頓悟漸修，既合佛乘不違圓旨，如頓悟頓修，亦是多生漸修今生頓熟。[38]

在《禪源諸詮集都序》中，宗密實際上講的是「五句料簡」，「四句料簡」是延壽自己的總結，並且《宗鏡錄》所引與《萬善同歸集》略有不同。《宗鏡錄》云：「問：如何

32　（宋）延壽：《宗鏡錄》，《大正藏》第48冊，頁606。

33　（宋）延壽：《警世》，《大正藏》第48冊，頁997。

34　（宋）延壽：《宗鏡錄》，《永明延壽禪師全書》北京：宗教文化出版社，2008年，頁609。

35　同上註，頁686。

36　同上註，頁610。

37　同上註，頁613。

38　（宋）延壽：《萬善同歸集》，《大正藏》第48冊，頁987。

是頓漸四句？答：一漸修頓悟，二頓悟漸修，三漸修漸悟，四頓悟頓修。」[39]《萬善同歸集》所說四句料簡第二條是「頓修漸悟」，而《宗鏡錄》所說為「頓悟漸修」。從《萬善同歸集》上下文來看，延壽顯然更重視「頓悟漸修」，為此他才強調「惟此頓悟漸修，既合佛乘不違圓旨。」[40]

延壽之所以主張「頓悟圓修」，與他深受華嚴「圓教」思想影響，試圖把禪宗頓教改造為「圓頓宗」有關。《萬善同歸集》云：「祖意據宗，教文破著，若禪宗頓教，泯相離緣，空有俱亡，體用雙寂。若華嚴圓旨，具德同時，理行齊敷，悲智交濟。」[41]他這裡所說的「禪宗頓教」其實指的就是「空宗」。他認為禪宗存在的「誑禪」問題，主要是由「空宗」帶來的。「會昌法難」之後禪宗逐漸發展為中國佛教的主流，唐末五代時期禪門「五宗」業已形成，禪宗叢林活躍，行腳遊方盛行，接引學人方式最富創新性，大德也最多。然而正當此時禪門弊端卻日益呈現，身為法眼初祖的文益對此保持了清醒認識，因而把其所著《宗門十規論》的寫作目的定為「宗門指病，簡辯十條，用詮諸妄之言，以救壹時之弊。」[42]文益認為，「近代之人，多所慢易，叢林雖入，懶慕參求，縱成留心，不擇宗匠，邪師過謬，同失指歸，未了根塵，輒有邪解，入他魔界，全喪正因，但知急務住持，濫稱知識，且貴虛名在世。」[43]他看到當時許多禪宗門人「承言滯句，便當宗風」，「宗師失據，學者無稽」，「剩竊人言，棒喝亂施」，「不經淘汰，臆斷古今」，「破佛禁戒，棄僧威儀」。[44]文益所講的亂象，法眼三祖延壽也都看到了。延壽在其所著《垂戒》中痛斥：「深嗟末世誑說壹禪，只學虛頭，全無實解，步步行有，口口談空」，「更教人撥無因果，便說飲酒食肉不礙菩提，行盜行淫無妨般若。」[45]他又在《宗鏡錄》中憤慨地說：「竊見今時學者，唯在意思，多著言說，但云心外無法，念念常隨境生，唯知口說於空，步步恒遊有內。」[46]

唐末五代時期禪宗的主要傾向是越來越偏於「蹈空」，甚至走向「呵佛罵祖」、「毀佛毀祖」、「殺佛殺祖」等境地。本來「棒喝交馳」體現了禪門生動活潑的傳法精神，然而這種精神在給禪宗注入一股強勁生命力的同時，對禪宗自身發展的殺傷力也很巨大。甚至可以說，孕育於中國佛教的禪宗，在走向輝煌的同時，其信仰的成分越來越少，其行為越來越孤傲，儘管其玄奧的精神氣質確實也征服了不少文人，但其對於解決普羅大眾的信仰問題，卻越來越力不從心。為此，延壽提出「頓悟圓修」的最直接目的，就是

39　（宋）延壽：《宗鏡錄》，《永明延壽禪師全書》北京：宗教文化出版社，2008年，頁613。

40　（宋）延壽：《萬善同歸集》，《大正藏》第48冊，頁987。

41　同上註，頁958。

42　（五代）文益：《宗門十規論》，《續藏經》第63冊，頁36。

43　同上註，頁38。

44　同上註。

45　（宋）延壽：《垂戒》，《大正藏》第48冊，頁993。

46　（宋）延壽：《宗鏡錄》，《大正藏》第48冊，頁667。

希望藉此解決由於禪宗一味「蹈空」所帶來的「誑禪」問題。為此，他將「頓悟圓修」解析為兩個層面：一為頓悟知宗，二為圓修辦事。禪宗講究「頓悟」，作為虔誠僧人的延壽不懷疑通過「頓悟」可以「成佛」，但他強調在「頓悟」之後也要起修。因此，延壽一方面堅持「頓悟」，另一方面又堅持「圓修」，這等於為人們成佛多上了幾道保險，也為解決人們的信仰問題開闢了多種渠道。換個角度看，延壽「頓悟圓修」思想在本質上就是拿「有宗」的法門來補充「空宗」的不足，進而實現「空」、「有」二宗的有機融合，以期達到針砭禪門一味「蹈空」的目的。

三　頓悟知宗

延壽站在禪宗立場要求人們首先要「頓悟」，但什麼是「頓悟」，又如何「頓悟」？對此，他在《宗鏡錄》中給予了明確詮釋：「頓悟者，不離此生即得解脫。……若不直了自心，豈成圓頓？隨他妄學終不成真。此《宗鏡錄》是圓頓門，即之於心，了之無際，更無前後萬法同時。」[47]不難看出，延壽所講的「頓悟」與「直了自心」有著密切關係，而要達到「直了自心」的目的，具體方法則是「禪定」。延壽認為「唯禪定壹門，最為樞要。」[48]他曾說：「三界無別法，唯是壹心作，既信壹心，須以禪定冥合。」[49]而「禪定」的關鍵內容則是「觀心」。對此，他反問：「若不觀心，何成禪定？」[50]他曾明確說：「欲知妙理，唯在觀心。」[51]既然如此，那麼究竟怎樣才算觀心？其所著《宗鏡錄》云：

> 觀門略有二種：一依禪宗及圓教上上根人，直觀心性，不立能所，不作想念，定散俱觀，內外咸等，即無觀之觀，靈知寂照；二依觀門，觀心似現前境，雖權立假相，悉從心變。[52]

至於「觀心」的具體做法，他還說：「唯忘情可以契會。」[53]他又說：「以要言之，但得直下無心，則同異俱空，是非咸泯，斯泯亦泯，茲空亦空。」[54]他強調：「今《宗鏡》中依無作三昧，觀真如一心，念念冥真，念念圓滿。」[55]

47　（宋）延壽：《宗鏡錄》，《永明延壽禪師全書》北京：宗教文化出版社，2008年，頁615。

48　（宋）延壽：《宗鏡錄》，《大正藏》第48冊，頁862。

49　（宋）延壽：《警世》，《大正藏》第48冊，頁997。

50　（宋）延壽：《觀心玄樞》，《續藏經》第65冊，頁428。

51　（宋）延壽：《唯心訣》，《永明延壽禪師全書》北京：宗教文化出版社，2008年，頁11。

52　（宋）延壽：《宗鏡錄》，《永明延壽禪師全書》北京：宗教文化出版社，2008年，頁605。

53　同上註，頁642。

54　同上註，頁643。

55　同上註，頁612。

　　延壽的「禪定觀心」思想深受天臺宗影響。據《宋高僧傳》、《景德傳燈錄》、《新修往生傳》等記載，延壽早年曾先在天臺山國清寺「修法華懺七年」，後又在金華天柱峰「誦經三載」，之後又繼續在天柱峰「習定九旬」。根據智顗《華法三昧懺儀》，法華懺包含十法：一嚴淨道場；二淨身；三三業供養；四請三寶；五讚嘆三寶；六禮佛；七懺悔六根及勸請、隨喜、回向、發願；八行道；九誦《法華經》；十坐禪正觀實相。初學者需依次修行，深入者可壹心修習禪觀。[56]王古《新修往生傳》只說延壽修習「法華懺」七年，如依上述「十法」，延壽「誦經三載」和「習定九旬」也都應被歸為「法華懺」，那麼他修習「法華懺」的時間就不止七年。

　　延壽「誦經三載」所誦的經主要是《法華經》，贊寧《宋高僧傳》說他「誦《法華》計一萬三千許部」[57]。吳越地區在五代兩宋時期，禪宗僧人誦《法華經》的現象非常普遍。如《寶慶四明誌》載：「院有全師者，年六十餘，日誦《妙法蓮華經》，三十年如壹日。以部計之，萬五千矣。世目之為全法華清照禪師臻公。黃山谷壹詩云：攝意持經盡劫灰，人家處處妙蓮花開。他時誦滿三萬部，卻覓曹溪壹句來。」[58]儘管延壽出家之後最先接觸的是禪宗，但他對天臺宗仍然有著濃厚興趣。延壽「習定九旬」，目的是為了「正觀實相」。因此，可以說延壽的「禪定觀心」，最早觀的應是《法華經》所講的「實相」。延壽曾云：「若是上機，只令觀身實相，觀佛亦然。」[59]《宋高僧傳》說他在「九旬習定」之後，「乃得韶禪師決擇所見」。由於受到德紹禪師影響，延壽的興趣點雖由天臺宗逐漸轉向了禪宗，但禪、臺之間的融合始終是他的理論特點之一。正是在禪宗的影響之下，延壽將「觀心」的目標最終確定為「人法二空，心境雙寂。」[60]所謂「心境雙寂」就是「心境俱亡」，在延壽看來「心境俱亡，即當處解脫。」[61]與天臺宗比較起來，南宗不重視禪定，更不主張觀心，他們的禪法特色是「無作無修，無心無求」，延壽說「夫真不可以定求，故無心以得之」[62]，「無心合道，理事具通」[63]，這些觀點都符合禪宗風格。在延壽的「禪定觀心」思想中，有從天臺宗向禪宗轉變的痕跡，最後的落腳點是禪宗。

---

56 智顗：《華法三昧懺儀》，《大正藏》第46冊，頁955。

57 （宋）道原：《景德傳燈錄》，《大正藏》第51冊，頁421。

58 （宋）胡矩修，方萬里，羅濬：《寶慶四明志》卷13，《鄞縣縣志．寺院．慈福院》，《宋元方志叢刊》第5冊，北京：中華書局，1991年，頁5173。

59 （宋）延壽：《宗鏡錄》，《永明延壽禪師全書》北京：宗教文化出版社，2008年，頁278。

60 （宋）延壽：《宗鏡錄》，《大正藏》第48冊，頁474。

61 同上註，頁828。

62 （宋）延壽：《宗鏡錄》，《永明延壽禪師全書》北京：宗教文化出版社，2008年，頁641。

63 同上註，頁119。

四　圓修辦事

　　延壽在「頓悟知宗」基礎上，要求進一步「圓修辦事」。「圓修辦事」不但是《宗鏡錄》的重要思想，也是《萬善同歸集》的主張。這一思想在《宗鏡錄》中提出，在《萬善同歸集》中得到發展。「萬善同歸」是「圓修辦事」的具體體現。延壽的這一思想明顯受到了「華嚴宗」影響，他在《萬善同歸集》中說：「祖意據宗，教文破著，若禪宗頓教，泯相離緣，空有俱亡，體用雙寂。若華嚴圓旨，具德同時，理行齊敷，悲智交濟。」[64]延壽用華嚴「圓教」思想來論證「萬善同歸」的合法性，又用華嚴「理事無礙」主張作為「圓修辦事」的基礎，由此可見《萬善同歸集》完全由「華嚴」宗思想來主導，這和《宗鏡錄》的思想主旨是相通的。延壽云：「以《華嚴》之實教，總攝群經，標無盡之圓宗，能該萬法，可謂周遍無礙，自在融通，方顯我心，能成宗鏡。」[65]他總是強調《宗鏡錄》是「圓宗」，這跟《萬善同歸集》「惟顯圓宗」主旨並無不同。

　　「圓修辦事」就其內容而言，幾乎囊括了佛教的所有實踐，如持戒、讀經、燒香、拜佛、布施、放生等。值得一提的是，延壽「圓修辦事」主張也包括「念佛」。但他所說的「念佛」，主要指「唯心念佛」。對此，他解釋說：「唯心念佛，以唯心觀，遍該萬法，既了境唯心，了心即佛，故隨所念無非佛矣。」[66]延壽「唯心念佛」說與禪宗傳統「唯心淨土」思想有著密切聯繫，其「唯心淨土」主張與禪宗對「淨土」的傳統理解並無不同。六祖慧能受《維摩經》影響主張「唯心淨土」，認為「迷人念佛生彼，悟者自淨其心，所以佛言，隨其心淨則佛土淨」，「若悟無生頓法，見西方只在剎那。不悟頓教大乘，念佛往生路遙，如何得達。」[67]後世禪宗門人在對待「淨土」的問題上，一般都堅持慧能的立場和觀點。延壽也如此，他說：「唯心佛土者，了心方生。……識心方生唯心淨土，著境只墮所緣境中，既明因果無差，乃知心外無法。」[68]延壽與其他禪師不同的地方是，其在主張「唯心淨土」的同時，也贊成「西方淨土」說，其《萬善同歸集》云：「課念尊號，教有明文，唱壹聲而罪滅塵沙，具十念而形棲淨土，拯危拔難，殄障消冤。」[69]延壽的「彌陀」信仰，與其早年長期修習「法華懺」有直接關係。[70]

　　通過研究延壽「頓悟圓修」思想，可以看出他在「行」上「自他兼利」、「頓漸俱收」的特色，用他自己的話說：「自利者，助道之圓門，修行之玄鏡；利他者，滯真之

64　（宋）延壽：《萬善同歸集》，《大正藏》第48冊，頁958。
65　（宋）延壽：《宗鏡錄》，《大正藏》第48冊，頁448。
66　（宋）延壽：《萬善同歸集》，《大正藏》第48冊，頁967。
67　郭朋：《壇經校釋》北京：中華書局，1983年，頁65-67。
68　（宋）延壽：《萬善同歸集》，《大正藏》第48冊，頁966。
69　同上註，頁962。
70　伊雷：〈永明延壽形象淨土化及其阿彌陀佛信仰研究〉，《北京化工大學學報（社會科學版）》，2013年第3期，頁9。

皎日，二見之良醫。頓行者，不違性起之門，能成法界之行；漸進者，免廢方便之教，終歸究竟之乘。」[71]

五　結語

　　延壽一方面堅持「自他兼利」，另一方面又堅持「頓漸俱收」，這和當時一般禪師只堅持「頓悟」和「自利」比起來，確實有著不同禪風。本來馬祖之後，尤其是「五宗」的誕生，已經消解了「頓」、「漸」問題。馬祖講「道不用修」、「平常心是道」，希運說「直指人心，見性成佛」、「無心無求」，義玄所講「立處即真」等，「頓」「漸」關係都不在他們討論的範圍之內。但延壽受宗密影響而舊話重提，其用意在圓融「頓」、「漸」，尤其是融合「空」、「有」二宗，來解決唐末五代禪門時弊。為此，延壽在「禪行」上的主要做法實質上是對既有佛教資源的整合，也就是他將「教」的資源大量地吸納進「禪」中。從禪宗史來看，唐代禪宗強調「以心傳心，不立文字，教外別傳」，不提倡讀經、念佛，強調自修自悟，自成佛道，不主張向身外求，甚至認為道不用修、平常心是道；而宋代禪宗則是以「不離文字」、「禪教合流」等為主要特徵，唐宋禪宗之間的風格轉變非常明顯。可以說，延壽「頓悟圓修」思想的提出，既促進了這一轉變，又是這一轉變的典型代表之一。

---

71 同上註，頁992。

論元稹制誥文體的寫作策略

姜貴仁

北京師範大學文學院

元稹作為中唐歷史上重要的文學家，他的文學成就，不僅體現在詩歌、傳奇方面，在散文上也頗具造詣，尤以制誥文的成就最為矚目。

元稹早期即以對策制舉第一，後又久居詞臣之位，一時制誥文字多出其手。《舊唐書》稱：「元之制策，白之奏議，極文章之壺奧，盡治亂之根荄。」[1]其摯友白居易稱讚他的文學成就也說：「海內聲華並在身，篋中文字絕無倫。」[2]又說：「制從長慶辭高古，詩到元和體變新。」[3]如陳寅恪所言：「在當時一般人心目中，元和一代文章正宗，應推元白，而非韓柳。」[4]元稹的散文創作極大地推動了中唐散文的發展，對古文運動的發展也產生了一定影響。

元稹曾居中書舍人、翰林學士之位，創作了數量可觀的「代天子立言」的制誥之文。唐代制誥文名家輩出，其中不乏超卓拔出者，元稹以其典雅古樸的風格自成一家。其制誥文在中唐「古文運動」的大背景下脫穎而出，正是由於具備了獨特的書寫策略，這一策略，仍值得我們今天繼續關注和討論。

在〈制誥序〉一文中，元稹曾論述到：「制誥本於《書》，《書》之誥、命、誓，皆一時之約束也。」又說：「升之者美溢於詞，而不知所以美之之謂；黜之者罪溢於紙，而不知所以罪之之來；而又拘以屬對，跼以圓方，類之於賦判者流，先王之約束蓋掃地矣。」[5]由於要求回歸六經典範，改變當時重視騈儷的浮靡文風，元稹在其具體創作中採用了相應的寫作策略，以呼應其在制誥文方面的文章學理念。

一　元稹制誥文的文體特點：以散體為主

元稹的制誥文最為重要的特徵是突破了魏晉南北朝以來形成的制誥文窠臼，改以散體為主的文風寫作制誥，著重突出制誥的政治實用性。以散體寫作制誥文，看起來對於

1　（後晉）劉昫等：《舊唐書》北京：中華書局，1975年，頁4360。

2　（唐）白居易、朱金城箋校：《白居易集箋校》上海：上海古籍出版社，1988年，頁1532。

3　同上註，頁1532。

4　陳寅恪：《元白詩箋證稿》北京：商務印書館，2015年，頁117。

5　（唐）元稹撰、冀勤點校：《元稹集》北京：中華書局，2010年，頁507。

皇帝的儀式性權威有所減弱，但由於更為精準地表達了帝王的政治意圖，所以事實上卻
有利於帝王政治權力的鞏固。如穆宗初即位時，元稹就代作〈戒勸風俗德音〉，說：

> 中代以還，爭端斯起，掩抑其言則專蔽，誘掖其說則侵誣，自非責實循名，不能
> 彰善癉惡。故孝宣必有敢告乃下，光武不以單辭遽行。語稱訕上之非，律有匿名
> 之禁，皆所以防三至之毀，重兩造之明。是以爵人於朝則皆勸，刑人於市則皆
> 懼，罪有歸而賞有當也。末俗偷巧，內荏外剛。卿大夫無進思盡忠之誠，多退有
> 後言之謗；士庶人無切磋琢磨之益，多鎖鑠浸潤之讒。進則詼言諂笑以相求，退
> 則群居雜處以相議。[6]

這條材料雖然是以穆宗的名義頒布的，也與元稹在〈制誥序〉中的有關敘述一脈相承。
之所以穆宗朝會有這樣的政治需求並體現在制誥文體的選擇上，是與當時的政治局勢密
不可分的。一方面經歷了憲宗朝的「元和中興」之後，唐中央王朝力圖振作，力量再次
興盛，內在有全面掌控政治局勢的需求與實力。另一方面，憲宗突然去世之後，穆宗即
位，面對較為不穩定的朝政局面。新君有樹立自身權威與加強對朝政管理的需求。所
以，此時元稹提出了以散體文寫作制誥的主張，表面上看似削弱了儀式性的政治權威，
卻從實際上增加了帝王對具體政治事宜的管控能力。使得帝王治下的政治運作做到「責
實循名」，卿大夫能各盡其力，各種小的權力集團也得以打破。元稹以散體寫作制誥不
僅僅是其個人的文體選擇，也是與唐穆宗本人的政治意圖相契合的。《新唐書·元稹
傳》記載：「（唐穆宗）擢（元稹）祠部郎中，知制誥。變詔書體，務純厚明切，盛傳一
時。然其進非公議，為士類訾薄。稹內不平，因〈誡風俗詔〉歷詆群有司以逞其憾。」
[7]《新唐書》對此事的記載顯然受到了後世有關元稹人品不佳的名聲的影響，認為元稹
寫作〈戒勸風俗德音〉完全是個人洩憤之舉。但其實如果不得到唐穆宗本人的首肯，很
難想像，這篇文章會以制誥的名義頒布全國。透過這篇制誥，可知，元稹之受命「知制
誥」，非由「公議」，而是出自唐穆宗的「私恩」，這樣的「私恩」受到了「公議」的排
擊。那麼在當時的政治舞臺上，唐穆宗並未完全建立起自己的權威，仍有一些權力集團
對唐穆宗有所微詞，這樣的一篇制誥與新的制誥文體都是打破當時政治局面的重要手
段。

　　具體看元稹是如何用散體寫作的，如其〈加裴度幽鎮兩道招撫使制〉，其文如下：

> 門下：夫以區區秦伯，而猶念晉國，曰其君是惡，其人何罪？況朕均養億兆，為
> 之君親，燕人冀人，皆吾乳哺而育之，安忍以豺狼驅脅之故，絕其飛走，盡致網
> 羅？止行犯命之誅，是用開其一面。河東節度觀察處置等使、金紫光祿大夫、守

6　同上註，頁514。

7　（宋）歐陽修，宋祁等：《新唐書》北京：中華書局，1975年，頁5228。

司空兼門下侍郎、同中書門下平章事、太原尹、北都留守、上柱國、晉國公食邑三千戶裴度，昔者區域之中，蜂蟻巢聚。蔡有逆孽，齊有狡童。厥初圖征，疑議滿野，不懼不惑，挺然披攘。苟無司南，允罔能濟；佑我憲考，為唐神宗。實惟股肱，運用忠力。肆朕小子，蒙受景靈。冀服於前，燕平於後，而撫御失理，盤牙復生。求思弭寧，中夜有得，國有元老，夫何患焉？用是亟宣懇惻之誠，就加招撫之命。

於戲！頃者師道元濟，乘累代襲授之資，借山東結連之勢。以丞相布畫於千里之外，使諸將持重於四封之中。而猶劉悟裂蛇豕之軀，李祐潰鯨鯢之腹，蓋逆順之情異，而忠孝之道明也。況彼幽鎮，無名暴狂，以丞相進觀其宜，以諸將齊奮其力，斧鑕之刑坐迫，椒蘭之氣外薰，誰不自愛其生，焉能與亂同死？度宜開懷緩帶，以待其歸。可依前守司空兼門下侍郎、同中書門下平章事、河東節度使，充幽鎮兩道招撫使。餘如故。[8]

這篇制文整體以散體寫就，雖然不似駢文鋪張揚厲，但也寫得雍穆有法。一開始就引《左傳》秦穆公之語，說明雖然朱克融、王庭湊迭有叛亂，但冀、燕之地已大抵平定，所以派遣裴度的主要目的，就在於招撫而非鎮壓。「止行犯命之誅，是用開其一面」一語十分清晰地呈現出了一位開明而不濫殺無辜的君主形象。既明確了任務，又說明了朝臣之中裴度最有資格承擔這一重任。制文追敘憲宗朝，淮西初起叛亂，朝中紛亂，唯有裴度力排眾議，請求自往督戰。「不懼不惑」，可謂「朝中司南」，最終收復淮西。在憲宗朝，裴度就已建立了這樣的歷史功勳。長慶元年，時當穆宗即位之初，自然就更有賴於裴度這樣的元老重臣前往鎮撫。元稹的制文中突出了授受雙方的地位，一方面是國之元老，另一方面是新即位的少主。雖為君臣關係，但君主地位的穩固實有賴於大臣的鼎力支持。故而，雖然是命令性的詔書，卻突出了「亟宣懇惻之誠，就加招撫之命」的口吻。「於戲」以下，進一步明確了對裴度的具體指令。首先仍是回顧平定淮西一役中裴度的功績，讚美丞相布畫千里之外，諸將持重四封之內，以從容不迫的姿態平定了淮西叛軍。然後指示裴度也應貫徹這一方針，以較為平緩的態度對待河朔叛軍，「以丞相進觀其宜，以諸將齊奮其力」，戰術上採取威逼之勢，戰略上卻「開懷緩帶，以待其歸」。緩急之間，希望士卒可以幡然醒悟，歸順朝廷。

元稹這篇制文不僅在文學上極富價值，在政治上也極有見識。這首先表現在任命裴度時，突出其在平定淮西一役中的功績。這與憲宗朝發生的廢棄韓愈《平淮西碑》，改刻段文昌所撰碑文一事相關。《舊唐書・韓愈傳》記載韓愈寫作此碑說：「淮、蔡平，十二月隨度還朝，以功授刑部侍郎，仍詔愈撰《平淮西碑》，其辭多敘裴度事。時先入蔡

8　（唐）元稹撰、冀勤點校：《元稹集》北京：中華書局，2010年，頁531-532。

州擒吳元濟，李愬功第一，愬不平之。愬妻出入禁中，因訴碑辭不實，詔令磨愈文。憲宗命翰林學士段文昌重撰文勒石。」[9]《新唐書‧吳元濟傳》也有相關的記錄：「愈以元濟之平，繇度能固天子意，得不赦，故諸將不敢首鼠，卒禽之，多歸功度，而愬特以入蔡功居第一。愬妻，唐安公主女也，出入禁中，訴愈文不實。帝亦重惜武臣心，詔斫其文，更命翰林學士段文昌為之。」[10]關於憲宗磨去韓碑，令段文昌重撰碑文的原因，學界至今爭議不休。[11]但無論如何，主要稱讚裴度功績的韓碑被憲宗磨去是不爭的事實。此時，新即位的唐穆宗再要任用裴度負責平定河朔，務必對此一節有所交代。所以在制文中著重肯定了裴度之功，稱其「佑我憲考，為唐神宗。實惟股肱，運用忠力」，試圖弭合憲宗與裴度之間這一段可能並不融洽的君臣關係。這篇制文的政治見識還體現在對裴度鎮撫河朔的具體策略的安排上，制文中並沒有要求裴度迅速進軍，平定叛亂，相反，要求他採取較為緩和的態度。這與河朔諸鎮在唐代藩鎮割據局勢中的地位有關。如周振鶴所言：「河朔諸鎮，尤其是幽鎮冀三鎮能長期自外於中央，還有一個重要的原因是中央政府將此諸鎮視為防禦北方外敵的屏障。……時人是將河朔視作防邊的『外鎮』，故亦姑且涵容其割據。」[12]正是在中唐藩鎮割據的格局中，河朔處於比較微妙的地位，故而當叛亂初起之時，王涯就提出了「假之威柄，戍以重兵，俾其死生不相知，間諜無所入；而以大軍先進冀、趙，次臨井陘，此一舉萬全之勢也」[13]的戰略主張。元稹的制文也正是這一戰略意圖的具體體現。雖然從結果上的角度看，元稹的制文引起了裴度的誤解，後者認為元稹有意延誤用兵河朔：「或令兩道招撫，逗留旬時，或遣他州行營，托曳日月。但欲令臣失所，使臣無成。則天下理亂，山東勝負，悉不顧矣。」[14]但在外行軍的將領求勝心切，難以從全域考慮朝廷的部署的情況也並不罕見。而作為詞臣的元稹只能說一定程度上參與了政策的制定，最終的決定權仍在朝廷手中。在裴度與元稹的爭執中，元稹恐怕更多的是被遷怒的對象。[15]而由於制誥名義上的作者是帝王，元稹也並沒有太多的自我辯白的空間，只能在穆宗的主持下於次年改官工部侍郎。由此可知，雖然元稹對於制誥文體形式做出了諸多改變，但其作為職務書寫，個人並沒有太

9　（後晉）劉昫等：《舊唐書》北京：中華書局，1975年，頁4198。

10　（宋）歐陽修、宋祁等：《新唐書》北京：中華書局，1975年，頁6011-6012。

11　參考卞孝萱：《唐人小說與政治》福建：鷺江出版社，2003年，頁222-234；傅紹磊：《韓愈〈平淮西碑〉公案新探》，見《史林》，2013年第6期。

12　周振鶴：《中國歷史政治地理十六講》北京：中華書局，2013年，頁67。

13　（後晉）劉昫等：《舊唐書》北京：中華書局，1975年，頁3885。

14　（清）董浩等：《全唐文》北京：中華書局，1983年，頁5458。

15　裴度、元稹交惡之公案，古人多以為是元稹延誤軍機，且勾結宦官使然。近來學者多為元稹辯證，可參考周相錄：《元稹年譜新編》上海：上海古籍出版社，2004年，頁284-299；咸曉婷：《元稹浙東幕府文學研究》，浙江大學碩士論文，2007年；吳偉斌：《裴度的彈劾與元稹的貶職——三論元稹與宦官》，《寧夏社會科學》，2007年第5期。由於非本文論述重點，不再詳加申論。

多自我發揮空間的文體本質並沒有改變。

　　通過對這篇制文的分析，可見元稹的創作實踐基本上是與其理論主張相呼應的。文中雖然也有一些駢儷語句，但全文整體是以散體寫成。尤為重要的是將任命官員的原因，官員的使命與其在全盤的戰略布局中所承擔的職責都寫得極為清晰。制誥文體不再是文臣賣弄文筆的領域，而恢復到了天子施政布令的原始用途中，其職務書寫的特徵顯得極為明顯。也正是對「代天子立言」這一政治使命的深刻理解，元稹才能得到唐穆宗的信任。

　　再如，〈高允恭授侍御史知雜事制〉：

> 敕：御史府不以一職名官，蓋總察群司，典掌眾政。副其丞者，是選尤難。而御史丞僧孺首以朝議郎、守尚書戶部郎中、判度支案、飛騎尉高允恭聞於予曰：「允恭始以儒家子，能文入官。在監察御史時，分務東臺，無所顧忌。為刑部郎中，能守訓典。復以人曹郎佐掌邦計，懸石允釐，撓而不煩，簡而不傲，靜專勤直，志行修明。乞以臺郎，兼授憲簡，雜錯之務，一以咨之。」朕俞其言，爾其自勉，無俾僧孺狹於知人。可以本官兼侍御史、知雜事、餘如故。[16]

　　本文並沒有從具體的政治安排落筆，而是一開始就討論御史府因為負責檢查朝廷的各個部門，所以需要任職的官員具有多方面的才能，選擇合適的人擔任此類官職就顯得尤為困難。而御史府主官牛僧孺舉薦高允恭擔任此職的原因就在於高允恭此前的履歷十分豐富，擔任過東都御史臺監察御史，刑部郎中、戶部郎中等職務，在各個不同的崗位上都有良好表現。顯然，高允恭的履歷十分符合侍御史這一官職的崗位要求，朝廷的任命也就顯得順理成章。在制文的最後部分，又鼓勵高允恭恪盡職守，不僅僅是為唐王朝效力，也不要讓作為舉主的牛僧孺蒙受識人不明之誚。短短一篇制文，將侍御史的職責所在與朝廷對高允恭的期待都寫得詳實明白。尤其是清楚地說明舉薦高允恭的人是牛僧孺，一方面固然是為了宣告高允恭得遷此官的原因，希望高允恭能不負牛僧孺推薦。另一方面，則又隱含了皇帝本人其實對高允恭並不熟悉，此項任命主要是由於牛僧孺的舉薦才得以實現。這道制文實際上將二人牢牢綁在了一起，若高允恭任職有失，牛僧孺勢必也有察人不明之罪。聯繫到後來的牛李黨爭中，元稹也深陷其中，且站在李德裕一邊，可見雖然是「為天子立言」的制誥文體的職務書寫中，在照顧到朝廷體統的基礎上，元稹仍然有一定的自我表達空間，但這種表達十分隱蔽。

16　（唐）元稹、冀勤點校：《元稹集》北京：中華書局，2010年，頁577-578。「俾」字原書作「他」字，據《元稹集編年箋注》改。

二　元稹制誥文的藝術手法：不避駢儷、節奏鏗鏘

運用散體寫作制誥，使得朝廷的意旨得到了充分而精確的表達，但其帶來的弊病則是可能顯得樸素無華，有失體統。面對這一問題，元稹實際上有兩種解決策略，其一是雖然一般以散體架構整篇文字，但在不影響具體表達的情況下，也不排斥使用駢儷之語，既有散體文的古樸流利，又有駢體文的典重華美。這種現象，在上述兩道制文中已經有所呈現。下面，再舉一例進一步加以說明。〈授楊元卿涇原節度使制〉曰：

> 門下，士之捐妻子、冒白刃、勇於為國，輕於為身，貢先見之明於群疑之際者，大則書竹帛以示後，次則建麾棨以臨戎。功不見圖，則勞者何勸？忠不見賞，則悖者何誅？聿求其人，用激爾類。守右金吾衛將軍、權勾當左街事楊元卿，衣冠貴胄，文武長材。嘗求三略之師，恥學一夫之敵。是以陷豺狼之穴，履尾甚危；蓄鷹鸇之心，卑飛待擊。請分金以間楚，願奉璧以伐虞。身以智全，家因義喪。誅蔡之始，實有力焉。及典方州，尤彰績效。自居環尹，益茂勳勤。西旅未平，實資良帥。拔於不次，式佇奇功。爾其關我土疆，謹我封守。視我士卒如爾子，攘我夷狄如爾仇。勉竭乃誠，以敷朕意。珥貂持簡，用示兼榮。可朝散大夫、檢校左常侍、使持節涇州諸軍事兼涇州刺史、御史大夫、充四鎮北庭行軍兼涇原等州節度觀察處置等使，勳、賜如故。主者施行。[17]

本文在元稹全部制誥中屬於駢體成分較重的一篇，但卻兼有駢散兩體之長。全文首先一長句就頗值得玩味，其先有「捐妻子」、「冒白刃」、「勇於為國」、「輕於為身」皆兩兩屬對。而後有「大則書竹帛以示後」、「次則建麾棨以臨戎」，又為駢語。然而中間卻插入「貢先見之明於群疑之際者」一句散句，使得整個句子不顯板滯，而有跳蕩之勢。接下來「誅蔡之始，實有力焉。及典方州，尤彰績效。自居環尹，益茂勳勤。西旅未平，實資良帥。拔於不次，式佇奇功」一節也以時間為線索，顯得流利有致。正如郭自虎所言「變空間羅列為線性敘述」[18]，在具體的事件發展中表現人物。另外，「大則書竹帛以示後」，「次則建麾棨以臨戎」；「視我士卒如爾子，攘我夷狄如爾仇」二句一以七字，一以八字作對，這樣的長對在魏晉至初唐的駢體文中顯得比較特殊，而更接近於宋代以後的駢文文風。呂思勉在比較唐宋人之駢文時曾說：「唐代之駢文，可謂駢文中之駢文，而宋代之駢文，可謂駢文中之散文。」[19]元稹的句式可謂開宋人之先河。

另一方面，雖然元稹的制誥文中多運用散體，但往往依循了四六句的節奏，使得讀起來仍然鏗鏘有力、富有節奏感。如〈加陳楚檢校左僕射制〉：「以兩郡之賦輿，備三軍

17 同上註，頁549-550。

18 郭自虎：《元稹和元和文體新變》合肥：安徽大學出版社，2010年，頁43。

19 呂思勉：《文學與文選四種》上海：上海古籍出版社，2010年，頁21。

之供費，民不勞耗，而兵能繕完，政有經矣。今遼陽冀分，紛亂交虐，楚實間居於此，其勤可知。自非國之干城，總之利器，安能為我堡障，芟夷寇讎？」[20]雖然有一些對偶的成分，但整體呈現的面貌卻是散體。但又多有四字、六字的停頓，散體文字卻出以駢體的節奏。既準確地傳達了朝廷的命令，又使得文字典雅莊重，使得體式與功用之間得到了完美的平衡。

再如〈顏峴右贊善大夫〉一制：

> 敕：安邑、解縣兩池榷鹽巡官監察御史裏行顏峴：古者公卿之子代為公卿，所以貴貴也。況賢者之後，死政之孤，寧繫班資，以礙升獎？惟爾峴嘗與從父太師深犯蜂蠆毒螫之下，太師沒焉。爾之不回，幸而能脫，終超逆地，來謁奉天。列聖念功，訪求太師之後，有司昧蔽，不以爾聞。今朕將建東朝，深思贊諭，異時使朕愛子知忠孝之道。如爾峴，吾何患焉。可守太子右贊善大夫，餘如故。[21]

顏峴是唐代名臣、著名書法家顏真卿之從子。顏真卿身陷李希烈叛軍之中，無法脫身，故而詐遣其兄子顏峴赴朝告急。故而，當顏真卿最後犧牲時，顏峴得免其難。本文幾乎全以散文行之，但卻又多是四字一頓的散文筆法。敘事委婉，將顏峴成為贊善大夫的資格進行了詳細敘述，由於是「賢者之後……所以貴貴」，所以對顏峴做出了破格提拔，而之所以遷延至此才做出這種政治任命的原因在於「有司昧蔽，不以爾聞」。這對德宗朝未能對死難的顏氏家族進行撫恤做出了解釋。最後對顏峴的任命也有其深意，顏氏素以忠孝著稱，顏真卿所任也是太子太師，是東宮屬官。而之所以將顏峴任命為太子右贊善大夫，也是為了突出穆宗的教育太子以「忠孝之道」，既體現了帝王恩遇，又繼承了家族傳統。雖然全文都是散體，但在宣讀之時，仍能以四六句式誦讀，使得宣命儀式上的帝王威儀並不因此受到損害。同時，散體文能夠較好地呈現敘述事實，將帝王的政治任命變得有理有據起來。

雖然行文是散體，但是節奏卻是駢體的四六句式，是元積制誥文中的一個突出特點。在其制誥中還有很多，以下再略舉數例。如：

> 況於戎車未息，飛輓猶勤，新熟之時，豈宜無備？乃詔執事，聿求其才，乘我有秋，大實倉廩。僉曰季睦，副予虛懷。汝其往哉，予用訓汝。（〈范季睦授尚書倉部員外郎〉）[22]
>
> 曩者劉悟以全齊之地，斬叛來獻。惟帝念功，始以鈇鉞棨戟、玄纛青旗，命悟建行臺於鄭、滑，得置軍司馬以下官署。（〈劉師老授右司郎中制〉）[23]

---

20 （唐）元積、冀勤點校：《元積集》，頁543。

21 同上註，頁588。

22 同上註，頁583。

23 同上註，頁574。

具官盧士玫，自居郎署，執政者言其溫重不回，守法專固。副內史事，物議歸之。日者景陵將建，龜筮有時。予心怛然，懼不克濟。而當倅職，應其供求，和而不同，儉而不溢，端於己事，朕甚嘉焉。（《盧士玫權知京兆尹制》）[24]

通過對元稹以散體為主不避駢儷的制誥文體設計的研究，我們可以對以往的駢散對立視角下的古文發展史做進一步反思。如黃侃所言：「今觀唐世之文，大抵駢散皆有，……即退之集中，亦有駢文；樊南之文，別稱四六；則為古文者不廢斯體也。宋世蘇歐王三子，皆為古文大家，其於四六，亦復脫去恆蹊，自出機軸，謂之變古則可，謂其竟廢斯體則不可也。近世偏隘者流，競稱唐宋古文，而於前此之文，類多譏誚，其所稱述，至於晉宋而止。不悟唐人所不滿意，止於大同以後輕豔之詞。宋人所詆為俳優，亦裁上及徐庾，下盡西昆，初非舉自古麗辭一概廢閣之也。自爾以後，駢散竟判若胡秦，為散文者力避對偶，為駢文者又自安於聲韻對仗，而無複迭用奇偶之能。」[25]可見在黃侃看來，我們現有的駢散對立的散文史觀一定程度上來自於明清以後，唐宋派、桐城派等文學流派對於古文的鼓吹，再與復古派、常州派、陽湖派等駢文作家彼此攻擊，逐漸造成彼此對立的局面。但回復到唐代古文運動的初始階段，古文家使用散體作為創作的主要文體，主要是根據其具體的考量而妥善做出的選擇。在韓愈那裡，是興復儒家道統，而在元稹為代表的制誥作家那裡，則是出於鞏固帝王權威的政治目的。所以在具體的寫作時，元稹並不像後人一樣固守駢體或散體的行文，而是根據具體的需要，比較靈活地選擇適於自己的文體形式。文體形式是從屬於思想內容與表達效果的選擇的。從這個意義上說，元稹對於駢散文體的選擇與運用又契合於劉勰「奇偶適變，不勞經營」、「迭用奇偶，節以雜佩」的駢散結合的文學主張。[26]

三　元稹制誥文的寫作技巧：實事求是的史家筆法

元稹除了運用散體寫作制誥以外，還多以史傳筆法進行制誥寫作，前文所謂以線性敘事是其表現之一。當然，唐代以前的史書多以散體文寫成，宋代宋祁甚至以為對偶之文，不可以入史策。[27]所以，史傳實際上是元稹在廣泛學習散體文寫作的基礎上，深思熟慮選擇的模仿物件。

通過對史傳的學習，元稹形成了一種簡淨有力而又委曲有致的敘事風格。如前所

---

24 同上註，頁569。

25 黃侃：《文心雕龍劄記》北京：中華書局，2006年，頁201。

26 于景祥：〈《文心雕龍》關於駢散結合的主張三論〉，《文藝研究》，2013年第2期。

27 （宋）宋祁：《宋景文公筆記》北京：中華書局，1985年，頁5載：「未嘗得唐人一詔一令可載於傳者，唯捨對偶之文，近高古乃可著於篇。大抵史近古對，偶宜今，以對偶之文入史策，如粉黛飾壯士，笙匏佐鼙鼓，非所施云。」

述，既然元積力圖通過制誥達到將「文所以美之之謂」與「所以罪之之來」說明得詳明
得體的效果，並在此基礎上突顯官員的或升或黜皆出於帝王之無上權威，而且原原本
本，有理有據。這就要求對受任命者的仕履與做出任命的事宜做出較為清晰的表述。於
是，原有誇飾意味的制誥文體就不得不引入了敘事性的成分。史傳文就成了理所當然，
最足取法的範本。這一點在前文所引的諸多制誥中已有了一定的體現，此處再略作探
討。如〈授劉悟昭義軍節度使制〉：

> 門下：昔潢池驟變，則龔遂亟行；河內去思，而寇恂來復：所以順人情而急時病
> 也。況雞澤衡漳，附於上黨，控帶河洛，扼束燕趙。其土瘠，其人勁，養理訓
> 習，尤所重難。而幽州、盧龍軍節度使檢校司空劉悟，前臨是邦，其政方睦，甲
> 兵完利，師徒具嚴，刑當罪而人不冤，賞當功而財不費，軍政威而非虐，吏道察
> 而不苛，州里行信讓之風，鄉曲除武斷之患。方將久次，以惠斯人，而難起幽
> 陵，救深焚溺，輟於既理，與彼惟新。乘軒才及於邢郊，妖彗忽生於冀分，空沉
> 臺座，未辨魁渠。予懷震驚，物聽傾駭。校其遠邇，當有後先，遂駐腹心之雄，
> 以供臂指之用。復還龍節，再息棠陰，勉受新恩，無移舊貫。可依前檢校司空兼
> 潞州大都督府長史兼御史大夫昭義軍節度副大使知節度事澤、潞、磁、邢、洺等
> 州觀察使，勳封如故。[28]

對劉悟在幽州的功績做了較為完整的敘述，但由於幽州亂起，所以「方將久次，以惠斯
人，而難起幽陵，救深焚溺，輟於既理，與彼惟新」。這段文字，將需要劉悟移鎮的原
因闡述得十分清晰。

再如〈柏耆授尚書兵部員外郎制〉曰：

> 敕：守起居舍人賜緋魚袋柏耆：朕聞亟遷則彝倫斁，滯賞則勞臣怠，兼用兩者，
> 謂之政經。夫南憲右掖，至於中臺，我朝之極選也。俾爾環歲之內，周曆茲任，
> 豈無意焉。元和中，盜殺丞相，疾傷議臣，齊、冀之間，交以禍端相嫁。耆自青
> 溪窋中，提轉丸捭闔之書，馳於諸鎮，使承宗疑否隔塞，一朝豁然，納質獻地，
> 克終於善。承宗既沒，承元授事，耆又將朕教告，命於承元，萬眾無嘩，一方底
> 定。此而不錄，將何以勸？凡百多士，無忘急病之心。可守尚書兵部員外郎，賜
> 緋魚袋。[29]

這篇制誥將柏耆之所以授職尚書兵部員外郎的原因說得十分清楚，且都舉出了具體的事
例說明了柏耆對唐王朝的貢獻。參考馬元調的注釋可知，「元和中……馳於諸鎮」一節

28　（唐）元積、冀勤點校：《元積集》，頁542。
29　同上註，頁578。

說的是「耆杖策淮西謁裴度，願得天子一節掉舌定河北，度為言遣之」[30]；「使承宗疑否隔塞，……承元授事」一節說的是「徙義成節度使」[31]；而最後一節「將朕教告命於承元」則對應的是「時成德軍以賚錢不至，舉軍誼議」[32]，柏耆此時將穆宗的旨意轉遞到軍中，平息了紛爭。所敘事蹟俱在史籍，斑斑可考。元稹在較短的篇幅中將這些事件敘述得清楚明白，詳略得法，並且為了適應制誥的儀式性用途，又一定程度上飾以駢詞，使得其敘事呈現出一種典雅華縟又曉暢清晰的美學效果。

　　《史記》與《漢書》作為中國史傳文學的兩大典範，向來有「班馬異同」與「史漢優劣」之爭。在章學誠看來，《史記》近於「圓而神」，《漢書》近於「方以智」。《史記》主要著力對史事進行簡要精到的記述，《漢書》更為側重守「繩墨以示包括」，並且採用了較多古奧的詞彙，且一定程度上對後世的駢文寫作有較大影響。[33]通過對元稹的制誥文敘事部分的分析看到，其取法的對象顯然更接近於班固的《漢書》，而非司馬遷的《史記》。這與元稹在寫作〈田弘正德政碑〉中「效馬遷史體，敘事直書」[34]的文體選擇產生了鮮明對比。這可能是由於制誥文與德政碑兩種文體的用途不同所致。作為宣讀帝王詔命的制誥文體，其第一讀者是接受詔命的官員，一般都具有較高的文化水準，同時由於誦讀的儀式性需求，也需要制誥文顯得辭采華麗。所以元稹在這部分的敘事中也選擇了學習較為華美的《漢書》。但是作為放置在通衢大道上的政治景觀，德政碑需要面對的第一讀者是文化不高的藩鎮軍將與往來的普通行人，所以元稹選擇了學習更為淺近的《史記》文體。可見，元稹在選擇具體文章的寫作文體時，時時刻刻都考慮到了文章的現實功用。

　　不僅如此，元稹還通過對史傳的引用，造成了一種當代帝王可以與歷史上的帝王相比肩的效果，更進一步突顯了制誥文體的政治儀式特點。如：〈高釴授起居郎〉的這篇制誥：

> 敕：行而不息者，時也；久而不可泯者，書也。微史氏，吾其面牆於堯、舜、禹、湯之事矣。尚書郎亦有會計奏議之重，非博達精究之才，其可以充備茲選乎？高釴、何士乂等，富有文章，優於行實，捃拾匡益，殆無闕遺。前以東觀擇才，因而命釴。視其所以，足見書詞。俾伺朕之起居，遂編之於簡牘，不亦詳且實耶？而士乂亦以久次當遷，移補郎位，允膺清秩，無忘慎終。釴可守起居郎，依前充史館修撰，士乂可尚書水部員外郎，餘如故。[35]

---

30 同上註。

31 同上註。

32 同上註。

33 （清）章學誠著、葉瑛校注：《文史通義校註》北京：中華書局，1994年，頁51。

34 （唐）元稹、冀勤點校：《元稹集》，頁466。

35 同上註，頁581。

由於是任命史官的制誥。元積在此特別強調了史的作用。由於光陰流逝，從不止歇，只有依靠人類的書寫活動，以往的史事才能流傳下去。若無史家的記錄，當代帝王無從知曉堯、舜、禹、湯這些上古帝王的事蹟。既不能知古事，又遑論效法。所以史官之職意義非比尋常。不僅僅是將堯舜的事蹟傳達給當代的君主，更重要的是要把當代「堯舜」的事蹟傳遞給後世。「俾伺朕之起居，遂編之於簡牘」，雖然是任命史官的詔命，實際上卻把當代的帝王比擬成了堯舜等聖王。

制誥的主要目的是表現帝王的意志，然而在此以外，元積也有借職務書寫，委婉地表達個人意見的機會。這一定程度上，又體現了中國傳統史學春秋筆法，蘊褒貶於敘事之中的特點。如〈贈韓愈父仲卿尚書吏部侍郎〉一文中說：

> 敕：國子監祭酒韓愈父、贈秘書少監仲卿等，子生則射桑弧蓬矢，以告四方。三月孩而明之，十年出就外傅。孔丘雖欲遠於鯉也，而猶教之《詩》、《禮》，所以相承先而重後嗣也。然而免水火之災，從師友之後，服軒冕以為卿大夫者，一族幾何人？惟爾愈雄文奧學，秉筆者師之。與絨等各用所長，列官朝右，榮則至矣，其父皆不及焉。歿而有知，能不望顯揚於地下？贈以崇秩，慰其幽魂。推吾永懷，示用怛然於此，可依前件。[36]

這篇文章是為了追贈韓愈之父所作。元積本人對於韓愈之文學成就十分欽敬。由於韓愈長時間主持撰史的工作，因此元積曾致書韓愈論及其友甄逢之父在安史之亂中能守氣節，擬為其在國史中正名。對此，韓愈也做出了積極的回應。[37]作為文學後輩，元積在追贈韓愈之父的制誥中對韓愈的文學成就做出了「雄文奧學，秉筆者師之」的高度讚美。雖然只是短短九字，卻點出了韓愈在當時復興師道的思想史意義。這種眼光與其說出自於朝廷的官方意見，毋寧說是元積自己對韓愈文學成就的認識。轉而再以此功績追增韓愈之父以顯爵，情理暢達又顯得曲折有致。雖然追贈韓仲卿的決定是朝廷的法令，但具體如何措辭，元積有一定的操作空間。

四　結語

綜上，我們認為，元白對於當時的制誥文體進行了重要的改革，其中又以元積為這場改革的主要推動者。元積最為主要的寫作策略，即是多用散體進行創作，突出制誥的政治實用性。但使用散體結構全文一定程度上又會有損於制誥文的政治儀式感。面對這一矛盾，元積的制誥文也不避使用駢語，同時其散體文字也時以四、六的節奏出現，便

36 同上註，629頁。
37 （唐）韓愈著、馬其昶校注：《韓昌黎文集校注》上海：上海古籍出版社，2014年，頁246。

於宣讀，實現了實用性與藝術性的統一。元稹的制誥文不僅僅是其個人創作的巨大成功，同時也是唐宋古文運動中不可分割的一部分。相比於韓愈的公文改革不為人接受，元稹的制誥文寫作在當時卻產生了巨大的影響。首先受其影響的就是其好友白居易，白居易文集中的舊體制誥就是學習元稹的文風寫成的。其次，在元稹的影響與領導下，翰苑詞臣形成了較為統一的文體風格，為唐穆宗服務，沈傳師就是其中一員。元稹制誥文還影響到了宋代，從北宋初期的王禹偁到南北宋之間的汪藻，莫不受到其文風的影響。

陳寅恪在談及元稹的制誥文體時說：「公式文字，六朝以降，本以駢體為正宗。西魏北周之時，曾一度復古，旋即廢除。在昌黎平生著作中，〈平淮西碑〉乃一篇極意寫成之古文體公式文字，誠可謂勇敢之改革，然此文終遭廢棄。……惟就改革當時公式文字一端言，則昌黎失敗，而微之成功，可無疑也。至於北宋繼昌黎古文運動之歐陽永叔為翰林學士，亦不能變公文之駢體。司馬君實竟以不能為四六文，辭知內制之名。然則朝廷公式文體之變革，其難若是。微之於此，信乎卓爾不群矣。」[38]這段話說明，唐代古文運動是一場全方位的文學運動，其成就體現在不同的文體之上，其取得的結果也不盡相同。韓愈〈平淮西碑〉被磨改，元稹的制誥改革卻獲得了成功。相比私人著述，公文改革的道路比想像中的更加艱巨，到宋代制誥寫作也仍以四六為主要文體形式。以往研究元稹的制誥文，多孤立地從元稹本身進行探討，而對韓柳等人的研究也多注重探討其私人書寫的成就。相比之下，元稹的成功反而導致了聲名被埋沒。這是十分令人遺憾的。

---

38 陳寅恪：《元白詩箋證稿》北京：商務印書館，2015年，頁119-120。

會般若歸真性

——圭峰宗密與中晚唐佛教靈知論的遷變

鄧盛濤

新加坡國立大學中文系

一　引言

「知之一字，眾妙之門」作為中唐中土禪宗六祖慧能以降，南宗禪法後系荷澤宗的宗眼似乎早已為佛門中人所熟知。此一提法所包蘊的思想，更是在中晚唐時代，經由圭峰宗密大師（西元780-841年）推擴並發揚，進而以此為基礎，形成其思想體系中頗具特色的靈知論。然而無論是「知之一字，眾妙之門」，還是「靈知」，這些提法背後所蘊含的義蘊卻歷來眾說紛紜。如南宋禪門尊宿大慧宗杲站在南泉普願與黃龍死心的立場對神會—宗密的知見說做出如下評斷：

> 泉云：「道不屬知，不屬不知。知是妄覺，不知是無記。」……圭峰謂之靈知，荷澤謂之「知之一字，眾妙之門。」黃龍死心云：「知之一字，眾禍之門。」要見圭峰、荷澤易，要見死心則難。到這裡須是具超方眼，說似人不得，傳與人不得。」[1]

可見，宗杲認為荷澤神會所說的眾妙之門之「知」與圭峰宗密所說的「靈知」正是南泉普願所要極力批評的妄覺之知，此知與道根本不相應；宗杲更承接著黃龍死心的說法，認為此知不是「眾妙之門」，而是「眾禍之門」；就一般人而言，要理解神會、宗密所言的「知」很容易，但要達到死心的見地則很困難。明末臺宗高僧的蕅益智旭也說：

> 不知清涼，雖遙嗣賢首，實青出於藍也。圭峰則是荷澤知見宗徒，支離矛盾，安能光顯清涼之道。[2]

又：

> 又彼云：「心是名，知是體。譬如水是名，濕是體。」尤為可笑。夫說水，口固不濕，即說濕，口豈濕哉。說心，固不得體，即說知，豈便得體哉。故古人云：

1　（宋）蘊聞編：《大慧普覺禪師語錄》卷16，CBETA,T47,no.1998,p.878,a28。

2　（明）蕅益智旭：《靈峰宗論》卷5，CBETA,J36,no.348,p.347,b29。

「知之一字，眾妙之門。」又云：「知之一字，眾禍之門。」而圭公乃於能詮文字，妄分親疏，何耶？[3]

在智旭看來，宗密和神會一樣，是知見宗徒，支離矛盾，不足以承接清涼澄觀之道。智旭更是針對宗密所提出的「知即心體」說，提出責難，並認為宗密只是於文字上妄分親疏。

由此，神會、宗密靈知說在後世佛門中所引發的批評，我們可見一斑。那麼，神會「知之一字，眾妙之門」的提法、宗密的「靈知」論的本蘊究竟為何？神會所強調的知與宗密的靈知之間是否存在著不同？如果存在著不同，那麼造成宗密靈知論遷變的原因究竟為何？

本文從探討宗密靈知論思想的先聲——荷澤禪法「知見」說入手，進而涉及華嚴性宗思想與宗密靈知論形成的關聯，最後探討宗密靈知論的內在意涵及實修關照，試圖以此突顯出作為荷澤禪傳人與華嚴宗第五祖的圭峰宗密大師，在中晚唐佛教靈知思想遷變中的獨特地位。[4]

二　般若與靈知：荷澤禪法與「知見」說的肇興

宗密曾說：「荷澤宗者，尤難言述，是釋迦降出，達磨遠來之本意也。將前望此，此乃迥異於前；將此攝前，前即全同於此。」[5]從中，我們可以看到宗密認為荷澤禪法與達摩以來，六代祖師代代相傳之心法相比，有一個迥異於前的變化；但是此變化並非意味著荷澤禪法脫離了達磨以來所傳的禪宗心法，相反，在宗密看來，荷澤禪法的新發明卻可以融攝達磨以來六代祖師之禪法。

那麼在宗密心中，荷澤禪法對於達磨以來六代祖師的禪法所做的開顯與發明是什麼呢？在《禪源諸詮集都序》中，宗密曾明白道出：

達摩善巧，揀文傳心（心是名也）[6]，標舉其名，默示其體（知是心也），喻以壁觀，令絕諸緣。問：諸緣絕時，有斷滅否？答：雖絕諸念，亦不斷滅。問：以何

3　（明）智旭撰，楊之峰點校：《閱藏知津》北京：中華書局，2015年，頁847。

4　淺見所及，近三十年論及宗密「靈知」思想的論文與著作，較有代表性的如（日）荒木見悟著，廖肇亨譯：《佛教與儒教》臺北：聯經出版社，2008年；胡建明：〈「知之一字，眾禍之門」——宋代禪宗對宗密心性思想的誤解〉，《宗密思想綜合研究》北京：中國人民大學出版社，2013年，郭朝順：〈宗密《圓覺經大疏》的釋經策略及其心性本體論的詮釋學轉向〉臺北：中國文哲研究集刊，2017年3月。有興趣的讀者可以同時參看。

5　（唐）宗密撰，邱高興校釋：《中華傳心地禪門師資承襲圖》（以下簡稱《承襲圖》），《禪源諸詮集都序》鄭州：中州古籍出版社，2008年，頁121。

6　凡《都序》引文中括號內的文字皆宗密自注，下準此。

證驗，云不斷滅？答：了了自知，言不可及。師即印云：只此是自性清淨心，更
勿疑也。若所答不契，即但遮諸非，更令觀察，畢竟不與他先言知字。直待自
悟，方驗實是，親證其體。然後印之，令絕餘疑，故云默傳心印。所言默者，唯
默知字，非總不言，六代相傳，皆此也。至荷澤時，他宗競播，欲求默契，不遇
機緣。又思惟達摩懸絲之記，恐宗旨滅絕，遂明言「知之一字，眾妙之門」。[7]

　　宗密認為：心是其名，知是其體，此空寂之知，就是達摩所傳的空寂心；六代祖師
默傳之心印也是此「知」。到了神會的時代，各宗相競傳播，神會想要獨守默契此心法
而不具足因緣；因為此時北宗漸教──「凝心入定，住心看淨，起心外照，攝心內證」
的禪法大興，神會想起達摩「六代之後，傳法者命如懸絲」的預言，憂懼達摩所傳的頓
教宗旨斷絕，因此明言「知之一字，眾妙之門。」

　　所以宗密在總論荷澤禪法的綱要與特質之時，會首先強調說「妄念本寂，塵境本
空，空寂之心，靈知不昧。即此空寂之知，是汝真性。任迷任悟，心本自知。不藉緣
生，不因境起。知之一字，眾妙之門。」[8]而「知之一字，眾妙之門」也成為宗密所領
契的神會禪法的宗旨。

　　在以往的研究中，往往討論神會的知見說就直接引用宗密在《禪源諸詮集都序》等
著作中對荷澤禪法的評述作為標準，但宗密關於神會禪法「知之一字，眾妙之門」宗旨
的描述與神會禪法重「知見」的說法本身是否能完全等同？而我們只有真正弄清神會的
知見說，宗密靈知論思想在其基礎上的因革損益方才有跡可循。因此，我們有必要首先
回到《神會和尚禪話錄》中，去發掘神會知見說的本蘊：

遠法師問：「禪師修何法？行何行？」和尚答：「修般若波羅蜜法，行般若波羅蜜
行。」遠法師問曰：「何故不修餘法，不行餘行，唯獨修般若波羅蜜法，行般若
波羅蜜行？」和尚答：「修學般若波羅蜜者，能攝一切法。行般若波羅蜜行，是
一切行之根本。金剛般若波羅蜜，最尊最勝最第一。無生無滅無去來，一切諸佛
從中出。」[9]

　　由此可見，神會作為慧能的弟子，其思想還是與慧能的般若思想存在著臍腹相連的
關係。慧能禪法主張「以無念為宗、以無相為體、以無住為本」[10]，強調般若的不捨不
著；神會也認為般若波羅蜜能含攝一切法，般若波羅蜜行是一切萬行的根本。那麼神會
的知見說是否也是脫胎於慧能重般若的無念禪法呢？更為重要的是，神會知見說的內在

7　宗密：《都序》，頁51-52。
8　同上註，頁38。
9　（唐）神會，楊增文編校：《壇語》，《神會和尚禪話錄》北京：中華書局，1996年，頁34-35。
10　（唐）慧能，郭朋校釋：《壇經校釋》北京：中華書局，1983年，頁31-32。

意涵究竟為何？

《壇語》載：

> 心有是非不？答：無。心有來去處不？答，無。心有青黃赤白不？答：無。心有
> 住處不？答：心無住處。和上言：心既無住，知心無住不？答：知。知不知？
> 答：知。
>
> 今推到無住處立知。作沒？
>
> 無住是寂靜，寂靜體即名為定。從體上有自然智，能知本寂靜體，名為慧。此是
> 定慧等。經云：寂上起照。此義如是。無住心不離知，知不離無住。知心無住，
> 更無餘知。……今推到無住處便立知，知心空寂，即是用處。《法華經》云：即
> 同如來知見，廣大深遠。……《般若經》云：菩薩訶薩應如是生清淨心：不應住
> 色生心，不應住聲香味觸法生心，應無所住而生其心。「無所住」者，今推知識
> 無住心是；「而生其心」者，知心無住是。[11]

從中，我們首先可以看到神會的所言的「知見」是與「無住」緊密相連的。而所謂
「無住」，源出《金剛般若波羅蜜經》的「應無所住而生起心」。慧能禪法特重「無
住」、「無念」，慧能自說宗旨為「以無念為宗、以無相為體，以無住為本」。無念並非什
麼心念都不起，慧能認為人的本性就是念念不斷的。而「無念」強調「於一切境上不
染……於自念上離境，不於法上念生」[12]，「念」是心，心所對的是境（法）。一般人的
「念」是依境而起、隨境而轉，所以稱為妄念。而無念就是要不依境起，不逐境轉，
「無住」強調對於一切法（境界相）上念念無所住著，而「無相」即了達一切境界相皆
虛妄，所以於境界相而離境界相，從而顯出清淨無相性體。[13]慧能禪法的「無念」、「無
相」、「無住」強調的是性空的涵義，著重說明的是般若不捨不著、蕩相遣執的作用，其
本身並不特別強調一個實在本體以及依此本體而生起種種的妙用。

但是，神會卻認為，此無住為寂靜體，名為「無住心」，則無住心似乎就具有了實
體性的意味。神會認為在這個寂靜體上有自然之智，能知此寂靜體；這寂靜體自發地生
起的妙照，照到此寂靜體本身是無所住的，所以神會說「無住心不離知，知不離無住。
知心無住，更無餘知。」（見前引文）換句話說，神會所謂之「知」，其實是「於自念上
離境，不於法上念生」、念念無住、心心離相之後的寂靜體自然而發出的靈知妙用。所
以神會說「今推到無住處便立知，知心空寂，即是用處。」「但知本寂靜體，空無所
有，亦無住著，等同虛空，無處不遍，即是諸佛真如身。真如是無念之體。以是義故，

11　神會：《壇語》，頁9。

12　慧能：《壇經校釋》，頁32。

13　參見釋印順：《中國禪宗史》北京：中華書局，2010年，頁335-337。

故立無念為宗。見無念者,雖具見聞覺知,而常空寂。」[14]

接著,神會又引《金剛般若波羅蜜經》的「應無所住而生其心」一語作為「無住心」的註腳。《般若經》的原義,其實是在說明不於境上生心,即通過不捨不著如呈現性空般若。但是從神會的詮解來看,「無所住」是就「無住心」的寂靜體上說;而「生其心」則是就無住體、寂靜體所呈現的「知心無住」妙用而言,亦即是靈妙之知見。所以神會明言:「《般若經》云:應無所住而生其心。應無所住,本寂之體,而生其心,本智之用。」[15]

然而胎息於慧能般若思想的神會依舊還是將此「知見」──無住心的本智之用更多地著眼於般若性空系統去闡明。他說:

> 無念是實相真空,知見是無生般若。……般若無知,知一切法。……用而不有,即是真空。空而不無,玄知妙有。(妙有)則摩訶般若,真空即清淨涅槃。般若通秘微之光,實相達真如之境。般若無照,能照涅槃。涅槃無生,能生般若。……般若圓照涅槃,故號如來知見。知即知常空寂,見即直見無生。知見分明,不一不異。動寂俱妙,理事皆如。[16]

又:

> 神會三十餘年所學功夫,唯在「見」字。……遠法師言:虛空作勿得無見?和上言:虛空無般若故,致使不言見。遠法師言:異沒時,禪師有見無?和上言:上至諸佛,下及含識,皆同有見。遠法師言:何故得有見?和上言:為眾生有般若故,致得言見。虛空無般若故,致使不得言見。遠法師言:般若無知,何故言見? 和上言:般若無知,無事不知,以無不知故,致使得言見。[17]

由此可見,在神會心中,無住心與無念同屬實相真空之體。但是此實相之體並非是空無一物,所以神會會說「空而不無,玄知妙有」。從此實相真空之中,生出般若之知。此般若之知就如同實相體中所透顯的秘微之光,其能反照涅槃無生之體;或動或寂,此般若之知時時常照,了了分明,於理事之上此玄知皆能如如呈現其妙用,所以神會做此形容「般若無知,無事不知,以無不知故,致使得言見。」[18]虛空卻無此靈知,因為虛空無般若;上至諸佛,下及含識都擁有此靈知,正是因為其有般若的緣故,所以神會會說此妙有靈知即如來知見,即摩訶般若。

---

14 神會:《壇語》,頁10。

15 神會:〈南陽和尚問答雜徵義〉,頁119。

16 神會:〈頓悟無生般若頌〉,頁50。

17 神會:《菩提達摩南宗定是非論》,頁25-26。

18 神會:〈南陽和尚問答雜徵義〉,頁97。

神會更進一步地對此無住心所生起的般若靈知之妙用做了形象的說明：

> 廬山簡法師問：明鏡高臺即能照萬象，萬象即悉現其中。此者若為？答：明鏡高
> 臺，能照萬象，萬象即悉現其中。古德相傳，共稱為妙。今此門中，未許為妙。
> 何以故？且如明鏡能鑒萬象，萬象不現其中，此將為妙。何以故，如來以無分別
> 智，能分別一切，豈有分別之心而能分別一切？[19]

明鏡高臺在神會看來就如同無住之心體，當萬象來時，一方面，此般若之靈知對於
萬象不是用分別心去了知，而是如實地無分別地鑒照；所以萬象來而不停住，而無法顯
象於此無住心體之中。但另一方面，從無住體（空寂體）上生起的靈知又能善分別世間
萬象，這樣方才可以稱妙。也因此神會才會坦言：「神會三十餘年所學功夫，唯在
『見』字。」在神會自己看來，此般若之靈知，是他三十餘年實修心得的凝結。

通過以上的分析，我們可以看到，最開始宗密對神會禪法的總括中言「知之一字，
眾妙之門」是神會禪法的宗旨，是不無道理的。但宗密將神會所言的「知」，直接等同
於真性——如來藏自性清淨心，與神會禪法中「知見」的本蘊並非完全符契；因為神會
禪法承接著慧能般若之系統，因此其說「知見」與慧能所言的「無念、無住、無相」緊
密相關，其「知見」說與「般若」的靈妙之知有內在的關聯。當然，神會的「知見」說
在慧能的基礎上有一大變化，即是將體現著不捨不著般若精神的「無住、無念、無相」
轉變成一無住心體，從而生起靈知的妙用。牟宗三先生曾說：

> 神會這一分體用，便把無住心套入如來藏自性清淨心的系統中，所謂立「立如來
> 禪」也。而亦因分體用，般若遂成實體性的般若而曰自性智，以無住心為一有實
> 體性意味的心故。有實體性意味的心即是空寂之體，故即是性。「自性智」即是
> 從這空寂之體之自性上所發的智用也，由此以言頓悟，即所謂「直顯心性」。[20]

結合之前的分析，對於牟宗三先生所言的「神會把無住心套入如來藏自性清淨心系
統」的講法，筆者還是持保留態度，因為神會主要還是順承著般若的系統講靈知妙用，
似乎還沒有完全將此無住心體納入如來藏自性清淨心的系統。但牟宗三先生所言卻極具
洞見，因為撇開宗密將神會所說的空寂之知認作真性（即達磨所言的自性清淨心），並
將荷澤禪法歸於「直顯心性宗」的後來詮釋不說，即就神會《語錄》本身所呈現的神會
思想的原貌而言，神會其實已經受到如來藏一系經典，特別是《大乘起信論》思想的影
響，比如神會也曾說：「馬鳴云：若有眾生觀無念者，則為佛智。故今所說般若波羅

---

19 神會：〈南陽和尚問答雜徵義〉，頁88。
20 牟宗三：《佛性與般若》臺北：聯經出版公司，2003年，頁1060。

蜜，從生滅門頓入真如門。」[21]「若有妄起即覺，覺滅即是本性無住心。」[22]「真如之性，即是本心。」[23]可見，神會明確受到《大乘起信論》的影響，因而認為觀無念之佛智、般若波羅蜜、亦即靈妙知見，即是從生滅門頓入真如門的結穴之所在。神會也開始將無住心稱作本性無住心，將無住本心與真如之性相聯繫。而這大體上也與慧能、神會這一時期，中國大乘佛教總體趨勢的變化相符契。印順法師曾說：

> 《般若經》所說的空，有一類根性，於空而悟解為不空的；就是在這一切不可得的寂滅中，直覺為不可思議的真性（或心性）。大乘佛教從性空而轉入妙有，就是在這一意趣下演進的。[24]

雖然植根於般若系統，但神會所發明的「靈知」思想其實已經開始悄然地醞釀著從般若性空系統向如來藏妙有系統的轉變，但是此轉變的真正的完成，則要留待宗密了。

三　華嚴性宗流風下宗密「靈知」論遷變的前奏

對於初中唐以來主要的佛教脈流，《佛祖統紀》云：

> 自唐以來，傳衣缽者，起與庾嶺，談法界，闡名相者盛於長安，是三者皆以道行卓犖，名播九重為帝王師範，故得侈大其學，自名一家。[25]

由此可見，法相、華嚴、禪之三宗，成為了有唐以來中國佛教界的三壁。宗密就浸潤於此時代的整體氛圍之中。宗密二十五歲時，接法於荷澤一系的遂州道圓禪師，一方面吸收了荷澤禪法的精髓。另一方面，他也受到澄觀這一系華嚴性宗思想深密的影響。當宗密從奄奄一息的澄觀門人靈峰手中接過《華嚴經》和澄觀的《華嚴經疏》以及《華嚴經疏演義鈔》之後，宗密對其的研讀到了如癡如醉、廢寢忘食的程度。對《疏鈔》的領會也讓宗密對於之前所研習的教義豁然貫通，疑慮渙然冰釋。具體而言，宗密從其中把握到華嚴宗思想的綱要與命脈，對於華嚴所開顯的一真法界、六相圓融、理事無礙、性相不二、不變隨緣的義理悉皆了達；並以華嚴之教理為基礎，修行禪觀，了徹一真法界即本然心地，由此得到內在的心印。

正是放在這一思想史背景中，宗密的靈知論為何會在神會知見說的基礎上發生轉向才不難索解。在《華嚴經隨疏演義鈔》中，澄觀云：

---

21 神會：《壇語》，《神會和尚禪話錄》，頁12。

22 同上註，頁13。

23 神會：〈南陽和尚問答雜徵義〉，《神會和尚禪話錄》，頁83。

24 釋印順：《中國禪宗史》，頁52。

25 志磐：《佛祖統紀》卷7，CBETA, T49, no.2035, p. 188c05-189b16。

水南善知識云：即體之用曰知，即用之體曰寂。如燈之時即是光，即光之時即是燈，燈為體，光為用，無二無二也，知之一字，眾妙之門，亦是水南之言也。[26]

　　水南善知識指的是神會。之前提到，澄觀曾從神會的弟子無名學習，並由他接契了神會的禪法思想。由此可見，澄觀對神會的「靈知」思想了然於心，並且能恰切地掌握其中的精要。而澄觀也在神會的基礎上對其所領會的「知見」做了進一步地說明：

知即心體，了別即非真知，故非識所識。瞥見亦非真知，故非境界，心體離念，即非有念可無，故云性本清淨。眾生等有或翳不知，故諸佛開示皆令悟入，即體之用，故問之以知。即用之體，故答以性淨。知之一字，眾妙之門。若能虛己，而會使契佛境。[27]

又：

善知識云：即體之用曰知，即用之體曰寂，體用既無有二，知寂不可兩分。非獨知之一字，眾妙之門，若淨若雜，若佛若心，無不皆是。斯則一字法門，一味真道。[28]

　　「知即心體」是澄觀站在華嚴真心系統中，對神會所講「知見」做出的理解與概括，澄觀認為此「真知」正是心體離念之後的清淨本性。但有一點需要特別指出，澄觀雖然承繼著神會對「知」的重視，並明白顯要地將知上升到心體的高度；但在澄觀的華嚴義學系統之中，不僅僅只是將「知」作為眾妙之門，「淨」、「雜」、「佛」、「心」，這些都是眾妙之門；澄觀將之稱為「一字法門，一味真道」，而這充分體現了華嚴思想「心心作佛，處處證真」的特色。這也正是澄觀「真知」論區別與神會知見說與宗密靈知論的一個獨特之處。循此思想的脈絡，澄觀在〈答順宗心要法門〉中更是做了進一步淋漓地發揮：

至道本乎其心，心法本乎無住。無住心體，靈知不昧。……但一念不生，前後際斷，照體獨立，物我皆如，直造心源。……若任運寂知，則眾行圓起，放曠任其去住，靜鑑見其源流，語默不失玄微，動靜豈離法界？……悟寂無寂，真智無知，以知寂不二之一心，契空有雙融之中道，無住無著，莫攝莫收，是非兩忘，能所雙絕，斯絕亦絕，般若現前。般若非心外新生，智性乃本來具足。然本寂不能自見，實由般若之功。般若之與智性，翻覆相成。本智之與始終，兩體雙絕。

26　（唐）澄觀：《華嚴經隨疏演義鈔》卷34，CBETA，T36,no.1736,p.261,c29。

27　澄觀：《華嚴經疏》卷15，CBETA,T35,no.1735,p.608,c15。

28　澄觀：《華嚴經行願品疏》卷1，CBETA,X5,no.227,p.63,b15。

證入則妙覺圓明，悟本則因果交徹。心心作佛，無一心而非佛心。處處證真，無一塵而非佛國。[29]

澄觀站在華嚴真常心思想體系下，以無住心體為靈知三昧。「一念不生。前後際斷。照體獨立。物我皆如，直造心源。」說明此無念之體，自然常照，就是華嚴「性起」觀之下所講的法界一心。於此知寂不二的一心之中，般若「靈知」自然現前，形奪雙亡，則離覺所覺，無心亡照，任運寂知，則念念常是大方廣佛華嚴甚深性海。[30]故言「心心作佛，無一心而非佛心。處處證真，無一塵而非佛國。」

宗密曾經給澄觀這篇〈答順宗心要法門〉做注，從宗密的注中，我們可以看到澄觀以華嚴的真常「一心」解說「靈知」對宗密透澈心髓地影響。宗密在給澄觀的信中曾說：「印靈知而心識頓祛，懸談開分齊章，顯真空而相用繁起，起不異性故，事事融通，通而互收故，重重無盡，悟此則全同佛果。」[31]可見，宗密靈知論的遷變已經是呼之欲出了。

四　會般若歸真性——宗密與中晚唐靈知論的圓成

（一）宗密「靈知」的內在意涵

在討論宗密的靈知之前，我們有必要先梳理一下宗密關於心的分類，然後宗密所言的靈知的內在意涵便容易彰顯了。宗密說：

> 泛言心者，總有四種，梵語各異，翻譯亦殊。一紇利陀耶，此云肉團心，此是身中五藏心也。二緣慮心，此是八識，能緣慮自分境故，此八各有心所，於中或唯無記，或通善惡之殊。諸經之中，目諸心所，總名心也，謂善心惡心等。三質多耶，此云集起心，唯第八識，積集種子，生起現行故。四乾栗陀耶，此云堅實心，亦云真實心。此是真心也。[32]

第一種肉團心指的是五臟中的心臟。第二種緣慮心指的是八識之心。所謂八識就是眼、耳、鼻、舌、身、意識等六識，再加上末那識和阿賴耶識。八識的作用是攀緣境界、思慮分析，所以又稱為思慮心。第三種集起心單指第八識。第八識具有能藏、所

---

29 澄觀：〈答順宗心要法門〉，石峻等編：《中國佛教思想資料選刊》第2卷第2冊，北京：中華書局，1983年，頁373-375。

30 參（日）高峰了州著，釋慧嶽譯：《華嚴思想史》臺北：彌勒出版社，1983年，頁208。

31 宗密：《遙稟清涼國師書》，頁254。

32 宗密：《都序》，頁30。

藏、執藏的功能；即由過往經驗所產生的「識」（種子），都會被儲存在阿賴耶識之中，到因緣具足時，就會生起現行。第四種真實心。從宗密的論述中，很顯然可以看到，宗密對此種心的言說受到《大乘起信論》、《楞伽經》一系如來藏經典的影響；宗密認為，此真實心就是體常不變的真如，也是如來藏自性清淨心。

有了以上的鋪墊，我們再回來看宗密的靈知說。

> 問：上既云性自了了常知，何須諸佛開示？答：此言知者，不是證知，意說真性不同虛空木石，故云知也。非如緣境分別之識，非如照體了達之智，直是真如之性，自然常知。故馬鳴菩薩云：真如者自體真實識知。《華嚴‧迴向品》亦云：真如照明為性。又據《問明品》說：知與智異，智局於聖，不通於凡。知即凡聖皆有，通於理智，故覺首等九菩薩問文殊師利言：云何佛境界智？云何佛境界知？文殊答智云：諸佛智，自在三世無所礙。答知云：非識所能識（不可識識者，以識屬分別，分別即非真知，真知唯無念方見也），亦非心境界（不可以智知，謂若以智證之，即屬所證之境，真知非境界，故不可以智證。瞥起照心，即非真知也。）。[33]

宗密正面說道此了了常知的靈知「直是真如之性，自然常知。」他引用到《大方廣佛華嚴經‧迴向品》的「真如照明為性」。也引用了《大乘起信論》所言的「真如者，自體真實識知。」宗密一生受《大乘起信論》的如來藏思想及其義理架構的影響頗深。從這段引文，我們可以管窺宗密言「靈知」背後義理的深廣脈絡。《起信論》認為真如具有體大、相大、用大三個層次。這裡所言真如自體相者，「從本已來，性自滿足一切功德。」、「所謂自體有大智慧光明義故，遍照法界義故，真實識知義故」。在宗密看來，「靈知」正是真如自體——如來法身、如來藏散發的光明所含蘊的真實識知的妙用。也因此，宗密所言的「靈知」就是由第四種心——真實心所發出的自然常存的妙用。

上文提到，宗密以後的一些禪者將宗密的「靈知」理解成分別之知。但宗密提到「知」與「識」異，他明確說道：「此言知者……非如緣境分別之識」。「不可識識者，識屬分別，分別即非真知，真知唯無念，方見也」（見前引文）。宗密也引《寶藏論》所言：「知有有壞，知無無敗（此皆能知有無之智）。真知之知，有無不計（既不計有無，即自性無分別之知）。」[34] 無論是知有還是知無，這樣便有了能所的區分，而一旦以能知之心去計度所知之境，那麼分別之識就產生了。所以知有知無的知，宗密認為其實是屬於識，此分別緣境的識發出的主體是第二種心——緣慮心，而宗密所言的不計有無、自性無分別之「靈知」是源自於真性，兩者很明顯不一樣。

---

33 宗密：《都序》，頁48。

34 同上註，頁48-49。

又宗密提到「知」與「智」異，他說：「此言知者……非如照體了達之智。」[35]
「又據《問明品》說：「知與智異，智局於聖，不通於凡，知即凡聖皆有，通於理
智。」[36]「真智真知異者，空宗以分別為知，無分別為智。智深知淺，性宗以能證聖理
之妙慧為智，以該於理智，通於凡聖之靈性為知，知通智局。」[37]可見，宗密在說到
「靈知」的時候，也沒有忽略掉空宗立場對「知」的理解，空宗看來無分別為智，分別
為知；智相對於知來說更深。然而宗密很明顯採取的是性宗的立場，智為能證聖理的妙
慧，而知則是凡夫佛聖皆有的靈性。也因此，宗密才引用性宗經典《華嚴經》中覺首等
九菩薩問文殊師利「佛境界智」與「佛境界知」的不同。進一步強調，智是諸佛證量所
達到的境界，此「靈知」不是心的境界，所以不可以智來證成。但凡有起心去瞥照的心
念，就已經不是此真知了。所以宗密說：「若求真棄妄，猶避影逃形。若滅妄存真，似
揚聲止響。境從心現，元是自心，若加了知，即迷現量。」[38]從此角度來看，神秀所代
表的北宗禪教人看心觀淨──以自心觀心之淨境，但是所謂觀淨之心本身也成為了對
境，所以就迷失掉了本來的真如心體的靈知現量。所以宗密說：「故經說『非幻成幻』，
《論》云『心不見心』。但不生情，自然如鏡照物，且心體本自知覺，何必更加了知，
知上起知，名為加矣。」[39]

（二）寂知與體用

承接以上的分析，宗密認為，知不同於識，也不同於智，知以真實心為根本所依。
但宗密言知，還不僅僅止於此，他還將知放在「體」、「用」的架構之中，以期對知做出
更為清晰地闡明：

> 此並是遮遣之詞，未為顯示心體。若不指示現今了了常知不昧是自心者，說何為
> 無為無相等耶？是知諸教只說此知無生滅等也。故荷澤於空無相處，指示知見，
> 令人認得，便覺自心，經生越世，永無間斷，乃至成佛也。荷澤又收束無為無
> 住，乃至不可說等種種之言，但云空寂知，一切攝盡。空者，空卻諸相，猶是遮
> 遣之言。唯寂是實性不變動義，不同空無也。知是當體表顯義，不同分別也，唯
> 此方為真心本體。故始自發心，乃至成佛，唯寂唯知，不變不斷。[40]

---

35 同上註，頁48。

36 同上註。

37 同上註，頁58。

38 宗密：《圓覺經大疏鈔》，卷11之上，臺灣：佛陀教育基金會（未詳年月），頁1592。

39 同上註，頁1593。

40 宗密：《承襲圖》，頁127。

　　由此可見，宗密認為諸教用無為無相、不生不滅、乃至不可說等種種遮詮的表示方式不足以顯示心體，而用了了常知不昧的「知」方可表顯出心體，所以他說「知是當體表顯義。不同分別也。唯此方為真心本體。」他也明白道出此種講法是受荷澤神會「於空無相處指示知見」的啟發。當然，我們之前提過澄觀在荷澤基礎上也提出「知即心體」的說法，宗密當也受其影響。在此基礎上，宗密更是提出「知即是心」。並認為知「指其體也，此言最的，餘字不如。」宗密也揭示出他如此強調「知即是心」的原因，他說「水之名體，各唯一字，餘皆義用，心之名體亦然。濕之一字，貫於清濁等萬用萬義之中。知之一字，亦貫於貪嗔慈忍、善惡苦樂萬用萬義之處。……空宗相宗，為對初學及淺機，恐隨言生執，故但標名而遮其非。唯廣以義用，而引其意。性宗對久學及上根，令忘言認體，故一言直示。認得體已，方於體上照察義用，故無不通也。」[41]宗密以水打比方，認為正如「濕」貫穿於水清濁等萬德萬用中一樣，「知」也貫穿於心的貪嗔慈忍、善惡苦樂等萬用萬義之中；因此正如用「濕」可以直指水之體一樣，用「知」方能直指心之體。宗密還是以性宗思想為立足點，認為空宗和相宗為了接引初機，恐其隨言生執，而採取遮詮的方式，此不如性宗直接指示知為心體，這樣就能使人了達不昧之靈知，產生於心體上時時照察的義用。

　　同時，由上引文，我們可知宗密亦承繼了荷澤「知見」說中寂知的提法。他說：

> 唯寂是實性不變動義，不同空無也。知是當體表顯義，不同分別也。唯此方為真心本體。[42]

又：

> 寂者即是決定之體，堅固常定，不喧不動，不變異之義、非空無義。……知者謂體自知覺，昭昭不昧、棄之不得、認之不得、是當體表顯義，非分別比量義。上言不喧、不動、不變等說者，只說此知寂而不變等耶。寂是知寂，知是寂知。寂是知之自性體，知是寂之自性用。[43]

　　由此可見，在宗密看來，「寂」側重於強調心體「實性不變、堅固常定，不喧不動」的一面；「知」側重於強調心體「自知自覺、昭昭不昧」的一面。而這寂知兩面又不可分，因其內含體用的關係，「寂是知之自性體，知是寂之自性用。」也正是在這個意義上，宗密才徵引神會所言的「即體而用自知，即知而體自寂。名說雖差，體用一致。實謂用而常寂，寂而常用。知之一字，眾妙之門，恆沙佛法，因此成立。」[44]這樣

---

41 宗密：《都序》，頁60-61。
42 宗密：《承襲圖》，頁127。
43 宗密：《圓覺經大疏釋義鈔》卷1，CBETA, X09,no.245, p.468,a12。
44 同上註。

一種寂知之間體用一如、即體即用的關係，宗密曾用一個比喻巧妙地做出解釋：

> 猶如銅鏡，銅之質是自性體，銅之明是自性用，明所現影是隨緣用。影即對緣方
> 現，現有千差。明即自性常明，明唯一味。以喻心常寂是自性體，心常知是自性
> 用。此能語言，能分別動作等，是隨緣應用。[45]

首先，銅鏡之材質與銅鏡之光明本身就是不二的，由銅鏡之材質方才能顯發出銅鏡之光明，然而也正是由於銅鏡之光明方才了悉銅鏡之材質；而這正妙契寂體與靈知的關係，由堅實瑩淨的寂體方才顯發出靈知不昧的光明，然而也因為有靈知不昧的光明方才能把捉到堅實瑩淨的寂體。其次，不能忽略的是，宗密認為真心本體有二種用，一是自性本用，二是隨緣應用。隨緣應用就好比銅鏡中所顯現影像，隨著外境的現前，而有千差萬別。而作為自性本用的靈知卻如銅鏡自性的光明常自照耀，不隨外緣的變化而發生改變。

（三）「靈知」與「圓覺」的會歸

通過以上的梳理，宗密靈知的內在意涵應該說不難把握了。但如果我們不僅僅局限於此，而是將視野放寬到宗密的全幅的思想體系中，那麼就很自然會有這樣的疑問：宗密的靈知論與他以《圓覺經》為根本所依，依託如來藏思想而建立起來的圓頓教思想系統之間存在著什麼關聯呢？

要回答這個問題，我們需要從《圓覺經》本文以及宗密對《圓覺經》的疏釋中尋找線索。首先，我們來看看宗密對「圓覺」的理解：

> 圓覺者，直指法體。……圓者，滿足周備，此外更無一法；覺者，虛明靈照，無
> 諸分別念想。故論云：「所言覺義者，謂心體離念。離念相者，等虛空界等。」
> 此是釋如來藏心生滅門中本覺之文。故知，此覺非離凡局聖，非離境局心，心境
> 凡聖本空，唯是靈覺，故言圓也。[46]

宗密認為圓覺首先直接指示的是諸法之體。圓，是說此法滿足周備，在此之外更無一法。覺者，是說此法虛明靈照，沒有分別心所生的種種念想。宗密引《大乘起信論》所言的本覺義來解釋圓覺此一層的涵義，圓覺指的就是遠離了分別念相之後，與虛空齊等的真如心體。因此，宗密認為此覺不是局限在聖人而凡夫不具備，也不是局限於心而境不具備，心與境、凡與聖都是空的，惟有此靈覺，才叫作「圓」。因為如果我們在身

---

45 宗密：《承襲圖》，頁129。

46 宗密：《圓覺經大疏》上卷之二，收入樓宇烈主編：《圓覺經註疏》北京：線裝書局，2016年，頁
　32。

心空有之中，覺察到有一個能知覺的心，認為此心不屬於物，常常能夠知覺；雖然看上去這好像是覺的一種表徵，但是其實這種覺是不圓的。因為空有等法不即是覺的緣故，在覺心之外，仍然存在所覺的對象——空有等法，所以此覺心不能真正稱為「圓」。從萬法輾轉推逐，都沒有一法體存在，只是一真心體，豎窮橫遍，心外沒有一法存在，全是覺心，這才真叫作「圓覺」。

當我們把靈知的意涵用來和宗密所言的圓覺對觀的時候，就會發現兩者是內在相通的。承接前文的分析，宗密認為，知即心體，此靈知凡聖皆有；靈知自知自覺，昭昭不昧，恆常不失；靈知虛明妙照，了了常知。正與圓覺的體性、德相、業用三方面相契合。當然在這裡，體用自是不二，用相亦是一如。所以宗密自言：「心寂而知，目之圓覺。」[47]「一乘顯性教者，說一切有情皆有本覺真心，無始以來常住清淨，昭昭不昧了了常知，亦名佛性，亦名如來藏。」[48]宗密在說明顯示真心即性教時亦說：「如是開示靈知之心即是真性，與佛無異，故顯示真心即性教。」在這裡，宗密將靈知與顯示真心即教系統中所謂之本覺、圓覺之間存在的隔膜完全打通。並以依託於此靈知之心、圓覺的顯示真心即性教系統融攝空宗與有宗。因此，宗密肯認道：「然此教中，以一真心性，對染淨諸法，全揀全收。全揀者，如上所說，俱剗體直指靈知，即是心性，餘皆虛妄。⋯⋯全收者，染淨諸法，無不是心。⋯⋯既是此心，現起諸法，諸法全即真心。」[49]

五　餘論

綜上所述，可以看出，宗密已經將滲透著般若思想的「靈知」完全納入進顯示真心即性教——如來藏真性的系統，並將之與「圓覺」相會通，從而實現了般若性空與真性妙有的融合，實際促成了自神會創發知見說以來中晚唐靈知論的遷變。

然對於佛教而言，信、解、行、證密不可分，信、解之「失之毫釐」，修、證則「謬以千里」。由以上的分析我們可以解明宗密靈知論的內在意涵，但宗密所倡的靈知論還與其根本所依《圓覺經》所揭示的修行密義緊密相關。唯此，才足以昭示宗密所言的靈知論並非如智旭所言的只是「於能詮文字上妄分親疏」的戲論。接著我們就來看，建立在靈知或圓覺之上的，具體的修行覺證是如何展現的。

在《圓覺經》的「文殊菩薩章」中，世尊回答文殊菩薩問「本起清淨因地法行」時說道：「無上法王，有大陀羅尼門，名為圓覺。流出一切清淨真如、菩提涅槃及波羅

---

47 宗密：〈本序〉，《圓覺經大疏》，頁5。

48 宗密：《原人論》，石峻等編：《中國佛教思想資料選編》卷2，第2冊，頁392。

49 宗密，《都序》，頁54。

蜜。教授菩薩，一切如來本起因地，皆依圓照清淨覺相，永斷無明，方成佛道。」[50]此圓覺或靈知法門，是覺悟之根本，一切清淨真如、菩提涅槃及波羅蜜法皆從此流出。

以此靈知、圓覺，「知是空華，即無輪轉。亦無身心，受彼生死，非作故無，本性無故。」[51]空華比喻妄見，眾生一念迷心，覆翳自己的圓明覺性，而於圓明體上，妄見生滅身心。覺知到萬法如空華，身心也是幻妄不實的。不是因為我作觀行，方得身心空無，而是本性空寂，原來本就沒有。

其次，輾轉拂跡，解釋成佛的正因，拂跡有四重。

一、「彼知覺者，猶如虛空。」[52]拂覺妄之智，能覺知身心性本無者，亦如太虛，都無所有。

二、「知虛空者，即空華相。」[53]此又泯其拂心，知能覺無者，即同空華，體即無也。

三、「亦不可說無知覺性。」[54]遮其斷滅，但不起念分別空有，不是無心。

四、「有無俱遣，是則名為淨覺隨順。」[55]總結離過，釋成正因。[56]「有無既不當情，斯即心言路絕。清淨覺體，從此彰顯，但不背之合塵，即名隨順，亦非別有能順。故羅什云，無心於合合者合焉。隨順淨覺，故言淨覺隨順。如是執盡病除，然後興心運行，則聚沙畫地合掌低頭皆成佛道，如斯修習可謂正因。」[57]

承接此義，宗密進一步說明了作為凡夫眾生而言，當得遇此圓覺、靈知法門之後，以之觀修，層層覺悟的過程。

首先，一切眾生從無始以來把起滅的妄念當作是我，由此妄想有一個恆常之「我」進而由此「我」而產生愛著，所以凡夫生起憎愛之念，耽著財、色、名、食、睡等五欲。

若得遇善友開示此淨圓覺性，則了悟念念其實是生滅的，「我相本無，唯心故有，心既念念無常，我亦念念生滅」[58]，由此而破我相，不再以生滅的妄念為我了。因此，以冥真之慧——圓覺、靈知，照於起滅之念，則起之與滅，念念皆知。才發現外實無境，何來憎愛，一切所起的念慮之心，只是自我的繫縛與勞役。這裡宗密曾用一個比喻生動地說明「昔與妄合故不自見，今冥真覺，起滅皆知，翻前曾不自知念念生滅，故禪

50 （唐）佛陀多羅譯：《大方廣圓覺修多羅了義經》（以下簡稱《圓覺經》），樓宇烈主編：《圓覺經註疏》北京：線裝書局，2016年，頁52-56。

51 同上註，頁62。

52 同上註。

53 同上註。

54 同上註。

55 同上註。

56 以上判分參見宗密：《圓覺經略疏》臺北：大千出版社，2005年，頁42-43。

57 宗密，《圓覺經略疏》，頁43。

58 宗密，《圓覺經大疏》中卷之4，頁150。

家說日光隙塵之喻。」[59]這裡用了日光穿過縫隙的比喻。浮塵比喻妄念，日光比喻圓覺。在無明暗昧之下，數如塵沙的妄念浮塵時時浮動，然而真如心體卻絲毫不能覺察；一旦解悟六塵緣影乃妄，則心體之光恰如通過縫隙透顯出來，那麼妄念浮塵便纖毫盡現，無所遁形了。

若有凡夫隨順圓覺性而入，雖然勞慮永斷，於理法界中「絕諸勞慮，塵境不生」，於事法界中，「分別念慮之心、差別塵境之法，當體不生」。但於此淨起執著，繫心在淨，因此便成了障礙，以此於圓覺了義而不能究竟自在。

若有初發的意菩薩隨順圓覺性而入，覺知前對淨的執著為礙，然而「所覺是礙，故能覺亦是礙，由存此跡，還礙覺心」[60]，即是說覺知淨解為礙的覺心又成為障礙，因此不能自在。

若有登地的菩薩，覺知淨解與覺礙之覺，皆是障礙。因此，以無分別智不住此諸戲論相，念念知無所得，俱離能取所取，因此照與照者同時寂滅，智與真如心體平等平等。宗密以指月而喻之，因指見月，見月忘指；因教詮心，悟心忘教。指喻智覺，月喻真如心體，一旦體證真如心體，指則自然忘之。

若如來則「覺海元真，萬法非有，混融一相，體用恆如。但以迷倒情深，強生分別，違其正理，失本真常。今既返本歸真，銷迷殄相，對治斯遣，垢淨雙融，剪拔生源，成究竟覺。」[61]因此，識智、成破、愚智、邪正、真妄、染淨、依正、苦樂、有性無性、縛脫之對，以如來觀之，皆得以普同圓妙。

---

59 同上註，頁151。

60 同上註，頁150。

61 同上註，頁155。

五代書法與唐宋轉型問題探究[*]

剛祥雲

北京師範大學哲學學院

　　「唐宋轉型」是中國文化史上一道重要的命題，在書法領域也有體現。回溯「唐宋轉型」理論的提出，最早是由日本學者內藤湖南提出的[1]，即所謂唐為「中世的結束」與宋為「近世的開始」，兩者在政治、經濟、文化等方面都發生了巨大的轉變。在由唐入宋，「中世」與「近世」之間，有一個重要的歷史時期即五代。然而，因受史料稀缺以及宋人對五代歷史文化大肆批判的影響[2]，人們一提到五代，有兩個特點：一是歷史時間短（西元907-960年），政權更迭頻繁，北方從後梁，後唐、後晉、後漢到後周不過五十餘年；二是南北分裂，戰爭不斷，社會動亂，民生凋敝，歷史文化沒有什麼大發展。這種定性，一方面順延了唐末大動亂強加給五代十國的刻板印象，有違「五代十國之亂乃局部之亂」[3]的史實；另一方面，它也閹割了五代十國夾在唐宋兩座歷史文化高峰之間的特殊意義，忽視了它在唐宋文化轉型期的中介與過渡作用。這種史學判斷進一步影響到書法史家（或美學史家）對整個五代書法藝術的看法，大都秉持兩種態度：要麼集體遺忘，要麼以「唐之餘緒」處理，惟楊凝式一人略可一論。問題是，這種判斷是否真正符合歷史的實然狀況？五代書法是否僅有楊凝式一人？楊凝式為何受宋人（歐陽修、王安石、蘇軾、黃庭堅）的如此推崇？夾在「唐宋轉型」之間的整個五代書法藝術又該如何估量？它們有沒有起到歷史性的作用？事實上，我們若以「唐宋轉型」為理論導引，管窺唐宋書學演進的內在肌理，其主要體現為由唐代虞世南、歐陽詢、顏真卿、孫過庭等人確立的「尚法」[4]「重骨」、「推崇氣象」逐漸向宋代「重意」、「好禪」、「尚韻」的書風轉變以及進一步強化「書品即人品」、「論書通禪」的書學理論傾向，完成於

*　【基金】：國家社會科學基金藝術學重大項目「傳統禮樂文明與當代文化建設研究」（17ZD03）。

1　（日）內藤湖南：〈概括的唐宋時代觀〉，參閱錢婉約：《內藤湖南研究》北京：中華書局，2004年，頁104-105。

2　（宋）歐陽修對五代歷史文化大肆批判，認為五代時期禮樂崩壞，先王制度文章沒落殆盡，「五代禮樂文章，吾無取焉」，由於歐陽修在中國文化史上的重要地位，前此論斷對後人影響很大，也是造成後人輕視五代歷史文化的重要原因之一。（歐陽修：《新五代史》北京：中華書局，2015年，頁216、753。）

3　陳尚君：〈五代：政治文化轉型的關鍵時期──五代十國之我見〉，《文匯報》2015年6月26日。

4　例如歐陽詢《三十六法》、《八訣》、《用筆論》，李世民的《筆法訣》，張懷瓘的《論用筆十法》等等，已使唐代書法在用筆方法、字體間架方面臻於完備。

「宋四家」（即蘇軾、黃庭堅、米芾、蔡襄）。而五代恰恰成為實現這一轉型的關鍵環節，倘若沒有五代，宋代書學的高峰也會受影響。結合史料分析，五代書法藝術對唐宋書學完成漸變與轉型的影響，大致有三個點：首先，歷史的延續性往往大於歷史的突變，宋代書法高峰不是簡單地否定唐法，也不是簡單地回歸晉韻，而是承繼五代，開創新風。歷史中的五代書法藝術並非如史家所言的凋零不堪，而是湧現出眾多知名書家，他們在繼承與革新中緩慢推進書法藝術，且有部分書家歷經五代而直接入宋，如王文秉、徐鉉、李建中等等。其次，作為五代書法最高代表的楊凝式，他以精湛的書藝、高尚的人品以及對「尚意」書風的開拓，成為宋書家（包括李建中、王安石、蘇軾、黃庭堅、米芾等）習書的典範，具有直接引領風潮的作用；再次，晚唐五代禪宗思想的高度發展，經過書僧群體（如亞棲、貫休、曇光、彥修、曇域、應之、齊己）以及部分士人「援禪入書」、「以禪論書」，將禪宗「心即是佛」、「心即是法」的觀念植入書法，提出了「心為書源」的理論，在一定程度上加速了宋代書學禪理化與「心靈書寫」的到來。下文就上述問題展開，嘗試論之。

一　五代書法的歷史性存在及其史學意義

唐末國力衰微，割據政權此起彼伏。天佑四年（西元907年），朱溫代唐稱帝，建立大梁，此後中國歷史進入到「五代十國」（即後梁、後唐、後晉、後漢、後周、吳、南唐、前蜀、後蜀、吳越、閩、荊南、楚、南漢、北漢）時期。從史料看，五代十國書法成就雖不及「魏晉」、「唐宋」燦爛輝煌，但也沒有真正退出歷史的舞臺，在傳承與革新中向前緩慢推進，湧現出許多知名書家及其作品，需要在歷史中重新予以爬梳。

宋歐陽修云：「五代時以翰墨馳名於當世者……王文秉之小篆，李鶚、郭忠恕之楷書，楊凝式之行草。」[5]其中，王文秉，生卒年不詳，南唐時出任左千牛衛兵曹參軍。其人工小篆，「筆甚精勁」，自號王逸老，欲與逸少（王羲之）相抗，有《紫陽石磬銘》、《千字文》等。李鶚，後唐時任國子丞，擅楷書。長興三年（西元932年），官方開始刊印儒家典籍，「《九經》印板多其所書」（趙明誠《金石錄》）[6]。五代典籍的楷法刻印，對宋代雕版印刷術的繁榮奠定了基礎，也為書法在宋代的普及與傳承產生了巨大的推動作用。郭忠恕（？-977），精通文學，後周時以書畫名於當時。據《五代史補》載：「郭忠恕，七歲童子及第，富有文學，尤工篆隸。嘗有人於龍山得鳥跡篆，忠恕一見，輒誦如宿習。」[7]清劉熙載也讚：「忠恕以篆古之筆溢為分隸，獨成高致。」（《藝

5　歐陽修：《歐陽修全集》第3冊，北京：中華書局，2001年，頁1059。

6　參閱朱關田：〈五代楊凝式及其他書家〉，《中國書法》，2014年第12期，頁51。

7　薛居正：《舊五代史》北京：中華書局，2015年，頁1616。

概・書概》）其有書作《三體陰符經》、《汗簡》、《佩觿》等。其中，《汗簡》、《佩觿》二書闡明文字變遷，考證傳寫之誤。《汗簡》書名取自古人「殺青簡以寫經書」，旨在闡明「古文」乃是源於古人竹簡上所寫經書之古文。此書既是一篇有名的書法作品，又是典範的書史考論。它取古人竹簡文字，參校考辨以《春秋》、《論語》、《爾雅》、《山海經》、《熹平石經》等七十一種典籍古物，得為集釋，影響深遠。楊凝式（西元873-954年），字景度，號虛白，人稱「楊風子」，為人品行高潔，擅詩書，其書法成就冠絕五代。《舊五代史》云：「凝式長於歌詩，善於筆劄，洛川寺觀藍牆粉壁之上，題紀殆遍，時人以其縱誕，有『風子』之號焉。」[8]《宣和書譜》卷十九也載：「（楊凝式）喜作字，尤工顛草……書名皆一時之絕」[9]，有作品《韭花帖》、《鴻草堂十志圖跋》、《新步虛詞》、《夏熱帖》、《神仙起居貼》等，成為後世習書的範本。

　　爬梳史料，五代時期除李鶚、郭忠恕、王文秉、楊凝式之外，尚有西蜀的韋莊、杜光庭、吳越錢鏐、錢俶以及南唐有韓熙載、潘佑、徐鉉、徐鍇、李煜，等等。據《宣和書譜》卷十一云：「（韋莊）當時作字名於世，觀《借書》諸帖有行書法」，有作品《米團帖》、《借書帖》等。道士杜光庭，隨僖宗入蜀，後隱居蜀地青城山習道，「工詞章翰墨之學」，「喜自錄所為詩文，而字皆楷書，人爭得之」（《宣和書譜》卷五），有《紀聖賦》、《廣聖義歷帝紀》、《送先輩詩》，等等。

　　吳越錢鏐「喜作正書，好吟詠」（《宣和書譜》卷五），有《貢橘貼》，黃庭堅曾評其書：「當代入神品」（《山谷集》卷二十八）。錢俶，錢鏐之孫，字文德，承傳家學淵源，喜弄翰墨，擅顛草，「其斡旋盤結，不減古人」（《宣和書譜》卷十九），有草書《國子直補牒》。錢鏐、錢俶當時影響很大，且開創了中國文化史上重要的錢氏藝術家族，歷經宋代，馳名江南，經久不衰。

　　南唐書畫名家韓熙載，為人「放蕩嬉戲，不拘名節」，但「分書及畫，名重當時」[10]（《南唐書》卷十三）。內史舍人潘佑，「行書草貼，筆跡奕奕，超拔流俗，殆有東晉之遺風」（《宣和書譜》卷十一）。徐鉉、徐鍇善篆與八分，一時為江南學者宗。《宣和書譜》卷二云：「善篆與八分，識者謂自陽冰之後，續篆法者惟鉉而已。」歐陽修《集古錄跋尾・徐鉉雙溪院記》也說：「其在江南皆以文翰知名，號『二徐』，為學者所宗」[11]，有行書《私誠貼》、《篆書千文殘卷》（宋摹本，現藏黑龍江省博物館）。其中，《私誠帖》書格有唐風遺韻，筆力勁健，既略帶晚唐以來的肥厚又不失瀟灑氣度，書風含蓄天然，具有開宋人尚意之先河之態。啟功在《論書絕句》中云：「行押徐鉉體絕工，江南書格繼唐風」，其下注文進一步解釋道：「大徐簡劄墨蹟，數百年所傳，惟《貴藩》一

8　同上註，頁1958。

9　桂第子譯注：《宣和書譜》長沙：湖南美術出版社，1999年。下文凡引此書，只標卷數。

10　傅璇琮、徐海榮主編：《五代史彙編》卷9，杭州：九州出版社，2004年，頁5347、5349。

11　歐陽修：《歐陽修全集》北京：中華書局，2001年，頁2321。

帖。其帖曾入《石渠寶笈》，而《三希堂》、《墨妙軒》俱未摹勒，不知其故。今屢見影本，筆致猶是唐人格調，剗尾具名處作一花押。不見此剗，不知大徐墨蹟之真面目，亦不知唐代書風，與時遞嬗；至宋而變，其變如何也。」[12]

南唐最負盛名和傳奇色彩的人物當屬李煜。李煜（西元937-978年），南唐中主李璟第六子，世人皆以詞與後主身分知曉其人，殊不知他亦兼善書法，喜作行書，美名「金錯刀」，「落筆瘦硬，而風神溢出」（《宣和書譜》卷十二），有〈入國知教帖〉和〈虞美人〉等。李煜所創「金錯刀」書體，乃是一種極其入畫的書體，「書如畫似」，在某種程度上可以說，它是對張彥遠「書畫同源」理論的實踐。另傳李煜作大字不用毛筆，捲起布帛而書，皆能如意，人稱「撮襟書」（《宣和書譜》卷十二）。宋人黃庭堅評價李煜書法云：「觀江南李主手改表草，筆力不減柳誠懸」、「筆意深穩」、「乃知今世石刻曾不得其彷彿」（《山谷集》卷二十八）。在書論方面，李煜有〈書述〉，提出「七字法」，又謂之「撥鐙」，即「擫、壓、鉤、揭、抵、拒、導、送是也。」（〈書述〉）它是對唐韓方明「筆有五種」（〈授筆要說〉）、盧攜「四字法」（〈臨池訣〉）[13]，以及陸希聲「五字法」[14]的一個系統繼承、總結與完善，對後世執筆習書理論有重要影響。

從以上史料足見，五代十國雖為亂世，但書法藝術並未凋敝，也並非如書法史家所言的僅有楊凝式一人，而是出現了諸多書家，且作品可觀。他們一方面共同延續著漢魏至唐以來的書脈星火，成為由唐入宋的重要歷史環節。特別李鶚的楷書刻印，郭忠恕的《漢簡》範例、「二徐」的《嶧山》篆刻以及李煜的「金錯刀」書體實踐等等，在宋代不乏習書文人的品評與傳習，對宋代書學有一定影響。另一方面，如後周郭忠恕，吳越錢俶，南唐徐鉉、韓熙載、李煜、潘佑以及西蜀王著、句中正、李建中等等，皆是歷經五代而入宋的書法名家，他們對宋代書學完成漸變與轉型起到了直接或間接的推動作用，尤其韋莊、錢鏐、錢俶、潘佑、徐鉉、李煜等人的行草，延續「東晉遺風」，強調意在筆先，實有開宋人「尚意」之先河，蘊含著管窺唐代書法在五代發生漸變的某些微妙肌理。此外，五代特殊的社會環境，造就了許多書法士人和僧人的雙重人格，他們在出仕與入仕、佛門與世俗之間，進行著艱難的權衡與抉擇，而書法成為他們疏放自我的重要通道之一，心靈書寫的要求為書法體式與風格的變化提供了可能。尤其那些好禪書法士人以及諸多僧人書家群體，他們不僅參與書法創作與書藝批評，而且倡導「援禪入書」、「以書寓禪」、「以書達情」，提出「心為書源」，追求「書禪合一」的書學傾向，預示著一種新美學觀的形成。

---

12 啟功：《論書絕句》上海：上海書畫出版社，2007年，頁60。

13 李煜的「七字法」與盧攜的「推、拖、捻、拽」。（參閱毛萬寶主編：《中國古代書論類編》合肥：安徽教育出版社，2009年，頁70、102。）

14 〈傳筆法〉云：「凡五字，曰擫、押、鉤、格、抵」。（參閱朱長文：《墨池編》卷三，清康熙五十三年就閒堂刻本，頁11。）

二　「心為書源」：五代書僧群體的書學實踐

禪宗發展到五代，五家（即臨濟宗、曹洞宗、溈仰宗、雲門宗、法眼宗）分燈，欣欣向榮，僧人和士大夫交往密切，一起參禪悟道，僧人的士大夫化和士大夫的好禪之風更加興盛，其結果是禪宗思想無不滲透到文人的日常生活與書藝創作之中。唐末五代僧人亞棲、貫休、齊己、彥修、曇域、應之繼承了前輩書僧大師智永、懷素、高閑等人的書風衣鉢，以禪家「我心即佛」、「萬法唯心」為理論基底，遵從佛法禪理，了悟世間萬象乃心念所生，書法應如是。如晉光論書云：「書法猶釋氏心印，發於心源，成於了悟，非口手所傳」[15]。禪宗思想影響下，五代僧人書家繼續倡導書體、書風的新變，有意擺脫拘束，醉心於書法的創作，藐視傳統嚴苛法式的權威性，追求筆墨的自由揮灑，尤其是草書和行書的創作，為書法通向「心靈寫意」鋪平道路。

首先，晚唐五代書僧釋亞棲，不僅書法精勁，而且提出「凡書變則通」的思想，認為「若執法不變，縱能入石三分，亦被號為書奴，終非自立之體」（〈論書〉），提倡「通禪筆法（才）得玄門」（《對御書後》），這無疑受到禪宗「法即是心」的點化。

其次，貫休（西元823-912年），其有詩文書論《觀懷素草書歌》，主張書藝創作的主體性，重視自我感情的抒發，提出了書藝創作應倡「意」和書法批評應重「神」的觀點。如在〈觀懷素草書歌〉中，他一方面高度讚譽懷素的書法，認為其臻於化境的根本原因是「顛狂」和「神力」。即「張顛顛後顛非顛，直至懷素之顛始是顛……顛狂卻恐是神仙，有神助兮人莫及。」另一方面，他也極力倡導書法創作要以「意」為上，只有敞開心靈，「書大地」、「乃能略展狂僧意」。貫休作為禪門弟子，信守禪宗主張「明心見性」、「萬法唯心」，心為萬象之源，書法創作要盡顯「心意」，重視「本心」的頓悟、明覺，並認為懷素的書法達到了我心即禪心的境界。再如他在〈晉光大師草書歌〉中也表達了類似擺脫束縛、書寫心意的觀點。「僧家愛詩自拘束，僧家愛畫亦侷促。唯師草聖藝偏高，一掬山泉心便足。」貫休以「禪意入書」，重視書法展現自由心靈的思想，誠如蔣全順所指出：「這與北宋時期倡導『意足我自足』，注重書法的自我表現價值和創作自由的思想又是何其的相似。在某種意義上，貫休以『意』為書的書法創作思想可謂宋人『尚意』書學的先聲。」[16]

貫休不僅以詩文書論的方式表達了自己的書學主張，同時也鍾情於書法創作實踐，以草書名於當時。據史料所載，貫休工詩書畫，天復年間入蜀後，得王建賞識，賜「禪月大師」，因書法風格特異，人稱「姜體」，有草書《常侍帖》、《千字文》、行書《夢遊仙詩》等。《益州名畫錄》云：「（貫休）善草書圖畫，時人比諸懷素，畫師閻立本。」

---

15 毛萬寶主編：《中國古代書論類編》合肥：安徽教育出版社，2009年，頁7。
16 蔣全順：〈釋貫休書法考述〉，《中國書法》，2016年第12期，頁99。

《宣和書譜》卷十九也載：「（貫休）作字尤奇崛，至草書益勝巘峻之狀……書《千字文》，世多傳其本，雖不可比跡智永，要自不凡。」

再次，僧人齊己（西元863-937年）也是一位書法造詣頗深且用心書法品鑒的人物。其在《謝西川曇域大師玉箸篆書》中對西川禪師曇域的書法作了評點，甚是讚賞。他認為曇域是「玉箸真文久不興，李斯傳到李陽冰。正悲千載無來者，果見僧中有個僧。」由於他本人長期受禪宗思想的浸潤，書法創作，「筆跡灑落，得行字法，望之知非尋常釋子所書也」（《宣和書譜》），有正書〈廬嶽詩〉，行書〈擬嵇康《絕交書》〉等。

這一時期，受禪宗思想影響，從事書法創作的書僧還有彥修、應之、曇域，等等。其中，彥修留有〈裴說聞砧詩〉與〈入洛詩〉（現藏西安碑林博物館），宋李丕緒云：「（彥修）筆力遒勁，得張旭法，惜哉名不振於時。」[17] 僧人應之「作行書，嘗以文絹寫進士沈崧〈曲直不相入賦〉，頗有氣骨」（《宣和書譜》卷十一），李璟讚其「深得公權之法者也」（《南唐書》卷二十六）[18]。曇域「工小篆，學李陽冰」（《書史會要》卷五），「攻草書，得張旭筆意」（《十國春秋》卷五十七）。他們的書法作品中無不滲透著禪思理趣，詮釋了禪宗「萬法唯心」、「心為書源」的思想。

總之，禪宗思想對中國古代書法藝術的影響有一個逐步深入的過程，而僧人書家群體乃是「援禪入書」理論的直接推動者與實踐者，尤其對草書的推崇。從僧人懷素、亞棲、高閑到貫休、齊己、彥修、曇域、應之，無不展現著禪宗思想對書藝觀念的滲透與革新，是唐宋書學完成漸變與轉型過程中的重要一環，啟發著宋人「以禪喻書」、「論藝通禪」而確立「尚意」新風的理論自覺。禪宗「心即是佛」、「心即是法」的思想植入書法，必然導致由外在「尚法」走向內在「無法」、「寫意」，而五代恰恰是禪宗思想日益滲透生活和藝術的重要發展期，出現了許多詩僧、書僧、畫僧、琴僧、茶藝僧，等等，他們不僅豐富自己的生活，更影響到後世文人藝術的發展。在五代眾多書家中，楊凝式也倍受禪宗思想的影響，其書法創作代表了五代最高水準，成為宋人習書的典範，獲得盛讚[19]，且在蘇軾、王安石、黃庭堅等人的書法創作中都留有痕跡。「世人盡學《蘭亭》面，欲換凡骨無金丹。誰知洛下楊風子，下筆便到烏絲欄」（〈跋楊凝式貼後〉）。

三　楊凝式書法受宋人推崇的原因與宋代書學的基本特質

考究宋人何以推崇楊凝式，其原因大致有三：其一，書技上得「二王顏柳」之髓；其二，書道上詮釋「書品即人品」的理想價值觀；其三，書境中融入「禪機理趣」，它與宋人欲「引禪入書」、「論藝通禪」開啟「尚意」新風的時代訴求高度契合。

17 解小青：〈由彥修草書論狂草之佛學意境〉，《中國書法》，2016年第23期，頁110。

18 傅璇琮、徐海榮主編：《五代史彙編》卷9，杭州：九州出版社，2004年，頁5425。

19 參閱李建中：〈題楊少師大字壁後〉與黃庭堅《山谷論書》。

（一）「二王顏柳之餘」：「欹側取態」與「遒放縱逸」

　　蘇軾曾在《評楊氏所藏歐蔡書》中云：「楊公凝式，筆跡雄傑，有二王顏柳之餘」[20]。楊氏書學主要得「二王」、「顏柳」精髓，同時亦兼有懷素與歐陽詢的風格。其中「二王」，即王羲之、王獻之，東晉著名書家，王羲之人稱「書聖」，兼擅楷、行、草眾體，其〈蘭亭序〉被譽為「天下第一行書」，筆力雄健，筆勢委婉含蓄，楊氏師法「二王」，受其影響，書跡遺其遒放灑脫的審美特質，如《韭花帖》。「顏柳」，即顏真卿和柳公權。顏氏楷書端莊雄偉，行草勁道有力、情感充沛，結構穩健，始創「顏體」，其代表作〈祭侄文稿〉（「天下第二行書」）。柳公權初學王羲之，後兼習顏真卿、歐陽詢之長，創「柳體」，書風豪邁，時人將他與顏真卿並稱「顏筋柳骨」。所謂「骨」即筆力強勁；「筋」則筆劃瘦硬，「多骨微肉」。楊氏吸收「顏柳」主要是習其法式，加以縱逸，但他又突破了唐代所確立的嚴格法式，以「無法而勝有法」，趨向「意」。

　　楊凝式吸收、融合「二王」、「顏柳」以及歐陽詢等人的筆法精髓，在整體上形成欹側取態、遒放縱逸的書法風貌。如《別傳》云：「（楊凝式）筆跡遒放，宗師歐陽詢與顏真卿而加以縱逸」[21]。當然，縱逸風格之形成也與楊氏本人性格也有關。因為楊凝式為人秉性疏放，不拘小節，體現在書法上則興到執筆，興盡筆停，尤愛題壁。其有行書〈韭花貼〉、〈乞花貼〉、〈鴻草堂十志圖跋〉、〈新步虛詞〉、行草〈夏熱帖〉、草書〈神仙起居貼〉、〈古意貼〉，等等。其中，〈韭花帖〉結體瘦硬、欹側取態、空靈蕭散，意蘊無窮，黃山谷讚之「散僧入聖」，可與〈蘭亭序〉相媲美；〈鴻草堂十志圖〉跋，體勢圓潤、不露圭角，劉熙載稱其「不衫不履」，有似〈祭侄文〉的影子；〈夏熱帖〉，用筆強勁，勢如破竹，渾然天成，寓瀟灑之氣藏於雄健凝重之中，米元章稱其「淋漓快目」；〈神仙起居帖〉，欹側宕逸、馳騁恣肆，不拘成法，似有龍蛇飛動之美。以上「四貼一詞」備受宋人推崇，尤其〈韭花帖〉。從後世李建中〈土木貼〉、蘇軾〈祭黃幾道文〉、黃庭堅〈徐純中墓志銘〉以及米芾〈向太后挽詞〉皆能發現受其影響的痕跡。它們為楊氏書技道藝贏得了巨大聲譽，也反映出書法逐漸開始從「尚法」向「師心」、「尚意」的轉變趨勢。

（二）書品即人品

　　楊凝式備受宋人推崇的第二個原因，是楊氏有高尚的人品，懷有濃厚的家國憂思。書品與人品的關係，是中國書法史上一個重要的話題。自漢代，書法作為一門藝術從文

20　蘇軾：《蘇軾文集》北京：中華書局，1986年，頁2187。
21　薛居正：《舊五代史》卷5，北京：中華書局，2015年，頁1961。

字紀事的附庸中擺脫出來，獲得獨立審美品格之後，品鑒書法與探討書藝創作成為文人雅士一項重要生活內容，隨後有關書品與人品的關係問題也漸浮出水面。回溯「書品即人品」的理論淵源，無不與傳統儒家文化價值觀有關。儒家講「修辭立其誠」，「誣善之人其辭遊，失其守者其辭屈」（《易傳》），「誠在其中，此見於外」（《禮記》），「誠」與「辭」、「道德」與「文學藝術」的關係，在儒家看來是一個關涉倫理教化的重要問題，倫理旨趣的放大折射出儒家思想向藝術審美領域的滲透，書法作為藝術自然受其影響。西漢揚雄首倡「書為心畫」說，雖然這裡之「書」並非全為書法，但它為「書品即人品」理論做了某些鋪墊，開了書法朝向心靈抒寫與書藝「載道」的可能。東漢趙壹〈非草書〉，從人稟賦的「氣血」、「筋骨」談論書法創作。魏晉時，人物品藻之風盛行，也影響到對書家書法的品鑒。一方面出現了「以書喻人」現象，如南朝袁昂《古今書評》云：「王右軍書如謝家子弟，縱復不端正者，爽爽有一種風氣」[22]。另一方面也存在「以人品論書品」的傾向，如庾肩吾《書品》，就是基於當時「九品論人」方式，將漢至齊梁共一二三人，分為上中下三等，每等又分上中下，共九品。有唐一代，書法上升為科舉取仕的重要方式之一，加大了對書家人品的衡量，為「書品即人品」理論的成熟提供了重要契機。唐李嗣真《書後品》在前人「神」、「妙」、「能」的基礎之上，增加了「逸品」作為評書的標準。顯然，「逸品」的劃分已不僅僅停留於書法本身，也綜合了書家品性的因素。唐代書法大家顏真卿，不但書法精湛，而且品行高潔，他為書品與人品的完美結合作了典範。如歐陽修讚其云：「（顏真卿）斯人忠義出於天性，故其字畫剛勁獨立，不襲前跡，挺然奇偉，有似其為人。」[23]之後，柳公權的「心正則筆正」、「筆正則書正」的筆諫論，使這一理論有望走向成熟。「書品即人品」理論的潛在價值：一方面使書法映照了個人品德情操；另一方面，也使書法成為個人化的藝術。在一定的程度上，可以說「書品即人品」理論對書法進一步朝向個人化、心靈化的藝術具有促進作用，書法成為顯現個人情性的「鏡像」。

至五代，楊凝式不僅書技上得「二王」、「顏柳」之髓，如《遊宦紀聞》云：「其所題後，或真或草，不可原詰。而論者謂其書，自顏中書後一人而已」[24]，而且在人品上也頗得稱頌。《舊五代史·楊凝式傳》曾記載，凝式之父楊涉，時為唐末宰相，朱溫篡唐，楊涉被迫擔任轉呈傳國玉璽官。時年方冠的楊凝式，諫其父曰：「大人為宰相，而國家至此，不可謂之無過，而更手持天子印綬以付他人，保富貴，其如千載之後云云何？其宜辭免之。」[25]他在國難當頭，仍能勸父持守忠義，後因勸誡不成，唯恐給家族帶來災禍，奔走洛陽，佯裝瘋癲，書壁寺廟，以「楊風子」處世。此後，雖一生為官，

22 張彥遠：《法書要錄》上海：上海古籍出版社，2013年，頁49。

23 歐陽修：《歐陽修全集》北京：中華書局，2001年，頁2261。

24 薛居正：《舊五代史》北京：中華書局，2015年，頁1961。

25 同上註，頁1958-1959。

但大多出於無奈，屢以「心疾」辭官，始終持守儒家正義君子風範，這一點被歐陽修、蘇軾、黃庭堅極為讚賞。楊凝式身上所體現的書品和人品的結合，再一次詮釋了自顏真卿之後有關「書品即人品」的書藝理想觀念，此乃宋人推崇楊氏和顏真卿的一個共同原因。如歐陽修云：「古之人皆能書，獨其人之賢者，傳遂遠。……楊凝式以直言諫其父，其節見於艱危。」(《歐陽修全集》卷一二九〈筆說〉) 又如宋趙秉文也云：「楊少師勸其父不以社稷予人，此與魯公拒安祿山、斥李希烈何異！故其書雖承唐末五季餘習，猶有承平純正氣象。」(《閑閑老人滏水文集》卷二十) 楊氏書品與人品的完美結合，劉墉曾吟詩讚他，「絕愛楊風草法奇，西臺晚出尚追隨。相門華組甘拋卻，五代完人更首誰。」(〈論書絕句〉)

（三）「無法而有法」與「禪意入書」

書技與人品的結合為宋人推崇楊凝式提供了一個基本前提，而楊氏書法中的禪意和本人對禪宗的信奉，則與宋人「重意」、「好禪」、「尚韻」，欲「引禪入書」、「論藝通禪」開啟「尚意」新風的時代訴求高度契合。禪意的滲透不僅使書法徹底淪為心靈化的藝術，更強化了書法展現靈動自由的審美境界。「書藝通禪」既是宋代藝術品鑒與創作的重要特徵，同時它也是理解中國美學史後期一條極為重要的內在線索。

五代時期，生民危艱，世事無常，生存的恐懼和憂患，助長了禪風佛寺的盛行，楊凝式也受其影響，自號「希維居士」。一方面，生存擠壓，仕途失意，使其漸生遁入空門的念想。如周廣順三年癸丑，楊凝式作詩云：「院似禪心靜，花如覺性圓。自然知了義，爭肯學神仙。」(《全唐詩》卷七百一十五) 又云：「浮世百年今過半，校他蓬瑗十年遲。」另一方面，唐末五代洛陽書僧、詩僧盛行，楊氏和他們多有交往，且受其影響很大。如張齊賢《洛陽縉紳舊聞記》卷一〈少師佯狂〉記：「楊少師凝式……能文工書，其筆力健，自成一家體……在洛多遊僧寺道觀，遇水石松竹清涼幽勝之地，必逍遙暢適，吟詠忘歸，故寺觀牆壁之上，筆跡多滿，僧道等護而寶之。院僧有少師未留題詠之處，必先粉飾其壁，潔其下，俟其至。」(《洛陽縉紳舊聞記·楊凝式》卷一) 再如《宋高僧傳》卷二十八〈後唐洛陽中灘浴院智暉傳〉也載，楊凝式與僧人智暉友善，曾為其作碑頌德[26]。可見，楊凝式對僧人智暉的敬重，以及個人濃厚的禪宗情結，都深深影響到了個人書法創作和對人生境界的追求。

禪宗思想滲透到楊氏書學之中，一方面體現為書道中蘊含著蕭散空靈的禪境。如黃庭堅〈題楊凝式詩碑〉曰：「楊少師如散僧入聖」其中，「散僧入聖」一語道出了楊凝式書法的禪境意趣。劉熙載也說：「其顏、楊於聖教，如禪之翻案，於佛心印，取其明離

---

26 傅璇琮：《唐五代文學編年史·五代卷》瀋陽：遼海出版社，1998年，頁274。

暗合」(《藝概‧書概》)。另一方面，禪宗思想也對楊氏個人情性以及處世觀有浸潤，體現為隨緣放任、自由灑脫、逢壁題寫、即興創作。「遨遊佛道祠，遇山水勝概，輒留連賞詠，有垣牆圭缺處，顧視引筆，且吟且書，若與神會」[27]。禪學思想的薰陶，促成楊氏書風逋放縱逸的整體品格，且書跡中蘊含佛理禪境，展現「無法勝有法」、「萬象皆空，書如心痕」的美感。

　　至宋代，趙宋政權結束了半個世紀的局部動盪與分裂，建立了一個封建中央集權的國家。北宋初年，統治者為粉飾太平，曾大力提倡文藝，但宋初的文藝整體夾雜著浮靡的風氣。具體到書法領域，雖有宋太宗及其仕臣倡導書法，如朱長文《續書斷》中說太宗曾嗜好書法，一有閒暇，手不釋卷，學書至於夜半，臣下效仿之。但宋初書法總體成就不高且有浮靡、柔弱傾向，字跡偏肥腴而取巧，缺乏風骨。及至仁宗慶曆以下，書壇才出現了蘇、黃、米、蔡等書法大家。他們欲扶正書風，於是大力推崇楊凝式、顏真卿，倒追二王，出入晉唐，突破唐法，崇尚書韻，重視禪理，促成了宋代書法的高峰。自此以後，書法以心靈書寫與追求禪學道境為最高旨歸。

　　從史料看，禪宗經由唐末五代發展到宋代已全面深入文人的生活世界，「禪宗思想廣泛滲入士人的處世哲學中，以它深邃奧秘的禪理成為吸引一代文人的思想淵藪」[28]。有宋一代，諸多文人信奉禪學，參禪悟道，「論藝通禪」成為他們的嗜好，並影響著時代的審美風尚。例如宋代書家歐陽修、王安石、蘇軾、黃庭堅等，都曾鍾情禪理道心，融儒、道、禪為一體。歐陽修雅號「六一居士」，蘇軾號「東坡居士」，黃庭堅自稱「山谷道人」等。書家將對禪修的鍾愛，滲入到書法創作與批評當中，重視書法的心靈表現，以禪喻書，崇尚自由靈動的禪趣、禪境，它們共同促使宋代書法全面通向心靈化的藝術。

　　當然，宋代出現「論藝通禪」的緣由是多方面的。其中，禪宗主張「明心見性」、「直覺頓悟」，以無法破有法，這為宋人欲突破唐之「重法」，開「尚意」新風，無疑是新鮮的。「禪宗『心即是佛』、『心即是法』、『一切萬法，不離自性』等宣教理念從『心』上解決了文人內在的審美精神訴求，宋代書法逐漸朝向主體個性的發揮和自然情趣流露上追求，並最終形成了宋代書法尚意的美學思潮。」[29]禪宗美學對宋代書學的具體影響，主要體現在兩個方面：其一，書法創作。例如蘇軾提倡書法創作時的「忘我」狀態，追求「書初無意於佳乃佳爾」(〈論書〉)、「我書造意本無法」(〈石蒼舒醉墨堂〉)；黃庭堅重視「觀韻」、「書畫當觀其韻」(〈題摹燕郭尚父圖〉)；米芾重在「得趣」、「書須觀得趣」(〈海嶽名言〉)。「忘我」、「無意」、「無法」、「觀韻」、「得趣」在一定程度上無疑受到了禪宗美學的啟發。其二，書法批評。如蘇軾〈跋魯直為王晉卿小書

27　薛居正：《舊五代史》北京：中華書局，2015年，頁1961。

28　王鎮遠：《中國書法理論史》合肥：黃山書社，1990年，頁206。

29　吳江濤：〈論宋代禪宗美學視域下的文人書法〉，《書法》，2019年第1期，頁111。

《爾雅》〉曰：「魯直以平等觀作欹側字，以真實相出遊戲法。」這其中「平等觀」、「真實相」皆是佛教用語。再如黃庭堅《提降本法帖之二》云：「字中有筆，如禪家句中有眼」，另有「忽得草書三昧」（《書自作草後》），詩中「禪家眼」、「三昧」皆是化用禪宗語彙，引禪門話頭，足見宋人書法中的禪宗情愫。

　　宋人因受禪宗思想的影響，強調「論藝通禪」，重視書法的境界和禪趣，重視書家的精神氣質和書法創作中對個體情性的自由表達，這使得由唐書重視必然之境走向宋書追求自由之境，由外在規法的確立到內在精神的超越，而楊凝式、五代書僧群體以及部分文人書家無疑充當了唐宋書學轉型的中介人物。從書法史論看，宋代書學無不崇尚「二王」、顏真卿，重視書品與人品的結合，追求書禪合一的境界。而五代楊凝式在書技上尊法「二王」、「顏柳」，書道觀顯現了「書品與人品」相結合的理想形態，在書境方面融入了禪機理趣，創生了一種空靈蕭散、自由灑脫的美感，它高度契合了宋人重「意」尚「韻」的書法美學傾向，也間接地反映了宋代書家的審美期待及其書學的基本特質，於此備受宋人推崇，也成為習書典範。不過，宋代也有少部分書家曾對楊凝式持批評態度。例如黃庭堅也曾說他習魯公，「頗得彷彿」、「復不善楷書」（〈題顏魯公帖〉）。黃伯思也認為：「洛人得楊真跡，誇詡以希世珍，所謂子誠齊人耳」（《東觀餘論》），等等。但是，即便有如上個別批評，也不足以從根本上動搖楊凝式對宋代書學的影響以及他在唐宋書學轉型史上的關鍵地位。

小結

　　以上我們通過對五代書法狀況進行歷史性考察，發現受史料、史學前見以及宋書家獨崇楊凝式等因素的影響，今之學者對五代書法的探討，總體呈現出選擇性的遺忘態勢，存在一定問題。深入爬梳史料，發現五代書家群體及其作品的實存狀況相當可觀，除楊凝式之外，尚有郭忠恕、李鶚、王文秉、韋莊、李煜、徐鉉、錢鏐、錢俶以及僧人貫休、齊己、彥修、曇域，應之等諸多書家，尤其是楊凝式、郭忠恕、徐鉉、錢鏐、貫休、李煜等人書法創作及其部分理論，它蘊含著唐宋書法過渡期的某些微妙變化。其中，在書法體式方面，楊凝式、郭忠恕等兼備多體；徐鉉、徐鍇、王文秉、曇域以篆書為最佳；韓熙載以隸書取勝；李鶚、郭忠恕皆擅楷書；韋莊、潘佑、李煜、錢鏐擅行書；而彥修、貫休、錢俶等擅草書等等。在書法理論與書風革新方面，有李煜的「金錯刀」書體實踐，「七筆法」的筆法理論，有楊凝式「尚意」書風的自覺，也有僧人群體「引禪入書」、「以禪喻書」，倡導「心為書源」的努力。五代展現的書法專論有李煜〈書述〉，詩文散評有貫休〈觀懷素草書歌〉、〈晉光大師草書歌〉，亞棲〈對御書後〉，齊己〈謝西川曇域大師玉簪篆書〉以及楊凝式〈題懷素〈酒狂帖〉後〉，等等，對後世書學或多或少都有一些啟發作用。可惜在五代書法的探討中它們的價值均被淹沒了。從

唐宋書風轉型以及歷史的延續性看，他們都曾起到了歷史性作用。因而，傳統書法史家（或美學史家）不談五代書法，抑或僅提楊凝式一人，在學理上有失偏頗，同時也很難真正釐清唐宋書風何以轉型的內在肌理，歷史的延續性往往大於歷史的巨變。考究宋人之所以推崇楊凝式的箇中緣由，除楊氏書法有承續「二王顏柳」的成就外，還與歷史上「書品即人品」的書藝理想觀念以及宋人欲全面「引禪入書」、「論藝通禪」開啟「尚意」新風的時代訴求有關，這種傾向在楊氏書學中找到了共鳴，也間接地反映了宋代書學的基本特質。甚而言之，倘若我們不只停留於書法領域而是深入歷史，反思整個晚唐五代文藝的命運，還會發現隱含著一個重要的問題，即「自宋以來人們對晚唐五代的文藝認識是不充分的，有時甚至是錯誤的。唐帝國曾經是那樣輝煌，而晚唐五代則是它悲哀的覆亡時期。人們從情感上很難接受那麼繁榮的帝國的衰落，由此及彼，長期以來，晚唐五代文藝幾乎成了亡國的替罪羊。」[30]五代文藝固然不及盛唐，但也有自身的價值，甚至在某些領域，比如繪畫、曲詞、傳奇等方面，超過了唐代。倘若沒有五代的鋪墊，宋代文化轉型之路也會受到很大影響。基於此，針對五代文藝研究現狀，我們既需要加大歷史維度的勘察、搜集、整理工作，又要警惕某些固化觀念的誤導，盡可能地尋求歷史語境的還原，並將之放在唐宋完成漸變與轉型的重要環節位置，予以合理的分析、研判，繼而推動美學史研究的向前發展。

---

30 田耕宇：〈苦悶·沉思·求索——中國封建新文藝在晚唐五代的新走向〉，《社會科學研究》，1993年第4期，頁123。

忘心乃得道，隱几詩千首：
王安石詩歌中的《莊子》典故及莊子審美意味

王欣悅

北京師範大學文學院

一　引言

　　王安石詩文的思想文化內涵，學界多關注其受儒、禪兩家之影響，這兩方面的研究成果洋洋大觀，或卻掩蓋了王詩與莊子等道家思想的關係[1]。細檢《王荊文公詩箋注》一千六百餘首詩，可以發現其援引《莊子》等道家典籍的材料不一而足。這些道家典故出處包括《老子》、《莊子》、《列子》、《尹文子》四部，涉及約二百八十首詩中的三百八十餘句；其中化引《莊子》典故次數最多，共約二百四十餘首詩中的三百三十餘句，而李壁注釋出現的《莊子》引文出處達三百五十餘處之多[2]，均顯示了王安石詩歌與《莊子》存在一定的精神聯繫。此外，尚有多處出自《莊子》的語典由於後人熟知，已經成為運用廣泛的詩詞語彙甚至日常語彙，李壁沒有逐一出注，如「翛然」、「逍遙」、「生涯」、「造化」等。具體到《莊子》三十三篇，除外篇〈刻意〉未見引用之外，其他各篇都有典故不同程度地被化引，典故出處最多的篇目集中在思想性最強最重要的內篇〈逍遙遊〉、〈齊物論〉、〈大宗師〉和與內篇存在某些思想關聯且文學性較強的外篇〈秋水〉[3]。這些《莊子》典故的運用形態，不僅蘊含著荊公詩審美境界中清寂、沖淡、自然的

---

[1] 關於王安石詩歌所受道家思想的影響，目前主要有以下研究有所涉及，秦羽：《王安石莊學思想研究》第三章〈王安石詩歌中體現的莊學思想〉，華東師範大學碩士論文，2013年，頁15-41；張記忠：《北宋老莊之學與詩文研究》第六章第三節〈王安石詩文之老莊底蘊〉，湖南師範大學博士論文，2017年，頁161-169；林曉娜：〈從王安石的「鐘山情結」看其隱逸情懷的演變〉，《世界文學評論》編輯部編：《世界文學評論（第4輯）》廣州：世界圖書出版廣東公司，2015年4月，頁142-147。

[2] 李壁注釋抉隱發藏，不遺餘力，每句涉及《莊》典的詩句都盡量注出《莊子》全書相關的每一處引文出處，例如〈真人〉「而汝耳目熒」一句，李壁注：「〈齊物論〉：『是皇帝之所聽熒也。』……〈人間世〉篇：『而目將熒之。』……」此處計為〈齊物論〉、〈人間世〉兩處引文出處。另外，這裡的三百五十餘處引文出處不計：李壁注所引文字未見於今本《莊子》及其佚文的三處、李壁注所引後人評價莊子的四處、李壁注認為意近老莊而未有直接典故的三處。

[3] 宋代以降，學者多認為〈秋水〉與〈逍遙遊〉、〈齊物論〉等內篇存在同中有異的思想關聯，現存資料中，較早論及兩者關聯的正是王安石之子王雱的《南華真經新傳》。參李生龍：〈宋以後對《莊子‧秋水篇》之推崇與思想藝術探驪〉，《中國文學研究》，2015年第2期，頁24-25。

一面，也和他所秉持的儒家仕隱觀念與詩中所謂「禪意禪境」，有著微妙的聯繫。

毋庸置疑，儒家思想是王安石人格與文學的主要方面，在此前提下，其知識結構也對釋、道、易學等多種文化資源兼容並蓄。王安石曾著《莊子解》四卷，雖今已佚，但可知他應對《莊子》十分熟悉。其詩中提到：「莊周吾所愛」（〈無營〉），「亦愧莊叟能安排」（〈和王微之登高齋〉）、「殤子未安莊氏義」（〈酬裴如晦〉）、「更許莊周知養恬」（〈謝鄁宣秘校見訪於鐘山之廬〉）、「民有莊周後世風」（〈蒙城清燕堂〉）[4]，或直陳，或對比，表現出對莊子思想的喜愛。〈京兆杜嬰大醇能讀書其言近莊其為人曠達而廉清自托於醫無貴賤請之輒往卒也以詩二首傷之〉詩題中，杜氏「其言近莊，其為人曠達而廉清」，甘於老貧，離塵避囂，待人不分貴賤，也是荊公所稱讚的莊子品性。

誠然，歷代詩話、筆記中極少有記載王安石思想或詩歌中的莊子因素，而多言及其與佛禪的關係；詩人早年尊儒濟世之時甚至表達過對莊子思想的某些否定，但是，綜合其一生思想軌跡，莊子式的山林之思、自然之樂在早年釋道交遊中已有之，對莊子思想的服膺也隨著年齡增長與仕宦經歷而逐漸突顯，因此說王安石詩歌通過化引《莊》典而帶有某種程度的莊子審美意味，應該能夠成立。

二　「忘心得道」：王安石莊學思想的詩歌表達

王安石創作了〈雜詠八首〉其一、〈無營〉、〈真人〉等闡述莊學思想的少數詩歌，雖遠不如其佛典詩、佛理詩數量多，但在詩中準確把握《莊子》的齊物、無為、天人思想，並融入了自己退居後的生命體驗與心境，其核心在於追求超然無為之「道」、放棄對「物」的執著、回歸人的本真。

《莊子》主張以超然的態度看待是非、物我，從對物的執著中解脫而獲得心與物的契合平衡。王安石〈四皓〉其二詩云：「采芝商山中，一視漢與秦。」[5]「一視」即指〈齊物論〉中對外部世界所持平等齊同、等量齊觀的人生心態與境界。李壁注曰：「始以避秦，隱商山；終以高祖嫚士，義不為之臣，故云『一視』也。」又明確指出：「公素喜莊周齊物之說，故云『一視』。」[6]隨著退出政局、獨居鐘山，詩人對〈齊物論〉「道通為一」「萬物一體」與超越是非、生死、物我對立的核心思想有了愈加全面的把握。例如元豐八年（1085）〈雜詠八首〉其一：

萬物餘一體，九州餘一家。秋毫不為小，徼外不為遐。

4　（宋）王安石著，（宋）李壁箋注，高克勤點校：《王荊文公詩箋注》上海：上海古籍出版社，2010年12月，頁99、221、823、942、975。

5　同上註，頁46。

6　同上註，頁46、58。

　　　　不識壽與夭，不知貧與賒。忘心乃得道，道不去紛華。

　　　　近跡以觀之，堯舜亦泥沙。莊周謂如此，而世以為誇。[7]

詩人開篇指出，萬物與我為一體、九州大地與我為一家，首句「萬物餘一體」即出自
《莊子‧天下》：「泛愛萬物，天地一體也。」[8]〈齊物論〉：「天地一指也，萬物一馬
也。」[9]得「道」則能與萬物、與天下合一。次句言不以秋毫為小、不以塞外為遠，〈知
北遊〉：「秋毫為小，待之成體。」[10]〈齊物論〉：「天下莫大於秋毫，莫小於太山。」[11]
以莊子的普遍性、相對性觀點說明莊子之「道」的廣大。這種相對性進一步而言，即
「不識壽與夭，不知貧與賒」，〈天地〉云：「不樂壽，不哀夭，不融通，不醜窮。萬物
一府，死生同狀。」[12]「忘心」即忘卻機心、忘卻壽夭貧富的世間紛華，方可「得
道」，「道」即是不存在大小遠近、壽夭貧富之差異的萬物「齊一」境界。最後四句指
出，對於堯舜行道，世人僅僅看到其外在的「跡」，卻不曾理解何為行道；而對於莊子
的「齊一」至理，世人則以為夸夸其談，蘊含了詩人對莊子曲高和寡的悲哀感歎。李壁
謂此詩「大抵言〈齊物〉之意」[13]，洵是確論，集中闡述了〈齊物論〉「至大無外、至
小無內」、「天地與我並生、而萬物與我為一」的超越精神。誠然，王安石早年曾認為
「齊物」之說不足為信，甚至批評莊子「曲士守一隅，欲以齊萬物」（〈聖賢何常施〉）
的孤陋寡聞[14]，這既反映了〈齊物論〉思想本身的複雜性，或許也是「而世以為誇」背
後對自己早年思想的反思與總結。

　　「真」在老、莊和受道家影響的歷代文學家看來，是一種稟賦於天、摒棄了世俗污
染的自然本真；「真人」也就是自然、樸素之人，是「真」的人格化體現，集中體現
「以自然為宗」天道思想的〈大宗師〉篇就落實了「古之真人」這一核心概念。元豐五
年（1082）的〈真人〉一詩最能說明荊公對這一思想的服膺與接受：

　　　　予常值真人，能藏毒而寧。能納穢若淨，能易膻使馨。

　　　　能解身赫赫，能逆知冥冥。日唯汝心攖，而汝耳目熒。

　　　　廓然而無營，其孰擾汝靈。神奇實主汝，厥通莫之令。

　　　　嘻予豈不知，黃帝與焦螟。死心而廢形，乃可少聞霆。

7　同上註，頁125。

8　（清）郭慶藩撰，王孝魚點校：《莊子集釋》北京：中華書局，2004年1月，頁1102。

9　同上註，頁66。

10　同上註，頁735。

11　同上註，頁79。

12　同上註，頁407。

13　（宋）王安石著，（宋）李壁箋注，高克勤點校：《王荊文公詩箋注》，頁125。

14　同上註，頁281。

顧今親邁之，於吾獨剌聆。刿心事斯語，自徼以書銘。[15]

此詩幾乎每句都援引道家典故，重塑了莊子筆下修真得道、天人一體的「真人」形象。在詩的前半部分，五句各以「能」字為首，展示真人的超脫能力和高尚境界：能不畏讒言而保持平靜，能視污穢如潔淨，能以膻腥為馨香，能脫身於炎氣鬱熱，能預知幽冥黑暗，其中「藏毒」、「易膻使馨」、「赫赫」、「冥冥」等詞多次見於《莊子》、《列子》中的篇目。相比於真人上述不受外部干擾、保持自我本性的能力，詩人承認自己易受世事紛擾與聲色的迷惑：「日唯汝心攖，而汝耳目熒。」「心攖」出自〈在宥〉：「女慎無攖人心。」[16]「耳目熒」出自〈齊物論〉「是黃帝之所聽熒也」[17]、〈人間世〉「而目將熒之」[18]。「廓然而無營」的「無營」，即〈庚桑楚〉「無使汝思慮營營」[19]，倘若自身能夠曠達無為，誰又能擾亂我的靈魂？「神奇實主汝，厥通莫之令」即應堅信自身為「神奇」之「美」，正所謂「臭腐復化為神奇，神奇復化為臭腐」（〈知北遊〉）[20]，即便外界污穢紛擾，自身亦能轉化為「神奇」，是對上文五種超凡能力的總結與昇華。接下來援引《列子·湯問》中黃帝、容成子「神觀」、「氣聽」小蟲焦螟的事典，說明保持心如死灰、形同槁木的虛靜狀態，才能徹底進入與道合一的境界。親見真人，詩人如醍醐灌頂、深得領悟，「刿心」即摒除成心外累，出自〈天地〉篇，後人注曰：「有心則累其自然，故當刿而去之」[21]，「剔去其知覺之心；去其私以入於自然」[22]。「刿心事斯語，自徼以書銘」，即李壁所言「采集為詩，欲時時誦之耳」[23]的自警自勉之意。荊公對於「真人」理想人格與典型範式的認同，正是由自身難以擺脫因變法而遭受的誤解而發。儘管暮年專闢半山園為丘壑，但「長恐諸侯客子來」、「每逢車馬便驚猜」（〈偶書〉）[24]，仍會引起對政壇人際關係的疑懼，故多做「痛悔之詞」[25]。說明「真人」境界總歸是他的理想，而內心終究難以企及。

15　同上註，頁47。

16　（清）郭慶藩撰、王孝魚點校：《莊子集釋》，頁371。

17　同上註，頁99。

18　同上註，頁136。

19　同上註，頁777。

20　同上註，頁733。

21　同上註，頁407。

22　林希逸《莊子口義》、林雲銘《莊子因》之語，轉引自陳鼓應注譯：《莊子今注今譯》北京：中華書局，1983年4月，頁298。

23　（宋）王安石著，（宋）李壁箋注、高克勤點校：《王荊文公詩箋注》，頁47。

24　同上註，頁1014。

25　（宋）吳聿《觀林詩話》：「半山晚年所至處，書窗屏間云：『當時諸葛成何事，只合終身作臥龍。』蓋痛悔之詞，此乃唐薛能詩句。」（宋）吳聿撰、石牧點校：《觀林詩話》，吳文治主編：《宋詩話全編》南京：江蘇古籍出版社，1998年12月，第三冊，頁2741。

　　由此可知，荊公詩化引《莊》典並非無意為之，而會反映特定的莊學思想，〈雜詠八首〉之「忘心乃得道」一句，可以說是他以詩表達莊學思想的集中總結。從詩歌藝術而言，固然帶著較多的哲理闡釋而非文學審美性，帶有宋代「以議論為詩，以才學為詩」的特徵，但並非枯燥的說理，而是融入了自己失意官場、退居鐘山的生命體驗，也為其詩中所流露的詩人心態與審美意味奠定了思想基礎。

三　「自適」「自樂」：《莊》典背後的詩人心態與詩歌意境

　　上述兩首明顯帶有哲學意味的作品，在王安石援引《莊》典的詩歌中畢竟是少數，《莊子》中那些具有逍遙天真、自適自樂意味的語詞和寓言典故更受詩人青睞，如「翛然」（〈大宗師〉）、「濠梁魚樂」（〈秋水〉）、「莊周夢蝶」（〈齊物論〉）、「兩忘」（〈大宗師〉）等，可以想見他林下交遊、徜徉山水中與莊子精神的遙相契合。

（一）「道與翛然會」：「自適自樂」的哲思表達與心境體驗

　　「翛然」是荊公詩引用次數最多的《莊子》語典，〈大宗師〉：「古之真人，不知說生，不知惡死；其出不訢，其入不距；翛然而往，翛然而來而已矣。」[26] 成玄英疏：「翛然，無係貌也。翛然獨化，任理遨遊，雖復死往生來，曾無意戀之者。」[27] 向秀云：「翛然，自然無心而自爾之謂。」[28] 王雱《南華真經新傳》曰：「翛然而往者，遊於形器之外也；翛然而來者，不在形器之內也。」[29]「翛然」在莊子筆下本是「古之真人」面對生死的心態，坦然自若、自由無拘。王安石晚年就曾以「翛然」一詞描述莊子：「其徒翛然棄塵滓，雖未應真終適己。」（〈我所思寄黃吉甫〉）[30] 無塵無滓的「翛然」、委化自然的「適己」，是對莊子形象及其精神的詩意描述。

　　在王安石看來，莊子的自然無為之「道」就能用「翛然」來形容，作於元豐八年（1085）的〈無營〉，就以「翛然」一詞說明了「無營」的內涵：

> 無營固無尤，多與亦多悔。物隨擾擾集，道與翛然會。
> 墨翟真自苦，莊周吾所愛。萬物莫足歸，此言猶有在。[31]

26　（清）郭慶藩撰、王孝魚點校：《莊子集釋》，頁229。

27　同上註。

28　同上註。

29　（宋）王雱撰、尹志華等整理：《老子訓傳、南華真經新傳、元澤佚文》，王水照主編：《王安石全集》上海：復旦大學出版社，2016年9月，第九冊，頁272。

30　（宋）王安石著，（宋）李壁箋注、高克勤點校：《王荊文公詩箋注》，頁71。

31　同上註，頁99。

「無營」為莊子「自然無為」之意，〈庚桑楚〉：「無使汝思慮營營。」無所為便無過失，多所為則有悔禍之虞。次聯批判天下外物「膠膠擾擾」（〈天道〉）[32]、欲惑人心，只有習道才能擺脫物欲、超然無累，李壁引〈人間世〉「唯道集虛」[33]之語形容達於道的「虛靜」過程。「萬物莫足歸」出自〈天下〉：「萬物畢羅，莫足以歸，古之道術有在於是者。」[34]最後指明萬物均歸於「無營」乃是「道」的歸宿，正是「道與翛然會」的題中之義。

細繹王詩含有「翛然」一詞的詩句約二十餘句，只有少數李壁注明出處，一是由於該詞在王詩中出現次數之多，二是因其內涵變化不大，讀者能夠通過詩歌語境心領神會，大部分情況下都用來形容詩人嚮往自由閑適的心態。如〈登中茅山〉以「翛然」二字開篇：「翛然杖屨出塵囂，雞犬無聲到沇寥。」[35]可視為漫步山行的整個心態和詩歌的全部基調；〈次韻約之謝惠詩〉一詩則將「翛然」的神態與心態和盤托出：「翛然忘故約，北郭疑有適。長謠舒永懷，佇想對以臆。」長謠舒懷、靜觀返思的生命本真，使詩人在下文發出「何膠膠擾擾，而紛紛藉藉」[36]的如釋重負之歎。有時，詩人還專門用「翛然」一詞形容自己閑眠午夢的自由生活：「翛然即高枕，於此樂可知」（〈寄題睡軒〉）、「何以忘羈旅，翛然醉夢間」（〈還家〉）、「翛然殘午夢，何許一黃鸝」（〈午睡〉）[37]。「午睡晝寢」作為宋詩中的日常化題材，能夠典型地體現宋人希望擺脫外累、不汲名利、隨運委化的人文旨趣與理性精神[38]，上引〈還家〉的詩意就與陶淵明「吾生夢幻間，何事絏塵羈」（〈飲酒〉其八）[39]具有異曲同工之處。特別是在道家思想中，「睡覺正是不爭、守雌、退守的表現，是具有高隱色彩的行為」[40]。王安石雖不是宋人晝寢詩的典型代表，但是這幾處詩意卻值得注意。李壁注謂王安石「真知睡者」[41]，可知放下官累名利的酣眠，「翛然高枕」之「樂」，亦是詩人在釋道修習之外體驗自適自樂的生活側面。同時，道家的「翛然」一詞也屢屢出現在王安石的「佛緣詩」、「禪境詩」[42]裡，

32　（清）郭慶藩撰、王孝魚點校：《莊子集釋》，頁476。

33　此句李壁注：「虛者，道之所集。老子曰：『道集虛。』」但今本《老子》無「道集虛」之語，應出自《莊子・人間世》：「唯道集虛。虛者，心齋也。」

34　（清）郭慶藩撰、王孝魚點校：《莊子集釋》，頁1098。

35　（宋）王安石著，（宋）李壁箋注、高克勤點校：《王荊文公詩箋注》，頁956。

36　同上註，頁117。

37　同上註，頁172、582、997。

38　曹逸梅：〈午枕的倫理：晝寢詩文化內涵的唐宋轉型〉，《文學遺產》，2014年第4期，頁68。

39　逯欽立校注：《陶淵明集》北京：中華書局，1979年5月，頁91。

40　沈金浩：〈宋代文人的午睡晝寢及其審美心理〉，《中國典籍與文化》，1995年第3期，頁79。

41　「真知睡者」見李壁注〈次韻歐陽永叔端溪石枕蘄竹簟〉詩：「人言介甫嗜睡，夏月常用方枕。或問何意，公云：『睡久，氣蒸枕熱，則轉一方冷處。』此真知睡者。」（宋）王安石著，（宋）李壁箋注、高克勤點校：《王荊文公詩箋注》，頁165。

42　關於「佛緣詩」、「禪境詩」的分類和定義，參劉洋：《王安石詩作與佛禪之關系研究》北京：中央民族大學出版社，2013年10月，頁182-234。

如：「翛然光宅淮之陰，扶輿獨來止中林」（〈光宅寺〉）、「道人投老寄山林，偶坐翛然洗我心」（〈題勇老退居院〉）、「翛然迥出山林外，別有禪天好淨居」（〈示寶覺二首〉其一）、「朝紅一片墮窗塵，禪客翛然感此辰」（〈和淨因有作〉）[43]。在這裡，莊子意味淡去，「翛然」一詞與山水禪居、悠然禪定、超然禪機相結合，創造出「物我無間」、「物我合一」的詩境、禪境，〈書八功德水庵〉一詩最好地凝結了這種美學意境：「幽獨若可厭，真實為可喜。見山不礙目，聞水不逆耳。翛然無所為，自得而已矣。」[44]這既由於莊禪兩家在宗教性質的出世旨意方面具有頗多相似性，也說明「翛然」的莊子美學意味能夠促成一種與天地冥合的詩歌意境。

　　可見，「翛然」作為一個描述心境的語典，適用性較強，在王詩中化引廣泛。該詞有時也寫作「蕭然」，如〈蕭然〉一詩，嘉靖本作「翛然」；詩首句有「蕭蕭」二字，亦作「翛然」。無論荊公原詩為何字，這一版本差異其實也反映了後世讀者對其詩歌中「翛然」語境的普遍接受。

（二）「莊周夢蝶」與「濠梁魚樂」：「自適自樂」的形象書寫

　　「莊周夢蝶」、「濠梁魚樂」作為《莊子》中兩個著名寓言，形象地寄託了詩人徜徉山水的自適自樂之情。「莊周夢蝶」出自〈齊物論〉：「昔者莊周夢為胡蝶，栩栩然胡蝶也，自喻適志與！不知周也。俄然覺，則蘧蘧然周也。不知周之夢為胡蝶與，胡蝶之夢為周與？周與胡蝶，則必有分矣。此之謂物化。」[45]這種深刻的哲理意味和浪漫的文學之美，成為歷代文人表達人生感慨的象徵。

　　一方面，荊公常以「莊周夢蝶」表現夢境內外、莊蝶幻化的「物化」之境：「自喻適志歟，翻然夢中蝶」（〈自喻〉），「公能覺如夢，自喻一蝴蝶」（〈遊土山示蔡天啟秘校〉），「忘情塞上馬，適志夢中蝶」（〈用前韻戲贈葉致遠直講〉）[46]。有的是詩人對自身精神狀態的自述，有的是對他人心境的認同，均突出了「自喻適志」的思想意味。喻，同「愉」；適志，即快意。郭象注：「自快得意，悅豫而行。」[47]「適志」乃生物之嚮往自由，心之所之，身亦隨焉。荊公自問「自喻適志歟，翻然夢中蝶」，夢中蝴蝶的自由翻然即是詩人身心協調的理想狀態。另一方面，其記夢詩、詠蝶詩也以「莊周夢蝶」的寓言為喻，〈夢〉詩：「黃粱欲熟且留連，漫道春歸莫悵然。胡蝶豈能知夢事，蘧

43　（宋）王安石著，（宋）李壁箋注、高克勤點校：《王荊文公詩箋注》，頁42、1072、1128、1309。
44　同上註，頁83。
45　（清）郭慶藩撰、王孝魚點校：《莊子集釋》，頁112。
46　（宋）王安石著，（宋）李壁箋注、高克勤點校：《王荊文公詩箋注》，頁97、52、64。
47　（清）郭慶藩撰、王孝魚點校：《莊子集釋》，頁112。

蓬飛墮晚花前。」[48]〈蝶〉詩:「翅輕於粉薄於繒,長被花牽不自勝。若信莊周尚非我,豈能投死為韓憑?」[49]正所謂「不知周之夢為胡蝶與,胡蝶之夢為周與」,兩詩的比擬都在第三句的轉意處,以眾所周知的典故為喻體,使詩意更加活靈活現、親切近人。

再看「濠梁魚樂」之典,〈秋水〉:「莊子與惠子遊於濠梁之上。莊子曰:『鯈魚出遊從容,是魚之樂也。』惠子曰:『子非魚,安知魚之樂?』莊子曰:『子非我,安知我不知魚之樂?』」[50]宣穎注:「我遊濠上而樂,則知魚遊濠下亦樂也。」[51]從哲理而言,莊子對「濠梁魚樂」的體認和把握,正源自其「以道觀物」的視域,而這一視域又以「天地與我並生,而萬物與我為一」的「齊物」為思想基礎;從藝術而言,因其「寫出莊子觀賞事物的藝術心態」[52],集中體現了〈秋水〉的「美樂」意境,在詩文中常用來表達閑適愉悅之情。

荊公詩援引這一典故,除了〈次韻吳仲庶省中畫壁〉、〈溝西〉兩詩為比擬自然物象之外,其餘均用來表現悠然自樂、物我合一的心境。例如:「濠魚淨留連,海鳥暖追逐」(〈招約之職方並示正甫書記〉)、「豈魚有此樂,而我與子無?」(〈邀望之過我廬〉)、「遠同魚樂思濠上,老使鷗驚恥海濱」(〈次韻吳季野再見寄〉)、「濠梁最憶知魚樂,牢筴翻慚為彘謀」(〈次楊樂道述懷〉)、「觀魚得意還知樂,入鳥忘機肯亂行」(〈和微之林亭〉)[53]。可見,王安石又多將「濠梁魚樂」之典與道家典籍中的鳥類形象並列對舉,「濠魚」—「海鳥」,「魚樂濠上」—「鷗驚海濱」,「觀魚」—「入鳥」,形容詩人所追求的自由真性。「海鳥暖追逐」出自〈至樂〉篇「魯郊海鳥」之典,享盡美食卻不得自由的「海鳥」與「濠梁之魚」的命題旨趣相輔相成,為下文「豈無方外客」做出鋪墊。「老使鷗驚恥海濱」出自《列子·黃帝》「海上之人有好漚鳥者」之典,原本就寓有「鷗鳥」不願受拘束和對自由的渴求,兩個意象對舉更表達了自己在政壇紛紜中不被理解、遭人讒言、知音難覓之感。「入鳥忘機肯亂行」的「入鳥」出自〈山木〉:「辭其交遊,去其弟子,逃於大澤;……入獸不亂群,入鳥不亂行。」[54]「忘機」亦指《列子·黃帝》的「漚鳥」。「魚、鳥」在《莊子》中本就有著相似的定位,在水中天上不受阻力、歸順真性的境界,承載著自然、自由、自樂的意義,正為莊子所欣賞,成為山水詩歌傳統中一種獨特的自然觀照方式。王安石援引「濠梁魚樂」並與道家的「鳥」意象並

48　(宋)王安石著,(宋)李壁箋注、高克勤點校:《王荊文公詩箋注》,頁1035。

49　同上註,頁1265。

50　(清)郭慶藩撰、王孝魚點校:《莊子集釋》,頁606-607。

51　(清)王先謙撰:《莊子集解》,(清)王先謙、劉武撰,沈嘯寰點校:《莊子集解·莊子集解內篇補證》北京:中華書局,2012年12月,頁182。

52　陳鼓應注譯:《莊子今注今譯》,頁410。

53　(宋)王安石著,(宋)李壁箋注、高克勤點校:《王荊文公詩箋注》,頁12、35、764、831-832、881。

54　(清)郭慶藩撰、王孝魚點校:《莊子集釋》,頁683。

列，更能說明他對自然生活的嚮往。

其實，王安石之子王雱的《南華真經新傳》就曾指出〈秋水〉與〈齊物論〉間具有某種思想關聯：「(〈秋水〉)中寓其齊諧之意。及其篇終，而復言其知魚之樂，與〈齊物〉終於夢為胡蝶之意同。」[55]進而從「齊物」角度指出「濠梁魚樂」、「莊周夢蝶」兩事的相近相通之處：「莊子以其自適，則言夢為胡蝶；以其自樂，則言如魚之樂。以胡蝶微小飛揚，而無所不至矣；以魚處深渺，而能活其身矣。所以寓其自適、自樂之意於二物，在於齊諧寓物也。」[56]特意拈出「自適」、「自樂」二詞，認為「莊周夢蝶」、「濠梁魚樂」兩寓言所蘊含的情感境界，就在於心靈的「適」與「樂」，洵是確論。思想史上的「適」與「樂」原本就是莊子思想的幾個核心範疇之二，「至樂」是超乎道德、遵循無為原則而追求逍遙之遊的愉悅感受，「適」則是物我關係中合乎自然體驗和生命快樂的自我感受、生存方式和心理狀態，兩者共同之處在於順應內心天性的愉悅感。而這種「適」「樂」，融合成宋詩揚棄悲哀的「樂易」精神與自持、自適的心理功能，成為典型宋詩的平和暢達情感基調。王安石詩中的「莊周夢蝶」、「濠梁魚樂」之典，正是宋人自適自樂的詩文化心理中偏於道家一面的體現，借助寓言的思想、情感之美，抒發了類似於「翛然」的心境體驗。

（三）物我「兩忘」：「自適自樂」的相關性詩歌闡釋

與「適」「樂」之境相聯繫的，還有《莊子》中的「忘」。《莊子》在多篇中都提到不同引申意義的「忘」，「其要義在於把握心靈的淨化、思維空間的廓清，追尋無差別的精神境界」[57]，這也是「古之真人」的境界。〈大宗師〉：「相呴以濕，相濡以沫，不如相忘於江湖。與其譽堯而非桀也，不如兩忘而化其道。」[58]「魚相忘乎江湖，人相忘乎道術。」[59]郭象注曰：「各自足而相忘者，天下莫不然也。至人常足，故常忘也。」[60]這兩處「忘」的闡釋，兩兩對舉、遞進，以魚喻人。魚，與其以杯水車薪的方式短暫相愛、共生，不如在江湖裡彼此相忘；人，不必計較於善惡是非、外在評價，方能融化於道，正是郭象所謂「故至足者，忘善惡，遺死生」[61]。

55 （宋）王雱撰、尹志華等整理：《老子訓傳、南華真經新傳、元澤佚文》，王水照主編：《王安石全集》，第九冊，頁339。

56 同上註，頁491。

57 涂光社：〈說《莊子》之「忘」——心靈的淨化和無差別境界的追尋〉，徐中玉、郭豫適主編：《古代文學理論研究（第二十輯）》上海：華東師範大學出版社，2002年12月，頁53。

58 （清）郭慶藩撰、王孝魚點校：《莊子集釋》，頁242。

59 同上註，頁272。

60 同上註。

61 同上註，頁243。

　　「兩忘」比「相忘」更進一層含義，化解雙方差異，即物我「兩忘」，在王安石詩歌中，也可合而觀之。例如：「天壤此身知共弊，江湖他日要相忘」（〈酬俞秀老〉），「傲兀河濱客，兩忘我與而」（〈送裴如晦即席分題三首〉其一）[62]。兩首均是酬人之作，即推崇對方有相忘江湖的曠達，又比況兩人友誼關係的自然無拘，尤其後一首勾畫了裴如晦青衫銀絲的灑脫身影和牽舟推水、山水相期的詩意心境，字裡行間有著飄然之風，暗合莊子翛然自適的「兩忘」境界。王安石寫給已出嫁的女兒的〈寄吳氏女子〉云：「江湖相望真魚樂，怪汝長謠特地愁。」[63]李壁注曰：「事見《莊子》。又《文選》：『魚以泉涸相濡沫，及遊江湖，則相忘矣。是憂合歡離之理也。』此詩大意類此。公方樂於江湖，怪其長謠而愁也。」[64]特意摘出《文選》中化引莊子「相忘江湖」的文句，謂荊公勸慰女兒的「憂合歡離之理」。元豐七年（1084）春日，六十四歲的荊公病未痊癒，虛弱中吟出了〈新花〉詩回望一生：「新花與故吾，已矣兩可忘。」[65]「故吾」亦出自〈田子方〉：「雖忘乎故吾，吾有不忘者存。」[66]「『兩忘』之句，其超然無累，又欲出莊生右矣」[67]，「新花與故吾」的相視瞬間，昇華為忘懷榮辱是非的超然心境。

　　〈齊物論〉中「南郭子綦隱几而坐，仰天而噓，答焉似喪其耦」，提出了「吾喪我」這一概念。郭象注曰：「吾喪我，我自忘矣；我自忘矣，天下有何物足識哉！故都忘外內，然後超然俱得。」[68]「喪我」，即「忘我」之意，王安石〈蓼蟲〉詩曰：「隱几自憐居喪我，倨堂誰覺似非人。」[69]分別化引〈齊物論〉和孔子見老子之典，成玄英疏：「子綦境智兩忘，物我雙絕，子游不悟，而以驚疑，故示隱几之能，汝頗知不。」[70]王安石以〈齊物論〉中「隱几」、「喪我」的南郭子綦喻己，希望自己能忘懷世事，像老子一樣「守藏室」著書讀史、像許由一樣在「箕山」做「方外之臣」，或許是自己退居江寧的生活依託與精神歸宿。〈東岡〉「萬竅怒號風喪我，千波競湧水無心」[71]一聯則充滿動態感，「萬竅怒號」和「喪我」均出自〈齊物論〉，在肆意怒號之風中物我兩忘、萬物合一，在萬壑爭流之中更是心境寧靜、與世無爭。雖然「吾喪我」一詞的哲理意味較強而疏於文學審美，但王安石巧妙地結合文學形象而化用，恰當傳達了特定的詩人心態與詩歌意境。

62　（宋）王安石著，（宋）李壁箋注、高克勤點校：《王荊文公詩箋注》，頁682、245。

63　同上註，頁1099。

64　同上註，頁1106。

65　同上註，頁44。

66　（清）郭慶藩撰、王孝魚點校：《莊子集釋》，頁709。

67　（宋）王安石著，（宋）李壁箋注、高克勤點校：《王荊文公詩箋注》，頁44。

68　（清）郭慶藩撰、王孝魚點校：《莊子集釋》，頁45。

69　（宋）王安石著，（宋）李壁箋注、高克勤點校：《王荊文公詩箋注》，頁668。

70　（清）郭慶藩撰、王孝魚點校：《莊子集釋》，頁45。

71　（宋）王安石著，（宋）李壁箋注、高克勤點校：《王荊文公詩箋注》，頁1036。

　　在〈大宗師〉中，比「相忘」、「兩忘」、「吾喪我」遞進一步、更加徹底的「忘」，即為「坐忘」：「墮肢體，黜聰明，離形去知，同於大通，此謂坐忘。」[72]郭象注曰：「夫坐忘者，奚所不忘哉！既忘其跡，又忘其所以跡者，內不覺其一身，外不知有天地，然後曠然與變化為體而無不通也。」[73]荊公詩化引這一典故雖然只有兩次，卻十分恰切地傳達了莊的原意，如〈次韻歐陽永叔端溪石枕蘄竹簟〉中，寫到主客人都身心疲憊，「形骸直欲坐棄忘，冠帶安能強修飾」[74]，就是欲以「坐忘」、「墮肢體，黜聰明」、忘卻身體之累贅，廓清世俗的疲憊，獲得心靈的安寧。〈次韻耿天騭大風〉一詩，「終夜不眠誰與共？坐忘唯有一顏回」[75]，則展示了一幅自己終夜不眠、獨自坐忘的清冷寂寥畫面。佛禪的「靜坐修禪」之說正是從老莊的虛靜、坐忘之說演變而來，「形成一脈相承的靜默觀照、坐禪入定的實踐和理論」[76]，因此，時常參禪的王安石對莊子之「坐忘」如此熟悉，融入詩意，也就不足為奇了。此外，莊子看來，「始乎適而未嘗不適」的「忘適之適」（〈達生〉）[77]也是「適」的最高境界，雖然王安石詩中並未涉及，但正能說明詩中「物我兩忘」、「坐忘」正是獲得「自適」「自樂」之心境體驗的途徑，兩者契合相通。

　　總之，王安石詩歌以語詞、意象的方式援引《莊子》典故之處不勝枚舉，除上述「翛然」、「莊周夢蝶」、「濠梁魚樂」「兩忘」等顯見典故，化引過兩次以上、文學意味較強的《莊》典，尚有「大鵬摶飛」（〈逍遙遊〉）、「冰雪神人」（〈逍遙遊〉）、「隱几」（〈齊物論〉）、「大風」（〈齊物論〉）、「莫逆」（〈大宗師〉）、「蒿目」（〈駢拇〉）、「天機」（〈秋水〉）、「捐書」（〈山木〉）、「元君畫史」（〈田子方〉）等等，不一而足。從另一角度講，這些典故之所以耳熟能詳，也是由於在後世詩歌中反覆被眾多詩人援引、闡釋，王詩用《莊》典出處較多的〈逍遙遊〉、〈齊物論〉、〈大宗師〉、〈秋水〉四篇，或許也是後世詩詞中用典較多的篇目，能夠代表歷代詩人援引《莊》典的普遍情況。因此，王安石從文學傳統的脈絡中追溯、把握與認同《莊子》思想及其審美意味，是可以從其詩歌文本中尋繹出確鑿痕跡。

72　（清）郭慶藩撰、王孝魚點校：《莊子集釋》，頁284。

73　同上註，頁285。

74　（宋）王安石著，（宋）李壁箋注、高克勤點校：《王荊文公詩箋注》，頁165。

75　同上註，頁868。

76　涂光社：〈說《莊子》之「忘」──心靈的淨化和無差別境界的追尋〉，徐中玉、郭豫適主編：《古代文學理論研究（第二十輯）》，頁56。

77　（清）郭慶藩撰、王孝魚點校：《莊子集釋》，頁662。

四　「祿隱」與「山林」：王安石詩歌的莊子審美意味與儒、禪之關係

　　儘管如此，王安石仍是一位「儒者」，他對莊子的理解和闡述也始終以儒家為主要立場，這是完整理解其詩歌中《莊子》典故及其審美意味的思想前提；從他與浮屠的大量交往及習佛事跡中，在其大量佛理詩、佛典詩中，也可認定佛禪對其人其詩的重要影響。王安石詩歌《莊》典背後的審美意味無法與儒、禪完全分離，而古代儒、道、釋思想三家最為重要而有同中有異的交織匯合點就在於指導士人仕隱出處的選擇，由這一問題出發，受自身退居意識[78]強烈影響的王安石詩歌美境也在不同程度上滲透著儒、莊、禪的思想意味。

　　首先，在仕隱出處這一古代士大夫歷來關注的問題上，王安石在理論上選擇了合乎儒家之「道」的通達的仕隱觀念[79]，與詩中的林泉之思形成了某種微妙的關係。在〈祿隱〉一文中，王安石提出了對待仕隱出處的兩個維度，其立身處世的仕隱實踐從主觀意願上便向這兩個維度靠攏。首先是仕隱出處的衡量標準，聖賢之言行「同者，道也，不同者，跡也」[80]，「道」為內在、為根本，「跡」則因時因地而變，因此「餓顯」、「祿隱」、「皆跡矣」；不同的「跡」體現同一的「道」，故曰「唯其不同，是所以同也」[81]。士大夫的進退出處應以是否符合儒家之「道」為根本標準，「無繫累於跡」，也即「吏隱」、「中隱」之義。上文曾就〈雜詠八首〉其一探討王安石對於齊物思想的前後態度之差異，或許也可從仕隱進退的角度觀之：在朝效力、在野歸隱，在莊子「齊物」視域下似乎並不存在絕對性的差異，在儒家仕隱觀念下也只是同「道」不同「跡」而已，是他帶著政治餘痛遠離朝廷之後的某種自我安慰。其次是如何運用這種標準，「蓋時不同則言行不得無不同」[82]，以「時」考察「跡」是否合於「道」，適「時」而動，當進則進、當退則退：「如聖賢之道皆出於一而無權時之變，則又何聖賢之足稱乎！」（〈祿隱〉）[83]、「見問進退去就之意，蓋道之所存，意有所不能致，而意之所至，言有所不能盡。第深考〈微子〉一篇，則古之聖人君子所以趣時合變，蓋可睹矣。」（〈答劉讀秀才

78　本文認為，王安石並不可能真正進入「隱」的行列，理論上的「祿隱」只是一種姿態，學界每每有用「退隱」、「隱逸」形容之，實是過度解讀，說「退居」似乎更為確切。

79　參邵明珍：〈王安石的仕隱心態及其詩文之理性〉，《復旦學報（社會科學版）》，2013年第1期，頁133-138。

80　（宋）王安石撰，聶安福等整理：《臨川先生文集》，王水照主編：《王安石全集》，第六冊，頁1239。

81　同上註。

82　同上註。

83　同上註，頁1240。

書〉)。[84] 在王安石心中，伯夷、伊尹、柳下惠「其所以為之清、為之任、為之和者，時耳」(〈三聖人〉)[85]，是因為他們善於把握仕隱、進退、出處之「時」——無論「進」之時抑或「退」之時，都可指一種不汲汲於功成而能淡然處之的狀態。就「進」而言，熙寧初，王安石面對他人對自己先屢召不起、後又應召進京之做法的質疑，作〈松間〉詩化用〈北山移文〉之句，意謂自己對仕隱出處有著冷靜的思考，豈是猿鶴所知？[86] 另一方面，從老子的「功成身退」觀念出發，王安石《老子注》對於何時恰當選擇「隱」、「退」、「處」這一歷代難題，指出：「夫聖人功既成，名既遂，則身退之者矣。此乃天之道也。夫天之道，高者抑之，下者舉之。」[87]「功成名遂」固然不可人人達到，王安石在〈偶成二首〉、〈經局感言〉詩中甚至由於變法飽受指摘而認為自己是失敗的，不過若將所謂「功成名遂」視為「事業的完成」，應是不錯的，正所謂「誰似浮雲知進退，才成霖雨便歸山」(〈雨過偶書〉)[88]。

　　在擅於「以儒解莊」的王安石心中，能將儒家仕隱觀念與莊子聯繫起來的，就是孟子所推崇的伯夷、伊尹、柳下惠這「三聖人」，其治平年間居於江寧時所作的《莊周上》說：「伯夷之清，柳下惠之和，皆有矯於天下者也，莊子用其心亦二聖人之徒矣。」[89] 上文已述及這「三聖人」的仕隱進退正是士大夫的理想類型。從「知人論世」的角度而言，贊同莊子「隱居放言」的行為正是由於莊子「有矯於天下者」的「用心」，其「無端崖之辭」也如伯夷、柳下惠等人一樣「有意於天下之弊而存聖人之道」[90]。因此，「後之讀莊子者，善其為書之心，非其為書之說，則可謂善讀矣，此亦莊子之所願於後世之讀其書者也」[91]。聯繫到王安石自身的政治經歷，儘管他因變法舉措遭到「小人之謗讟」，卻始終能無愧於矯天下時弊、愛物濟民之「用心」。若套用〈莊周上〉之語，亦可謂是「此亦荊公之所願於後世之知其人者也」。

　　從人生觀上，王安石認同莊子追求逍遙自由的思想[92]，雖然他作為改革家批評老、莊在政治上的無為之治，但卻認同個人在人生態度與生存方式上追求「無為」而「遊」

---

84 同上註，頁1301。

85 同上註，頁1162。

86 (宋)葉夢得《石林詩話》卷下：「熙寧初，荊公以翰林學士被召，前此屢召不起，至是始受命。介以詩寄云：『草廬三顧動幽蟄，蕙帳一空生曉寒。』用蕙帳事，蓋有所諷。」(宋)葉夢得撰、吳家駒編纂：《石林詩話》，吳文治主編：《宋詩話全編》，第三冊，頁2711。

87 (宋)王安石撰、羅家湘輯：《老子注》，(宋)王安石撰、顧宏義等整理：《熙寧奏對日錄、老子注、楞嚴經解》，王水照主編：《王安石全集》，第四冊，頁175。

88 (宋)王安石著，(宋)李壁箋注、高克勤點校：《王荊文公詩箋注》，頁773。

89 (宋)王安石撰，聶安福等整理：《臨川先生文集》，王水照主編：《王安石全集》，第六冊，頁1232。

90 同上註。

91 同上註。

92 李祥俊：《王安石學術思想研究》北京：北京師範大學出版社，2000年11月，頁328。

的做法。慶曆五年（1045）前後入仕時的〈答陳柅書〉云：「莊生之書，其通性命之分，而不以死生禍福累其心，此其近聖人也。」[93]其中「不以死生禍福累其心」，是他從儒家立場出發對莊子逍遙思想做出的恰當之評，不受「死生禍福」的外界干擾，「忘世」、「忘我」，方可「無累於心」。而元豐元年（1078）創作的〈次韻酬朱昌叔五首〉，抒發了與友人在登山臨水間悠然自得、無累於世的感受，說明對莊子的這種認識在他人生中一以貫之。

> 樂世閑身豈易求，岩居川觀更何憂？放懷自事如初服，買宅相招亦本謀。
> 名譽子真矜穀口，事功新息困壺頭。知君於此皆無累，長得追隨壙埌遊。[94]

此詩為組詩的最後一首，概括了自己晚年的精神狀態和理想志趣，「退而岩居川觀」（李壁注引蔡澤說範睢語），求得「樂世閑身」，放懷以修初服，買宅相招友鄰。組詩其三已有「已知軒冕真吾累」之句，而此詩尾聯直接拈出「無累」二字，謂對方可以不再牽累掛礙於古人的「名譽」和「事功」，能夠「長得追隨壙埌遊」。「無累」雖不是具有獨特莊子意味的專詞，但也能概括莊子的逍遙精神，〈達生〉：「棄世則無累，無累則正平，正平則與彼更生，更生則幾矣。」[95]從上文荊公所言「不以死生禍福累其心」即可知。「壙埌遊」出自〈應帝王〉：「以出六極之外，而遊無何有之鄉，以處壙埌之野。」[96]值得注意的是，這五首詩中與詩歌情境相關的典故中儒、道兩家皆有之，第一首「點也自殊由與求，既成春服更何憂？拙於人合且天合，靜與道謀非食謀」[97]，先以儒家「曾點氣象」起筆，又以《莊子》的「人合、天合」與《論語》的「君子謀道不謀食」相對舉，顯示了荊公的退歸之心兼有儒、道兩家的思想底蘊。而在最後一首結尾，則將莊子的逍遙遊於壙埌之意和盤托出，是為精神歸宿。

由於《莊子解》已佚，現存《臨川先生文集》中有關王安石莊學思想的文章十分有限，不過也能從中體會出他在儒家立場之下對《莊子》的用心。尊儒崇道的王安石在理論上選擇了儒家較為通達的的仕隱觀念，但這一觀念本身的理想色彩與他仕宦經歷的複雜矛盾，使其退居後在人生態度與生存方式上又傾心於莊子式的「無累」與自由。關於晚年王安石儒與釋道思想之間的關係，劉寧認為，他晚年「也明顯受到儒家『獨善』思想的影響」，「所追求的不是庸俗的閑適，而是人格修養的內在完善」[98]。而李祥俊《王

93　（宋）王安石撰，聶安福等整理：《臨川先生文集》，王水照主編：《王安石全集》，第七冊，頁1380。

94　（宋）王安石著，（宋）李壁箋注、高克勤點校：《王荊文公詩箋注》，頁642。

95　（清）郭慶藩撰、王孝魚點校：《莊子集釋》，頁632。

96　同上註，頁293。

97　（宋）王安石著，（宋）李壁箋注、高克勤點校：《王荊文公詩箋注》，頁639。

98　劉寧：〈論王安石絕句對中晚唐絕句的繼承與變化〉，《廣西師範大學學報（哲學社會科學版）》，2005年第2期，頁54。

安石學術思想研究》一書則指出：

> 王安石是十分推崇孟子的，他在無為與有為之間的徘徊也是要效仿孟子的獨善與
> 兼善，但是孟子的獨善與兼善是一切以道義行動而沒有個人價值的取捨、謀劃存
> 在其中，而王安石通過對莊子的解釋、評價卻是要尋求如何達到個人的自由，這
> 和孟子截然不同，是尋求一種生存智慧而不是像孟子那樣要達到一種德性境界，
> 在人生觀的這一核心點上，王安石和莊子相同而和追求道德理想主義的儒學拉開
> 了距離。[99]

其實這兩種說法並不衝突，劉寧所說儒家「獨善」的影響，是從「人格修養的內在完
善」而言，也即道德品質、個性氣質等方面；而李祥俊所說尋求莊子的「個人的自
由」，則是從人生觀、人生態度、人生價值角度言之，本文所論顯然適合於後一種說
法。莊子思想所蘊含的美學氣質無疑與文學、特別是詩歌的抒情性更為貼近，才在一定
程度上塑造了荊公詩的清寂、沖淡、自然風格。

　　一方面是由於莊、禪本身在價值取向、思維方式等內在理路上具有一定相似性[100]，
王安石〈漣水軍淳化院經藏記〉一文就說：「蓋有見於無思無為，退藏於密，寂然不動
者，中國之老、莊，西域之佛也。」[101]將老莊與佛禪相提並論；另一方面也由於王安石
大量習佛事跡和佛理詩、佛典詩，導致讀者的思維慣性，以為其詩中所有山水之美與退
歸之思都是「禪意禪境」的表達。其實，莊、禪都以各自的方式統攝在「自然」這一範
疇下，以本來的面目對待自己、對待生命萬物，以虛靜淡泊之心觀照澄淨空靈之自然。
很多以自然山水題材為代表的荊公詩帶有蕭散閑澹之意，思想本身並不涉莊、禪，典型
的如〈豫章道中次韻答曾子固〉、〈太湖恬亭〉、〈得孫正之詩因寄呈曾子固〉、〈次韻答陳
正叔二首〉其二、〈招楊德逢〉等等。詩中蒼煙白霧、水涵幽樹、山林翠微等自然山水
意象不一而足，流露出希冀遠離政壇紛爭、投老林泉的願望：「龐公有意安巢穴，肯問
簞瓢與萬鐘」、「清遊始覺心無累，靜處誰知世有機」、「未有詩書論進退，謾期身世托林
泉」、「忘機自許鷗相狎，得禍誰期鶴見媒」、「山林投老倦紛紛，獨臥看雲卻憶君。雲尚
無心能出岫，不應君更懶於雲」[102]。李壁指出：「言宅心事外，與世相忘」、「公似自言

99　李祥俊：《王安石學術思想研究》，頁330。

100　對此集中的相關論述參萬伯江：〈論王維的「莊禪合一」思想及其詩歌中的「莊意」〉，趙敏俐主
　　編：《中國詩歌研究（第九輯）》北京：社會科學文獻出版社，2013年9月，頁286-288。此外，另
　　參徐小躍：《禪與老莊》南京：江蘇人民出版社，2012年6月；吳怡：《禪與老莊》臺北：三民書
　　局，1976年4月。

101　（宋）王安石撰，轟安福等整理：《臨川先生文集》，王水照主編：《王安石全集》，第七冊，頁
　　1473。

102　（宋）王安石著，（宋）李壁箋注、高克勤點校：《王荊文公詩箋注》，頁929、970、928、962、
　　1102。

學未充而不輕於進，故接以林泉之句」，雖不含《莊》典，但其中忘世林泉之心、超然塵垢之想，讀者自能心領神會。晚清陳衍從中拈出「山林氣」三字，「皆山林氣重，而時覺黯然銷魂者」[103]，頗得荊公詩意三昧。所謂「山林氣」，是古代詩學所崇尚的一種情隱於景、沖淡平和、清雅脫俗的審美情趣，清人吳雷發《說詩管蒯》曰：「詩以山林氣為上。若臺閣氣者，務使清新拔俗；不然，則格便低。……蓋山水有真趣，俗自不能勝雅。以此推之，於詩則山林氣者為貴矣。」[104]王安石的此種「山林氣」，愈到年老愈加深邃，不同程度地體現在其大部分詩歌裡，也是對莊子自由逍遙的詩性復歸。《西清詩話》《詩林廣記》分別記載蘇東坡、黃山谷次韻王安石的六言詩「楊柳鳴蜩綠暗」，通過金陵山水之美，提煉出原詩中「厭京洛風塵而思金陵山水」[105]的隱含主旨，也說明宋人對王安石意欲遠離政治、投老林泉的歆羨。

徐復觀《中國藝術精神》曾仔細辨析莊、禪之差異，特別是從禪學開始盛行於士大夫中間的北宋中期，指出莊學之於藝術、之於山林氣的淵源關係，為眾多強調莊禪合流的學者所忽略。若聯繫王安石的上述詩意就更能體會：

> 於是一般人多把莊與禪的界線混淆了，大家都是禪其名而莊其實，本是由莊學流向藝術，流向山水畫，卻以為是由禪流向藝術，流向山水畫。加以中國禪宗的「開山」精神，名剎常即是名山，更在山林生活上奪了莊學之席。[106]

同屬藝術領域的詩歌亦如此。且不探討時人的思想傾向是否真的「禪其名而莊其實」，但莊學的某些特點更接近詩歌藝術的審美。王安石上述詩作中的莊子審美意味，一在於「清」，二在於「淡」。〈應帝王〉：「汝遊心於淡，合氣於漠，順物自然而無容私焉。」[107]〈天地〉：「夫道，淵乎其居也，漻乎其清也。」[108]〈刻意〉：「澹然無極而眾美從之。」[109]宋代詩學所推崇的「平淡美」、「自然美」境界在思想來源上就與莊子崇尚樸素、清淡、自然的美學傾向密切相關，在自然山水詩歌中表現得尤為明顯，宋黃徹《鞏

---

103 晚清陳衍詩論有兩次提到王安石詩歌的「山林氣」，《石遺室詩話》卷十七：「以上荊公佳句，皆山林氣重，而時覺黯然銷魂者。所以雖作宰相，終為詩人也。」《宋詩精華錄》卷二：「荊公功名士，胸中未能免俗，然饒有山林氣。」錢仲聯編校：《陳衍詩論合集》福州：福建人民出版社，1999年9月，頁234、755。

104 （清）吳雷發：《說詩管蒯》，（清）王夫之等：《清詩話》上海：上海古籍出版社，1978年9月，頁902。

105 （宋）蔡正孫撰：《詩林廣記》，吳文治主編：《宋詩話全編》，第九冊，頁9691。

106 徐復觀：《中國藝術精神》桂林：廣西師範大學出版社，2007年1月，頁287。

107 （清）郭慶藩撰、王孝魚點校：《莊子集釋》，頁294。（漢）許慎《說文解字》：「漠，一曰清也。」（清）段玉裁：《說文解字注》北京：中華書局，2013年7月，頁550。

108 （清）郭慶藩撰、王孝魚點校：《莊子集釋》，頁411。

109 同上註，頁537。

溪詩話》就說荊公詩「皆淡泊中味，非造此境，不能形容也」[110]。荊公詩在「山林氣」的自然書寫與精神觀照下流露出此種「淡泊中味」，也是他的莊學思想底蘊所賦予的美學風格。

　　總之，王安石筆下的《莊子》典故可以反映在詩中語詞、意象、思想、意境四個層面。〈雜詠八首〉其一的「忘心乃得道」，是為詩人晚年對莊子思想的準確把握，〈和仲庶出守潭州〉「隱几詩千首」[111]，則是從政時期借他人之酒杯、抒自己之歸心，本文以為能夠集中概括王安石契心於莊子的詩意。不過，強調這一角度應是以其人其詩中儒家思想的主導地位為前提，本文也無意削弱其與佛禪之關係。正是在儒、禪兩家思想之觀照下，探討王詩中的《莊子》典故及莊子審美意味，更能夠解釋其思想和詩歌上的另一側面，亦能豐富和充實其詩的多層思想和藝術內涵。

110　（宋）黃徹：《䂬溪詩話》，吳文治主編：《宋詩話全編》，第三冊，頁2389。

111　（宋）王安石：「指撝談笑間，靜若在林藪。連牆畫山水，隱几詩千首。浩然江湖思，果得東南守。」（宋）王安石著，（宋）李壁箋注、高克勤點校：《王荊文公詩箋注》，頁188。

近四十年蘇軾研究述評[*]

王聰

中華女子學院文化傳播學院

　　時下，對於宋代文學的研究越來越受到學人的關注。據統計，在對宋代具體作家的研究中，關於蘇軾研究的論文是最多的，而且研究方向涉及各個方面。無論是在基礎性資料建設、理論性闡釋探討、鑒賞評析性推介等不同的層面，還是對其人、其詞、其詩、其文等不同的角度，均有顯著的業績可述。蘇軾研究已在宋代文學研究的園地裡，形成了一道頗有亮色的學術風景線。

　　蘇軾同時具備才華多面性，交遊廣闊性，經歷、思想豐富性等特點，在中國古代文學發展史上又占有舉足輕重、無可取代的位置。所以，自宋代以來，直到當代，對蘇軾的研究從未中斷過，而涉及到的生平年譜、作品版本、交遊經歷、辨偽考證、思想溯源等方面的問題也一直處於持續的討論中，頗有創獲。雖然有些問題仍然難以得出合理完滿的解釋，但值得肯定的是，整體趨勢上，關於蘇軾的研究越來越往細化精深的方向發展。下面，試從蘇軾的傳記書寫與生平、交遊考證，思想構成與政治、文化背景研究，不同文體的藝術特徵研究，比較、接受研究四個方面，將學界對蘇軾的研究作大致的梳理。

一　傳記書寫與生平、交遊考證

　　蘇軾的重要和豐富不是簡短的敘述能說得清的，也不是幾篇論文能夠涵蓋的，所以，很多學者在研究蘇軾時，選擇系統而全面地為蘇軾立傳，並從多角度加以研究的方式。林語堂的《蘇東坡傳》被稱為二十世紀四大傳記之一，他站在中西文化的交叉路口上，用文學的筆觸勾勒出一個多面的蘇軾。除此之外，還有頗多學術論著為其立傳，並嘗試作出較為全面的研究，成果斐然。如：劉乃昌《蘇軾選集》、《蘇軾文學論集》、《蘇軾評傳》，陳香《蘇東坡別傳》，王水照《蘇軾》、《蘇軾選集》、《蘇軾研究》、《蘇軾論稿》、並從日本引進、整理了何掄的《眉陽三蘇先生年譜》和施宿的《東坡先生年譜》，曾棗莊《蘇軾評傳》、《蘇軾詩文詞選譯》，《蘇詩彙評》、《蘇詞彙評》、《蘇文彙評》、《蘇

* 　【基金項目】國家社會科學基金重大項目「中國古代都城文化與古代文學及相關文獻研究」（18ZD　A237）；校級科研課題「陰陽五行思想視域中的隋唐政治與文學」（010109/ZKY209020238）。

軾研究史》，孔凡禮《蘇軾詩集》、《蘇軾文集》、《蘇軾佚文彙編》、《蘇軾年譜》，黃益庸《蘇軾》，徐中玉《論蘇軾的創作經驗》、《蘇東坡文集導讀》，楊濤《蘇東坡外傳》，游周琛《蘇東坡生平及其作品述評》，霍松林《蘇軾文學論集》，朱靖華《蘇軾新論》、《蘇軾新評》、《蘇軾論》，顏中其《蘇東坡》、《蘇東坡軼事彙編》、《蘇軾論文藝》、《蘇軾的悲劇》，陳華昌《蘇東坡》，王兆彤、郭向群《蘇軾》，熊朝東《蘇東坡傳奇》，李一冰《蘇東坡新傳》，范軍《蘇東坡：曠達人生》，王雙啟《蘇軾》，顏邦逸、張晶《蘇軾傳》，王洪《蘇東坡傳》、《蘇東坡研究》、《蘇軾詩歌研究》，易照峰《蘇東坡》等等。這些著作中相當一部分成於二十世紀後二十年的時間，這段時間對於蘇軾個體的研究，呈現出蓬勃生機。一方面注重系統性和全面性，充分挖掘和利用相關文獻，試圖最大程度地還原一個真實而深刻的蘇軾。另一方面，在研究視角和研究方法上，力圖有所借鑒和創新，多採用中西結合的研究方法，在對蘇軾的生平進行敘述的同時，對其創作思想、批評理論、藝術風格、審美取向等進行了深入地探討和挖掘。

　　在對材料的整理、辨析、考證方面，關於蘇軾年譜的編撰尤為精密。最早也是最權威的資料當屬蘇轍所作的〈亡兄子瞻端明墓志銘〉，之後，南宋人編撰了很多的蘇軾年譜，僅就今天所知，就有何掄、程子益、李燾、孫汝聽、段仲謀、黃德粹、王宗稷、傅藻、羅良弼、吳興施等，皆著有《蘇軾年譜》或《三蘇年譜》，不下十種，為歷代之冠。清代王文誥編撰了《蘇詩總案》，材料詳實，考核精密。今人孔凡禮也編撰了《蘇軾年譜》，資料詳而不繁，言必有據，考證精核，可謂超過了前此所有的蘇軾年譜，是《蘇詩總案》之後另一部研究蘇軾生平的得力之作。[1]

　　近些年，對於蘇軾的研究呈現出不斷細化和深入的趨勢，尤其側重群體交遊的材料整理與考證，試圖透過交遊的對象、方式、場所、動機等更深入地展現出蘇軾的人生軌跡和時代風貌。分別有論文考證蘇軾與歐陽修、范鎮、王鞏、王詵、王棫、晁氏文人（晁端彥、晁端友、晁說之、晁詠之、晁載之等）、李之儀、郭祥正、黃庭堅、晁補之、秦觀、李格非、李廌、佛印、江蘇士人（孫洙、蔣之奇、單錫、單鍔、張天驥、張耒等）、楊繪、蘇頌等或個人、或家族、或地域文人群體之間的關係。其中，頗多論述內容豐厚，視角廣闊。劉乃昌〈蘇軾與齊魯名士晁補之李格非的交遊〉（《樂山師範學院學報》，2005年6期）對蘇軾與晁補之、李格非兩位山東名士的交遊資料進行了搜集和整理，雖然資料不多，但對於探討蘇軾與二者的關係，探究其文化上的滲透，很有裨益。曾棗莊〈蘇軾與江蘇士人的交遊〉（《江蘇社科大學學報》（社會科學版），2013年1期）、〈蘇軾與江蘇士人的交遊（續）〉（《江蘇社科大學學報》（社會科學版），2014年1期）指出，蘇軾與江蘇士人有著特殊的關係，與諸多江蘇士人有著或深或淺的交往。所謂蘇門

1　曾棗莊：〈論蘇學──紀念蘇軾逝世900週年〉，《四川大學學報》（哲學社會科學版），2001年第4期，頁104。

四學士或六君子一半是江蘇人，其他門人中籍貫江蘇的亦頗多。故探討蘇軾與江蘇士人的交往史，對於深入蘇軾研究無疑具有極為深遠的歷史和現實意義。梁建國〈朝堂之外：北宋東京士人走訪與雅集──以蘇軾為中心〉（《歷史研究》，2009年2期）認為，交遊為士人在朝堂之外的重要活動，而東京在蘇軾的交遊中有著舉足輕重的地位。以住宅與庭園為載體，蘇軾與其他東京士人之間多有走訪與雅集。經由日常的走訪與雅集，這些與蘇軾同在東京而籍貫、家世、仕宦背景各異的士人，實現著身分的認同，彼此的關係得以維繫和鞏固，生成結構鬆散而相對穩定的交遊圈，共同營造出富有時代和地域特色的社會文化氛圍。

　　蘇軾曾多次遭遇貶謫，且性好遊歷，足跡遍布大江南北。或許是受現下地方文化建設的影響和催動，對於蘇軾與不同地域文化之間關係的研究近些年正悄然興起。試觀近些年蘇軾研究學會的動向，可窺知一二。其第十七屆（2011）的徵文論題是「蘇軾的和諧理念與實踐」、第十八屆（2013）的徵文論題是「三蘇文化傳承創新與地方文化建設」、第十九屆（2015）的徵文論題是「蘇軾與地域文化」。從近三屆蘇軾研究學會的選題來看，對蘇軾的研討是放置於廣闊的文化背景下的，且試圖通過探討蘇軾作為歷史文化名人複雜與深邃的思想，找到今天的可傳承借鑒之處，尤其側重於不同地域與蘇軾這位文化名人在歷史上的交叉與碰撞和深層上的影響與滲透，進而在實踐中促進當下的地域文化認同與地方文化建設。

二　思想構成與政治、文化背景研究

　　林語堂在第二次留美期間撰寫了《蘇東坡傳》，對「外國人講中國文化」，在其序中，他評價道，「蘇東坡的人品，具有一個多才多藝的天才的深厚、廣博、詼諧，有高度的智力，有天真爛漫的赤子之心──正如耶穌所說具有蛇的智慧，兼有鴿子的溫柔敦厚，在蘇東坡這些方面，其他詩人是不能望其項背的」，並稱其為「曠古奇才樂天派」。[2]而王水照〈蘇軾的人生思考與文化性格〉（《文學遺產》，1989年5期）在肯定蘇軾的思想以儒家為基礎，充滿了「奮厲有當世志」的淑世精神的同時，指出了蘇軾的人生苦難意識和虛幻意識，更帶有獨創性，並由此形成他人生道路上的另一條基線。而蘇軾的這種思想固然受到佛道兩家的明顯誘發，但主要來源於他自身的環境和生活經歷。首先是西蜀鄉土之戀的文化背景，西蜀士子從唐五代以來，就有不願出仕的傳統。其次，是他一生坎坷曲折的經歷，榮辱、禍福、窮達、得失之間反差的巨大和鮮明，使他咀嚼盡種種人生況味。

　　關於蘇軾的思想，一般都認為蘇軾兼受儒釋道的影響，是位雜家，且三者相較而

2　林語堂著，張振玉譯：《蘇東坡傳》杭州：浙江文藝出版社，2014年，頁2。

言，儒家思想占據主要地位，這幾乎是學術界的共識。但對於蘇軾思想的研究又不止於此，故在此基礎上，研究者們還對蘇軾不同時期、不同立場下對儒釋道的態度作了具體分析，有些研究者認為，以貶官黃州為界，蘇軾前、後期對儒釋道的態度存在巨大差異，認為前期主異，即認為儒與釋、道是對立的；後期主同，認為儒與釋道是可以融合的。即如南宋汪應辰指出的那樣，「東坡初年力闢禪學，其後讀釋氏書，見其汗漫而無極，……始悔其少作。於是凡釋氏之說，盡欲以智慮臆度，以文字解說」。這種說法雖然得到了今天多數研究的認同，但曾棗莊卻認為，蘇軾隨著仕途的失意，受釋、道影響越來越深，確為事實。但是，如果說蘇軾前期才「闢佛、老」，後期則「融合佛、老」，根據並不充分。他認為，蘇軾一生在政治上都在「闢佛、老」，而在其他方面又都在「融合佛、老」，他在融其所認為可「融」，闢其所認為不可不「闢」。且舉具體例子證明，蘇軾從少年時代起就開始接觸佛、老著作，從貶官黃州起，受佛、老思想的影響確實更深了，但對釋、道的態度並未發生本質變化。在治學上，後期仍以主要精力研究儒家經典，而非釋、道典籍，在貶官黃州、惠州、儋州期間，還注釋了《易》、《書》、《論語》三部儒家典籍。[3] 王水照也提出過，在對外文化交流與外交關係上蘇軾持有的迥異立場。在個人思想組成上，蘇軾長期染指佛學，對華嚴宗尤有偏嗜；但是在政治外交上，一直堅持抵制高麗進奉的一貫立場。可見其在個人際遇上對佛學的態度與政治上對佛家的態度存在很大的差異與矛盾。且王水照進一步指出，探討蘇軾的信仰生活及其與政治等的關係，對深入認識他的思想面貌或許會有所助益。[4]

　　在宋代，士人群體既是文化精英也是政治精英。所以，士人和政治存在著天然、密切、複雜的關係。一方面，他們所信奉的儒學要求他們參與政治，實現儒家追求的理想社會；另一方面，在當時的社會條件下，入仕參政也是他們獲取政治、經濟利益的最好或最主要途徑。士人與政治間的這種關係決定了士人心態中有大量關於政治的內容，而且這種政治內容在士人心態中往往居於重要地位。[5] 所以，很多研究者致力於分析蘇軾在政治上的遭際，並藉此更清晰地探究其思想傾向。如，諸葛憶兵〈洛蜀黨爭辨析〉（《南京師大學報》（社會科學版），1996年4期）中指出，「洛蜀黨爭」是北宋元祐年間發生在政壇上的一場黨派爭逐。黨爭的緣起不僅僅是因為程頤和蘇軾學術思想的不同，更重要的原因是二人性格上的極大反差。其爭逐的焦點不是政見的不同，而是各報私怨。他還指出，洛蜀兩派各只有寥寥一二成員，甚至不稱其為黨派。相互攻擊時指實某人為洛黨或蜀黨，多失實之處。「洛蜀黨爭」之所以被常常提及、誇大，與元祐政壇最

3 　曾棗莊：〈論蘇學——紀念蘇軾逝世900週年〉，《四川大學學報》（哲學社會科學版），2001年第4期，頁107-108。

4 　王水照：〈走近「蘇海」——蘇軾研究的幾點反思〉，《文學評論》，1999年第3期，頁138。

5 　劉學斌：〈政治漩渦中的士人心態——對蘇軾「烏臺詩案」詩文的政治文化解讀〉，《黃岡師範學院學報》，2009年第2期，頁116。

大的一股政治勢力朔黨的操縱、利用有關。朔黨為穩固權勢，以黨爭為口實，打擊雙方，矛頭主要指向蘇軾。率直天真的蘇軾和迂疏固執的程頤都成為政治鬥爭的犧牲品。元祐大臣的爭權奪利是釀就北宋末年政治危機的原因之一。而喻世華〈「為」與「不為」——論蘇軾在元祐黨爭中的處境、操守與選擇〉（《中國礦業大學學報》（社會科學版），2011年4期）則認為，元祐時期，蘇軾曾「三入承明，四至九卿」，進入過權力中樞，但在表面風光下他卻不安於朝，飽受政敵攻擊，始終處於黨爭漩渦中，不得不多次自請外放。元祐政爭的原因是複雜的，從攻擊者的角度看，不能完全排除私人恩怨，但更重要的是與體制的變質、與蘇軾特殊的政治地位有關；而從蘇軾的角度看，則與其「為」與「不為」的政治操守有關。楊勝寬〈蘇軾兄弟在熙甯二年的政治作為及人生命運〉（《地方文化研究輯刊》，2013年00期）則從北宋熙寧二年這個時間點入手。他認為，宋神宗熙寧二年（1069），無論是對神宗本人、王安石、蘇軾兄弟，還是趙宋王朝的政治命運，都具有十分特殊的意義。蘇軾兄弟積極介入熙寧變法，希望有所作為，但由於他們的政治理念與改革路徑跟王安石大相逕庭，最終一同站在了反對熙寧變法的立場。楊勝寬指出，雖然蘇軾、蘇轍都反對新法且因此遭受排擠，但具體比較二人，卻發現二者的政治觀點及所走的反對王安石變法的路徑，具有很大差異。

三　不同文體的藝術特徵研究

蘇軾的藝術才能之廣、文學成就之豐，可謂是震古鑠今。在近代學術的發展史上，對蘇軾的研究是從他的詞開始的，並在二十世紀初，形成了對蘇軾詞研究的一個小高潮，為百年來東坡詞的研究奠定了堅實的基礎。馮煦、朱祖謀、鄭文焯、俞陛雲、王國維、梁啟超、梁令嫻、胡適、胡雲翼、葉恭綽、俞平伯、龍榆生、夏承燾、吳梅、葉聖陶、唐圭璋、繆鉞、沈祖棻等諸多老一輩學者皆為蘇軾詞作過注釋與闡述，產生了一大批卓著的成果，如：鄭文焯《東坡詞》序，馮煦《東坡樂府》序，朱祖謀編校《東坡樂府》，王國維《人間詞話》，林大椿校輯《東坡樂府》、胡雲翼《北宋四大詞人評傳》、張鵬群《論蘇辛詞之異同》、葉紹鈞選注《蘇辛詞》、勛吾《中國大文豪蘇東坡的生平及其作品》、龍榆生《東坡樂府綜論》和《東坡樂府箋》等等，不勝枚舉。

在這樣良好的開端下，對蘇軾詞的研究一直沒有停歇過。據劉尊明、王兆鵬〈本世紀東坡詞研究的定量分析〉（《文學遺產》，1999年第6期）統計，蘇軾高居歷代品評次數和二十世紀宋代詞人研究成果兩項排名的第一位。經歷了文革的壓抑後，八〇年代和九〇年代前半期，成為接續二十世紀初東坡詞研究的繁榮時期，僅八〇年代的十年間，東坡詞的研究成果即多達九〇九項次，堪稱二十世紀東坡詞研究的巔峰時期。而在近二、三十年的蘇軾詞研究中，除了對蘇軾的詞作內容、編年、分期、類型、佚詞辨偽、考證外，研究者們還集中探討了蘇軾詞的創作背景、詞派詞風、詞牌音律、以詩為詞等問

題，旁及意象、詞體、詞境的研究。如，劉揚忠〈北宋時期的文化衝突與詞人的審美選擇〉（《湖北大學學報》，1998年3期）認為，北宋是封建政治經濟從鼎盛走向沒落的時期，也正是中國文學的正統文學與市民文學的盛衰交替的轉變期，這對詞體創作的影響表現為市民意識與士大夫意識、新興都市文化與傳統士大夫文化的矛盾衝突和融合妥協，並推動了一些詞派詞風的產生而消長。而蘇軾的詞，正是北宋中期有識之士為求得詞在士大夫階層的進一步發展，而將封建士大夫意識與市民意識調和起來的產物，是一方面抵制了理學家壓抑人欲壓迫詞體的行為、一方面又反對柳永俚俗豔冶詞風的「中間路線」的產物。莫礪鋒〈從蘇詞蘇詩之異同看蘇軾「以詩為詞」〉（《中國文化研究》2002年2期）從寫作年限、題材走向、風格傾向等方面把蘇詞與蘇詩進行對照，發現蘇詞的寫作年限遠遠短於蘇詩，蘇詞的題材範圍也比蘇詩狹隘，而蘇詞的風格則比蘇詩更傾向柔美和婉等特點。並進一步指出，蘇軾在詞的創作中確實有「以詩為詞」的傾向，但是他並沒有把詞當作與詩毫無區別的文體，相反，蘇軾對詞體自身的特徵有相當清晰的認識，所以他只是在有限的程度上把詩體的題材走向與風格傾向導入詞體，蘇軾的「以詩為詞」並未泯滅詞體與詩體的界限，卻擴大了詞體的題材範圍並增強了詞體的抒情性質，從而對詞的發展作出了貢獻。

　　蘇軾的詩作具有很強的獨創性與典範意義，被學習者和研究者稱之為「蘇詩」，足見其個人特色和在詩歌史的地位。二十世紀初，對蘇詩的研究沒有蘇詞那麼充分，且大多是與宋詩放在一處探討的，但卻不乏大家與真知灼見。如，胡雲翼《宋詩研究》（商務印書館，1930年）指出，「沒有歐陽修，絕不能廓清西昆體的殘餘勢力；沒有蘇軾，絕不能造成宋詩的新生命。」趙宗湘〈蘇詩臆說〉（《國專月刊》，1936年12月）指出，蘇軾「受李杜之影響較深，與韓、劉之關係為淺。此外，陶淵明、韋蘇州、王右丞諸家，予東坡之助力亦大。」梁昆《宋詩派別論》（北京：商務印書館，1938年）指出，「東坡之主詩盟，不專宗某一古人，乃兼重才氣，任個性自由發展，絕不加以限制，又絕不以體裁不同而相互攻駁，故蘇派諸人各具面目。」論述在精不在多，此時雖然還沒有對蘇詩進行系統化、精細化的研究，但是已奠定了研究蘇詩的良好基礎和可研討的空間。

　　新時期以來，關於蘇詩藝術特色、淵源與影響的研究在平穩中向前推進。馬德富〈蘇詩以意勝〉（《文學評論》，1989年2期）認為蘇詩「知性元的強化，意的強化，由此而突破唐詩的結構模式，導致情景交融的和諧的消減和情理互滲平衡的傾斜。蘇詩的藝術成就與藝術特徵根源在於此，而失誤也由於此。」陶文鵬〈論蘇軾詩塑造人物形象的藝術〉（《文學遺產》，1994年1期）指出，蘇軾詩作中有十分之一涉及到了人物形象的塑造，而之前的研究沒有對此加以足夠的重視，蘇詩中的敘事特徵是蘇軾對宋詩詩藝的一種重要開拓。關於蘇詩的分期和主導風格的探討也不乏平實的立論和創造性的闡發。王水照〈論蘇軾創作的階段〉（《社會科學戰線》，1984年1期）認為，「與其按自然年序把

他的創作分為早、中、晚三期，不如按其生活經歷分稱初入仕宦及兩次『在朝──外任──貶居』，而分為七段」。謝桃坊《蘇詩分期評議》則是按藝術風格的進展將蘇詩分為六個時期，並將這六個時期以「烏臺詩案」為界分為前後兩期。二者從不同角度思考對蘇詩進行分期，一著眼於蘇軾的生活仕宦經歷，一著眼於蘇軾詩風的變化，雖然二者劃分出的時期不盡相同，但對於更清晰的了解蘇詩可謂有異曲同工之妙。

　　相對於以往的成果，最近二、三十年，對蘇詩的研究還呈現出按題材分類的趨勢，其山水詩、政治詩、題畫詩、和陶詩等紛紛成為研究者探究的重點，並著力研究蘇詩背後的文化品格。以和陶詩為例，除一部分專著中專節論述和陶詩之外，專門研究和陶詩的論文不下幾十篇，有期刊論文，還有碩士、博士論文。其中，既有對文化背景的分析，也有對原因的探討；既有對思想內容的挖掘，也有對藝術風格的比較。研究者們作了很多有益的探索。之所以會出現這種繁榮的景象，或許正如袁行霈所言的那樣「和陶是一種很特殊的、值得注意的現象，其意義已經超出文學本身。這種現象不僅證明陶淵明的影響巨大，而且表明後代的文人對他有強烈的認同感。和陶並不是一種很能表現創作才能的文學活動，其價值主要不在於作品本身的文學成就，而在於這種文學活動的文化意蘊。」[6]著眼於文化意蘊的角度考量，為新時期蘇詩研究開拓了一個新的天地。

　　相對於蘇軾的詞和詩，對其散文的研究則起步較晚。但近幾十年，諸多研究者將目光紛紛轉向了對蘇文的探討，因此，出版和發表的關於蘇軾散文的著作和論文數量上蔚為可觀。在文獻的整理和文章的普及方面，出現了大量的散文集、注釋本等，如，王松林點校《東坡志林》（北京：中華書局，1981年），蘇軾研究會《東坡文論叢》（成都：四川文藝出版社，1986年），孔凡禮校注（北京：中華書局，1981年），石聲淮、唐玲玲《蘇軾文選》（上海：上海古籍出版社，1989年）等等幾十部關於蘇軾散文的作品選。具體研究上亦成果斐然。有從蘇軾散文的意義出發的，如，柯大課、叢鑒〈蘇軾關於散文創作的理論及實踐〉（《文學評論叢刊》18輯，1983年）認為，蘇軾「把散文創作引向文學藝術的道路，使散文擺脫了經學道學的羈絆，成為自由表達思想感情的文學形式」。有探究蘇軾散文的藝術特點的，如，王水照〈論蘇軾散文的藝術美〉（《社會科學戰線》，1985年3期）指出：東坡散文具有「圓活流轉之美」、「錯綜變化之美」、「自然真率之美」。而郭預衡《蘇軾散文的一些藝術特色》認為，蘇軾散文的特色在於辭達、通脫、有文采，體現了唐宋兩代古文運動最積極的成果。有專門探討蘇軾某類散文的地位兼論駢散關係的，如，何國棟〈蘇軾賦的散體特徵及其形成〉（《蘭州大學學報》，1998年2期）認為，蘇軾完成了由辭賦向散文賦的轉變，不僅體現了蘇軾的創造精神、美學趣尚、文學主張，而且體現出文學發展的規律。有闡析蘇軾散文中的思想構成與思維方式的，如，趙仁珪〈蘇軾散文中的禪〉（《北京師範大學學報》（社會科學版），1997年第

6　袁行霈：〈論和陶詩及其文化意蘊〉，《中國社會科學》，2003年6期，頁149。

4期）認為，蘇軾於佛教雖為「泛宗派者」，但對禪宗情有獨鍾。其表現有二：一是對偽禪學的批判，對真禪學的堅持；二是能從中提煉靜而達的哲學精髓，取其實用、重人情及富有辯證的思維方式。整體看來，對蘇軾散文的研究既充分挖掘文獻材料，又兼顧到了理論思維的創新，涉及的角度和領域也頗為廣泛。

近年來的一個趨勢是，在宏觀的基礎上注重微觀的探討和分析，故對蘇軾散文多進行分體研究，尤其在碩士和博士論文中，此類選題頗為常見。關於蘇軾散文分體研究的碩士論文即有《蘇軾小品文研究》（汕頭大學，2009年）、《蘇軾記體文研究》（瀋陽師範大學，2011年）、《蘇軾論體文研究》（吉林大學，2011年）、《蘇軾表文研究》（遼寧大學，2011年）、《蘇軾批評文體研究》（東華理工大學，2011年）、《蘇軾碑誌文研究》（遼寧師範大學，2012年）、《蘇軾題跋文研究》（江西師範大學，2012年）等等。某一類型的研究在某類人群中在短時間內迅速地興起，近乎發展為一種風尚。從對蘇軾研究的精細化角度來看，或許對於蘇軾的不同文體的歸納、整理，乃至辨析、闡釋都有一定的助益，但助益的多寡很大程度上還要取決於論文本身的品質。蘇軾的文章確有諸多可挖掘之處，形成研究熱點和風尚本身無可厚非，但是如何從問題意識出發，保障、提升研究的品質，對於研究者而言，則任重而道遠。

四　比較、接受研究

關於蘇軾的比較、接受研究多年來亦有條不紊地進行著，取得了豐碩的研究成果。

相對而言，對於蘇軾的縱向比較研究進行得較早也較為充分。有溯源比較研究，從蘇軾對前人的學習仿擬方面，探尋蘇軾詩、詞、文的思想文化淵源，如繆鉞、羅忼烈、葉嘉瑩、謝桃坊、吳汝煜等在很早以前即做過蘇軾受莊子、屈原、陶淵明、李白、杜甫、柳永等人影響的研究。有輻射比較研究，側重蘇軾文學的流傳以及對後世文人的薰陶，探討蘇軾在文學史上的影響，如劉麟生、陳邇冬、周汝昌、劉乃昌、嚴迪昌等在早些年即做過關於蘇軾對辛棄疾、姜夔、葉夢得、陳與義、朱敦儒、范成大、元好問等的影響研究。這些研究眼光精准獨到，為後來關於蘇軾的縱向比較研究奠定了良好的基礎。

除了將蘇軾與文學史上不同時期的作家進行比較之外，近些年，學界還著重探究了蘇軾在不同朝代、不同時期的被接受情況，展現了蘇軾在文學接受史上地位的波瀾起伏。如，祝尚書〈論「後東坡時代」〉（《地方文化研究輯刊》，2016年1期）指出，宋徽宗崇寧以後約七十年，我們稱之為「後東坡時代」。蘇軾成了「元祐學」的魁首，「元祐黨禍」的慘痛受害者，且在蘇軾去世後三十年間嚴禁「元祐學術」。而嚴禁「元祐學術」則是以北宋滅亡為代價而崩盤的，之後，宋孝宗又將蘇軾扶上了文壇的巔峰，他的作品也完成了由禁書到經典的蛻變。

在圍繞蘇軾進行的比較與接受研究中，橫向研究漸成為近些年的一個熱點。尤其是

群體比較研究，從與蘇軾相關聯的群體入手作以全方位的探討，著重闡析蘇軾在其生活時代的群體中的同中之異與異中之同。如曾昭岷、曾棗莊、王洪、冷成金等對蘇軾與其父其弟其子、蘇門四學士或蘇門六君子的關係及文學上的互相影響皆做出過相關的比較研究。

　　此外，還有中外比較、接受研究，在跨地域、跨時代、跨文化的背景下，展現不同民族、國家間的文化傳播與交流。相對於在本國語境內的蘇軾比較、接受研究，這種在中外文化的對比中探討蘇軾的文學成就與影響，更加突顯了蘇軾作為中國傳統文化的一個代表這樣的形象。目前，已有相當數量的關於蘇軾的詩、詞、文，甚至人生閱歷、文化品格等對日本、朝鮮、韓國、越南、前蘇聯、東南亞和美國等地文學的影響研究。如，莊逸雲〈簡論韓國古代詩話對蘇軾的接受〉（《瓊州學院學報》，2015年6期）談到，蘇軾是對韓國漢詩影響深遠的詩人。高麗、朝鮮時代的韓國詩話對蘇軾的接受全面而深入，包括對其生平際遇、文藝觀念，文學淵源、作品風格及文學史地位等進行了多角度的探討。在對蘇軾的接受中，韓國詩話的觀照視野受到儒家文化、中國詩話及中國詩壇風氣的影響，且處處以蘇軾為參照系考察韓國漢詩，呈現出主體性與開放性的特點。總體來看，域外漢學雖然越來越受到研究者的關注，但是關於蘇軾的中外比較、接受研究這一既具有深厚歷史積澱又緊扣時代脈搏的話題，似乎國內的研究者仍有較大的著力空間。

　　王水照從事蘇軾研究多年，他指出，對於這一研究領域進行回顧與前瞻，我們仍感差距甚遠，深感與研究物件本身所具有的研究價值與意義頗不相稱。其在世紀之交寫的《走近「蘇海」──蘇軾研究的幾點反思》中提出了幾點關於蘇軾研究的感想，頗為精闢中肯，值得反覆琢磨。他認為，一是應重視「小環境」和具體事件的實證研究。二是對新材料的挖掘和鑑別。三是對文本的正確解讀。雖然現在的蘇軾研究在數量上和品質上都居於上乘，但仍多有人云亦云、無關痛癢的論作出現，王水照提出的這幾點建議看似基礎而細微，卻揭示出未來能否做好蘇軾研究的不二法門。

　　蘇軾是我國文化史上一位罕見的全才，是人類知識和才華發展到某方面極限的化身。蘇軾的詩、詞、文、賦、書、畫等皆足名家，都是宋代文學藝術中的標誌性成果。面對這位海涵地負、千匯萬狀的一代文宗，我們的確應在已有的研究基礎上更上層樓，提供出整體性的綜合研究成果。其次，蘇軾又是一位複雜而難以評論的作家，在他身上存在著不少研究難點，同時也往往成為論爭的熱點與焦點。如政治態度的變法與反變法，思想上的儒釋道關係，創作分期的劃分，文化性格的特質與核心，這些已經或正在討論的問題以及還將提出的諸多問題，就其繁多和複雜而言，在我國古代作家個案研究中也是較為少見的。這些問題的存在，正是「東坡世界」包孕豐富、深刻的必然反映，也是學術探討與發展的最佳生長點，研究者大有用武之地。第三，在我國古代作家中，能夠持久地跟同時和後世人們建立起親切動人關係者並不多，蘇軾卻是其中突出的一

位。蘇軾是現世性與超越性水乳交融在一起的一位智者。他總是擁有一代又一代的眾多讀者、研究者和文藝家，引起他們連綿不斷的文化懷念，形成了一部以審美陶冶、理性闡釋和創作滋養為內容的蘇學接受史，並一直延伸到今天。在時下商品大潮洶湧的環境中，蘇軾的全部文化創造並沒有失去它的價值和作用。它是能夠成為當代文化資源的組成部分的。對於蘇軾文化遺產的當下意義和現代轉換，也有待於研究者們的共同探索。[7]

7　王水照：〈走近「蘇海」──蘇軾研究的幾點反思〉，《文學評論》，1999年第3期，頁135-136。

以一貫之
——論羅欽順對於朱子學的堅守與發展[*]

田智忠

北京師範大學哲學學院，中國朱子學會理事

　　在明代中期，理氣不分、理氣為一的觀念逐漸深入人心，這也給向來以強調理在氣先、理氣二元的傳統朱子學立場，帶來了強有力的挑戰。甚至被譽為「朱學後勁」的羅欽順，都有了向氣本論[1]靠攏的趨勢。在此背景下，明代朱子學者又如何來堅守朱子學的基本理念？我們知道，一名學者之所以被視為是朱子學學者，根本點就在於其對於朱子學派身分的自覺認同，以及對於朱子學基本理念的堅守。對此有學者強調，一個思想家的學派屬性，主要決定於他的心性論和功夫論，即他對於心性的看法和對修養方法的看法。因此，像羅欽順這樣主張「氣本」的學者也，完全可以納入到朱子學者的陣營當中。此說或可再論。我們知道，朱子學的基石是理本論，這也是其心性論和功夫論的基礎。朱子主張理氣二分、理一分殊，其心性論和功夫論也必然採用天命之性與氣質之性、心之性情、主敬涵養與格物致知二分的基本框架，以保持其整體性。由此，明代朱子學在理氣關係問題上做出的「讓步」，勢必會導致其在理氣論與心性論、功夫論上的罅隙（這也招致了黃宗羲對於羅欽順的批評），出現一線失守，全線潰退的局面。我們認為，明代朱子學者在不得不接受理氣歸一思想的前提下，仍在自覺的拒斥「心本」的立場，這也成為其堅守朱子學身分的最後屏障，也成為其在工夫論上堅守與發展朱子學基本立場的前提。值得注意的是，基於理氣與心性一致的立場，羅欽順在理氣問題上做出讓步的同時，也在心性問題上在自覺的揚棄朱子的觀點，主張「合二為一」的心性說，甚至為氣質辯護，這是其主張理氣本一論的必然。羅欽順對於朱子學的堅守，在其對心學的自覺拒斥上，也在對朱子學工夫論的堅守上。

　　本文以羅欽順思想為例，來探討其對於朱子基本理念的堅守與發展，以對整個明代朱子學如何堅守與發展朱子學的基本理念，做出審查。

---

[*]　【基金項目】二〇一四年國家社會科學基金重大項目「中國傳統價值觀變遷史」（14ZDB003）。
1　嚴格來說，「氣本論」基本預設了氣在邏輯上先於理，理是氣之理的基本原則。

一　羅欽順的理氣歸一論

羅欽順對於自己朱子後學的身分有著高度的自覺，他曾提出：

> 自昔有志於道學者，罔不尊信程朱，近時以道學鳴者，則泰然自處於程朱之上
> 矣。然考其所得，乃程朱早嘗學焉而竟棄之者也。夫勤一生以求道，乃拾先賢所
> 棄以自珍，反從而議其後，不亦誤耶？雖然，程朱之學可謂至矣，然其心則固未
> 嘗自以為至也⋯⋯愚嘗遍取程朱之書，潛玩精思，反覆不置，惟於伯子之說，了
> 無所疑，叔子與朱子論著、答問，不為不多，往往窮深極微，兩端皆竭，所可疑
> 者，獨未見其定於一爾⋯⋯夫因其言而求其所未一，非篤於尊信者不能，此愚所
> 以盡心焉而不敢忽也。[2]

顯然，羅欽順對於自己篤信程朱的立場確定無疑。在此前提下，羅欽順卻並不迴避
自己與朱子思想之間的細微差異處：朱子強調「理在氣先」、「理氣二分」，這又是其主
張對於理與氣、一與殊、形而上與形而下[3]的兩兩對立的區分是分不開的，是典型的理
本論立場；但明代學者普遍認同「理氣為一」的一元論立場，這也是羅欽順更認同程顥
思維方式的根本原因，雖然他對於程顥思想的把握，或許有所偏差。

我們注意到，從曹端、薛瑄、胡居仁、羅欽順等朱子學者對於理氣問題的表述來
看，明代朱子學者們有一個逐漸放棄「理本論」立場，甚至走向「氣本論」的趨勢，這
可以說是自元代甚至宋末以來，「理學思維的去實體化路向」[4]逐漸成為人們共識的必
然。羅欽順也並不掩飾這一點，甚至公開表達了在理氣關係上與朱子立場的不同。

概言之，明儒曹端在其〈太極圖說述解序〉中強調：「太極，理之別名耳。天道之
立，實理所為；理學之源，實天所出」[5]，這顯然是對朱子的理本論立場的堅持。而為
了突出「理」的創生性，曹端還特別點出理為活理，理有動靜，這是對朱子基本立場的
修正：

> 及觀《語錄》，卻謂太極不自會動靜，乘陰陽之動靜而動靜耳，遂謂理之乘氣，
> 猶人之乘馬，馬之一出一入，而人亦與之一出一入，以喻氣之一動一靜，而理亦
> 與之一動一靜。若然，則人為死人，而不足以為萬物之靈；理為死理，而不足以

2　羅欽順：《困知記》北京：中華書局，1990年，頁6，下同。

3　二程主張體用一源，顯微無間，這必然對朱子有所影響，但朱子則是以主張理附在氣上、通過氣來
　呈現。因此，討論問題既可以從氣化流行上論，也可以只邏輯的討論理之本然。朱子是在堅持理氣
　二元的前提下，來發揮體用一源的思想。

4　關於「理學思維的去實體化路向」，具體可參看陳來先生〈元明理學的「去實體化」轉向及其理論
　後果——重回「哲學史」詮釋的一個例子〉一文，載《中國文化研究》，2003年第2期。

5　曹端：《曹端集》，〈辨戾〉北京：中華書局，2003年，頁23、24，下同。

為萬物之原，理何足尚？而人何足貴哉！今使活人乘馬，則其出入行止疾徐，一由乎人馭之何如耳，活理亦然……。[6]

曹端此論，顯是針對《朱子語類》而發，其本意是要突出理作為主體的創造性和主動性，但曹端此論也是一把雙刃劍，勢必會弱化理學中所本有的形而上與形而下之分，有將「理」拉入形而下的嫌疑。

薛瑄則開始強調「理氣絕不可分先後」：

或言「未有天地之先，畢竟先有此理，有此理，便有此氣」。竊謂理氣不可分先後，蓋未有天地之先，天地之形雖未成，而所以為天地之氣，則渾渾乎未嘗間斷止息，而理涵乎氣之中也。及動而生陽而天始分，則理乘是氣之動而具於天之中；靜而生陰而地始分，則理乘是氣之靜而具於地之中。分天分地而理無不在，一動一靜而理無不存，以至化生萬物，萬物生生而變化無窮，理氣二者，蓋無須臾之相離也，又安可分孰先孰後哉？孔子曰：「易有太極」，其此之謂與[7]？

這裡，薛瑄口中的「或言」，指的就是朱子之言，這是一種為尊者諱的做法，婉轉的表明其實他不同意朱子的立場。薛瑄把朱子「氣有盡而理無窮」的說法，理解為氣的具體聚散形態有盡，而氣之本身則無盡，進而否定了「理在氣先」的說法，這是以「理氣為一」論代替朱子理氣二分說的集中體現。不過，薛瑄此處仍然在主張「氣有聚散而理無聚散」的觀點，表明其仍然在認理氣為二，這在一定程度上堅守了朱子的基本立場。

稍後，胡居仁（1434-1484）仍然在強調「有理而後有氣」：

有理而後有氣，有是理必有是氣，有是氣必有是理，二之則不是。然氣有盡而理無窮，理無窮則氣亦生生不息，故天地之闔闢，萬物之始終，寒暑之消長，知道者默而識之[8]。

有是理必有是氣，故有太極便生兩儀；有是氣必具是理，故兩儀既判，太極即具於其中，故曰「一物一太極」，又曰「萬物共一太極」[9]。

胡居仁對於「有理而後有氣」、「理是氣之主」的強調，清楚地表明了其維護朱子理氣觀基本立場的態度。再者，胡居仁與陳獻章同出自吳與弼之門，但胡居仁對於陳獻章心學傾向的批評不遺餘力，這是其作為朱子後學身分的自覺。不過，胡居仁似乎對於理氣關係的強調，更側重「二之則不是」的一面，這與朱子強調理與氣絕對是二物的立

6　《曹端集》，〈辨戾〉，頁23、24。

7　薛瑄：《薛瑄全集》，《讀書錄》卷3，太原：山西人民出版社，1990年，頁1074、1075。

8　胡居仁：《居業錄》卷8，載商務印書館《叢書集成初編》，第657冊，1936年，頁100，下同。

9　《居業錄》卷8，頁120。

場，有所變化。

明代朱子學者在理氣關係上的上述變化，至羅欽順而發生了根本性的轉折。羅欽順明確強調「理為氣之理」，頗有主張「氣本論」的趨勢：

> ……理果何物也哉？蓋通天地、亙古今，無非一氣而已。氣本一也，而一動一靜，一往一來，一闔一闢，一升一降，循環無已，積微而著，由著復微，為四時之溫涼寒暑，為萬物之生長收藏，為斯民之日用彝倫，為人事之成敗得失，千條萬緒，紛紜膠轕，而卒不可亂，有莫知其所以然而然，是即所謂理也。初非別有一物，依於氣而立，附於氣以行也。或者因「易有太極」一言，乃疑陰陽之變易，類有一物主宰乎其間者，是不然……太極，則眾理之總名也……程伯子嘗歷舉〈繫辭〉「形而上者謂之道，形而下者謂之器」、「立天之道曰陰與陽，立地之道曰柔與剛，立人之道曰仁與義」、「一陰一陽之謂道」數語，乃從而申之曰：「陰陽亦形而下者也，而曰道者，惟此語截得上下最分明。元來只此是道，要在人默而識之也」……所謂叔子小有未合者，劉元承記其語有云：「所以陰陽者道」，又云「所以闔闢者道」，竊詳「所以」二字，固指言形而上者，然未免微有二物之嫌，以伯子「元來只此是道」之語觀之，自見渾然之妙，似不須更著「所以」字也。所謂朱子小有未合者，蓋其言有云「理與氣決是二物」，又云「氣強理弱」，又云「若無此氣，則此理如何頓放」，似此類頗多……[10]

對於羅欽順的這段長文，歷來學者多注意到此文前半段類似於「氣本論」的表述，及其與在理氣問題上與朱子立場的對立。但從此文的整體邏輯來看，羅欽順還另外強調了兩點：一是羅欽順認為，理只能以殊理、眾理的形式呈現，不存在所謂「類有一物主宰乎其間者」，這正是對以實體形式存在之「理」的解構，是「理學思維的去實體化路向」的體現，而與朱子的立場迥異；二是羅欽順極力反駁小程子和朱子認理氣為二、析形而上、形而下為二的觀點，甚至針對小程子「所以陰陽者道」這種「未免微有二物之嫌」的提法，提出了「似不須更著『所以』字也」的明確反駁。羅欽順這種強調理氣為一，形而上者恰恰要通過形而下者來體現的觀點，更體現為一種以一元性思維來取代程頤與朱子的二元性思維的鮮明立場。羅欽順的態度很明確：「一陰一陽往來不息，即是道之全體」、「陰陽，亦形而下者也，而曰道者……元來只此是道」。正是因為「元來只此是道」，所以就不需要去強分其為二，也不需要去討論理與氣誰先誰後，誰主誰從的問題。需要說明的是，羅欽順固然反對截然的析理與氣為二、析形而上、形而下為二的觀點，但卻不反對要對理與氣和形而上與形而下做出必要的區分。這一點，尤其值得我們注意。

---

10 《困知記》，頁4、5。

羅欽順的理氣歸一論，顯然是對朱子的「理在氣先」說的反動。雖然如此，我們並不認為羅欽順在理氣觀的問題上，徹底背離了朱子的基本立場。羅欽順固然在強調氣的本源性，但這並不以降低理的崇高性為代價的，也不意味著羅欽順對於理的理解僅僅是自然屬性。恰相反，羅欽順對於氣的理解，在豐富性要遠超張載等氣本論者：張載只是以虛、清通、湛然等自然屬性論性，而羅欽順對於氣的詮釋則有理性化甚至德性化的一面，充分吸收了程朱理學的要素，在極力泯除德性與自然的界限。這也保證了羅欽順在主張理只是氣之理的前提下，不會流於僅僅是以氣的自然屬性來詮釋理，而是對於理的道德屬性和理性屬性予以了充分的揭示，在一定程度上延續了朱子理性主義的立場。

二　論「性即理」

羅欽順對於朱子學基本立場的堅守，又集中體現在其對於心學立場的全面批判上。羅欽順旗幟鮮明的發揮二程「性即理」的主張，反對象山的「心即理」說：

> 程子言「性即理也」，象山言「心即理也」，至當歸一，精義無二，此是則彼非，彼是則此非，安可不明辨之！昔吾夫子贊《易》，言性屢矣：曰「乾道變化，各正性命」，曰「成之者性」，曰「聖人作易，以順性命之理」，曰「窮理盡性以至於命」，但詳味此數言，「性即理也」，明矣。於心亦屢言之：曰「聖人以此洗心」，曰「易其心而後語」，曰「能說諸心」。夫心而曰洗、曰易、曰說，洗心而曰以此，試詳味此數語，謂心即理也，其可通乎？且孟子嘗言「理義之悅我心，猶芻豢之悅我口」，尤為明白易見，故學而不取證於經書，一切師心自用，未有不自誤者也。自誤已不可，況誤人乎[11]？

這裡，羅欽順引用經典，力圖證明「性即理」為是而「心即理」為非，同時對於心與性之別，劃出了明確的界限。不論其此處論證的效力如何，但其反心學的立場則確定無疑。

再者，羅欽順亦絕不接受心學的基本預設，認為陽明與禪宗「以心為本」的說法，都有「以心法起滅天地」的流蔽，泯除了心與物的界限。與陽明強調「心外無物」不同，羅欽順則強調：「盈天地之間者惟萬物，人固萬物中一物耳……人猶物也，我猶人也。其理豈榮有二哉？然形質即具，則其分不能不殊」[12]。顯然，羅欽順是在強調人與萬物分殊不同的前提下，再來討論其通性。從「理一分殊」的視角來看：一方面，通天下一氣、通天下一理，因此人與萬物其理無二；但另一方面，人與萬物各具異質，則

11　同上註，頁37。

12　同上註，頁3。

人己與內外之分界就不容泯滅。由此，強調通天下一物，就不能成為泯除人我界限的理由：

> 天人物我之分明，始可以言理一[13]。

> 天地人物，止是一理。然而語天道則曰陰陽。語地道則曰剛柔，語人道則曰仁義，何也？蓋其分既殊，其為道也，自不容於無別。然則鳥獸草木之為物，亦云庶矣，欲名其道，夫豈可以一言盡乎？大抵性以命同，道以形異，必明乎異同之際，斯可以盡天地人物之理[14]。

羅欽順主張要區分天人物我之分、名乎異同之際，絕不認同王陽明「要將物字牽向裡來」、「局於內而遺其外」的思路，認為陽明此說是在襲禪宗的剩語。不過，本著歸一性思維，羅欽順同樣主張物我之分的前提下，又需明其通性：

> 格物之格，正是通徹無間之意，蓋工夫至到則通徹無間，物即我，我即物，渾然一致，雖合字亦不用矣[15]。

應當看到，羅欽順與王陽明有著共同的問題意識，即意在避免朱子思想二元對立的模式（具體而論，羅欽順是希望避免理與氣為二，陽明則希望避免心與理為二），都在尋求一種統一性的思維。不過，羅欽順又明確反對以心為基點來統一理與氣、物與我的做法，而是強調在明確物我、內外之分的前提下，再來實現二者之間的通徹無間。這是一種「理一分殊」的思維方式，而與陽明不同。

羅欽順在理氣觀上對於朱子學基本立場的堅守，還體現在其對於「認氣為理」的批判上：

> 程子嘗言「天地間只有一個感應而已，更有甚事」？夫往者感則來者應，來者感則往者應，一感一應，循環無已，理無往而不存焉。在天在人，一也。天道惟是至公，故感應有常而不忒；人情不能無私欲之累，故感應易忒而靡常。夫感應者，氣也；如是而感則如是而應，有不容以毫髮差者，理也。適當其可則吉，反而去之則凶，或過焉，或不及焉，則悔且吝。故理無往而不定也。然此多是就感通處說。須知此心雖寂然不動，其沖和之氣自為感應者，未始有一息之停，故所謂亭亭當當直上直下之正理，自不容有須臾之間，此則天之所命而人物之所以為性者也。愚故嘗曰：「理須就氣上認取，然認氣為理便不是」，此言殆不可易

---

13 同上註，頁14。

14 同上註，頁73。

15 同上註，頁4。

哉！[16]

在理學中，「認氣為理」通常用來批判佛學的「作用見性」，或者是認氣質為理性的觀點。羅欽順此書強調不能認氣為理，是因為相對於氣的變動不居而言，理則在或氣之聚散之上而顯其常性和通性，而這恰恰是「天之所命而人物之所以為性者也」。這表明，雖然羅欽順固然是主張理為氣之理，也主張不能在氣之外尋理，但卻並不希望完全泯除理與氣之間的界限，把人的思維完全下拉到形而下當中。羅欽順對於理有定性而氣無常形的強調，也成為其在心性論上堅持「理一分殊」說的基礎。當然，羅欽順此論，仍然以堅持「理是氣之理」為前提的，並不接受理在氣先、理能生氣的說法。

顯然，羅欽順在理氣問題上對於心學立場的批評，體現出其對於朱子學立場的堅守。

三　理一分殊

在心性論領域，羅欽順更多的表現出對於朱子思想的繼承，這也招致了黃宗羲的激烈批評，認為羅欽順在心性論領域「先立一性以為此心之主」，從而導致其在理氣論與心性論上的立場無法協調，這也成為學界評價羅欽順心性論思想的通行觀點：

> 蓋先生之論理氣最為精確，謂通天地，一古今，無非一氣而已……積微而著，由著復微，為四時之溫涼寒暑，為萬物之生長收藏，為斯民之日用彝倫，為人事之成敗得失！千條萬緒，紛紜膠轕，而卒不克亂，莫知其所以然而然，是即所謂理也。初非別有一物，依於氣而立，附於氣以行也。或者因易有太極一言，乃疑陰陽之變易，類有一物主宰乎其間者，是不然矣。斯言也，即朱子所謂「理與氣是二物、理弱氣強」諸論，可以不辯而自明矣。第先生之論心性，頗與其論理氣自相矛盾。夫在天為氣者，在人為心，在天為理者，在人為性。理氣如是，則心性亦如是，決無異也。人受天之氣以生，只有一心而已……初非別有一物，立於心之先，附於心之中也。先生以為天性正於受生之初，明覺發於既生之後，明覺是心而非性。信如斯言，則性體也，心用也；性是人生以上，靜也，心是感物而動，動也；性是天地萬物之理，公也；心是一己所有，私也。明明先立一性以為此心之主，與理能生氣之說無異，於先生理氣之論，無乃大悖乎？豈理氣是理氣，心性是心性，二者分，天人遂不可相通乎……今以喜怒哀樂未發之中為性，已發之和為情，勢不得不先性而後心矣……是故性者心之性，舍明覺自然、自有條理之心，而別求所謂性，亦猶舍屈伸往來之氣，而別求所謂理矣。朱子雖言心統性情，畢竟以未發屬之性，已發屬之心，即以言心性者言理氣，故理氣不能合

一。先生之言理氣不同於朱子，而言心性則於朱子同，故不能自一其說耳……[17]。

黃宗羲對於羅欽順「先生之言理氣不同於朱子，而言心性則於朱子同，故不能自一其說耳」的批判，頗值得商榷。羅欽順在對於心性論以及「理一分殊」問題的具體表述上，似乎也在有意地強調與朱子說法的不同：

> 「性善」，理之一也，而其言未及乎分殊；「有性善有性不善」，分之殊也，而其言未及乎理一。程、張本思、孟以言性，既專主乎理，復推氣質之說，則分之殊者，誠亦盡之。但曰「天命之性」，固已就氣質而言之矣；曰「氣質之性」，性非天命之謂乎？一性而兩名，且以氣質與天命對言，語終未瑩。朱子尤恐人之視為二物也，乃曰「氣質之性，即太極全體墮在氣質之中」，夫既以墮言，理氣不容無碎縫矣。惟以理一分殊蔽之，自無往而不通[18]。

> 「理一分殊」四字，本程子論《西銘》之言，其言至簡，而推之天下之理，無所不盡。在天固然，在人亦然，在物亦然；在一身則然，在一家亦然，在天下亦然；在一歲則然，在一日亦然，在萬古亦然。持此以論性，自不須立天命、氣質之兩名，粲然其如視諸掌矣。但既有此言，又以為「才稟於氣」，豈其所謂分之殊者，專指氣而言之乎！朱子嘗因學者問理與氣，亦稱伊川此語說得好，卻終以理氣為二物，愚所疑未定於一者，正指此也[19]。

這裡，羅欽順對於小程子、張載、朱子將一性而分兩名的做法微有不滿，而是強調就氣質而言天命之性，主張「其理之一，常在分殊之中」，這同樣是其歸一性思維的體現，也是羅欽順與朱子在論「理一分殊」問題上的不同點。因此，我們恐怕不能說羅欽順在心性論上完全是在因襲朱子，也不能說羅欽順看不到理氣論與心性論之間的一貫性。不僅如此，羅欽順還試圖從比較程顥與朱子論性的不同上，來突顯其在論心性上與朱子的不同：

> 程伯子論「生之謂性」一章，反覆推明，無非「理一分殊」之義。朱子為學者條析，雖詞有詳略，而大旨不殊，然似乎小有未合，請試陳之：夫謂「人生氣稟，理有善惡，以其分之殊者言也，然不是性中元有此兩物相對而生」，以其理之一者言也；謂「人生而靜以上不容說」，蓋人生而靜即未發之中，一性之真，湛然而已，更著言語形容不得，故曰「不容說」；「繼之者善」，即所謂感於物而動也，動則萬殊，剛柔善惡於是乎始分矣，然其分雖殊，莫非自然之理，故曰「惡亦不可不謂之性」；既以剛柔善惡

---

17 黃宗羲：《明儒學案》北京：中華書局，1986年，頁1109、1110。

18 《困知記》，頁7、8。

19 同上註，頁9。

名性，則非復其本體之精純矣，故曰「纔說性時，便已不是性」也；下文又以水之清濁為喻。蓋清，其至靜之本體；而濁，其感動之物欲也。本體誠至清，然未出山以前，無由見也，亦須流行處方見，若夫不能無濁，安可無修治之功哉？修治之功既至，則濁者以之澄定，而本體當湛然矣，然非能有所增損於其間也，故以舜有天下而不與終之。切詳章內「以上」二字，止是分截動靜之界，由動而言，則靜為「以上」，猶所謂未發之前，未發更指何處為前？蓋據已發而言之耳。朱子於此，似求之太過，卻以為人物未生時，恐非程子本意。蓋程子所引人生而靜一語，正指言本然之性，繼以「纔說性時，便已不是性」二語，蓋言世所常說，乃性之動，而非性之本也。此意甚明，詳味之，自可見。若以人生而靜以上，為指人物未生時說，則是說維天之命，「不是性」三字，無著落矣[20]。

　　這裡，羅欽順表面是在分別程顥與朱子在論性上的不同，實質卻是在表達其對於朱子離氣質而論天命之性，導致分天命之性與氣質之性為二的不滿。羅欽順強調，程顥與朱子在論性上的「小有未合」：程顥所要區分的，只是本然之性之「一」與此性之動則「萬殊」的不同，所討論的仍然只是一性；而朱子則以人物未生時和人物已生後分之，所討論的似乎已經有將性二分的嫌疑。在程顥與朱子之間，羅欽順更贊同程顥的說法（實際上，羅欽順對於程顥思想有曲解之嫌）。由此，朱子與羅欽順在論「理一分殊」上亦有重大的不同：朱子強調在人未生之前，「理一」不依於氣質而獨立存在；而在人既生之後，在理氣結合之下，萬物氣質之性各異，是為萬殊。顯然，朱子的「理一」與「分殊」之分，體現著本然與實然之分，形而上與形而下之別，更近乎一種邏輯上的區分。羅欽順的「理一」與「分殊」之別，只是對心性的已發（動）與未發（靜）做出區別，強調不能離開人而討論「理一」，強調不存在完全脫離形而下世界的獨立形而上世界。

　　羅欽順此文，極力在避免將「理一分殊」理解為如朱子那樣，視「理一」為實體化的存在，從而將「理一」與「分殊」二分的模式。這也可以看作是羅欽順在心性論領域嘗試走出朱子的思維範式，主張於流行上見本體、於氣質之性上見天命之性的努力。不過問題是，羅欽順在提出「蓋人物之生，受氣之初，其理為一，成形之後，其分則殊」[21]之時，他又必須要面對「蓋人物之生，受氣之初，其理為一」何以可能之問。既然在羅欽順的理解中，氣「未始有一息之停」，而並沒有一個氣本體或者氣實體的概念存在，而理又只是氣之理，那麼羅欽順所提出萬物在「受氣之初，其理為一」的「理一」，又該以何種形態呈現呢？這也是其招致黃宗羲激烈批評的根本原因。

　　總之，羅欽順無論是討論「理一分殊」時，還是討論心性問題時，都會把理氣合一

---

20 同上註，頁20。

21 同上註，頁7。

作為討論的出發點，也會很自覺的區分其與朱子觀點的不同：因為在理氣層面上，理只是氣之理，因此在心性層面上，也只能落實為一性說（就氣質而言天命之性），而不能說有兩個性：

> 程張本思孟以言性，既專主乎理，復推氣質之說，則分之殊者誠亦盡之。但曰「天命之性」，固已就氣質而言之矣，曰「氣質之性」，性非天命之謂乎？一性而兩名，且以氣質與天命對言，語終未瑩。朱子尤恐人之視為二物也，乃曰「氣質之性，即太極全體墮在氣質之中。」夫既以墮言，理氣不容無罅縫矣。惟以理一分殊蔽之，自無往而不通，而所謂「天下無性外之物」，豈不亶其然乎？[22]

這裡，羅欽順對於張載和朱子視氣質之性與天命之性為二物的觀點頗為不滿，認為不能離氣質而論天命之性。他希望從他所理解的「理一分殊」的獨特視角，重新說明天命之性與氣質之性的關係，視天命之性與氣質之性為一性的不同流變階段，也就是分截動靜語。這種觀點，顯然和張載和程朱的心性論有較大的區別。可以說，黃宗羲對於羅欽順心性論的批評，未能體會到羅欽順的一片苦心。

四　格物致知

在工夫論層面，羅欽順同樣把對於心學工夫論的拒斥置於優先討論的地位，從而體現出對於朱子學基本立場的堅守。朱子和陽明的工夫論都以格物致知為核心，但其對於格物致知的具體詮釋則大為不同。概言之，就是主張「心具理」、「性即理」與主張「心即理」之不同，主張即物窮理與主張誠意的不同。朱子認為，在受生之初，每個人既稟天命之性以為心之本（心具眾理），但同時也因為受到形氣之私的影響，不能對於心中本具之理產生自覺。朱子視心為理與氣之合，為德性與氣質的統體，因此上並不承認心與理無條件的合一，而是強調「性即理」。由此，朱子的成聖工夫自然會以變化氣質，通過後天的格物致知工夫來體認天理為根本，主張為學工夫要下學而上達，次第而進。

朱子認為，不講氣質，簡單將心等同於本然之心，進而主張自信本心，直接在心上格物的說法，其實是禪說。而對陽明來說，本心的流露直接即是天理良知的體現，因此上人同此心，心與理當下不二。陽明此論，立論基礎是「四句教」，而非程朱的「理一分殊」說。對於氣質，陽明則強調「性善之端須在氣上始見得，若無氣，亦無可見矣。惻隱、羞惡、辭讓、是非即是氣……若見得自性明白時，氣即是性，性即是氣，原無性氣之可分也」[23]，認為氣稟正是「心之善」的體現處。陽明此論，既是對宋儒「變化氣

22　同上註，頁10。

23　王守仁：《王陽明全集》卷2，《語錄二》上海：上海古籍出版社，1992年，頁61，下同。

質」說的否定，也為其強調「心即理」說，掃除了一大障礙。由此，格物工夫對於陽明來說，就不是要去外物上認識天理，而是要致其本有的良知，甚至是去體察「無善無噁心之體」。

羅欽順在格物的問題上，明確堅持了朱子學的基本立場，而且毫不動搖。首先，羅欽順明確強調格物工夫的本質是即物窮理，而非誠意：

> 盈天地之間者惟萬物，人固萬物中一物爾，「乾道變化，各正性命」，人猶物也，我猶人也，其理容有二哉？然形質既具，則其分不能不殊。分殊，故各私其身；理一，故皆備於我。夫人心虛靈之體，本無不該，惟其蔽於有我之私，是以明於近而暗於遠，見其小而遺其大。凡其所遺、所暗，皆不誠之本也。然則知有未至，欲意之誠，其可得乎？故《大學》之教，必始於格物，所以開其蔽也。[24]

在羅欽順「理一分殊」的視域下，在每個人之間，其分不能不殊，因為分殊，所以又不能不各私其身，這是每個人無所逃的宿命，而造成萬物其分萬殊的原因，恰恰是其形質的差異。正是因為形質的掩蔽，使人無法對於所謂的「人心虛靈之體，本無不該」有所自覺，所以格物的本質就是要開蔽，就是要即物窮理。

針對陽明的「既不知尊德性，焉有所謂道問學」之問，羅欽順也給出了明確的回答：

> 「既不知尊德性，焉有所謂道問學」，此言未為不是，但恐差認卻德性，則問學直差到底。原所以差認之故，亦只是欠卻問學工夫。要必如孟子所言，「博學詳說，以反說約」方為善學。苟學之不博，說之不詳，而蔽其見於方寸之間，雖欲不差，弗可得已[25]。

與朱子的觀點一致，羅欽順同樣強調，尊德性的正確途徑是「博學詳說，以反說約」，這是建立在認為人倫與物理之間有其通性，可以交相發明的立論之上，與陽明的觀點明顯對立。

其次，羅欽順強調，格物工夫要遵循儒學「盡心知性」的原則，而不能走佛教「明心見性」的路子，對於心與性之別要有所自覺。在羅欽順看來，佛教與陽明對於心性的理解，有見於心，無見於性，混同了心與性之別，根本上是錯誤的：

> 釋氏之「明心見性」，與吾儒之「盡心知性」，相似而實不同。蓋虛靈知覺，心之妙也。精微純一，性之真也。釋氏之學，大抵有見於心，無見於性。故其為教，始則欲人盡離諸相，而求其所謂空，空即虛也。既則欲其即相、即空，而契其所謂覺，即知覺也。覺性既得，則空相洞徹，神用無方，神即靈也。凡釋氏之言

---

24 《困知記》，頁2、3。
25 同上註，頁22、23。

性？窮其本末，要不出此三者，然此三者皆心之妙，而豈性之謂哉！使其據所見之及，復能向上尋之，「帝降之衷」亦庶乎其可識矣。顧自以為「無上妙道」，曾不知其終身尚有尋不到處，乃敢遂駕其說，以誤天下後世之人，至於廢棄人倫，滅絕天理，其貽禍之酷，可勝道哉！[26]

《傳習錄》有云「吾心之良知，即所謂天理也」，又云「道心者，良知之謂也」，又云「良知即是未發之中」，《雍語》有云「學問思辨篤行，所以存養其知覺」。又有問「仁者以天地萬物為一體」，答曰「人能存得這一點生意，便是與天地萬物為一體」；又問「所謂生者，即活動之意否，即所謂虛靈知覺否」，曰「然」；又曰「性即人之生意」，此皆以知覺為性之明驗也[27]。

羅欽順認為，佛教從空、覺、神三方面詮釋心之妙，卻對性理至善的本質毫無認同，是只見心不見於性[28]，最終導致其廢棄人倫，滅絕天理。因此，儒學的格物工夫就應該強調「盡心知性」，這樣才不會迷失自我。羅欽順是希望用「理一分殊」來說明心與性之別，明確反對陽明的以生意和知覺論性。在此意義上，羅欽順對於陽明學主張單純「格此物」、「致此知」的做法提出了尖銳的批評，認為其是在混同佛說，在混同心與性之別：

> 「幽明之故」、「死生之說」、「鬼神之情狀」，未有物格、知至而不能通乎此者也。佛氏以山河大地為幻，以生死為輪迴，以地獄為報應，是其知之所未撤者亦多矣，安在其為見性！世顧有尊用「格此物」、「致此知」之緒論，以陰售其明心之說者，是成何等見識耶！佛氏之幸，吾聖門之不幸也。[29]

邵雍曾有「心者性之郛廓」的論斷，也得到了朱子的讚許。但這一說法「未免微有二物之嫌」。羅欽順雖然主張歸一性思維，但在心與性之分上，卻完全是在因襲朱子的觀點，以此來旗幟鮮明的反對陽明的格物說。同樣，對於朱子和羅欽順來說，格物窮理只是其工夫論中的一個環節，在窮理工夫之外，還要有涵養或存養工夫以為誠意工夫的進一步展開[30]，這和陽明所主張的只有致良知這一個工夫的說法，顯有不同。可以說，工夫論領域也是羅欽順堅守朱子學立場最徹底的陣地。

26　同上註，頁3。

27　同上註，頁54。

28　佛家所理解的性，是空性，羅欽順只是基於自己的認識來提出對佛家的批判。

29　《困知記》，頁4。

30　羅欽順既強調格物致知，學之始也；克己復禮，學之終也；也強調格物工夫和存養工夫兩進，相互促進。

五　德性與知識

　　羅欽順與陽明的圍繞格物問題的爭論，涉及到一個非常重要的方面，即德性與知識之別，這幾乎是在朱陸之爭中，尊德性與道問學之爭的翻版，值得我們深入探討。我們知道，陽明批評朱子最重要的一點，就是認為朱子的說法有析心與理為二之嫌，具體表現就是捨本心之理，而在外在事物上求天理。陽明就此曾提出了一個著名的疑問：「先儒解格物為格天下之物，天下之物如何格得？且謂一草一木亦皆有理，今如何去格？縱格得草木來，如何反來誠得自家意？[31]」陽明此問，意在強調單純的去格外物之理，並不能誠自家意，但此問卻在無形中構築起了自家意與外物之理之間的屏障，同樣有析之為二之嫌。不過，陽明此問也為羅欽順堅持以一元論來堅持朱熹的格物立場，提出了尖銳的挑戰。

　　在陽明看來，心與理一，即是「心外無理」，意味著對於「物」的訓解只能是「事」，是「意之所在」者，意味著在「事上磨煉」要服務於誠自家意之目的。這在〈答顧東橋書〉一文中，有集中的說明：

> 故言窮理則格致誠正之功皆在其中，言格物則必兼舉致知誠意正心，而後其功始備而密。今偏舉格物而遂謂之窮理，此所以專以窮理屬知而謂格物未嘗有行，非惟不得格物之旨，並窮理之義而失之矣，此後世之學所以析知行為先後兩截。[32]

　　在陽明看來，只有主張「萬事萬物之理不外於吾心」，才能杜絕心與理為二之蔽，而朱子卻主張「以吾心而求理於事事物物之中」，這顯然認為心中本無理或者心中之理不足，實質上等同於告子的「義外」說，也會導致「析心與理為二」、「析知行為先後兩截」的蔽端。同理，主張「務外遺內」者，也會隔斷心與理之間本有的聯繫，將天理良知降低為純粹的知識，將儒學降低為玩物喪志的俗學。可見，陽明並不迴避純粹知識和天理良知之別，更主張單純窮外物的知識而不知返身誠意者，其活動毫無意義；而在徐愛等人提出在格物正心之外，一些知識性的操作也不能不探求的疑問之時，陽明則以本末之辯來解答之，堅稱孝之理不在父上，也不在一些操作性的知識細節上，而只在兒盡孝的一片赤誠之心上，是其心中本具之理。顯然，陽明固然以大心為基礎，提出了心外無理的主張，但其對於本心的理解，仍然強調以德性統帥知識；在對心物關係的理解上，突出強調意之所在便是物，從而在對我的意義世界的構建上（即良知的意義世界），再次強化了本心即理的理念。

　　我們認為，陽明這裡對於朱子的批評，未能建立在對朱子格物說固有邏輯的全面理

31　《王陽明》全集卷3，《語錄三》，頁119。

32　《王陽明》全集卷2，《語錄二》，頁48。

解之上，也體現出二人思維模式上的深刻差異。從朱子自己的邏輯上講，朱子絕不否認心具眾理的說法，但卻會把其放到「理一分殊」的整體框架下來說明：天理是萬物變遷的所以然者，也是萬物的本源，是獨立於氣之外的實體性存在。這也是我們討論人的心性問題的邏輯起點。在此前提下，因為「天命之謂性」，所以人與萬物都本具天理，源頭不二，因此人倫與物理自然有通性之可言。不過，在承認人心本具眾理的同時，卻並不妨礙說人生而即會受到氣質的影響，造成對其心中本具之理的掩蔽。由此，朱子所理解的心具天理說，其呈現方式必然會類似於珍珠被埋在泥沙中的樣態（即「氣質蒙蔽」說）。可以說，氣質的影響也成為朱子在討論心具眾理時，必然要考慮的因素。不過，常人本具之天理會被氣稟掩蔽，卻不能否認心本具眾理這一事實。因此，朱子不會認為心上之理與萬物上之理是完全異質的，也不會接受對其析心與理為二的指責。

朱子強調，欲體認天理，卻不能直接在心上用力，而需在「即物窮理」上用力。對於這一點，朱子有集中的強調：

> 德元問：「萬物各具一理而萬理同出一原？」曰：「萬物皆有此理，理皆同出一原，但所居之位不同，則其理之用不一。如為君須仁，為臣須敬，為子須孝，為父須慈，物物各具此理，而物物各異其用，然莫非一理之流行也。聖人所以窮理盡性而至於命，凡世間所有之物，莫不窮極其理，所以處置得物物各得其所，無一事一物不得其宜。除是無此物，方無此理，既有此物，聖人無有不盡其理者，所謂『惟至誠贊天地之化育，則可與天地參者也』（沈僩錄）」。[33]

心中所具之理與萬物各具之理同源，這一點毫無疑義。不過，受氣質之蔽的影響，常人很難對於心上本具之理有所自覺；而從物物各異其用的角度看，則理的豐富性和深刻性，恰恰就體現在萬物之用的不一上，這也是單純去格心上之理者，所無法體會的。因此，對物物之各得其所處和一事一物之宜的深刻體究，這是人得以與天地參的必要條件，也是達到「吾心之全體大用無不明」的必要前提。

當然，朱子主張即物窮理，並非是要把心中本無的理從外面拉回到心裡，而更應該體現為即物窮理與致我之知的合一：

> 格物致知，彼我相對而言耳。格物所以致知，於這一物上窮得一分之理，即我之知亦知得一分；於物之理窮二分，即我之知亦知得二分；於物之理窮得愈多，則我之知愈廣，其實只是一理。才明彼，即曉此。所以《大學》說「致知在格物」，又不說欲致其知者在格其物，蓋致知便在格物中，非格之外別有致處也。又曰：格物之理，所以致我之知（沈僩錄）[34]。

---

33 黎靖德編：《朱子語類》卷18，〈大學五‧或問下〉北京：中華書局，1999年，頁398。

34 同上註，頁399。

物理即道理，天下初無二理（鍾震錄）[35]。

朱子此論，似乎很好的回答了前面所提到的陽明「縱格得草木來，如何反來誠得自家意」之問。為什麼說「才明彼，即曉此」、「格物之理，所以致我之知」？其實這正是在強調「即物窮理」的過程，也同時即是致我之知的過程。借助於「即物窮理」逐漸到豁然貫通，我對天理所知越來越多，領會越來越深刻，同時對於我心中本具之理的自覺也會越來越明晰。再者，天下初無二理，人倫和物理本自相通，因此我們可以從對物理之所以如此的所以然者的體認中，不斷領會出天理之本然，而此「天理之本然」，也正是人心中所本具之理。可以說，「理一分殊」說，正是朱子大同物理與道理之間隔閡的理論支撐點，而具體以「理一分殊」形式表現出來的「一理」說和理氣關係說，也成為陽明與朱子思想的根本分歧點。

朱子認為格物與致知可以相互貫通的另一個堅實的支撐點，正是其所反覆強調的「一心說」。朱子的各種文獻中反覆強調，人只有一心，人心與道心之別，只在於其或發於形氣之私、還是發於性命之正之分，而不是說人有兩個心。他反對以心察心的觀點，反對將心的全體大用割裂為不相關的德性的心和認知的心。由此，格物之理者是此心，但此心需要時時自返，使所體認之理實有諸己；而致我之知者，也正是此心，因此其在格物上的受用，也必然會影響到致知的進程，反之亦然。這和陽明強調以「知行本體」為前提的知行合一說的邏輯，完全一致。

可見，朱子和陽明都在強調天與人，人與世界，心與外界之間的一體貫通，只不過其具體的說明並不相同。在陽明那裡，天理即是良知，良知貫通內外，但寐卻良知，就會導致知識與良知的分離，因此會強調良知與知識之辨；在朱子那裡，德性與物之理則相互發明，相互促進，因窮物理而明天理，因彼理而明此理，這是朱子格物致知工夫的固有進路。這一點，也得到了羅欽順的強調。

六　結論

在明代，去實體化思維和歸一性思維逐漸成為學術的主流。在此大背景下，朱子所主張的理本論和理一分殊模式，受到了巨大的挑戰。對此，明代朱子學者既在與心學的碰撞中堅守了朱子學的基本立場，又在理氣關係上逐漸接受理氣一元的思想，體現出對於朱子思想既堅守又發展的複雜態度。而在道德心性上，明代朱子學旗幟鮮明的反對講天命之性與氣質之性二分的立場，但又主張不能認理為氣，在一定程度上高揚了理性主義的精神；在工夫論上，明代朱子學者則牢守朱子的基本立場，強調為學工夫開始於體

35　《朱子語類》卷15，〈大學二・經下〉，頁294。

認即物窮理，終於致知誠意。顯然，明代朱子學的上述努力也成為推動明代理學發展的一大動力，值得我們展開進一步的研究。

陽明龍場悟道工夫論發微

周福

同濟大學

一　陽明龍場悟道的跡象

　　從本體—工夫的維度看，悟道的深淺，實際上是取決於工夫的深淺。故此，必須挖掘陽明龍場時期的工夫論，才能確證陽明已經悟道，並進一步探明陽明龍場所悟究竟為何。本文先談陽明龍場悟道的跡象和憑證，然後集中探討陽明龍場前後工夫的變化。之後才能判斷龍場時期的陽明是否真正悟道，其悟道的內容究竟是什麼。

　　據《年譜》所載，陽明和僕人一行初到龍場，生存環境極度嚴酷。僕人們都病倒了，陽明卻「自析薪取水作糜飼之；又恐其懷抑鬱，則與歌詩；又不悅，復調越曲，雜以詼笑，始能忘其為疾病夷狄患難也。」可以看出，此時的陽明對一切榮辱得失真能俱忘，非做聖人氣象之假態，陽明後來在〈瘞旅文〉中坦言：「自吾去父母鄉國而來此，三年矣，歷瘴毒而苟能自全，以吾未嘗一日之戚戚也。」[1] 身有宿疾，日有三死卻能存活下來，此為陽明曠達而無所羈絆的一個印證。陽明「閑觀物態皆生意，靜悟天機入窈冥。道在險夷隨地樂，心忘魚鳥自流行」[2] 的詩句則直接傳達了陽明與天地萬物為一體的曠達境界。宋代周敦頤教誨二程，常令他們思索孔顏所樂為何。孔顏樂處是理學家悟道的一個象徵。追溯其源，孔顏樂處的文獻出處是論語侍坐章中的記載，孔子讓門下諸位弟子各言其志，子路、冉有、公西華等都大談其雄心壯志，唯獨曾點一人不動心，在那兒安靜地彈琴，孔子催促，曾點最後才回答說：「莫春者，春服既成，冠者五六人，童子六七人，浴乎沂，風乎舞雩，詠而歸。」（《論語・先進》）朱熹注解說「曾點之學，蓋有以見夫人欲盡處，天理流行，隨處充滿，無少欠缺」，直接點出了曾點的「存天理，滅人欲」的聖人境界。程子同樣認為「孔子與點，蓋與聖人之志同，便是堯舜氣象也」，進一步指出「孔子之志，在於老者安之，朋友信之，少者懷之，使萬物莫不遂其性。曾點知之，故孔子喟然歎曰『吾與點也。』」[3]《禮記・樂記》在談到樂時提到「大樂與天地同節，大禮與天地同和」，其意與朱熹所謂的「天地萬物上下同流，各得

1　（明）王陽明著，吳光等編校：〈瘞旅文（戊辰）〉，《王陽明全集》中冊，上海：上海古籍出版社，2016年，頁1049。

2　（明）王陽明著，吳光等編校：〈睡起寫懷〉，《王陽明全集》中冊，上海：上海古籍出版社，2016年，頁717。

3　（宋）朱熹：《四書章句集注》北京：中華書局，2012年，頁132。

其所之妙」近似，都提到了樂與道的內在密切關係。樂，一方面可理解成音樂，故可讀yuè，另一方面是言述者的真樂，故也可讀成 lè。《禮記・樂記》說：「德者性之端也。樂者德之華也。金石絲竹，樂之器也。詩言其志也，歌詠其聲也，舞動其容也。三者本於心，然後樂氣從之。是故情深而文明，氣盛而化神。和順積中而英華發外，唯樂不可以為偽。」此樂是由內而發，「情深而文明，氣盛而化神」，故不可以作偽。進一步而論，我們可將上面所論孔顏樂處作為陽明先生悟道的一個重要跡象。

那麼陽明先生龍場前後理學工夫方面有何不同？其龍場所悟之道，究竟是什麼？就需要我們進一步深入考察了。

二　龍場前理學初段工夫及困惑

按《年譜》記載，陽明十二歲時，曾與塾師討論天下何為第一等事。陽明懷疑塾師「讀書登第為第一等事」的看法，說：「或讀書學聖賢耳。」此時的陽明已初步表露學聖賢志向。十八歲時，陽明送夫人歸老家江西，船行至廣信，順道拜訪已六十八歲高齡的著名理學家婁諒。婁諒與其講宋儒格物之學，說：「聖人必可學而至。」然後給陽明上了一堂很好的理學啟蒙課，陽明從中獲得了理學的修習路徑和方法。訪婁諒後第二年，「龍山公以外艱歸姚，命從弟冕、階、宮及妹婿牧，相與先生講析經義。先生日則隨眾課業，夜則搜取諸經子史讀之，多至夜分。四子見其文字日進，嘗愧不及，後知之曰：『彼已遊心舉業外矣，吾何及也！』先生接人故和易善謔，一日悔之，遂端坐省言。四子未信，先生正色曰：『吾昔放逸，今知過矣。』自後四子亦漸斂容。」可見婁諒對陽明先生影響之一斑。第三年，丙辰會試，陽明落第，「同舍有以不第為恥者，先生慰之曰：『世以不得第為恥，吾以不得第動心為恥。』識者服之。」[4]陽明對自己善謔的反思和悔過，對落第時以「不得第動心為恥」均系陽明拜訪婁諒後表現出來的理學初段工夫。可惜此時陽明在京師父親官署庭院中格竹失敗，研朱熹格物之學受挫。從格竹的方法上看，陽明先生此時在理學工夫上尚有欠缺，對格物的方法有泥滯之處。庭前格竹，實際上是將竹當作對象化之物來格，非從己心上出發，未能真正透悟後來所悟的「聖人之道，吾性自足」、「心即理」、「理無內外，性無內外」。陽明此時對朱熹的「格物」也有誤解。朱熹所謂格物，實際上與格心非對峙，而是在格心基礎上的格物。

《年譜》「十一年戊午，先生二十七歲，寓京師。」一條記載說：

是年先生談養生。先生自念辭章藝能不足以通至道，求師友於天下又不數遇，心持惶惑。一日讀晦翁上宋光宗疏，有曰：「居敬持志，為讀書之本，循序致精，

4　（明）錢德洪著，吳光等編校：《年譜》，《王陽明全集》下冊，上海：上海古籍出版社，2014年，頁1348。

為讀書之法。」乃悔前日探討雖博，而未嘗循序以致精，宜無所得；又循其序，思得漸漬洽浹，然物理吾心終若判而為二也。沉鬱既久，舊疾復作，益委聖賢有分。偶聞道士談養生，遂有遺世入山之意。[5]

以上描述傳達了陽明龍場前學聖路上的如下困惑：

第一，未找到悟至道的最佳下手處，而辭章藝能（詩歌和書法）又不足以通至道；

第二，未曾循序漸進以致精，以致所學雖博，然物我終究判而為二（上面所論的格竹失敗即是一個典型反映）；

第三，聖人之學，立必為聖人之志艱難，故需朋友講習與切磋助益之功。[6]但陽明此時未遇到可相互砥礪的同道好友，要到三十四歲時（陽明被貶龍場的前一年）才有緣結識湛若水，「共倡聖學」。[7]陽明三十九歲，黃綰、湛若水、王陽明三人才定交。

龍場前夕，陽明對自己事上磨練工夫也頗有反思之處——面對宦官劉瑾蒙蔽聖聽，迫害諫臣和朝中大臣，陽明動心了，以致被貶龍場。其〈獄中詩十四首・不寐〉寫道：「我心良匪石，詎為戚欣動！滔滔眼前事，逝者去相踵。……匡時在賢達，歸哉盍耕壠！」[8]「匡時在賢達，歸哉盍耕壠！」似在為自己做不到聖人不動心工夫，而自我責備和放棄。另一首〈獄中詩十四首・別友獄中〉進一步反省了這種動心和不成熟：

居常念朋舊，簿領成闊絕，嗟我二三友，胡然此簪盍！累累囹圄間，講誦未能輟。桎梏敢忘罪？至道良足悅。所恨精誠眇，尚口徒自蹶。天王本明聖，旋已但

5　同上註，頁1349-1350。

6　王陽明在〈別三子序（丁卯）〉一文中說：「自程、朱諸大儒沒而師友之道遂亡。《六經》分裂於訓詁，支離無蔓於辭章業舉之習，聖學幾於息矣。有志之士思起而興之，然卒徘徊容嗟，逡巡而不振；因弛然自廢者，亦志之弗立，弗講於師友之道也。夫一人為之，二人從而翼之，已而翼之者益眾焉，雖有難為之事，其弗成者鮮矣。一人為之，二人從而危之，已而危之者益眾焉，雖有易成之功，其克濟者亦鮮矣。故凡有志之士，必求助於師友。無師友之助者，志之弗立弗求者也。自予始知學，即求師於天下，而莫予誨也；求友於天下，而與予者寡矣；又求同志之士，二三子之外，邈乎其寥寥也。」參閱王陽明著，吳光等編校：〈別三子序（丁卯）〉，《王陽明全集》上冊，上海：上海古籍出版社，2014年，頁252。

7　關於與湛甘泉的志同道合之處，王陽明在〈別湛甘泉序（壬申）〉一文中說：「某幼不問學，陷溺於邪僻者二十年，而始究心於老、釋。賴天之靈，因有所覺，始乃沿周、程之說求之，而若有得焉，顧一二同志之外，莫予翼也，岌岌乎僕而復興。晚得於甘泉湛子，而後吾之志益堅，毅然若不可遏。則予之資於甘泉多矣。甘泉之學，務求自得者也。世未之能知，其知者且疑其為禪。誠禪也，吾猶未得而見，而況其所志卓爾若此？則如甘泉者，非聖人之徒歟？多言又烏足病也？夫多言不足以病甘泉，與甘泉之不為多言病也，吾信之。吾與甘泉，有意之所在，不言而會，論之所及，不約而同，期於斯道，斃而後已者，今日之別，吾容無言？」參閱王陽明著，吳光等編校：〈別湛甘泉序（壬申）〉，《王陽明全集》上冊，上海：上海古籍出版社，2014年，頁257。

8　（明）王陽明著，吳光等編校：〈獄中詩十四首・不寐〉，《王陽明全集》中冊，上海：上海古籍出版社，2014年，頁746。

中熱。行藏未可期，明當與君別。願言無詭隨，努力從前哲！[9]

　　獄中所樂者，是仍然有朋友一起可以講學，體悟至道之樂。然遺憾和悔恨的是，自己工夫的精誠不夠，動心了。徒尚口舌之快，以至身陷囹圄，被貶龍場。這一點，與後面在龍場時期表現出來的沉穩和機智有明顯的區別。與後來在江西平定寧王朱宸濠之亂後，移交朱宸濠時調和南北兩軍衝突過程中表現出來的隱忍和不動心工夫，更無法相提並論。[10]

三　龍場時期的工夫進展

　　陽明被貶龍場，受盡磨難。此番磨礪非陽明本意，卻是其悟道的重要助緣。佛語所謂「緣起性空」、「色即是空，空即是色」（《金剛經・心經》）、「內空外空內外空，空空大空勝義空，有為無為無邊際，無始無終空無行，自性如如一切法，相之性空無所緣，無之自性空實空，無實自他之性空。」（《文殊菩薩二十空偈》）空也，無私欲，無執定，信然也。[11]若有執定，則與物相摩相蕩，其非為我，反損我也。故空其自我，無私欲之染，則吾明與物相通，物之匯聚助力於我，反成就真正的自己。中庸的這個中，也正是此意，不能因私欲遮蔽和攪擾。需要在等待中，在與萬物的開放和接通之中，才可能做到中庸。陽明詩〈和湛若水、崔子鍾八詠・其六〉有云：「靜虛非虛寂，中有未發中。中有亦何有？無之即成空。無欲見真體，忘助皆非功。至哉玄化機，非子孰與窮！」[12]將儒家「中庸」之「中」，與佛家「緣起性空」之「空」，聯於同一詩中。儒釋

9　（明）王陽明著，吳光等編校：〈獄中詩十四首・別友獄中〉，《王陽明全集》中冊，上海：上海古籍出版社，2014年，頁748。

10　《年譜》記載：「忠等方挾宸濠搜羅百出，軍馬屯聚，廩費不堪。續、綸等望風附會，肆為飛語，時論不平。先生既還南昌，北軍肆坐慢罵，或故衝導起釁。先生一不為動，務待以禮。豫令巡捕官諭市人移家於鄉，而以老贏應門。始欲犒賞北軍，泰等預禁之，令勿受。乃傳示內外，諭北軍離家苦楚，居民當敦主客禮。每出，遇北軍喪，必停車問故，厚與之槥，嗟歎乃去。久之，北軍咸服。會冬至節近，預令城市舉奠。時新經濠亂，哭亡酹酒者聲聞不絕。北軍無不思家，泣下求歸。先生與忠等語，不稍徇，漸已生畏。忠、泰自居所長，與先生較射於教場中，意先生必大屈。先生勉應之，三發三中，每一中，北軍在傍哄然，舉手喝喝。忠、泰大懼曰：『我軍皆附王都耶！』遂班師。」參閱：吳光等編校《年譜》，《王陽明全集》下冊，上海：上海古籍出版社，2014年，頁1400-1401。

11　佛學裡面講的空，如果深究，其空義甚深，不僅僅是宇宙間一切有形象的「色」法，及與色法對待空無所有的虛「空」，而是指五蘊色法的空性，與眾生真心的空相。這裡為敘述的簡便起見，不探討佛學義理對空的深層解讀，有興趣的讀者可參閱文珠法師：《般若波羅蜜多心經講義》「緣起性空」，網址：http://www.dizang.org/fjtj/xinj/p16.htm

12　陽明被貶龍場，臨行前，其友湛若水歌九章以贈，崔子鍾和之以五詩，於是王陽明作八詠以答之。《王陽明全集》的編者將這八詠組詩命名為〈陽明子之南也其友湛元明歌九章以贈崔子鍾和之以五

術語共闡道體，互為支撐，毫無軒輊，妙也。

　　被貶龍場對於陽明而言究竟是什麼樣的助緣呢？首先，最重要的是，小至稼穡、築屋，中至對僕人和百姓的照顧，大至調和當地政治矛盾，陽明先生因龍場之謫才有機會親力親為。「器道不可離，二之即非性。……君子勤小物，蘊蓄乃成行。」[13]這樣，就給了陽明事上磨練的機會，讓他體會到了事上磨練的益處。後來的兵戈之事，龍場期間已經有演習——即歷史上著名的「尺牘止亂」（詳後）。龍場時期的陽明已不再沉迷於之前的任俠、騎射、詞章、神仙（道家）、佛氏[14]等各種盲目探索，找到了核心的悟道的下手之處——事上磨練，使其聖學工夫由博雜變得精純（其緣由詳見下節）。徐愛對陽明的評述「人見其少時豪邁不羈，又嘗汎濫於詞章，出入二氏之學，驟聞是說，皆目以為立異好奇，漫不省究。不知先生居夷三載，處困養靜，精一之功固已超入聖域，粹然大中至正之歸矣。」[15]實際上提示了陽明龍場時期工夫進展的重點。其次，在貴州所遇到的人和事，也為陽明打開了另外一個不同於中原和江南地區的視野。中原與江南一帶，因離三代時間久遠，制度的繁文縟節反而掩蓋和損毀了真實與質樸。陽明先生說：「嗟夫！諸夏之盛，其典章禮樂，歷聖修而傳之，夷不能有也，則謂之陋固宜；於後蔑道德而專法令，搜抉鉤爬之術窮，而狡匿譎詐，無所不至，渾樸盡矣！夷之民，方若未琢之璞，未繩之木，雖粗礪頑梗，而椎斧尚有施也，安可以陋之？斯孔子所為欲居也歟？」[16]繪事後素[17]，有了良好的質地，才可能在其基礎上錦上添花。質地已壞，則難挽。貴州的質樸讓陽明有機會受啟而重返三代的質。此返，於陽明先生而言，實則中庸誠的工夫。人的質地正是心，是陽明後來所提的「良知」，反心而誠即致良知。自此而始，陽明開啟了中庸誠的工夫。

詩於是王陽明作八詠以答之〉太繁雜而無標點，容易引起誤解，故我將其簡化為〈和湛若水、崔子鍾八詠〉。見《王陽明全集》中冊，上海古籍出版社，2014年，頁749-752。

13　（明）王陽明著，吳光等編校：〈和湛若水、崔子鍾八詠·其五〉，《王陽明全集》中冊，上海：上海古籍出版社，2014年，頁751。

14　此為湛若水所言陽明龍場期間歸正儒家聖賢之學之前的「五溺」：「初溺於任俠之習；再溺於騎射之習；三溺於辭章之習；四溺於神仙之習；五溺於佛氏之習。正德丙寅，始歸正於聖賢之學。」詳見湛若水著，吳光等編校：《陽明先生墓志銘》，《王陽明全集》下冊，上海：上海古籍出版社，2014年，頁1538-1539。對陽明龍場歸宗儒家聖學之前的「溺」，另有黃宗羲的「三溺」（詞章、朱熹格物與佛老）：「（陽明）先生之學，始汎濫於詞章，繼而遍讀考亭之書，循序格物，顧物理吾心終判為二，無所得入。於是出入佛老久之。及至居夷處困，動心忍性，因念聖人處此更有何道？忽悟格物致知之旨，聖人之道，吾性自足，不假外求。」參閱黃宗羲：《明儒學案》卷10，《姚江學案》北京：中華書局，2018年，頁180。

15　吳光等編校：《傳習錄上》，《王陽明全集》上冊，上海：上海古籍出版社，2014年，頁1。

16　（明）王陽明著，吳光等編校：〈何陋軒記（午辰）〉，《王陽明全集》中冊，上海：上海古籍出版社，2014年，頁982。

17　《論語·八佾》：「子曰：『繪事後素。』」朱熹集注：「繪事，繪畫之事也；後素，後於素也。《考工記》曰：『繪畫之事後素功。』謂先以粉地為質，而後施五采，猶人有美質，然後可加文飾。」

　　我們看看陽明龍場時期的工夫的具體進展。陽明剛到龍場時，有些不快。這種不快主要有兩方面，一是對劉瑾迫害忠臣，蒙蔽聖上，以致皇帝與忠臣之間的溝通道路阻塞的憂慮。其詩〈鸚鵡和胡韻〉寫道：「鸚鵡生隴西，群飛恣鳴遊。何意虞羅及？充貢來中州；金條縻華屋，雲泉謝林丘。能言實階禍，吞聲亦何求！主人有隱寇，竊發聞其謀，感君惠養德，一語思所酬。懼君不見察，殺身反為尤。」[18]此詩以「鸚鵡」自喻，能言實在是罹禍的緣由。既然罹禍，只能吞聲隱忍。惟獨念念所想的是皇帝有「隱寇」（劉瑾），可能會蒙蔽和謀害皇帝，擔心皇帝不察。[19]此番不快，非一家之私，乃為大公，也見陽明胸襟廣闊。二是初到貴州的種種艱苦生活環境。沒有住的，只能住山洞。沒有吃的，只能自己種莊稼。此外，陽明老家浙江餘姚的氣候與貴州氣候差異較大。與浙江一帶相比，貴州在緯度上偏南，更接近赤道，且降水量多，其氣候濕熱程度比江南一帶要重。從醫理角度而言，古代北方人到南方所感之「瘴氣」，表層原因是南方陽光充足，降水量大，森林茂密，易有動（昆蟲等）植物（枯葉）屍體腐敗之氣。深層原因卻是北方人和江南人不適應南方（貴州、雲南和兩廣）之濕熱氣候，水土不服，易感濕熱邪氣。陽明自己說「某之居此，蓋瘴癘蠱毒之與處，魑魅魍魎之與遊，日有三死焉」。[20]陽明之前因讀書求道過度勞累，身體本來就有病。來貴州因氣候的不適應又添新病，這使得他想念家鄉。

　　陽明向龍場諸生說他準備回去了，「龍場生問於陽明子曰：『夫子之言於朝侶也，愛不忘乎君也。今者謫於是，而汲汲於求去，殆有所渝（改變）乎？』陽明子曰：『吾今則有間（劉瑾堵塞君臣之溝通）矣。今吾又病，是以欲去也。』」[21]我們如果反覆揣摩陽明與龍場諸生的對話，就會發現陽明在不斷為自己後退而迴護，甚至直接說「且吾聞之，人各有能有不能，惟聖人而後無不能也。吾猶未得賢也。而子責我以聖人之事，固非其擬矣。」陽明素以學聖人為志，如今卻想為保全自己而後退。龍場諸生反覆以聖人操守詰問陽明，為陽明克其動搖之心。「聖人不忘天下，賢者而皆去，君誰與為國矣！」「夫子而苟屑於用，蘭蕙榮於堂階，而芬馨被於幾席，萑葦之刈，可以覆垣，草木之微，則亦有然者，而況賢者乎？」如此進言智慧，也不得不令我們對龍場諸生肅然起

18 吳光等編校：《王陽明全集》中冊，上海：上海古籍出版社，2014年，頁774。

19 此番憂慮，陽明先生當時在給皇帝的上書中即已明言：「臣邇者竊見陛下以南京戶科給事中戴銑等上言時事，特敕錦衣衛差官校拿解赴京。……懼陛下復以罪銑等者罪之，則非惟無補於國事，而徒足以增陛下之過舉耳。然則自是而後，雖有上關宗社危疑不制之事，陛下執從而聞之？陛下聰明超絕，苟念及此，寧不寒心！」參閱王陽明著，吳光等編校：〈乞宥言官去權奸以章聖德疏〉，《王陽明全集》上冊，上海：上海古籍出版社，2014年，頁323-324。

20 （明）王陽明著，吳光等編校：〈答毛憲副（戊辰）〉，《王陽明全集》中冊，上海：上海古籍出版社，2014年，頁882-883。

21 （明）王陽明著，吳光等編校：〈龍場生問答（戊辰）〉，《王陽明全集》中冊，上海：上海古籍出版社，2014年，頁1004。

敬。[22]陽明也是一山比一山高，龍場諸生有詰問，陽明就不斷為自己的退縮而辯護。若以兩方論辯的較量來看，這篇〈龍場生問答〉頗為精彩。若以陽明的工夫論來看，此刻陽明實際上是在迴避自己的不足。實為狡辯之計，是為自己的退縮而辯護。與後來「攻我短者是吾師」的做法有所區別。所謂身心之學，實乃為自己切身受用，而非僅僅在言語之間打轉。言語間看似縝密，實則於自身無任何受用之處。事來之時，私欲縈繞，戕我天地萬物一體真樂之心，憂戚悲楚，未有任何幫助。故包括陽明先生在內的大部分理學家們都力主反求諸身，不提倡單純的「口耳之學」。當然，這並不是不提倡講學。實際上陽明先生一輩子都很喜歡講學，只不過講學不是為宣傳某種主義或思想，或為宣傳演講者的名聲。而是師生之間可以相互督促從善，做「日新又日新」的工夫。陽明此番與龍場諸生的問答也可以看作這種工夫的一個例子，其〈教條示龍場諸生〉就明言：「人謂『事師無犯無隱』，而遂謂師無可諫，非也；諫師之道，直不至於犯，而婉不至於隱耳。使吾而是也，因得以明其是；吾而非也，因得以去其非。蓋教學相長也。諸生責善，當自吾始。」[23]

　　陽明雖然在龍場諸生面前百般自我辯護，但他隨後所做的事情，我們發現頗受龍場諸生的影響，很快矯正了自己的退縮念頭。[24]沒有住的，陽明先生就自己搭草棚，其詩〈初至龍場無所止結草庵居之〉寫道：「草庵不及肩，旅倦體方適。……緬懷黃唐化，略稱茅茨跡。」[25]沒有吃的，就自己學種莊稼。其詩〈謫居龍場絕糧請學於農將田南山永言寄懷〉：「……山荒聊可田，錢鎛還易辦。夷俗多火耕，仿習亦頗便。……出耒在明晨，山寒易霜霰。」[26]「出耒在明晨，山寒易霜霰。」體現的是對勞動的熱愛，一種怡然自得的愉悅心情。其詩〈觀稼〉詳細地描述了陽明在學種莊稼的過程中所悟之道；

　　　下田既宜稌，高田亦宜稷。
　　　種蔬須土疏，種蕷須土濕。

---

22 據楊德俊老師所言，王陽明那時所到的龍場，是一個不小的集鎮，有好幾百戶人家，而貴陽地區向來就是西南地區的一個行政中心，貴州的水西彝族甚至有自己的文字，並非一個沒有文化的地方，這與外邊人想像的貴州文化落後情況不太一樣。

23 （明）王陽明著，吳光等編校：〈教條示龍場諸生〉，《王陽明全集》中冊，上海：上海古籍出版社，2014年，頁1075。

24 在身體健康與事上磨練的衡量與抉擇上，陽明後來的態度更體現出龍場諸生的影響。陽明本人身體不好，而「驅馳兵戈，侵染瘴癘，晝夜憂勞，疾患愈困」（王陽明著，吳光等編校：《乞休致疏（正德十三年三月初四日）》，《王陽明全集》上冊，上海：上海古籍出版社，2014年，頁392。），一生只活了五十六歲。臨逝前想歸家，但未能及時，病死於歸鄉途中。陽明的好友湛若水一直奉勸陽明從累身的官場和兵戈中脫身出來，但是陽明一直未動心。

25 （明）王陽明著，吳光等編校：〈謫居龍場絕糧請學於農將田南山永言寄懷〉，《王陽明全集》中冊，上海：上海古籍出版社，2014年，頁768。

26 同上註，頁769。

寒多不實秀，暑多有蝗螣。

去草不厭頻，耘禾不厭密。

物理既可玩，化機還默識；

即是參贊功，毋為輕稼穡！[27]

　　這首詩體現出來的格物氣象與之前的格竹大有不同。首先，最大的不同點是陽明這首〈觀稼〉詩體現出的一種悟道氣象平和而自然，而格竹所體現的氣象是一種揠苗助長的急躁之象。格竹失敗，事隔十七年[28]。經反覆失敗和探索，陽明將理學「存天理，滅人欲」核心精神融進了血液中，從摸索階段揠苗助長的急躁狀態轉入孟子所謂的「勿忘勿助長」（《孟子·公孫丑上》）[29]自然平和狀態。這是道根的自然生長與成熟，非人為刻意掩飾。細品其〈觀稼〉詩，對稼穡的觀察頗為細緻。「下田既宜稌，高田亦宜稷。」「稌」是粳稻和糯稻，是南方水稻的兩種重要品種。貴州乃高山地區，四周群山環繞。低谷之處，因地勢低，易引水，且土地相對平整，易開成水田。而高處，或為半山腰，坡度陡峭很難形成水平的田地。或為山頂，因地勢過高，無法引水開渠。故只能種植田稷（高粱和薏米）之類旱穀物。「種蔬須土疏，種蕷須土濕。」高粱和薏米等作物，生長速度快，高度也較高，可蓋過雜草。且根部發達，即使在堅硬的土地中也能深紮根。與之相比，一般的蔬菜作物，如白菜等相對嬌嫩，根部不發達，高度還不如雜草，需要經常除雜草，所以對土質的要求較高。貴州的土質，有不同品相。品相較次者，半坡之處常有石片較多的土層，這種土層泥土較少，石片較多。因土層淺，農作物難紮根，且因土層薄，石頭硬，翻土和鋤草都不易。這種土質種高粱和薏米可以，但如果種蔬菜的話，蔬菜長勢不好。還有一種坡頂處的板結土層，這種土層如果長期未開墾，更易硬結，不利於蔬菜的紮根。品相較好的土層，就是那種泥土層相對較深，易開墾的土地。這種土地種蔬菜等農作物最好，但也需要時常鬆土，除去雜草。否則野草的長勢可能蓋過農作物，作物就沒有收成，故當「去草不厭頻，耘禾不厭密。」種蕷（山藥），山藥若太旱，會嚴重影響山藥的膨大，特別是在塊莖膨大期需要土濕。天氣偏寒，陽光不足，農作物的光合作用受影響，轉化澱粉的能力受影響，果實就不飽滿。天氣太熱，昆

27　（明）王陽明著，吳光等編校：〈觀稼〉，《王陽明全集》中冊，上海：上海古籍出版社，2014年，頁769-770。

28　陽明十八歲拜訪婁諒，二十一歲為格物之學，庭前格竹，陽明到龍場那年已經三十七歲，而觀稼當在陽明到龍場後一兩年，以三十八歲計算，觀稼與格竹相隔十七年左右。

29　「勿忘勿助長」語出《孟子·公孫丑上》：「敢問何謂浩然之氣？」曰：「難言也。其為氣也，至大至剛，以直養而無害，則塞於天地之間。其為氣也，配義與道；無是，餒也。是集義所生者，非義襲而取之也。行有不慊於心，則餒矣。我故曰，告子未嘗知義，以其外之也。必有事焉，而勿正，心勿忘，勿助長也。元若宋人然：宋人有閔其苗之不長而揠之者，芒芒然歸，謂其人曰：『今日病矣！予助苗長矣！』其子趨而注視之，苗則槁矣。天下之不助苗長者寡矣。以為無益而舍之者，不耘苗者也；助之長者，揠苗者也——非徒無益，而又害之。」

蟲的繁殖速度增加，農業害蟲就比較多。[30]此番觀察深入仔細，氣象廣闊。作為官宦出身的子弟，陽明從小未接觸農事，不到三年竟悟出如此深奧稼穡之理，不可不說有聖學工夫輔助。「物理既可玩，化機還默識；即是參贊功，毋為輕稼穡！」點出了陽明觀稼之意。《中庸》：「詩云，『鳶飛戾天；魚躍於淵。』言其上下察也。君子之道，造端乎夫婦；及其至也，察乎天地。」（《中庸》第十二章）「唯天下至誠為能盡其性。能盡其性，則能盡人之性。能盡人之性，則能盡物之性。能盡物之性，則可以贊天地之化育。可以贊天地之化育，則可以與天地參矣。」（《中庸》第二十二章）

　　另外，值得我們注意的是，這首〈觀稼〉詩反映出來的格物方式與格竹不同。格竹是待在庭院的竹林前呆看，七天七夜病倒了。而觀稼從其研理之過程，可以看出是陽明自己親自學習和實踐，是種「知行合一」的方式。格竹之「竹」只是一種具體對象之物，而「觀稼」之「稼」是稼穡之事。也正是在「事」這裡聯結了天、地、人，是一個立體，而非對象化視域中的平癟之物。比如這首〈觀稼〉所談的稼穡。稼穡需對土地、雨水等自然條件的深入了解，也需要對具體作物的生長規律的了解，更需要自己親手播種和耕耘。這就要求人的實踐和農業工具的使用。而所有這些都需要符合農作物的生長規律和天時地利，這些都屬於天道，比如〈觀稼〉詩提到的「下田既宜稌，高田亦宜稷。種蔬須土疏，種蕷須土濕。」不遵循天道，以己意妄作，莊稼收成就不好。王陽明格稼穡之事比較通透，故而所種糧食收成豐碩，不僅可以滿足自己的食物需求，還可以將多餘的糧食分給鳥兒和貧窮的百姓。通過對比陽明格竹和觀稼的不同，我們大致可以看出陽明對格物的理解發生了變化。此時的陽明對「格物」之「物」的理解已經從之前對象化之物的「竹」轉化成了事情──「稼穡」。非憑空的對象化靜觀，而是有具體的工具和實踐的參與。這種「靜中有動，動中有靜」稼穡的事上磨練工夫，與靜中無動的格竹工夫不同。此次觀稼，工夫明顯更為篤實。不僅是觀稼，細挖陽明龍場時期之行動，無一不透顯篤實工夫背後的思想力量。

　　貴州提學副使毛科邀陽明主講貴陽書院，陽明一再堅辭，其〈答毛拙庵見招書院〉詩寫道：「野夫病臥成疏懶，書卷長拋舊學荒。豈有威儀堪法象？實慚文檄過稱揚。移居正擬投醫肆，虛席仍煩避講堂。範我定應無所獲，空令多士笑王良。」[31]王陽明對毛科邀請的拒絕，實際上是對官方書院體制內的講經式教學不認同。後來席書接替貴州提學副使一職，對邀請陽明恭敬有加，在邀請書中說「舉業者，利祿之媒也。世之皓首一

---

30 筆者為貴州福泉人，因從小家中經濟困窘，七歲拿鋤頭跟著父母下地幹活，一直幹到十六歲。故對貴州的土質和稼穡等情況頗為熟悉。此番稼穡原理解釋，一方面是感性經驗，另一方面是現代的生物學知識，如光合作用的解釋。現代的生物學知識，陽明本人恐未知曉，但有助於解釋陽明所獲的感性經驗，況王國維先生所謂「學無新舊，無中西，無有用無用」，故也借之解釋，以期更明白曉暢。

31 （明）王陽明著，吳光等編校：〈答毛拙庵見招書院〉，《王陽明全集》中冊，上海：上海古籍出版社，2014年，頁778。

經，凡為利祿而已。以書（席書）一人，推之書少時舉業。要不過為祿利計也。然昔者借是而有聞，今者脫是而愈暗。書知天下之豪傑者，舉業也。然使天下士借是而知所向上者，亦舉業也。故韓子因文見道，宋儒亦曰科舉非累人，人自累科舉。今之教者，能本之聖賢之學，以從事於舉業之學，亦何相妨？執事早以文學進於道理，晚以道理發為文章，倘無厭棄塵學，因進講之間悟以性中之道義，於舉業之內進以古人之德業。是執事一舉而諸士兩有所益矣。」[32]陽明這回終於感受到貴陽文明書院對聖人之學的尊重，而不僅僅是看重科舉之業，於是接受了席書的邀請。年譜記載說：「……是年先生始論知行合一。始席元山書提督學政，問朱陸同異之辨。先生不語朱陸之學，而告之以其所悟。書懷疑而去。明日復來，舉知行本體證之《五經》諸子，漸有省。往復數四，豁然大悟，謂『聖人之學復睹於今日；朱陸異同，各有得失，無事辯詰，求之吾性本自明也。』遂與毛憲副修葺書院，身率貴陽諸生，以所事師禮事之。」[33]

　　龍場時期所提的知行合一，已經奠定陽明一生事上磨練工夫的大方向，但龍場時期事上磨練工夫不如後來那樣純熟。湛若水在〈奠王陽明先生文〉一文中回憶了他與陽明的交往和討論。仔細玩味這份回憶，頗有意思。號稱明代兩大聖賢的湛若水和王陽明，居然為了一爭高下，在短短的數年時間內，兩人對佛老的立場陡然反轉。按這份回憶所述的兩人爭論的內容，被貶龍場前夕（1506），王陽明認為佛老只是聖賢「枝葉」，而湛若水則認為佛老與儒家「同枝，必一根柢」。數年後（1512）兩人再論，王陽明認為佛老「道德高博，焉與聖異」，之前湛若水所言沒有錯，但湛若水卻反過來說「佛無我有，《中庸》精微」。[34]兩人觀點針鋒相對，六年的時間，居然相互間陡然轉換了立場，相互間爭論求勝之心溢於言表。按湛若水的這個回憶，陽明先生後來對湛若水的爭論「兄不我答，遂爾成默。」陽明不再回復湛若水的爭論，這樣的舉動顯然應該是陽明先生省察到他和湛若水之間的爭論有求勝之心作祟，為貫徹自己知行合一之理念，故對湛若水的爭論不再回復。這個時候，陽明先生的工夫經過歷次平定盜匪叛亂和朱宸濠之亂，聖學工夫已經更加精純了。陽明先生自言：「軍旅酬酢，呼吸存亡，宗社安危所繫，全體精神只從一念入微處自照自察，一些著不得防檢，一毫容不得放縱。……世人利害不過一家得喪爾已，毀譽不過一身榮辱爾已。今之利害毀譽兩端乃是滅三族、助逆謀反，繫天下安危。只如人疑我與寧王同謀，機少不密，若有一毫激作之心，此身已成齏粉，何待今日？動少不慎，若有一毫假借之心，萬事已成瓦裂，何有今日？此等苦心，只好自知。譬之真金之遇烈焰，愈鍛鍊越發光輝。此處致得，方是真知；此處格得，方是真物。非見解意識所能及也。自經此大利害、大毀譽過來，一切得喪榮辱真如

32 席書邀請王陽明的主講貴陽文明書院的信函原文見郭子章著，趙平略點校：《黔記》三十九〈宦賢列傳六‧提學副使席文襄公書〉，下冊，成都：西南交通大學出版社，2016年，頁873。
33 吳光等編校：《年譜》，《王陽明全集》下冊，上海：上海古籍出版社，2014年，頁1355-1356。
34 湛若水：〈奠王陽明先生文〉，《甘泉文集》卷30。

飄風之過耳，奚足以動吾一念？」[35]

　　接下來，我們看看龍場時期的陽明在具體事情上表現出來的不動心工夫和智慧。事情緣起於一件意外衝突。在貶謫之地，王陽明以高尚的道德與高超的智慧贏得了龍場百姓的愛戴。思州太守[36]心生嫉恨，派人來龍場侮辱王陽明。當地百姓聞訊而來，為王陽明打抱不平，將來人痛打出去。此事惹怒了思州太守，思州太守不僅要上報朝廷，還要重罰王陽明。時任貴州提學副使的毛科[37]得知此事之後，不問原委本末，派人來龍場命令王陽明到思州太守處跪拜請罪，並警告王陽明，如若不然，定然是大禍將至。陽明機智地回絕了。書信的開頭首先避開與兩位長官的直接衝突，將矛盾的起因歸於太府的奴僕仗勢欺人，而非太府指使。接著說既然自己與太府沒有直接衝突，故自己也沒有得罪太府，不必請罪，倘若太府因此而怪罪和謀害自己，則太府之行為與魑魅魍魎沒有區別，自己死於魑魅魍魎也沒什麼遺憾的。其書大舉「忠信禮義」之旗，表明自己「未嘗以動其中者，誠知生死之有命，不以一朝之患而忘其終身之憂也。」[38]面對長官的威逼，既能保持自己的人格，同時又體現了自己的大義凜然，還幫助長官致了良知。正是這封書信所展露的才華和聖人工夫獲得毛科的賞識，毛科力請陽明主持貴陽的官方書院[39]，毛科臨走前叮囑席書：王陽明學識淵博，有謀有略，將來必成大器，為國之用，不應該讓他長久臥於龍場。而席書後來調任中央，曾任禮部尚書，在中央任職期間向皇帝力薦王陽明，說：「現在朝中的大臣都才能平平，沒有可以與陛下共商軍國大事的人。平定天下禍亂，成就一代功業，非用王守仁不可。」可以說，陽明先生在面臨災禍時的大義凜然，毫不動心的工夫，不僅化險為夷，而且得長官賞識，成為後來陽明離開龍場，能大展身手的一個重要的契機之一。席書還是陽明在龍場期間的重要弟子，席書請陽明主持貴陽書院，陽明不講經，只是以自己所悟之「知行合一」告席書。席書的這段知遇之恩，後來王陽明在〈祭元山席尚書文〉一文中說：「又憶往年與公論學於貴州，受公之知實深⋯⋯聞公之訃，不能奔哭；千里設位，一慟割心。自今以往，進吾不能有益於君國，退將益修吾學，期終不負知己之報而已矣。」在這個過程中，陽明先生表現出來的機智、沉穩，以及不動心的工夫，與之前與劉瑾的鬥爭中以言罹禍的不沉穩表現相比可

35　王龍溪：〈讀先師《再報海日翁吉安起兵書》序〉，《王畿集》卷13。

36　與陽明有隙的地方官員有兩種說法，一種說法是思州太守，另一種說法是貴州巡撫王質。參閱趙平略：《王陽明居黔思想及活動研究》北京：中華書局，2017年，頁277-278。

37　毛科，號應奎，明朝浙江省寧波府餘姚縣人，毛吉次子，字拙庵，成化十四年（1478）進士，歷官南京工部主事、山東兵備副使、雲南左參議，官至都察院左副都御史，卒祀鄉賢祠。

38　（明）王陽明著，吳光等編校：〈答毛憲副（戊辰）〉，《王陽明全集》中冊，上海：上海古籍出版社，2014年，頁882-883。

39　當時的貴陽的官方書院，有貴陽書院，貴陽文明書院等，有學者考證，當時毛科和席書邀請陽明去主講的書院是貴陽文明書院，而不是年譜所記載的貴陽書院。參閱徐節《文明書院記》，轉引自譚佛《王陽明「主貴陽書院」證誤》貴陽：貴州民族出版社，1999年，頁298-300。

以說是大有進步。此番歷練，使得陽明事上磨練的工夫變得精純，於事變的處理也更得心應手了。

　　我們再看一事，那就是歷史上著名的「尺牘止亂」。明代貴州還處於改土歸流的進程中，貴州境內有中央設置的郡縣，也有當地的土司掌控的地盤，土司可以世代享受地盤內的土地和人民，官位可以世襲。而貴州宣慰司正是貴州境內最大的土司，陽明負責的龍場驛正在貴州宣慰司所管轄的境內。[40]這時候中央為增加對貴州的控制，準備增加驛站。貴州宣慰司安貴榮想阻止中央朝廷勢力對自己所轄領地的滲透，於是拉攏王陽明，不斷給王陽明送糧食和金銀錢帛，甚至還為王陽明尋找好的住處，王陽明除了維持生存的糧食而外，全部拒絕了。[41]後來關於增減驛站一事上，王陽明向安貴榮寫信說：「夫驛，可減也，亦可增也；驛可改也，宣慰司亦可革也。由此言之，殆甚有害，使君其未之思耶？……夫宣慰守土之官，故得以世有其土地人民；若參政，則流官矣，東西南北，惟天子所使。朝廷下方尺之檄，委使君以一職，或閩或蜀，其敢弗行乎？則方命之誅不旋踵而至，捧檄從事，千百年之土地人民非復使君有矣。」[42]

　　王陽明流放貴州期間（1508），在省城貴陽附近的水東土司宋然領地之內，發生了苗族阿賈、阿札的叛亂，人數達二萬餘人之眾，時間長達四年之久（1508-1512）。這是貴州在明代中期一場嚴重的少數民族叛亂，引起朝野震動。究其原因，一是因為水東土司宋然的貪淫，「乖西苗賊阿雜等之叛，由宣慰宋然激之」。二是因為當時貴州最大的土司——水西安貴榮按兵不動，企圖乘亂奪取水東宋氏土司地盤。面對貴州這一嚴重的事件，王陽明寫〈與安貴榮第三書〉。為說服安貴榮出兵剿滅反叛的阿賈、阿札勢力，此信站在安貴榮的立場為其陳明利害：由於安氏曾為阿賈、阿札提供武器，倘若不剿滅阿賈、阿札就可能引來朝廷懷疑安貴榮唆使阿賈、阿札叛亂。另外，安貴榮周邊的其他土司勢力——播州楊愛，愷黎楊友，酉楊、保靖彭世麒等，倘若朝廷下旨宣布安貴榮叛亂，則其他土司將圍攻安貴榮，取而代之，將其地分而瓜之，則安貴榮世享之土地將不

40　貴州宣慰司，貴州彝族土司。亦稱「水西宣慰司」。明洪武初置，治今貴陽市城南。初屬四川，永樂十一年（1413）改隸貴州。轄境約當今貴州省西北部，息烽、修文以西，普定以北，水城以東，大方以南，烏江上游鴨池河以西地區。

41　王陽明在〈與安宣慰（戊辰）一〉中說「……使君復不以為罪，昨者又重之以金帛，副之以鞍馬，禮益隆，情益至，某益用震悚。是重使君之辱而甚逐臣之罪也，愈有所不敢當矣！使者堅不可卻，求其說而不得。無已其周之乎？周之亦可受也。敬受米二石，柴炭雞鵝悉受如來數。其諸金帛鞍馬，使君所以交於卿士大夫者，施之逐臣，殊駭觀聽，敢固以辭。伏惟使君處人以禮，恕物以情，不至再辱，則可矣。」參閱王陽明著，吳光等編校：〈與安宣慰（戊辰）一〉，《王陽明全集》中冊，上海：上海古籍出版社，2014年，頁883-884。

42　（明）王陽明著，吳光等編校：〈與安宣慰（戊辰）二〉，《王陽明全集》中冊，上海：上海古籍出版社，2014年，頁884-885。

復其有。[43]安貴榮看完此信後急速出兵，幫助官兵平定了叛亂。《明史·王守仁傳》稱：「終明之世，文臣用兵制勝，未有如守仁者也。當危疑之際，神明愈定，智慮無遺，雖由天資高，其亦有得於中者歟。」[44]然而，當時的王陽明還只是一位被朝廷流放的不入流的小吏，手中並無一兵一卒。王陽明通過一紙書信，使擁兵四十八萬（明初朱元璋遠征雲貴大軍只有三十萬）、蠢蠢欲動的貴州最大土司安貴榮俯首貼耳，聽從朝廷調遣，幫助官軍平定叛亂。明初，環貴州而居的有四宣慰，安、宋、田、楊，都是豪族，永樂年間，田被倪裂誅殺，其地分為思、石、鎮、銅八郡，萬曆年間，楊氏因逆被誅，其地被分為遵義、平越二郡。宋、楊叛亂，安氏自動請纓平叛，歷千年而獨存。[45]《黔記》稱：「終貴榮之世，不敢跋扈者，公（王陽明）之功也。」[46]這就是歷史上著名的「尺牘止亂」。此封書信可謂字字於良知深處，緊扣安貴榮之心，「今使君獨傳者三世，而群支莫敢爭，以朝廷之命也，苟有可乘之釁，孰不欲起而代之乎？然則揚此言於外，以速安氏之禍者，殆漁人之計，蕭牆之憂，未可測也。使君宜速出軍，平定反側，破眾讒之口，息多端之議，弭方興之變，絕難測之禍，補既往之愆，要將來之福。」念慮之危，中庸之慎獨工夫，陽明不僅能自我約束和控制（拒絕安貴榮金銀財帛之物），而且能將之推於他人，此番工夫可謂深厚。關於知幾工夫，陽明說：「實理之妙用流行就是神，其萌動處就是幾，誠神幾曰聖人。聖人不貴前知。禍福之來，雖聖人有所不免。聖人只是知幾，遇變而通耳。」[47]

細查王陽明龍場前與劉瑾鬥爭的放浪，工夫不純熟與龍場期間書信智駁長官的威逼，獲長官信任和賞識，尺牘平叛，其不動心的工夫和中庸的慎獨知幾工夫可謂純熟了很多。在龍場期間的事上磨練，使得王陽明的聖學工夫也變得更為精純，此精純之力詳見下節分解。當然，龍場時期的工夫，事上磨練工夫剛剛開始，尚未如後來平定各地叛亂和朱宸濠之亂時精純。

43　（明）王陽明著，吳光等編校：〈與安宣慰（戊辰）三〉，《王陽明全集》中冊，上海：上海古籍出版社，2014年，頁885-886。

44　《明史·王守仁傳》將王陽明的這種文臣平叛能力不僅歸因於陽明天資高，而且認為得益於中庸的守中和慎獨工夫，可謂看到了關鍵之處。

45　據（明）郭子章著，趙平略點校：《黔記·宣慰列傳》卷56〈宣慰列傳〉，下冊，成都：西南交通大學出版社，2016年，頁1117。

46　據（明）郭子章著，趙平略點校：《黔記·宣慰列傳》卷42〈遷客列傳·龍場驛臣王文成公守仁〉，下冊，成都：西南交通大學出版社，2016年，頁946。

47　（明）王陽明撰、鄧艾民注：《傳習錄注疏》第259條「或問『至誠前知』」，上海：上海古籍出版社，2017年，頁234。

四　「事上磨練」工夫與聖學的精純之功

陽明先生的「事上磨練」工夫非日常語言含義，我們至少要注意區分以下兩點：第一，磨練的目的不是為練就處理具體事務的能力，其方向是指向「主一」於天理的工夫，「慎獨」、「察幾」、「致良知」都是事上磨練過程中的工夫體現。因此並不是所有的做事情都可以成為陽明先生意義上的「事上磨練」，沉溺於事，謂之蔽，非「事上磨練」工夫；第二，陽明所謂「事即道」、「道即事」[48]，「事」這個字所牽涉的不是我們語言中的「事情」，而與維特根斯坦在《邏輯哲學論》裡面討論的「事態（Sachverhalt）」含義相近[49]，是在物與物之間的聯繫下面細微的人心，物，進而是天道本身。

為什麼說事上磨練工夫可以使得聖學工夫變得更精純呢？「聖人之學，主於經世，原與世界不相離。古者教人，只言藏修遊息，未嘗專說閉關靜坐。」人靜時容易息念，但一遇到事時就亂，則靜時看似收斂，實則是放溺。[50]如果工夫不純，遇到事情時，所有的這些私欲都會隨之而現。事情，就像能反照這些私欲的鏡子，「欲根潛藏，非對境則不易發」[51]。從體悟天理的角度而言，人平時的思慮最大問題是容易陷入一種脫離本體的「私念」，而天理本身是活潑潑的，事上磨練工夫是動時的工夫。「無欲故靜，是『靜亦定，動亦定』的『定』字，主其本體也。戒懼之念是活潑潑地，此是天機不息處，所謂『維天之命，於穆不已』，一息便是死。非本體之念，即是私念。」[52]陽明將事上磨練工夫比作煆鍊純金的淬火：「金之成色所爭不多，則煆鍊之工省而功易成，成色愈下則煆鍊愈難；人之氣質清濁粹駁，有中人以上，中人以下，其於道有生知安行，學知利行，其下者必須人一己百，人十己千，及其成功則一。」[53]聖人之本在純乎天

---

48 愛曰：「『先儒論《六經》，以《春秋》為史。史專記事，恐與《五經》事體終或稍異。』先生曰：『以事言謂之史，以道言謂之經。事即道，道即事。《春秋》亦經，《五經》亦史。《易》是庖羲氏之史，《書》是堯、舜以下史，《禮》、《樂》是三代史：其事同，其道同，安有所謂異？』」參閱王陽明撰、鄧艾民注：《傳習錄注疏》第13條「愛問事與道」上海：上海古籍出版社，2017年，頁22。

49 參考維特根斯坦《邏輯哲學論》2.0272 "Die Konfiguration der Gegenstandebildet den Sachverhalt"，「物的結構組成了事態」，詳見 Ludwig Wittgenstein, Tractatus Logico-Philosophicus, translated by C.K.Ogden, Barnes & Noble publishing, Inc, 2003. P.12. 維特根斯坦對在《邏輯哲學論》裡對「世界」、「事」、「物」的研究是從邏輯層面還原，比如他說「邏輯空間的事實就是世界」(1.13)。其角度與陽明不同，但他討論的事態（Sachverhalt），與陽明「事上磨練」的「事」含義相當類似，都注意到了物體之間天道層面的聯繫，兩相對照和比較，頗有相互闡發的意蘊。

50 （明）王陽明撰、鄧艾民注：《傳習錄注疏》第182條「九川問動靜用功」，上海：上海古籍出版社，2017年，頁185。

51 （明）王龍溪：〈三山麗澤錄〉，《王龍溪先生全集》卷一。

52 （明）王陽明撰、鄧艾民注：《傳習錄注疏》第180條「九川問息念慮」，上海：上海古籍出版社，2017年，頁184。

53 （明）王陽明撰、鄧艾民注：《傳習錄注疏》第99條「希淵問聖人所在」，上海：上海古籍出版社，2017年，頁63。

理，不雜人欲，但後世之人以為要學得聖人很多知識和才能才是，實際上是只追求分量而不求成色。所謂精純，就是要在存天理、滅人欲上做集中的工夫，而不是追求外在的一些聖人才能。「故不務去天理上著工夫，徒弊精竭力，從冊子上鑽研，名物上考索，形跡上比擬，知識愈廣而人欲愈滋，才力愈多，而天理愈蔽。正如見人有萬鎰精金，不務煅鍊成色，求無愧於彼之精純，而乃妄希分兩，務同彼之萬鎰，錫鉛銅鐵雜然而投，分兩愈增而成色愈下，既其梢末，無復有金矣。」[54]從這個角度來講，陽明在龍場悟道之前，騎射、文章、書法等均是一種外在的工夫，非存天理、滅人欲的內在工夫，只是一些聖人的才能。古人常說的「工夫篤實」，「篤實」的「篤」字也頗有意思，篤字金文寫作「𥫗」。上面竹字頭，下面馬字，象徵給馬兒嘴巴套上竹製的籠子。於是馬兒就只能按照主人的指示一直向前專心奔跑，而不會再受路邊草料的誘惑。所以「篤」字的本意就是專一。聖學工夫的篤實，其核心意就在聖學「存天理，滅人欲」工夫的精一。

　　精於道與專於具體的技藝的差別在於：具體的技藝只是小技，而「道，大路也。外是，荊棘之蹊，鮮克達矣。」專於藝而不專於道，其專則為溺。故陽明稱自己早年癡迷詩文是「溺志詞章之習」。精於道，「天下之大用也，知天地之化育，而況於文詞技能之末乎？」[55]陽明的這個說法，還讓我們想到《莊子・養生主》庖丁解牛在回答文惠君追問其技藝精湛之原因時，庖丁所講的志於道：「臣之所好者道也，進乎技矣。……臣以神遇而不以目視，官知止而神欲行。依乎天理，批大郤，道大窾，因其固然。……以無厚入有間，恢恢乎其於遊刃必有餘地矣，是以十九年而刀刃若新發於硎。」精於道，是在大道中行走，不與堅硬之物硬碰。依循天理，克去人欲，故而無往而不利。此番觀道，不是我們日常目光對物的捕捉，而是一種所謂「存天理、滅人欲」工夫盡透，心如明鏡，對物的「神遇」。以此「神遇」而進入技，則如庖丁解牛一樣，「以有間入無間」，「十九年而刀刃若新發於硎」。此番境界並非沉迷於具體的技者可以達到的。

　　在龍場之前王陽明的「五溺」和「三溺」都是陽明追求的一種外在的像聖賢的工夫，而王陽明在被貶龍場前夕，已經明確意識到了這個問題：騎射、書法、詩歌等等這些技藝，並不能獲得聖學工夫的精純，但一直苦苦思索而不得突破。帶著這種問題意識，再加上被貶龍場事上磨練的機緣，使得陽明透澈地認識到事實磨練工夫對聖學工夫精純的重要意義。陽明先生自己的問題意識清晰而且在龍場期間得到解決以後，所提之「知行合一」、「心即理」、「致良知」就是由內而外的自然而然的推擴。圖示如下：

---

54 同上註。

55 參閱王陽明著，吳光等編校：〈送宗伯喬白巖序（辛未）〉，《王陽明全集》上冊，上海：上海古籍出版社，2014年，頁255。關於這個問題，陽明先生與學生講《論語》「志於道」章時說「藝者，義也，理之所宜者也，如誦詩讀書彈琴習射之類，皆所以調習此心，使之熟於道也。苟不志道而遊藝，卻如無狀小子；不先去置造區宅，只管要去買畫掛做門面，不知將掛在何處？」，見王陽明：《傳習錄》。參閱王陽明撰、鄧艾民注：《傳習錄注疏》第218條「問志於道章」，上海：上海古籍出版社，2017年，頁207。

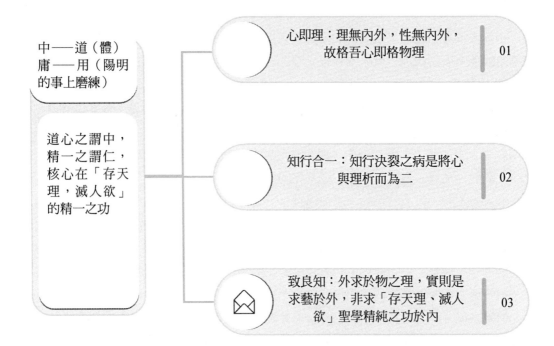

中——道（體）
庸——用（陽明的事上磨練）

道心之謂中，精一之謂仁，核心在「存天理，滅人欲」的精一之功

心即理：理無內外，性無內外，故格吾心即格物理　01

知行合一：知行決裂之病是將心與理析而為二　02

致良知：外求於物之理，實則是求藝於外，非求「存天理、滅人欲」聖學精純之功於內　03

　　王陽明對中庸之「中」的解釋是「中也者，道心之謂也；道心精一之謂仁，所謂中也。孔孟之學，惟務求仁，蓋精一之傳也。」[56]。舜傳給禹的心法「人心唯危，道心唯微，惟精惟一，允執厥中」中「精一」是關鍵，精一於道（存天理滅人欲的工夫），則謂之仁，陽明先生所提的「知行合一」、「心即理」、「致良知」三口號其核心就是圍繞聖學的「精一」之功而展開的，三口號也統貫於此精一之功。「中庸」之「庸」，按照二程的解釋則是平常，不偏不倚，受陽明的啟發，我們可以將「庸」解釋為「用」。理由有二：其一是「庸」在《說文解字》裡本來的意思就是「用」；其二，此用在陽明這裡就是事上磨練，事上磨練是觀道和體道的一個樞軸。[57]

　　經過挖掘王陽明的龍場悟道，我們返回來重新看這個「道」字也頗有意思。「道」，有一個走字底，提示我們道是行之而成。行，故有時，有路線，有導引也。好比一條條岔道匯聚成大道，大道又有分支，不行，又如何能探清這些道路？故陽明所謂知行合一，實則道之本身的內在要求。「事上磨練」的「事」，實則是我們的行。有行，才可看清各條道路的匯聚與分叉。這是需要我們自己走才能弄清的，儘管有地圖，但地圖有可能不詳細，甚至是錯的。所以需要我們通過行，自己摸索清楚。「道」字裡邊的「首」代表自己的眼睛，要用眼觀，這個觀，需用自己的眼睛觀，而且是整體性地觀。此為知，走字底表示行，故道字本身就包含了知和行。

56　（明）王陽明著，吳光等編校：〈象山文集序（庚辰）〉，《王陽明全集》上冊，上海：上海古籍出版社，2014年，頁273-274。

57　此對庸的解釋是筆者受陽明先生啟發而做的一個解釋，尚未找到陽明先生原文作支撐，但此解釋相信可以更好解釋陽明思想與中庸的關係，故不揣冒昧，錄於上面的圖示之中。

　　子曰：「道之不行也，吾知之矣。智者過之，愚者不及也。」無論是智者的過，還是愚者的不及，均是一種單一路線的遮蔽與沉溺。跳脫這種單一路線，摸索清楚各種路線的來龍去脈，才可繼續行進。否則就可能進入胡同小巷，自我迷失。所謂中庸之道，庸者，各條道路之交匯，通也，用也，行也。沉浸於技，則進入胡同小巷，容易迷失。空執於名相的道，又會阻礙我們的行道。道、技之間，互為支撐。道為大方向，而技這是我們行道過程中具體行進路線和工具，沒有這些東西，我們的行道就會受阻。[58]反之，只知前行，而不知大方向，則易迷失，甚至可能背道而馳。道之廣大，道的方向指引性，是不該忽視的。同樣，具體的技卻是我們行道的載體和工具。兩者之間互相支持，缺一不可，正是陽明所謂「器道不可離，二之即非性。」[59]

---

58 陽明先生龍場悟道，反思之前的沉溺，可能是道之大方向看不清楚，故行道受阻。但龍場之前所積累的這些技卻是後來的行道過程不可或缺的。比如倘若沒有早年在文學上下的工夫，陽明又如何能寫出才情並茂之文說降盜賊，又如何能引導人致良知？沒有對兵法的深入研習，又如何贏獲一次次平叛戰爭的勝利？所以陽明的反思並不是要讓我們忽視具體的技藝。

59 （明）王陽明著，吳光等編校：〈和湛若水、崔子鍾八詠‧其五〉，《王陽明全集》中冊，上海：上海古籍出版社，2014年，頁751。

「致用」的延伸與踐行：
門人入幕與南宋理學思想的傳承[*]

田萌萌
北京師範大學歷史學院

　　南宋理學[1]集時代之大成，諸派分立。雖化分不同派系，但各家學說大抵承自北宋，受洛學影響頗深。程門高徒楊時為「南渡洛學大宗」，其眾多弟子在南宋理學發展中起到非常重要的作用，如羅從彥傳李侗再傳朱熹；王擗、張九成開象山之學；胡宏兄弟傳張栻，成湖湘學派，全祖望曰「龜山獨邀耆壽……晦翁、南軒、東萊皆其所自出」。[2]此外，以周行己、許景衡為代表的「元嘉九先生」對薛季宣、陳傅良的永嘉之學亦有開啟作用。以理學自身發展歷程看來，南宋諸家學說的源始有著共通性。就時代背景而言，南宋社會又為各學說的發展提供了特殊的政治歷史環境。靖康之難，宋室南渡。南宋朝廷在風雨飄搖中建立，眾儒生學者希冀復興文化和道德觀可以帶來重建國家、驅逐外敵的力量。[3]他們志在經邦治世，為學關乎歷史興替。且各學派代表人物又都有著一定的仕宦經歷。那麼，在共同的學術淵源、時代背景中成長，又在相通的仕途生活影響下，各家學說大體形成了一致的「經世致用」價值觀。

　　然而，對「經世致用」之「用」，各派系卻有著不同的認知。呂祖謙「金華之學」主張通過「觀史」察「事之利害，時之禍患」，對「用」的現實性關照不夠強烈；朱熹的「經世致用」則以「格物窮理」為前提，強調「明理」、「窮理」的重要性；但朱熹的「格物窮理」被陸九淵嘲諷為「支離事業」，象山之學主張「發明本心」，並自稱「簡易功夫」。[4]相較而言，張栻湖湘學派與葉適永嘉之學更強調「用」的實踐性，傾向重「行」。張栻認為「知」是「行」的指導，在「知」中可獲取「行」。甚至將「行」視為

---

[*] 【基金項目】國家社會科學基金重大項目「中國古代都城文化與古代文學及相關文獻研究」〔18ZDA237〕

1　對於宋代學術稱謂，學界主要有「理學」、「道學」、「宋學」、「儒學」等。馮友蘭認為「理學」專指程朱學派的獨家學說；鄧廣銘認為應當用「宋學」一稱概括兩宋學術之全部；而陳植鍔則對「道學」與「理學」進行考辨，認為這兩個稱謂已在宋儒中演變為門戶意識。因本文主要涉及思想研究，宋學、儒學等概念太過寬泛，便姑且取「理學」為義理之學、性理之學之意。

2　（清）黃宗羲，全祖望：《宋元學案》北京：中華書局，1986年，頁944。

3　（美）田浩：《朱熹的思維世界》南京：江蘇人民出版社，2011年，頁15。

4　張立文：《朱熹評傳》南京：南京大學出版社，1998年，頁20。

本體，認為「行」才是「知」的最終指向。[5]葉適永嘉之學亦重躬行踐履，全祖望稱「其學主禮樂制度，以求見之事功。」[6]葉適為學，主張務實踐履的同時，關注踐行實效性，從而使「用」真正落到現實中的「用」。如果說朱熹等人傾向理論建構，那麼張栻、葉適則偏向實踐，側重討論文化價值以及實際政策問題。也可以說，張栻、葉適的「經世致用」觀念具體到理學思想中，更多的是「致用」之學。

值得注意的是，張栻與葉適均有著一定的幕府經歷。宋代設置都督、宣撫使、招討使、制置使、經略使、安撫使、轉運使、發運使等府司，均允許其開設幕府。尤其南宋，為防止金人入侵，更於一些軍事要處設制置使，即「制撫」。南宋前中期，有著諸多理學士人入幕現象，他們或任幕主、或任僚屬，幕府生活、幕府實踐、甚至從幕僚到幕主身分的轉變，在理學觀念發生、發展、乃至傳承的過程中意義重大。

張栻「致用」之學在任幕僚、幕主期間，隨不同實踐程度而各有獲取，最終形成「知行互進」的過程。於葉適而言，其「事功之學」則因幕僚時期權職所限，無法使思想主張轉化為實效性的踐行。直至開府建康，葉適才獲得踐行並驗證經世濟民等主張的條件與機會，並催發他思想的成長與深化，為「經世務實」的「事功之學」注入來源。自建康府歸，葉適在著作《習學記言序目》中對其思想體系進行了總結性地論述。張栻、葉適等人既熟知政治又為學論道，其理學思想的形成過程，天然地受到幕府經歷及其政治哲學的影響，與現實生活關聯密切，所以他們思想的時代性、指導性很強。但朱熹等人思想，並不是完全基於時代的哲學，他們繼承孔孟，發凡漢學，由北宋而來，志在建立一個新的宋學體系，並希冀以此尋求「經世治國」之力。對張栻、葉適等實學派來說，切身體會到的幕府經歷、實踐經驗，使得他們建立哲學體系的目標和宗旨便與朱熹等人出現偏差，其實質是立意之不同。與其他政治經歷相比，幕府在這一過程中起到了非常關鍵性的作用。

幕府使張栻、葉適對「致用」之學獲得更現實體悟並加深其「致用性」的同時，作為固定場域與契機，幕府亦培養理學門人、傳承理學思想。南宋理學士人的培養，固有一整套完備的官學、私學體系，大多理學士人都成長於這一體系之中。然而，理學家開府如張栻、葉適，援引其門生入幕為僚，並在這一過程中實現了「學行互進」，使得幕府在某種意義上成為培育理學人才的「場所」，傳承理學觀念的「機構」。理學門人的入幕，對「致用」之學的發展與傳承具有直接助推作用，使幕府與治學聯結更加緊密。

一　治學的延續：辟門人入幕

在張栻開府靜江、江陵，葉適開府建康期間，均有門人入幕現象，辟門人入幕，是

5　參見拙作〈論幕府背景下張栻「致用」之學的「知」與「行」〉。

6　（清）黃宗羲，全祖望：《宋元學案》北京：中華書局，1986年版，頁1690。

幕主對門人之才器重的表現。誠然，理學家幕府門人僚屬，多為時所稱者。

據張栻詩〈游誠之來廣西相從幾一年今當赴官九江極與之惜別兩詩踐行〉可知，游誠之曾入張栻幕。游誠之，即游九言（1141-1206），初名九思，字誠之，號默齋，建陽（今屬福建）人。早年從學張栻，後入張栻廣西、江陵幕。孝宗淳熙十年（1188），監文思院上界。寧宗慶元二年（1196），為江東撫幹。開禧初，辟為淮西安撫司機宜文字，以不附韓侂胄罷。有《默齋遺稿》二卷，與朱熹、趙師秀等有交遊。

開禧二年（1206）六月，葉適臨危受命，除寶謨閣待制、江東安撫使、知建康府兼行宮留守；後又兼沿江、淮制置使。葉適帥建康，北抗金軍、措置屯田，其幕府臨江而防，在宋金之戰中起到護衛前線的作用，有力地扭轉了戰局。身為幕主，葉適麾下僚屬多有識之士，尤其門生亦被招致幕中：

> 張垓，字伯廣，金華人，以蔭入仕，歷官湖北提刑[7]，湖廣總領淮東轉運司幹辦公事，皆有聲績，以老奉祠而終。師事葉適，所以資給之者甚至。葉適帥建康，「辟為司屬」[8]。嘗為呂祖謙門人。與張栻、陳傅良等亦有交遊。

滕戊（1154-1218），字季度，平江吳縣（今蘇州）人，滕康孫。學於水心，水心異其沈敏好學，「學未久，坤閫乾闔，無不洞達。雖不喜時文，習制舉，一年而成已。」[9]遂舉直言極諫科。既試，命文飄疾，午漏不移暑已就。考官疑其輕己，遂罷。[10]後再召，不起。葉適奏其學行，詔賜「廉靖處士」。葉適帥建康，辟入幕。晚居吳之齊門窮僻處，官吳者，多知其賢，就見，則與之清語終日。[11]有〈吳孫王墓記〉〈長洲丞題名記〉等。

厲仲方（1159-1212），字約甫，原名仲詳，婺州東陽人。紹熙元年（1190）武舉第一名，任侍衛步軍司計議官，武學諭，閤門舍人，副賀生辰者使金。嘉泰中，出知安豐軍、和州、廬州。從水心學，旬沐歲省，諸生皆散去，獨仲方閉一室，未嘗窺戶。並試兩學，擅武專文，蔡鎬稱其：「吾周旋武學，歲月多矣，未省有如此文字。」[12]開禧北伐，仲方召授左領衛中郎將。逢葉適帥建康，辟置葉適幕下。韓侂胄死後，臺臣劾其附會開邊，遂罷官奉祠，尋徙邵州，卒。與陳亮親善。

袁聘儒，字席之，建安（今福建建甌）人，袁說友子。光宗紹熙四年（1193）進士，受學於葉適。寧宗嘉定十七年（1224）通判衢州，以臣僚論「乘醉行刑，胡亂書

7　據《止齋先生文集》卷12：「湖北提刑張垓奏承議郎常德府通判趙善彥，在任貪婪不法，降一官放罷。」

8　（清）黃宗羲，全祖望：《宋元學案》北京：中華書局，1986年，頁1820。

9　（宋）葉適著，劉公純、王孝魚、李哲夫點校：《葉適集》北京：中華書局，2010年，頁469。

10　同上註。

11　（清）黃宗羲，全祖望：《宋元學案》北京：中華書局，1986年，頁1812。

12　（宋）葉適著，劉公純、王孝魚、李哲夫點校：《葉適集》北京：中華書局，2010年，頁422。

判。」[13]罷。據葉適《水心別集‧後總》，袁聘儒注：「丁卯歲，侍先生於金陵，親商略此事。」此言葉適在建康修堡塢事，袁聘儒當時應跟從葉適帥置建康。又《宋元學案補遺》：「水心為武進令直友墓誌，言先生官朝奉郎，浙東安撫司機宜。」[14]可見，袁聘儒當時亦曾任浙東安撫司機宜文字。有《述釋葉氏易說》一卷，為述釋葉適《習學記言序目》之《易》之作。[15]

　　理學家門生多才學過人者，從其師入幕，雖為幕主與僚屬關係，實際上又是進一層的師生關係。在幕府或參議政事、或論學講道、或勸勉砥礪，即使為幕府日常，這種行為也在實質上構成了理學家治學、育人的延續，成為學術傳承的一種方式。

二　實踐育人：門生參政與理學思想的授教

　　理學門生在幕府任職為僚，必然要參與到幕中政事。幕府因開於不同時期、地域而政務重心各有側重，眾門生所從之事亦或多或少受到影響。但無論如何，其政務上的所有行為都隸屬於幕府。因此，僚佐參與政事，亦是在幕主帶領下對「致用」思想的踐行。這種實踐性的行為不再只是幕主個人行為，而是在整個踐履過程中，理學家以幕主身分對門人的授教。並通過這種幕府的方式促進經世致用思想的傳承。

　　幕府掌管一方軍政，有時既需維護治安、又要兼管地方行政，據《咸淳臨安志》：

> 形勢堤防，軍馬甲械，錢穀之政，視諸路為重。吳地大俗侈，昔號難治，牧善良以培根本，燭奸仇以銷萌桚，帥於此乎究心。而僚屬之選，亦不輕矣。[16]

　　形勢堤防之險、軍馬錢糧之政，均是在幕府職責範圍內。開設在邊境、前線等關鍵地區的幕府，更是責任重大。張栻開府靜江，門人游九言隨之入幕，為張栻分擔諸多政務，做得十分出色，以致張栻不斷誇讚：「誠之在此，極得其助。」[17]「其人明決有力，向來良得其助。」[18]那麼靜江府由之前邊備寡弱、盜賊猖獗的社會動亂，法度廢弛、土丁虛籍的毫無綱紀，轉為「綱紀粗定，人情頗相信，向又歲事極稔，盜賊屏戢……邊備兵政，亦隨力葺理。保甲一事，亦頗有條理。……官僚其初頗有拘束之歎……今卻極相安。」[19]的諸事稍定、太平安樂，與游誠之協助管理應不無關係。所有

13　（清）徐松著，劉琳等校點：《宋會要輯稿》，職官七五，上海：上海古籍出版社，2014年，頁5092。

14　（清）王梓材、馮雲濠著，沈芝盈、梁運華點校：《宋元學案補遺》北京：中華書局，2012年，頁3192。

15　（宋）陳振孫：《直齋書錄解題》卷1，上海：上海古籍出版社，1987年，頁24。

16　（宋）潛說友：《咸淳臨安志》卷53，臺北：成文出版社，1970年，頁510。

17　（宋）張栻著，楊世文校點：《張栻集》北京：中華書局，2015年，頁1103。

18　同上註，頁1107。

19　同上註，頁1102。

政務的施行，都是游誠之在張栻帶領下將「致用」思想主張踐行於實的過程。

葉適帥建康，與金抗衡，門人屬仲方為中郎將。時金人囤兵十萬於定山，屬仲方募石斌賢、夏侯成，合力破之。金人圍六合，水心命仲方解之，不久便退去。[20]滕宬獻計，助葉適捐重賞、募勇士，劫營於石跋、定山，從而使建康軍民「四處奔走、人心惶惶」轉為「士氣稍奮，人心稍安。」[21]戰事緩和階段，葉適在江北建定山、瓜步、石跋三處堡塢，門人袁聘儒全力之，從而加強了沿水一線的戰略防禦。葉適門人的所有作為，都是在幕主帶領下，將「事功思想」中「經世」的一面轉化為確切地社會實際行為，體現「致用」性的同時，也是「事功之學」在幕府的繼承與更深、更廣層次的實踐。

除帶領門人踐行思想外，理學家在幕府還對門人進行思想上的點撥。張栻在靜江作〈答朱元晦書〉，雖稱游誠之「其人明決有力，向來良得其助。」但緊接便言其「義理盡少涵泳，辭色間多與人忤，正須深下工夫乃佳耳。」[22]誠之本為張栻門生，但在幕府卻是他於治學之外、另一方面行為與能力的顯現。張栻為誠之踐行詩中寫到：「士學端成已，工夫要自程。聖門窺廣大，中德養和平。美玉咨勤琢，亮彩詎小成。心期須後會，拭目更增明。」[23]臨行之際，張栻通過詩歌表達了對游誠之的勸勉與期待，與〈答朱元晦書〉書基本相同，指出其「義理」、「中德養和平」方面的缺陷，是幕主對僚屬送行的叮囑，更是一位師者對門生的指點與殷切期盼。「義理涵泳」是對文章方面的要求，「辭色間與人忤」則是針對修身、治學層面而言。理學門人在其他情況下不易顯露的問題，在幕府中得以放大。對理學門人而言，幕府是不同的「求學」場域。甚至游九言離幕後，張栻與朱熹的另一封書信再言：「游誠之誠長進，但向來相聚，見其病多在矜之一字，亦嘗力告之，若不於此下工，則思慮雖親切，亦終必失之耳。」[24]此仍為「中德和平」之事。那麼幕府對理學家與門人來說，則是某種層面上於治學的深化與踐行。幕府正是以其自身的特殊角度為理學家提供教習門人的特有語境，從而使「入幕」成為理學思想傳承與延伸的一種方式。

這種現象在葉適幕府同樣存在。葉適鎮守建康，談論戰事過程中，對門人亦加以指點。據《習學記言序目》：

> 頃歲余守金陵，與虜沿江上下，謀劫其寨以撓之，宣司以為疑。滕宬云：「有子（若）尚劫寨，何況他人！」余歎曰：「如此讀書，不枉。」[25]

這段材料指建康劫寨，滕宬獻計之事。葉適劫寨，上級的宣撫司不以為然。然與

---

20 （宋）葉適著，劉公純、王孝魚、李哲夫點校：《葉適集》北京：中華書局，2010年，頁422。

21 （清）黃宗羲，全祖望：《宋元學案》北京：中華書局，1986年，頁1742。

22 （宋）張栻著，楊世文校點：《張栻集》北京：中華書局，2015年，頁1107。

23 同上註，頁791。

24 同上註，頁1119。

25 （宋）葉適：《習學記言序目》北京：中華書局，2009年，頁160-161。

僚屬商略，門人滕戌提出建設性意見，令葉適大悅，並讚賞「如此讀書，不枉。」這一
肯定既是對滕戌的認同，也是對他讀書、治學的點撥。葉適非常注重指點門人讀書，他
認為：

> 古之成材者，其高有至於聖，以是書也；靜有以息謗，動有以居功，亦書也；泊
> 無所存，而所存者常在功名之外，亦書也；百家眾作，殊方異論，各造其極，如
> 天地之實並列於前，能兼取而無禍，皆書之餘也。[26]

在葉適看來，書對於人之成材、動靜皆極為重要，且書又可兼取「百家眾作，殊方
異論」，如同天地之實，是實實在在的存在，是獲得學識的有益途徑之一。葉適對於滕
戌的肯定，表面來看是對其讀書、治學方法的肯定，深層次上亦是對他思想「致用性」
的肯定。滕戌能將書中所得用於幕府戰事，葉適應是十分欣喜的。葉適在滕戌事例後評
論曰：「有子傳孔子之道，如此鄙暴事亦為之；冉有用矛於齊帥，故能入其軍。急病先
難，古人之義，左氏特表出，蓋由意也。」[27]事急從權，孔子之道尚可如此，那麼滕戌
之建議則是將讀書所獲古人思想活用於實的行為，是「經世思想」致用性的體現，這也
恰是葉適一以貫之所秉持的「致用」之學。

理學門生在幕府的參政實踐與理學家的幕中指點，於理學門生來說是不同於一般治
學方式的學習經歷，在日常生活中潛移默化進行，對其治學修身意義特殊，同時也成為
他們對「致用」的經世之學、甚至理學思想的踐行，並為其繼承與延伸打下堅實基礎。

葉適門人對事功之學的踐行與深化，更多地則表現在宋金戰爭中所產生的實際效用
上。屬仲方師從水心，素留意於事功之學，故所至皆有稱。[28]仲方頗富將才，在安豐
時，組織種桑數十萬株，墾田數千頃，置歷陽軍實甚眾；韓侂胄北伐，屬仲方授左領衛
中郎將；水心帥建康，問士於仲方，薦田琳。於是以田琳戍合肥，金人不敢犯，然仲方
未嘗識田琳也。又據《建炎以來朝野雜記》載，屬仲方亦嘗造戰車、九牛弩，未及用而
罷去，後人用其所造九牛弩，射殺金驍將於城下，又用其所製戰車，敗之清水。[29]仲方
每在一處任職，皆有聲績，正是他對「事功之學」經世致用地踐履行為所致。滕戌所獻
「劫寨」之計，亦得到立竿見影的效果，使「金人乃解兵去，而舟師之在江中者，終無
尺寸之功也。然渡江之兵，終苦無所駐足。」[30]為戰勢局面的扭轉起到關鍵作用。

游九言離幕時，張栻亦曾言：「壯懷右自許，遠業定難量。幕府文書簡，韋編趣味
長。」以「幕府文書」和「韋編趣味」作比，言誠之學力深厚。誠然如此，魏了翁為游

26　（宋）葉適著，劉公純、王孝魚、李哲夫點校：《葉適集》北京：中華書局，2010年，頁176。

27　（宋）葉適：《習學記言序目》北京：中華書局，2009年，頁160-161。

28　（清）黃宗羲，全祖望：《宋元學案》北京：中華書局，1986年，頁1818。

29　同上註，頁1817。

30　同上註，頁1742。

九言《默齋集》作序曰：「默齋氣稟誠實，而早有立志，知所以自厚其躬矣。矧得一世大儒執經而受學焉。是惟無言，言則貫融精粗、造次道理，使假之年且見於用，其所成蓋不止此。」[31]在張栻離世後，游九言成為湖湘學派的中堅力量之一，更以其經世致用，砥礪抗金而彪炳史冊。除張栻幕府外，張杓帥金陵，復辟撫幹；開禧初，又為淮西安撫機宜，尋改知光華軍，充荊、鍔宣撫參謀官。[32]游九言多次入幕，為抗金事業努力奔走。如此之「學」與「行」，與游九言受張栻指導以及在幕府對「經世致用」學識的獲得應不無關係。

三　學研結合：幕府內外的學術互動

門人入幕，這一現象本身就是對治學氛圍的營造，使幕府中幕主與幕僚，不再是單純的賓主、僚屬角色，又多了理學家與門生的角色。這樣的角色構成，在無形中已經成為營造治學氛圍的基礎。與葉夢得、范成大等詩人幕府類似，幕主擅為詩，其僚屬則多能為詩者，從而形成幕府內的詩歌創作生態。那麼，張栻、葉適在幕府，受幕主影響，幕府內部自然會形成以幕主為中心的治學氛圍。

幕府除嚴肅的公務環境外，亦有閒時賓主盡歡，在此背景下，則為學術研究與探討提供了幕府式的滋生土壤。雖張栻多次與朱熹抱怨府事繁難，如「諸郡歲計闕匱異常，甚至官吏乏俸，軍兵乏糧。」「有不率者，先之以遜督，不悛而後加以法。」「此路向來盜賊之多。」[33]等，但其在幕府，亦以詩文會友，據《桂林縣志》：「張仲宇，字儀德。紹興間以文藻稱。與同郡石安民相為引重。桂帥張栻、張孝祥、范成大先後至府，禮以上客。」[34]對於文士張仲宇的「禮以上客」，足矣見得其對文藻的推崇。開府江陵期間，張栻亦言：「近緣憲漕兩臺俱闕官，不免時暫兼攝，雖事緒頗多，然一路滯獄苛征得以決遣蠲放，不敢不盡心也。」[35]按宋制，南宋在地方各路設轉運司主管財賦，提點刑獄主管刑獄治安，提舉常平主管茶鹽、常平，安撫主管兵將、盜賊，但在實際運行中諸司往往出現「雜治」或「侵官」現象，且安撫使、經略安撫使又常兼都總管、兵馬鈐轄但兼提點邢獄與轉運使二職。張栻此時雖為安撫使，但又兼攝「憲漕」，公務不可謂不忙，事責不可謂不重，然亦有〈中秋與僚佐登江陵郡城觀月〉、〈重九日與賓佐登山〉等詩歌，從「涼意今年早，蟾光七澤多。憑欄共懷古，擁袂獨高歌。風物關山遠，功名

31　（清）王梓材、馮雲濠著，沈芝盈、梁運華點校：《宋元學案補遺》北京：中華書局，2012年，頁4109-4110。

32　（清）黃宗羲，全祖望：《宋元學案》北京：中華書局，1986年，頁2380。

33　（宋）張栻著，楊世文校點：《張栻集》北京：中華書局，2015年，頁1102。

34　（清）汪森著，黃盛陸等校點：《粵西文載校點》南寧：廣西人民出版社，1990年，頁176。

35　（宋）張栻著，楊世文校點：《張栻集》北京：中華書局，2015年，頁1120。

歲月過。一樽聊復爾，於此興如何。」[36]詩句中的高遠、曠達可知，張栻並未被公務所累，其幕府也是閑時賓主盡歡之態。這就為理學思想的生長與傳播，提供了相對寬鬆的環境。

張栻在幕府，也有講學、或與僚屬論學的行為。其在靜江，常選士子中資質好者，呼一二來郡齋與之講論，並使之「庶知向方。」[37]此時，其僚屬又有陳擇之，即陳琦（1163-1184），號克齋，臨江軍清江（今江西清江西南）人。孝宗乾道二年（1166）進士。歷衡陽簿、贛縣丞。留正帥蜀，辟掌機宜文字。張栻有云「游誠之官期已到，行已旬日⋯⋯陳擇之後今卻留此。」[38]那麼陳擇之或可為其僚屬，張栻稱擇之「通曉民事，好商量，但講論多有成說為礙耳。」[39]可見，在幕府張栻應與陳擇之有過論學，並對其指點一二。張栻帥江陵，僚屬還有王炎。王炎，字晦叔，號雙溪，婺源人。自幼篤學，乾道五年（1169）進士，調明州司法參軍，再調崇陽簿。後應辟入張栻江陵帥幕，累官至軍器監。有《雙溪集》傳世。據《新安文獻志》載：「時南軒先生張公帥江陵，聞而器之，檄於幕府，議論相得。」[40]「議論相得」，即二者之間存在著一定的交流、探討。通過講學、論學，張栻對治學氛圍的進一步營造，使得其理學主張在幕府得以生發、傳播。葉適建康府因戰況緊急，軍務嚴明，雖環境不若張栻幕府之寬鬆，但其亦與友人程珌共遊秦淮河。[41]

此外，理學文人在幕中，包括幕主與僚屬在內，與幕府外的理學仕人往來問道，互進學識。張栻開府期間，與朱熹、呂祖謙等多有交往。其〈答朱元晦〉云：

> 廣右比之它路最為廣莫，而彫瘵則最甚。蠻落睢盱，邊備寡弱，日夜關虜，固嘗以安靜為本，然要須在我有隱然之勢，則安靜之實乃可保。方考究料理，不敢苟目前也。遠方法度廢弛，惟以身率之，立信明義，庶幾萬一⋯⋯若此事有餘緒，庶幾邊防差壯。[42]

張栻帥桂，與朱熹書信多言幕府邊事冗雜、公務繁忙。但其亦不敢廢學，嘗曰：「某日間亦得暇讀書，但覺向來語言多所未安，尤不敢輕易立辭。」「近亦得暇讀《中庸章句》。晦叔許一來，已遣人取之，旦夕可到，相與講磨，庶少慰索離也。」[43]張栻在公務間隙讀書、論學，同時又將自己心得、領悟通過書信的方式呈與朱熹，其言《中

36　同上註，頁800。

37　同上註，頁1102。

38　同上註，頁1107。

39　同上註。

40　（明）程敏政輯，何慶善、于石點校：《新安文獻志》，卷69，合肥：黃山書社，2004年，頁1706。

41　周夢江：《葉適年譜》杭州：浙江古籍出版社，2006年，頁123。

42　（宋）張栻，楊世文校點：《張栻集》北京：中華書局，2015年，頁1101。

43　同上註，頁1103。

庸》、《大學章句》已詳讀，但有少商量處，須更仔細反覆也。又說《易說》未免有疑。蓋《易》有聖人之道四，恐非為卜筮專為此書……[44]張栻不光在書信中言明讀書近況，亦將其思考與朱熹交流。此外，張栻此期還與劉珙、呂祖謙、詹儀之等人有往來，「共父處人回得書，請祠之意甚濃，聞所施為大抵類長沙。」[45]共父即劉珙，「回得書」一詞，可見其與劉珙之書信交往；又「目前幸歲稔盜息，人情相安，但環視一路，可為寒心者多……伯恭相聚，計講論彼此之益甚多，恨不得從容於中也。」[46]伯恭即呂祖謙，張栻帥一路，憂心政事之餘，與呂祖謙相聚於幕府，二人互相論道、計益頗多；又於淳熙二年承詹儀之請作〈濂溪周先生祠堂記〉，淳熙五年應朱熹求作〈南康軍新立濂溪祠記〉，皆與論學相關。可以認為，以幕主張栻為中心，通過與幕府內部僚屬、幕府之外的理學同僚往來論道，整個幕府沉浸在一派輕鬆、自然地治學、論學氛圍中。

除張栻外，葉適幕府亦然。不僅幕主與同僚交遊，僚屬也有自己的理學交往群體。葉適門人張垓，好義，有節氣。時呂祖謙被貶，張垓在建康帥幕，聞之追至信安，為呂祖謙謀行李；陳亮入大理獄，張垓奔走經營，為其脫難。張垓與張栻、陳傅良等亦有交遊。與此同時，葉適門人厲仲方也與陳亮交，關係親善。

在理學家幕府，從幕主到僚屬，從上到下、從幕府內部到周邊，理學者之間複雜的、交叉的往來問學，成為整個幕府內嚴謹、熱烈的理學生長契機和問學途徑。

總體看來，幕府視戰況與幕主的不同，並非盡是嚴肅的公務氛圍，亦有閑時賓主盡歡、互論學術。加之理學仕人的交往，幕主身體力行地實踐行為，在多種因素共同作用下所形成的幕府治學氛圍，更有助於理學者講學論道的開展、甚至思想的獲取與傳播，從而進一步完善其哲學思想體系。

理學門人入幕，是理學家實際意義上治學、育人的延續。理學家幕主在幕府帶領門人進行思想性地實踐，並予以指點；又在幕府內外互論學術，從而使幕府以一特殊角度，成為張栻、葉適等實學派學以「致用」的進一步踐行和延伸，在南宋理學思想的生成和傳播過程中扮演重要角色。

44　同上註，頁1106-1107。

45　同上註，頁1103。

46　同上註，頁1108。

晚明三餉與明帝國之崩潰

楊永漢

香港新亞文商書院

一　前言

　　晚明三餉的徵收，主要用作遼事及平定內部農民軍之用。其徵收的數額與方法，直接影響明朝的統治。當然，一個朝代的滅亡，有多種原因，本文是以三餉所帶出的種種問題，分析其與明帝國崩潰的因果關係。

　　明自萬曆以後，因遼事告急，政府在原額以外，進行「加派」，稱為遼餉。其後，內亂頻生，再加徵練餉、剿餉，是為「三餉加派」。遼餉從簡單的依畝數徵收，因不敷應付軍費，進而多方徵收，包括雜項、鹽課等，漸變複雜。本文嘗試以三餉徵收的情況分析明代敗亡的原因，故集中討論三餉所引發的問題。至於有關三餉徵收的細節，可參考拙著《論晚明遼餉收支》臺北：天工出版社，一九九八年、〈從《清江縣志》看晚明三餉徵收的情況〉，收在陳慈玉主編《承先啟後──王業鍵院士紀念論文集》臺北：萬卷樓圖書公司，二○一六年及〈論晚明軍兵月餉〉，收在楊永漢主編《經濟史家宋敘五教授紀念論文集》臺北：萬卷樓圖書公司，二○一八年。

二　三餉加派

　　明代籌集軍費，會實施「加派」。所謂「加派」，是指在正常的田賦外加若干額數作為軍費之月。最初的徵派，不限定是田賦。弘治時，戶部侍郎韓文已論及：

> 正統以前，國家用儉，故百姓輸納皆不出常額之外。自景泰至今，供應日盛，科需日增，有司應上之求，不得已往往額外加派徵納，如河南、山東等處之添納邊糧，浙江、雲南等處之添買香燭，皆昔年所無者。[1]

　　其後加徵事例，主要是依畝數徵收，包括正德九年（1514）為建乾清宮「加天下賦一百萬兩」[2]，嘉靖二十九年（1550）共加賦一一五萬兩等，只蘇州一府已紀八五

1　韓文：〈會計足國裕民疏〉，見御選《明臣奏議》卷10，轉引自郭松義《民命所繫──清代的農業與農民》北京：中國農業出版社，2010年，頁525-526。

2　（清）張廷玉：《明史》卷16〈武宗紀〉北京：中華書局排印本，頁207。

○○○兩[3]。所謂「加派」，是按畝數增加的「附加稅」，不論省分貧富，田土肥瘠等，劃一徵收[4]。雖然對較貧窮省分造成負擔及不公平，但的確能解決一時緊急軍需的窘狀。萬曆以前，亦曾進行加派。嘉靖廿九年（1550）秋，由於俺答進犯京師，政府須興兵防禦，京師諸邊軍餉驟增至五九五○○○○兩[5]，在南畿、浙江州縣增賦。《明史・食貨志二》記載：

> （嘉靖）二十九年（1550），俺答犯京師，增兵設戍，餉額過倍。三十年（1551），京邊歲用至五百九十五萬，戶部尚書孫應奎蒿目無策，乃議於南畿、浙江等州縣增賦百二十萬，加派於是始。[6]

自此以後，京邊的歲支，多則五百萬，少則三百餘萬，而當時天下財賦歲入太倉者約二百萬兩以下，而以十分之三作為軍餉儲備，即六十餘萬兩[7]。自嘉靖廿年至卅六年（1551-1557），每年餉額均過三百萬兩[8]。

表一　嘉靖卅年至卅六年（1551-1557）及京邊用銀之數

年期	京邊用銀（兩）
三十年（1551）	5,950,000
三十一年（1552）	5,310,000
三十二年（1553）	4,720,000
三十三年（1554）	4,550,000
三十四年（1555）	4,290,000

3　《明史》卷202，〈孫應奎傳〉，頁5334。

4　正德年間因建乾清宮，加天下賦一百萬兩，據《武宗實錄》卷119，頁2408，「正德九年（1514）十二月甲寅」條載：「營建宮室料價工役當用銀百萬兩，宜派浙江等布政司並南北直隸府州縣，均賦於民，每年帶徵十之二。恐輸不及，請暫於內帑借其半，以濟急用。詔內帑銀不必動。」這次的加派只為建宮殿，且分五年徵收，與後來加派只獨為軍餉籌措措而行有所不同。

5　《明史》冊7，卷78，〈食貨二〉，頁1901，載：「世宗中年，邊供費繁，加以土木、禱祀，月無虛日，帑藏匱竭。司農百計生財，甚至變賣寺田，收贖軍罪，猶不能給。二十九年（嘉靖，西元1550年），俺答犯京師，增兵設戍，餉額過倍。三十年（1551），京邊歲用至五百九十五萬，戶部尚書孫應奎蒿目無策，乃議於南畿、浙江等州縣增賦二十萬，加派於是始。」

6　《明史》冊7，卷78，〈食貨二〉，頁1901。

7　同上註，〈食貨二〉，頁1901載：「京邊歲用，多者過五百萬，少者亦三百萬餘，歲入不能充歲出之半。由是度支為一切之法，其箕歛財賄、題增派、括贓贖、算稅契、折民社、提編、均傜、推廣事例興焉。」

8　梁方仲：《梁方仲經濟史論文集》北京：中華書局，1989年，頁259，〈明代十段錦法〉列嘉靖卅年至卅六年（1551-1557）及京邊用銀。

年期	京邊用銀（兩）
三十五年（1556）	3,860,000
三十六年（1557）	3,020,000

　　加上嘉靖卅四年（1555），倭患漸熾於浙江沿海一帶，故又需於南畿、浙、閩的田賦加額外提編。其方法是以銀力差排編十均傜[9]。初時在應天、蘇、松等處的加派銀為三五九二〇兩，四十一年（1562）因水災減徵一八九三〇兩，四十二年（1563）將原加派兵餉減三分之一，止徵銀二九〇六〇〇兩[10]。至四十四年（1565），南直隸巡按溫如璋條陳江南兵食事宜，奏請裁減加派數目，但裁減數目卻沒有記載。

　　胡宗憲曾「創編提條之法，加賦額外」[11]，令到民生日乏。此次徵賦相信是發生在嘉靖三十六年（1557）胡氏任浙江總督時，據《萬曆會計錄》載：

> 卅六年（嘉靖，1557），總督胡宗憲奏議處兵勇工食，尚書方鈍覆查得前項工食合銀肆拾柒萬伍重玖百兩。議於概省官民田地山蕩，起辦其提編均傜里等項，盡行革去合行各府清查。田地一畝，應否概徵銀玖釐；山壹畝，應否徵銀肆釐陸毫零；蕩壹畝，應否概徵銀柒釐。或田與地可以量增，或山與蕩可以量減[12]。

　　其法是每畝分等級，計畝徵銀，而當時浙江提編已達四七五九〇〇兩之多。

　　至於其他地方的加派，難有完整記錄，但嘉靖卅四年（1555）的加派很可能已遍及全國，據《世宗實錄》載：

> 浙直督撫儲臣以江南倭寇侵擾，調兵日多，糧餉不給，請借留淮浙餘鹽及南贛餉銀，各省庫接濟。戶部覆……今日江南軍餉孔亟，固當計慮，京邊歲費日增，尤當議慮。宜行各行司府編派均條銀接濟，內除順天、應天、蘇、松、常、鎮等免編外，其餘司府俱預編一年。令南直隸淮、揚、鳳、徐四府州，浙江、福建、廣東、廣西、雲南五省銀解南直隸浙江軍門；陝西銀解延綏；山西銀解三關；北直隸，直保定七府，以備邊用。詔可。[13]

9　《明史》冊7，卷78，〈食貨二、賦役〉，頁1902，載：「是時，東南被倭，南畿、浙、閩多額外提編，江南至四十萬。提編者，加派之名也。其法以銀力差排編十甲，如一甲不足，則提下甲補之。」

10　《世宗實錄》卷525，頁8565，〈嘉靖四十二年（1563）九月己丑〉條載：「巡撫應天周如斗言：江南自有倭患以來，應天、蘇松等處，加派兵餉銀435,900餘兩。今地方已寧，乞減三分之一，少甦民困。戶部覆，言加派兵餉原以濟急，事已宜罷，不但當減徵分數而已，請下酌議悉除之。報可。」

11　《明史》冊18，卷205，頁5414，〈胡宗憲傳〉。

12　《萬曆會計錄》卷2，頁110，〈浙江布政司田賦、沿革事例〉。

13　《世宗實錄》卷422，頁7319-7320，「嘉靖四年（1525）五月丁未」條。

上列預編均係一年，除指定數府外，範圍幾及全國。加派實施以來，賦額日增，而最不便者為提編銀[14]及卅六年（1557）工科給事中徐浦指出提編只宜濟一時之急，兵事過後，應該取消提編，另外尋找方法解決軍餉以便人民休息，不應毫無撙節任由官員加派[15]。可是當時戶部尚書方鈍認為倭患比加派更加傷害民生，因此贊成加派以備軍需[16]。

（一）遼餉

遼事發生，明政府引用前例，於田賦外加徵稅收。萬曆期間，加徵遼餉，第一次遼餉加派在萬曆四十六年（1618），加徵三釐五毫。終萬曆之世，前後三次加派，共九釐。《神宗實錄》載：

> 戶部以遼餉缺乏，援征倭、征播例、請加派，除貴州地磽有苗變不派外，其浙江十二省、南北直隸、照萬曆六年《會計錄》所定田畝總計七百餘萬頃，每頃權加三釐五毫。惟湖廣、淮安額派獨多，另應酌議，其餘勿論優免，一概如額通融加派，總計實派額銀二百萬三十一兩四錢三分八毫零。[17]

又載《明史·食貨二·賦役》：

> 其後接踵三大徵，頗有加派，事畢旋已。至四十六年，驟增遼餉三百萬。時內帑充積，帝靳不肯發。戶部尚書李汝華乃援征倭、播例，畝加三釐五毫，天下之賦增二百萬有奇。明年復加三釐五毫。明年，以兵工二部請，復加二釐。通前後九厘，增賦五百二十萬，遂為歲額。所不加者，畿內八府及貴州而已。[18]

其後徵收遼餉的內容，在丁、田的銀額數上徵收，避免奸胥尋隙加徵。天啟元年（1621），給事中甄淑言：

> 「遼餉加派，易致不均。蓋天下戶口有戶口之銀，人丁有人丁之銀，田土有田土之銀，有司徵收，總曰銀額。按銀加派，則其數不漏。東西南北之民，甘苦不

14　同前書，卷433，頁7471，「嘉靖三十五年（1556）三月丙子」條載〈兵部奉旨覆議九卿科道條陳禦倭事宜〉。

15　同前書，卷454，頁7683-7684，「嘉靖三十六年（1557）十二月癸未」條載：「浙直福建近因軍興，經費不數，額外提編，以濟一時之急。比以奉行匪人，因公倍斂，民不堪命。今事勢稍寧，正宜培植休息，別求生財之道。而督撫胡宗憲，阮鶚乃於加徵存留之外，仍前提編，節年所費，漫無稽考。……乞嚴諭宗憲、阮鶚，事從撙節，毋濫費以益民困。」

16　同上註載方鈍：「民困因所當恤，倭情尤為可慮。設使地方無備，一時倭患突至，則其焚劫殺傷之慘，將有甚於提編加派之苦。」

17　《神宗實錄》卷574，頁10862，〈萬曆四十六年（1618）九月辛亥〉條。

18　《明史》卷78，〈志五十四·食貨二·賦役〉，頁1903。

同，布帛粟米力役之法，徵納不同。惟守令自知其甘苦，而通融其徵納。今因人
土之宜，則無偏枯之累。其法，以銀額為主，而通人情，酌土俗，頒示直省。每
歲存留、起解各項銀兩之數，以所加餉額，按銀數分派，總提折扣，衰多益寡，
期不失餉額而止。如此，則愚民易知，可杜奸胥意為增減之弊。且小民所最苦
者，無田之糧，無米之丁，田鬻富室，產去糧存，而猶輸丁賦。宜取額丁、額
米，兩衡而定其數，米若干即帶丁若干。買田者，收米便收丁，則縣冊不失丁
額，貧民不致賠累，而有司亦免逋賦之患。」下部覆議，從之。[19]

加派之賦稅可備戰時之用，但民間能否承擔是另一問題。在嘉靖四十一年（1562）
各處已出現逋欠提編加派銀。此情況同樣出現三餉加派中，自天啟以後，逋欠情況相當
嚴重。

至崇禎三年（1630），除九釐外，再加派三釐，合共一分二釐，《明史・食貨二》載：

崇禎三年（1630），軍興，兵部尚書梁廷棟請增田賦。戶部尚書畢自嚴不能止，
乃於九釐外畝復徵三釐。惟順天、永平以新被兵無所知，餘六府畝徵六釐，得他
省之半，共增賦百六十五萬四千有奇。[20]

畢自嚴是站在最前線管理遼餉收支，畢氏清楚，無論中央加派多少，地方已難以支
持。只是梁廷棟極言可以，並條陳原因，崇禎認為合理，而畢氏亦沒有力爭，結果增加
加派之數，梁廷棟之解釋為：

「今日閭左雖窮，然不窮於遼餉也。一歲中，陰為加派者，不知其數。如朝覲、
考滿、行取、推升，少者費五六千金，合海內計之，國家選一番守令，天下加派
數百萬。巡按查盤、訪緝、饋遺、謝薦，多者至二三萬金，合天下計之，國家遣
一番巡方，天下加派百餘萬，而曰民窮於遼餉，何也？臣考九邊額設兵餉，兵不
過五十萬，餉不過千五百三十餘萬，何憂不足。故今日民窮之故，惟在官貪。使
貪風不除，即不加派，民愁苦自若；使貪風一息，即再加派，民歡忻亦自若。」
疏入，帝俞其言。[21]

梁氏分析似有道理，問題就是怎樣停止貪污，沒有建議，只是空談，而不顧現實。
梁氏最後亦死於懼戰，可謂空談誤國。

---

19 同上註。
20 《明史》卷78，〈志五十四・食貨二・賦役〉，頁1903。
21 《明史・梁廷棟傳》卷257，頁6627。

（二）剿餉

崇禎期間，再徵剿餉、練餉。此議是由楊嗣昌提出，《明史・列傳一百四十・楊嗣昌傳》：

> 嗣昌所議兵凡七十三萬有奇，然民流餉絀，未嘗有實也。帝又採副將楊德政議，府汰通判，設練備，秩次守備，州汰判官，縣汰主簿，設練總，秩次把總，並受轄於正官，專練民兵。府千，州七百，縣五百，捍鄉土，不他調。嗣昌以勢有緩急，請先行畿輔、山東、河南、山西，從之。於是有練餉之議。初，嗣昌增剿餉，期一年而止。後餉盡而賊未平，詔徵其半。至是，督餉侍郎張伯鯨請全徵。帝慮失信，嗣昌曰：「無傷也，加賦出於土田，土田盡歸有力家，百畝增銀三四錢，稍抑兼併耳。」大學士薛國觀、程國祥皆贊之。於是剿餉外復增練餉七百三十萬。[22]

剿餉徵收始於崇禎十年（1637），是針對晚明各地的農民動亂，徵收二八〇萬兩[23]。至十二年（1639），仍在徵收中[24]。剿餉來源有四[25]：

第一是「因糧」，在納糧銀上，通因量輸則，不分多少，上下一例，故又稱「均輸」。大致是「畝輸六合，石折銀八錢」，歲得「銀百九十二萬九千有奇」；第二是「溢地」，依萬曆九年通行清丈釐革後，未有加派的田地，稱為「溢地」，一律核實輸賦，歲得銀「四十六萬六千有奇；第三是「事例」，又稱「寄學監生事例」，即由富民輸銀與政府，取得監生之名，只行一歲；第四是「驛遞」，裁減郵驛費用二十萬兩。《明史・食貨二・賦稅》：

> 崇禎三年，軍興，兵部尚書梁廷棟請增田賦。戶部尚書畢自嚴不能止，乃於九釐外畝復徵三釐。惟順天、永平以新被兵無所加，餘六府畝徵六釐，得他省之半，共增賦百六十五萬四千有奇。後五年，總督盧象昇請加官戶田賦十之一，民糧十兩以上同之。既而概徵每兩一錢，名曰助餉。越二年，復行均輸法，因糧輸餉，畝計米六合，石折銀八錢，又畝加徵一分四釐九絲。越二年，楊嗣昌督師，畝加練餉銀一分。兵部郎張若麒請收兵殘遺產為官莊，分上、中、下，畝納租八斗至二三斗有差。御史衛周胤言：「嗣昌流毒天下，剿練之餉多至七百萬，民怨何

22　《明史》卷252，〈列傳一百四十・楊嗣昌傳〉，頁6514-6515。

23　同上註，頁6510。

24　（明）楊嗣昌：《楊文弱先生集》卷32，〈欽奉上傳疏〉。

25　《明史》卷252，〈列傳一百四十・楊嗣昌傳〉，頁6510；又見郭松義：〈明末三餉加派〉，見氏著《民命所繫——清代的農業與農民》，頁534。

極。」御史郝晉亦言：「萬曆末年，合九邊餉止二百八十萬。今加派遼餉至九百萬。剿餉三百三十萬，業已停罷，旋加練餉七百三十餘萬。自古有一年而括二千萬以輸京師，又括京師二千萬以輸邊者乎？」疏語雖切直，而時事危急，不能從也。[26]

表二　崇禎十一年（1638）剿餉徵收銀表

項目	銀額（兩）
省直溢地銀	45,670＋
裁站	200,000
督餉、再開事例	100,000
揚州新增鹽課	160,000＋
均糧	1,800,000＋
總數	2,305,670

資料來源：楊嗣昌：《楊文弱先生集》卷25，〈遵旨再議剿餉疏〉。

　　楊嗣昌所報數是二百七十一萬兩，與呈報徵收額細項數目不符。不足之數從「裁扣」、「納贖」等項補回。崇禎十三年（1640），因加徵練餉，曾詔減免徵剿餉、均糧、溢地等銀於民。原議剿餉只徵一年，最後仍維持徵收，減半。[27]無論如何，額外徵稅，始終沒有消除。

（三）練餉

　　崇禎十一年（1638），清軍攻入畿輔的山東等地，京師戒嚴。楊嗣昌定議由九邊各鎮及北直等地的總兵、總督訓練邊兵，估計兵數在七十三萬以上[28]，並開徵訓練邊兵的稅項，稱為「練餉」。從楊德政的建議可知，練餉所訓練的兵士，主要是應付農民的動亂：

> 府汰通判設練備，秩次守備；州汰判官、縣汰主簿設練總，秩次把總，並受轄於正官，專練民兵。府千、州七百、縣五百，捍鄉土，不他調。[29]

　　練餉的來源主要是田賦，原是依錢糧每兩加一分，據孫承澤《山書》記載「大江南北地狹糧重……，乃照地畝，每畝加一分」[30]，是次徵收得銀四八一一八〇〇兩[31]。

26　《明史》卷78，〈食貨二・賦稅〉，頁1904。

27　《明史》卷252，〈列傳一百四十・楊嗣昌傳〉，頁6515。

28　同上註，頁6515。

29　同上註，頁6514。

30　（清）孫承澤：《山書》卷13，〈議加練餉〉，浙江：古籍出版社，1989年。

表三　崇禎十二年（1638）擬徵練餉細分項

項目	銀數（兩）
賦役	700,000
兵部所裁站銀	500000
關稅量增	200000
鹽課	400000
契稅	240000
贓罰	200000
典稅	30000
公費節省	10000
總數	2780000

　　練餉的總數是七百餘萬兩，規定從崇禎十二年（1638）開始徵收。這樣的徵收，無疑是令百姓百上加斤，而楊嗣昌卻認為「無傷也，加賦出於土田，土田盡歸有力之家，增銀三、四錢，稍抑兼併耳」[32]。楊氏竟然可以說出增加練餉，可以稍抑兼併，這種不符現實的說話。

三　三餉徵收與帝國滅亡的關係

（一）逋欠嚴重

　　自遼餉徵收之始，已有逋欠的情況出現，而且逐漸嚴重，萬曆三次加派的正常收入如下表。

表四　萬曆末年三次田賦加派表

年期	四十六年九月	四十七年十二月	四十八年三月
全國田畝數	701,391,628	701,391,628	701,391,628
每畝加派銀數（兩）	0.0035	0.007	0.009
田畝加派銀數（兩）	2,000,031	4,000,062	5,20,062

資料來源：全國田畝數是根據《明會典》卷17，頁111，〈戶部四，田土〉所載萬曆六年全國畝數。

31　同上註。

32　《明史》卷252，〈列傳一百四十・楊嗣昌傳〉，頁6515。

　　欠餉在萬曆年已出現，從《神宗實錄》已知，自萬曆十五年（1587）至四十七年（1619）止，九邊年例銀約在三百萬至四百萬兩之間，但自二十七年（1599）始，每年均欠餉，到四十四年（1612），欠餉達五百餘（500＋）萬兩之多。即傾三次加派的九釐銀，仍不足以付九邊支出。

　　往後更出現嚴重的逋欠，試以天啟六、七年（1626-1627）新舊餉徵收為例：

表五　天啟六年至七年（1626-1627）舊餉拖欠百分比表

年分	該徵解銀（兩）	尚欠款項（兩）	已解完銀（兩）	欠款百分比
六年（1626）	451,614	448,129	3,485	99.2
七年（1627）	1,724,398	1,016,608＋	707,790	58.95

資料來源：《度支奏議，堂稿卷二》，頁3-19，〈欽奉上傳覆查外解拖欠疏〉。

表六　天啟六年至七年（1626-1627）新餉拖欠百分比表

年分	該徵解銀（兩）	尚欠款項（兩）	已解完銀（兩）	欠款百分比
六年（1626）	198,751	198,751	0	100
七年（1627）	514,802	394,845	119,957＋	76.7

備註：以上各省直天啟六年分原欠銀一九八七五一兩，前件全無解到。
　　　七年原欠銀五一四八〇二兩，前件續解完銷銀一一九九五七兩錢七分六釐二毫。
資料來源：《度支奏議，堂稿卷二》頁3-19，〈欽奉上傳覆查外解拖欠疏〉

　　天啟六年（1626）的舊、新餉所拖欠的餉銀，無法上繳，情況達百分之九十九至一百。假若政府以此為必然收入，則支付軍餉時所遇到的困局，可想而知。從此情況可知，各地的欠餉，已成常態。《明史·楊嗣昌傳》：

> 論者謂：「九邊自有額餉，概予新餉，則舊者安歸？邊兵多虛額，今指為實數，餉盡虛糜，而練數仍不足。且兵以分防不能常聚，故有抽練之議，抽練而其餘遂不問。且抽練仍虛文，邊防愈益弱。至州縣民兵益無實，徒糜厚餉。」以嗣昌主之，事鉅莫敢難也。神宗末增賦五百二十萬，崇禎初再增百四十萬，總名遼餉。至是，復增剿餉、練餉，額溢之。先後增賦千六百七十萬，民不聊生，益起為盜矣。」[33]

　　崇禎元年（1628），各省直該徵新餉銀拖欠為二百五十五萬四千七百八十一兩，而已解完銀，只有五十萬一千八百六十一餘兩，完全沒有解銀的省直包括浙江、福建、江西、池州、蘇州、松江、常州、鎮江、鳳陽、淮安、揚州、徐州、除州、和州、廣德、

---

33 同上註。

保安等各地，山東因島餉酌議，未解[34]。能夠繳納的新餉約百分之二十，欠餉近百分之八十。如此情況，可謂非常嚴重，表示在文件中出現的徵收餉額，只是虛數，不能如實徵取。《明史‧食貨志》對這樣的徵收有如下的結語：

> 「今日而思開節之法，誠難言之。議者或欲開礦，而慮得不償失，仍滋亂階；或欲加稅，而關稅已增，徒撓商旅。至於間架門攤，均屬苛細苟且之政。權衡子母，又鮮實心任事之人。為今日之計，求其積少成多、眾擎易舉，無逾加派一策。」御史郝晉言：「萬曆末年，合九邊餉止二百八十萬。今加派遼餉至九百萬。剿餉三百三十萬，業已停罷，旋加練餉七百三十餘萬。自古有一年而括二千萬以輸京師，又括京師二千萬以輸邊者乎？」[35]

一年二千萬兩銀送京師，京師又以二千萬兩銀送邊，這三餉的過分徵收，可謂民不聊生。

（二）徵收繁雜

由於原有的三次加派，不敷應付軍費，除地畝銀外，於天啟元年，另加雜項、鹽課、關稅三項。天啟二年（1622），邊餉仍然不足，又額外加蘆課、巡按公費、巡撫軍餉。

表七　天啟元年（1621）新餉收入表

項目	銀數（兩）	百分率
加派	5,200,060＋	80.36
雜項	1,145,903	17.71
鹽課	59,425	0.82
關稅	65,240	1.01
總數	6,470,628＋	100

資料來源：《熹宗實錄》卷17，頁895-896，〈天啟元年十二月丙申〉條。

34　（明）畢自嚴：《度支奏議》，第1函第2冊，〈堂稿二〉，頁20-30，〈欽奉上傳覆查外解拖欠疏〉，可參考拙著《論晚明遼餉收支》，頁89。

35　《明史》卷78，〈食貨二‧賦稅〉，頁1904。

表八　天啟二年（1622）新餉收入表

項目	銀數（兩）	百分率
加派	5,200,060.+	82.17
雜項	654,413	10.34
鹽課	373,716.+	5.91
關稅	65,240	0.47
蘆課	28,970	1.03
巡撫軍餉／巡按公費	6,000	0.08
總數	6,328,399.+	100

資料來源：《熹宗實錄》卷29，頁1494，〈天啟二年（1622）十二月辛卯〉條。

　　從〈表七〉及〈表八〉知道，新餉收入，八成以加派地畝銀為主，但很明顯，新餉的徵收漸趨繁複。天啟三年（1623），新餉的收入，地畝銀占百分之六十九點三，表示收入逐漸從田畝轉向其他方式徵收，影響民生面也隨之擴大。

　　《明史・食貨二》記載當加派不足，另立新稅項的情況：

> 嗣後，京邊歲用，多者過五百萬，少者亦三百餘萬，歲入不能充歲出之半。由是度支為一切之法，其箕斂財賄、題增派、括贓贖、算稅契、折民壯、提編、均徭、推廣事例興焉。其初亦賴以濟匱，久之諸所灌輸益少。又四方多事，有司往往為其地奏留或請免：浙、直以備倭，川、貴以採木，山、陝、宣、大以兵荒。不惟停格軍興所徵發，即歲額二百萬，且虧其三之一。而內廷之賞給，齋殿之經營，宮中夜半出片紙，吏雖急，無敢延頃刻者。三十七年，大同右衛告警，賦入太倉者僅七萬，帑儲大較不及十萬。戶部尚書方鈍等憂懼不知所出，乃乘間具陳帑藏空虛狀，因條上便宜七事以請。既，又令群臣各條理財之策，議行者凡二十九事，益瑣屑，非國體。而累年以前積逋無不追徵，南方本色逋賦亦皆追徵折色矣。[36]

政府為聚財，提出增派、括贓贖、算稅契、折民壯、提編、均徭、推廣事例等徵收項目，其後仍然不足夠。政府要求大臣提出意見，竟有二十九項徵收建議，益見繁瑣。崇禎十六年（1643），戶部尚書倪元璐提議將邊餉、新餉、練餉、雜餉之名，止開正賦、兵餉二則[37]。很明顯，徵收兵餉已到繁雜瑣碎的地步。自崇禎四年（1631）遼餉達一千萬兩後，崇禎十年（1637），剿餉二八〇萬兩，十二年（1639）練餉七三〇餘萬兩，短

---

36 《明史》卷78，〈食貨二〉，頁1901-1902。
37 倪文貞公奏疏，〈併餉裁餉疏〉。

短八年，餉銀暴升一倍，達二千萬兩。較萬曆四十八年（1620）加派遼餉的五百多萬兩高出四倍。徵收方式繁雜，官吏容易上下其手。民眾對政府政策無知，財產收入容易被侵騙。《廿二史劄記》對三餉有如下的分析：

> 剿餉期一年而止，十二年餉盡，而賊未平，於是又從嗣昌及督餉侍郎張伯鯨議，剿餉外又增練餉七百三十萬，先後共增千六百七十餘萬。（嗣昌傳）十五年，蔣德璟對帝曰「既有舊餉五百餘萬，新餉九百餘萬，又增練餉七百三十萬，臣部實難辭咎，今兵馬仍未練，徒為民累耳。」未幾，遂罷練餉。（德璟傳）蓋帝亦知民窮財盡，困於催科，益起而為盜賊，故罷之也。[38]

餉銀激增，人民無以維生，輾轉成盜，亦情理中事。因邊事而引發加派，因加派過劇，而引至盜賊蠭生，甚至覆滅明朝。明，不是亡於外族，而是亡於國民。

（三）朝臣的矛盾

在家國存亡的危急環境下，朝臣之間的矛盾，其深者，欲置對方於死地。楊嗣昌於崇禎朝任兵部尚書，亦是他提出徵收剿餉、練餉的。當時已收到不少朝臣的反對，因而產生嫌隙，互相傾軋。

《明史・楊廷麟傳》：

> 其冬，京師戒嚴。廷麟上疏劾兵部尚書楊嗣昌，言：「陛下有撻伐之志，大臣無禦侮之才，謀之不臧，以國為戲。嗣昌及薊遼總督吳阿衡內外扶同，朋謀誤國。與高起潛、方一藻倡和款議，武備頓忘，以至於此。今可憂在外者三，在內者五。督臣盧象昇以禍國責樞臣，言之痛心。夫南仲在內，李綱無功；潛善秉成，宗澤殞命。乞陛下赫然一怒，明正向者主和之罪，俾將士畏法，無有二心。召見大小諸臣，咨以方略。諭象昇集諸路援師，乘機赴敵，不從中制。此今日急務也。」時嗣昌意主和議，冀紓外患，而廷麟痛詆之。嗣昌大恚，詭薦廷麟知兵。帝改廷麟兵部職方主事，贊畫象昇軍。象昇喜，即令廷麟往真定轉餉濟師。無何，象昇戰死賈莊。嗣昌意廷麟亦死，及聞其奉使在外，則為不懌者久之。[39]

楊廷麟上書批評楊嗣昌無抗敵之心，崇禎召大臣商議，議推盧象昇結合軍旅赴敵。先說盧象昇的能力，據《明史》記載，「（象昇）居官勤勞倍下吏，夜刻燭，雞鳴盥櫛，得一機要，披衣起，立行之。」[40]

38　（清）趙翼：《廿二史劄記》卷36，〈明末遼餉剿餉練餉〉條。
39　《明史・楊廷麟傳》卷278，頁7114。
40　《明史・盧象昇傳》卷261，頁6765。

從《明史》本傳可知，盧象昇的戰績彪炳，對滿州入侵，起了積極的防禦作用，如崇禎二年（1629），滿州皇太極過關錦防線，沿喜峰口入襲京畿，京師戒嚴，時任大名府知府的盧象昇募兵一萬人勤王，未及戰，滿兵即退去。崇禎三年，招募軍隊，「天雄軍」。崇禎九年（1636）四月，皇太極建國，六月，阿濟格率清軍攻入喜峰口，縱意搶掠而去。象昇調任宣大總督，率師進駐京畿，嚴明軍紀，操練兵馬，清軍不敢進犯。崇禎十一年（1638）領「總督天下援兵」銜，與清軍戰於慶都、真定（今河北望都、正定）等地。當時受手握兵權的楊嗣昌掣肘，調走象昇主力，限制軍需，但象昇仍能以老弱殘兵移兵巨鹿賈莊。[41]

至於對內亂平定，其功亦顯赫，任五省總督時，與將領祖寬、左良玉擊敗高迎祥、李自成、張獻忠部。汝陽之戰，高迎祥幾十萬大軍崩潰。高迎祥再聚合部眾二十萬之眾逃亡，在確山再敗於盧象昇。自崇禎八年（1635）五月至十一月，象昇以率絕對劣勢兵力，先後十餘戰皆勝，斬殺民軍三萬餘人。崇禎九年（1636）正月，高迎祥會合張獻忠，三十萬之眾攻擊南京，不利，退攻滁州。盧象昇率軍趕到，以兩萬之眾再次擊敗高迎祥，並以各將領圍堵，高迎祥人馬散盡，退入湖廣鄖陽。[42]

盧象昇如何受屈而死，楊嗣昌主和，卻受楊廷麟及盧象昇之譴責。楊嗣昌為了報復，詭薦楊廷麟襄助象昇抗敵，企圖以戰爭，陷兩人於死地。故在用兵及軍餉方面諸多掣肘，令象昇身陷絕境，終於蒿水橋決戰清軍，戰死沙場。史載：

> 騎數萬環之三匝。象昇麾兵疾戰，呼聲動天，自辰迄未，砲盡矢窮。奮身鬥，後騎皆進，手擊殺數十人，身中四矢三刃，遂仆。掌牧楊陸凱，懼眾之殘其屍，而伏其上，背負二十四矢以死。[43]

嗣昌更欲誣陷臨陣脫逃之罪，義士俞振龍誓死保存象昇名節，才不致含冤。有力挽狂瀾的將才，因人事糾紛而殉國。在這艱難險阻，生死存亡的時節，大臣中，仍有不管國家死活，爭權自保的人。至於楊廷麟，不死於軍中，仍危立於大臣互相猜忌中：

> 初，張若麒、沈迅官刑曹，謀改兵部，御史塗必泓沮之。必泓，廷麟同里也。兩人疑疏出廷麟指，因與嗣昌比而構廷麟。會廷麟報軍中曲折，嗣昌擬旨責以欺罔。事平，貶廷麟秩，調之外。黃道周獄起，詞連廷麟，當逮。未至而道周已釋，言者多薦廷麟。十六年（1643）秋，復授職方主事，未赴，都城失守，廷麟慟哭，募兵勤王。福王立，用御史祁彪佳薦，召為左庶子，辭不就。宗室朱統金類誣劾廷麟召健兒有不軌謀，以姜曰廣為內應。王不問，而廷麟所募兵亦散。[44]

41　詳見《明史・盧象昇傳》卷261，頁6759-6766。

42　轉引自〈https://zh.wikipedia.org/zh-hant/盧象昇〉，瀏覽日期：2018年6月22日。

43　《明史・盧象昇傳》卷261，頁6765。

44　《明史・楊廷麟傳》卷278，頁7114-7115。

其餘大臣，亦有不滿楊嗣昌者，如蔣德璟，崇禎十一年（1639）楊嗣昌任兵部尚書，增
餉銀二百八十萬兩，後來楊嗣昌卒於軍，德璟上奏：

> 嗣昌倡聚斂之議，加剿餉、練餉，致天下民窮財盡，胥為盜。又匿失事，飾首
> 功，宜按仇鸞事，追正其罪。[45]

在大臣鬥爭中，能起積極調和作用的當然是皇帝本人，即崇禎帝。可惜，崇禎無知人之
明，猜忌大臣的心亦重。《明史·萬元吉傳》記載了下列的評論：

> 先帝初懲逆瑺用事，委任臣工，力行寬大。諸臣狃之，爭意見之異同，略綢繆之
> 桑土，敵入郊圻，束手無策。先帝震怒，宵小乘間，中以用嚴。於是廷杖告密，
> 加派抽練，使在朝者不暇救過，在野者無復聊生，廟堂號振作，而敵強如故，寇
> 禍彌張。十餘年來，小人用嚴之效如是。先帝亦悔，更從寬大，悉反前規，天下
> 以為太平可致。諸臣復競賄賂，肆欺蒙，每趨愈下，再攖先帝之怒，誅殺方興，
> 宗社繼殞。蓋諸臣之孽，每乘於先帝之寬；而先帝之嚴，亦每激于諸臣之玩。臣
> 所謂寬嚴之用偶偏者此也。[46]

崇禎是有志的君王，剷除魏忠賢逆瑺後，力行寬大。可惜，大臣之間的矛盾，崇禎
無法紓緩，遑論中興朝廷。使在朝大臣，人人自危，力求自保，互相傾軋。如此，亦使
崇禎在對待大臣的態度，寬嚴之間，失去方寸。甚至不經縝密審查，單以戰事的偶然成
敗，誅殺大臣。

《明史·萬元吉傳》：

> 國步艱難，於今已極。乃議者求勝於理，即不審勢之重輕；好伸其言，多不顧事
> 之損益。殿上之彼己日爭，閫外之從違遙制，一人任事，眾口議之。如孫傳庭守
> 關中，識者俱謂不宜輕出，而已有以逗撓議之者矣。賊既渡河，臣語史可法、姜
> 曰廣急撤關、寧吳三桂兵，隨樞輔迎擊。先帝召對時，群臣亦曾及此，而已有以
> 蹙地議之者矣。及賊勢燎原，廷臣或勸南幸，或勸皇儲監國南都，皆權宜善計，
> 而已有以邪妄議之者矣。由事後而觀，咸追恨議者之誤國。倘事幸不敗，必共服
> 議者之守經。大抵天下事，無全害亦無全利，當局者非樸誠通達，誰敢違眾獨
> 行；旁持者競意氣筆鋒，必欲強人從我。臣所謂任議之途太畸者此也。[47]

上議指出，朝廷每有事發生，必有爭議。然而，所有爭議後的結果，孰優孰劣，根
本無從估計。但爭論所造成的負面後果，卻非常嚴重，其仇恨欲置對方於死地。綜觀崇

45　《明史·蔣德璟傳》卷251，頁6500。

46　《明史·萬元吉傳》卷278，頁7117。

47　同上註，頁7117-7118。

禛一朝，無一大臣能具足夠聲望與能力協調諸事，朝廷施政進退失據。而大臣之自危，具實見於史冊，據《廿二史劄記》統計，明末督撫被誅，兵部尚書不得善存，是前朝所罕見：

> 鄭崇儉傳：崇禎中凡誅總督七人，崇儉及袁崇煥、劉策、楊一鵬、熊文燦、范志完、趙光忭也。（崇禎二年，1629），王元雅以大清兵入口，懼罪自盡，是年，先誅萬曆中四路喪師之經略楊鎬，五年（1632），誅天啟中廣寧喪師之巡撫王化貞，九年（1636），總督梁廷棟以失事懼誅，先服毒死，（四人尚不在七人數內）
> 顏繼祖傳：崇禎中，巡撫被戮者十一人，薊鎮王應豸、山西耿如杞、宣府李養沖、登萊孫元化、大同張翼明、順天陳祖苞、保定張其中、山東顏繼祖、四川邵捷春、永平馬成名、順天潘永圖，而河南李仙風被逮自縊，不與焉。
> 又崇禎十七年中，兵部尚書凡十四人，亦罕有善全者，二年（1629），王洽下獄死，九年，張鳳翼服毒死，十三年（1640），楊嗣昌自縊死，十四年（1641），陳新甲棄市，其餘如王在晉削籍歸，高第被劾去，其得致仕者，惟張鶴鳴、熊明遇、馮元飆等數人而已。[48]

崇禎朝，被誅的總督七人，自殺的四人；被誅巡撫十一人；不得善存的兵部尚書十四。如此頻密的轉換大臣，如此輕率誅殺督撫，對外用兵，幾乎無專任者。而繼任者，又患得患失，恐招殺身，試問，如此的心理狀態，如何盡心抗敵。崇禎一朝，被撤換大學士達五十人之多，明亡的跡象，可謂逐漸明顯。

（四）漕運困難

所謂「三軍未動，糧草先行」，漕運是運輸軍糧方法之一。但就屢屢出現問題。《明史·食貨志三》：

> 萬曆三十年（1602），漕運抵京，僅百三十八萬餘石。而撫臣議載留漕米以濟河工，倉場侍郎趙世卿爭之，言：「太倉入不當出，計二年後，六軍萬姓將待新漕舉炊，倘輸納愆期，不復有京師矣。」蓋災傷折銀，本折漕糧以抵京軍月俸。其時混支以給邊餉，遂致銀米兩空，故世卿爭之。自後倉儲漸匱，漕政亦益馳。迨於啟、禎，天下蕭然煩費，歲供愈不足支矣。

萬曆三十年（1602）漕運抵京僅一百三十八萬石以上，撫臣議截留，倉場侍郎力爭不可。論據是京師漕糧是濟邊糧餉，軍士所需。當時，抵京漕糧，已經是折色、本色共

---

48 《廿二史劄記》卷36，〈明末督撫誅戮之多〉條。

支,其後倉儲匱乏,歲供愈不足支,漕政漸馳。《明史・解學龍傳》:

> 京邊米一石,民輸則非一石也。以民之費與國之收衷之,國之一,民之三。關餉
> 一斛銀四錢,以易錢則好米值錢百,惡米止三四十錢,又其下腐臭不可食。以國
> 之費與兵之食衷之,兵之一,國之三。總計之,民費其六,而兵食其一。況小民
> 作奸欺漕卒,漕卒欺官司,官司欺天子,展轉相欺,米已化為糠比沙土;兼濕熱
> 蒸變,食不可咽,是又化有用之六,為無用之一矣。臣以為莫如修屯政,屯政修
> 則地闢而民有樂土,粟積而人有固志。昔吳璘守天水,縱橫鑿渠,綿互不絕,名
> 曰「地網」,敵騎不能逞。今仿其制,溝塗之界,各樹土所宜木,小可獲薪果之
> 饒,大可得抗拒之利,敵雖強,何施乎。[49]

漕運弊病叢生,上引文指出,京邊米一石,其實平民要費六石之輸。原因是小民欺漕
卒,漕卒欺官司,官司欺天子之故。例如以惡米充好米,利錢以倍計。畢自嚴另一記錄
《餉撫疏草》同樣載有當時的困境:

> ……天啟三年(1623)十一月二十日,據監督天津糧儲戶部員外郎王若之呈稱,
> 新餉向因本倉收貯截漕粳米每月搭放本折兼支,用銀還少。自閏十月粳米盡絕,
> 以後新餉全支折色,比照往日用銀便多見。今十一月十二月分共該餉銀四萬二千
> 餘兩,時值隆冬,待哺愈切。本職初任,無可給發相應,呈請各咨部堂,亟發前
> 銀接濟。[50]

新餉本應本折兼支,最後是粳米盡絕,折色又未至的困境。畢氏亦清楚沒有糧餉,軍士
如何作戰:

> ……顧糧餉一日不發,則兵馬一日難行……軍令雖具,法難概施,或以情面而稽
> 邊防,或以饑饉而生洶動,臣且無死所矣。[51]

可是國家危難之際,兵糧又出現問題:

> 近見邸報上年十二月內御史翟學程一疏,條議兵餉內云解來本色率腐爛不可食,
> 且收者一人,放者又一人,遂令奸徒侵損,插足其間,臭聞街市,無益於兵,而
> 有害於國。最為可恨,又傳言船至天津,每船出銀五十兩,方准收入。不則,暴
> 露原野,略無珍惜,及至壞日,取商人繫之,即老死獄中,何益哉?……國家費

---

49 《明史・解學龍傳》卷275,頁7043。

50 明天啟刻本,收在《四庫禁燬書叢刊》史部,第75冊,北京:北京出版社,2000年,頁13。

51 (明)畢自嚴:《餉撫疏草》,明天啟刻本,收在《四庫禁燬書叢刊》史部,第75冊,北京:北京出
　　版社,2000年,頁15,〈津兵調發無餉疏〉。

> 百萬金錢以轉餉於關門，方將望其馬騰士飽，以坐收犁庭掃穴之效，而臭爛不可
> 食至不堪飼騾馬，於官帑為虛耗，於軍需為暴殄。[52]

據畢自嚴記錄，解到本色兵餉，是腐爛不可食。另外，漕運至天津，落貨要索銀五十兩，否則任由餉糧暴露原野。從這裡，可看到兩點：一是解來本色，本身已是劣等不可食的餉糧，是誰驗收本色？二是地上人員貪污，逼令埋岸船集繳付銀五十兩。究竟是地方土豪貪污，抑或是官吏貪污，畢氏沒有明言，說是傳言。

試以輸往皮島，供給毛文龍應用的餉銀、稱之為「島餉」，是用作牽制後金的餉銀為例，看看漕運及海運之艱難。據畢自嚴另一記錄《督餉疏草》，詳細記錄漕運的困難，商人為攫取最大利益，可謂無所不用其極：

> 津門一水之便，四通八達，自轉餉事殷，而小販抵津路者絡繹不絕。大商直以衙
> 門慣熟，捏報遠輸，以恣其壟斷攫取之計。小販糧本乾潔，而大商且插合糠粃，
> 以求支領本色。[53]

大商與衙門渾熟，虛報遠輸地點，更於本色插合糠粃，當本色出售。小販之本色本較乾潔，仍為大商利用，使政府不能以合理價錢購買合適的軍糧。另外，海運支出不合理。天啟二年（1622）六月為接濟毛文龍，原議給銀六萬兩及米豆三十萬石，最後督餉部決議給銀五萬兩，先發米豆十萬石。[54]然而，此十萬石的運費卻要銀四萬兩運費，加上先發三萬兩充軍餉，則一次海運輸銀七萬兩以上。當時米價每石七錢一分，豆每石三錢六分。倘以所議十萬石米豆為標準，五萬石米值四萬兩，五萬石豆值二萬一千兩，共銀六萬一千兩。而運費是四萬，實在不合比例。

如此不合理，畢自嚴仍然實行，從正面看，畢氏憂心毛文龍抗遼，盡量配合，消極去看，畢氏已無良策應付。

其次，負責運輸的兵部官員，借運糧為名，肆意侵凌，強姦毆官，嫖娼跋扈，如南直隸揚州衛正千戶阮守正及百戶馬武二人，侵凌船民，甚至鳴鑼聚眾，搶奪銀衣，強姦幼女等，視皇法如無物。地方官吏，落得如此無法無天，恐非一日之寒。[55]

天啟二年（1622），戶部徵集意見後，有如下的建議[56]：

一、夏月風期，早發運舟。

---

52 同上註，頁40-41，〈轉餉多怨聞言增惕疏〉。

53 （明）畢自嚴：《督餉疏草》（中央研究院傅斯年圖書館藏天啟年間刊本）卷1，頁52-53，天啟二年（1622）九月〈津門召買數多積商因災實梗令疏〉。

54 同上註，頁27，〈恭報朝鮮海運糧數及開洋日期疏〉。

55 （明）畢自嚴：《督餉疏草》（天啟年間刊本，臺灣中央研究院傅斯年圖書館藏善本書）卷2，頁83-108，〈查參匯運委官疏〉。

56 （明）畢自嚴：《督餉疏草》卷1，〈共裏撻伐以張聲援疏〉，頁6。

二、收貯米豆不多，而取天津截漕及准充召買，又且遠隔西江，欲請數萬金先耀諸商鱗集米豆十二、三萬以充頭運。

三、馬以定運額，大約運十五萬之數，充然有餘，視被中兵數多寡，明年再議裹裁。

四、運官請以每船十五集為一幫，該一小委，令其危急相救，首尾相聯。如運糧十五萬，用船一百八十隻，用小委十二員，容本道遴選。請詳外必用將官一員，總委推押府佐一員，督察稽查將官以海運都司黃胤恩、府佐則以原任推官孟養志充之。

五、功罪，自津抵鮮，大洋危險，難保保覆沒之患，但得十抵七八，便屬運官首功。其有真正傾覆，自當查核開銷。本道議選准、津般實船戶，各取連名保結，如有盜侵坐視之弊，一付押推查。查明四日，變產完官，或令各幫派（派）以戢奸弊。

六、米色當以高糧豆麥運十分之五而小米、南米參半，以備月餉。

七、運腳自天津以到蓋套，每石三錢三分，今自津抵鮮，險遠過倍，運腳應增。見今鮮回丁守仁等船，每石給腳價四錢，業有成案。今南岸邊北岸，宜以每石四錢二分為率。

上列一、四項是與交通、監督有關，希望乘著夏風，盡快出船，另外是運十五萬石的糧，需要船一百八十隻，即每船載糧約八千四百石。並委任將官一員處理，可謂重視運糧。二、三、六項提及運糧之數及糧種，運糧約在十二至十五萬石之間，而豆、麥、米是主要運糧。五、七項是運糧船的徵集方式及腳錢費用建議。是次徵集意見，對海運所提出建議，亦算是合理。可惜，實行時仍能作弊謀利。

1 商人欺詐

在籌集米豆上，有所謂「召買」，即是由政府向商人預定米豆，由各地商人到時運到津門集合，再由津門分發至其他地方。因此，除米豆價錢外，還要供給「腳錢」，即運費，遠者高，近者低。如此徵集米豆，本可穩定供應。然而商人卻可從此處作弊。《督餉疏草》卷一，〈津門召買數多積商因災實梗令疏〉載：

> 津門一水之便，四通八達，自轉餉事殷，而小販抵津絡繹不絕。大商直以衙門慣熟，捏報遠輸，以恣其壟斷攫取之計。小販糧本乾潔，而大商且插合糠粃，以求支領本色。[57]

57　（明）畢自嚴：《督餉疏草》卷1，天啟二年（1622）九月，〈津門召買數多積商因災實梗令疏〉，頁52-53。

津門有一水之便，四通八達。由於政府緊急集糧，遠近商人集合津門，私通衙門，虛報遠輸運糧，增加腳錢。更甚者，米豆中插合糠粃以本色出售。故此，有時小販所賣米豆，較商人召買米豆更優質。可惜，最後發展至由商人壟斷，衙門疏通的局面。政治已無法以合理價錢購買米豆。

除此之外，更有將「浥爛之豆」或「紅腐另貨」，強取高價，領取官銀。部分官員懶散顢頇，不檢查來貨，甚至具結，令其「自囤自看期」輸糧。最後，究竟有沒有完成交易，亦茫然不知，但貨銀卻給了商家。如此，政府的損失，實在無從計算。除《餉撫疏草》記載商人將劣等米豆充本色外，在《督餉疏草》又載：

> 今試平心論之，就中有領遇價銀者，果可以浥爛之豆而搪抵官錢否？有未領價銀者果可以紅腐之餘而橫索高價否？即其中有曾經委官出給實收者⋯⋯

> 僅取商人甘結，責令「自囤自看期」於出海後竣事，今雖虧折而委官不任受也。[58]

以劣等米豆替代本色出售，雖然明知有其事，卻似乎無可奈何。畢自嚴早知陸運及召買出現最大的弊病，曾建議改用「平糴」。所謂「平糴」是由政府直接與商人議價，避免召買出現劣貨，亦避免商人抬高價錢，此法正是「官自為政，盈縮在我」[59]。

2 行政延誤

天啟二年（1622）六月，為接濟毛文龍，原議給銀六萬兩及米豆三十萬石，最後決定給銀五萬兩，及先發米豆十萬石[60]。然而，十萬石米豆運費竟索運費銀四萬兩，倘以原議三十萬，運費銀五萬兩計算，十萬兩當在一萬六千至一萬七千兩之間。四萬兩的索價，無疑過分。除運費外，再發三萬兩作兵餉，支出算是沉重。畢自嚴在這裡作出一次的簡單的計算方式：運費加兵餉共七萬、米價四萬兩（當時米價每石七錢一分，以五萬石計）、豆價二萬一千兩（豆價每石三錢六分，以五萬石計），則一次十萬石的米豆運輸需價十三萬一千兩，較原米豆價超出一倍有多。[61]這次海運，困難重重，由於畢自嚴知道毛文龍急需軍餉，故特別應承商人「入囤一石，即給一石之價」以安商人運貨之心。而實在情況是，商人米豆入囤，米豆價卻遲遲不放[62]。

然而，計畫運餉是戶部，負責運餉是兵部。兵部部分官員借運餉之名，在地方肆虐跋扈，嫖娼毆官，強奸凌虐，及遲遲不運糧。[63]在〈查參匯運委官疏〉記載，有南直隸

---

58 同上註，頁56。

59 （明）畢自嚴：《督餉疏草》卷1，頁59，〈津門召買數多積商因災實梗令疏〉。

60 同上註，頁27，〈恭報朝鮮海運糧數及開洋日期疏〉。

61 同上註，頁81，〈津庫匱乏餉務壅滯疏〉。

62 （明）畢自嚴：《督餉疏草》卷1，頁81，〈恭報朝鮮海運糧數及開洋日期疏〉。

63 同前書，卷2，頁83-108，〈查參匯運委官疏〉。

揚州衛正千戶阮守正及百戶馬武借把總之名，恣狎邪之遊，侵凌船民。阮、馬二人負責運船四十五艘在臨清擱淺，卻欲奪李維元剛經過的船，不果。竟鳴鑼聚眾，搶掠銀衣，強姦幼女，視皇法如無物。地方官吏亦得過且過，不積極海運，致出現遲遲不出船現象。

3 天災影響

　　天災是無可避免的。各州縣商人解送豆料赴津，一向慣例是自備葦蓆蓋停於露囤的豆料，隨收隨發。至於低窪地方，恐防下雨水浸，因此會多用傭工搬移換囤。如果一旦天氣變幻，時晴時雨，換囤工作不能配合天氣，則豆料會損壞。

　　天啟二年（1622）八月，由於天氣晴雨不定，水氣熱氣薰蒸豆料，加上河水泛漲，陸地水深高達丈餘，陸地可行舟，高堂巨宅亦不能倖免，房屋破壞無算。在這環境下，豆料難以保存，是次水災是津門近二十年最嚴重的一次[64]。當時估計損失數十萬膏脂，而官民損失百千金，不少商人血本無歸[65]。在這情況下，更出現逃兵[66]。

　　晚明政治腐敗，經濟不振，除三餉外，地方的苛捐雜稅，接踵而來。加上中官橫行，目無法紀，隨意徵收市舶稅、店稅、或領稅務，或兼開採。姦民只要納賄於中官，即可被任為千戶，或為中官爪牙，欺虐百姓。更甚者，中官帶領爪牙，行數十里，則插旗建廠，遇稍有怯懦商人，即沒收其貨物；遇負行李者，亦搜索貨物，巧立名目，徵收各種稅項[67]。晚明多地方民變，與此有甚大關係。另外，運糧日期亦往往受民變影響而延誤。

　　天啟二年（1622）的水災，政府及商人均有嚴重損失，除損失軍糧外，亦出現逃兵。露天而貯的官糧，如何擋得住連連霪雨，畢自嚴雖然早有不滿，並提出建造廠房，以防天災，亦可減少腳錢及偷竊的危險[68]。倘成功建造，其實能為政府減少以萬計的帑鏹。

　　這次水災之後，畢自嚴推行一連串挽救政策[69]：

64 同前書，卷1，頁17，〈異常霪雨損官糧疏〉載：「監收各州並商人報解豆料，俱照往例解役，商人備蓆露囤，隨收隨發……。業已自備葦蓆，各囤重加封固。低窪之處，雇工搬移換囤，人所共見。無奈隨晴隨雨，水氣熱氣，兩月薰蒸。今且河水泛漲，陸地深丈餘，遍處可行舟……即津門城垣，高堂巨室，倒者不可勝計，而露囤之豆，安能力保無傷。」
65 同上註，頁21。
66 同前書，卷1，頁21，〈異常霪雨損官糧疏〉。
67 （清）張廷玉等：《明史》卷81，〈食貨五〉，頁1978載：「中官遍天下，非領稅，即領礦，驅脅官吏，務朘削焉……。姦民納賄於中官，輒給指揮千戶劄，用為爪牙，水陸行數十里，即樹旗建廠。視商賈懦者肆為攘奪，沒其全貨；負載行李，亦被搜索。」
68 （明）畢自嚴：《督餉疏草》卷1，頁21，〈異常霪雨損官糧疏〉載：「至於臨河建造廠房一節，商築倉基，既可絕後來之水患；甃嚴鑽鑰，又可杜狐鼠之侵漁，且免搬裝車腳之工資與葺造囤圍之料價。每歲節省帑鏹以萬計，向使蚤得蓋藏，亦何有今日之狼藉。」
69 （明）畢自嚴：《督餉疏草》卷1，頁81-82，〈津門召買數多積商因災實梗令疏〉。

（1）由政府立囤，商人只須搬運入囤，免除商人建囤費用；

（2）水患之後，豆料多白衣，甚至紅腐，只要驗明乾潔，雖然只有八、九分，亦十足支資；

（3）各商原報米價九錢三分、豆價六錢五分，而時價其實米止七錢一分，豆三錢六分。現以時價入購米豆，於商無損，官事亦可了結。

4 財政匱乏

明政府自中葉以後，財政異常拮据，以太倉處入為例，從正德十三年（1518）起的一百二十餘年中，只有七年有盈餘，包括正德十三年（1518）、萬曆五年（1577）、二十一年（1593）、三十年（1602）、天啟五年（1625）、崇禎四年（1631）及七年（1634），其餘一百一十多年均是赤字[70]。有盈餘的年分，原因多是戰事稍緩，或理財有道。從不正常的情況去看盈餘，是加賦以後，政府收入增加，卻不發放有需要的地方，以致赤字降低[71]。

天啟元年（1621）的赤字是一百零一萬六千一百六十一兩銀，此時期若軍事緊急，兵餉逼在眉睫，戶部可謂無從籌措。天啟二年（1622），畢自嚴希望兵部負責召買之水腳費用，得到的回覆是：

> 本年發贊司銀銀二十五萬兩，支銷罄盡，俱有冊報。則今日召買水腳之費，非咨請發帑，安得有天生地湧之金以為收買費也。[72]

兵部這種嚴辭拒絕態度，令戶部一籌莫展。為了支援毛文龍軍旅，戶部借動津門倉米豆，先發十萬石援鮮。戶部亦先後取出七萬兩買布疋及支付腳銀，所餘之數亦交毛文龍作兵餉之用[73]。戶部匱乏之情況，從此可見一斑。

明朝政府期望支持擁兵皮島的毛文龍，希望藉此牽制清軍勢力。可是，這次海運卻呈現出運輸軍餉的種種困難。以此推向其他的地方，相信亦會遇到同樣困難。毛文龍請餉的額數，亦成疑問。清計六奇《明季北略》載：

> 夫牽尾傭巢，兵須五萬，今臣有浙直等處南兵八千，挑選遼兵三萬七千，招練遼兵二千，已四萬七千矣。以五萬兵計，一歲之餉，並軍器、火器、盔甲、馬匹、船隻等項，應一百五十萬兩，方能足用。自有東事，海內加派新餉，每歲四百

70　全漢昇師、李龍華：《明代中葉後太倉銀庫歲出銀兩的研究》，《中國文化研究所學報》，第6卷第1期（香港：中文大學中國文化研究所，1973年），頁207。

71　同上註。

72　（明）畢自嚴：《督餉疏草》卷1，頁9，〈共襄撻伐以張聲援疏〉，載兵部覆函。

73　同上註，頁30，〈恭報朝鮮海運糧數及開洋日期疏〉

萬，足供今日山海之用矣。尚有遼餉舊額，每歲一百萬。今全遼已亡，此項銀兩所當給臣者也。三年以來，止給銀十一萬兩、米二十萬石，其穀養官兵、穀馬匹乎？[74]

上列所記是天啟三年（1623）十二月事，查實毛文龍兵數最初只零星二百多人，卻往往稱兵數十。後來記錄亦往往稱兵數十萬，其餉額亦從二十萬，增至百萬。《毛大將軍海上情形》載：

> 此時當以海上為正，兵以山海焉（焉疑為關字）防守，以登津為督餉軍務。每歲除鮮助餉及屯田外，尚須運額解五、六十萬石，今舟車之費約七、八十萬兩，硝黃五十萬斤，約價十萬兩，衣軍器械幾須二十萬兩，通計不過百萬兩之接濟。[75]

明政府除正常歲運外，更在天津一歲三運、登萊一歲二運，合船三百艘，每艘運糧四、五百石，歲共額外運米十餘萬石。另外，又有朝鮮主的月助餉萬石。[76]上列軍餉是以數十萬軍兵為基數，至於毛文龍實在軍兵數額，崇禎朝曾徹查其真偽。兵科給事中王夢尹、翰林編修姜日廣往皮島閱視，報兵數十萬。其後王廷試再檢視，裁二萬八千人，歲額由百萬減至三十五萬。[77]根據《明清史料‧甲編》載：

> ……且文龍嘗誕言有眾數十萬，道臣王廷試約定二萬八千，臣今至其地，令彼各官開列，則合老幼只四萬七千。[78]

另外，《中國大歷史編年》，也記錄了當時毛文龍的軍兵額數：

> 袁崇煥恐毛文龍跋扈難制，假閱兵之名，以「十二當斬」罪殺之，其部下勁卒不下二萬。[79]

毛文龍虛報軍兵額數，相信是常見的現象，只是額數是否嚴重失實而已。自有衛所以後，虛報軍兵數額，的確影響軍餉的支出。在此之前，相信明政府已無端支付不可估計的虛報軍餉。

74　（清）計六奇：《明季北略》北京：中華書局，1984年，第32條〈毛文龍請餉〉，頁40。

75　（明）汪汝淳：《毛大將軍海上情形》臺北：中央圖書館景印存海外佚存書目，天啟年間刊本，無頁碼。

76　同上註。

77　（清）計六奇：《明季北略》，第111條〈袁崇煥謀殺毛文龍〉，頁115。

78　《明清史料‧甲編》，第八本（香港：龍門書店，1939年），頁721，〈薊遼督師袁崇煥題本〉。

79　張習孔、田珏主編：《中國歷史大事編年》卷4，北京：北京出版社，1987年，頁667。

（五）冗官與貪污

《明史・解學龍傳》：

> 遼左額兵舊九萬四千有奇，畿餉四十餘萬。今關上兵止十餘萬，月餉乃二十二萬。遼兵盡潰，關門宜募新兵。薊鎮舊有額兵，乃亦給厚糈召募。舊兵以其餉厚，悉竄入新營，而舊額又如故，漏卮可勝言。國初，文職五千四百有奇，武職二萬八千有奇。神祖時，文增至一萬六千餘，武增至八萬二千餘矣。今不知又增幾倍。誠度冗者汰之，歲可得餉數十萬。裁冗吏，核曠卒，俾衛所應襲子弟襲職而不給俸，又可得數十萬。[80]

從上述記載知道，遼左舊額兵約九萬四千有奇名，發展至崇禎初年，軍兵人數已達一百一十七萬二千零九十四員[81]。明初，文職官員約五千四百人，武職官員約二萬八千人。至神宗時，文職達一萬六千餘人，武職達八萬二千餘人，增幅達三倍以上。由於戰事關係，官員數字大增：

> 崇禎帝問（蔣德璟）：「天變何由弭？」對曰：「拯百姓，即弭天變。近加遼餉千餘萬、練餉七百萬，民何以堪！祖制：三協止一督、一撫、一總兵。今增二督、三撫、六總兵，又設副將以下數十人；權不統一，何由制勝」[82]

官員又借籌餉私肥，舞弊貪污的事情，屢見於史：

> 天啟二年（1622），擢刑科給事中。遼東難民多渡海聚登州，招練副使劉國縉請帑金十萬振之，多所幹沒。學龍三疏發其弊，國縉遂獲譴。王紀忤魏忠賢削籍，學龍言：「紀亮節弘猷，召置廊廟，必能表正百僚，裁決大務。」失忠賢意，不報。已，劾川、貴舊總督張我續貪淫漏網，新總督楊述中縮朒卸責，帝不罪。[83]

《明史・左懋第傳》記載了徵餉所引發的問題：

> 練餉之加，原非得已。乃明旨減兵以省餉，天下共知之，而餉猶未省，何也？請自今因兵徵餉，預使天下知應加之數，官吏無所逞其奸，以信陛下之明詔。而刑獄則以睿慮之疑信，定諸囚之死生，諸疑於心與疑信半者，悉從輕典。豈停刑可止彗，解網不可以返風乎？且陛下屢沛大恩，四方死者猶枕藉，盜賊未見衰止，

80　《明史・解學龍傳》卷275，頁7042。

81　《度支奏議》第1函第4冊，〈堂稿三〉，頁7-19，〈召對面諭清查九邊軍餉疏〉。

82　《明史・蔣德璟傳》卷251，頁6500。

83　《明史・解學龍傳》卷275，頁7042。

何也？由蠲停者止一二。存留之賦，有司迫考成，催徵未敢緩，是以莫救於凶荒。請於極荒州縣，下詔速停，有司息訟，專以救荒為務。」帝曰：「然。」於是上災七十五州縣新、舊、練三餉並停。中災六十八州縣止徵練餉，下災二十八州縣秋成督徵。[84]

左氏解釋，所徵銀數，天下皆知，然而四方死者仍枕藉，盜賊未止。原因是停蠲之數只是一、二成，其餘的八、九成餉額，仍在追繳之列。其他有災荒的地方，又停繳部分，或大部分餉額，試問政府何來收入，地方又何來安寧？

左懋第於崇禎十四年（1642）見到地方慘況是：

> 十四年（1642），督催漕運，道中馳疏言：「臣自靜海抵臨清，見人民飢死者三，疫死者三，為盜者四。米石銀二十四兩，人死取以食。」[85]

左氏所見，三成人民飢荒而死，三成疫症而死，四成為盜。雖然，估算可能有點誇張，但情況之嚴重，幾達無可挽救之地步。左氏提出補救之方案：

> 又言：「臣自魚臺至南陽，流寇殺戮，村市為墟。其他饑疫死者，屍積水涯，河為不流，振採安可不速。」已又陳安民息盜之策，請核荒田，察逋戶，予以有生之樂，鼓其耕種之心。又言：「臣有事河干一載，每進父老問疾苦，皆言練餉之害。三年來，農怨於野，商嘆於途。如此重派，所練何兵？兵在何所？剿賊禦邊，效安在？奈何使眾心瓦解，一至此極乎！」又言：「臣去冬抵宿邊，見督漕臣史可法，言山東米石二十兩，而河南乃至百五十兩，漕儲多逋。朝議不收折色，需本色。今淮、鳳間麥大熟，如收兩地折色，易麥轉輸，豈不大利。昔劉晏有轉易之法。今歲河北大稔，山東東、兗二郡亦有收。誠出內帑二三十萬，分發所司，及時收糴，於國計便。」[86]

查核荒田，重建農耕的心；廢除練餉，減低負擔；收購大稔農作物，到歉收地方出售。這些意見，都應有一定的成效，可惜，崇禎朝已至日落時分，難復朝氣。

五　結論

先看《明史・五行志三》：

> 崇禎元年（1629），陝西饑，延、鞏民相聚為盜。二年（1630），山西、陝西饑。

84　《明史・左懋第傳》卷275，頁7049。
85　同上註。
86　同上註，頁7049-7050。

五年（1633），淮、揚諸府饑，流殍載道。六年（1634），陝西、山西大饑。淮、揚洊饑，有夫妻雉經於樹及投河者。鹽城教官王明佐至自縊於官署。七年（1635），京師饑，御史龔廷獻繪饑民圖以進。太原大饑，人相食。九年（1637），南陽大饑，有母烹其女者。江西亦饑。十年（1638）浙江大饑，父子、兄弟、夫妻相食。十二年（1640），兩畿、山東、山西、陝西、江西饑。河南大饑，人相食，盧氏、嵩、伊陽三縣尤甚。十三年（1641），北畿、山東、河南、陝西、山西、浙江、三吳皆饑。自淮而北至畿南，樹皮食盡，發瘞胔以食。十四年（1642），南畿饑。金壇民於延慶寺近山見人云，此地深入尺餘，其土可食。如言取之，淘磨為粉粥而食，取者日眾。又長山十里亦出土，堪食，其色青白類茯苓。又石子潤土黃赤，狀如猪肝，俗呼「觀音粉」，食之多腹痛隕墜，卒枕藉以死。是歲，畿南、山東洊饑。德州斗米千錢，父子相食，行人斷絕，大盜滋矣。[87]

　　從崇禎立朝始，已是饑荒、盜賊踵至。饑荒所引至的災難，是母烹其女，夫妻相食。先者，饑餓則食樹皮，漸熾者，則食礦物之類。大盜，又怎會不滋生。

　　綜觀整個三餉的籌措，由地畝銀徵收，漸次複雜，愈複雜，愈能上下其手。在國亡家破在眼前之際，貪官蠹吏，仍盡情搜刮，終飽私囊。地方逋欠嚴重，不尋求解決方法，只在不斷額外加派，無疑飲鴆止渴。官吏、軍兵增加，餉額自然膨脹，最後達至整個朝廷不能承擔的地步。

　　官員的協調，大臣之被猜忌，崇禎急於求成，而顯露心胸狹窄，以致邊臣人人自危。崇禎缺少調和能力，亦是造成大臣互相傾軋的惡果。漕運不能正常運作，商人的欺乍，胥吏的貪婪弄權，都形成明亡的先兆。一六四四年，崇禎十七年，因邊事而困抑無助的皇朝，不是亡於外族，而是自己的子民李自成。

---

87 《明史‧五行志三》卷30，頁511。

清代武英殿修書處匠役考略[*]

項旋

北京師範大學歷史學院

在中國印刷史研究中，負責書籍製作的刻工、寫工、裱工、畫工等匠役是頗為重要的問題，其對版本鑒定的作用很大，例如研究者可以利用刻工查考書籍的刊刻地域和刊刻時間，如有學者就認為：「民國以來，版本之鑒定所以能日趨精確，糾正清朝學者版本鑒定之誤，端賴從刻工的徹底調查者尤多。蓋就刻工姓名，相互參證。」[1]目前學界已對書籍刻工等匠役有較多的研究成果，編製了不少宋元明清各朝的刻工錄，如張振鐸編著的《古籍刻工名錄》[2]。還有一些專門論述匠役的文章，如張秀民撰寫的《明清寫工、刻工、印工及其事略》[3]。但該領域的研究仍舊存在一些問題：一是中國典籍關於匠役的記載較為缺乏，成為制約研究書籍製作匠役的瓶頸；二是目前學界對書籍製作匠役的研究側重於刻工、寫工，其他諸如裝裱匠、界畫匠等則較為薄弱；三是，雖然學界對匠役工價展開了一些研究，但偏重於民間刻書工價，對於官方雇傭的書籍製作工價則涉獵較少。

清代民間刊刻書籍，往往在刊竣後的書籍中留下刻工姓名等信息。而通觀武英殿修書處刊刻的殿本中，極少見到刻工的信息[4]，因此很難通過查驗殿本實物獲取刻工資訊。幸運的是，武英殿修書處檔案中存留了較多的寫、刻等匠役相關文獻，關於其來源、待遇、數量乃至姓名、身分等，都有一定的載錄，這是我們考察清代官方從事書籍製作匠役的重要資料憑藉，可資考察匠役的來源、數量以及工價、報酬等細節問題。

---

[*] 【基金項目】本文為北京師範大學青年教師基金項目（中央高校基本科研業務費專項資金資助）及「中國博士後科學基金資助項目」階段性成果。

1 李清志：《古書版本鑒定研究》臺北：文史哲出版社，1986年，頁23。

2 參見張振鐸編：《古籍刻工名錄》上海：上海書店出版社，1996年。其他還有王肇文：《古籍宋元刊工姓名索引》上海：上海古籍出版社，1990年；李國慶：《明代刊工姓名索引》上海：上海古籍出版社，1998年等。

3 張秀民：《明清寫工、刻工、印工及其事略》，載宋原放編：《中國出版史料（古代部分）》武漢：湖北教育出版社，2004年。

4 清代內府書籍目前僅有少數幾種鐫刻有匠役姓名。如《聖祖御書金剛般若波羅蜜經》卷末鐫刻「雙鉤字人張奎，刻字匠潘在中、鄧錫九、葉世芳。」

一　武英殿修書處匠役設置情況

　　自印刷術發明以來，中國歷代王朝均重視圖書的刊刻流傳，以推廣政教之用。宋代由國子監負責中央官府的刻書工作，刊刻經史子集各部典籍及佛釋經藏，其所刊刻典籍被稱為「監本」。及至元代，則由中央設立興文署[5]，負責刊印圖籍。明代繼起，除了南、北二監外，內府司禮監也是重要的內府刻書機構，所刻典籍以「經廠本」著稱於世，所謂「明內府雕版，閹寺主其事。發司禮監梓之，納經廠庫儲之，凡所刊者即稱之為經廠本」[6]。清廷沿襲歷代內府刻書傳統，順治朝及康熙前期，刻印工匠大都為前明所留[7]，所刊行書籍一仍明式，字體版式與明代「經廠本」[8]相似。康熙十九年（1680），內務府所轄的武英殿修書處成立，成為清代皇家的刻書場所，負責官方典籍的刊刻、校對、裝潢等事務。

　　武英殿修書處隸屬內務府，由「侍衛及司員經營」[9]。除書作、印刷作外，還設有露房、硯作、琺瑯作等。早期的武英殿修書處只是武英殿造辦處的一個下屬機構，雖然也刊刻書籍，但承刻能力有限，康熙帝將一些書籍交由曹寅等織造大臣刊刻印刷，如《全唐詩》、《歷代詩餘》、《歷代題畫詩類》、《御批通鑑綱目》等，皆非武英殿修書處所初刻。康熙四十三年（1704）校刊《佩文韻府》，康熙帝諭旨於武英殿內選用房間，浴德堂遂成為校勘的工作場所。《欽定日下舊聞考‧武英殿》載：「殿東北為恒壽齋，今為繕校《四庫全書》諸臣直房。西北為浴德堂，即舊時所稱修書處。」[10]《國朝宮史》又載：「西有浴德堂，為詞臣校書直次。」[11]可見當時武英殿內浴德堂是典籍校勘的場所。康熙四十四年（1705），武英殿造辦處下的硯作劃歸養心殿造辦處管理。康熙五十七年（1718），琺瑯作又併入養心殿造辦處。武英殿修書處職能漸趨獨立，成為最重要的內府書籍刊刻、裝潢之所。

　　武英殿修書處除設有監造、委署主事、筆帖式、栢唐阿等人員外，還有相當數量的匠役參與日常工作。武英殿修書處匠役，分為食錢糧匠役和外雇招募匠兩種。食錢糧匠役又名旗匠，皆由旗人派充，分恩甲、領催、匠役和效力匠役四等，一般從內務府上三旗佐領、管領下的閒散幼丁中挑取，終身當差。每人月食錢糧一至三兩不等。大都充任

5　元人王士點等《秘書監志》（清抄本）對興文署的人員設置如下描述「設官三員，令一員，承二員，校理四員，楷書一員」。

6　潘承弼、顧廷龍：《明代版本圖錄初編》臺北：文海出版社，1971年，頁157。

7　參見林天人：《名山事業武英殿刻書始末》臺北《故宮文物月刊》，2007年第293期，頁17。

8　經廠本風格獨特，版面寬大，紙潔如玉，但因由宦官負責，校勘不精，常為學林所詬病。

9　（清）昆岡等纂光緒朝《欽定大清會典事例》卷1173，臺北：新文豐出版公司，1976年，頁18793。

10　（清）于敏中等編：《欽定日下舊聞考》卷13，北京：北京古籍出版社，1981年，頁173。

11　（清）鄂爾泰、張廷玉等編：《國朝宮史》卷11，北京：北京古籍出版社，1987年，頁198。

書匠、刻字匠、寫字匠、刷印匠、裱匠、畫匠以及為數不少的蘇拉[12]等。康熙前期，修
書處各匠役俱行官飯，按其人數，添減不等。康熙四十四年（1705）奏准，匠役等嗣後
停止官飯，酌量給予錢糧（折算為飯食銀）。[13]而遇有任務，准予外雇匠役，事畢即由
修書處支付工價。食錢糧匠役為修書處常設，外雇匠役則為修書處臨時雇用，二者的待
遇報酬是不一樣的。

　　武英殿修書處下屬機構監造處、御書處均有大量匠役，由於御書處成立時間較晚，
下文主要討論監造處的匠役使用情況。

（一）監造處匠役

　　明清宮廷均有大量匠役服務於內府書籍的製作。明代宮中所用匠役一般由無償到皇
宮當差的「班匠」充任，明初內府制字匠有一百五十名，兩年一輪當差[14]。嘉靖十年
（1531），皇帝命工部協同司禮監清查軍民匠役，額定司禮監所屬工匠一五八三名，其
中箋紙匠六十二名，裱褙匠二九三名，折配匠一八九名，裁曆匠八十一名，印刷匠一三
四名，黑墨匠七十七名，筆匠四十八名，畫匠七十六名，刊字匠三一五名，木匠七十一
名[15]。那麼到了清代，武英殿修書處匠役數量是多少呢？

　　監造處下屬的刻字作、刷印作、折配作和做書作等均設有一定數量的匠役。據嘉慶
十九年（1814）十二月初四日，署理武英殿總裁鮑桂星奏陳：

> 本處刷印、裝潢二作，共有匠役百名，多係旗人充當，名雖挑補，其實多由請托
> 而得，以百人計之，衰老者居其二，幼稚者居其二，少壯而為嫻技者又居其二，
> 其能當是役者不過二三十人，而此二三十人者又未必實有其人，按名輪值，遇有
> 攢辦書籍，安得不粗率了事，此書之所以多積累而少完竣也。[16]

　　鮑氏作為武英殿總裁，所說的「衰老者居其二，幼稚者居其二，少壯而為嫻技者又
居其二，其能當是役者不過二三十人」，應該是嘉慶年間修書處匠役實情，其主要是旗
人，「名雖挑補，其實多由請托而得」。

　　關於監造處匠役較為準確的統計，可查考嘉慶朝《欽定大清會典事例》卷九百六
「內務府・書籍碑刻」條所載：「原定書作：食錢糧書匠十四名，齊欄匠四名，托裱匠
四名，平書匠七名，補書匠四名，合背匠五名，界劃匠六名，傳用營造司銼書木匠五

---

12 蘇拉為滿語音譯，閒散之意，亦指一般閒散之人，清代內廷機構中擔任勤務的人稱蘇拉。

13 嘉慶朝《欽定大清會典事例》卷960，「內務府・書籍碑刻」條。

14 轉引自《中國出版通史・明代卷》，頁154。

15 （明）申時行等纂《重修大明會典》卷189，國家圖書館藏明萬曆十五年內府刻本。

16 錄副奏摺，錄副檔號03-1564-012，嘉慶十九年十二月初四日。

名。刷印作：食錢糧刷印匠四十名，如不敷用，仍准外雇。」[17]

　　隨著時間推移和實際需要，監造處匠役人數前後有所變化，如道光年間，書匠由原來的十四名增加為四十四名。道光二十年（1840）武英殿續刻本《欽定總管內務府現行則例》「武英殿修書處·挑取匠役」條載：

> 設立食一兩錢糧書匠四十四名，刷印匠四十名，遇有缺出，於各佐領、管領下閒散人挑補，匠役內有委署領催六缺，遇有缺出，以匠役挑補。乾隆四十三年、四十七年兩次奏准賞給恩甲二十二缺，遇有缺出，以匠役蘇拉呈明挑放，又占用營造司裱匠十名，畫匠二名，木匠十六名，內旗匠八名，招募匠八名，於嘉慶十六年六月呈明，本處占用營造司招募匠八名，遇有缺出，仍向該司咨取。其旗缺二十名，遇有缺出，由本處以效力匠役自行挑補，其應行錢糧米石仍咨行營造司辦理。以上各項匠役共計旗匠一百四名，招募匠八名。[18]

表一　監造處食錢糧匠役及人數一覽表

匠役名稱	所屬作坊	匠役人數
書匠	書作	十四名，後增至四十四名
齊欄匠	書作	四名
托裱匠	書作	四名
平書匠	書作	七名
補書匠	書作	四名
合背匠	書作	五名
界劃匠	書作	六名
銼書木匠	書作（傳用營造司）	五名
刷印匠	刷印作	四十名
裱匠	傳用營造司	十名
畫匠	傳用營造司	二名
木匠	傳用營造司	八名
總計		一百三十九名

　　因此，如果按照道光年間監造處的匠役統計，其常年在修書處當差的食錢糧匠役總數是一百三十九名，這一數量確實不如明代司禮監匠役之多。但我們還需注意到兩點：其一，武英殿修書處隸屬於內務府，監造處匠役只是整個內務府機構匠役的一小部分，

---

17 嘉慶朝：《欽定大清會典事例》卷960，「內務府·書籍碑刻」條。
18 《欽定總管內務府現行則例》，載《故宮珍本叢刊》第306冊，頁309。

即單以與書籍製作相關的匠役而言，內務府下屬的營造司、養心殿造辦處等，均有大量匠役，其總數疊加並不比明代少。其二，以上會典及則例所載是武英殿修書處日常承刻書籍而使用匠役的一般情況，如遇刷印卷帙較大的大部頭書籍，外雇的匠役數量則根據需要臨時增加。就筆者所見，清代武英殿修書處動用刻工數量最多的一次是乾隆元年（1736）刊刻《龍藏經》。乾隆元年二月十七日，和碩莊親王臣允祿奏：「查京師刻字匠不過四百餘名，除上諭館、武英殿等處雇用二百餘名外，所餘無幾。今板片如蒙俞允，交地方官採辦，則板片可以敷用，但刻字匠役不能多得，於工程仍屬遲延，臣亦請交三處織造，照所定刻經板一塊工價銀七錢二分之例，令其召募數百名來京刊刻，庶時日不致遲滯。」[19]後因刊刻漢文《龍藏經》人手不足，又雇寫刻匠役八百六十九人人，連同原雇工匠，總數達千人，這是目前所知修書處一次性外雇匠役人數最多的記錄。[20]據當代學者李國慶查閱知見雕版印本中所載的刻工，核算了歷代刻工數量：宋代六千人，元代八百人，明代五千人，清代一千二百人，其他朝代二百人，總數約計一萬三千人[21]。乾隆朝一次雇傭的刻工就達一千人左右，因此可以想見李國慶先生統計出的清代刻工「一千二百人」這一數字僅僅是清代官方和民間刻工很小的一部分。

（二）御書處匠役

御書處設有柏唐阿十名，効力柏唐阿十二名，匠役有刻字匠、裱匠、紙匠、墨刻匠、造墨匠，共一百一名，分辦各作之事，匠役缺出，移旗鼓佐領及管領下挑補，如不敷差用，仍添外雇。書匠、界畫匠、刷印匠，行武英殿修書處；畫匠，行養心殿造辦處。匠役工價飯食，俱行廣儲司領銀[22]。御書處各作匠役設置為：「原定刻字作，刻字人十三名，學手刻字人十四名；墨作，造墨人四名，學手造墨人六名；裱作，裱匠二十一名，染紙匠三名；墨刻作，墨刻匠四十名，如不敷用，准其外雇。」[23]

二　武英殿修書處匠役工價考實

雕版印刷時代，一部書籍的製作，通常要經過寫版、刻版、刷印、裝訂等多道工序，因此參與書籍製作的匠役就包括寫工、刻工、印工、裱工等。在海外書籍史研究中，書籍的製作成本是一個熱點，近些年來也湧現了一批重要論著，如周啟榮的《明清

---

19 《清內府刻書檔案史料彙編》第1冊，頁104-105。

20 參見《清代內府刻書目錄解題》北京：紫禁城出版社，1995年，頁534。

21 李國慶：〈宋代刻工說略〉，《圖書館工作與研究》1990年第2期。

22 嘉慶朝：《欽定大清會典》卷80，「內務府」條。

23 嘉慶朝：《欽定大清會典事例》卷960，「內務府・書籍碑刻」條。

印刷書籍成本、價格及其商品價值的研究》[24]。而要核算書籍製作成本，刻工等匠役工價占據很重要的位置，武英殿修書處相關資料中恰有反映其所雇傭匠役情況的豐富記載，是研究工價的絕佳材料。

（一）明清時期民間刻書的寫刻工價

要了解清代武英殿修書處刻工、寫工等匠役工價，需要了解明代以前的工價情況，以便彼此對照考察。宋代刻工的工價，一些文獻資料已有所記載。據楊繩信《歷代刻工工價初探》一文所輯資料，北宋和南宋時期刻工的工價每字不足一文[25]。遼代印刷品中已有刻工、寫工的姓名記載，可惜極少工價銀數字的記載。到了元代，其刻工工價，與南宋相當。

明代刻工工價，大大低於宋元時期。其原因是：從明代嘉靖初年開始，刊刻典籍的字型由歐體變為「宋體字」，是一種「匠體」，字體呆板，但方便工匠寫刻，工價由此降低。張秀民先生《中國印刷史》載：

> 明時刻書工價見於記載者，有成化刊《豫章羅先生文集》刻版八十三片，一百六十一頁，繡梓工資二十四兩，每頁約合一錢五分。正德五年刊《明文衡》九十八卷，其序云：「總為費計二十萬有奇。」邵氏《弘簡錄》刻費九百餘金，計字三百四十萬有奇，每百字為銀二分七釐，為錢二十文。萬曆二十九年刻《方冊藏》，每字一百，計寫工銀四釐，刻工銀三分五釐，每板一塊兩面刻成滿行，通計費銀三錢六分（每板一塊兩面俱二十行，行二十字，共計八百字）。同時北監刊《廿一史》靡六萬金有奇。崇禎末毛氏汲古閣廣招刻工，其時銀串中每兩不及七百文，三分銀刻一百字，則每百字僅二十文矣。萬曆時，「每字一百，時價四分」。[26]

又據清人俞正燮《癸巳存稿》卷十三〈刻書〉載有明代萬曆刻字匠供詞：「刊字匠徐承惠供，本犯與刻字工錢每字一百，時價四分。……今上元鄉間刻工蘇州散放刻工亦止字一百，銀四分也。」[27]可見明代刻書工價比較低廉，每百字始終約為銀三四分左右。以上是明代刻工工價情況，當然工價與當時的物價水平直接相關，需要將工價和物價綜合予以考察，才能得出比較可靠的結論。此外，明代以前史籍關於刻工、寫工的工

24　（美）周啟榮《明清印刷書籍成本、價格及其商品價值的研究》，《浙江大學學報》，2010年第1期。　周氏此文主要討論明代及清初的書價、成本、工價等問題，對清代書籍案例則極少涉及。

25　楊繩信：〈歷代刻工工價初探〉，載《中國印刷史料》（三）〈歷代刻書概況〉。

26　張秀民著，韓琦增訂：《中國印刷史》杭州：浙江古籍出版社，2006年，頁668。

27　俞正燮：《癸巳存稿》卷13〈刻書〉，清連筠簃叢書本。

價記載相對而言豐富一些，而對於書籍製作過程中裱工、畫工等工種的記載則極少，不能不說是一大遺憾。

清代民間刻書工價前後相差較大。據湯若望順治元年（1644）刻《西洋新法曆奏疏》載，順治元年北京「刻字工價，每百字約銀六分」，康熙年間又增為八分，比明代萬曆時貴了一倍。乾嘉時期的民間刻書工價，據清人汪輝祖云：「乾隆末葉刻書，每百字板片寫刻共製錢五十六文，繼增七文，又增十七文。嘉慶初杭、蘇已增至一百十文。」[28]而到了清末，地方刻書工價起伏很大，葉德輝《書林清話》卷七載：「今湖南刻書，光緒初元，每百字並寫刻木版工貲五六十文。中葉以後，漸增至八九十文，元體字小者百五十文，大者二百文，篆隸每字五文。至宣統初，已增至百三十文，以每葉五百字出入，每錢銀直百六十文計，每葉合銀三錢畸零，視明末刻書已增一倍。然此在湖南永州一處則然。永州刻字多女工，其坊行書刻價每百字僅二三十文。江西、廣東亦然。價雖廉而訛謬不可收拾矣。」[29]梳理以上寫、刻字工價，可以發現工價有起有落，乾隆至嘉慶有所增長，由每百字五十六文增至一百一十文，到清末又回落至五六十文，光緒至宣統則增至一百三十文。這個現象說明，匠役工價受物價水平等因素影響一直在動態變化之中。但以上工價反映的是民間刻書狀況，清代官方刻書工價則並未體現。那麼，清代武英殿修書處匠役的工價與民間工價是否有所不同呢？

（二）清代武英殿修書處匠役待遇及工價

武英殿修書處各作常設的食錢糧匠，只給飯食銀（相當於宋代給刻工的佐食錢），不需另外支付工價。如嘉慶朝《欽定大清會典事例》卷九六〇所載：「各匠役俱行官飯，按其人數，添減不等。康熙四十四年奏准，匠役等嗣後停止官飯，酌量給與錢糧，書匠作書一套，給飯食銀一錢；界劃匠界書一百六十篇，給飯食銀一錢；做小套一個，給飯食銀五分；刷印匠刷書一千篇，給飯食銀一錢。俱入歲底奏銷。」[30]《欽定總管內務府現行則例·武英殿修書處》「茶飯事宜」條亦載：

> （康熙）四十四年十二月奏准，匠役做活，嗣後停止行取分例官飯，酌量給與飯錢，擬定刷印匠刷書一千篇給飯食銀一錢，書匠做書一套給飯食銀一錢，做小套一個，給飯食銀五分，界劃匠則書一百六十篇給飯食銀一錢，至所用飯食銀兩俱入歲底奏銷，續經呈明，刻字、寫字頭目遇有活計照依出差之例，每名每日酌給

---

28 轉引自張秀民著，韓琦增訂：《中國印刷史》，頁674。
29 葉德輝：《書林清話》卷7，頁165。
30 嘉慶朝：《欽定大清會典事例》卷960，「內務府·書籍碑刻」條。

飯食銀六分。[31]

　　對於外雇匠役，武英殿修書處則需支付工價，武英殿修書處外雇匠役寫刻字，依其木板材料及字體不同，工價截然不同。據嘉慶朝《欽定大清會典事例》卷九六〇，外雇匠役鉤摹御筆發刻，每一字工價銀一分，如刊刻圍屏、版牆、寶座等項，按其字之大小，酌給工價。刻宋字，每百字工價銀八分；刻軟字，每百字工價銀一錢四分至一錢六分不等；刻書內圖像，量其大小多寡，酌給工價，若棄版俱加倍。寫宋字版樣，每百字工價銀二分至四分不等。寫軟字，每百字工價銀四分；折配齊訂書籍，每一千篇工價銀一錢三分；刷印連四紙書一千篇，工價銀一錢六分；竹紙書一千篇，工價銀一錢二分；裁書一千篇，工價銀二分[32]。

　　武英殿修書處匠役從事的工種不同，其待遇、工價也不一致。下文按照不同的工種，對武英殿修書處刻字匠、寫字匠、刷印匠、裝裱匠、畫匠等匠役的待遇、工價分別予以考察。

1 刻字匠

　　食錢糧刻字匠。據道光二十年（1840）《武英殿修書處寫刻刷印工價並顏料紙張定例》，武英殿修書處的食錢糧刻字匠，所給待遇不同。如係選派刻圓明園、靜明園、靜宜園、清漪園等處刻字匠、畫匠，每日每名給飯銀六分，帶匠庫掌柏唐阿每員一日飯銀一錢。刻熱河、盤山等處刻字匠、畫匠，每名一日飯銀一錢三分，每四名雇車一輛，每日車價銀七錢二分。以道光二十九年（1849）為例，修書處的刻字頭目二名，寫字頭目一名，又刻字匠一名，自正月初一日起至十二月底止，連閏月共計三百八十四日，每名每日飯銀六分，共合銀九十二兩一錢六分[33]。

　　武英殿修書處刻字匠工資，自康熙至嘉慶朝，刊刻各種書籍板片，每百字工銀八分，繕寫宋字每百字工銀二分，每日每名僅刻字百十餘個，寫宋字四百餘個，每日祗領工銀八九分不等，均係康熙年間舊例。但因「食物、米糧價漸昂貴，所得工銀不敷薪水之用。至頭目等六名，向無飯食工銀，現因賠累逋欠甚多，實在辦理拮据。」米糧漲價，刻工所得工資，不能維持生活，嘉慶十五年（1810）武英殿刻字頭目胡佩和等提出加價要求。最後朝廷允准，嗣後刻字匠每百字擬酌給飯銀二分，寫字匠每百字酌給飯銀一分，剞劂鋸截板片匠役每百字酌給飯銀六分[34]。

　　外雇刻字匠。《清代內閣大庫散佚滿文檔案選編》刊載了康熙二十五年（1686）六

31　咸豐二年（1852）內府抄本《欽定總管內務府現行則例·武英殿修書處》「茶飯事宜」條。

32　嘉慶朝《欽定大清會典事例》卷960，「內務府·書籍碑刻」條。

33　《清宮武英殿修書處檔案》第3冊，道光二十九年，頁187。

34　道光二十年武英殿修書處報銷檔案《武英殿修書處寫刻刷印工價並顏料紙張定例》，國家圖書館藏。

月二十日《郎中費揚古等為宮廷用項開支銀兩的本》[35]，是為康熙早期武英殿造辦處刻印、裝潢內府書籍的珍貴資料。對武英殿匠役研究如下重要價值：

其一，提供了康熙早期武英殿匠役情況，該檔案反映了康熙二十五年武英殿雇傭匠役的工種包括刻書匠（即刻字匠）、繕寫宋字匠、刷印匠，列出了負責書籍及相應的匠役姓名，比如補寫《綱鑑大全》雇用的繕寫宋字之陶志等十五人；製作《古文淵鑒》一書雇用刻書匠朱衛等十三人；製作《四書》板子雇用刻書匠朱衛、劉元等人；製作《古文淵鑒》刷印匠王遂等人。

其二，提供了康熙早期武英殿匠役工價及製作進度的珍貴材料。如補寫《綱鑑大全》雇用繕寫宋字之陶志等十人，自五月初一日至初五日共繕寫字八萬五千九百三十七，此一百字以二分計。可知繕寫宋字匠，每百字工銀二分，十五人五天內繕寫宋字八萬五千九百三十七，則平均每人每天大約可以繕寫宋字一千七百字。刻字工價的情況則更為複雜，製作《古文淵鑒》，刻普通木板，每百字工銀一錢，刻標題大字，每百字工銀八分，刻紅套板，每塊工銀一錢二分。刷印匠為武英殿的食錢糧匠，刷印《古文淵鑒》，每工每日給銀二錢。

檔案所見，清代刻字匠水準參差不齊，刻字技藝存在差距。嘉慶十九年（1814）十二月初四日，署理武英殿總裁鮑桂星奏陳管見十條，其中一條稱：

> 向來剞劂之事，惟江南者擅長，兩湖等處次之，山陝為最下。本處刻工例應外雇，每工每日給銀一錢，向多雇覓江南工匠，近日每工增銀二分，而轉雇山西刻工者，以其藝拙而價廉，可以從中短克也。[36]

該檔案極為重要。檔案揭示出，清代的刻字匠的技藝水平存在差距，江南最好，兩湖等處次之，山陝為最下。另外，武英殿修書處給發工價要視工價的技藝水平高低而酌定工價。嘉慶以前江南刻工工價為每工每日給銀一錢，嘉慶年間曾至每工每日給銀一錢二分。而山西、陝西刻字匠工價則較為低廉，管事者可以從中剋扣工銀，但刻字技藝整體未如江南刻工高超嫻熟，因此鮑桂星提出仍雇用江南刻工。大臣議奏認為：

> 雇覓匠作則當論其技藝精粗，不當論其籍隸何省，江南未必悉皆良工，他省亦豈遂無佳匠，如鮑桂星所請，必須雇慕江南刻工，將來昂價冒充，無所不有。況現在已經鏤板之書，據鮑桂星自稱，即有西匠勝於南匠者，所奏應毋庸議。[37]

最後朝廷駁回了鮑桂星雇用江南刻工的提議，繼續雇用山西、陝西刻字匠役。但自此以後，嘉慶朝以後，殿本的雕刻品質下滑，可能與刻工的選用有一定關係。

35　《清代內閣大庫散佚滿文檔案選編》，頁197、201。

36　錄副奏摺，錄副檔號03-1564-012，嘉慶十九年十二月初四日。

37　錄副奏摺，錄副檔號03-2159-046，嘉慶十九年十二月十八日。

刻字匠除了刊刻普通木板外，還有一些特殊情況，其工價則有很大不同。

改補刻字。據道光二十年（1840）武英殿修書處報銷檔案：「重刻補並各館奏准交來改補刻者，每一字作三字算。」

刻銅活字。據嘉慶朝《欽定大清會典事例》載「刻銅字人，每字工銀二分五釐。」[38]

刻木活字。乾隆三十九年（1774），辦理武英殿聚珍版書的金簡奏：「細加查核成做棗木子，每百個銀二錢二分，刻工每百個銀四錢五分，寫宋字每百個工銀二分。」[39]咸豐二年（1852）《欽定總管內務府現行則例・武英殿修書處》「聚珍館事宜」條亦載：「該館成做棗木木子每百個工料銀二錢二分，每百個刻工銀四錢五分，寫宋字每百個工銀二分，飯銀一分，夾條每分十六根工料銀八分。」[40]

2　寫字匠

食錢糧寫字匠。康熙年間舊例，繕寫宋字每百字工銀二分，寫宋字四百餘個，每日祗領工銀八九分不等。嘉慶十五年（1810）六月初四日，武英殿修書處刻字頭目胡佩和等呈稱食物、米糧價漸昂貴，所得工銀不敷薪水之用。嗣後寫字匠每百字酌給飯銀一分，剷除鋸截板片匠役每百字酌給飯銀六分[41]。

外雇寫字匠。根據字體的不同，其工價也不一致。武英殿修書處刻書推崇楷體上板，稱為「歐字」，字體圓潤秀麗，文雅大方，且上書或上板難度較高。而明代以來雕版刷印通行的宋體長方字，被稱為「宋字」，匠氣較濃，但易於寫刻，工價也較低廉。一般而言，寫歐體字的工價是寫宋字的兩倍。據道光二十年武英殿修書處報銷檔案：

> 寫書內宋字，每千工銀二錢。寫書內歐字，每千工銀四錢。寫書內軟字，每千工銀三錢。寫圖內小字，不拘宋、軟字，每千工銀三錢。寫書簽大字，每千工銀三錢，小字，每千工銀二錢。寫宋、歐、軟等字，較書內字，或大臨期酌定□□圈，每百個工銀二釐。戳各種書滿篇圈，每篇工銀一錢。

3　刷印匠

據道光二十年武英殿修書處報銷檔案：「家內匠役刷書，每千篇飯銀一錢。外雇匠役刷書，每千篇工銀一錢二分。」《武英殿修書處寫刻刷印工價並顏料紙張定例》又載：「雇刷印匠刷書，一千篇工銀一錢二分。」又據咸豐二年（1852）內府抄本《欽定總管內務府現行則例・武英殿修書處》「外雇匠役工價」條載：「外雇刷印匠，刷連四紙

38　嘉慶朝《欽定大清會典事例》卷960，「內務府・書籍碑刻」條。

39　《纂修四庫全書檔案》，頁208。

40　咸豐二年（1852）內府抄本《欽定總管內務府現行則例・武英殿修書處》「聚珍館事宜」條。

41　道光二十年武英殿修書處報銷檔案《武英殿修書處寫刻刷印工價並顏料紙張定例》，國家圖書館藏。

書一千篇，工價銀一錢六分；竹紙書一千篇工價銀，一錢二分。」[42]

　如刷印書籤，其工價另定。同治六年（1867），刷印文宗聖訓：

> 盛京恭存漢文書十部，存庫書二十部，頒賞書一百部。……刷印每千頁工銀一錢
> 二分……折配每千頁工銀一錢二分……刷印漢文長方籤二萬六千四百條，每千條
> 工銀一錢二分，合銀三兩一錢六分八厘[43]。

4 折配匠

　據《武英殿修書處寫刻刷印工價並顏料紙張定例》：「折配、齊釘各種書籍每千篇，
工銀一錢三分。改字、抽挨、拆包、串釘各種書籍，每千篇工銀二錢六分。折配、齊釘
已得者，復行拆散，按頁入襯紙，每千篇工銀六分五釐。」又載：「雇折配匠，折配、
齊釘書，一千篇工銀一錢三分。」又咸豐二年（1852）內府抄本《欽定總管內務府現行
則例・武英殿修書處》「外雇匠役工價」條：「折配、齊訂書籍，每一千篇工價銀一錢三
分。」[44]與前載一致。

5 鉤字匠

　據嘉慶朝《欽定大清會典事例》卷九六〇「內務府・書籍碑刻」條載：「外雇匠役
鉤摹御筆發刻，每一字工價銀一分，如刊刻圍屏、版牆、寶座等項，按其字之大小，酌
給工價。」[45]

6 裁切匠

　據咸豐二年（1852）內府抄本《欽定總管內務府現行則例・武英殿修書處》載：
「裁書匠，每裁書一千篇，工價銀三分。」[46]

7 裝裱匠

　據道光十四年（1834）武英殿修書處官員等呈為添裁錢糧米石事：「本處廂黃旗揚
興阿管領下裱匠存德，于本年七月十六日病故，應將伊每月所食一兩錢糧米石照例裁汰
外，其所遺裱匠之缺，今將廂黃旗揚興阿管領下效力匠役依齡阿挑補。」[47]由此可知裝
裱匠每月食一兩錢糧。

---

42 咸豐二年（1852）內府抄本《欽定總管內務府現行則例・武英殿修書處》「外雇匠役工價」條。
43 《清宮武英殿修書處檔案》第五冊。
44 咸豐二年（1852）內府抄本《欽定總管內務府現行則例・武英殿修書處》「外雇匠役工價」條。
45 嘉慶朝《欽定大清會典事例》卷960，「內務府・書籍碑刻」條。
46 咸豐二年（1852）內府抄本《欽定總管內務府現行則例・武英殿修書處》「外雇匠役工價」條。
47 《清宮武英殿修書處檔案》第2冊，道光十四年堂行檔，未字一號，頁681。

8　書作界畫匠、繕寫書簽匠等

道光二十年《武英殿修書處寫刻刷印工價並顏料紙張定例》載：

> 套描界畫一百六十頁、托經一百頁，俱領飯銀一錢。界畫匠出差，每日領飯銀五分。……雇寫字人繕寫書頭書簽，俱是臨期酌量字之多寡，按數按套定工，照例領取。

由定例可知，界畫匠每日領飯銀五分，而繕寫書頭書簽則按數按套定工價。

9　聖訓寫刻折配匠

武英殿修書處辦理聖訓，其匠役待遇較一般更為優厚。咸豐七年（1857）《武英殿恭辦清漢文宣宗成皇帝聖訓用過錢糧奏銷數目清冊》，詳細刊載了武英殿修書處各種匠役開支明細，特別重要的是記錄了繕寫、刷印滿文的匠役工價。按檔案所載，刷印每千頁工飯銀一錢，寫宋字匠每百字飯用製錢七十五文。刊刻清字，每百字刻工用製錢六百六十文；而刊刻漢字，每百字工用製錢三百文。刊刻清字工價大約是刊刻漢字的兩倍[48]。

10　書匠恩甲

道光十三年（1833）堂呈檔，武英殿修書處官員等呈為添裁錢糧米石事：「本處正白旗長清佐領下恩甲書匠開泰於上年十二月十八日病故，其每月所食三兩錢糧米石照例裁汰外其所遺恩甲之缺，今將正白旗六十九管領下蘇拉智英挑補，所遺書匠之缺今將正白旗德舒管領下效力匠役信貴挑補，又廂黃旗楊興阿管領下書匠景文於本年二月初九日因病告退，所食錢糧米石照例裁汰外所遺之缺今將廂黃旗長潤佐領下效力匠役安福挑補，其新補恩甲智英每月應食三兩錢糧米石，新補書匠信貴安福每月各應食一兩錢糧米石。」[49]

根據以上檔案資料所揭示的匠役工價，筆者編制《武英殿修書處雇傭刻字等匠役工價一覽表》（參見表二），以探究其中的規律性特徵。

48　《清宮武英殿修書處檔案》第4冊，《恭辦清漢文宣宗成皇帝聖訓用過錢糧奏銷數目清冊》，頁11-21。

49　《清宮武英殿修書處檔案》第2冊，道光十三年堂呈檔，丑字一號，頁642-643。

表二　武英殿修書處刻字等匠役工價一覽表[50]

類別	工種	單位	職責	工價（兩）
銅活字	刻字匠	每百字	刻印銅活字	2.5
	擺字匠	每月	擺印銅活字	3.5
木活字	刻字匠	每百字	刻棗木活字	0.45
	寫字匠	每百字	寫宋字	0.02
雕版刷印	刻字匠	每百字	鉤摹御筆發刻	1[51]
	刻字匠	每百字	一般木板刻宋字	0.08-0.1[52]
	刻字匠	每百字	一般木板刻軟字	0.08-0.1
	刻字匠	每百字	一般木板刻歐字	0.14-0.16
	刻字匠	每百字	棗木板刻宋字	0.16-0.2
	刻字匠	每百字	棗木板刻軟字	0.16-0.32
	刻字匠	每百字	棗木板刻歐字	0.28-0.32
	刻字匠	每百字	刻聖訓滿文	約0.33[53]
	刻字匠	每百字	刻聖訓漢文小字	約0.15
	刻字匠	每百字	刻標題大字	0.08
	刻字匠	每塊	刻紅套板	0.12
	刻圖匠	每工	木板刻圖	0.154
	畫圖匠	每工	畫圖上板	0.154
	寫字匠	每百字	寫宋字板	0.02-0.03
	寫字匠	每百字	寫軟字板	0.03-0.04
	寫字匠	每百字	寫歐字板	0.04-0.05
	寫字匠	每百字	寫聖訓宋字板	約0.037
	寫字匠	一千篇	寫書簽大字	0.3
	寫字匠	一千篇	寫書簽大字	0.2

---

50 《大清會典事例》卷1199。

51 刊刻御筆，每個寸字工價銀一分，如過一寸之字，臨期視其字之大小，酌定工價。

52 「○點○八至○點一兩」指康熙末期至嘉慶十五年六月前，工價為每百字○點○八兩。嘉慶十五年六月至嘉慶十九年，工價為每百字○點一兩，嘉慶十九年又調整為每百字○點一二兩。是一個動態變化的過程。下注同，不一一出注。

53 按《中國近代經濟史統計資料選輯》載咸豐初年一兩銀子約可兌換二千文的比率折算。據嚴中平等編《中國近代經濟史統計資料選輯》北京：科學出版社，1955年，頁37。

類別	工種	單位	職責	工價（兩）
	寫字匠	一千篇	寫圖內小字	0.3
	裝訂匠	一千篇	折配、齊訂	0.13
	裝訂匠	一千篇	按頁入襯紙	0.065
	裝訂匠	一千篇	改字、串釘等	0.26
	裁書匠	一千篇	書籍裁切	0.03
	刷印匠	一千篇	刷印連四紙書	0.16
	刷印匠	一千篇	刷印竹紙書	0.12
	刷印匠	一千條	刷印書簽	0.12

結合上表和相關資料，有若干問題值得進一步討論：

第一，刻字匠刊刻各種材質，不同字體，其工價皆不相同。對不同工價進行排序，不難發現：刊刻銅活字工價最貴，每百字高達二點五兩；第二是刊刻御筆，每百字一兩，且如刊刻過一寸御筆，還要視其字之大小，再酌加工價；第三是刊刻棗木活字，每百字○點四五兩；第四是刊刻聖訓滿文，每百字約○點三三兩。就普通雕版印刷而言，刊刻棗木板宋字是刊刻普通木板宋字的兩倍；而刊刻普通木板軟字工價高於刻宋字。總結起來就是：刻銅字最貴，棗板次之，梨板最賤。字體以鉤摹御筆最貴，軟字次之，宋字又次之[54]。刻字匠的不同工價，應該是於刊刻的難度直接相關，活字的製作難度明顯高於普通雕版印刷的刊刻。

刊刻滿文聖訓的工價（每百字約○點三三兩）是刊刻普通漢字（每百字○點一五兩）的兩倍。道光二十年《武英殿修書處寫刻刷印工價並顏料紙張定例》亦載：「刻書內清字，除小呢字外幾個字為一行，每行工銀三分，刻棗板加倍。」說明了刊刻滿文難度更大，技術要求更高，這是以往我們研究印刷史極少注意到的現象。

寫字匠中，其工價從高到低排序是：寫歐字、寫軟字、寫宋字。此外，刷印匠刷印連四紙書的工價（每千篇○點一六兩）要高於刷印竹紙書（每千篇○點一二兩）。

第二，武英殿修書處外雇匠役的工價除了上述特徵外，我們還應注意到一個事實：從康熙朝至清末，武英殿修書處外雇匠役的工價個別工種如刻字匠的工價是有所變化的。

康熙二十五年（1686）六月二十日，「制做《古文淵鑒》……刻寫此一百字以銀一錢計。」[55]嘉慶十五年六月初四日，武英殿修書處官員等呈為呈明存棗事：「茲據刻字頭目胡佩和等呈稱，本殿向例刊刻各種書籍板片，每百字工銀八分，繕寫宋字每百字工銀二分，每日每名僅刻字百十餘個，寫宋字四百餘個，每日祗領工銀八九分不等，均係

---

54 張秀民著，韓琦增訂：《中國印刷史》，頁668。

55 《清代內閣大庫散佚滿文檔案選編》，頁197、201。

康熙年間舊例。」從中可以看出，康熙朝的刻字工價經歷了一次調整，由每百字工價一錢降至每百字八分。刻字頭目胡佩和特別報告了因物價上漲，匠役所得工銀不敷日用，度日為艱：

> 現在食物、米糧價漸昂貴，所得工銀不敷薪水之用。至頭目等六名，向無飯食工銀，現因賠累逋欠甚多，實在辦理拮据。……嗣後刻字匠每百字擬酌給飯銀二分，寫字匠每百字酌給飯銀一分，剷除鋸截板片匠役每百字酌給飯銀六分，如此辦理，該匠役等所得工飯銀兩，已敷食用，庶於公事有益，伏候王爺、中堂批准存安，以便遵照辦理可也，為此具呈。[56]

《欽定總管內務府現行則例‧武英殿修書處》「外雇匠役工價」條反映了刻字匠役和寫字匠役工價的變化：

> 凡書刻宋字，每百字工價銀八分；刻軟字，每百字工價銀八分；刻歐字，每百字工價銀一錢四分，棗木板加倍。續經呈明，每百字加飯食銀二分……凡書寫宋字，每百字工價銀二分，軟字三分，歐字四分。……續經呈明，每百字加飯銀一分。[57]

可見，清廷最後批准了提高匠役工價的請求，由原來的八分增至一錢。

嘉慶十九年（1814）十二月初四日武英殿修書處檔案又載：「本處刻工例應外雇，每工每日給銀一錢，向多雇覓江南工匠，近日每工增銀二分，而轉雇山西刻工者。」[58] 該檔案表明，嘉慶十九年前後，在嘉慶十五年所定每百字一錢的基礎上，調整為每百字一錢二分。

由此可見，從康熙二十五年到康熙末年，武英殿修書處外雇刻字匠的工價由每百字一錢降至八分，嘉慶十五年六月提高至每百字工價一錢，康熙十九年再次調整，由每百字一錢增至每百字一錢二分。寫字匠的工價也經歷了類似變化，這裡不再贅述。總的來說，書籍寫刻工價總體上呈上升趨勢，其影響的重要因素是物價的上漲，嘉慶年間刻字頭目胡佩和所稱的「食物、米糧價漸昂貴，所得工銀不敷薪水之用」，確屬實情。乾嘉時期，人口劇增[59]，米價迅速上漲。據汪輝祖《病榻夢痕錄》載：乾隆初年米價每斗九十或一百文，間至一百廿文，即訝其貴。乾隆十三年，價至二百六十文，即有餓者，至

---

56 道光二十年武英殿修書處報銷檔案《武英殿修書處寫刻刷印工價並顏料紙張定例》，國家圖書館藏。

57 咸豐二年（1852）內府抄《欽定總管內務府現行則例‧武英殿修書處》「外雇匠役工價」條。

58 錄副奏摺，錄副檔號03-1564-012，嘉慶十九年十二月初四日。

59 陝西巡撫陳宏謀認為，米價日增，實由生齒日繁。參見全漢昇〈乾隆十三年的米貴問題〉，載《中國經濟史論叢》，新亞研究所（香港）1972年，頁560。

乾隆五十年後，此為常價，或斗米二百，則為賤矣[60]。米價、物價的上漲，使得匠役所得工價購買力下滑，「所得工銀不敷薪水之用」。

　　第三，回到筆者在本文中一開始提出的問題：清代官方（皇家）刻書與民間刻書的匠役工價有何不同？武英殿修書處支付給匠役的工價性質上屬於官方定價。按照汪輝祖所觀察的乾隆末年刻字匠工價最低時為每百字五十六文，按乾嘉時期銀錢法定比價是一兩銀兌換一千文[61]，折合銀約〇點〇五六兩，最高時為每百字八十二文[62]，折合銀〇點〇八二兩，嘉慶初期為一百一十文，折合銀〇點一一兩。而同一時期內武英殿修書處所定刻字匠工價為每百字〇點〇八兩，到了嘉慶十五年、嘉慶十九年先後調整至每百字〇點一兩，〇點一二兩。這反映出武英殿修書處官方刻書工價略高於民間刻書工價，但對物價的反應較為遲緩，沒有根據物價水平迅即作出調整，而民間刻書工價對物價的回饋比較及時。

60　（清）汪輝祖《病榻夢痕錄》（卷下），乾隆五十七年條，轉引自林滿紅《貨幣與社會》，頁294。

61　乾隆九年諭旨「仍照定例，每銀一兩給錢一千。」載乾隆《欽定大清會典則例》卷44《戶部・錢法》。

62　葉德輝《書林清話》卷7。

朱彝尊的雅正詞學思想

張燕珠

香港公開大學教育及語文學院

朱彝尊以雅俗之辨取代了長期以來的豪放婉約之辨及南北宋之辨，提升文人的風雅趣味至比較高、比較抽象及比較廣闊的層次。與之對應，朱彝尊推倒秦觀與黃庭堅為宋代「詞手」的典論，推舉張炎為新的「詞手」。張炎推崇姜夔詞，故創造了姜、張並舉的新局面。吳衡照指出「小長蘆撮有南宋人之勝，而其圓轉瀏亮，應得力於樂笑翁耳」。[1]

朱彝尊自身的背景和遭遇接近張炎，故推崇其詞，而不是直接吸收姜夔的詞學養分。這個觀點為張宏生所繼承，認為朱彝尊近師張炎遠取姜夔。[2]朱彝尊借助張炎的特殊身分，視他為當代詞學的楷模，融合南宋和明代遺民的思想，反映在環境變遷下文人感召心理的現象。[3]在兼蓄北宋小令與南宋慢詞之際，朱彝尊尤其推崇南宋諸名家慢詞，傾向以姜夔為首的詞人群的詠物詞。朱彝尊的主張得到汪森的應和，全力推動詠物詞向前發展。

朱、汪重新組織張炎的雅正思想，從騷雅論中脫變而成為醇雅論，引進南宋名賢詞至當代詞壇，強勢轉移詞壇依循明代頹靡的詞風。在崇雅斥俗的基礎上，朱彝尊向上追溯南宋雅正詞人群體，向下開拓當代雅正詞人群體，依據兩代相似的審美情趣，轉換為同一性。這種轉換方式能夠擴大南宋詞的傳播途徑，朱彝尊終以南宋詞選本與當代詞集序跋的批評方式，建構浙西詞派的雅正詞學思想或體系。而姜夔的醇雅詞就是這個思想創造過程中的主體。姜詞是雅正的符號，卻被冷落了數百年，重現清代詞壇後，引發文人心理上的感應，視之為重歸盛世的本質或寄望。如果沒有梳理好經典化過程中的網狀關係，則比較容易忽略當中的因果關係。從歷時上看，朱彝尊從善工慢詞群體、詠物詞技法、小令意境、雅詞選本等，內化和深化張炎的雅正思想，為詞壇帶來新的景象。在重構善工慢詞群體的過程中，朱、汪以姜詞為核心，經典化姜詞。

---

1 （清）吳衡照：《蓮子居詞話》卷2，載唐圭璋：《詞話叢編》北京：中華書局，1986年，頁2426。

2 張宏生：〈浙西別調與白石新聲〉，《清詞探微》上海：上海古籍出版社，2008年，頁279-300。

3 有關概念取自梁啟超所言「凡文化發展之國，其國民於一時期中，因環境之變遷，與夫心理之感召，不期而思想之進路，同趨於一方向，於是相與呼應洶湧，如潮然。」見梁啟超：《清代學術概論》上海：上海古籍出版社，2005年，頁1。

　　朱彝尊對張炎的雅正思想的演進路上，在趨向經典化姜詞的方向上，逐漸形成新的詞學秩序，改變當代詞風及文人的文學趣味。

一　朱彝尊接受張炎的原因

　　朱彝尊選擇以經典人物抗衡支配的力量，推翻典論後，再推舉新的典範。在〈解佩令·自題詞集〉中，他明顯流露「不師秦七（觀），不師黃九（庭堅），倚新聲，玉田（張炎）差近」[4]的詞風取向。他反駁陳師道的典論，提出張炎的詞學是正宗。實際上，他呈現給當代詞壇的訊息，不是純粹表示自己的學詞對象，而是有意改變當前的創作風尚。這種轉向就是要反經典和反傳統，摒棄世人以秦、黃並舉的典論，創造由被支配到支配的反抗力量，經營支配詞壇的新局面。在《後山詩話》中，陳師道推崇秦觀與黃庭堅詞，「今代詞手，惟秦七、黃九耳，唐諸人不逮也」。[5]秦觀、黃庭堅、晁補之與張耒都是蘇軾門下的弟子，合稱為「蘇門四學士」。他們加上陳師道與李廌合稱為「蘇門六君子」。秦、黃是詞壇能手並稱於世，其作品則是典範，成為清初詞人的共識。在討論二人詞優劣的過程中，文人往往借助對舉二人的詞風，顯示自己的學識和見解。毛晉曾經轉載陳師道的論斷，[6]認為秦詞豔麗遠勝黃詞的瘦健。沈雄也認為「今代詞手，惟秦七、黃九耳，餘人不逮也。詞家以秦黃並稱」，[7]指出秦詞的優勢，慢詞能夠協律，刻劃絲絲入扣，而黃詞用語俚淺，譏之粗鄙。孫默曾到海鹽訪彭孫遹索取新詞，有意把彭孫遹的《延露詞》三卷、鄒祇謨的《麗農詞》二卷及王士禛的《阮亭詞》一卷，合刻《三家詞》。陳維崧曾經贈詩，云：「秦七黃九自佳耳，此事何與卿饑寒」，[8]認為秦、黃詞自是佳詞，同樣優勝。清初詞人普遍傾向學習秦、黃詞。

　　朱彝尊重構新「詞手」這個命題，認為秦、黃詞皆不可取，推倒陳師道奉二人為「詞手」的定調，即推倒蘇軾一脈的詞人群，順理成章推倒北宋詞，婉轉地回應了南北

4　（清）朱彝尊：《曝書亭集》卷25，臺北：世界書局，1970年，頁312。

5　（宋）胡仔：《苕溪漁隱叢話·後集》卷33，臺北：世界書局，2009年，頁666。胡仔也曾轉載陳師道在《後山詩話》所言：「無咎言：『眉山公之詞，短於情，蓋不更此境也。余則不然。宋玉初不識巫山神女，而能賦之，豈待更而知也。余他文未能及人，獨於詞，自謂不減秦七、黃九。』苕溪漁隱曰：無己自矜其詞如此，今《後山集》不載其小詞，世亦無傳之者，何也？」晁補之認為蘇軾詞情短，而自謂己詞不減秦觀與黃庭堅詞的境界。陳師道則表示晁補之是自誇，故不錄其詞而佚。可見陳師道甚為重視「秦七、黃九」的詞手位置，是不可言輕或冒犯的。見（宋）胡仔：《苕溪漁隱詞話·前集》卷51，臺北：世界書局，2009年，頁346。

6　（明）毛晉：《汲古閣詞話》，載屈興國編：《詞話叢編二編》杭州：浙江古籍出版社，2013年，頁300。

7　（清）沈雄：《古今詞話·詞話上卷》，載唐圭璋編：《詞話叢編》北京：中華書局，1986年，頁765。

8　（清）永瑢等：《四庫全書總目提要詞話》卷之2，載屈興國編：《詞話叢編二編》，頁845。

宋之辨。他重新演繹這個被視為牢不可破的定論，不是沿襲時人的調子討論誰的詞比較優勝，而是突然中斷了這個定調，徹底否認秦、黃詞，即否定其詞學地位。同時，他推舉張炎詞，而張炎推崇姜夔詞，於是確立姜、張詞並舉的新論題，由此推崇南宋詞。在南北宋詞學領域中，朱彝尊發展了陳師道這種「詞手」的譜系觀念。這個典論多次被文人轉載，朱彝尊從創作心態上中斷了它，重新賦予「詞手」新的範式，推舉張炎為新的「詞手」。張炎突然在清初詞壇上出現，暗示一種新的力量成形，象徵復雅的開始。朱彝尊關注秦、黃詞支配詞壇的角色，也意味著推崇這個典論的著名詞人，如沈雄、陳維崧等人，支配了詞壇。他面對這種被支配的局面，重新組合「詞手」的成分，由世人所推尊的北宋大詞家，轉移到南宋最後一位詞人身上。於此，在「詞手」這個雅號上，他賦予它多一份實際意義，肩負一份遺民思緒，以柔制剛的方式反抗被支配的命運，創造另一股支配詞壇的新勢力。

　　雖然朱彝尊不師秦、黃詞，但仍然稱讚北宋詞，在〈百字令・酬陳緯雲〉云：「新詞贈我，居然黃九秦七」，[9]禮節上回應陳維岳所寫的贈詩。陳維岳是陳維崧弟，二人是陽羨詞派的代表人物，傾向南唐、北宋詞。朱彝尊與陳維崧交往甚密，二人合刻《朱陳村詞》顯世，陳維崧為《浙西六家詞》寫序文。而朱彝尊也為陳維岳《紅鹽詞》三卷寫序文，「緯雲之詞，原本《花間》，一洗《草堂》之習」，[10]基於文人交遊關係贈詞酬答陳維岳。朱彝尊廣結不同群體的文人，有兼容南北宋詞的胸懷，在〈祝英臺近・題丁雁水韜汝詞稿〉云：「史梅谿，姜石帚，澀體夢窗叟。不事形摹，秦七與黃九」，[11]對於豪放、婉約詞風兼容的丁煒，則從詠物角度否定秦、黃詞。朱彝尊這句偶然出現的「倚新聲，玉田差近」的詞句，意味著當時的詞壇湧現新的勢力，是文人趣味轉變的重要基調。〈解佩令・自題詞集〉收錄於《江湖載酒集》（刻於康熙十一年，1672）單刊本中，而《江湖載酒集》三卷大部分作品被納入《浙西六家詞》（刻於康熙十七年，1678）合刻本中。《江湖載酒集》的流通面和傳播面甚為廣泛，其言論早已引起有識之士的注意。如徐釚指出「錫鬯天才踔厲，詩文膾炙海內，填詞與柳七、黃九爭勝」，[12]朱彝尊的「詞手」言論成為他人的討論對象，延續「詞手」這個論題。

　　一般認為張炎是南宋最後一個詞人，落難王孫貴公子的形象仿如普遍文人自身的鏡子，更多的是負荷民族哀痛的感情。張炎是朱彝尊內心的鏡子，而朱彝尊似是明代遺民的鏡像，同樣折射遺民的種種思緒。張炎是臨安循王的後裔，系出名門，曾祖張鎡精通音律，與姜夔酬唱，其父張樞也以詞顯世。朱彝尊曾祖朱國祚是明代名臣，官至戶部尚書兼武英殿大學士加少傅，其父輩也是江南文人雅士。可惜家道中落，朱彝尊家貧入贅

9　（清）朱彝尊：《曝書亭集》卷25，頁312。

10　（清）朱彝尊：《曝書亭集》卷40，頁488。

11　（清）朱彝尊：《曝書亭集》卷26，頁324。

12　（清）徐釚：《南州草堂詞話》卷上，載屈興國編：《詞話叢編二編》，頁586。

馮鎮鼎家，其後清兵南下攻打江浙，出走部署抗清，順治七、八年間密謀起義，到順治十三年（1656）才成為同鄉前輩曹溶的幕僚。在東奔西走期間，他結交奇才異士，大半生過著飄泊的日子。《江湖載酒集》的名稱脫胎自杜牧的〈遣懷〉，是年四十四歲，作品都是他交遊、出遊時的感懷之作，文人落魄江湖的形象得到普遍的回響，詞人群心靈上的感應，漸次以過去的不得志作為現在的相交相知並連成一線，如《浙西六家詞》的其餘五家。〈解佩令·自題詞集〉可以說是朱彝尊的自傳，「十年磨劍，五陵結客」就是總結自己這段崢嶸歲月。雖然復明無望，他卻由此博得「江南三大布衣」之名，「老去填詞，一半是、空中傳恨」，顯現功業未成，落拓江湖，終以張炎為師。張炎是南宋遺民，元人南下抗爭無望，自己落得家破人亡的地步，落魄奔走南北之間餬口，流連西湖結交文人，與有志之士酬唱。這點與朱彝尊的經歷和際遇十分相似。朱彝尊借助張炎的特殊歷史身分和空有懷抱的形象，轉換成南宋遺民在清初出現的鏡像，是文人內心的鏡子。明代遺民在這個偶然出現的南宋詞人身上，似乎找到了觀照自己和省思現狀的客體，在長期以來壓抑著內心的焦慮與渴望的痛苦中，找到了切入點及共鳴感，自然爆發自身的經歷、感情、悲痛等複雜的情緒和思緒。正因如此，明代遺民也納入自己在南宋遺民之中，漸次改變當時的詞風和文人趣味，轉投以南宋為中心的詞人群，如張炎、姜夔、周密、王沂孫等。朱彝尊以「名布衣」的身分，連接兩代遺民，決意匡正當時的詞風，也是向經典和傳統詞學提出宣戰。

二　朱彝尊接受張炎的雅正思想

　　朱彝尊跨越時空重建張炎的雅正詞學思想，以此為據創立浙西詞派，遂成為清代詞壇最大的流派。張炎的騷雅論為朱、汪所接受並拓展為醇雅論，清空論則為流派中期領袖厲鶚與王昶所推崇並改造為清雅論。[13]張炎的雅正思想能夠有系統地整合南宋諸名家分散各處的雅詞，串連各個時期偶然出現的雅正詞人，並劃分特性等級，成為南宋雅正詞人群體。雅詞，是宋人填詞時呈現的以雅相尚的特質，曾在明代斷裂。在繼承張炎的典論中，朱彝尊綜合南宋詞人群的整體詞風，審視精巧的形式、雅正的內容及工麗的字句，推出新的見解，歸納為雅正，樂教知政，反撥詞壇沿襲明詞的頹風。

　　從雅律看來，張炎總結了雅正作為詞的審美規範，以審音協律和雕章琢句為實踐方式。一是「古之樂章、樂府、樂歌、樂曲，皆出於雅正」及「詞以協音者為先，音何者，譜是也」。[14]張炎以雅正闡釋古樂的根源，帶出詞與音樂的譜系關係，在音譜、拍

13　可參考拙文：〈厲鶚與王昶的清雅論〉。

14　（宋）張炎：《詞源》卷下，載唐圭璋編：《詞話叢編》，頁255。

眼、製曲等方面作進一步論證。雅正，意指純正典雅。進入元朝，這是南宋遺民共同追
求的審美境界。音譜方面，張炎主張「詞以協音為先」、「詞之作必須合律」，[15]即古人
先製定音譜，後人以聲律填詞，是謂正聲，正聲是依音律和聲的遺意。張炎援以其父張
樞《寄閒集》（已佚）佐證，按有關歌譜填詞，字字皆協音審律，才明白雅詞須協音，
一字也不放過。張炎師承楊纘學習正聲，特別推舉其作詞五個要訣，包括擇腔、擇律、
填詞按譜、隨律押韻及立新意。前四個要訣是音律之法，重視腔韻、應月擇律、依譜用
字及押韻。第五個則是立意之法，著重煉字而不蹈前人的意思。於此，張炎連繫同一時
期精通音律的詞人如張樞、楊纘等，形成一個緊接著一個的知音者。知音者的出現，往
往是在諸多名士身上找到了雅正的力量，致力保存高雅的音樂或符合規範的正音，期許
審音協樂推動政通人和，通過正聲實踐樂教知政的理念。

　　二是「詞欲雅而正，志之所之，一為情所役，則失其雅正之音」。[16]雅、正與志不
可分割，傾向儒家詩教、言志。立意之法是雅的具體內容，主張清空與騷雅的境界。
「詞要清空，不要質實。清空則古雅峭拔，質實則凝澀晦昧」，[17]清空能夠彰顯雅正，
雅正又可以帶出清空，兩者相互交錯並生；否則，就是質實。張炎分別借助姜夔與吳文
英詞的「如野雲孤飛，去留無跡」與「如七寶樓臺，眩人眼目，碎拆下來，不成片
段」，[18]作為清空與質實說的註解。清空，如嚴羽《滄浪詩話》所言的羚羊掛角無跡可
尋；質實，如塌下來的七寶樓臺碎不成片。張炎推舉姜夔的〈疏影〉、〈暗香〉、〈揚州
慢〉等自度曲，因其「不惟清空，又且騷雅」，[19]又欣賞陸淞〈瑞鶴仙〉（臉霞紅印
枕）、辛棄疾〈祝英臺近〉（寶釵分）「皆景中帶情，而存騷雅」。[20]觀乎這些作品的內容
大都是離情之作，有「黍離之悲」的騷人離愁情懷。在文學領域中，騷雅是指由《詩
經》和《離騷》所奠定的優秀風格和傳統，符合儒家思想。當中，姜詞更加具備騷雅的
特質，張炎主張以其騷雅句法補充周邦詞的意趣不高遠。意趣者，即「清空中有意
趣」，[21]有蘇軾〈水調歌頭〉（明月幾時有）、〈洞仙歌〉（冰肌玉骨）及姜夔〈暗香〉（舊
時月色）、〈疏影〉（苔枝綴玉）。張炎推崇周密輯《絕妙好詞》，稱之為「精粹」，[22]而辛
棄疾、劉過詞則是「豪氣詞，非雅詞也」，[23]「若能屏去浮豔，樂而不淫，是亦漢魏樂

---

15 同上註，頁265。
16 同上註，頁266。
17 同上註，頁259。
18 同上註。
19 同上註。
20 同上註，頁264。
21 同上註，頁261。
22 同上註，頁266。
23 同上註，頁267。

府之遺意」。[24]這些都是詞境的理想表現，又是高遠追求清空、騷雅、意趣、委婉等美學。姜夔與張炎曾祖是詞友，張炎視之為祖輩，故特別推崇其詞。張炎認為姜詞是雅詞中的理想代表，能夠暗合理想人生和現實人生。而清空、騷雅更是姜詞的特性，也是詞境中的最高審美範疇。但南宋以後的詞人，一般沒有從姜詞那裡重新獲得詞學的知識，也沒有重估其與詞學相關的現實價值；相反，它開啟了朱彝尊對其審美內涵的進一步建構，作為復雅的政教要旨。

三　朱彝尊的雅正思想的內涵

在曹溶的影響下，朱彝尊重新認識自己的創作方向，又欣賞他重振雅詞不遺餘力，貫徹「崇爾雅，斥淫哇」[25]的宗旨，雅俗觀念分明。朱彝尊十七歲學詩，至八十歲仍然寫詩。相反，他三十歲才填詞，主要集中在那段飄泊的日子，進入翰林院後已是五十一歲，疏於填詞。朱彝尊提出「詞以雅為尚」[26]的論斷，並以雅正作為闡述雅的具體概念，「昔賢論詞，必出於雅正」，[27]即純正典雅，如曾慥所錄《樂府雅詞》、銅陽居士所輯《復雅歌詞》等。在他的詩論中，可以比較明顯反映他的雅俗觀念。茲錄如下：「好色而不淫，怨悱而不亂」、[28]「其辭雅以醇，其志廉以潔，其言情也，綺麗而不佻」、[29]「雅而醇，奇而不肆」、[30]「其取材也愈博，宜其詩之雅以醇，閎而不肆」、[31]「韻事不必異，而辭則必工」，[32]等等。他否定誨淫、迷亂、輕佻、放肆等言辭，肯定醇雅、工巧等言辭。言情之作也要符合雅正的規範。在詞論中，他認為「務去陳言，歸於正始」，[33]「言情之作，易流於穢，此宋人選詞，多以雅為目」，[34]明代馬浩瀾詞「陳言穢語，俗氣薰入骨髓」。[35]淫穢、淫哇等言辭，是詞中之俗，應該否定。明代楊基、高啟、劉基等人詞「溫雅芊麗，咀宮含商」，[36]視之可取。綜合上述所言，朱彝尊的雅正思想可以概括為：崇醇雅、斥淫哇。這些體貌可以補充醇雅的內涵，從形式上樹立學習

24 同上註，頁264。

25 （清）朱彝尊著，屈興國、袁李來點校：《朱彝尊詞集》杭州：浙江古籍出版社，2014年，頁423。

26 （清）朱彝尊：〈樂府雅詞跋〉，載《曝書亭集》卷43，頁521。

27 （清）朱彝尊：〈群雅集序〉，載《曝書亭集》卷40，頁492。

28 （清）朱彝尊：〈與高念祖論詩書〉，載《曝書亭集》卷31，頁395。

29 （清）朱彝尊：〈錢舍人詩序〉，載《曝書亭集》卷37，頁456。

30 （清）朱彝尊：〈鵲華山人詩集序〉，載《曝書亭集》卷39，頁480。

31 （清）朱彝尊：〈錢舍人詩序〉，載《曝書亭集》卷37，頁456。

32 （清）朱彝尊：〈和鴛鴦湖櫂歌序〉，載《曝書亭集》卷39，頁484。

33 （清）朱彝尊：〈詞綜發凡〉，載朱彝尊、汪森編：《詞綜》上海：上海古籍出版社，1978年，頁11。

34 同上註，頁14。

35 同上註，頁15。

36 同上註。

醇雅美學的意義。整體上，朱彝尊沒有正面闡釋醇雅的內涵，而是以排他的方法顯示學詞的標準，標明去俗的審美範式。在群體特性的選擇上，朱彝尊的見解是超越時代，總結「數十年來，浙西填詞者，家白石而戶玉田，春容大雅，風氣之變，實由於此」，[37] 扭轉當代詞壇流俗餘風。

　　汪森提出「鄱陽姜夔出，句琢字煉，歸於醇雅」，[38] 解釋朱彝尊的雅正論，即淳厚雅正或淳樸雅致的本質。汪森的醇雅論，脫胎自張炎的騷雅論，都是圍繞姜詞。醇雅論是流派的核心思想理論，也是《詞綜》的編纂宗旨，故理解汪森的雅俗思想，可以比較全面認識當中的內涵和特點。茲錄詞論如下，「言情者或失之俚，使事者或失之伉」、[39]「詞本盛於北宋，然或失之妖豔，或間雜俚語，或出以粗豪。至南宋姜白石，始掃除殆盡，稱為獨絕」；[40] 詩論如下，「無纖麗之音，無浮游之態，流露性情，規模正始」、[41]「大率結構精密，醇雅澹遠之作」、[42]「能挽纖靡之習，而開閎肆之音」、[43]「淘洗鎔鍊，一歸雅馴」。[44] 大抵汪森否定妖豔、俚語等言辭，也否定粗豪、纖麗、纖靡等風格，而是肯定醇雅、澹遠、閎肆、雅馴等面貌。同樣，汪森也沒有正面闡釋醇雅的內涵，而是點明去俗的決心。

　　朱彝尊繼承張炎的雅正思想後，高舉崇雅斥俗的旗幟，開拓以姜、張並舉的詞學中心，遂成為新經典。在南宋一個時代的終結下，張炎以雅正回應國破家亡的民族傷痛，內化和深化詞的體制，以曲筆寫遺民亡國的哀思。朱彝尊以張炎為祖師，形成一代詞派，張炎特別推尊姜詞，創造了由騷雅到醇雅的轉向，婉轉地歌詠太平，希望詞壇返回正聲的軌道，也是回應人們普遍想過著安穩的日子。這裡可以說明張炎的突然「出現」，是清初詞風和文學趣味轉向的重要原因，而姜夔的經典地位也同步確立。在這個典律過程中，復雅的思想可以回應《禮記・樂記》樂教合一的典論，更可以回應清廷尚雅的文化政策。

　　張炎的雅正思想直接影響朱彝尊的復雅思想，朱彝尊意圖復雅的思想也會影響到如

37　（清）朱彝尊著，屈興國、袁李來點校：《朱彝尊詞集》，頁423。

38　（清）汪森：〈詞綜序〉，載朱彝尊、汪森編：《詞綜》，頁1。

39　同上註。

40　（清）汪森：〈故麓集長短句序〉，見《小方壺文鈔》卷3，載《清代詩文集彙編》編纂委員會編：《清代詩文集彙編》上海：上海古籍出版社，2010年，185冊，頁448。

41　（清）汪森：〈盛匏庵詩選序〉，見《小方壺文鈔》卷3，載《清代詩文集彙編》編纂委員會編：《清代詩文集彙編》，頁447。

42　（清）汪森：〈書陸放翁詩選後〉，見《小方壺文鈔》卷4，載《清代詩文集彙編》編纂委員會編：《清代詩文集彙編》，頁454。

43　（清）汪森：〈書梅宛陵詩選後〉，見《小方壺文鈔》卷4，載《清代詩文集彙編》編纂委員會編：《清代詩文集彙編》，頁454。

44　（清）汪森：〈書松圓浪淘集後〉，見《小方壺文鈔》卷4，載《清代詩文集彙編》編纂委員會編：《清代詩文集彙編》，頁455。

何演繹張炎的思想。但他們都是以雅化思想回應眼前的時局，反映文人在環境變遷中感召心理的現象。張炎表現追思南宋已逝去的盛況，是一代遺民國破家亡的哀思，朱彝尊表現迎接眼前的盛世，是明代遺民思想的內化。而姜詞就是當中的樞紐。詞人群體能夠推動詞體的發展，但要轉變當前的詞風並不是一群人可以做到的，需要的是普遍文人的附和心理。朱彝尊看到文人趨於安穩的渴求，以張炎的思想及以姜夔為首的南宋諸名家詞，作為流派雅正思想的權力來源，如鏡子般折射遺民相似的重重人生障礙和苦難。現實人生中總會有坎坷、壯志難酬、妥協等複雜的情思，形成文人在改朝換代中感召心理的現象。他們由相似的情懷和際遇走在一起，共同追求相近的詞風，傾向相近的美學。這是詞風和文學趣味變化的一個重要的內在原因。而雅正思想可以暗合兩代遺民的思想，可稱為以雅化俗。以雅化俗能夠改造遺民和同化周邊少數民族，是一種起積極作用的政治和文化政策。[45]在改朝換代下，民族矛盾、國脈更替、社稷興衰等客觀的社會因素，已經不是文人的力量可以扭轉的局面，與其繼續抗爭到底，不如與社會現實協調，但在複雜多變的社會生活中，也不是所有文人都能夠適應。「雅」這種高層次的思維及流動的形態，能夠因應個人的人生際遇與感應的強弱來回應當前的社會。

四　朱彝尊內化張炎的雅正思想

在確立姜、張為新「詞手」、新經典人物後，朱彝尊配合當時的詞學生態環境，從善工慢詞群體、詠物詞技法、小令意境、雅詞選本等，逐步內化和深化張炎的雅正思想，創造新的景象。

其一，善工慢詞群體

張炎推崇善工慢詞的詞人群，包括周邦彥、秦觀、高觀國、姜夔、史達祖與吳文英，「俱能特立清新之意，刪削靡曼之詞」。[46]如果填詞能夠取眾人之所長，去眾人之所短，加以細味鑽研，立象言意，或會追步周邦彥輩的詞境。至於，張炎提及眾人之長短處如何，也是以抽象概念言之，給予後人再創造的空間。後人往往按自身的特性和文學趣味加以選擇和演繹，這正是印象式批評的好處，是創造性的誤讀，也是其短處，是扭曲前人言說的意圖。即使是看似相似的詞學知識，在不同群體的詞集或詞人的視域下，也會充滿斷裂式的解構，影響者以知識與權力係影響他人，又以此抗衡反被影響的力量。如前所述，朱彝尊視姜詞為宋賢之首，作為連接南宋詞與當代詞的樞紐段，帶領詞壇全面步入以其為中心的局面。「詞至南宋，始極其工，至宋季而始極其變，姜堯章氏

45 王齊洲：〈雅俗觀念的演進與文學形態的發展〉，《中國社會科學》，2005年第3期，頁152。
46 （宋）張炎：《詞源》卷下，載唐圭璋編：《詞話叢編》，頁255。

最為傑出」、[47]「詞莫善於姜夔」，[48]反駁世人褒揚北宋詞人的言論，而是傾向南宋冠軍詞人。汪森謂姜詞因醇雅而可取，「見其用筆精嚴，有鑪錘而無痕跡，如良工刻玉雕鏤極精，更有天然之致，南渡以還，一人而已」。[49]於此，汪森擴大姜系的陣營，追隨者有史達祖、高觀國、張輯、吳文英、趙以夫、蔣捷、周密、陳允平、王沂孫、張炎、張翥等名家。而朱彝尊所列的醇雅詞人群，有張輯、盧祖皋、史達祖、吳文英、蔣捷、王沂孫、張炎、周密、陳允平、張翥、楊基等名家。這裡顯示朱、汪所推崇的姜系詞人群同中有異，異中有同，但都是脫胎自姜詞，又能夠自成一體。流派的詞學體系由姜夔的醇雅詞，轉移到南宋諸名賢的醇雅詞風。這種列陣式的醇雅觀念，具體表現流派的雅正思想。它看似摒棄了騷雅論，實際上是由此轉化為醇雅論，借助諸南宋名家的力量，重塑醇雅的詞人群。這是一種新的陣勢，構成流派雅正的權力來源。它意味著流派的雅正詞學理論中，那些醇雅詞族譜中，南宋諸名賢建構所有的雅正內涵。在當代，朱彝尊賦予他們現實的意義，回應樂教知政的要旨。這種列陣式的影響精神，漸次形成後一輩詞人欲擺脫前一輩詞人的影響，是一種鏈狀的關係。

　　朱、汪以列陣方式排列雅正的詞人群體，解讀姜、張等詞人群，重新對照他們的優點，以他們的作品為競逐的目標，反撥他們的崇高地位等，使當代詞人暫時超越他們，把自己和他人（包括姜、張等詞人群）分離，削弱前人的影響力。經典化現象就在此等修正過程中，不斷地循環往返和建構，刊刻詞集顯示自己的創作力量。只有經典化前一輩詞人及其作品，從清人的視角發掘姜、張等詞人群的歷史價值或當下的實際意義，再發揮此等力量，自己才有可能由後來者再續其經典性。

　　從地緣關係上看，朱彝尊突出浙江詞人群，計有錢塘江的周邦彥、孫惟信、張炎、仇遠、秀州的呂渭老與吳興的張先，屬浙西。三衢的毛滂、天臺的左譽，永嘉的盧祖皋、東陽的黃機、四明的吳文英與陳允平，則屬浙東。而越州人才也十分鼎盛，陸游、高觀國與尹煥填詞問世在前，王沂孫輩也能夠繼往開來。又，朱彝尊擴充陣營，有鄱陽姜夔與張東澤、弁陽周密及西秦張炎，是江浙周邊的詞人。朱、汪多次推尊浙江為中心的雅正詞人群體，修正成為完整的南宋慢詞體系。這個體系能夠確定各人的詞學地位，雅正思想也可以串連散亂無序或分散各處的詞人，排列雅正的詞學秩序，讓南宋諸名家成為經典性的雅正詞人群，讓已逝去的諸名家納入浙西詞派體系，構成雅正的符號或話語。它顯示雅正在南宋連續出現的現象，但曾在明代斷裂的情況，現在由朱、汪重新建構，暗示流派的正統地位。在詞學史上，雅正非連續性的出現，就是新的權力左右其中，形成支配與被支配的力量。朱彝尊由被支配的角色，到成為詞壇領袖，就是通過經

47　（清）朱彝尊：〈詞綜發凡〉，載朱彝尊、汪森編：《詞綜》，頁10。

48　（清）朱彝尊：〈黑蝶齋詩餘序〉，載《曝書亭集》卷40，頁488。

49　（清）汪森：〈與周簣谷〉，見《小方壺文鈔》卷5，載《清代詩文集彙編》編纂委員會編：《清代詩文集彙編》，頁466。

典化南宋諸名家詞，以雅正思想積極推動流派成派，形成新的力量。

其二，詠物詞技法

　　張炎重視詠物詞的技法，指出詠物詞難工，比詠物詩更難工，諸如用典、結句等問題。他列舉史達祖詠雪、詠春雨、詠燕及詠促織詞，「皆全章精粹，所詠瞭然在目，且不留滯於物」，[50]點評其所詠之物能夠做到不為物件所牽制，是詠物的典範。張炎批評時人為應酬時節而牽強賦詠的做法，到歌唱時就會敗露率性流俗的病態，但推尊周邦彥〈解語花・賦元夕〉、史達祖〈東風第一枝・賦立春〉及〈黃鍾喜遷鶯・賦元弘〉諸詞，「不獨措辭精粹，又且見時序風物之盛，人家宴樂之同」。[51]又，他批評劉過〈沁園春〉中詠指甲及詠小腳詞工整華麗，但不可以與史達祖的詠物詞媲美，意圖淡化另一種詞體。朱彝尊也看重詠物體制，強調詠物詞要幽細綿麗，傾向追步張炎、周密、周邦彥、賀鑄等南北宋大詞家的技法。不同的是，朱彝尊有意內化詠物詞的體制，由「實」轉「虛」，「誦其詞，可以觀志意所存，雖有山林朋友之娛，而身世之感，別有悽然言外者，其騷人橘頌之遺音乎？」[52]朱彝尊巧妙地迴避當前國破家亡的哀思，只是從詠物體格的角度，點到即止說明詠物詞是在「山林朋友之娛」的前提下，發揮「身世之感，別有淒然言外者」而已，但也能夠符合「意內言外」的傳統思想。[53]他有意修正詠物詞的藝術體制，重新審視詠物詞在當代的位置，淡化《樂府補題》沉重的故國哀思。清初文人的亡國情緒與異族統治的意識高漲，迫使自己與社會現實區分開來，詠物詞是被現實壓迫下的精神出路，投向《樂府補題》能夠為自己的痛恨找到合理的解釋，解放心靈。他虛化或模糊化《樂府補題》的原意，表現分離現實與藝術的心態，告訴文人以詠物詞這種虛實相生的體制，內化為潛藏深處的遺民思想，由是標誌著有清一代詠物詞的誕生。另外，他當時以「名布衣」的身分獲清廷授翰林院檢討一職，聲望自然不同往昔，故要迴避「亡國之音哀以思」的調子，轉而為「治世之音安以樂」，倡議政通人和，迎接眼前的盛世，追步張炎重振雅正之音。

其三，小令意境

　　張炎注重小令的意境，認為小令的體制不過十數句，故十分難工，猶如詩中的絕句，建議學習《花間集》中的溫庭筠與韋莊詞，而馮延巳、賀鑄與吳文英詞也自有其妙處。到了南宋，慢詞的體制已經達到最高境界。這點符合當時南北宋之辨的熱話。在南

50　（宋）張炎：《詞源》卷下，載唐圭璋編：《詞話叢編》，頁262。

51　同上註，頁263。

52　（清）朱彝尊：〈樂府補題序〉，載《曝書亭集》卷36，頁445-446。

53　嚴迪昌：《清詞史》北京：人民文學出版社，2011年，頁238。

北宋之辨中，朱彝尊折衷地兼容南北宋詞，「小令宜師北宋，慢詞宜師南宋」、[54]「小令
當法汴京以前，慢詞則取諸南渡」、[55]「詞至南宋始工」[56]及「南唐北宋惟小令為工，若
慢詞，至南宋始極其變」。[57]朱彝尊反覆強調北宋小令和南宋慢詞各有所長，取其長而
習之方為妥當，言辭比較公允。雲間詞派陳子龍與陽羨詞派陳維崧主張學習南唐、五代
與北宋小令，配合時代需要，傾向寄託亡國之思。隨著康熙盛世的到來，文人普遍放開
懷抱，放下深沉的亡國哀痛，尤其是在新朝長大的一群文人，言志寄託的高遠懷抱已經
不能夠單一地滿足到文人的需要，因而開拓了慢詞這種曲折微幽的詞體。文人轉移到慢
詞身上，詞風因而愈加開放，詞境也得以擴大。朱彝尊在對時代和風格的選擇上，審慎
求成，既不排斥小令以配合當時的餘風，且致力開拓南宋慢詞，兼擅北宋小令和南宋慢
詞之美。另一方面，他的審美觀念反映部分文人的身心處境，希望可以超越宋賢，又以
詞抗衡科舉制度或社會現實。朱彝尊兼容南北宋詞的開放態度，符合時代的需要，回應
文人的審美情趣，側重個人的思想感情，漸次轉移當前的詞風，結果開闢了新的詠物慢
詞道路。

其四，雅詞選本

　　張炎重視詞選本的傳播，開拓了討論詞選本的空間。雅的趣味根源於宋士大夫對理
學的追求及社會重文輕武的背景，「宋有俳詞、謔詞，不涉俳、謔，乃謂之『雅』。此種
風尚成於南宋」。[58]南宋相繼出現以雅詞為名的總集和別集，諸如《樂府雅詞》、《復雅
歌詞》、《紫微雅詞》等，俱以雅為旨，遂成為當時的風尚。這是南宋詞風趨雅的原因，
通過雅這個前提作為篩選工具，系統化詞風的技藝和實踐，推動詞學至另一座高峰。從
雅的根源上看，張炎上承諸雅正詞集，推崇周密輯的《絕妙好詞》，認同其是精粹。影
響所及，朱彝尊直接從南宋詞選本入手作，說明南宋雅詞選在當代的現實意義，視之為
學詞的基礎。詞選本的選汰標準能夠具體建構流派的雅正思想。一是肯定南宋諸名家詞
集之雅，「今江淮以北倚聲者輒曰『雅詞』。甚矣，詞之當合乎雅矣」，[59]《絕妙好詞》
「雖未全醇，然中多俊語，方諸《草堂》所錄，雅俗殊分」。[60]曾慥編《樂府雅詞》是
要去謔詞，反撥當時豔俗之詞，故以雅詞為規範。二是否定《草堂詩餘》之俗，「自
《草堂》選本行，不善學者流而俗不可醫」、[61]「填詞最雅，無過於石帚，《草堂詩餘》

54　（清）朱彝尊：〈魚計莊詞序〉，載《曝書亭集》卷40，頁490。

55　（清）朱彝尊：〈水村琴趣序〉，載《曝書亭集》卷40，頁491。

56　（清）朱彝尊：〈曝書亭詞話〉，載屈興國編：《詞話叢編二編》，頁714。

57　（清）朱彝尊：〈書東田詞卷後〉，見《曝書亭詞話》，載屈興國編：《詞話叢編二編》，頁706。

58　陳匪石：《聲執》卷下，載《宋詞舉》南京：金陵書畫社，1983年，頁154。

59　（清）朱彝尊：〈曝書亭詞話〉，載屈興國編：《詞話叢編二編》，頁716。

60　（清）朱彝尊：〈書絕妙好詞後〉，載《曝書亭集》卷43，頁522。

61　（清）朱彝尊：〈曝書亭詞話〉，載屈興國編：《詞話叢編二編》，頁716。

不登其隻字」，[62]導致南宋諸名家詞失傳。

　　朱彝尊從選本角度釐定雅詞和俗詞的標準，實踐崇雅斥俗的理念，以雅詞選指導創作思想，成為流派雅俗思想的標記。這點與康熙元年（1662）顧璟芳、李葵生、胡應宸等人編輯風雅的編選《蘭皋明詞彙選》的宗旨不謀而合。在文人以「雅」的文風憧憬盛世的基礎上，朱彝尊也不甘落後，以「雅」迴避高壓政策，迎合尚雅文化政策，又或認為經世學無用，以「雅」脫離現實。這點好像暗合南宋遺民思想，同樣以復雅思想回應朝代的轉變。在討論雅正思想之際，朱、汪以新輯的唐宋詞選本《詞綜》為範本，取代舊的《草堂詩餘》。這種轉換方式，體現精英文化分子的建設求變精神。他們以雅正回應當前漸趨平穩的局面，標誌著復雅的興起，也是迎接盛世來臨的好方法。康熙皇帝銳意以文治國，廣徵博學鴻儒，開明史館纂修《明史》，就是一種積極以雅化俗的懷柔政治策略。在這種有利的條件下，詞人傾向回歸雅詞，仿如回到南宋，成為宋賢的一分子，繼續他們未完成的雅途，放棄俗詞又似是放開了明代遺民這個身分，脫離明詞籠罩的頹影，就是重新適應清廷的統治，踏上新的人生道路。凡此種種，形成清代學術走上純學術的道路，脫離社會現實的現象。這是詞風和文學趣味變化的一個重要的外在原因。從復歸雅正的思想上看，張炎的「出現」表現順應時代及結合個人命運的轉變，呈現有識之士欲以正聲回歸盛世的渴望。

五　結語

　　朱彝尊使用與詞壇截然不同方法來建構詞學體系，以「詞手」的典論推翻固有勢力，以遺民的鏡像重合感召文人的心理，成功地以張炎來作為詞學指導思想。他的雅正思想是繼承張炎而來，醇雅論是由騷雅論派生，借助南宋名賢的力量開宗立派，強勢扭轉清初詞壇的頹風，建立流派雅正的詞學核心。他以張炎為詞學中心，故有姜夔醇雅詞的出現；注重兩代遺民的歷史，故有南宋醇雅詞人群的提出；又注重新舊時代的精神融合，故以雅正凝聚當代文人的創作力量；也注重尚雅的文化精神，故有唐宋詞選本的文化傳承。在雅正思想的形成過程中，朱彝尊以精英分子身分，在詞集和詞選本中層層滲入相關思想，運用詞學知識建構獨特的詞學系統。在創新雅正思想的過程中，他融合張炎的雅正思想內涵與當代詞學生態環境，推尊相近審美旨趣的作品，不斷地經典化姜夔詞，形成論者多以為他近師姜夔的解讀。經典化姜詞背後的意蘊是繼承、斷裂與創新。通過經典化以姜詞為首的南宋詞人群的篩選歷程，體現經典化現象在當中的操作方式。這種方式是一種鏈狀體系，他以雅正連接南宋和當代相似的審美情趣，成功轉化新舊雅詞群體，創造倍增的力量關係。

62　（清）朱彝尊：〈詞綜發凡〉，載朱彝尊、汪森編：《詞綜》，頁14。

中國文學「替身」情節的民俗原型探析

馬宏偉

中國海洋大學文學與新聞傳播學院

　　文學在其脫離文化大傳統之後形成了注重審美意識形態範疇的獨立屬性，但不可否認，不論在文學研究的哪一個時期，文學研究者對文學作品的解讀其實並未完全脫離文化諸多範疇，尤其在當下文化轉型、語言學轉型和人類學轉型日益顯著的學術背景下，脫離文化傳統的大背景，僅就文學談文學顯然是不可行的。文學作品中諸多內容與形式的生成與表徵，自始至終都離不開民族文化和民間信仰的支撐。作為大傳統的文化、作為小傳統的文學，二者之間的血緣紐帶從未割斷，作家在創作過程中對某些意象、情節、價值取向等的運用會建立在創作環境當時當地的語境中，他們是面對那些熟知大傳統內涵的理想讀者進行創作的，因此當讀者脫離了當時的語境，尤其經過中國傳統文化發展的斷層，現代讀者會對暗含在作品中的某些大傳統編碼難以理解，形成一種類似陌生化的效果，激發起讀者的探索欲望。以中國文學作品中出現的一種「替身」情節為例，作者對替身情節的運用非常自然，替身情節也構成了整個故事情節推進的核心結構，故事主題的演繹與人物形象的塑造等都建立在這個基本情節之上。但作者對替身為何，因何必須尋找替身，無法找到替身會面臨懲罰等等問題卻未作出深層解釋，彷彿這是其理想讀者已經約定俗成的共識。因此，面對文學作品中某些露出深海的冰山一角，嘗試從其背後的文化大傳統入手探尋，應當會發現其文學化的最初原型。

一　中國文學中的「替身」情節

　　筆者在閱讀中國文學作品的過程中注意到一個有趣的現象，有並且有不止一部作品，甚至我們可以稱為經典的作品，都曾經描寫過這樣一類情節，暫將之概況為「替身」情節。該情節的基本結構是：某人出於某種原因受難，他遵循傳統法則，利用某種手段，將原本他該承受的災難轉移到他人或它物身上。這裡被用來轉嫁災難的人或物，有的作品稱之為「代者」，有的稱為「替死鬼」，與西方文學中「替罪羊」頗有相似之處。舉幾個例子。

（一）〈王六郎〉

　　蒲松齡的《聊齋志異・王六郎》描寫了一個漁夫和一個水鬼的故事。許姓漁夫每夜至河中捕魚，每次必往河中奠酒以饗水中溺鬼，如此他每晚都滿載而歸。有一次，一少年（王六郎）前來與之飲酒，並且告訴漁夫，他可以幫助漁夫到河中驅趕魚群入網。兩人遂成為好友，於是半年，一夜少年前來與漁夫告別並道出實情。「素嗜酒，沉醉溺死，數年於此矣。前君之獲魚，獨勝於他人者，皆僕之暗驅，以報酹奠耳。明日業滿，當有代者，將往投生。」言下之意，王六郎多年前因貪酒溺死河中，因為是橫死遂變為水鬼，在陰暗的水中等待業滿。現在贖罪期滿，按照某種古老的法則，將會有其他人來代替他當水鬼，自己則獲得投胎轉世的機會。這裡提到的「代」者就是作為水鬼的替身，代替他在河中飽受陰冷寒濕之苦，換來前水鬼的投胎自由。

　　漁夫問：「代者何人？」曰：「兄于河畔視之，亭午，有女子渡河而溺者，是也。」[1]

　　第二日，漁夫在河邊等待，「果有婦人抱嬰兒來，及河而墮。兒拋岸上，揚手擲足而啼。」[2] 漁夫看到婦人落水後嬰兒掉落在岸邊痛哭，雖然心有戚戚，但想到這是好朋友得以解脫的唯一機會，強忍住沒有前去施救。然而事情卻發生變故，「婦沉浮者屢矣，忽淋淋攀岸以出，藉地少息，抱兒徑去。」[3] 漁夫感到非常疑惑，婦女為何沒有溺死而又重新爬上岸來。晚上，王六郎前來告訴他，「女子已相代矣；僕憐其抱中兒，代弟一人，遂殘二命，故舍之」[4]。原來，王六郎看到婦人孩子可憐，不忍心傷害母子二人性命，竟放棄了投胎解脫的機會，又將婦人送上岸。

　　我們從故事中的水鬼所述可以推斷，業滿有「代者」來代替從而令鬼物獲得解脫，是一種隱性而約定俗成的規矩，但凡為鬼物必須遵循。彼水鬼代替此水鬼，之後又有水鬼來代替前者，當是重複循環的。此故事中，王六郎開始亦遵循這一古老法則，他本應該心安理得地等待婦人溺死，完成代替自己化為水鬼的儀式，因為這於他似乎是合理合法的。但替身儀式在故事中卻被人為中斷，人性的倫理道德與古老的規矩法則此時卻被對立起來。王六郎因不忍以兩條人命換取自己的新生，自願放棄投胎機會，主動終止了原本的替身循環。六郎因為打破此傳統導致不能投胎，表面看來是悲劇的，但卻是合乎人倫道德的。故事的最後，六郎因其善行彰顯，天帝嘉獎，後來被封為招遠縣鄔鎮土地，任後庇佑一方百姓，傳為佳話。獲封神位顯然是對其道德品行的獎賞，蒲松齡藉此表達出作品的勸善傾向。但故事的深層結構——替身法則，在故事敘述中被認為是傳統

1　蒲松齡：《聊齋志異》之〈王六郎〉。

2　同上註。

3　同上註。

4　同上註。

或者鐵律，王六郎自己也做好了失去機會將永遠無法超脫的準備。由此可見，替身情節的背後應該有一套影響廣泛並被民眾所認可的替身信仰為原型。

（二）〈水莽草〉

《王六郎》中的水鬼沒有主動尋找替身，當業滿時自有「代者」出現消除他的罪業，這彷彿是一種集體無意識層面的信仰法則，在文學作品中已經無需去做過多解釋。無獨有偶，《聊齋志異》中另有〈廟鬼〉和〈水莽草〉兩篇，都描寫到鬼物與替身的關係，越發證明替身民俗的深入人心。其中〈水莽草〉同樣突出了替身法則的魔性以及對儒家倫理道德的宣揚，不同之處在於水莽鬼需要主動尋找替身，並因此做出了殘害無辜者的惡行。這一故事不但情節越發曲折離奇，涉及到更多的民間信仰，還表現出明顯的地域特徵。

比如，小說開篇介紹了水莽草的特殊性。「水莽，毒草也，蔓生似葛，花紫類扁豆，誤食之，立死，即為水莽鬼。俗傳，此鬼不得輪迴，必再有毒死者，始代之，以故楚中桃花江一帶，此鬼尤多云。」[5]作品中這水莽草並不是山東地區所有，而是楚地特有的，以此可以推測，蒲松齡所錄入的這個故事當是來源於楚地。這篇故事中的鬼物是誤食水莽草中毒而死的水莽鬼，因為不能自行解脫，必須尋找新的替死鬼代替，才能投胎轉世。

> 有祝生造其同年某，中途燥渴思飲。俄見道旁一老媼，張棚施飲，趨之。媼承迎入棚，給奉甚殷。嗅之有異味，不類茶茗，置不飲，起而出。媼急止客，便喚：「三娘，可將好茶一杯來」。俄有少女，捧茶自棚後出。年約十四五，姿容豔絕，指環臂釧，晶瑩鑒影。生受盞神馳；嗅其茶，芳烈無倫。吸盡再索。[6]

這段敘述仔細推敲，可發現諸多有趣之處。首先，水莽鬼為了尋找替身不得不費心籌謀，考量人心。比如特地道旁設茶棚，化為人身，迷惑過往客官。為了提高命中率，老婦特地安排美豔少女招待客人。故事中這倪姓老媼死後，「自慚不能惑行人」，不得不找漂亮的女鬼寇三娘搭檔，「故求兒助之耳」，後來果真奏效，最後成功「生於郡城賣漿者之家」。這段敘述的現實性還在於，它特別刻劃出年老色衰婦人的尷尬和無奈。女性生前依靠色相取悅他人，死後亦不能擺脫此種困境。又醜又老的女人對男性沒什麼吸引力，竟連做鬼也找不到替身。故事細節處理極為細緻，寫出祝生在面對美女與醜媼兩人時截然不同的反應。當面對年老色衰的老媼，男人心生警惕，發現茶水有異味拒絕飲

5　蒲松齡：《聊齋志異》之〈水莽草〉。

6　同上註。

用。當老嫗喚來年輕貌美的女子奉茶，美色當前，男人心馳神搖，頓覺茶水芳烈無倫，飲用後主動要求再飲。可知，儘管水莽草劇毒，倘若不是男人心中有色念，自然也不會輕易中招，可謂自作孽不可活也。正是利用人心中對美色外物的欲念，水莽鬼才能給自己找到替死者。之後被毒死的人化為水莽鬼，水莽鬼再加害他人，他人繼續重複替身循環，如此往復不止……中毒者本是無辜，為了獲得解脫再去加害他人更實屬無奈，但陷入這一魔性替身循環怪圈中的人都不免傷害了其他無辜者，成為有罪的人。那麼替身循環的怪圈該如何打破？也許這正是〈水莽鬼〉所要傳達的主題。

故事中，水莽鬼為尋找替身誘惑祝生飲下水莽茶，累他死亡，也給祝生的家人帶來災難。祝生死後，妻子改嫁，留下孤寡老母撫養幼子，老母幼子生活艱難，導致死者也不能心安。可見，替身循環的魔性越發彰顯，已經成為危害社會安定的亟待解決的大問題。但水莽草之毒並非無藥可解。祝生中毒後得知自己必死，曾經向寇三娘家人求取解藥，寇氏家人為了自己女兒能順利投胎，自私地拒絕了。他們只看到自己的利益，因而無法成為這一怪圈的終結者。結果因為拒絕救治祝生，最後也間接導致了女兒寇三娘未能成功轉世。與此相反，祝生因已之無辜受難，推己及人，希望終結這一惡性循環的怪圈，並發誓「必不令彼女脫生」。在寇三娘投胎後，祝生的魂魄追蹤而至，強行將三娘魂魄帶回，硬生生地阻斷了替身循環的進行。另一方面，祝生出於孝道，情願放棄轉世的機會，甘願留在人間侍奉母親，這是個人之孝。因為痛恨水莽鬼害人的行徑，祝生悲天憫人，幫助其他中毒者驅趕鬼物，讓他人也擺脫此惡性循環，這已經上升到社會之義。終「上帝以我有功人世，策為四瀆牧龍君」[7]。雖然是善有善報的老套情節模式，但故事敘述中蘊含著一個深層循環結構與循環被打破的雙重關係，祝生之所以能跳脫出替身法則的魔性循環正是因為他的德行，這也是作品對仁善孝義的彰顯。

（三）〈廟鬼〉

〈廟鬼〉故事同樣與鬼物尋找替身的情節有關，描寫一廟鬼主動尋找替身，加害一個書生。鬼物先是色誘，變作婦人，「笑近坐榻，意甚褻。」[8]書生拒絕後，「婦以帶懸樑上，捽與並縊。王不覺自投梁下，引頸作縊狀。」色誘不成，鬼物竟迷惑書生，試圖讓他上吊自盡。「自是病癲」，一日，忽曰「彼將與我投河矣」，書生「望河狂奔」，幸虧鄰人拖住才沒有投河。色誘，上吊，投河都沒有將書生害死，鬼物仍不甘休，「如此百端，日常數作，術藥罔效」。正在書生一籌莫展時，幸有神人相助，「忽見有武士縋鎖而入，怒叱曰：『樸誠者，汝何敢擾』！」[9]婦人被打回原形，是一個血盆大口的鬼怪，如

7　同上註。

8　蒲松齡：《聊齋志異》之〈廟鬼〉。

9　同上註。

城隍廟門口的廟鬼。故事並沒有交代鬼物與書生有何仇怨，卻偏要置書生於死地，只能有一種解釋，鬼物需要書生死去才能實現某種願望，筆者認為應該與其他幾篇故事中的替身傳統有關。故事中的鬼物為了魅惑書生死亡，無所不用其極，從側面證明，尋找替死鬼是鬼物獲得靈魂解脫的重要方式。於廟鬼而言，魅惑他人死去從而使自己獲得解脫是合法行為，不能單純以此認為惡的。此故事情節較之於前後兩篇敘事較為簡單，但仍然突出了儒家倫理中的勸善主題，神人只是因為王生「樸誠」才打破鬼物尋找替身的行為，由此推斷，如果不是王生道德上的樸實誠信，其他力量應該是不會干預替身輪迴的。由此可見，替身循環在民間信仰中具有較為廣泛而深刻的基礎。

綜上三個案例，筆者認為，中國古典文學中出現的「替身」情節並不是蒲松齡的杜撰，作品產生的背後有其深遠而廣泛的民間信仰傳統作為支撐。我們可以推斷，在民間，應該有著一種較為古老而得到大眾接受的替身信仰存在。文學人類學研究學者葉舒憲先生將文學作品視作人類文化這個大傳統的二級編碼，認為我們目前受西方影響而產生的精英文學與世俗文學的劃分其實是本末倒置的，被視為下里巴人文化的民間文化、民俗文化才是文學之根，文學是在文化的土壤中孕育而出的，是文化這座冰山的一角而已。筆者對此結論比較認同。僅從《聊齋志異》這幾篇故事中涉及到的替身情節來看，我們只能在文學之外的大傳統當中才能得到合理而有力地解釋。蒲松齡故事中的替身情節背後有著民俗文化大傳統的痕跡。

二　魯中地區的「替身」民俗

文學中的替身情節我們還可以從現存的「替身」民俗中得到印證。魯中地區的某些農村仍存在一種關於「替身」的獨特民俗現象，傳達出現世者與他在另一個世界的「替身」的關係。這是文學中「替身」情節的活態的民俗佐證。

據虔信的老人們留下的傳統，我們生活的現世有一個與之對應的世界，兩個世界是平行共存的，有時候生活在神界的神靈或童子童女因為某些原因會降生到人的世界。但是因為神界精靈的減少會影響神界的平衡，因此精靈們在人間的父母需要為自己的孩子供奉一位「替身」（哥哥或姐姐），頂替下凡的仙界童子們在仙界的位置，否則會引起神靈的憤怒，導致孩子在人間生病甚至夭折。在一些農村地區我們還可以看到類似薩滿傳統的遺跡，如果孩子得了怪異病症，相信替身之說的父母會請薩滿（通靈者）舉行一種締結替身契約儀式。儀式中，薩滿（通靈者）造一個寫有孩子生辰八字的紙人（替身的象徵），在文書上注明替身所屬神靈的名諱和洞府所在，祭祀後將紙人與文書焚燒，送替身至神界代替凡間的孩子，換取孩子的健康與生命。儀式的作用就在於與神靈達成一種契約，通過契約的完成，父母相信自己的孩子已經祛除了疾病和災禍。「替身」作為孩子在神界的對應者，將代替他們繼續行使原本的職能，恢復神界的平衡。筆者認為這

一儀式有兩層重要的含義。一方面，替身類似於西方的替罪羊，代替孩子們承受疾病與災難。另一方面，替身現象還反映出當地人樸素的世界觀，認為存在著並行的不同世界，而維護一個世界的平衡是非常重要的。

除了要在孩子幼年時給孩子舉行替身契約儀式，魯中地區還保留著其他與替身相關的信仰。比如每到閏年的三月三，父母要給替身換新衣。換衣服象徵著新的生命力的供給，完成新舊更替的功能。到子女結婚時，父母需要給替身也相應舉行合婚儀式。女孩子生產之後，父母還需要給女兒的替身換衣服，意思是祛除因為生產帶來的污穢，迎接生命的新階段。由此看來，人們相信，現實的生活與另一個世界是同步而且密切相關的。換新衣的儀式讓我們想起弗雷澤《金枝》中的新舊國王更替儀式，由此可見該儀式的廣泛性。

魯中地區這一民俗包含著豐富的人類學和民間信仰，也促使筆者與文學中的替身情節結合起來。顯然，這一民俗對應於文學作品中的替身情節，都反映出中國人樸素的神話世界觀念，以及天人合一的理念。人們渴求現實生活的安寧，希望有辦法避開疾病災難，創造出代替自己贖罪的「替身」。圍繞著「替身」，又糅合進轉世輪迴、善惡報應等因素，而文學作為民俗的創造性結晶，更從中演化出日益豐富的情節和主題。

三　「替身」情節的心理根源

〈水莽草〉一篇提到一個情節。誤食水莽草後有一種方法可解毒，「或言受魅者，若知鬼姓氏，求其故褌，煮服可瘥。」如果知道魅惑自己中毒的水莽鬼是誰，找到他生前穿過的「故褌」煮水服用便可解毒。「故褌」何解？據《漢語源流字典》釋義有三：一，指的是兩條褲腿相連的部分，即褲襠。二，坎肩，背心，指的是貼身衣物。三，籠統指褲子。不論是褲子、背心還是褲襠，總之都是鬼物生前直接接觸過的東西。為什麼服用鬼物生前的衣服就會解毒呢？這有何依據？

伴隨人類學對原始思維與原始宗教等研究的深入，我們發現，原始人的思維是一種人神混雜的象徵性思維模式。原始人的世界始終處在萬物有靈、人神互動的神秘狀態。在他們看來周圍的一切都是有生命的，是由某一位神靈主宰的。不但人與神之間有某種聯繫，人與自己周圍的一切事物都構成相互影響、相互關聯的網路。世界是交感的，人類可以通過交感巫術與世界達成和解並嘗試控制世界。交感巫術包括兩類，即接觸巫術和模擬巫術。根據接觸律、相似律，即認為物體一經互相接觸，在切斷實際接觸後，仍繼續遠距離的互相作用，這就是接觸巫術，施術時通過曾經與某人接觸過的物體對其本人施加影響。又根據類比律，人類通過模擬再現神話、儀式的發生過程而完成某種訴求。比如，「替罪羊」現象。人們通過放逐或殺死「替罪羊」，便模擬了驅逐災禍的過程，「替身」成了災禍疾病的象徵，對替身進行驅逐就相當於對災禍疾病本身進行了祛

除。中西文化與文學中普遍存在的替罪羊主題便是人類在此思維模式下產生的。

〈水莽草〉中，中毒者找到鬼物生前貼身穿過的衣服，因為衣服與生前鬼物有過直接的接觸，按照接觸巫術，將之煮水服下如同殺死鬼物本身，自然可以解毒。

除此之外，《紅樓夢》也曾提到與「替身」相關的巫蠱之術，比如《紅樓夢》第二十五回《魘魔法姊弟逢五鬼，紅樓夢通靈遇雙真》。趙姨娘與馬道婆想謀害賈寶玉和王熙鳳。馬道婆掏出十個紙鉸的青面白髮的惡鬼來，並兩個紙人，遞與趙姨娘，又悄悄教她道：「把他兩個的辛庚八字寫在這兩個紙人身上，一併五個鬼都掖在他們各人的床上就完了，我只在家裡做法，自有效驗。」結果經她這麼一折騰，寶玉和熙鳳果真就不對勁了，寶玉口內亂喊亂叫，說起胡話來，益發拿刀弄杖，尋死覓活的，鬧得天翻地覆。鳳姐手裡持一把明晃晃鋼刀砍進園來，見雞殺雞，見狗殺狗，見人就要殺人，看看三日光景，那鳳姐和寶玉躺在床上，益發直氣都將沒了[10]。這一段描寫即是巫蠱厭勝之術，其實也就是運用了替身術。之所以將兩個人的八字寫在紙人身上，這樣就使替身與真實的人之間建立起一種模擬關係，馬道婆在家中對紙人做法，雖然是遠距離，卻能將作用同樣傳輸給對方。小小的替身使兩個絕妙的人差點丟了性命，著實讓讀者為之捏了把冷汗。但這個情節與漢代比起來，又算小巫見大巫了。相傳漢武帝時，有巫蠱之惑，女巫往來宮中，教美人度厄，每屋埋木人祀之，後以為詛咒皇帝，遂引出一場太子造反的大亂來，有三百多人因這件事受牽連，後世談巫蠱色變[11]。可見，與替身相關的情節又大多與人類交感思維相關。

除此之外，文學作品對交感思維的廣泛使用，還造就了豐富的情感替代意象，特別是在描寫兩性相思的作品中，我們會經常看到這樣一些特殊物件，在男女主人公聊寄相思的過程中起重要作用，比如手帕、清絲、香囊荷包等等。為什麼這些東西就可作為相思之物呢，難不成這些人都有戀物癖？不然。根據接觸巫術，手帕、頭髮等等都是人的貼身之物，與情人有身體上的親密接觸，擁有這些東西就如同意中人陪伴在身邊一樣，感情上得到了某種慰藉。在某些部落的巫術傳統中，利用意中人的貼身之物施行巫術，還可以達到促進或阻撓愛情的目的。再比如西方文學中出現的愛情魔藥，其中也會有類似成分。這類意象其實也是人類某種情感的替代物，將對愛情的渴望投射到這些物件上面，這一行為同樣源於人類的交感思維。

四　結語

漢字是中國特有的一種表意文字，它作為漢族人民勞動過程中的文化結晶，對於研

---

10 曹雪芹著，黃渡人點校：《紅樓夢》濟南：齊魯書社出版，2004年，頁452-457。

11 仲富蘭：《中國民俗文化學導論》杭州：浙江人民出版社，1998年，頁464。

究古人的文化心態有突破性意義。我們可以從漢字的最初形態，即它造字之初的意義來考察「替」的本意。谷衍奎著的《漢語源流字典》[12]中有「替」這一字條，解釋為會意字，其金文字形為兩隻被宰殺的祭牲，下面是容器，會意為容器盛放祭牲，本意是廢棄。從該字的本意來看，「替」作動詞來看即是犧牲，是古人在祭祀時，為了祈福避禍而將兩隻牲畜殺死獻給神靈，從而換得族人的安康。「替」也可理解為這一祭祀活動，通過殺死祭品消除災難不幸，「廢棄」即是殺死牲畜，更是消除災難。從這一解釋看，「替」的原型與西方替罪羊類似，是古人為了向神靈祈福而殺死犧牲，達到愉悅神靈的功效，或者使災禍降在牲畜身上，通過「廢棄」它即殺死它而達到驅除災禍的目的。在西方贖罪日，牧師一邊把手放在一隻山羊的頭上，嘴裡還一邊說著族人所犯下的罪惡，這樣就象徵性的把人的罪衍都轉移到羊的身上，然後這隻羊被放逐到野外，這樣這個族群的罪惡就被洗清了[13]。儀式中被選中的這隻羊就是「替罪羊」的原型。據說，現在仍有一些部落延續著這個風俗。此外，《聖經》中眾所周知的獻祭以撒的故事，弗雷澤的《金枝》對「替罪羊」儀式的分析等等，都反映了人類文化存在著類似的內容，即某種古老的替身信仰的存在。

　　綜上，中西方文化和文學中大量存在有關替身或替罪羊的現象，但因為不同的民族心理和文化傳統，中西方對替身現象的解讀和主題闡釋又有諸多不同。但是不管是中國的替身還是西方的替罪羊，他們在文學領域形成的不同情節、主題或結構等等，都離不開民間文化和民俗領域的孕育和積澱。從文學和文化角度的源流關係考察文學，在文學的小傳統背後探尋文化大傳統的基因與密碼，相信會讓我們一窺文學冰山下的瑰麗風景與文化傳承。

---

12 谷衍奎：《漢語源流字典》北京：華夏出版社，頁675。
13 利奧特・阿倫森著，鄭日昌譯：《社會性動物》北京：新華出版社，2001年。

關於「互著」、「別裁」法的重新檢討
——以祁承㸁與章學誠之說為中心[*]

張憲榮

山西大學文學院

　　我們的古人不僅擁有豐富的目錄編纂實踐，給後人留下了體制多樣、內容豐富的目錄著作。而且在研究目錄的過程中，還提出不少對後世目錄活動產生很大影響的目錄觀點。儘管它們尚未形成一套有系統的理論體系，但是足以讓我們享用不盡。就目錄著錄而言，最受人關注的莫過於「互著」、「別裁」兩種著錄方式了。

　　學界一致認為，這兩種觀點最早見於明人祁承㸁《澹生堂藏書目‧庚申整書例略》，而對之進行深入探討者，是清人章學誠之《校讎通義》。但是最早實際運用此方法者，則見仁見智。綜合起來，大致有七種之多，如始於劉歆《七略》說，清人章學誠首創此說，隨後張舜徽[1]、孫德謙[2]等先生並申述之；始於元人馬端臨《文獻通考‧經籍考》說，王重民[3]、葉樹聲[4]、劉石玉[5]、楊新勛[6]、傅榮賢[7]等先生力主此說；始於明祁承㸁《澹生堂藏書目》說，昌彼得先生主此說[8]，而姚名達先生《中國目錄學史》、呂紹虞先生《中國目錄學史稿》、喬好勤先生《中國目錄學史》、程千帆先生《校讎廣義（目錄編）》等均同之。以上為三種影響比較大的說法。

　　此外，王國強等先生又提出始於明高儒《百川書志》說[9]，張守衛等提出始於宋人陳振孫《直齋書錄解題》說[10]，段瑩《宋代書目著錄探析》認為宋人高似孫《史略》最

* 　【基金項目】國家社會科學基金青年項目「小學文獻學研究」（16CTQ012」）。

1 　張舜徽：《廣校讎略附釋例三種》北京：中華書局，1963年，頁67。

2 　孫德謙：〈漢書藝文志舉例〉，《二十五史補編》本。

3 　章學誠著，王重明通解：《校讎通義通解》上海：上海古籍出版社，2009年，頁20。

4 　葉樹聲：〈也談互著與別裁的理論探討始於誰〉，《圖書館界》，1985年第3期。

5 　劉石玉：〈《經籍考》互著小考〉，《圖書館學研究》，1987年第2期。

6 　楊新勛：〈《七略》「互著」、「別裁」辨正〉，《史學史研究》，2001年第4期。

7 　傅榮賢：《中國古代目錄學研究》北京：智慧財產權出版社，頁278。傅氏在該書云：「互著和別裁都不是章氏的首創，其實例可追源到馬端臨，其理論可追源到祁承㸁。」

8 　昌彼得：〈互著與別裁〉，《蟫庵論著全集（上）》臺北：故宮博物院，2009年，頁46。

9 　王國強：〈中國古代書目著錄中的互著法和別裁法〉，《鄭州大學學報》（哲學社會科學版），2002年第4期。

10 　張守衛：〈「互著」、「別裁」兼用始於直齋書錄解題〉，《圖書情報工作》，2009年第11期。

早使用了「互著」之法[11]，等等。

　　由上可見，關於「互著」與「別裁」的最早踐行者，自清人章學誠於《校讎通義》中提出以後，自民國至今，學者們均未有一個統一的看法。反而變本加厲，想法設法地上溯宋元明三代的目錄書那裡去尋找答案。其心可嘉，其功則甚微。原因很簡單，大家都承認目錄學上有「互著」、「別裁」這兩種著錄方法，但是並不一定承認《七略》已經擁有了這種方法。不過，如果我們回頭再仔細看看最早提出這種觀點的章學誠的說法：

> 自班固並省部次，而後人不復知有家法，乃始以著錄之業，專為甲乙部次之需爾。

又言：

> 自列傳互詳之旨不顯，而著錄亦無復有互注之條，以至《元史》之一人兩傳，諸史藝文志之一書兩出，則弊固有所開也。

> 然《隋書》未嘗不別出《小爾雅》以附《論語》，《文獻通考》未嘗不別出《夏小正》以入〈時令〉，而《孔叢子》、《大戴記》之書，又未嘗不兼收而並錄也。然此特後人之幸而偶中，或《爾雅》、《小正》之篇有別出行世之篇有別出行世之本，故亦從而裁之爾，非真有見於學問流別而為之裁制也。不然，何以本篇之下不標子注，申明篇第之所自也哉。

　　這似乎在說只有《七略》才有這兩種著錄方法，而且後世之史志目錄雖有「一書兩出」之例，但並非其所說的「互著」之法；《隋志》、《文獻通考》雖然有「兼收並錄」之例，但亦非真正意義上的「別裁」之法，因為他們「非真有見於學問流別而為之裁制也」。所以，諸家在否認《七略》有這兩種方法的同時，其實已經否認這兩種方法本身的存在了。其實，《七略》在事實上到底有沒有「互著」與「別裁」之法並不重要，關鍵是我們要明白章學誠想要通過創立這兩個術語來說明什麼，或者說他為什麼要這麼做。所以，王重民、昌彼得等先生雖然多方面找證據想否認章氏之說，其他學者又想從別的目錄書中給這兩種方法尋找新的源頭，其實已經違背章氏之本意了。從一方面說，他們是取章氏之術語來解釋諸目錄書中偶爾出現的重複著錄的現象的。而諸家所說的某目錄中的這種現象，到底是否或者說有多少條符合章氏之定義，又是一個見仁見智的問題。所以，我們有必要重新對之進行梳理。

11　段瑩：〈宋代書目著錄探析〉，《圖書館學刊》，2011年第7期。

一　章學誠對「互著」、「別裁」之法的闡釋

（一）「互著」之法

　　「互著」一詞，見於章學誠《校讎通義》「互著第三」，或又稱作「互注」、「互見」[12]。章氏認為，在具體著錄圖書時，「至理有互通，書有兩用者，未嘗不兼收並載，初不以重複為嫌，其於甲乙部次之下，但加互注，以便稽檢而已」。可見，「互著」實際上是將兼有兩種功能的書籍分別著於兩類的一種目錄著錄方式。如果再結合其相關論述可知，「互著」大致有以下幾個特點：首先，「互著」的對象是那些「理有互通、書有兩用」之書。其中的「理」即章氏強調的「九流百家之學」，它既是圖書分類的目標，所謂「欲人即類求書，因書究學」；也是圖書歸類的標準，即是否屬於「一書兩用」。所以，凡一書關涉兩家之學，或兩家之學可以相互通用者，皆可使用「互著」之法。就章氏所舉之例言之，前者如《漢志》「兵書權謀家」之下重出的九家，後者如「書之易淆者」、「書之相資者」之下諸書等。其次，互著的方式是「兼收並載」，重複互注。也就是說，在「家學」相通的兩個類目下重複著錄某書，所以章氏竭力推崇他所認為的《七略》之法。而對於省併了《七略》相重之書的《漢志》和《金石》、《圖譜》、《藝文》三略中諸書易混相資的《通志》[13]及「義類」有所闕的「諸史藝文志」[14]，章氏皆持有批評態度。第三，互著的目的是「便於稽檢」。此「稽檢」，亦是指「即類求書，因書究學」。第四，前文僅云一書重複著於兩類之中，但從其後文云「別類敍書，如列人為傳，重在義類，不重名目也」，又「部次群書，標目之下，亦不可使其類有所闕，故詳略互載」等等所云，似乎是說他所創的「互著」之說取法於《史記》之傳人「互見」之法。但《史記》之一人兩載，有詳略之分，章氏既然仿之，亦應該是一書兩見而有詳略之分才是。可是，他前面所舉的《七略》的例子無一依此法著錄者，顯然其說前後是有差異的。對此，我們推測，章氏在此僅僅想為他的「互著」之法尋找理論根據（即所謂「義類」），而並非真正取法與《史記》。他的「互著」之法是「互注」（即兩類之下重複注釋），而非《史記》之「互見」（即兩類之下詳略有別）。前者不避重複，後者則相反，這是需要注意的。所以，章氏之「互著」之法至始至終都是圍繞「類—

---

12 按，「互注」一詞見〈互著第三〉，「互見」則見《和州志・藝文書》例議之〈家法篇〉。

13 按，「互著第三」中所說的「書之易混」、「書之相資」者，大致是針對《通志・藝文略》而言的。觀其所舉諸書所歸之小類，如「易家」、「五行陰陽家」、「樂府」、「藝術」、「地理」、「兵家」等，大致皆來自該略，故而我們認為此段所云仍是針對鄭樵之書所出現的不合「互著」之法的例子而來的，並非諸目之通例。

14 按，章氏在此條說得很清楚，後世諸史藝文志所出現的「一書兩出」的現象並非其所說的「互著」現象，因為他認為它們沒有「義類」，沒有「互注之條」。所以，我們認為，如果依照章氏所說，《文獻通考・經籍考》之重複條目應該也非「互著」之法。

書—學」展開的，與其開篇所說的「校讎之義，蓋自劉向父子部次條別，將以辨章學術，考鏡源流」一脈相承。

（二）「別裁」之法

依此我們再看其「別裁」之法，章學誠《校讎通義》於「別裁第四」中云：

> 蓋古人著書，有採取成說，襲用故事者，其所採之書，別有本旨，或歷時已久，不知所出；又或所著之篇，於全書之內，自為一類者，並得裁其篇章，補苴部次，別出門類，以辨著述源流，至其全書，篇次具存，無所更易，隸於本類，亦自兩不相妨。蓋權於賓主重輕之間，知其無庸互見者，而始有裁篇別出之法耳。……不然，何以本篇之下不標子注，申明篇第之所自也哉！

據此，我們知道，章氏之「別裁」之法有以下幾個特點。

首先，「別裁」的對象主要包含兩種，其一為「採取成說，襲用故事」者，也就是說這類書是採輯舊有資料而編纂成的，比如《呂氏春秋》中的《月令》便是。「像古書中這樣的部分（或篇章）既然是從別的地方編入的，也就可以裁出別行，編入其他有關類目」[15]。其二為「所著之篇，於全書之內，自為一類」者，也就是在全書中主題能自成一類的那一部分或篇章。

其次，「別裁」的方式是裁篇別出，歸於別類，而且要標明子注，與本類並存。這樣做的目的是為了「辨著述源流」。所以，《隋志》於《孔叢子》別出《小爾雅》，《文獻通考》於《大戴禮記》別出《夏小正》，均非真正意義上的「別裁」之法，而可能是單行而並載之書，因為它們並未「於本篇之下標明子注」。在這裡，從全書中別裁而出之部分，可能正如王重民先生所說的，強調的是非單行之本。

再次，「別裁」的前提是「權於賓主重輕之間，知其無庸互見」，即在充分考慮好全書是否可裁，不需重複著錄的基礎上，方可進行「別裁」。所以，從這一方面看，別裁是對互著之法的進一步補充。但是如何「權於賓主重輕之間」，其實在實際著錄上，分寸是很難把握的。一不小心，便會犯了如劉師培在《校讎通義箋言》所說的成了一部類書的毛病[16]。對此，章氏的答案是「學貴專家，旨存統要。顯著專篇，明標義類者，專門之要，學所必究」，即那些能反映一家之學，有一篇之旨者，方可別裁，而類書乃裁字鬐句，破壞原書而已。而劉咸炘先生則認為「若如章氏之說，雖自辨為非類書，其弊

15　章學誠著，王重民通解：《校讎通義通解》上海：上海古籍出版社，2009年，頁24。

16　同上註，頁27-28。

不至似類書不止。割《爾雅》之分篇，冠專門之首簡，不似類書而何似也？」[17]可見，章氏雖然說了一堆冠冕堂皇的話，但是總有學者不買他的帳。王重民先生儘管竭力想弭合章氏之說的漏洞，但是也並沒有提出一個可行的方案。

那麼，為什麼會出現這麼一種情況呢？原因很簡單，此法仍然是針對《七略》立言的，故無論是別裁對象，還是別裁方式，均是從該目推衍出來的。而後世學者在研究過程中總是將這種方法擴展到別的書目，所以這裡就出現了闡釋者（章學誠）與研究者（後世學者）之間的思維斷層。所以，章氏說「權於賓主重輕之間」或「顯著專篇，明標義類」的時候，還是站在《七略》的角度上解釋其「別裁」之法的，而後世學者則是站在另一個角度來指責章氏之非的，顯然並沒有達到批評效果。

綜上所述，章學誠所說的「互著」、「別裁」之法是源於《七略》並服務於《七略》的。他所說的「即類求書，因書就學」的目的是一個專門針對《七略》一書的封閉的內循環系統，所以他總是排斥《七略》之後的其他目錄。進而言之，其所謂的「辨章學術，考鏡源流」的「校讎之義」也是這樣一種情況，與其說是「目錄學的目的任務」[18]，還不如說是《七略》的目的任務，所以他總是反覆強調劉向父子與後世學者之間的差異，如認為後世編目者繁多，但是能夠如劉氏父子那樣推闡學術源流的「千百之中不十一焉」，鄭樵雖然有志於此，但仍然「於古人大體，終似有所未窺」[19]。所以，章氏在《校讎通義》「互著第三」、「別裁第四」中所舉的來自《七略》的那些例子，即便如學者們指責的那樣有種種錯誤，但是卻能闡釋清楚他自己的這兩個觀點，這可能正是他所要達到的目的。

二　祁承爜之「互」、「通」之法

前面提及，有學者認為，章氏的「互著」、「別裁」思想來源於明人祁承爜《庚申整書例略》中所提及的「互」與「通」。如昌彼得先生曾多次撰文闡述如是觀點[20]，其理由有二，其一，章、祁同為會稽人，且相距僅一百七十五年。以章氏之博聞，應該可以看到祁氏之《澹生堂集》和知道祁氏這位大藏書家之名。其二，即便未見到此集，祁氏所編之書目在清代一直流傳，章氏不可能不知其編目方法。但是我們知道，這些理由並不充分，即便祁承爜與章氏是同鄉，即便祁氏是著名藏書家、撰有《澹生堂集》和編有

---

17 劉咸炘著，黃曙輝編著：《劉咸炘學術論集（校讎學編）》桂林：廣西師範大學出版社，2010年，頁345。

18 章學誠著，王重明通解：《校讎通義通解》上海：上海古籍出版社，2009年，〈自序〉，頁2。

19 同上註，〈自序〉，頁1。

20 昌彼得：〈祁承爜及其在圖書目錄學上的貢獻〉，《蟫庵論著全集（上）》臺北：故宮博物院，2009年，頁133。

《澹生堂藏書目》及提出先進的編目方法等，章氏為什麼非要聽說祁氏之大名，又憑什麼要剽竊祁氏之編目方法呢？

我們的理由有三：首先，從《校讎通義》的思想看，章學誠是極力推崇劉向父子的校書事業的，認為他們的目錄編纂活動達到了「辨章學術，考鏡源流」的高度。同時，他還以此為出發點，對班固、鄭樵、焦竑這些備受後人推崇的學者的目錄思想大加指責，而對那些「部屬甲乙」的目錄編纂更是不屑一顧。所以，在章氏眼裡，祁氏再出名，大概也比不上鄭樵、焦竑這樣的學者；其藏書目錄再流行，大概也勝不過那些史志目錄。所以，我們認為，章氏是不可能過多關注祁氏這個人的。其次，如果我們將《校讎通義》「互著第三」、「別裁第四」所列的那些類目與《澹生堂藏書目》相比較，也會發現有諸多不符，卻與鄭樵《通志·藝文略》大致相同。所以，如果他襲用了祁氏之編目方法，那麼也不可能無視其目錄的分類方式和著錄內容。而結果恰好相反，那也就證明他並沒有參用過祁氏目錄。第三，如果我們再重新審視祁氏所說的「互」、「通」之法，也可以發現與章氏之說是貌同實異。為了闡釋方便，我們將《庚申整書略例》所論全引於下，並依內容將之分段[21]：

（一）先看「互」法

祁氏云：

（1）一曰互。互者，互見於四部之中也。

（2）作者既非一途，立言亦多旁及。有以一時之著述，而倏爾談經，倏爾論政；有以一人之成書，而或以摭古，或以徵今，將安所取衷乎？故同一書也，而於此則為本類，於彼亦為應收；同一類也，收其半於前，有不得不歸其半於後。

（3）如《皇明詔制》，制書也，「國史」之固不可遺，而「詔制」之中亦所應入；如《五倫全書》，勅書也，既不敢不尊王而入「制書」，亦不可不從類而入「纂訓」；又如《焦氏易林》、《周易占林》皆五行家也，而「易」書占筮之內，亦不可遺。

（4）又如王伯厚之《玉海》，則玉海耳，鄭康成之《易》、《詩地理》之考、《六經天文》、《小學紺珠》，此於《玉海》何涉？而後人以便於考覽，總列一書之中，又安得不各標其目，毋使淆溷者乎？

（5）其他如《水東日記》、《雙槐歲鈔》、陸文裕公之《別集》、於文定公之《筆

21　（明）祁承爜：《庚申整書略例》，《澹生堂藏書目》之附，《紹興先正遺書》本。

塵》，雖國朝之載筆居其強半，而事理之詮論亦略相當，皆不可不各存其
目，以備考鏡。

（6）至若《木鐘臺集》、《閑雲館別編》、《歸雲別集》、《外集》、范守己之《御龍
子集》，如此之類，一部之中，名籍不可勝數，又安得槩以「集」收，渾無
統類？故往往有一書而彼此互見者，同集而名類各分者，正為此也。

餘所詮次大略，盡是聊引其端，庶幾所稱詳而核雜而不厭者乎？

　　由上所述可知，所謂「互」，即「互見」之簡稱，指按照書籍之內容性質將某書有
主次詳略地重複著錄於相應的四部類目之下的一種著錄方式。具體包括以下幾個方面：

　　首先，由（2）可知，互見的標準主要是根據書籍的內容性質來確定的。祁氏認
為，由於作者撰寫的目的不一，所以在內容上亦多所旁涉，故而可以根據其所涉及的內
容將之分別著錄於相應的類目之內。這與章氏所說的以理（家學）歸類的「互著」之法
是有區別的。正因為前者是以內容分類，所以更能注重反映書籍的實際情況；正因為後
者是以學術分類的，所以對除《七略》之外的所謂「不復知有家法」的後世諸目錄批評
不遺。

　　其次，由（2）至（6）可知，依照書籍之內容結構，可以將「互見」之書籍分為三
類：有單書之互見，如《皇明詔制》一書，分別著錄於「史類第一・國朝史類・御制」
和「集類第一・詔制・王言代言」之內；有附刻書之互見，如收錄於「子類第十二・類
家・會輯」中的《玉海》一書，祁氏著錄為「玉海八十冊」，小注：「二百四十卷，王應
麟纂，附錄五十卷」，其中的「附錄五十卷」，又包含多種書籍（根據存世《玉海》所
錄，共有14種）。其在內容上與《玉海》無關，僅僅是因為均是王氏所撰，故而附於其
後。所以可以根據內容性質將這些書分別各入其類，如《詩考》、《詩地理考》二書收於
「經類第三・詩・考正圖說」之內，等等；有叢書之互見[22]，其中又分兩小類，其一叢
書之間的互見，如《徵信叢錄》一書，既收於「子類第十三・叢書・國朝史」（題作
「國朝徵信叢錄」五十三冊），又收入「史部第一・國朝史・彙錄」（題作「皇明徵信叢
錄」五十五冊）內。其二為叢書子目之間的互見，如《膚語》一書，來自《御龍子
集》，一著錄於「子類第一・儒家」，一著錄於「子類第二・諸子・雜家」內。需要注意
的是，此一類下，少數複雜的叢書往往有個分層的過程，即先叢書之間的互見，繼為叢
書子目之間的互見，如「集類第六・別集上」中有「《陸文裕公集》十六冊八十一卷，
《續集》二冊十卷，《外集》」，而《陸文裕公外集》又見「子類第十三・叢書・彙集

---

22 按，《澹生堂藏書目》中「叢書」收入「子類第十三」內，其下分「國朝史」、「經史子雜」、「子
　彙」、「說彙」、「雜集」、「彙集」等六類，其中既包括後世的彙編叢書等，又包括後世的部分類編叢
　書，而四部之下又收入後者，如「史類」下有「國朝史・彙錄」，「集類」下有「文編」、「詩編」、
　「別集」等。

類」，同時，《陸文裕公外集》中的《傳疑錄》、《同異錄》等書又著錄於「子類第二・諸子・雜家」。由此可見，祁氏在互見方面確實下了很大功夫，雖然其中有些互見之書下並沒有進行小注，如《玉海》之附刻書之一《小學紺珠》、《漢藝文志考證》等。

　　第三，互見的著錄方式是書名重複著錄，其餘著錄項則詳略有別。一般而言，《澹生堂藏書目》是大字題書名和冊數，小字注卷數、撰者及版本。而對於互見之書來說，著錄項便有了很大變化。因為同一種書要被歸入不同類別，所以如果該書在被重複著錄時，如果連同其他著錄項原樣照錄的話，反而既顯得繁瑣，又無法體現該書所屬類目的主從關係，這時便需要根據情況對著錄項進行省併了。如《皇明詔制》，於「史類・御制」中著錄為「八冊八卷，自洪武至嘉靖十八年止」，而在「集類・詔制」中則僅題「八冊八卷」，一詳一略，顯示出該書是以「御制」為主類，而「詔制」為互見類的。又如，《於文定公筆麈》一書，在《國朝徵信叢錄》中僅列書名和卷數，而被單獨著錄時，則有書名、卷數及版本，可見該書是以「史類・國朝史・雜記」主類，而以「子類・叢書・國朝史」為從類的。

　　第四，互見的目的是為了便於後人「考覽」或「考鏡」，所謂「即類求書」，與章學誠「互著」之「因書究學」的目的是有區別的。

（二）次看「通」法

（1）一曰通。通者，流通於四部之內也。

（2）事有繁於古而簡於今，書有備於前而略於後。故一《史記》也，在太史公之撰著，與裴駰之注、司馬貞之索隱、張守節之正義皆各為一書者也，今正史則兼收之，是一書而得四書之實矣。一《文選》也，昭明之選與五臣之注、李善之補皆自為一集，今行世者，則並刻之，是一書而得三書之用矣。所謂以今之簡可以通古之繁者，此也。

（3）至於前代制度特悉且詳，故典故、起居注及儀注之類不下數百部，而今且寥寥也，則視古為略矣，故附記注於小史，附儀注於「國禮」（史類・禮樂類・國禮），附〈食貨〉於〈政實〉（卷五政實類・食貨），附〈曆法〉於〈天文〉（天文家類・曆法），此皆繁以攝簡也。

（4）古人解經，存者十一，如歐陽公之〈易童子問〉、王荊公之〈卦名解〉、曾南豐之〈洪範傳〉，皆有別本，而今僅見於文集之中。惟各摘其目，列之本類，使窮經者知所考求，此皆因少以會多者也。

（5）又如〈靖康傳信錄〉、〈建炎時政記〉，此「雜史」也，而載於李忠定之〈奏議〉，〈宋朝祖宗事寔及法制人物〉，此「記傳」也，而收於朱晦翁之《語錄》；如羅延平之「集」而《尊堯錄》則「史」矣，張子韶之「集」而《傳

心錄》則「子」矣。

他如瑣記、「稗史」（雜史類）、「小說」、「詩話」（卷十四別集類下詩文評類）之類，各自成卷，不行別刻而附見於本集之中者，不可枚舉。

（6）即如《弇州集》之《藝苑卮言》、《宛委餘編》，又如《馮元敏集》之《藝海洞酌》、《經史稗談》，皆按籍可見，人所知也。

而元美之《名卿績記》、元敏之《寶善編》，即其集中之小傳者，是兩書久已不行，苟非為之標識其目，則二書竟無從考矣。

（7）凡若此類，今皆悉為分載，特明注原在某集之內，以便簡閱，是亦收藏家一捷法也。

據此，我們知道，所謂「通」即「流通」的簡稱，即「以今之簡可以通古之繁」，是指將那些曾經單行而今則僅見於撰者本集內的書籍別裁出來歸於相應的類目之內的一種著錄方式。具體來說，其包含以下幾個方面：

首先，「通」針對的是那些「世久不行，載於本集」的前代賢人的書籍。這些書籍可能在當時單篇別行過，但之後便被編入了其詩文集而不再單獨流行。所以祁氏認為，像這類書，在著錄時就應該將之別裁出來，而各歸其類。如〈易童子問〉，見於《歐陽文忠公全集》，今則別出，歸入「經類第一‧易‧拈解」；又，〈洪範傳〉，收入《曾南豐文集》，今則別出，歸入「經類第二‧書‧傳說」。由（4）至（6）條看，此類書大多都滿足以下四個條件：先賢著述；獨立成書；曾經單行；今入別集，如果用祁氏的話，就是「各自成卷，不行別刻而附見於本集之中」。至於其所屬類目，則是「流通於四部之內」，經史子集均有收錄。

其次，「通」的著錄方式，據（4）、（7）等條所述，是「各摘其目，列之本類」，並且於所裁之書下注明「原在某集之內」。但檢其所錄諸書，其實其僅將別裁之書列於本類，而很少如其所說的在所裁書下作那樣的注釋，更多的是僅簡略注出「某集本」，如〈易童子問〉下注「歐陽修本集本」，其實應該是《歐陽文忠公全集》本。而《藝苑卮言》、《宛委餘編》等書則連這樣的注釋也被省略了。（6）條云其來自《弇州集》，準確地來說應該是《弇州四部稿》。如此可見，其在理論上雖然闡釋完備，但實際著錄則並不嚴密。

再次，「通」的目的是考求原書，以便檢閱。為了不至於讓前賢之著作淹沒於其本集之內，所以才用「通」法來從詩文集類別裁出來單獨著錄。

最後，如果我們細心比較上述對「通」與「互」的闡釋，可以發現，無論從著錄方式，還是從著錄內容看，二者的關係都是十分密切的。從內容上看，如果用現代目錄學術語來說，「見」法之下的書多為出入四部的「彙編叢書」和「國朝」之自著叢書[23]，

---

23 按，此處採用《中國古籍善本書目‧叢部》的說法，指匯輯一人之全部著作之叢書。該書「叢部」

而「通」法所從之書多來自「集部・別集」之「前賢」之自著叢書。從祁氏著錄看，前者多列詳細子目，後者則很少有子目。二者本來很清楚的，但是祁氏又在（6）條下列出了《藝苑巵言》、《宛委餘編》、《藝海泂酌》、《名卿續記》等書後，情況就有些複雜了，因為《名卿續記》來自《記錄彙編》，此叢書既收入「史類第一・國朝史・彙錄」，又收入「子類第十三・叢書・國朝史」，很顯然是叢書之互見，既而是叢書與子目之互見，所以此書雖然符合「通」之標準，但也符合「互」之標準。同樣，前三種書所屬叢書均來自「集類第六・別集上・國朝分省諸公詩文集」，而此類之下諸叢書是很難確定到底是使用哪種方式分裁子目的。因此，從這一點看，祁氏之「互」、「通」兩法的界限並不是很嚴格，特別是涉及到「國朝」詩文集的時候。再從著錄方式上看，二者本質上均是使用別裁之法分列叢書子目的，而子目又使用互見的方式溝通其與「本集」的關係（或者根本不互見）。

綜上所述，如果不考慮叢書著者時代和子目是否曾單行的話，「通」法其實即「互」法之一部分，二者在本質上是一種著錄方式，均是使用別裁的方式對叢書中可以獨立成書之子目進行互見著錄。祁氏單獨將別裁前賢著作之法稱為「通」，可能考慮到這些大多數「本集」中的各卷內容有的可以別裁，有的不能，且它們均已由編者連續編訂，與「互」下叢書諸獨立成卷之子目不一樣，故而需要獨立出一法來別裁出這些久不流行之著作，故所謂「通」者，大概首先有通古今之意識（將今存於本集中的內容與曾經單篇流行之著作進行溝通），其次才是用通部類之方法（一書從某「別集」裁出而流入四部某類）。這可能便是祁氏將「互」、「通」當作兩種著錄方法的原因吧。

三　結論

結合祁氏之論，我們再來看章學誠之「互著」、「別裁」之法，如果撇開其僅為《七略》張本這一主觀目的，而直接看其對這兩種方式的解釋的話，可以發現，無論從著錄內容、方式及目的上，其與祁氏之論其實並不在一個層面上。二者雖然在表面上有神似之處，但很顯然在具體闡釋上，章氏並沒有那麼詳盡具體，反而高深莫測地一直向他的「辨章學術，考鏡源流」那裡靠。就拿「別裁」一法來說，章氏僅僅粗略將別裁之書籍分為兩類，祁氏已經很具體地列出了至少三類。就著錄方式上看，祁氏大多數能在別裁之書下注明來源，章氏所採自《七略》的幾本書則沒有一本符合他所說的「本篇之下不標子注」標準的。所以，我們認為，章氏非但沒有襲用祁氏之理論，而且還因為過分強調其所說的「校讎之義」而自亂其說。王重民先生認為祁氏之說「理論上的心得和造

分「彙編叢書」、「地方叢書」、「家集叢書」、「自著叢書」等五類。本文使用這一名詞時包括該目的後兩類。

詣」比不上章氏，可能實際情況正好相反。但不可否認的是，祁氏在具體著錄時，確實存在一些問題，如子目與叢書或附刻書時有脫節，故而子目下或不注明來源叢書，或注釋不用叢書全名，甚至有子目下所註冊數、卷數與叢書下所列互有出入。再如重複著錄之單行本書，其冊數與卷數等分載兩類，這些均是該目的著錄沒有走向規範的證據。

生命價值的追尋
——加繆荒謬思想探究

楊靜

北京師範大學哲學學院

　　作為二十世紀法國偉大的思想家，加繆（Albert Camus, 1913-1960）的哲學通常被稱為「荒謬哲學」，但「荒謬」只是加繆哲學思想的起點而不是其最終目標。對於加繆而言，探討在形而上學不可知的情況下生命價值的獲得是否可能、生命是否還值得經歷、而自殺是否又成為荒謬之後的必然抉擇，乃是其一生思想追求的目標。「判斷生活是否值得經歷，這本身就是在回答哲學的根本問題。」[1]因此，生命價值的問題實構成了加繆哲學思想的核心問題，同時也成為理解與把握加繆哲學思想的重要線索。

　　而以往學者對加繆荒謬思想的研究多是從其外在形態入手，對生命價值這一內在精神線索與維度則關注不夠。因此，本文即從生命價值的角度對加繆的荒謬思想進行分析與闡釋，主要包括四個方面：首先，生命價值的失落即荒謬的產生，主要討論了荒謬感及荒謬的概念；其次，生命價值的異化，主要分析了三種在加繆看來對荒謬錯誤的面臨方式；再次，生命價值的確立即荒謬的超越，主要包括荒謬的反抗、荒謬的自由與荒謬的激情三個方面，加繆由此確立了人性的生命價值。最後，以孟子的人性學說為參照，對加繆所確立的人性價值進行反思與評價，認為加繆人性思想的結論處恰是孟子人性思想的開端處，這同時構成了本文的創新點所在。

一　生命價值的失落：荒謬的產生

（一）荒謬作為荒謬感

　　荒謬感的產生始於人對永恆的意識與追求，加繆稱之為「對統一的思念、對絕對的渴望」。但這種對永恆的意識在現實中並不是人人都具有的。對人的存在而言，其理想狀態乃是應該「處身於『文』的前行與『歸本』、『復古』或『復歸』古始之雙向運動的

1　（法）加繆著，杜小真譯：《西西弗的神話》北京：西苑出版社，2003年，頁4。

張力關係中」，[2] 從而「避免文明之抽象和形式化所造成的生命枯萎僵化。」[3] 但現代文明的發展往往使得人束縛於知性之「蔽」而遺忘了生命原初統一性之本原。因此，柏拉圖的囚徒從洞穴中「扭過頭來」並走出洞外即實現「靈魂的轉向」通常需要一定的契機。海德格爾因此強調「向死而生」，以期喚醒常人對永恆的意識從而實現本真存在。而荒謬感作為一種具有形而上意義的情感體驗，它的產生亦是如此，加繆將其稱為「煩」：

> 有時，諸種背景崩潰了。起床，乘電車，在辦公室或工廠工作四小時，午飯，又乘電車，四小時工作，吃飯，睡覺；星期一、二、三、四、五、六，總是一個節奏，在絕大部分時間裡很容易沿循這條道路。一旦某一天，「為什麼」的問題被提出來，一切就從這帶點驚奇味道的厭倦開始了。[4]

這樣一種對日常生活重複性的「厭倦」被加繆稱作「荒謬的最初信號」。而厭煩之後會產生兩種結果：恢復舊態或是意識的最終覺醒。而荒謬感就在人對自身存在的覺醒中、在對形而上學追求的失敗中、在黑格爾所謂「人與現實的和解」的失敗中產生：「一旦世界失去幻想與光明，人就會覺得自己是陌生人。他就成為無所依託的流放者，因為他被剝奪了對失去家鄉的記憶，而且喪失了對未來世界的希望。這種人與他的生活之間的分離，演員與舞臺之間的分離，真正構成荒謬感。」[5]

這段話包含了兩層意義。首先是荒謬感的含義：荒謬感乃是一種對世界原初信任感的消失，表現為周圍世界與萬物對個體存在的陌生化與不可理解。人既不明白自己存在的意義，從哪裡來，到哪裡去，也無法理解世界的存在，甚至是一塊石頭的存在。這種人與世界萬物的隔離，海德格爾所謂現代人「無家可歸」的被「拋」狀態，加繆形象地將其稱為「荒謬的牆」。它是人與其存在根基的分離。因而在性質上荒謬感乃呈現為一種異己的孤獨感、價值失落的痛苦感以及由死亡與無知所帶來的人對自身存在虛無性的恐懼感。

其次是荒謬感產生的原因：即當人類傳統的價值意義體系已失去其被信仰的明證性，而新的價值體系還尚未建立，且這種意義價值體系的重新獲得呈現為一種不可能之態之時，荒謬感就產生了，即生命意義的失落。它表現為自我與他人、世界的陌生化與疏離感，以及死亡的荒謬存在。

世界的陌生化。荒謬感產生之前，世界或以人類理性的表象方式而呈現，或籠罩在上帝的光輝之下，但無論怎樣，世界對於人類而言總是熟悉的，總是可理解的。但荒謬

2　李景林：《教化的哲學》哈爾濱：黑龍江人民出版社，2005年，頁350。

3　同上註，頁349。

4　（法）加繆著，杜小真譯：《西西弗的神話》北京：西苑出版社，2003年，頁23。

5　同上註，頁7。

感的產生恰恰打破了世界的可理解性，使得世界從此逃離了人類而變得比上帝還要遙遠。世界又返回到了它本身，而對人類呈現出完全的密閉無隙性。對於一塊石頭來說，我們可以稱量它，可以對它進行物質分析，甚至可以打碎它，但我們卻再也無法通達它，通達它的存在。一切都遠離了人類，處於萬千事物的包圍之中，精神卻感到從未有過的孤獨與異己之感。

其次是他人身上非人性因素的顯現：我們看到一個人在玻璃隔板內打電話，看到他機械的無意義的動作與手勢，我們會驚奇他為什麼還活著。

再次則是死亡。加繆認為，死亡乃是作為「最清醒的荒謬感」而提出的。死亡的必然性使得人生的無用性突顯出來，人的一生充滿對理想的追求，充滿了豐富的可能性與差異性，但死亡卻以其終點的絕對同一性而使生命的一切都歸於虛無，這同樣也是荒謬。

而意義的重新獲得之所以不可能，形而上的追求之所以無法實現，在加繆看來，這乃是由理性自身的局限性所導致的，即理性有其範圍與界限，超過了這一界限，理性便失去了它的有效性與可靠性。換言之，荒謬的產生乃是必然的，它表明了人類理性應該遵循的界限。那種認為人類的理性可以通達一切存在的盲目的理性，在加繆看來乃是不可取的。加繆說：「荒謬，其實就是指出理性種種局限的清醒的理性。」[6]

概言之，理性的局限性決定了形而上的終極存在對人類而言的不可知性，而形而上的不可知以及由此而來的生命意義的失落，導致了荒謬感的產生。在此基礎上，加繆提出了荒謬的概念。

（二）荒謬的概念

加繆在《西西弗的神話》中寫道：「荒謬既不存在於人之中，也不存在於世界之中，而是存在於二者共同的表現之中。荒謬是現在能聯結二者的惟一紐帶。」[7]作為一種最根本、最深刻的分離，荒謬呈現為人的理性與世界的非理性之間巨大的矛盾、衝突與較量。它主要包括三個方面的層次與含義：

首先，荒謬是一種遭遇與對抗。

加繆認為，荒謬就產生於「人的呼喚與世界不合理的沈默之間的對抗」。[8]換言之，荒謬乃連接著兩個方面：一方面是人對統一性、明晰性的渴求，對形而上的追求，即人的理性要求；而另一方面則是世界的非理性，世界的不可理解性。而荒謬就產生於這種矛盾與對立中。

6　同上註，頁56。

7　同上註，頁36。

8　同上註，頁33。

其次，荒謬是一種離異的關係。

荒謬體現為人與世界的一種關係，在加繆看來，這同時也是目前為止人與世界之間的唯一關係。這種關係表現為一種離異，它是人對光明的渴求與世界的非理性二者之間遭遇對抗的必然結果。

有人說：「花是不美的。」我們會說這乃是荒謬的，因為在花的實際的美與花不美的判斷之間出現了差錯；一個成年人說他能舉起一頭大象，我們也說這是荒謬的，因為在他對自身能力的判斷與他想要實現的目標之間出現了鴻溝。對於一個品行良好的人來說，當我們指責他殺了人時，他會說：「這是荒謬的。」這乃是因為在他實際存在本身的性質與我們對他的判定之間出現了偏離。隨著這種偏離越來越大，荒謬的程度也就越來越深，而人對理想的渴求與世界的非理性之間乃是最深程度的分離。

最後，荒謬具有三位一體的整體性。

荒謬是一種對質與遭遇，表現為關係的離異，但同時也構成了不可分割的統一整體：人、世界與荒謬。缺失了任何一方，其他兩方也將不再存在。因為世界不荒謬，人本身也不荒謬，只有人存在於世界之中才荒謬。人離開世界也就無所謂認識，而無所謂認識也就無所謂荒謬；而世界離開人的眼光本身亦無所謂非理性。荒謬由人與世界的對峙而產生，但同時又是目前人與世界之間唯一的紐帶。它連接著二者，從而構成了獨特的三位一體性。

荒謬作為對世界「非理性」存在的「理性」把握，看似矛盾，「但卻深刻地反映了執著追求確定性的西方心靈在現代紛繁複雜、變幻莫測的現實面前對世界和人的深入探尋和重新定位。」[9]因此，荒謬是一場較量，在其中，希望、荒謬與死亡進行著角鬥與對抗。因為面臨荒謬，人必須要作出選擇。它是人類永遠無法迴避的問題所在。荒謬的判定只是思想的出發點，重要的是意識到荒謬以後，人是否能在荒謬中存活，而自殺又是否成為面臨荒謬的必然選擇。由此我們便進入到加繆對荒謬之後生命各種不同面臨方式的分析。

二　生命價值的異化：在信仰與虛無之間

加繆對荒謬以及荒謬的解決方式有著自己獨特的理解與把握，因此在《西西弗的神話》中，針對荒謬之後人生的選擇與對待方式問題，加繆在正式提出自己的觀點之前，首先對思想進行了一番「清理」，指出了三種在他看來錯誤的解決方式，並對其進行了深入的分析與探討，主要包括生理自殺、哲學性的自殺，以及在徹底荒謬邏輯下的絕對的價值虛無主義。

9　張容：《形而上的反抗》北京：社會科學文獻出版社，1998年，頁66。

（一）生理自殺

　　加繆認為，生理自殺雖然以取消生命為代價，使荒謬的整體因其一方的消失而也隨之消解，但卻不是對荒謬的真正解決，因為只要人存在於世界之中，荒謬就永遠存在。所以它僅僅只是對荒謬的逃避與消解，而不是真正的解決：「這死亡的遊戲，是由面對存在的清醒過渡到要脫離光明的逃遁。」[10]「清醒」即是意識到了荒謬的存在，「脫離光明」即意味著個體以死亡而放棄了意義的追尋，離開了意義與價值的可能獲得之所，而最終成為對荒謬的「逃遁」。

　　因此，加繆反對自殺，認為自殺不是對荒謬的反抗，而恰恰是反抗的反面。針對荒謬的無意義性，只有價值的重新獲得才是對荒謬的真正反抗與超越。

（二）哲學性的自殺

　　在否定了生理自殺這一方式以後，加繆緊接著分析了另一種面對荒謬的方式即哲學性的自殺。它主要涉及的是加繆對雅斯貝爾斯、舍斯托夫、克爾凱郭爾與胡塞爾的哲學思想的分析與批判。在《西西弗的神話》「哲學性的自殺」這一章節中，加繆之所以選取以上幾位哲學家的思想來進行論述，首先是因為這些哲學家思想起點的某種一致性，即都顯現了存在的荒謬性特徵：

　　雅斯貝爾斯認為，作為存在的大全乃是無所不包的，宇宙萬物都是它的顯現，但人卻只能追尋而永遠無法真正把握。荒謬因此顯現為存在的大全與人之間無法逾越的鴻溝。而這乃是由人類本身的認識方式與特點的局限性所決定的。人因此而永遠處於一種「臨時境況」之中：「沒有鬥和苦我便不能生，我不可避免地負有責任，我必須得就死，我稱這些境況為臨界境況。」[11]所謂的「鬥」即是指面對世界的不可知性，人卻要在此世界中生存，在人的理想性與現實意義的缺乏性之間永恆地抗爭，它指示的即是人的荒謬性存在。而所謂的「苦」即是這種鬥爭性的苦，即是荒謬性的苦，人類渴求理解與親密，世界卻無盡地遠離，同時死亡在這種荒謬中又必然降臨。它指示了人類在無法探求到形而上的存在時的一種無奈與絕望。

　　而作為十九世紀的丹麥哲學家，克爾凱郭爾的思想亦體現了相似的哲學氣質與表達。克爾凱郭爾認為，哲學的研究對象應為個體，而個體的存在狀態則是「恐懼」與「絕望」。個體的恐懼乃來自於個體的無知，無知則指涉了虛無。在虛無的狀態中，由於形而上的不可知而使得現有的一切價值觀念都失去了明證性與可靠性，同時新的價值

10　（法）加繆著，杜小真譯：《西西弗的神話》北京：西苑出版社，2003年，頁6。
11　熊偉主編：《存在主義哲學資料選輯》上卷，北京：商務印書館，1997年，頁637。

標準又無從獲得。如此人的選擇就成為了無標準性，但人又必須選擇，克爾凱郭爾這裡指的主要是對人之存在的認知與方式的選擇：認為上帝存在還是不存在？活著是否有意義？在此前提下，甚至活著本身就是一種選擇，於是，恐懼就產生了，它是一種最深沈的基於存在的恐懼。而這種恐懼的發生也僅僅是因為信仰的缺失，他指涉了一種對可以為之生、可以為之死的信念的尋求。而克爾凱郭爾指出，人類試圖通過理性來尋求乃是無法獲得的，有的卻只是絕望與荒謬。

　　舍斯托夫因為與前兩者接近，即都是從理性有限性的角度來論證存在的荒謬性，這裡不再進行論述。而關於胡塞爾的思想中所顯示出的荒謬性特徵，加繆這裡指的主要是胡塞爾的「意向性」學說。

　　加繆認為，在對真理的探討所形成的理性主義傳統中，作為其中的一支，胡塞爾的思想方法——現象學的方法乃是獨特的，因為它肯定了在形而上不可確定的前提下，理性的真理性與正當權利所在：懸置對實在的判斷，而關注意識對實在的描述以及由此獲得的關於實在的意義。在加繆看來，這是一種心理學的方法，同時相應獲得的真理也屬於心理學的範圍。由此，在不涉及對世界統一性的解釋之外，理智便獲得了無數多豐富而有效的經驗，而世界也「就在漫長的經驗聚集過程中獲得新生」[12]，加繆認為這即是一種荒謬立場的最初體現，因為即使是對實在意義的無窮獲得也無法彌補對實在本身判定的黑洞。從理智依照現象學的方法所獲得的世界圖像來看，加繆認為，胡塞爾思想的起點乃是顯現了一種荒謬的特徵。

　　其次則是因為其思想結論的確立過程中所共同體現的飛躍本質，雅斯貝爾斯、舍斯托夫與克爾凱郭爾因而成為了絕對的非理性的代表，而胡塞爾則成為了絕對的理性的代表。

　　面對荒謬，雅斯貝爾斯認為，形而上的失敗並不因此就意味著虛無，它恰恰是上帝以一種理性否定的方式向人類喻示了它的存在。失敗即是成功，絕望即是希望，人類從這樣的失敗中乃是觸及到了上帝的存在。而在這種情況下，荒謬也不是真正的失敗，對人的存在的真理來說，乃是一種迂迴的成功。荒謬因此而成為了人類把握到最高存在的契機所在；而對舍斯托夫來說，荒謬與上帝這兩個語詞乃是可以相互替代的。理智的極限處即是上帝的生發處，理性的有限即連接著上帝的無限，跨過理性有限的界限，即是上帝無限的永恆。上帝因此而具有非理性的特點；而克爾凱郭爾則宣稱，正是由於世界的不可理解性，世界的荒謬性，才越發顯示了上帝的超越存在。正因為荒謬，才使得人類真正相信有上帝的存在。「荒誕就是永恆真理進入時間中的存在，就是上帝進入存在。」[13]上帝的無限、無形與永恆使得其只有通過荒謬才得以顯現自身，只有理智的不

12　（法）加繆著，杜小真譯：《西西弗的神話》北京：西苑出版社，2003年，頁50。

13　熊偉主編：《存在主義哲學資料選輯》上卷，北京：商務印書館，1997年，頁28。

可理解才真正顯示了上帝與世界萬物的區別所在，上帝因此而在理解之外。克爾凱郭爾之所以信奉基督教，就是因為在他看來，基督教最難以為理智所理解。他最樂於的犧牲就是理智的犧牲。

而如果說雅斯貝爾斯、舍斯托夫與克爾凱郭爾是通過絕對地否定理性，肯定非理性來實現自身的拯救而重獲光明，那麼胡塞爾則是在一種無窮經驗的豐富性中企圖發現一種無限的理性本質，從而使得「柏拉圖的實在論變得有了直觀意義」，[14]胡塞爾的思想最終乃是「投身到一種抽象的多神論中」。[15]

但在加繆看來，無論是胡塞爾理性的上帝還是宗教哲學家的非理性的上帝，其實質乃是相同的，都是思想採取便利方法的一種飛躍而已，是思想對荒謬的逃避，是一種哲學性的自殺。加繆對它的批判主要集中在以下幾點：

首先，荒謬乃是連接著人與世界的三位一體的整體，但無論是胡塞爾的哲學還是宗教哲學家的哲學，都絕對地否定了其中一個方面而只保留了另一方面，胡塞爾保留了人的理性，而宗教哲學家則保留了世界的非理性，它們都未曾保持住荒謬結構的平衡而使得荒謬最終予以消解。

其次，宗教哲學家堅持絕對的非理性，胡塞爾堅持絕對的理性，二者各執一端。但在加繆看來，這乃是毫無意義的。因為對於宗教哲學家來說，理性有其局限，但在經驗的範圍內卻具有可靠性與明證性，荒謬的產生表明的是一種有效而又有限的理性，但卻不是一無是處的理性；對於胡塞爾來說，絕對的理性因超越了其自身有效性的限度而也是不可取的。

最後，無論是宗教哲學家對非理性的肯定，還是胡塞爾對理性的肯定，都是在一種理智毫無確證的情況下進行的，加繆認為這同時乃是違背了精神的明晰性要求。

因而，加繆否定了以上哲學家對於荒謬的解決方式。在絕對的理性與非理性之間，加繆堅持的乃是一種中間的道路：既不絕對地肯定理性，也不絕對地肯定非理性，而是保持對理性界限的清醒，同時堅持在理性的有效範圍內生活。它以明晰性為準則，僅僅依靠自己所知道的東西而存活。加繆認為，只有適度的理性才是真正的荒謬精神的體現，同時它也是真正的荒謬的人所應該堅持的精神和立場。

（三）價值虛無主義

面對世界荒謬性的存在，理智的基本態度其實只有兩種，認為荒謬可以解決或者相反，而無論宗教哲學家和加繆的觀點有多少不同，但在保留超越荒謬的希望這一點上卻

14　（法）加繆著，杜小真譯：《西西弗的神話》北京：西苑出版社，2003年，頁52。

15　同上註。

是相同的，但生理自殺與價值虛無主義的態度則顯然屬於後者，即完全否定了任何解決荒謬的可能與希望，認為人類在生存的荒謬性面前完全是無能為力的，是一種絕對的失敗。因而面對荒謬性的痛苦，生理自殺的人選擇逃離，虛無主義者則選擇了以惡制惡，由理想的追求者轉而走向了自己絕對的對立面。關於這一點，筆者主要通過對加繆的戲劇《卡利古拉》的分析，來闡述加繆的觀點與態度。

在《卡利古拉》中，加繆為我們塑造了一個充滿強烈荒謬感的主人公卡利古拉，他是一位年輕的古羅馬皇帝。在未曾意識到世界的荒謬性之前，卡利古拉是一個充滿仁愛之心的人。他告訴自己的情婦凱索尼婭，人生雖然充滿苦難與曲折，但卻還有給人的心靈以撫慰與慰藉的所在，如宗教、藝術、愛情，因而人一生中唯一不應當做的，就是主觀人為地製造苦難。可自從經歷了妹妹的死亡之後，卡利古拉開始體驗到荒謬的存在與氣息，並最終得出結論：人必然是要死的，人並不幸福。

人的有死性是一種有限性，但卡利古拉卻追求永恆：追求永恆的意義，追求永恆的生命，追求永恆的幸福。但生命存在的真相卻正好與之相反與對立：人生無意義，並且還將在無意義中死亡。卡利古拉由此陷入了極大的痛苦之中。他是一個絕對的理想主義者，追求邏輯與生活的絕對同一，也正因為如此，使得卡利古拉在面對世界的非理性的真相時，受到了沉痛的打擊而無法承受：他夜夜失眠，恐怖與痛苦成為卡利古拉精神的常態，最後竟發展為殘忍地毀滅一切。他隨意殺人，甚至親手勒死了深愛他的情婦凱索尼婭；他與角鬥士廝混在一起，進行各種生活形式的墮落。而這一切只為對存在荒謬性的報復與自我痛苦的強烈回應。卡利古拉最終陷入了瘋狂。

從絕望的痛苦到毀滅一切的瘋狂，在這種作惡中，卡利古拉認為乃是包含了他對人生荒謬性的惡的不滿與反抗。但在加繆看來，這種為惡卻恰恰表明了荒謬的勝利，它不是對荒謬的反抗，反而是與荒謬隱性式的合流。因為卡利古拉乃是以惡制惡：既然形而上不可探求，既然人生毫無意義，那就乾脆將這種惡進行到底。面對荒謬，卡利古拉不是尋求對荒謬的惡的解決，反而是以現實的作惡來回應人生本有的荒謬性的惡。這就如同現實生活中，一個人處於極為糟糕的境地，不是努力改善境遇，反而在一種絕望的情緒中付諸更壞的行動。在加繆看來，這種行為和生理自殺一樣，令人同情，但卻不是面臨荒謬的合理的解決方式。因為在虛無主義下，除了造成自我與他人的痛苦毀滅以外，理智一無所獲，荒謬和死亡依舊存在，問題依舊沒有解決。

那麼怎樣才是一種合理的方式呢？加繆在戲劇中通過塑造謝阿雷這一人物表達了自己的觀點。謝阿雷是劇中唯一能夠理解卡利古拉行為的人，同時也是唯一一個沒有受到卡利古拉傷害的人，因為謝阿雷也意識到了人生的荒謬性，並為此與卡利古拉進行了深入的探討。

與卡利古拉不同，謝阿雷認為，人生雖然荒謬，形而上的追求雖然不可探求，但人類還是擁有經驗理性的有效性，還是可以擁有經驗理性範圍內的人生幸福，而後者的獲

得業已使他為自己的人生感到滿足。因此謝阿雷堅持人生的一些基本價值，如生命與愛，並以之作為自己生命的意義與價值。

謝阿雷的思想其實已經代表了加繆面對荒謬時的基本態度與觀點，但在戲劇中還只是一種簡單的表達，更為詳細的闡述乃是在《西西弗的神話》中，以下筆者將進行具體分析。

三　生命價值的確立：人性的善

（一）荒謬的反抗

經歷了之前思想中的「破」，加繆在此開始正式提出他的面臨方式。首先即是荒謬的反抗。加繆認為，在荒謬中堅持生活，這種堅持本身即是對荒謬的反抗，它代表了對命運的不屈服，見證了人類生存的偉大。面對荒謬，加繆認為除了對荒謬的正視，其他一切的態度都是逃遁。直面荒謬，雖然人類無法通過理性來達到對形而上的認識，它顯示了人類在對永恆超越性存在的把握上的失敗，但真正荒謬的人卻不會因此而逃避，荒謬的人勇於承擔起自身形而上的重負，並以在荒謬中生存的堅持來表達對荒謬的惡的反抗。在《西西弗的神話》中，加繆認為西西弗每天登上山頂的鬥爭就足以充實他的心靈，這種承受與背負，以其對絕對的生命之重的負載而克服了生命因荒謬性而可能造成的輕，使生命走向意義與希望之途。

生命價值的問題乃是加繆一生思考的核心問題。如果人的存在具有無法避免的荒謬性，如果生命價值的確知無法從形而上的最高存在中獲得，那麼人生的意義與價值還有存在與獲得的可能性嗎？加繆的回答是肯定的，而對荒謬的反抗即是人類生存所獲得的第一個意義：即反抗即意義。

（二）荒謬的自由

加繆認為，在未曾意識到荒謬以前，人們總是為著一定的價值與目的而活，因為人們堅信其理想的可靠性與明證性，為理想而奮鬥，為生活而規劃，同時也就是在獲得自己生命的意義與價值。人們認為其乃是自由的，同時因有對統一的確定而堅信是一種存在的自由。但在加繆看來，這乃是一種虛假的自由。因為荒謬性的發現即意味著一切永恆的自由都不再存在：「從完整的意義上講，失去了對永恆的確信，什麼樣的自由能夠存在呢？」[16] 荒謬的人因而便從幻想的自由中擺脫出來，不再追求什麼「明天」而堅守

---

16 同上註，頁66。

在理性的界限之內。

因此加繆所謂荒謬的自由，乃是一種解放的自由，包含著一種「解放的原則」：它首先意味著一種從日常生活沈淪狀態中覺醒而來解蔽的自由：「回溯於意識，脫離日常的迷離混沌，這些都表現了荒謬的自由的最初步驟。」[17]同時，在形而上層面，荒謬的自由還意味著從對「永久自由」的種種幻想中解脫出來，從對永恆超越下的生命意義追求的幻想中解脫出來。荒謬的人對於永恆既無法加以否定，也無法加以肯定，他只是堅持在自己知道的範圍內生活。

可現實的問題是如何生活。因為荒謬的反抗與自由顯現的更多的是形式的意義而缺乏價值的具體內涵。僅僅活著是不夠的。因此在荒謬的第三個推論中，加繆便給出了生命價值的具體內涵。

（三）荒謬的激情

荒謬的激情作為一種對生活的無盡熱愛，它所肯定的激情的內容即是人性的善與大地的美：親情、友情、愛情、身體、愛撫，還有陽光、大海、沙灘、森林、花朵……而後者可歸之於前者，因為對大地美的熱愛乃是人性善的外延性展現。感受人性豐富的愛的形式與大地無盡的美，同時努力追求與創造這種價值，就構成了人生真正的價值與意義所在。形而上的追求由於超越了理性的限度而無法獲得，但在經驗的範圍內，理性卻有其可靠性與有效性。而人性的善即是在此經驗理性範圍內所確立的生命價值。它因情感經驗的普遍有效性而具有與荒謬同等的明證性與確實性，構成了除荒謬以外，人與世界之間另一條關聯的紐帶。

由此，加繆將自己的哲學作了巨大的推進：在荒謬之外，確立了生命的意義與價值，同時，伴隨著這一存在價值的確立，荒謬就不再是構成人與世界的唯一聯繫，幸福也因其普遍的有效性而確實地存在於大地與人類之間。因此加繆說：「幸福與荒謬是同一大地的兩個產兒。」[18]二者相互對立但又同時並存：人性價值的確立並不意味著荒謬的真正消失，因為只要人存在於世界之中，荒謬就存在。但它卻因意義的獲得而實現了對荒謬真正的超越。

而在二者的共存之中，對幸福的追求就成為了人類實現其價值理想的必然選擇。在此之下，加繆進一步認為，荒謬的存在就不再僅僅是荒謬的存在，而是成為了人類為了實現對幸福的渴求而必然要付出的代價。

在《西西弗的神話》中，死後進入地獄的西西弗為了要懲罰在人間的妻子，而懇求

---

17 同上註，頁67。

18 同上註，頁145。

冥王能重返人間。可是當他再一次看到大地的面貌，感受到陽光的溫暖，西西弗便再也
不想回到地獄中去了，他在大地上又生活了許多年。但最終也因此而受到了諸神的懲
罰：將巨石推上山頂，而巨石又因自身的重量而重新滾下山去，於是西西弗便不得不重
返山下，將巨石再一次推上山頂，而西西弗的一生也便就在這毫無意義的重複中消逝
了。可西西弗卻不因此而如諸神所設想的那般痛苦，而是向著山頂、向著那無盡的苦難
堅定地走去，因為在現實世界中，他已擁有了大地的幸福。加繆認為，這種苦難的承受
是對大地的熱愛所必須付出的代價。換言之，為了實現對人性的愛與美的追求，人就必
須忍受荒謬性的惡而在荒謬中堅持生活。

　　從人與世界之間的唯一聯繫，到與人性價值的並存，再到並存之中人對幸福的必然
選擇，加繆在此將荒謬的地位進一步地削弱，在西西弗的邏輯下，荒謬不再著重是人類
悲慘存在的主導性因素，占據人類生存的主要內容，而是成為了一種背景式的存在，成
為了人類為獲得幸福而必須要付出的代價。也就是說，存在價值未確立之前，人生的邏
輯乃是：世界荒謬，人生不幸福。而現在則轉變為：為了追求幸福，人不得不忍受荒謬。

　　這樣一種角色、地位的轉換的意義是巨大的，它使得荒謬對人類生存的重要性與影
響力大大地減弱了：荒謬不再是人類確證擁有的唯一，而是在其之上，還有人間的幸
福；人類的存在不再因為形而上的不可探求而就一無是處，而是在對幸福的追求中亦有
其意義與價值，直至成為人生的「第一義」。

　　同時，在人性價值確立的前提下，荒謬狀態下人與物的隔離關係亦因物作為人性價
值所構建的意義世界的一部分、作為一種情感的關聯與意義的承載而實現了某種溝通：
「我想起一個童子，曾在貧窮的街區過日子。這街區，這房屋，只有兩層樓，樓道裡還
沒有照明。多年後的今天，他還可以在夜深人靜時重進這樓道。他知道，他能以最快的
速度登上樓梯，不會打一個趔趄。他整個身心已與這所房屋融在一起。他的腿腳牢牢記
得每一級臺階的準確高度。」[19]

　　由此，在人性的愛與美中，在上帝與形而上學的世界之外，加繆確立起一個真正
「屬人」的形而下的意義世界。在加繆看來，感受這個大地上最純真的快樂，滿足現在
以及現在的延續的時刻，這樣一個不斷意識著的靈魂乃是荒謬的人的最理想的狀態。幸
福就是人間的幸福。人不再執著於超越的幻想，而是在人間的範圍內體驗到了屬於人的
每一刻的幸福與意義。

---

19 （法）加繆著，丁世中、王殿忠譯：《反與正・婚禮集・夏》上海：上海譯文出版社，2013年，頁
　　28。

四　反思與評價

　　從人生荒謬的存在狀態出發，加繆經過一系列的探索，最終在人性的愛與美中為人類確立了存在的價值，找尋到了生命的意義。但應當注意的是，我們不應把這裡加繆所確立的人性價值簡單等同於日常生活中基於善惡而來的自私或無私的倫理道德，雖然加繆的哲學與其在最終的形式指向上是一致的，即都指向對善的堅持與追求，但加繆的善的價值卻是以存在的荒謬性為前提的，具有深刻的存在論內涵。在荒謬人生的哲學前提之下，對人性愛與美的選擇與堅持，就不再是簡單的一種作為對傳統道德的無意識接受而來的應然，而是一種理智有意識下的必然而來的應然，是一種生命意義與價值得以確立的必然選擇。因此加繆才說，對生活的熱愛只有在經歷了對生活的絕望之後才能真正獲得，即沒有對存在荒謬性的認知就沒有對人性價值的真正體悟。因此，對加繆荒謬哲學最終所確立的生命價值應當從存在論的角度來加以理解與把握。

　　從經驗的角度說，加繆並非是一個只知人性美好而不知人性中惡的存在的人，只是在加繆看來，善惡對人的存在來說並非平等對待之物，理智對善的追求乃是本質的選擇。這種善的選擇，並不是為了善而選擇善，而是因為正是選擇了善，人類的生命價值、意義與幸福才真正得以確立與構成。

　　同時應指出的是，加繆對人性價值的確立過程也是一個從對超越理性的追求到最終保持清醒與明晰而立足於經驗理性的過程。這裡存在一個問題，即這樣一種經驗理性的確認方式，加繆乃是直接給出的。即是說，加繆乃是直接確立了人性的價值而對人性本身作為一種價值的根據並沒有再進行探討，而這是否違背了加繆所一直堅持的明晰性原則？如黃晞耘先生就指出：「既然加繆反對以雅斯貝爾斯為代表的信仰論者的理由在於他們的非理性的「跳躍」，既然加繆堅持自己的存在價值論是「清醒的理性」推論的結果，那麼我們有理由質疑：人性本身如果不再有理性根據，那麼加繆對人性作為存在價值終極根據的肯定不是一種信仰又是什麼？正如前面我們所指出的，信仰人性而不信仰上帝，無非是替換了一個信仰對象，但信仰的性質本身並未改變。」[20]

　　而筆者在這裡則嘗試提出一種不同於黃晞耘先生的理解思路。應當注意的是，加繆對人性價值的確立不是一種單純理性的確認，而是同時還伴隨著情感的體驗與明證性。加繆作品中描述的主人公通常總是在事件發生的當下、在一種情感的必然當下呈現中確認了生命存在的價值與意義。如西西弗對自然的熱愛：當他深處地獄時，他並沒有對自然大地的依戀，這種意義的確立乃是在西西弗回到大地的當下所確立與體認的。對此更為詳細的分析與展現乃是在加繆的戲劇《誤會》中：

---

20 黃晞耘：〈加繆的跳躍──論一種「經驗理性」〉，載《華南師範大學學報（社會科學版）》，2000年第6期。

　　男主人公若望很小便離家外出謀生，獲得成功後返回家鄉以期給母親和妹妹帶來幸福生活。而母親和妹妹在家中則以開旅館為生，在人生信念上乃是完全的虛無主義者。為了擺脫貧困的生活，她們以謀殺旅客的方式來獲取錢財。而若望則成為了她們逃離家鄉所需要的最後一單生意。由於多年未見，母女二人竟未曾認出若望，潛意識中認為他早已客死他鄉。而若望則為了給母親和妹妹驚喜而故意先隱瞞了自己的身分，於是在夜裡被自己的母親和妹妹殺害。

　　在得知真相的當下，若望的母親說了這樣一段話：「我剛剛明白我錯了，在這片一切都無定準的大地上，我們有自己確信的東西！母親對兒子的愛，就是我今天確信的！」[21]然後在其投拋若望屍體的河中投河自盡。

　　在得知真相以前，母親認為生命乃是虛無，任何先天、永恆的價值都是不存在的，對於人來說，有的只是死亡的必然性以及在這有限的生命存在中欲望的滿足。但是，在得知自己殺害了兒子的事件發生的當下，一種巨大的對兒子的愛完全呈現出來，同時伴隨著由愛而來的巨大的罪責感。在這種情感的當下、強烈、本能的呈現中，母親確認：並非一切都是虛無的，雖然大地依舊毫無定準，世界依舊不可理解，但人類卻確實擁有屬於人自身的價值與信念，這就是人性之愛。

　　因此，加繆所謂通過經驗理性方式對人性價值的確認，從對象上說，它確認的並不是人性價值根據本身，而是在荒謬的存在狀態下，人是否還有可依靠存活下去的力量或信念。也就是說，理性在此處所確認的主要不是價值本身「知」的問題，而是一種價值的「充足性」問題，即這樣一種價值的獲得是否能保證人即使在面對自身的無知與有限的前提下而依舊願意活下去，並經由此價值的獲得而對自己短暫的一生業已滿足。只有從價值的「充足性」角度出發，才能理解為什麼加繆說西西弗荒謬的命運乃是「為了對大地的熱愛而必須付出的代價。」荒謬從一種主導性的生存性的惡變成一種背景式的存在，這樣一種轉換的發生只有在對人性價值「充足性」確認的前提下才是可能的。加繆說：「感覺到他與土地的聯繫，他對某些人的愛，知道總有一個地方心可以找到和諧，這對於一個人的一生來說已經是很確實的了。」[22]這裡的「確實」即意謂一種價值的「充足性」。因此，「力」的問題、「充足性」的問題真正構成了此處理性的確認對象，它不再涉及「知」即人性價值本身的根據的問題。而在加繆看來，這樣一種價值的「充足性」問題在情感實存的當下、必然、強烈呈現中而獲得了它的有效性與明證性。

　　因此，如果說康德意義上的「理性在經驗範圍內的有效性」主要是從「知」的角度來確認科學知識的有效性，那麼加繆意義上的「經驗理性的有效性」則是從「情」的角度確認了價值意義的充足性問題。前者的「真」建立在人類先天的知性範疇的基礎上，

21　（法）加繆著，李玉民譯：《加繆全集》第2冊，石家莊：河北教育出版社，2002年，頁90。
22　（法）加繆著，郭宏安譯：《加繆文集》卷3，南京：譯林出版社，2011年，頁80。

後者所確立的人性價值的「真」則建立在情感的自然當下呈現中，用中國哲學的話說，是一種實有諸己之真。人性的美統一於人性的善，而人性的善在情感的當下自然顯現中呈現為真，由此，加繆所確立的人性價值乃是以善為基礎與核心的真善美的統一。

其次，跳出加繆哲學之外，若從價值根據本身「知」的方面看問題，中國傳統儒家人性論的思路或許可以為這個問題的解決提供一種參考。因為儒家對人性價值的確立亦是從情感實存中入手的。孟子講「乍見孺子將入於井」而人皆有惻隱之情，這種情感的呈現具有一種自然當下性、不可抗拒性、本能性，正如若望的母親在得知真相的剎那而當下呈現的對兒子的愛。這體現了人心對善的「好」的一面。同時，人還有「羞惡之心」，對惡會產生本能性的羞恥厭惡之情，正如若望的母親在得知自己殺害了兒子之後所產生的罪惡之情。從人心對善惡本能呈現的好惡之情中，孟子論證了人性本善。而此性乃是天之所與，從而為人性價值確立了超越的價值本原。

加繆從情感的必然呈現中，得出對人的存在而言並非一切都是虛無的結論，從而確認了即使在上帝之外，人亦有其自身存在所追求的價值與意義。但孟子卻更進一步，指出這樣一種人心對善的確認、對惡的排斥即是人性本善的體現，即是仁心本體的體現，不是一種價值「充足性」的真而本身即是一種價值原則先天性的體現。因此，同樣是體驗到了情感中所包含的某種先驗因素，即好善惡惡的價值原則，但加繆為何沒有探索出孟子的道路，這是一個值得探究的問題。但可以明確的是，加繆思想的終點處卻正是孟子思想探索的開端處。

以巴舍拉詩學對沈從文《湘行書簡》空間記憶交織的想像

陳慧寧

香港樹仁大學

一　前言

　　《湘行書簡》是一九三四年初，沈從文（1902-1988）因母親患病還鄉，行前向張兆和承諾，每天寫信報告沿途見聞[1]。信的內容可從兩方面顯示沈從文創作短篇小說的意願，一方面是當他貼近這些人之後的情感上的失落，有種難以撫平之前那許多描寫鄉下人生活與勇敢的欣慕嚮往。另一方面，我們可藉沈從文在《湘行書簡》中所描述的鄉下人形態以審視其在短篇小說裡對苗族人物生活方式的願景，這或可提供另一種通向沈從文筆下湘西小說人物與故事中鄉土文化生命形態轉變的思考。

　　《湘行書簡》書信體遊記在了解沈從文的生命經歷，體會湘西對於作家，較之《湘行散記》和《湘西》，別有一種吸引人的地方，筆者在閱讀中發現沈從文所遇到的人和事影響著他的創作和對生命的看法。因而透過《湘行書簡》的描述，我們恍然藉由一個個獨具個性的人物和故事，去建構沈從文「鄉下人」的生命形態。雖然只是沈從文在二十五天的搭船旅程中寫的約五十封的信，但畢竟是他在北京、上海、青島等地寫了這麼久的鄉下人之後，第一次跟鄉下人近距離的接觸。同時借用巴舍拉空間理論的相關觀念，從地志空間和社會空間兩個方面結合記憶問題，對沈從文「湘西」短篇小說的敘事方面進行了分析，在由書信和故事並置構成的文本空間中，沈從文展現了「我」在地志空間中的旅程，他在社會空間中的成長和體驗，刻劃了一位鄉下人知識分子的自我審視。

二　巴舍拉空間理論參照下的湘行記憶

　　福柯在《論其他空間》中提到「當下的時代將可能首先是空間的時代。我們處在同

1　這些信件及信中所附插圖，沈從文生前未公開發表。一九九一年由沈虎雛整理、編輯成《湘行書簡》，其中「引子」三函為張兆和致沈從文，「尾聲」一函為沈從文致沈雲六，餘下為作者回湘途中致張兆和的信。《湘行書簡》全文編入《沈從文別集‧湘行集》，於1992年5月由嶽麓書社初版，同年12月再版。參《沈從文全集》卷11，太原：北岳文藝出版社，2002年，頁108。

在性的時代：我們在並置、遠與近、並排、分散的時代。」[2]走向空間關係的文學批評可以使我們能夠用新的方式去解讀熟悉的文本。[3]我們知道小說的主題思想需要在情節的發展過程中展現出來，有的小說甚至有多條線索、多種矛盾相互交錯，要準確地理解作品的主題，必須理清作品的線索和情節。而透過分析情節，我們看到沈從文小說並不是處於封閉狀態！除了從情節的發展中把握人物形象之外，人物在事件發展的過程中，可以說很容易就往他方移動，他們隨著作者步伐，跑到夢與回憶的不同層面裡去。沈從文的小說經常借人物或故事談夢的願景，舉其在三十年代發表的《若墨醫生》為例，小說透過主人翁的觀察和感受，年輕人對生活的感覺是由於壓迫，由於處於無權地位而變得敏銳。藉夢本身給他們以支撐力量，能顯現出人物靈魂深處的東西來。離開了夢，就不知道人物怎樣活動，也就無法分析沈從文作為理想主義者對生活所形成的奇蹟[4]。因此，要了解人物性格，必須透過情節中發生的事情這種外在現象，去剖析現象背後的本質。沈從文小說中的情節，無疑與故事的關係密切，而他的故事又是鄉土生活中平凡簡單的人事貫穿起來而成就的。因此，為了更好的理解沈從文湘西故事創作現象的本質，從地志空間和社會空間兩個方面結合記憶問題來對《湘行書簡》在情節故事表達方面的作用進行分析，那自然是勢在必行了。

　　加斯東・巴舍拉（Gaston Bachelard）的《空間詩學》（*The Poetics of Space*）中有關空間的討論的是一系列空間方面的原型意象，所有人類對於這些空間意象都有類似模式，顯現個別面貌殊異的心靈反應。這種心靈反應總結在「住居空間作用之實感」中，而實體的房舍、家具與空間使用的需求，反而要在這些心靈反應的脈絡下，經過巴氏所謂的「場所分析」，才會顯現其現實意義的來源。但我們透過他所說的將想像聯結到童年誕生的家屋，以及在其中的幸福感的體驗，就像體驗到對世界的原初信賴感。[5]巴舍拉認為依據現象學的精神來看，我們應當走入日夢的想像中，走入醒覺卻脫離當下現實的日夢想像，投到這些原始意境中，而不是透過對別人的故事的分析來認識自己。

　　從地志空間的角度看，《湘行書簡》除了引子部分是張兆和致沈從文的三封信函，

2　Michel Foucault, "Of Other Spaces", trans. Jay Miskowiec, in *Diacritics*, Vol.16, No.1, 1986, p.22.

3　Phillip E. Wegner, "Spatial Criticism: Critical Geography, Space, Place and Textuality," in Julian Wolfreys, ed., *Introducing in the 21ˢᵗ Century*, 中國海洋大學出版社，2006年，頁191。

4　《若墨醫生》為紀念采真而作，小說除了懷念故友，作品的一個特點是傾倒出自己的信仰和個性，而不是創造別人的形象。相關資料可參看金介甫的《沈從文筆下的社會與文化》上海：華東師範大學出版社，1994年7月，頁64。

5　這種原初的信賴感不可能不建立在一種「受庇護」或「渴望在其中受庇護」的秘密心理反應上，雖然現實情狀可能並不盡如人意，但這種心理反應是跨主體的。對家屋地窖、陰暗角落中感受到的恐怖感和夜晚時分對黑暗、暴力的畏懼，恐怖空間體驗不一定跟個人過去的經驗或記憶有關，它只是一條導火線，藉以觸發個人內心深處「迴蕩」的感覺，而是產生樣式共通，但卻能引起樣貌各異的原型心理反應。參看加斯東・巴舍拉（Gaston Bachelard）著，龔卓軍導讀：《空間詩學》臺北：張老師文化事業公司，2016年7月，頁28。

其餘是記錄了沈從文的全部行蹤。[6]他之所以有這樣的湘西之行，是因為母親病危，匆匆趕回老家看望。這次回鄉行程歷時半個月，在一九三四年一月二十二日才到家。由於沈從文與胡也頻（1903-1931）、丁玲（1904-1986）曾是深交的朋友[7]，他為仗義執言發表過指責南京政府國民黨政府的文章，而當時江西紅軍有戰略轉移意向，湖南形勢緊張，他被家鄉當局視為「危險人物」[8]，因此只在家停留四天，就又匆匆離開了，而他的母親則在一個月後逝世。[9]

　　從一九三四年一月十一日到一月二十七日離開家鄉返回北平，沈從文每到一個地方，即給張兆和寫信，落腳行蹤：桃源上行→曾家河上行→纜子灣→鴨窠圍→楊家岨→辰州（沅陵）→瀘溪→鳳凰。無論是行船還是停船，在大自然的懷抱裡，甚至小船過險灘時遇險，都無阻沈從文在船上不停地給張兆和寫信。

　　在上述的旅程裡，涉及一些具體的地點，這些地點往往勾起沈從文對往事和個人社會關係的記憶。他似乎就如巴舍拉所說的「把自己放在一個夢的狀態裡去，把自己放在一個日夢的門檻上，把自己棲身在過去的時光裡。」[10]也就是說，沈從文的記憶往往是與地志空間聯繫著的，而且是在生活的事件中存在著情節與人物的關係。因此，就當他談論這個地方的時候，他就會唱起關於這個地方的思鄉曲，會寫下渴慕這個地方的詩句，就像一個戀愛中的人。[11]以〈在桃源〉信末附有沈從文在路上看到的一個有趣的貼子，他一字不改抄寫下來，當中可看到他組織故事的基本能力：

　　　　立招字人鍾漢福，家住白洋河文昌閣大松樹一右邊，今因走失賢
　　　　媳一枚，年十三歲，名曰金翠，短臉大口，一齒突出，去向不明。
　　　　若有人尋找弄回者，賞光洋二元，大樹為證，絕不吃言。謹白。[12]

　　這個以說故事的語氣交代走失賢媳的樣貌和獎賞的方式，除了符合沈從文「為了自己想弄明白文字的分量，他得在記憶裡收藏了一大堆單字單句。他這點積蓄，是他平時處處用心，從眼睛裡從耳朵裡裝進去的。」[13]他並且留意到簡短的尋人廣告，兩次提到「樹」帶給他的驚喜。因此，大松樹幾乎散發著一股吸引力，它為人物蘊集了它所庇護

6　各信標題，除〈小船上的信〉為原有外，其餘原無題，皆為整理者所擬。同註1。

7　關於沈從文和丁玲、胡也頻的友誼，最好的參考資料見沈從文〈記丁玲〉。

8　這裡指的是沈從文曾牽連到胡也頻被捕和死難的事件中，參考〈記丁玲〉和〈記胡也頻〉，收入《沈從文全集》卷9，2002年12月，頁52-98，

9　參看吳世勇編：《沈從文年譜》天津：天津人民出版社，2006年6月，頁146。

10　同註5，頁29。

11　這是巴舍拉以威廉・卦楊（William Goyen）的著作《氣息之屋》（La maisond' haleine）談到白日夢引導我們到無以名狀、難以定位的存有區域，這種狀態是我們在生命當中，被驚奇的事物所擄獲的時刻。同註5，頁128。

12　見《沈從文全集》卷11，太原：北岳文藝出版社，2002年12月，頁116。

13　〈談創作〉《沈從文全集》卷17，太原：北岳文藝出版社，2002年12月，頁197。

範圍的內在的存有〔巴舍拉語〕。而重要的是，就在這樣的背景之上，人文的意涵，生長了出來。位於他方，不管是時間或是空間，都孕育著一種非現實感。這對沈從文而言，在在提供了巴舍拉所說的「空間癖」（topophilia）[14]的根源。或許也能想像沈從文在回憶之外，直探他湘西旅程的夢境，在這種前記憶的狀態裡，他試圖會問自己：是否曾經存在的東西，真的存在？是否種種的事實真的具有回憶所賦予它們的意涵？[15]我們有理由相信作為理想主義者的沈從文，藉日夢寄託人性深層的價值。彷彿日夢甚至擁有自我調整價值的殊榮，它從自身存在獲得樂趣。[16]因而也可以理解沈從文如何透過湘西重新構成那些讓他體驗日夢的處所。

　　《湘行散記》和《湘西》內容讓我們可以看到被啟蒙的鄉村平凡人物，相當程度是以地志空間與人物的生活體驗相關，作家藉此熟悉的具體地點，引起對人物的回憶和聯想。並且理解新文學之所以擔當文化啟蒙的責任，而蒙昧的民眾就成為文學的文化批判、啟蒙和救治的對象。張新穎認為「如果按照這樣一個大的文化思路和文學敘事模式，沈從文湘西題材作品裡的人物，大多應該處在被啟蒙的位置，但沈從文沒有跟從這個模式。他似乎顛倒了啟蒙和被啟蒙的關係，他的作品的敘述者，和作品中的人物比較起來，並沒有處在優越的位置上，相反這個敘述者卻常常從那些愚夫愚婦身上受到『感動』和『教育』。」[17]我們會在下文談到社會空間時，看沈從文如何以說故事人的身分向讀者展示「湘西」人物被啟蒙的一面。而沈從文小說的敘述者，常常又是與作者統一的，或者就是同一個人。同時，為了更好的表達人性，沈從文安排去辰州前停泊的小水村邊的岸上翠色和碰到的人面，聯想到作品《柏子》人物情節的取材及個人生活的看法：

> 我們的小船已停泊在兩隻船旁邊，上個小石灘就是我最歡喜的吊腳樓河街了。……這種河街我見得太多了，它告我許多知識，我大部提到水上的文章，是從河街認識人物的。我愛這種地方、這些人物。他們生活單純，使我永遠有點憂鬱。我同他們那麼「熟」——一個中國人對他們發生特別興味，我以為我可以算第一位！……我多愛他們，五四以來用他們作對象我還是唯一的一人。[18]

---

14 同註5，頁55。

15 巴舍拉認為遙想的回憶，只會藉由給予事實以幸福的意涵、幸福的光暈，來召喚它們。一旦這種意涵被抹除之後，這些事實也就蕩然無存。它們真的存在過嗎？某些非現實的東西，悄悄的滲入回憶的現實當中，而回憶其實是處於我們個人歷史和無以名狀的前歷史之間的灰色地帶，恰恰是在這樣子的一個灰色地帶，跟隨我們的腳步，童年的家屋走進了我們的生命來。巴氏尚且覺得威廉·卦楊（William Goyen）讓我們理解到在我們之前，童年的家屋其實無以名之。它是被失落在世間的一個地方。因此在我們空間的門檻上，在我們時間的斷代之前，我們其實是在對存有的取得與存有的失落之間徘徊。同註5，頁128-129。

16 同註5，頁68。

17 張新穎：《沈從文九講》北京：中華書局，2015年9月，頁96。

18 同註12，〈河街想像〉，頁132。

韋斯利・A・科特（Wesley A. Kort）在《現代小說中的地方和空間》文章中總結了巴舍拉關於記憶與空間關係的看法，他認為：

> 巴什拉的基本觀點……是，記憶負載著連續感、身分和個人生活的價值等所有含義，與其說它們具有時間特性，倒不如它們更具有空間特性。[19]

或者可以說，沈從文在湘西流域遇到的人和事，促使他欲透過作品展現的主人公的故事，明顯地也表現了空間特性。而且，記憶充斥著他對這些人物在地志空間的生活形態，表現了他於歷史智慧情懷的關注與感動，他曾經表示：

> ……一本歷史書除了告我們些另一時代最笨的人相斫殺以外有些什麼？但真的歷史卻是一條河。從那日夜長流千古不變的水裡石頭和砂子，腐了的草木，破爛的船板，使我觸著平時我們所疏忽了若干年代若干人類的哀樂！我看到小小漁船，載了它的黑色鸕鶿向下流緩緩劃去，看到石灘上拉船人的姿勢，我皆異常感動且異常愛他們。我先前一時不還提到過這些人可憐的生，無所為的生嗎？……這些人不需我們來可憐，我們應當來尊敬來愛。他們那麼莊嚴忠實而生，卻在自然上各擔負自己那份命運，為自己，為兒女而活下去。不管怎麼樣活，卻從不逃避為了活而有的一切努力。他們在他們那份習慣生活裡、命運裡，也依然是哭、笑、吃、喝，對於寒暑的來臨，更感覺到這四時交替的嚴重。[20]

沈從文多年以後在文章中除了提供了一個看待他作品的方法之外，這種在文本空間呈現的人文關懷和鄉土的愛，在由他作為湘行全知敘述者敘述的回憶中摻入到了小說敘述者對作品人物和人物關係的評論。他說自己結合了對陌生人溫暖的回憶以及對生命極度困頓的描述，是為了創作出一種故事，將日常生活的艱辛掩藏在美麗與童話般的寧靜之下。因此，他在《邊城》讓煤油店的老闆搖身一變為船夫：「我讓他為人服務渡了五十年船。並把他的那點善良好意，擴大到我作品中，並且還擴大到我此後生命中。」[21]

在一九三八年第二次回沅陵時寫給張兆和的信中，沈從文對陌生人的回憶及對其生命困頓的描述比之前的感動更為濃郁：

> 這裡黃昏實在令人心地柔弱。對河一帶，半山一條白煙，太美麗了也就十分愁人。家中大廚子病霍亂一天，即在醫院去世，今天其父親趕來，人已葬了，父親即住在那廚子住的門房裡，吃晚飯時看到那老頭子畏怯怯的從廊子下邊走到廚房

---

19 Wesley A. Kort, *Place and Space in Modern Fiction*, Gainesville, FL: University Press of Florida 2004, p.167.

20 同註12，〈歷史是一條河〉，頁188。

21 沈從文：〈一個人的自白〉，《沈從文全集》，卷27，頁17。

去，那種畏怯可憐印象，使我異常悲憫。那麼一個父親，遠遠的跑來，收拾兒子一點遺物，心中淒涼可知。尤其是悲哀痛苦不能用痛苦表現，只是默默的坐在那門房裡，到吃飯時始下廚房去吃飯。同住的是個馬夫，也一句話不說，終日把他的煙管剝剝敲房枋。小五哥一走，天又下雨，馬像是不大習慣，只聽到在園中槽口上打噴嚏。園中草地已綠成一片。[22]

這裡描述了一個父親思念去世兒子的形象，門房「迴蕩」〔巴舍拉用語〕著淒涼落寞的孤單氛圍。可以說在地志空間，人物居住和生活過的地方同人物個人的成長和家庭的生活狀況、個人的身分有著密切的聯繫。這一點取材於湘西地方人事作為寫作素材有著不少具體事例：

……出城時即可見到一片江水，流了多久的江水！稍遲一點過渡，還可看到由對河回來的年輕女子，陪了過往客人睡了一晚，客人準備上路，女人準備回家。好幾次在渡船上見到這種女子，默默的站在船中，不知想些什麼，生活是不是在行為以外還有感想，有夢想。誰待得她最好？誰負了心？誰欺她騙她？過去是什麼？未來是什麼？唉，人生。每個女子就是一個大海，深廣寬泛，無邊無岸。這小地方據說就有五百正規女子，經營這種事業。這些人倘若能寫，會有多少可寫的！[23]

由上述對陌生人這股沒來由的悲憫，可以想見沈從文對娼婦回家從對河走來，經過沉默的凝望，夢想的期待與生活的落魄，都能觸動他的脈搏，帶給他寫作的原材料。我們因此容易看到小說透過家屋意象的描寫（以小說經常出現的吊腳樓），使讀者感受到一種氛圍，陷入切身的想像中，恍惚之間，神思已走向一個親人的房間。[24]

誠如經過某種意象的衝擊，而興發出一種存在上的改變，深深打動了沈從文。於是，如巴舍拉所說處在迴蕩的震撼之中，依據自己的存在處境而訴說詩意。[25]沈從文覺得特別是靜默時的生命，形式是由他過去認識的和當前的如出一轍。之所以格外沉重，

22　沈從文：「致張兆和」，《沈從文全集》卷18，頁307。

23　《沈從文全集》卷18，頁310。

24　同註5，頁22。

25　從巴舍拉的觀點來看，對於某個意象所產生的共鳴，比較接近精神上的奔放狀態，比較接近知性上的聯想，而不是存在上的整體震撼，當我們經過某種意象的衝擊，而興發出一種存在上的改變，「就好像詩人的存在就是我們的存在」，這時候，詩歌和意象就徹底占領了我們，深深打動了我們的靈魂，讓我們受到感動，於是，我們處在迴蕩的震撼之中，依據自己的存在處境而訴說詩意。我們會以為自己體驗過這種詩意，甚至以為自己創造過這種詩意，有了這種深切的感動之後，所謂的共鳴才會接著出現，在發生共鳴和情感的反響之中，我們的過去被喚醒，我們把自己過去的相關經驗跟小說和詩歌意象的典型特質，在知性上發現到這些特質其實潛存我們過去的許多生活經驗脈絡中。同註5，頁23。

異常痛苦，也是因為這種發現造成。而這種他認為拙劣的處世的「巧」，是只有在接觸下層人民時，才能表現出來，並且充滿了悲憫同情。「我是從小就在各種窮困中活過來的人，某些方面更容易對他們感到一種親切的愛。對於他們的喜怒哀樂，也更貼心一些。」[26]湘西流域或農村以一種在生長中的生命形式，某個程度反映了他對地方生活的「與人無爭」和「為而不有」的道家影響。並且肯定了生命離奇經驗，其實和地方生活、獨立人格的生成過程的深厚聯繫。[27]這與論者評論羅蘭·巴特的想像世界，出現了好壞兩種意象的表述是相同的。好的意象放縱在這個想像世界是一個有魔力的詞語，它充滿了個人與文化的記憶，在這個世界中，形式如波濤一般前行，包括身體的形式、自我的形式、人們閱讀、渴望以及書寫的短語的形式，還有生存現實的形式。[28]我們似乎可將沈從文強調的生命形式看作拉康式的想像世界中最卓越時刻的「鏡像期」。[29]亦如吊腳樓充滿了沈從文個人與文化的記憶和傳奇的混合體，「都有一種不可測的夢境深度，而個人的過往會為這個夢境深淵添加特別的色彩。」[30]

三　以巴舍拉「迴蕩」引向湘西記憶深處

加斯東·巴舍拉（Gaston Bachelard）空間詩學的一個重要概念「迴蕩」，它聯繫個體隱喻下心靈的聲音，是一種引向記憶深處的聲音。書信固然容不下曾經喚醒沈從文成長記憶中不能缺少的歌聲人語，而沉浸在這個來自吊腳樓的聲音能讓他朝向夢境，而非完成夢境，就像巴舍拉所說的是一種「秘密的方向（orientation）」[31]。巴舍拉認為：「談到我童年的家屋，我只需要把我自己放在一個夢的狀態裡去，把我自己放在一個日夢的門檻上，要我讓自己棲身在過去的時光裡。那麼，我所有該說的就已經足夠。因此我可以想望我所寫的文章，能夠擁有真實而響亮的鈴聲，這個聲音在我內心深處，是那麼的遙遠，而當我們走向記憶的深處、記憶的極限，甚至超越了記憶，走進了無可記憶

---

26 《沈從文全集》卷26，頁92。

27 沈從文：〈復黃靈——給一個不相識的朋友〉卷18，頁449。

28 帕特里齊亞·隆巴認為當想像世界暗世出固定依附於一個意象時，它就是一個負面價值，當它是一個來來往往的意象領域，像一個在變幻莫測的舞蹈編排中跳舞的舞者時，它才是積極的價值。他覺得巴特對自我與形象的關聯很感興趣。同時，他用自己來衡量所有一切，也就是說，用他自己的寫作來衡量，而且他還賦予精神對象或者是理論概念、實體對象或者現實形式以同樣的認知價值。見其《羅蘭·巴特的三個悖論》上海：華東師範大學出版社，2017年8月，頁111。

29 拉康認為遠在一個嬰孩能在語言中識別自我之前，遠在能使用語言之前，它就能夠認得自己在鏡子中的影像。見其《我的功能的形成之鏡像階段》。

30 加斯東·巴舍拉（Gaston Bachelard）著：《空間詩學》臺北：張老師文化事業公司，2016年7月，頁99。

31 同上註。

的世界裡，我們都會聽到這遠遠傳來的聲音。我們彼此所交流的，只是一個充滿秘密的方向（orientation），而我們無法客觀地說明這個秘密。凡是秘密的東西，不會完全是客觀的。」引導沈從文朝向記憶的深處、記憶的極限，甚至超越了記憶，成為沈從文生命的一部分，而無法客觀的說明。[32]

在這次往返湘西途中，沈從文為免張兆和擔心，事先約好「每天必寫一兩個信」，把路上所見到的「一切見聞巨細不遺全記下來」。因此，路上他前後共給張兆和寫了幾十封信札，記下了沿途的見聞。沈從文帶有一套彩色蠟筆，透過彩畫，嘗試畫出途經小河兩岸的輪廓，但他認為湘西景色最迷人之處莫過於聲音、顏色和光，這是他所看到的大自然環境與人和諧相處的美好光景，引發他對人事關係的審視和對個人經歷及家庭歷史的回憶，引起他進一步對湘西社會問題和都市文明的觀察和聯想。可以說沈從文故事中的人物和對環境思考的問題均可歸為小說中社會空間的原有型態，他的「湘西」小說的基調在空間方面有很充實的表現。

《湘行書簡》描述的空間展現了沈從文小說創作所在的社會空間的雛型，這個社會空間容納了他最關心的問題，而其中之一是水手的問題，任何涉及水手的生存空間，或面對惡劣環境的態度，又或是生活上的人際關係，無論說野話、與人交涉，都給沈從文帶來無限興趣，這就是為什麼他不只一次說過「我正想回北平時用這些人作題材，寫十個短篇」的話。另外，沈從文關心的是湘西生活中的人物和他們經營的事業，也兼及屬於鄉村一帶的歌聲或說話，「這是桃源上面簡家溪的樓子，全是吊腳樓！這裡可惜寫不出聲音，多好聽的聲音！這時有搖櫓唱歌聲音，有水聲，有吊腳樓人語聲……」[33]當然，聽到隔船有人說話，或是想像水聲纏綿，都有助於沈從文沉思在個人主觀而充滿秘密的方向，這個秘密方向就是如何把自己講述的故事推遠，成為一個傳奇。[34]他還嘗試以對話形式帶出這秘密的場景，「你聽，水聲多幽雅！你聽，船那麼軋軋響著，它在說話！它說：「兩個人儘管說笑，不必擔心那掌舵人。他的職務在看水，他忙著。」[35]又在另外的信中寫到這種天籟祥和的聲音是如何使人動容，「又聽到極好的歌聲了，真美。這次是小孩子帶頭的，特別嬌，特別美。你若聽到，一輩子也忘不了的，簡直是詩。簡直是最悅耳的音樂。」[36]沈從文以為到這樣的地方使人感動，也嘗試透過描述讓

---

32 同註30，頁75。

33 沈從文在致張兆和的信〈在桃源〉中附有插圖底下的文字，見《沈從文全集》卷11，頁118。

34 吳曉東認為沈從文講述的那些陌生和新奇的湘西故事，必然給他們造成一種遙遠感，這種遙遠感一方面來自湘西偏僻的地理環境和獨特的地域文化，另一方面則來自於讀者聽故事的心態，他們本來就在期待聽到一個傳奇。而從普泛性的意義上說，人們聽故事時的心理預期都是想聽到一個新鮮離奇的事件，否則就會大失所望。見〈從「故事」到「小說」──沈從文的敘事歷程〉，載於《中國現代當代文學研究》，中國人民大學複印報刊資料，2011年7月。

35 〈小船上的信〉，同註33，頁122。

36 〈河街想像〉，同註33，頁133。

張兆和感覺他現在所感覺到的種種視覺印象和聲音，所以特地將這些細節，一一加以描述：

> 我還聽到唱曲子的聲音，一個年級極輕的女子的喉嚨，使我感動得很。我極力想去聽明白那個曲子，卻始終聽不明白。我懂許多曲子。想起這些人的哀樂，我有點憂鬱。因這曲子我還記起了我獨自到錦州，住在一個旅館中的情形，在那旅館中我聽到一個女人唱大鼓書，給趕騾車的客人過夜，唱了半夜。我一個人便躺在一個大炕上聽窗外唱曲子的聲音，同別人笑語聲。[37]

途中在小船上被號音弄醒，也想起許多舊事，甚至希望張兆和和他一樣從聲音的美與淒涼中得到體悟，藉意象讓內心「迴蕩」對記憶的嚮往。

我們知道沈從文在《湘行書簡》體悟到的聲音與人物，維繫於某個世界，並通過「展示行動」來建構故事形態，與吊腳樓地方或場所有著內在的關聯。英國建築學家安德魯・巴蘭坦（Andrew Ballantyne）認為：

> 我們在不同的環境中一般都會有不同的舉動，這種不同並不是刻意而為。當處於熟悉的環境中時，我們知道應該怎樣行事。我們對待非常熟悉的人的方式與對待陌生人的方式也有所不同，在公共交通工具上坐姿與在自家沙發上的坐姿也截然不同。[38]

誠然，空間與人物性格及其所導致的行動之間有內在聯繫，這可以從沈從文的信中內容看到空間、人物與故事的關係：

> 這人曾當過兵，今年還在沅州方面打過四回仗，不久逃回來的，據他自己說，則為人也有些胡來胡為。賭博輸了不少的錢，還很愛同女人胡鬧，花三塊錢到一塊錢，胡鬧一次。他說：「姑娘可不是人，你有錢，她同你好，過了一夜錢不完，她仍然同你好，可是錢完了，她不認識你了。」他大約還胡鬧過許多次數的。他還當過兩年兵，明白一切作兵士的規矩。身體結實如二小的哥哥，性情則天真質樸。每次看到他，總很高興的笑著。即或在罵野話，問他為什麼得罵野話，就說：「船上人作興這樣子！」便是那小水手從水中爬起以後，一面哭一面也依然在罵野話的。[39]

在回憶勞作辛苦的遙遠過去的時候，在想像那些如此平庸通俗而又如此單調頑強的勞動

---

37 〈夜泊鴨窠圍〉，同註33，頁153。

38 安德魯・巴蘭坦（Andrew Ballantyne）著，王貴祥譯：《建築與文化》北京：外語教學與研究出版社，2007年，頁155-156。

39 〈灘上掙扎〉，《沈從文全集》卷11，頁171。

者的形象的時候，在燈光下閱讀和沉思的時候，沈從文所關注的是湘西人們的生活，就是準備像一幅畫中的唯一人物那樣的生活。[40]而蕩漾在記憶深處的沈從文，所感動和思考的這些人的生活均可歸為社會空間和問題。列斐伏爾（Henri Lefebvre）在《空間的生產》認為：「任何空間都暗指、包含和掩飾種種社會關係。」[41]以下我們將會看到沈從文後來的記憶展現他所在的社會空間，以及反映城鄉的社會問題，感情細膩的他是如何透過原生態的故事創生語境，並與都市讀者拉開了審美距離。[42]

> 這種河街我卻能想像得出。有屠戶，有油鹽店，還有婦人提起烘籠烤手，見生人上街就悄悄說話。街上出錢紙，就是用作燒化的，這種紙既出在這地方，賣紙鋪子也一定很多。街上還有個小衙門，插了白旗，署明保衛團第幾隊，作團總的必定是個穿青羽綾馬褂的人。這種河街我見得太多了，它告訴我許多知識，我大都提到水上的文章，是從河街認識人物的。我愛這種地方、這些人物。他們生活的單純，使我永遠有點憂鬱。[43]

上述的感觸在往後寫信和回憶的「迴蕩」中逐步展現沈從文在社會空間中的種種關係和尷尬處境[44]，這些社會關係包括他的成長和故事的關係。這包括在《湘行書簡》中，多處記述了引起他寫作的源頭——水的記憶，「我讚美我這故鄉的河，正因為它同都市相隔絕，一切極樸野，一切不普遍化，生活形式生活態度皆有點原人意味，對於一個作者的教訓太好了。我倘若還有什麼成就，我常想，教給我思索人生，教給我體念人生，教給我智慧同品德，不是某一個人，卻實實在在是這一條河。」[45]

---

40 加斯東・巴舍拉（Gaston Bachelard）著，杜小真、顧嘉琛譯：《火的精神分析》鄭州：河南大學出版社，2016年10月，頁260。

41 Henri Lefebvre, *The Production of Space*, trans. Donald Nicholson-Smith, Oxford, UK: Basil Blackwell, 1991, pp. 82-83.

42 同註35。

43 〈河街想像〉，同註33，頁132。

44 沈從文在八十年代寫給作家徐盈的信，談到鄉村人民生活簡樸單純，回憶感歎環境與人事的物是人非：「我在廿四年寫《湘行散記》所享受的風雪種種，以及辰河中百十隻攏岸船隻形成的亂糟糟熱鬧氣氛，全都不容易再見到了。即在沿河小村鎮市集時的熱鬧，如接近鳳凰十里『長寧哨』，或依舊還保留點原狀，可以利用。但那裡已全是苗人，且到處將不免被穿『幹部服』的新式人物影子所破壞，以至於到唱歌時，也會成為流行電影明星大會串式合唱所淹沒……我估計的受時間影響失去的，肯定還不止這些。即留下的自然景物，部分雖不易變化，但成為公式新型紅磚建築（一排排既不適用，又不美觀的玩意，卻必然到處存在，就使人毫無辦法處理它），將會要想盡方法避開，也避不開。」《沈從文全集》卷26，頁4。

45 同註39，頁172。

四　吊腳樓的「雕像」意義

　　「吊腳樓」帶給沈從文這個燈下工作者最初雕像的任何記憶，他雖不學畫，但所選擇的人事，常如一幅突出的人生活動畫圖，與畫家所注意的相暗合。正如沈從文調動了一切官能很貪婪的接近他所謂的小事情，他的這種心態的展現似乎和巴舍拉的想法相近。[46]而沈從文心中「吊腳樓」的「雕像」恍如就如巴舍拉所說的「如若我能在我的『最初的』雕像中的一座或另一座中找到我自己，那我會工作得更好。」[47]

> 　　……我至多明天就可到柏子停船的地方了……。因為柏子上岸胡鬧那一天，正是飛毛毛雨的日子。那地方是我第一次出門離家，在外混日子的地方，悄悄地翻一個書記官的辭源，三個人各出三毛四分錢訂申報，皆是那個地方。我最後見到我們那個可憐的爸爸，我小時節他愛我，長大時他教我的爸爸，也就是這個地方！這地方對我是太有意義了。我還穿過棉軍服，每天到那地方南門口吃過湯圓，在河街上去鑒賞賣船上的檀木活車、鋼鑽、火鐮等等寶貝。我的教育大部分從這地方開始，同時也從這地方打下我生活的基礎。一個人生活前後太不同，記憶的積累，分量可太重了。[48]

對沈從文而言，吊腳樓河街的意象，似乎「充當了森林茅屋，他庇護著我免於挨餓受凍；而如果我有所顫抖，那麼，一定是由於幸福安康的緣故。」[49]而他對在吊腳樓生活的人們有著不可言說的溫暖。《湘行書簡》記錄了船在這裡停泊的地方，插入了對水手的評價，這個評價可以看到沈從文對身上毫無分文的水手純真的性情和會說故事的天分。縱使在漫長的生活中，畫面發生了千百種變化。但是，它保持著自己的統一，它的中心生活。現在，這成為一個經常的形象，回憶與返想在其中被建立。[50]「船上那開過小差的水手，若誤會了我箱中的東西，在半唱過『過了一天又一天』之餘，也許真會轉念頭來玩新花樣的。」[51]在他看來，故事環繞在辰河流域吊腳樓展開，「那水手已拿了我一串錢，上吊腳樓吃鴉片煙去了。他等等回來時，還一定同我說到河街吊腳樓，同大腳婆娘燒煙故事的。」[52]面對此時此景，沈從文浮想聯翩，又一次咀嚼著人生的苦味：

46　「在千百次回憶中都對我都是有價值的，對所有人都是有價值的，至少，我想像這座雕像。我肯
　　定，繪畫並不需要傳說。人們不知道燈下工作者想什麼，但卻知道他在思考，他獨自一人在思考。
　　最初的雕像標誌著一種孤獨，標誌著一種孤獨類型的特點。」同註40，頁261。

47　同上註。

48　〈泊楊家岨〉，《沈從文全集》卷11，頁174。

49　同註30，頁96。

50　同註40。

51　同註48，頁176。

52　同上註。

那種聲音與光明，正為著水中的魚和水面的漁人生存的搏戰，已在這河面上存在了若干年，且將在接連而來的每個夜晚依然繼續存在。我弄明白了，回到艙中以後，依然聽著那個單調的聲音。我所看到的彷彿是一種原始人與自然戰爭的情景。那聲音，那火光，都近於原始人類的戰爭，把我帶回到四五千年那個「過去」時間裡去。[53]

由此可以看到，沈從文湘西小說就是由最初營造的原生態的故事創生語境開始，這種說故事的心態從接受美學的意義上而言，確實幫助了文本詩意的生成。誠如王德威指出的那樣：「詩意的生成不在於沈從文聲稱他的故事有其傳記上的可信性，也不在於他對田園牧歌式的人物和意象的顛覆，而是在於故事的敘事對話狀況。」[54]這就是講故事人刻意營造的「湘西」系列文本中封閉環境帶來的詩意效果。而若在《湘行書簡》抽取某個軸心出來以深入到沈從文的傳奇當中，吊腳樓似乎成為了傳奇的軸心。

在《湘行書簡》抽取出來的片段裡，我們看到吊腳樓似乎成了沈從文描寫水手居住活動運作方式的軸心根柢。這是人文建築之中最簡單的形式，而這種根柢要存在，並不需要太多的枝節分岔，事實上，它單純到不再屬於沈從文的記憶，而已經變成了傳奇。我們從湘西敘事作品中了解到吊腳樓對沈從文的意義，可以舉巴舍拉藉昂力・巴舍連（Henri Bachelin）為例，當談到「茅屋」意象時，正是想像力把它們銘刻在記憶中，同時把我們導引到一種極端的孤寂狀態。這個「茅屋之夢」，對於任何珍視原始家屋傳奇意象的人來說，即如吊腳樓意象的真相對於沈從文，必須來自它的本質當中的張力，這種張力也就是「居住」（habiter）這個動詞的本質所在。[55]

五　結論

從文本空間的角度看，《湘行書簡》主要是由五十封信構成的。[56]進一步細讀這些信件，可以清楚地看到沈從文在寫信的過程中，往往多次穿插回憶和聯想。我們應該看到，在上述的地志空間、社會空間與故事組成的作品裡，這兩種空間並非是截然分開

---

53 《湘行散記・鴨窠圍的夜》。

54 王德威：《批判的抒情——沈從文的現實主義》，收入劉洪濤，楊瑞仁編：《沈從文研究資料（上、下）》天津：天津人民出版社，2006年6月，頁873。

55 「巴舍拉比那些夢想著要逃到遠方的做夢者來得幸福，因為他發現，茅屋之夢的根柢，其實就在同一棟家裡。他只消幾筆勾勒出家屋客廳的場景，只須在夜晚的靜謐中聆聽爐火的咆哮，對比著家屋外頭不斷吹襲的冷風，我們就可以知道，在這棟家屋的軸心裡，在燈火所投射出來的光亮之環中，他正活在家屋的環抱之中，他正活在史前時代人類的原始茅屋中。如果我們想要了解當中的細節，要了解種種棲居場所之間的層級關係，要了解所有我們用以活化我們私密感日夢的種種意象、那麼，我們會看到千百種的棲身之所，彼此接壤、相連。」同註30，頁96。

56 書簡內容還包括引子為張兆和致沈從文的三封信，在尾聲另附有沈從文致沈雲六的一封信。

的，而是相互聯繫著的，而巴舍拉空間理論的一些概念恰巧能提供審視沈從文書簡的文化生態下夢與回憶的意義。透過人物生活在一定的地志空間和社會空間當中，人物所處的社會空間不可能脫離地志空間單獨存在。在這個由記憶和故事並置構成的文本空間中，沈從文在《湘行書簡》通過寫信和帶些說故事性質，展現了他在地志空間中的旅程和他在社會空間的思維與體驗，刻劃了一位現代知識分子的自我審視，尋味將「蘊藏的熱情」和「隱伏的悲痛」轉化為對湘西下層人生形式的詩意描述，並隱藏在那些看似平淡的細節背後。

澳門近代經濟發展與教育

鄭潤培

澳門大學教育學院

　　每個地區的教育發展與該區的經濟情況都有密切的關係。回歸前，澳葡政府對澳門本地的教育甚少支援。對占居民人口大多數華人的教育，採取放任的態度，使澳門教育形成以私立教育為主，多元課程的一套獨特辦學模式。直至一九八七年中葡聯合聲明簽訂後，澳葡政府為了解決澳門回歸後管治人才不足的問題，才開始對教育加大投資。本文試從澳門經濟發展的角度來分析澳門教育的歷史發展。

一　古代澳門經濟發展概況（遠古至 1849）

　　澳門原屬香山縣的一條小漁村，人口不多。由於澳門地理位置優越，位於中國東南部沿海地區，接近中國大城市廣州，加上澳門能為北上的貿易船作為中途站，占有了優良的航行地理位置，而且澳門水域風平浪靜，為中國對外貿易的提供有利條件，所以葡人東來，便以該地作為貿易基地。[1] 自葡萄牙人占領後，澳門逐漸成為中國對外通商的口岸，也是西方各國在東方進行貿易的中轉港口。自明朝中葉起，對外貿易開發迅速發展，其中以一五五七至一六四一年為澳門對外貿易的全盛時期。[2]

　　縱觀澳門歷史，從澳門開埠到十八世紀二〇年代，在澳門經濟中占主導地位的，主要是具有一定壟斷性的轉口貿易，澳門實際上也處於一種特殊轉口港地位。這種特定形式的轉口貿易一直是澳門最基本、最重要的經濟活動形式。澳門經濟的興旺、凋落，也完全以這種轉口貿易的盛衰為轉移。明代澳門的這種轉口貿易，以澳門在中國對外貿易中特殊地位以及葡萄牙擁有的海上霸權為條件，使澳門基本壟斷了中國——印度果阿——葡萄牙里斯本、中國——日本長崎、中國——菲律賓馬尼拉——墨西哥——秘魯這三條航線中國一方的轉口貿易，成為遠東最重要的國際貿易港口。自一五八〇年至一六三六年的五十餘年，葡萄牙商人獲取的利潤率為百分之一百五十。[3] 在巨大轉口貿易利益的帶動下，澳門整體經濟也處於高度繁榮之中。到明末清初，隨著荷蘭的興起，葡

1　王寅城，魏秀堂：《澳門風物》珠海：珠海出版社，1998年，頁237。

2　《澳門史略》香港：中流出版社，1988年，頁77。

3　鄧開頌、謝后和：《澳門歷史與社會發展》珠海：珠海出版社，1999年，頁45。

葡牙海上霸權的喪失，明末末清初時期的中國政治動亂以及清初的遷海禁海，澳門失去了原有的優越條件，曾經擁有的貿易航線逐步易手。由於轉口貿易的式微，整體經濟也趨於衰落。但在一段時間內，以轉口貿易為帶頭行業的格局未變。到一七一八年清廷獨許在為葡人從事南洋貿易，澳門又獲得了一定的特權條件，壟斷了中國與南洋之間的轉口貿易。整體經濟也一度恢復了短暫的繁榮。到一七二三年，清廷調整政策，重新允許中國商民對南洋的貿易，再加隨後的四口通商，澳門原來享有的特殊優惠條件已喪失殆盡，以轉口貿易為帶頭行業的整體經濟也陷入貧困的境地之中。[4]

二　早期經濟與教育發展

（一）經濟發展使人口增加，帶來教育需求

　　隨著澳門貿易的發展，澳門人口有所增加。一五六三年，澳門總人口數為五千人，其中華人有四千一百人，葡藉有九百人。[5]據黃鴻釗整理一五六四至一六一三年在澳門的葡國成人有一萬。學者湯開建進一步分析當時葡人的數量，指出在一五六五年有葡人九百人，如果以每葡人蓄奴六至十名來算，則九百名葡人蓄奴總數大致有五千至一萬人。[6]

　　葡人居留在澳門，主要目的是為了貿易。當澳門的貿易地位下降，經濟轉差時，人口便隨之下降。在一五七三至一六四四年的七十二年間，澳門國際貿易流入的白銀達一億元。除商業貿易外，還有鑄炮廠、船廠和軍械火藥生產。經濟發展，使澳門人口上升，其後在一六六一年清廷頒布遷海令，使澳門猶如一個孤島，取消遷海令後，在一七二五年嚴格控制葡國的船隻為二十五艘，使貿易不前，形成澳門人口下降。一七五一年，葡人約占三千五百人。一八三〇年，在澳門葡人約有四〇四九人。[7]在澳門居留的葡人時有增減，但隨著他們在澳門活動的時間長久，留在澳門的葡人及土生葡人總有一定數量，教育的需求自必增加。

（二）由傳教發展至商業需要

　　一五八四年以後，由於利瑪竇成功進入中國的經驗，影響到以後凡準備進入中國、日本、越南傳教的，必須先到澳門學漢語，這差不多成為習慣。而到了十六世紀八〇年

4　楊道匡、郭小東：《澳門經濟述評》澳門：澳門基金會，1994年，頁149。

5　黃啟臣：《澳門通史》廣州：廣東教育出版社，1999年，頁9，〈1555-1997年澳門人口變動統計表〉。

6　湯開建：《澳門開埠初期史研究》北京：中華書局，1999年，頁261。

7　鄭天祥、黃就順、張桂霞、鄧漢增：《澳門人口》澳門：澳門基金會，1994年，頁26。

代初，日本方面的傳教活動基本上相當蓬勃，教區的不斷擴張和信徒的數量增長，成就頗為矚目，信徒接近三十萬人。這時候，范禮安漸漸意識到澳門的重要性與日俱增。它不但是葡人遠東貿易的中心，而且是歐洲商人及教士前往日本的歇息地，也是進入幅員廣大的中國的通道入口。一五九四年，耶穌會會長魯德拉斯（Antonius de Luadros）批准了范禮安的計畫，准許聖保祿公學升格，並特別派了三位教士來澳門主理其事。一五九四年十二月一日，聖保祿學院（Colegio Sao Paulo）正式註冊成立。這所高等學校，是為了傳教事業與葡國外交事務和商業事務的拓展，為了應付急需懂漢語人才而在澳門開辦的。

　　澳門聖保祿學院的課程設計獨特，課程目標是適應中國傳教的需要。它的課程，開始時也是單科獨系的。以培養傑出的傳教士。課程內容分為三個大類別：人文科：漢語、拉丁語、修辭學、音樂等；哲學科：哲學、神學；自然科：數學、天文曆學、物理學，醫藥學等。並採取不同的教學模式。[8]其後因應環境轉變，貿易需要的考慮，對商業內容的需求越來越多。為響應遠東地區對商業活動和商業行業的特殊需求，葡人參考國外同類學校所教授的知識，在澳門建立了一所提供商科教育的高等商科學校。高級商科課程包括以下三個級別：一、初級──向學生教授在小學一二年級教授的概念和基礎知識。二、預科──對學生進行必要的預備性教育，使他們對第三階段學習的複雜知識有簡單的理解和掌握。三、高級課程──向學生教授商業活動中必要的先進、複雜的知識，使他們能夠輕鬆地在商業領域獲得工作崗位，如商號的會計、經理、高管，銀行職員，工業或商業公司的職員，等等。[9]

（三）居澳華人的數量與階層對澳門教育發展形成阻力

　　澳門經濟發展，勞動力需求增加，澳門人口因此上升，一六四〇年人口達到四萬，其後貿易不前，一七五一年，澳門人口下降至五千五百人，稱為澳門人口的第一次大低谷。[10]經濟環境變化使人口增減不定，例如由一五八〇至一六四〇年，人口指數由一百升至二百，而由一六四〇至一七四三年，人口指數由二百下降至二十七點五，[11]人口數量起伏變化過大，這種情況下，要開展中式教育是十分困難。

　　來澳門工作的華人，以從事商貿及建築等相關工作為主，其中以福建人及廣東人為多主。從事商貿、傳譯、買辦多是福建人，工匠、販夫、店戶多是廣東人。隨著澳門貿

8　戚印平：《澳門聖保祿學院研究》北京：社會科學文獻出版社，2013年，頁142-144。

9　DOCUMENTOS PAPA A HISTORIA DA EDUCAO EM MACAU（教皇的教育歷史文件在澳門）DIRECCAO DOS SERVICOS DE EDUCACAO E JUVENTUDE, MACAU 1996,VOLUME 1, P.60.

10　鄭天祥、黃就順、張桂霞、鄧漢增《澳門人口》澳門：澳門基金會，1994年，頁26。

11　黃啟臣：《澳門通史》廣州：廣東教育出版社，1999年，頁9，〈1555-1997年澳門人口變動統計表〉。

易的發展，葡人限於環境及語言，買賣貨物不得不倚重華人，商人及翻譯這兩個華人團體，成為澳門社會中舉足輕重的角色，受到澳門葡人的高度重視。[12]以中國社會傳統士、農、工、商四階層而言，他們是屬於不受政府重視的一群。當他們賺取一定的利潤，有一定的財力及能力的，必然要求子弟參加傳統功名考試，提升社會地位，不會在意澳門本地教育。

只有從事商貿及漁業的華人，對本地教育有一些需求，但以實用性為主，能認定文字，懂得計算就可以了。隨著居澳的華人的數量日增，其中包括漁民及從事商貿生意的人，為了生活需要，漁民教育及商務為主的教育因此建立起來。漁民教育與以商業為導向的教育較其他地方盛行，因為由漁村發展為國際貿易市場的澳門，各業商人，為了貿易溝通，接洽生意，記載盈虧數案，教育子弟營商，均認為有讀書識字的必要，而教育的功能，亦不局限在科舉考試之中。

澳門發展的經濟的動力有二，一是貿易產業，形成圍繞全球範圍的一個長途轉口貿易的產業鏈，另一是澳門內城服務業，包括提供基本的衣食住行及生活上的各種需要，形成整個澳門半島服務的產業鏈。隨著澳門的經濟蓬勃興旺，貿易日隆，需要有一定文化水平的人日多。對於有一定教育基礎的人，投身商貿事業，工作發展的空間越來越大。比較難以把握的仕途，從事商貿工作更易謀生，更易成功。故澳門當時的教育也是以配合學生日後謀生為主，一般學塾大多是教學生認識一些文字，能寫普通應用文件或往來書信之類罷了。

當時在珠三角一帶，不同家境的學生，入塾讀書的時間遲早及長短不一。家境比較富裕的一般七歲入學，讀到十四至十五歲左右，有意考取科舉功名的，通常前往縣城繼續求學；家境清貧的，則遲至九至十一歲就學，而且僅讀二至三年書，有的甚至短短數月。他們在接受過基本的識字認數的教育後，就會離開學塾，或務農或做工。實在太貧困、連減少的學費也交不起的家庭，自然無法送兒子入讀私塾，除非他們的宗族祠堂有指定用作教育基金的祖田。有些鄉村的前代立下石碑，要求後輩保障這些「學田」為全村所有男孩提供教育，但如果負責的長老有所偏私，先人的遺願就不一定能履行。沒有族產學田的支援，貧窮家庭的男孩便無法入學。

（四）葡人與華人之間的交往不多，葡人無意推動居澳華人教育

華人及葡人這兩個族群，交往其實不多，加上是華人的經濟力量強大，控制了澳門的主要經濟活動，所以葡人並不在意發推動澳門的華人教育。

澳門開埠之時，葡人與華人之間，除了因為經濟活動的因素，基本上是不相往來。

---

12 湯開建：《澳門開埠初期史研究》北京：中華書局，1999年，頁260、272。

隨著澳門的經濟發展，葡人與華人接觸日多。在明代，澳門的華人已形成了兩大勢力區，一是以城內的華人商業區，區內華人從事商業貿易、手工技藝及翻譯，生活習慣已趨於葡化，甚至有與葡人通婚的情況。另一是居住在澳門城四周的華人，仍然極力保持自己的中華文化。從教育發展來說，就形成葡人及華人兩套系統。

其實，葡人管治澳門時，也曾考慮過澳門的教育究竟是應該針對澳門的華人，還是應該針對人數很少的葡萄牙人。最後，葡人決定澳門的教育對象應針對在澳的葡人，因為，他們認為從社會角度看，中國人生活在功利主義和實用主義的思想之下，只希望接受能夠方便獲取而又能快速獲益的科學教育。華人使用自己的語言，還學習一點英語，只是按其一貫功利主義的思想行事。忽視葡萄牙語，是因為在澳門之外，這種語言沒有價值和用途。[13]加上澳葡的自治會採用雙重效忠政策，名義上接受葡萄牙王室和法律的管治，實質上則受明清政府的嚴格制約，更沒有能力和權力來理會華人的教育。所以在葡人的澳門教育史研究中，便把一五七二至一七七二年稱為第一階段：指出唯一的教育形式就是以天主教教堂傳播教義的模式來進行；第二階段是一七七二至一八三五年，是海外省教育體制，同時並存的是教授中文的私塾模式；[14]

澳門華人對澳葡政府開辦的西式教育並不理解和重視，科舉考試仍然是華人教育的傳統核心價值。就是到了一八九四年，澳葡政府的官立中學正式成立。一九一〇年開始出現可供華人子弟入學的官校，但華童入讀極少。中式與西式的教育雙軌並行，互不干涉。

三　近代澳門經濟發展概況（1849-1949）

鴉片戰後，中國對外貿易重心北移，澳門面臨眾多開放口岸的激烈競爭，其中對澳門經濟影響最大的，就是香港的開埠。香港無論在金融、船舶維修、郵政系統、與廣州之交通及港口條件等，都比澳門優勝。所以香港進出港口的船隻噸位，從一八四八年的二十二點八萬多噸增長到一八六四年的二百萬噸，增幅達八點七倍。而澳門在十九世紀七〇年代，平均每年船隻進出港口的噸位僅是七千六百多噸，到了七〇年代更下降到平均每年二千八百多噸。[15]

經濟不景氣使澳葡政府唯一收入來源的葡海關收入大減。一八四五年十一月，葡萄

---

13 DOCUMENTOS PAPA A HISTORIA DA EDUCAO EM MACAU（教皇的教育歷史文件在澳門），DIRECCAO DOS SERVICOS DE EDUCACAO E JUVENTUDE, MACAU 1996,VOLUME 1, P.56.

14 O ENSINO EM MACAU (1572-1979)（澳門教育史）, DIRECCAO DOS SERVICOS DE EDUCACAO E JUVENTUDE, MACAU 1999, P.49.

15 查燦長：《澳門教育史轉型、變項與傳播：澳門早期現代化研究》廣州：廣東人民出版社，2006年，頁108-114。

牙海事及海外部部長曾在國會上指出，澳門貿易不振，使得政府無法維持日常開支。[16]

為了與香港在貿易上的競爭，葡萄牙擅自宣布澳門為自由港。清政府以曉諭華商遷出澳門來應對，加上五口通商及香港開埠，結果導致澳門本土居民外流，經濟更加蕭條。

正常貿易一沉不起，澳門只好發展另類貿易來支持地方經濟，這就是苦力貿易及鴉片貿易。從中國招募大批華工苦力向外移民，大概一八四四至一八四五年間，因為苦力貿易者可以從苦力買賣上賺取百分之兩百多的利潤，所以「豬仔館」越來越多。特別是香港於一八六八年禁止苦力貿易後，澳門就成為世界販賣苦力的最大港口。在一八七三年廢除苦力貿易前，二十五年內，估計澳門輸出苦力達五十萬人。[17]苦力貿易不僅為澳門帶來了人口及航運，更為澳葡政府帶來了豐富財政來源，十九世紀六〇年代，每年收入達二十萬元，相當一八四五年葡海關收入的五倍。[18]

鴉片貿易方面，澳門是向中國走私鴉片的集散地，早在開埠不久，葡人就通過澳門將鴉片輸入中國。初期，鴉片的輸出不多。到一八八三至一八八五年，三年間由澳門向內地走私鴉片數量分別占當地輸入量的百分之四十五、百分之六十五、和百分之六十二點七。[19]鴉片走私給澳門帶來繁榮。直至一八八七年清廷在澳門正式設立拱北海關，並嚴禁鴉片走私，情況才有改變。到了民國初年，鴉片仍是澳門收入主要來源，占正常貿易中近一半的比重。[20]

二十世紀初，澳門已正式淪落為香港的附港，鴉片貿易在世界輿論壓力下日漸式微。澳葡只可依賴賭博業及娼妓業來維持地方經濟繁榮。澳門賭業在開埠初期已經存在，到民國初期更興旺發展，賭博稅收日漸增加。一九三七年，澳葡宣布採用投標方式讓私人公司承辦全澳賭場業務，使賭博開始進入集團化的階段，一九三七年泰興娛樂公司，當年向澳葡政府交賭稅達葡幣一百八十萬元，賭稅成為政府收入主要來源。至於娼妓業方面，早在鴉片戰爭後不久，澳葡就視為一種合法產業，一八五一年九月，澳葡公告娼妓業規範條例，充許在指定地區開設妓寨。在鴉片及賭博業的繁榮下，娼妓業也隨之旺盛不已，開辦者獲利豐厚。一九三〇年九月十七日，連澳門的警察廳廳長也要求「申請批准在數處設立妓院」。[21]二十世紀三〇年代的澳門，市面經濟基本由黃、賭、毒維持，正常貿易退居次要地位。

---

16 薩安東著，金國平譯：《葡萄牙在華外交政策（1841-1854）》澳門：葡中關係研究中心、澳門基金會，1997年，頁79。

17 施白蒂著、姚京明譯：《澳門編年史——十九世紀》澳門：澳門基金會，1998年，頁89、193。

18 爛長：《澳門教育史轉型、變項與傳播：澳門早期現代化研究》廣州：廣東人民出版社，2006年，頁134。

19 姚賢鎬：《中國近代對外貿易史資料》第2冊，北京：中華書局，1962年，頁859。

20 查爛長：《澳門教育史轉型、變項與傳播：澳門早期現代化研究》廣州：廣東人民出版社，2006年，頁164。

21 施白蒂著、金國平譯：《澳門編年史——二十世紀》澳門：澳門基金會，1999年，頁241。

除了上述行業外，澳門仍有傳統的手工業和漁業。澳門傳統手工業以造船、神香、爆竹、火柴為主，其中神香、爆竹、火柴是此時澳門著名的三大工業，每廠工人數千，產品出口外地。一九三〇年出口額占澳門出口總值的百分之三十七點八。一九一二至一九二一年，澳門是中國的第二產漁港。一九二〇年澳門總人口有十四點五萬，而漁業人員占澳門總人口百分之二十八。可見漁業興旺。[22]不過，相對賭博及鴉片生意來說，占社會經濟比重仍然較低。如：一九二二年彩票及賭博業的專營稅為一二一點六萬元，一九二一年鴉片專營稅為三百點二萬元，而漁業專營稅只為三點六萬元。是賭稅的百分之二點九六。[23]

澳門這種經濟格局形成後，基本改變不大。抗日戰爭時期大量難民的流入，商業及金融業雖有發展，而更特別興旺的是黃、賭、毒這類特殊行業。日本投降後，澳門的貿易與港口地位又回復到戰前弱勢，工業仍然是傳統手工業為主。隨著鴉片業式微，娼妓業沒落，情況才有所改變。到了六〇年代，澳門雖有現代工業的興起和發展，不過限於地理位置及港口條件，商貿及工業經濟發展，前景有限。澳門只能以旅遊業帶動了博彩業，博彩業帶動了旅遊業來推動地區經濟發展。一九七五年博彩稅占澳門政府總稅收的比重為百分之十九點五，一九七七年為百分之二十六點二。旅遊業在一九八四年占國民生產總值百分之二十五。[24]直至近年，澳門仍然離不開以娛樂旅遊為主的經濟發展路線，對外貿易仍處於香港附屬港的地位。

四　近代澳門經濟變化對教育的影響

（一）澳葡政府收入不穩定，投放教育資源受限制

鴉片戰爭後，澳門貿易地位的下降，一度使澳葡政府無法維持日常開支，只好依賴黃、賭、毒來維持稅收。隨著世界輿論壓力，鴉片貿易沒落，也導致澳門經濟困難，一九二六年澳門財政收入四〇九點三萬元，支出為四六〇點八萬元，財政出現虧蝕。[25]

二次大戰時，經濟動盪，政府收入下跌，一九四二年澳葡政府的財政收入只有六八一萬元，支出約五二〇萬，到戰後政府的收入才回升至一千萬元左右。[26]在鴉片戰爭前之二百多年，居澳華人一般是澳門葡人的三至五倍。鴉片戰爭後，至一八九九年間，在

22 查燦長：《澳門教育史轉型、變項與傳播：澳門早期現代化研究》廣州：廣東人民出版社，2006年，頁175、178。

23 同上註，頁177。

24 黃啟臣：《澳門通史》廣州：廣東教育出版社，1999年，頁602。

25 徐薩斯著，黃鴻釗、李保平譯：《歷史上的澳門》澳洲：澳門基金會，2000年，頁303。

26 傅玉蘭主編：《抗戰時期的澳門》澳門：文化局澳門博物館，2001年，頁24。

澳華人一般是葡人的五至十五倍，二十世紀初至一九三八年間，在澳華人一般是澳門葡人的二十多倍。[27]政府收入不穩定，促使政府在投放資源上較為保守，葡人教育上的開支已有減少，自然更不會大力投資在人口眾多的華人教育上。

（二）葡文教育缺乏出路

澳葡政府曾加強澳人子女的文化教育，如一八六八年四月批准成立一所以華人為對象的葡萄牙語學校，不久又批准居澳華人子女可以進入澳門葡人學校。可是，商業活動主要控制在華人手中，葡語教育實際用途有限，葡人除了政府工作外，可以在中國通商口岸擔任行政工作，而最好的出路便是去香港從商。[28]這也需要英語教育。

為了應付經濟環境的改變，一九〇八年十一月三日一個澳門的公共教育改革會議上，澳門總督提出重新組織中學教育，從而使葡人子女能夠獲得必要的教育，為今後從事貿易、領事、管理活動和公共職務做好準備。並且一一考察是否適合建立一所貿易學校，取代現有的中學。[29]

當時葡人曼努埃爾・桑帕約（Manuel Teixeira De Sampaio Mansilha）指出，接受高等教育的學生並不能在澳門本土獲利，因為澳門的公共職位數目有限且無空缺。而大部分的職位，報酬也都不足以抵償接受文化教育所付出的時間和金錢。

他對教育課程的看法是要配合學生離開澳門，出外找尋工作：

> 那些學生們應當是在澳門以外的土地上，在東方其他港口和城市，尋找到工作。因此，讓他們適應那些地區的特殊要求是學校教育的主要方向。這樣，中文和英文，這兩種可謂是獲得任何工作的流通貨幣，必須成為學校教育的重中之重。其次，應必須對東西方歷史、地理的教學給予特別的關注，尤其注重那些對東方興趣最為濃厚的國家：英國、美國、德國、法國、葡萄牙和日本。原因很明顯：所有人都知道，最好的貿易工作者是那些對各個港口情況最熟悉的人。
>
> 與此同時，還應該教授一些有關植物、動物、地質和礦物學的知識，以使學生能夠容易地識別東西方貿易交換、進出口的貨物及其種類。
>
> 在每學年的課程中，都應仔細分析該年的貿易資料，使得學生們能夠方便的將其融入進自己的貿易計算中，並容易地判定一個簡單的數字所代表的意義。
>
> 貿易計算基本原則、貿易會計工作、匯兌價格和資金運轉應當成為最後一年的課

27　查爛長：《澳門教育史轉型、變項與傳播：澳門早期現代化研究》廣州：廣東人民出版社，2006年，頁298。

28　賈淵、陸凌梭著，陳潔瑩譯：《澳門土生族群動態》澳門：澳門文化司署，1995年，頁58-59。

29　DOCUMENTOS PAPA A HISTORIA DA EDUCAO EM MACAU（教皇的教育歷史文件在澳門），DIRECCAO DOS SERVICOS DE EDUCACAO E JUVENTUDE, MACAU 1996, VOLUME 1, pp.51-52.

程，因為這些知識的複雜程度是日益增長的。同樣不可缺少的是了解與其保持貿
易關係的國家的管理機制，其刑事、民事、商業立法的基本原則。[30]

（三）華商地位日高，有能力支持本地華人教育

十九世紀，澳門已出現一些具社會影響力的華人家族。這些家族是各類貿易的壟斷
者，更是賭業的巨擘及最大房地產業主。在澳門經濟起重要作用。而華人社團也日漸發
達，工商行會都有自己組織，其中的組織如鏡湖醫院慈善會及同善堂等，影響更大。澳
門政府最重要的《澳門憲報》改變過去只用葡文刊登的歷史，一八七九年用中文及葡文
一起刊登政府公告，標誌著澳葡政府考慮到人口和經濟上澳門華人的重要性。華商亦曾
因與澳葡衝突發起罷工罷市。隨著華人地位，經濟實力日增，對國家文化的重視，有力
支持本地華人的教育，不需依賴政府。例如鏡湖義學便收容了不少失學兒童廣東省不少
學校都遷來澳門。又如在抗戰時，自一九三七至一九三九年遷到澳門的中學有十七所。
[31]這些新來的人口，文化素質較高，遷來的學校中更不乏廣東的名校。學校的運作，便
由本地華商在背後支持。

（四）澳門經濟對受教育人才需求不大。

澳門自鴉片戰爭後貿易衰落，只能靠苦力貿易、鴉片、賭博及妓女行業維持經濟繁
榮。這些特殊行業，不需要高深的學識，有學識的人，反而是這些行業發展障礙。此
外，澳門的漁業及神香等手工業，需要的是大量低廉勞工，能認識一般文字及算數，懂
得記帳文墨等文化水平已經足夠。

五　結語

澳門原是一個小漁港，明清時期發展成為一個國際貿易的港口，基本上，在澳門開
埠後移居進來的居民，無論葡人或華人，除了政治因素外，主要都是以謀生為來澳的主
要目的，並不一定作長遠居澳的打算，所以葡人與華人，對教育的看法都是以實用為尚，
葡人更不會理會華人子弟的教育。鴉片戰爭後，香港開埠，使澳門正常貿易生意一沉不
起，澳葡政府只好發展對教育水平要求不高的另類貿易與經濟。隨著居澳華人的增加，
數量大幅多於葡人，而經濟又控制在華人手上，葡人雖考慮過為華人提供教育機會，並

---

30 DOCUMENTOS PAPA A HISTORIA DA EDUCAO EM MACAU（教皇的教育歷史文件在澳門），
DIRECCAO DOS SERVICOS DE EDUCACAO E JUVENTUDE, MACAU 1996, VOLUME 1, P.57.

31 劉羨冰：《世紀留痕——二十世紀澳門教育大事誌》澳門：澳門出版協會，2010年，頁81。

且增加對華人私立教育的監管，可是因為財力不足，加上葡萄牙國力衰弱，葡語未能成為對外貿易的有利工具，結果乏人問津，結果是葡人華人各自發展自己的教育系統。

唐君毅先生哲學系統簡析

趙敬邦

香港志蓮淨苑夜書院

一　緒言

在當代中國哲學界中，新儒家無疑是顯學[1]；在新儒家諸位人物中，唐君毅先生（1909-1978）則是當中一位代表[2]。惟學界對於唐先生的評價可謂兩極：譽之者，謂他是上世紀儒家的代言人，一如田立克（Paul Tillich, 1886-1965）在基督教和西谷啟治（1900-1990）於佛教中的地位[3]，甚至有論者認為唐先生是繼朱子（1130-1200）和王陽明（1472-1529）後最重要的大儒[4]；詆之者，則稱唐先生思想「龐雜無章，創獲不多」[5]，其哲學辨析的才質和思想架構的細密，以及融澈西學的深度，均遠遜同期的牟宗三先生（1909-1995）[6]。簡言之，若謂新儒家的代表人物，唐先生只是「次選」[7]，有論者甚至以「悖儒」視之[8]。構成以上評論南轅北轍的原因，相信主要源於一點：吾人對唐先生的思想缺乏全面認識，以致未能對其作出公允的評價。本文的目的，是簡述唐君毅先生的哲學系統，並試析這一系統可能蘊含的哲學意涵。事實上，只有對唐先生的思想有基本了解，我們才能評價當中的理論得失、明瞭其在人類文化中當有的地位，以及於現實人生中的意義。因此，本文雖只是對唐先生的理論作介紹性的說明而未涉深入的價值判斷，但其卻是往後不少重要工作的基礎。本文先說明唐先生的哲學究竟要處理什麼問題，再簡單討論唐先生的哲學系統，最後則指出這一系統隱含的哲學意涵。

1　Haiming Wei, *Chinese Philosophy* (New York: Cambridge University Press, 2012), pp.145-151.

2　Sor-hoon Tan, 'Contemporary Neo-Confucian Philosophy,' in Bo Mou ed., *History of Chinese Philosophy* (London and New York: Routledge, 2009), pp.539-570.

3　Frederick J. Streng, *Understanding Religious Life* (California: Wadsworth, 1985), pp.257-263.

4　Joseph Wu, 'Contemporary Philosophers Outside the Mainland,' in Donald H. Bishop ed., *Chinese Thought: An Introduction* (Delhi: MotilalBanarsidass, 1985), pp. 422-440.

5　李澤厚：《中國現代思想史論》北京：東方出版社，1987年，頁267。

6　景海峰：《新儒學與二十世紀中國思想》鄭州：中州古籍出版社，2005年，頁253。

7　Jason Clower, *The Unlikely Buddhologist: Tiantai Buddhism in MouZongsan's New Confucianism* (Leiden: Brill, 2010), p.9.

8　杜保瑞：〈對唐君毅高舉儒學的方法論反省〉，收入鄭宗義編：《香港中文大學的當代儒者》香港：香港中文大學新亞書院，2006年，頁281-330。

二　唐先生思想的「基源問題」[9]

　　學界有關唐君毅先生的研究繁多，當中以下列兩類為主：第一，是對唐先生就中西哲學不同思想的闡釋作出討論，以探討唐先生有關闡釋的價值[10]；第二，是直接對唐先生的整體哲學作分析，當中尤以其「心靈九境」說為重心[11]。誠然，這些研究在不同程度上均有助於增加吾人對唐先生思想的認識，惟如勞思光先生（1927-2012）指出，一哲學理論必是為了解答某些問題而建立。換言之，一哲學理論之所以出現，必有其「基源問題」[12]。在這一意義下，我們雖能直接評論唐先生的整體哲學，但卻有必要先行指出唐先生的哲學究竟要回應什麼問題。否則，吾人最多只能指出唐先生怎樣（how）說，卻不能解釋他為何（why）這樣說；同理，我們當然能夠討論唐先生對中西方各大思想有何闡釋，惟若我們根本不知道唐先生為何要作如此這般的闡釋，則對唐先生相關闡釋的探討仍然是停留在知其然，而不知其所以然的層次[13]。因此，本文在介紹唐先生的哲學系統前，有必要指出他所要處理的「基源問題」，唯有如此，吾人才能得知唐先生的思想實要處理什麼問題，從而可對唐先生的思想作一合理評價。

　　唐先生的理論究竟要處理什麼問題？唐先生在其遺作《生命存在與心靈境界》中提及其理論的立足點，曰：

> 吾即以此（各種個人經歷）而知吾之生命中，實原有一真誠惻怛之仁體之在，而佛家之同體大悲之心，亦吾所固有。吾之此仁體，雖只偶然昭露，然吾之為哲學思辨，則自十餘歲以來，即歷盡種種曲折，以向此一物事之說明而趨，而亦非只滿足個人之理智興趣，而在自助、亦助人之共昭露此仁體以救世。[14]

　　循引文，唐先生明言其理論的立論基礎是一「真誠惻怛之仁體」，或佛家之「同體大悲之心」，其哲學思想於後來縱有種種曲折，其均只是為了說明這種「仁體」或「悲心」而趨。值得留意者，是唐先生所言的「仁體」或「悲心」非僅是理論上的概念，而是他個人的真實經驗。事實上，唐先生在不同著作中多次提及以下事件：（一）看到土地乾裂，憂慮世界即將毀滅；（二）觀看有關孫中山先生（1866-1925）革命事業的影片，感慨人類能把自身的理想投向無邊的宇宙；（三）在發生「天狗蝕月」時，省悟人

9　此節討論，主要修改自拙文〈論儒學在唐君毅先生哲學中的角色——杜保瑞教授文章讀後〉，《哲學與文化》第513期（2017年12月），頁185-200。

10　例子見張雲江：《唐君毅佛教哲學思想研究》北京：高等教育出版社，2016年。

11　例子見單波：《心通九境：唐君毅哲學的精神空間》北京：北京大學出版社，2011年。

12　勞思光：《新編中國哲學史》卷1，桂林：廣西師範大學出版社，2005年，頁10-11。

13　相關討論，請參考拙文〈略論方東美先生對華嚴的詮釋——回應屆大成先生〉，《鵝湖學誌》，第50期（2013年6月），頁243-253。

14　唐君毅：《生命存在與心靈境界》下冊，臺北：學生書局，1986年，頁467。

們拯救月亮的初心為善，以及（四）與父親離別時所感受到的悲傷[15]。上述的「道德經驗」，對於了解唐先生的思想至為關鍵，這是因為唐先生的哲學理論，正是圍繞這些經驗而建立[16]。簡言之，唐先生的思想實為解釋吾人「道德經驗當如何可能」[17]，惟這裡有一點極須說明：唐先生的理論既建基於其個人的道德經驗，但這些經驗卻不必每人皆同[18]，故唐先生的思想實一開始即有解答自身問題的色彩，而多於要尋求一適用於所有人的理論系統。誠如唐先生所言：

> 哲學論辯，皆對哲學問題而有。無問固原不須有答，而其書皆可不讀也。昔陸象山嘗言人之為學，不當艱難自己，艱難他人。吾既艱難自己，不當無故更艱難他人。[19]

是以，唐先生的思想實表現很大程度的開放性：吾人盡可利用或透過其思想以達到自己的目的地，卻不必以唐先生自身的理論作為終極目的[20]，如其言：

> 吾之為哲學，以通任何所知之哲學，此通之之心，雖初為一總體的加以包涵之心，然此心必須化為一分別的加以通達之心。此加以通達之心之所為，唯是修成一橋樑、一道路，使吾人得由此而至彼。此橋樑道路，恆建於至卑之地，而不冒於其所通達者之上。由此而吾乃知崇敬古今東西之哲學，吾不欲吾之哲學成堡壘之建築，而唯願其為一橋樑；吾復不欲吾之哲學如山嶽，而唯願其為一道路、為河流。[21]

引文所言「此橋樑道路，恆建於至卑之地，而不冒於其所通達者之上」，足見唐先生實希望其思想能有助不同思想得以保存，而非欲自己的思想凌駕於任一思想之上。由此，則涉及唐先生的理論究竟要達到什麼理境的問題。事實上，前言唐先生認為「道德經驗」當建基於吾人的「仁體」或「悲心」，只是他理論發展的第一步。唐先生更要指出，吾人的「仁體」或「悲心」當如何成就其心目中的完滿理境：「太和世界」。唐先生在《人文精神之重建》中有言：

---

15 唐君毅：《生命存在與心靈境界》下冊，頁466-467。

16 唐君毅：《中華人文與當今世界補編》第一冊，桂林：廣西師範大學出版社，2005年，頁357。

17 King Pong Chiu, *Thomé H. Fang, Tang Junyi and Huayan Thought: A Confucian Appropriation of Buddhist Ideas in Response to Scientism in Twentieth-Century China* (Leiden: Brill, 2016), pp.156-159.

18 Mark R. Wynn, *Emotional Experience and Religious Understanding: Integrating Perception, Conception and Feeling* (Cambridge: Cambridge University Press, 2005), pp. 1-3.

19 唐君毅：《生命存在與心靈境界》上冊，頁7。

20 陳榮捷先生即認為唐先生的哲學思想「毫無門戶之見」。見其《新儒學論集》臺北：中央研究院中國文哲研究所籌備處，1995年，頁313。

21 唐君毅：《生命存在與心靈境界》上冊，頁34。

　　如果我們再想一理想的世界，其中一切人，均只有一個思想、一個意志，一個情感，過著同一文化生活，再無一切之差別；則人之思想之交流莫有了，情感之互相關切莫有了，文化活動之互相觀摩、欣賞、互相砥礪、批評，與互相影響、充實、互相提攜引導之事、都莫有了。這將只是人文世界之死亡，而不見有人文世界之存在生長。所以我們理想的世界，不是無異之人與人同之世界，而是有異而相容、相感、相通，以見至一之世界。異而相感相通之謂和。所以我們不名我們之理想世界為大同之世界，而名之為太和之世界。和與同之不同，是我們所最須認識的。[22]

　　循引文，唐先生認為吾人理想的境界不是只有一種價值觀，而是不同的價值觀能並存不悖：只有不同的價值觀能夠共存，吾人才能從不同的價值觀中相互學習，捨長補短；亦只有透過相互學習和捨長補短，我們才能不斷改善自己，以成就更高的人格。如此，人類的文化才有進步的可能[23]。討論至此，唐先生思想的「基源問題」可謂非常清晰：一方面要解釋「仁體」的存在，另一方面要解釋這一「仁體」如何可以達到「太和世界」所主張的理境。下文即圍繞這兩方面立論，以求循一較具條理的方式展示唐先生的思想。

三　唐先生的哲學架構

　　唐君毅先生明言，用以表達吾人「仁體」的詞彙實極多，儒家的理論只是對「仁體」作出一個較好的描述而已[24]；惟我們若一方面把「仁體」視為吾人的本質[25]，另一方面又察覺到唐先生多以「心靈」一詞來表述人的存在義[26]，則吾人當有理由設想「仁體」和「心靈」實有很大程度上的聯繫，乃至我們可透過當中一個概念來幫助了解另一概念。以下，即先了解「仁體」必然存在的理由，繼而解釋「仁體」和「心靈」之間的關係，再討論兩者如何有助達到前述「太和世界」的理境。

（一）「仁體」的存在

　　如前文所述，唐先生用以說明「仁體」存在的方法，首先是建基於一種個人的「道

22 唐君毅：《人文精神之重建》臺北：學生書局，2000年，頁71-72。
23 事實上，唐先生這一世界文化當相互學習以求成就一更佳文化的觀點，實為當代新儒家的共同綱領。見拙文〈「中國文化與世界」宣言及世界哲學〉，《鵝湖學誌》，第55期（2015年12月），頁169-186。
24 唐君毅：《生命存在與心靈境界》下冊，頁502-514。
25 唐君毅：《心物與人生》臺北：學生書局，2002年，頁176-187。
26 唐君毅：《生命存在與心靈境界》上冊，頁9-12。

新亞論叢 唐君毅先生哲學系統簡析 ❖ 439

德經驗」；但他人既可以不必與唐先生有著相同的經驗，則唐先生若要說明「仁體」存在，其還是有提出理論的必要。有趣的是，唐先生相關理論實非常簡單。誠如唐先生在《道德自我之建立》中所言：

> 笛卡爾所肯定之心靈，為一理智的心靈，而我今所肯定之心靈，為一道德的心靈。笛卡爾由我思以證「我」在、「心」在，我今則由我不忍見此世界之不仁與虛幻，以證有要求仁與真實之「我」在，「心」在，可謂是由「我感」以肯定「我在」、「心在」，由「我不忍」、「我要求」，以肯定「我在」、「心在」。[27]

循引文，唐先生依自己的「道德經驗」來說明吾人當有「仁體」的這一觀點甚明；而我們既是有「仁體」，則把他人視為沒有「仁體」的這一做法本身即為一種不仁的表現。因此，吾人若是有「仁體」，乃不得不視他人與我們一樣為有「仁體」的存在[28]。

誠然，唐先生上述說法當有循環論證之嫌，蓋其理論的提出當是為了解釋「仁體」的存在，惟該理論之得以提出，正是以「仁體」已然存在作為基礎。是以，唐先生雖有提出理論以圖說明「仁體」的存在，但問題的關鍵正是他認為「仁體」的存在實不是一知識或理論上的問題，而是要我們的體證[29]。吾人若同意人當為有「仁體」，遂可順之而討論以下問題：「仁體」在人類的生命中有著什麼地位？「仁體」在整個宇宙中擔當著什麼角色？有關第一點，本文將在稍後再述，暫按下不表。有關第二點，唐先生在《心物與人生》明言：

> 其（此書）用意則在指示一「提高人心在宇宙中之地位」之哲學思想方向（……）確見生命世界之高於物質之世界，心靈世界之高於生命世界，而為自然宇宙之中心。[30]

蓋唐先生用以說明「仁體」當為宇宙中最為根本者，主要基於以下理由：「仁體」是吾人精神得以表現的根據，而精神則是宇宙中最為根本者。在近代實證主義的興起下，人們對於不能為我們感知或觀察的事物往往視之為虛妄或不真實，遂因此誤認為世界的構成只是物質，人類的根本亦只是身體[31]。在這一意義下，「仁體」既不能用肉眼觀察，亦不能用數字量度，則我們似沒有對其加以肯定的理由。惟唐先生指出，世界既有精神活動，則世界便不會只是純物質；生物有各種活動，則這些活動亦當是精神的表

---

27 唐君毅：《道德自我之建立》臺北：學生書局，2002年，頁31。

28 同上註，頁109-110。

29 劉國強：〈唐君毅從心物到心境的思考〉，收入鄭宗義編：《香港中文大學的當代儒者》，頁235-250。

30 唐君毅：《心物與人生》，頁4。

31 方東美：《方東美先生演講集》臺北：黎明文化事業公司，2004年，頁254-263。

現。有關前者，唐先生有言：

> 一個東西所含的可能，就是構成那東西所以成那東西之成分。因此，假若你所謂
> 原始物質，是真有產出生命、心之可能的話，我們當名之為包含生命、心意義之
> 物質，不能單名之物質。（……）所以你說先有原始物縱然不錯，但是你說它只
> 是物質，而不說他是包含生命心之意義的物質，便錯了。[32]

有關後者，唐先生則曰：

> 生物之所以努力保存其身體，只為有身體而後有生命活動表現，因為身體是生命
> 活動要表現之所憑依。生命活動要表現於身體及環境間，所以必須有身體之存
> 在。[33]

生命縱然走到盡頭，但這並不代表生命真的完結，其只是讓其他生命能夠有所發
揮。換言之，一生命之完結，即隱示其他生命的開始：

> 過去的物質雖消滅，然而現在的物質中之活動，即可說為過去物質活動所轉化而
> 成。所以有所謂物質能力不滅之現象。依同理，生命的活動雖似乎消滅了，然而
> 它會轉化為其他將來之生命活動。[34]

唐先生強調，「仁體」的最重要特性，正是其所表現的精神性，這一精神性能使吾
人不致陷入物質或欲望的束縛，而能讓我們朝著一理想的價值前進[35]。換言之，「仁
體」在生命和宇宙中當最為根本或重要，故其總結曰：

> 我們所嚮往歸到的結論是：心是真實存在，是我們生活之中心，能主宰我們全部
> 生命之活動，是不受任何絕對外在的勢力之限制。心是自己決定他自己的我們之
> 生活中心，能主宰全部生命活動的。（……）生命活動遍於全宇宙。所以心即我
> 們之宇宙之中心，心亦主宰我們之宇宙。[36]

至於我們如何能夠發揮「仁體」的精神性？這即涉及唐先生對吾人「心靈」的分
析：

> 心之活動本身即是「自覺」，你不能說你不曾經驗過自覺，你莫有自覺的能力。

---

32 唐君毅：《心物與人生》，頁16。

33 同上註，頁69。

34 同上註，頁87-88。

35 唐君毅：《道德自我之建立》，頁161-172。更多討論，見 Tu Li, 'Tang Junyi (T'ang Chün-i)', in
Antonio S. Cua ed., *Encyclopedia of Chinese Philosophy* (New York: Routledge, 2003), pp.712-716.

36 唐君毅：《心物與人生》，頁126。

因為你說你莫有自覺的能力，你已自覺「你莫有自覺的能力」，你已在自覺你自己了。[37]

事實上，吾人對自己反省越深，便越能知道「仁體」的殊勝和局限[38]；而「仁體」的殊勝和局限又得放在一比較的脈絡下來加以分析。此一所謂比較的脈絡，即是「仁體」相對於吾人其他能力而言究竟有著什麼特色[39]。至此，我們乃得對統攝吾人一切能力者作出分析，其即為「心靈」。

（二）「心靈」的構造

在進一步討論「心靈」的構造前，有一點須先說明：「心靈」中包含「仁體」，「仁體」只是「心靈」的一部分。我們縱然可以透過「心靈」來了解「仁體」，或透過「仁體」來了解「心靈」，但「仁體」和「心靈」兩者並不等同。以上澄清，對我們了解唐先生的哲學非常重要。這是因為吾人若以為唐先生所言「心靈」即等於「仁體」，乃容易得出唐先生有高舉儒學以統攝他者的結論[40]；惟若我們了解「仁體」只是「心靈」的一部分，則唐先生在討論「心靈」時乃不是專論「仁體」，而是可以更有他指。正是「心靈」統攝包含「仁體」在內的各種能力，不同能力遂同歸於一源；各種能力既同歸於一源，彼此遂沒有真正的矛盾，而由不同能力發展出來的價值才有並行不悖的可能[41]。

事實上，唐先生在《人生之體驗》等早期著作中，已對「心靈」這一概念有所討論，惟其對「心靈」作詳細分析，還待《生命存在與心靈境界》這一遺作。循唐先生，「心靈」實由「心」和「靈」兩者所構成，前者為吾人各種能力的總源，後者則為我們不執取於任何能力，以致能超越一切能力的能力。誠如他言：

「心」自內說，「靈」自通外說。合「心」、「靈」為一名，則要在言心靈有居內而通外以合內外之種種義說。[42]

的確，吾人對自己的能力有所認識，首先由與一己以外的事物有所接觸開始。因此，唐先生有關「心靈」的討論，除了涉及我們對自身的認識以外，還強調對外在事物

---

37 同上註，頁90。
38 一如康德對「本體」有深入討論，其實即為對「本體」的功能更作界定。詳見關子尹：《從哲學的觀點看》臺北：東大圖書公司，1994年，頁55-57。
39 方東美先生即強調，任何哲學理論當在一比較的脈絡下觀之才能知其優劣，詳見其《生生之德》臺北：黎明文化事業公司，2004年，頁207-208。
40 同類錯誤，見杜保瑞，〈對唐君毅高舉儒學的方法論反省〉。
41 更多討論，請參考拙文〈論儒學在唐君毅先生哲學中的角色——杜保瑞教授文章讀後〉。
42 唐君毅：《生命存在與心靈境界》上冊，頁11。

的接觸。「心靈」為吾人的「體」；對外在事物作出認識是「心靈」的「用」；而與外物接觸後對外物所作的了解，則為心靈活動的「相」。如唐先生所言：

> 吾人之生命存在之心靈，為其體；則感通即是此體之活動或用；而此方向方式之自身，即此活動或用之有其所向，而次序進行時，所表現之義理或性相或相狀，乃由此體之自反觀其活動、或用之如何進行所發見者。[43]

簡言之，吾人在討論「心靈」時，必然涉及「體」、「相」、「用」三種角度；而我們可再分別透過三種觀察事物的方法，來了解「體」、「相」和「用」三者，這三種觀法即為「縱觀」、「橫觀」和「順觀」。唐先生有言：

> 凡觀心靈活動之體之位，要在縱觀；觀其相之類，要在橫觀；觀其呈用之序，要在順觀。以空間之關係喻之，橫觀之並立之種種，如左右之相斥相對；順觀之種種，如前後或先後之相隨相繼。縱觀之種種，如高下之相承相蓋。綜觀此心靈活動自有其縱、橫、順之三觀，分循三道，以觀其自身與其所對境物之體、相、用之三德，即此心靈之所以遍觀通觀其「如何感通於其境之事」之大道也。[44]

事實上，唐先生似未有對「體」、「相」、「用」和「縱觀」、「橫觀」、「順觀」的關係作詳細解釋。在這一意義下，兩組概念的關係是否即如唐先生所言，實有更作討論的必要[45]；惟一如上節所述，唐先生提出其哲學是要達到「太和世界」的理境。若是，則吾人當首先明白唐先生提出兩組概念的動機實是為了涵蓋不同的思想[46]。如唐先生所言，其提出「體」、「相」、「用」和「縱觀」、「橫觀」、「順觀」的目的，是欲說明我們對一事物的認識實有多個角度，如其言：

> 此上所說心靈活動與其所對境之種種，有互相並立之種種，有依次序而先後生起之種種，有高下層位不同之種種。此互相並立之種種，可稱為橫觀心靈活動之種種；依次序而先後生起之種種，可稱為順觀心靈活動之種種；有高下層位不同之種種，可稱為縱觀心靈活動之種種。[47]

更重要的是，不同角度既源於我們的「心靈」，則不同角度本身在原則上當可並行不悖，一如前述。唐先生對此有言：

---

43 同上註，頁12。

44 同上註，頁17。

45 吳汝鈞：《當代新儒學的探層反思與對話詮釋》臺北：學生書局，2009年，頁265。

46 賴賢宗：《儒家詮釋學》北京：北京大學出版社，2010年，頁94-102。

47 唐君毅：《生命存在與心靈境界》上冊，頁17。

> 吾以世間除無意義之文字之集結，與自相矛盾之語，及說經驗事實而顯違事實之
> 語之外，一切說不同義理之語，無不可在一觀點之下成立。若分其言之種類層
> 位，而次序對學者之問題，而當機說之，無不可使人得益，而亦皆無不可說為最
> 勝。[48]

由此，我們或能對唐先生有關「心靈」結構的討論以一較為同情的眼光觀之：「體」、「相」、「用」和「縱觀」、「橫觀」、「順觀」兩組概念的關係究是什麼，吾人確可質疑唐先生的解說尚有欠精準；但討論事情可循不同角度，彼此能並行不悖的這一觀點卻值得我們的重視。事實上，唐先生認為我們了解一事物當有三種角度，而為吾人所了解的事物則大致可分為三個範疇：客體、主體，以及泯掉主客對立的絕對境界。由於我們對每一範疇均可循三種角度觀之，故衍生唐先生有名的「心靈九境」說，以下即對這一理論作簡要說明。

（三）心靈的功用：「心靈九境」說

從上節的討論中，吾人得知「心靈」實為不同能力的載體，「仁體」或其代表的道德反省的能力則為我們眾多能力之一。至於九境的內容究是什麼？首先，唐先生認為九境之「九」只為一約數，我們不能執於這一數字而以為我們的境界只有九種；唐先生只是認為其所述的九境當能有助吾人通向古今東西方各大哲學境界而已[49]。當然，唐先生所述九境是否即有代表性，這一觀點或可成疑。最少，唐先生相關理論對印度、伊斯蘭、日本和當代歐洲大陸等哲學理論似著墨不多，這一點在我們討論唐先生的理論時實要特別留意[50]。其次，九境中的「境」固然可以理解為境界，惟境界一詞卻嫌玄妙。因此，唐先生直言其理論中所謂「境」，可翻譯成 horizon，意指視野。若是，則九境實為吾人看待問題的九種角度[51]，其意近似現象學所言的「世界觀」[52]。

唐先生認為，九境之開展當循一次序，而這一次序即前述的三種範疇：對客體作出認識，再對主體作出認識，繼而泯掉主客對立。如其言：

> 上文既說順觀、橫觀、縱觀之義；及體、相、用之義，即可更說此書之旨，不外

---

48 唐君毅：《生命存在與心靈境界》下冊，頁481。

49 唐君毅：《生命存在與心靈境界》上冊，頁38。

50 Anja Steinbauer, 'A Philosophical Symphony: Tang Junyi's System,'《毅圃》第8期（1996年12月），頁59-66。

51 唐君毅：《生命存在與心靈境界》上冊，頁11-12。

52 有關「世界觀」的討論，可參考關子尹：《語默無常：尋找定向中的哲學反思》香港：牛津大學出版社，2008年，頁35-42。

謂吾人之觀客體，生命心靈之主體、與超主客體之目的理想之自體——此可稱為
超主客之相對之絕對體，感對之有順觀、橫觀、縱觀之三觀，而皆可觀之為體，
或為相、或為用。此即無異開此三觀、與所觀三境之體、相、用，為九境。[53]

對於九境的具體內容，唐先生則分別作出說明。首先是對客體作出認識一事上，其有
言：

九境之第一境為萬物散殊境，於其中觀個體界。於此，人之知有實體之存在，初
乃緣其對一一個體事物所知之相，更觀此相各有其所附屬之外在之實體。此實體
可名為物。[54]

又言：

第二境為依類成化境，於其中觀類界。此為由萬物散殊境，而進以觀其種類。定
種類，要在觀物相，而以相定物之實體之類；更觀此實體之出入於類，以成變
化。[55]

再言：

第三境，為功能序運境，於其中觀因果界、目的手段界，此為由觀一物之依類成
化，進而觀其對他物必有其因果。人用物為手段，以達目的，亦由因致果之事。
於此，即見一功效、功能之次序運行之世界，或因果關係、目的手段關係之世
界。[56]

綜上所言，唐先生認為我們在與客體接觸時，首先對個別客體作出認識，繼而了解
該客體當屬什麼性質，最後則明其功用。簡言之，即為對客體的「體」、「相」和「用」
作出認識也[57]。在對客體作出認識後，吾人即對主體作出認識。誠如唐先生所言：

其第一境，為感覺互攝境，於此中，觀心身關係與時空界。在此境中，一主體先
知其所知之客體之物之相，乃內在於其感覺，而此相所在之時空，即內在於其緣
感覺而起之自覺反觀的心靈；進而知以理性推知一切存在之物體，皆各是一義上
之能感覺之「主體」。[58]

---

53 唐君毅：《生命存在與心靈境界》上冊，頁46。

54 同上註，頁47。

55 同上註。

56 同上註，頁48。

57 更多討論，可參考 King Pong Chiu, *Thomé H. Fang, Tang Junyi and Huayan Thought*, pp.140-141.

58 唐君毅：《生命存在與心靈境界》上冊，頁49。

又言：

> 中三境之第二境為觀照凌虛境，於此中觀意義界。此境之成，由於人可於一切現
> 實事物之相，可視之如自其所附之實體，游離脫開，以凌虛而在。人即由此而發
> 現一純相之世界，或一純意義之世界。[59]

再言：

> 至於中三境之第三境，為道德實踐境，於此中觀德行界。此要在論人之自覺其目
> 的理想，更普遍化之，求實現其意義於所感覺之現實界，以形成道德理想，自命
> 令其行，並以語言表示其命令；而以其行為，見此理想之用，於人道德生活、道
> 德人格之完成。[60]

　　蓋唐先生認為，吾人在認識客體後，隨即意識到何以能對客體作出如此這般的認
識，而其關鍵正是我們的主體。循以上三段引文，唐先生先討論我們在接觸客體後當有
所感覺，繼而對所見所感作抽象的思考，最後則自覺自身並非只是與一般動物一樣的有
著感覺，亦非只是能作出思考的一種較聰明的動物，而更是有著道德反省的能力[61]。在
明瞭客體和主體後，唐先生即認為吾人更能自覺超越主客的對立，從而泯掉兩者之間的
矛盾，使一切價值得以並存不悖，其有言：

> 此後三境，第一境名歸向一神境，於其中觀神界。此要在論一神教所言之超主客
> 而統主客之神境。此神，乃以其為居最高位之實體義為主者。[62]

又言：

> 第二境為我法二空境，於其中觀法界。此要在論佛教之觀一切法界一切法相之類
> 之義為重，而見其同以性空，為其法性，為其真如實相，亦同屬一性空之類；以
> 破人對主客我法之相之執，以超主客之分別，而言一切有情眾生之實證得其執之
> 空，即皆可彰顯其佛心佛性，以得普度，而與佛成同類者。[63]

再言：

> 第三境為天德流行境、又名盡性立命境，於其中觀性命界。此要在論儒教之盡主
> 觀之性，以立客觀之天命，而通主客，以成此性命之用之流行之大序，而使此性

---

59 同上註。

60 同上註，頁50。

61 參考 King Pong Chiu, *Thomé H. Fang, Tang Junyi and Huayan Thought*, pp.141-142.

62 唐君毅：《生命存在與心靈境界》上冊，頁51。

63 同上註。

德之流行為天德之流行，而通主客、天人、物我，以超主客之分者。[64]

唐先生認為，吾人把心思放在一超越的神、明白一切存在的本質當為平等，以及發揮一己的道德心量以同情他者等，均是消除主客對立的方法[65]。值得注意者，是唐先生認為以上三種境界尤重實踐。換言之，一切有價值的理論是否真能並存不悖，最終還是有賴我們的修養工夫。否則，上述三種境界亦無異於戲論。誠如唐先生言：

> 此超思議之事，乃實證之事，非思議事。[66]

當然，唐先生「心靈九境」說最重要的地方，並非要分別介紹人生有九種境界，而是要指出九種境界既同是出自吾人的「心靈」，則其當沒有必然的矛盾，一如前文多次強調。為了解釋如何把不同的思想置於一並行不悖的位置，唐先生指出我們首先要了解吾人當下的處境究竟是什麼，在不同的處境則採用不同的思想，此即為唐先生所言的「如實觀」與「真實行」的意思。唐先生對此有言：

> 今著此書，為欲明種種世間、出世間之境界（約有九），皆吾人生命存在與心靈之諸方向（約有三）活動之所感通，與此感通之種種方式相應；更求如實觀之，如實知之，以起真實行，以使吾人之生命存在，成真實之存在，以立人極之哲學。[67]

蓋唐先生強調人生是一歷程，其由不同階段所組成[68]；我們在不同的階段當有不同的需要，亦即要對不同的處境有所回應。是以，我們乃不能僅用一種思想作為整個人生的指導，而是要看具體情況，並懂得對過去的思想更有超越[69]。唐先生這一觀點，實甚有佛家判教的色彩。蓋判教理論正是要透過界定什麼思想是佛教的「本／末」、「權／實」、「隱／顯」和「先／後」等來使佛教的不同思想得以和會[70]，唐先生即把判教的範圍由一個別宗教擴展到東、西方不同思想系統[71]。至於能夠讓我們可以不循一固定角度看待問題的關鍵，正是吾人的「心靈」和「仁體」本身。

---

64 同上註。

65 參考 King Pong Chiu, *Thomé H. Fang, Tang Junyi and Huayan Thought*, pp.142-144.

66 唐君毅：《生命存在與心靈境界》下冊，頁12。

67 唐君毅：《生命存在與心靈境界》上冊，頁9。

68 唐君毅：《人生之體驗》臺北：學生書局，2000年，頁171-173；唐君毅：《青年與學問》臺北：學生書局，1992年，頁1-4；唐君毅：《生命存在與心靈境界》上冊，頁10。

69 唐君毅：《生命存在與心靈境界》上冊，頁30-33。

70 有關判教的討論，可參考拙文〈中國哲學研究方法論芻議──反省劉笑敢教授「反向格義」與「兩種定向」的觀點〉，《鵝湖學誌》第62期（2019年6月），頁127-160。

71 蔡仁厚：〈世紀新儒家的大判教──以唐牟二先生為例〉，收入何仁富編：《唐學論衡：唐君毅先生的生命與學問》下，北京：中國文史出版社，2005年，頁126-141。

　　如前所述，唐先生認為「心靈」由「心」和「靈」兩部分組成，當「心」指吾人不同的能力，「靈」則為不住於任何能力的能力，唐先生特用「感通」一詞形容「心靈」的這一特性[72]；惟恰巧「感通」又正好是吾人「仁體」的一種功用[73]。在這一意義下，「仁體」雖是「心靈」的一部分，但兩者之間卻有著很大程度的相似性。此所以前文提及我們不能把「仁體」和「心靈」混同，但乃可透過當中的一者以了解另外一者。正是因為我們可根據不同處境而強調不同思想，卻同時知道當下這一處境只是吾人人生中的其中一個階段，故適用於此時的思想並不一定適用於彼時。因此，九境所描述的境界雖有其普遍性，但唐先生「心靈九境」說的重點並不是要把九境作一價值高低的排比，而是先說明九境的出現實為吾人生命的一個次第歷程：吾人先覺他物的存在，再自覺吾人有認識他物存在的主體，繼而追求泯掉主客對立的這一狀態，達至不同價值能並行不悖的精神理境。值得留意者，唐先生個人或特別重視九境中的某一境，如天德流行境便解釋「仁體」存在之餘，一切價值如何並存於這一「仁體」之中，但唐先生實更重視我們對某一境的超越，而不以某一境為最終目標，其有言：

> 無論什麼好的心靈境界，當我們視之為完成而自足於其中時，他便成為我心靈本身之桎梏。[74]

　　因此，吾人當對一切境界更作反思，以冀能適時在不同的境界中遊走，並能欣賞不同境界及在這些境界中的人和事[75]。此即為「對遍觀的遍觀」之意：

> 一切哲學之衝突，亦莫不皆可同見其似有義理上必然。然此似有義理上之必然者，若真為義理上之必然，則哲學義理之世界之全，即為一破裂之世界，而一切哲學將只能各成就一遍觀，而無一能成就對遍觀之遍觀，而人之心靈活動，亦終不能憑哲學以成此高層次之遍觀之遍觀，其遍觀亦永不能至乎其極，其心靈活動之遍運，亦不能至乎其極；而其心靈活動所依之生命存在，亦不能真通於或成為一無限之生命存在矣。然人之哲學心靈，仍有一克服上列之困難之道，此即人尚可有對哲學之哲學。此即其不特依一普遍義理概念以遍觀，且能於既依之以遍觀之後，更超越之，另依一普遍之義理概念以遍觀。此一不斷超越之歷程，即為一次序之歷程。（……）依此哲學的哲學，以觀一切哲學之衝突，可既知其必有衝突之義理上之所以然，亦可知其衝突之所以似必然，更可知其似必然者之可由此不斷超越之歷程，而見其非必然；以見哲學義理之世界，實非一破裂之世界，或

---

72 唐君毅：《生命存在與心靈境界》上冊，頁10。另可參考黃冠閔：《感通與迴盪：唐君毅哲學論探》臺北：聯經出版事業公司，2018年，頁145-159。

73 唐君毅：《生命存在與心靈境界》下冊，頁217-235。

74 唐君毅：《人生之體驗》，頁58。

75 詳見拙文〈論儒學在唐君毅先生哲學中的角色——杜保瑞教授文章讀後〉。

雖破裂而仍能再復其完整之世界。[76]

　　若是，則唐先生一方面雖就吾人的生命歷程當朝一什麼方向以漸次前進提供了一大概路線；但另一方面，唐先生其實亦認同每人實可有自己的一條路，而非得跟隨他的建議不可，故其言：

> 吾今之所論，充其知之所及，亦只能限於就吾昔所嘗自歷之迷，自道其歷迷而自祛其迷，以得次序行於此九境之方。[77]

　　足見唐先生的哲學系統雖含攝性甚廣，但其卻同時有著很大的開放性：各種有價值的思想能在唐先生的理論中有其位置，而這些思想卻可不必停駐於這一位置，而能和其他思想並行不悖。唐先生的哲學系統即大致簡述如上，後文即簡介唐先生思想的其他面向，以結束本文。

四　餘論：引申議題

　　事實上，唐君毅先生不但對古今中外眾多的哲學思想有所闡釋，更對不少時事和歷史事件有所評價，其甚至身體力行參與教育事業，故他的學問和經歷均有不少值得我們重視的地方[78]。惟正是研究唐先生的角度如此多元，吾人對他的討論乃容易顧此失彼，甚至可能出現斷章取義的情況。是以，我們在探討唐先生的思想時，實宜從唐先生的整體哲學系統出發，因他之所以對各種議題有不同的看法，實源於其整體視野。換言之，對唐先生的了解，乃不宜獨立於其整體哲學來進行[79]。以下即根據前文所述，對有關唐先生思想的其他面向稍作討論，以冀協助豐富往後有關唐先生的研究。

　　第一，是唐先生有關東西哲學的闡釋。唐先生對東、西方不同的哲學理論和系統有不少闡釋，當中尤以對中國哲學的闡釋為主。事實上，學界對唐先生的研究，主要即集中討論唐先生對這些傳統的闡釋上。惟循本文的角度，我們當問唐先生為何要對這些哲學傳統作出闡釋？另，其為何對這些哲學傳統作如此這般的闡釋？吾人當可言，唐先生對各種哲學傳統作出其獨特的闡釋，正是要從這些傳統中探討當中的正面價值[80]，從而

76　唐君毅：《生命存在與心靈境界》上冊，頁31-32。

77　同上註，頁53。

78　的確，唐先生對他人影響最大和最直接者，可能是在人格的感召上。詳見 Donald J. Munro, *Ethics in Action: Workable Guidelines for Private and Public Choices* (Hong Kong: Chinese University Press, 2008), pp.71-92.

79　勞思光：《思光人物論集》香港：中文大學出版社，2001年，頁82。

80　余英時即言唐先生的工作為「返本開新」。見其〈唐君毅先生像銘〉，收入劉笑敢編：《中國哲學與文化：第五輯——「六經注我」還是「我注六經」》桂林：廣西師範大學出版社，2019年，頁1。

提出理由使不同具正面價值的理論能得以並存，一如「心靈九境」理論所述。事實上，唐先生於一九六六年就職香港中文大學首任哲學講座教授時，發表了一篇名〈中國哲學研究之一新方向〉的演說，當中便清楚說明上述觀點[81]。換言之，我們實不宜以為唐先生是要客觀地評論各家思想，從而批評唐先生的闡釋或有欠精確等。否則，恐只是在唐先生的思想外圍迴繞，而終未能進入唐先生思想的堂奧[82]。

　　第二，是工夫論的問題。中國哲學與西方哲學其中一個主要不同，是前者不但是要了解自己和世界，而更是要改變自己和世界。因此，中國哲學有強烈的實踐性格，其本質可謂是一種「成德之學」[83]。惟隨著中國哲學成為學院的一門學問，其亦有日益學院化和職業化的傾向。在這一意義下，哲學理論似是不少當代學人所關注的重點，而傳統中國哲學強調的修養工夫遂容易為吾人所忽略[84]。唐先生是當代中國思想家中極重實踐的一位，這從其日常言行和教育理念中可清楚見到[85]。更重要的，是唐先生隱然有一套建基於寫作的工夫論[86]，這一點實甚值得我們注意。

　　第三，是有關唐先生的一套龐大的文化哲學系統。順著上述一點，唐先生極重一人的道德修養；一人的道德修養則反映在其行為上；而吾人的行為則構成我們的文化生活[87]。的確，唐先生對政治、經濟和教育等文化生活均有詳細討論，而唐先生認為各種文化生活之得以可能，正是源於我們道德反省的能力。唐先生自信其這一由心性發展出來的文化哲學，能統攝人類各種文化活動於一根源，從而補救東、西方文化哲學的不足[88]，此一偉構是研究唐先生思想的主要方向之一，吾人當不能忽視[89]。

81　這篇演說現收錄在唐君毅：《中華人文與當今世界》上，臺北：學生書局，1988年，頁386-405。

82　詳見拙文〈論儒學在唐君毅先生哲學中的角色——杜保瑞教授文章讀後〉。

83　Sze-kwang Lao, 'On Understanding Chinese Philosophy: An Inquiry and a Proposal,' in Robert E. Allinson ed., *Understanding the Chinese Mind: The Philosophical Roots* (Hong Kong: Oxford University Press, 1989), pp. 265-293.

84　John Makeham, '*Ruxue* between Scholarship, Faith, and Self-Cultivation: Some Desultory Historical and Methodological Reflections,' 收入劉笑敢編：《中國哲學與文化：第十輯——儒學：學術、信仰和修養》桂林：漓江出版社，2012年，頁1-22。

85　如在寫予牟宗三先生的一封信中，唐先生即強調「身教」的重要。見唐君毅：《書簡》臺北：臺灣學生書局，1990年，頁164-165。牟先生亦言，「現在自覺地有表現工夫意味的，要算唐君毅先生。」見牟宗三主講，蔡仁厚輯錄：《人文講習錄》臺北：學生書局，1996年，頁97。

86　更多討論，見拙文〈對吳汝鈞先生建議重寫唐君毅先生著作的一些反思〉，《中國文哲研究通訊》第25卷第3期（2015年9月），頁117-122；廖俊裕、王雪卿：〈唐君毅先生的工夫論——敘事治療的一種形式〉，《鵝湖月刊》第413號（2009年11月），頁41-55。

87　唐君毅：《心物與人生》，頁188。另見 Sin Yee Chan, 'Tang Junyi: Moral Idealism and Chinese Culture,' in Chung-ying Cheng & Nicholas Bunnin ed., *Contemporary Chinese Philosophy* (Massachusetts: Blackwell Publishing, 2002), pp. 305-326.

88　唐君毅：《文化意識與道德理性》臺北：學生書局，2003年，頁5-6。

89　可惜的是，有關唐先生這一方向的研究甚為缺乏，較近似性質者或有以下研究：Jana S. Rošker, *The*

　　第四，唐先生個人的文化活動中，當以參與創辦新亞書院為代表。事實上，唐先生不少著作均透露其希望透過新亞書院達到一個怎樣的教育理想[90]，而這些教育理想不但涉及新亞書院與香港中文大學在教育理念上的分歧，亦牽涉傳統中國的書院教育和當代大學教育在教學模式和哲學上的分別，其甚至觸及中國文化與世界文化的關係等宏大的議題。凡此，均是我們在研究唐先生時可加留意者。

　　誠然，唐君毅先生的哲學尚有不少可供吾人發掘的地方，其哲學系統亦遠比本文所述為繁複。本文只是對唐先生的思想和其隱含的哲學意涵略作簡介，其性質純粹為介紹和導讀。至於對唐先生理論的評價、他的思想有何理論得失，以及其在東、西哲學史上的意義等，則非本短文所能顧及，而當待他日專書另作探討。

Rebirth of the Moral Self: The Second Generation of Modern Confucians and their Modernization Discourses (Hong Kong: Chinese University Press, 2016); Thomas Fröhlich, *Tang Junyi: Confucian Philosophy and the Challenge of Modernity* (Leiden: Brill, 2017).

90　唐先生有關新亞書院及其精神的討論，主要收錄在《中華人文與當今世界》和《中華人文與當今世界補篇》兩套書中。另參考劉國強編：《新亞教育》香港：新亞研究所，1981年。

論唐君毅先生人文宗教的人天關係

鄭祖基

澳門大學教育學院

一　前言

　　本文主旨在於探究人天關係於唐君毅先生人文宗教思想中的特質。筆者認為唐先生對終極實在的超越性與內在性都是承認的，只是其所偏重的超越性和內在性的孰重孰輕，是人的心靈自覺下之不同則重而已。若祈天以自助而以天力同化於己力，則終極實在的內在性突顯。若深感己之無能去罪惡而祈天助祐，則終極實在便呈顯其超越性。當然，人不一定會整輩子視天為內在於人的天道，因人總有可能碰到自家力不能勝的情形。如存在主義哲學家雅斯培所謂的「界限處境」；死亡、痛苦、災難、掙扎與罪惡，皆是人不能全免的界限處境。就以道德的層面來說，即使一位道德上無瑕可議的人，願意不計一切代價追求善，但總會或多或少有遭遇挫敗之時，以致有經歷「界限處境」的一刻，這時便是吾人承認和跨入超越界的契機。[1] 同樣，當人祈求超越界的救援後，從而產生敬虔的信仰，此真實的信仰能使人更有力量勝過邪惡與罪苦，使人從內心感謝上天，以報答謝恩，進而漸把天命下貫為內在的性命，致盡性立命知天為事。所以，在人的實存生活中，無論是天神或天道的信仰，是可並行不悖的。然而，唐先生亦指出在一般情況下，應以道德實踐為主軸而置於陽，把宗教信仰為輔軸而放於陰。這也契應於傳統儒家思想所說的「未能事人，焉能事鬼」和「未知生，焉知死」的觀點。

　　進而言之，唐氏以人性來自於超越的天，而天是有其隱顯兩面的。人可以通過提升自己生命的內在本質和道德實踐來體認天的既超越於人又內在於人的神聖意義。然而，人通過道德實踐體認天是一個自求、自得、自誠、自明、自知、自覺和自作主宰的過程，亦可說是一個本心本性自明自了、自我呈顯的歷程，因天道即人性，天道性命本來就是沒有鴻溝的。[2] 不過，問題在於所謂天道性命沒有鴻溝，是否意謂天道和人性之間存有一種原初的同一性，這同一性又是否意味著人與天之間是沒有差異的。若人天之間沒有差異，則又何來「他者」的「天」或客觀的「終極」實在。進一步說，就算他者的天或客觀的終極實在被保存下來，但事實上他們卻是被移位至道德主體的人身上。於是天人之間便不復有任何張力；以致所謂天的超越性成了虛位化的無可無不可的設置，天

1　黃藿：《雅斯培》臺北：東大圖書公司，1992年，頁112-113。
2　唐君毅：《人文精神之重建》臺北：學生書局，1980年5版，頁93-94。

的客觀內容或命令實際被人的道德主體所取代，甚至有被架空之疑。若從上述義理引申的天人合一，會否成為一種人人合一；所謂人天溝通，只是人與自己深心處的交談而已。相反，西方基督宗教的人神關係是以否定天人的「同一性」為前提的。人神關係是建立在一種「互為主體性」（intersubjectivity）或主體與他者的關係上的。神人差異構成張力，而由於這張力才使有限的人得以祈盼超越現世的界域，至無限者那裡。[3]當然，筆者無意評斷哪種模式更有價值，只是想藉此模式釐清唐氏的人文宗教較屬哪種形態，其可能的局限與開展又在哪裡。

二　論人天一性

　　唐先生以人性來自於天命，以致人可透過內在生命的體認來明白天命的內容，這是最直接體悟天命的方法，故人根本不需迂迴地透過外在於自家生命的人或物或祈禱客觀神聖的超越存在來知天。然而，吾人內在生命的內容是否等同於天或只是呈顯天的某部分呢？若是前者，人等同於天的話，則所謂的天人合一就只是人人合一；人只是與自己的深心處交談。若然是這樣的話，則人文宗教至少是欠缺了或架空了宗教構成的重要原素之一的客觀神聖存在。從而少了人神差異的張力，以致人天關係只是一種獨白式的自我交談和自我完成，永遠封閉於個人和所處環境的視域（horizon）與視野（persepective）中。基督宗教學者溫偉耀區分了兩種超越體驗的模式，一是西方基督宗教「對話式」的超越體驗，此體驗必要先設定人神相異。從而在人與超越者相遇時，超越者對信仰者的期望往往是在信仰者意料之外，以致信仰者會對個人的世界觀作出調整和扭轉，甚至粉碎而帶來生命的轉化。相反，在人神同一性的背景下之超越體驗，由於沒有一位無限的他者之對話經驗作對比，以致只是一種境界性的自我超越，其超越的內容只是自己對比於「當下的」或「過去的」自我而作出轉化。由於沒有與「超越他者」的對話與體驗，致使境界性的自我超越，只是自己對自己的「對破經驗」；境界性的「應然我」與現實生命的「實然我」，互相糾纏不清，得不著真正的自我超越。[4]可見，從基督宗教的觀點看，天人的同一性實質上是取消了人神間的互為主體性的互動關係，結果可導致人即神的泛神論信仰或神只是一被架空的概念而已。究竟唐先生的人文宗教是屬於哪一類型的宗教；是一有宗教外表而無宗教實質的準宗教或偽宗教，抑或不是宗教但有宗教性的人文思想，或確是具備大量宗教原素的真宗教呢？

　　我們先探討唐先生是否主張人天的同一性。首先，在唐先生的著作中確實有些說法

3　曾慶豹：《上帝、關係與言說──邁向後自由的批判神學》臺北：五南圖書出版公司，2000年，頁455-468。

4　溫偉耀：〈從基督宗教人學反思中國文化對理想人格的追尋〉，刊於卓新平、許志偉主編《基督宗教研究》北京：宗教文化出版社，2002年，頁49-54。

會使人認為他主張天與人之間是沒差別的，甚至使人以為他是主張人即神的泛神論思想。臺灣天主教學者李震批評唐先生是一個泛神論者，因他認為唐氏把天的超越特徵完全內在化；是一種把神性消融在人性中的人本主義。李震嚴厲地批評這種人本主義思想雖富有宗教的色彩，但對於有神論所具的破壞力，是比一般的無神主義和反神主義還要厲害很多的。[5]於此，筆者不認為唐先生是個泛神論者，也不以為他是主張神人同一性的，更不承認他的宗教思想比無神主義和反神主義對宗教更具破壞力。不過，在唐先生的著作中確實有些內容是會使人推論他是主張神人同一性的。在論述心之本體時，他以之為超越時空、完滿、善良、恆常真實，以致唐氏把心之本體看為是世界的主宰，而「我即是神的化身」。[6]其次，唐先生亦有「上帝或佛即我們自己之本心」和「本心即天心，人至誠即如神」的說法。[7]若從神的內在性角度看，唐先生以當吾人信仰神時，神便住於人中；無限的超越者內存於有限的心時，心便再不是有限的了。而這內存的神亦可理解為是我們內在的精神。當吾人自覺內在的神即吾人內在的精神時，吾人便能體驗自己本心的無限。本心可包羅萬象，更可代神工作。唐先生說：

> 我們所謂神，原是指我們之內在精神，神亦指我們精神要發展到之一切。所以神具備我們可以要求的一切價值理想之全部。他是至真至美至善完全與無限。[8]

於此，神似乎是吾人心靈對完美價值的渴求之倒影，這樣的神究竟是客觀的存在，抑或是吾人主觀心靈願望的境界呢？況且，本心即包羅萬象和具備一切，若吾人念念不離吾人之靈明，則吾將絕對自足，無待於外。更且，本心除可代神工作外，唐先生似亦以吾心即「我的上帝，我的神自居」。[9]再者，唐氏認為吾人之仁心與上帝之心是相貫通的；因縱使上帝之心是無限的，但吾之仁心若不肯認時，上帝仍不能作吾心之主。所以，上帝之心與吾心不能彼此超離，卻是互為內在的。[10]其次，唐先生亦有某些論述是有泛神論意味的。例如他說：

> 神心即聖心，即一切有情之本心。此聖心、神心、本心、皆無限量、遍法界而通徹宇宙，在究竟義上，皆不可以此心所發出之一多之概念倒說之，故非一非多，即一即多。[11]

5　樊志輝：《臺灣新士林哲學研究》哈爾濱：黑龍江人民出版社，2001年，頁173-174。
6　唐君毅：《道德自我的建立》臺北：學生書局，1983年6版，頁88。
7　唐君毅：《心物與人生》臺北：學生書局，1984年，全集校訂版，頁206、276。
8　康君毅：《人生之體驗》臺北：學生書局，1989年，全集校訂版，頁162。
9　同上註，頁224-225。
10　唐君毅：《中國人文精神之發展》臺北：學生書局，1983年6版，頁92、134。
11　唐君毅：《生命存在與心靈境界（下）》臺北：學生書局，1986年，全集校訂版，頁417。

泛神論的義理是認為萬物乃統一於終極實在之內，也是倚靠終極實在而存的，所以萬物與終極實在是不能分開的。進而言之，在「內在泛神論」（Immanentistic Panthe-ism）看來，神是完全融化於世界中，以致世界是充滿神聖的。又在「萬有在神論」（Panentheism）中，世界萬物皆被視為神的顯現，以致神即萬物，萬物即神。然而，無論哪種泛神論皆以一切世間的對立物都可在終極實在裡統一；在終極實在裡，一切對立皆不存在。而所謂萬物的對立與分野，只是吾人的思想概念硬把它們分開成不同的對立之物而已。[12]當然，要判斷唐先生的人文宗教思想是否一種泛神論的關鍵在於他是否真的以我即神或萬物皆具有神的本體而定。究竟唐先生是否真的主張人的心靈、生命與宇宙的心靈，乃同一個心靈呢？若然的話，則人文宗教明顯便有強烈的泛神論意味和含有神人同一性的原理。[13]

筆者先分析唐氏所謂的天人一體的「一體」與人即神的「即」的意思，探討它們是傾向於存有義抑或是功能義。其後再探究人文宗教的天人關係是否能開出宗教的向度。首先，唐先生以為人不應把天心與人心應有的位分與分際混亂，因終極實在雖內住於吾心性中，使吾心性可至無限，致使人心天心不能分開，但它們是仍有區別的。唐先生說：

> 知其心即天心，以還顧其有限之生命存在，則此有限生命之存在，皆依此無限量之即己心即天心，以生以成，而為其昭露流行之地；則有限者皆無限者之所貫徹，而非復有限，以渾融為一矣。而一切顛倒之非人之本性，在究竟義為虛幻而非真實，亦至此而見矣。然人之知此義，仍當自使有限者還其為有限，無限者還其為無限，以使有限者與無限者，各居其正位，以皆直道而行始。[14]

從這段說話中清楚可見，唐先生雖以人心即天心，人心具無限性的賦予，但人心所依附的生命仍是有限的，所以人心在實然層次上與天心是有區別的。所謂人心即天心或人心等同於天心，充其量只能在境界層次上說。另外，在論及中國思想中之所以看重人的尊貴時，唐先生說：

> 因為直接了解天道即人性，人至誠而如神，人可以如天人；乃把宗教中之超越精神，與其所嚮往神之境界內在化，為人依其仁心以裁成萬物，發育萬物，曲成人文之精神境界。這不是否定了宗教，這是使整個人生與文化，皆為如在神前之真誠惻怛之心情所貫注，移敬神之禮以敬人與其文化，以對神之親情對天地萬物，而充量的實現宗教精神。[15]

---

12 楊牧谷主編：《當代神學辭典（下）》臺北：校園書房，1997年，頁856-857。

13 馮耀明：《超越內在的迷思——從分析哲學觀點看當代新儒學》香港：中文大學出版社，2003年，頁64。

14 唐君毅：《人生之體驗續編》臺北：學生書局，1984年，全集校訂版，頁168。

15 唐君毅：《中華人文與當今世界補編（下）》臺北：學生書局，1988年，全集初版，頁184-185。

從此段話中明顯可見人至誠如神和如天人是從境界義和功能義上說的,而不是從存有義上講論的。人至誠如神乃謂人以其仁心來裁成萬物、曲成人文的精神境界,亦可謂人以其真誠惻怛之仁心,以敬神之情對待和成全天地萬物。若人能以此情對物,則人便能有神的功能和達至如神的境界。但這仍是不等於從存有論上所論述的神人同一性。所以,若從功能義和境界義上看,所謂「人之從仁心聖心見天心」和「仁心聖心之不二」,便不能理解為神人同一性。相反,從存有義來說,超越實在是有根於隱的,其未顯於吾心之處是需吾人之不斷率性而行,以致在盡心知性知天的活動中,終極實在向人逐一開顯。[16]

三　結論

總括而言,從存有義上看,本心本性不等於終極實在,但從境界義來說,終極實在對人的意義與價值,是由人的本心來決定,離開本心,終極實在的價值便不能呈顯。而唐先生常謂的本心即天心,天心內存於人心,以致天人一體,皆可作如是解。進而言之,唐先生所說的人即神或人可如神的言論,若從境界義的角度角,應更能與其整個人文宗教思想中,對宗教與道德之區別的強調和對終極實在的神聖存有的客觀認定不相矛盾。故此,人如神可只理解為人可代天作工,以真誠惻怛的仁心與對神之親情,裁成萬物,以至事人如事神,曲成人文世界。再者,在論及儒家思想中的「天人合德」與「天人不二」之天人關係時,唐先生以天人合德與天人不二只是意謂從最高可能性來看人時,人是可由小人至大人、聖人,甚至能以天下為一家,萬物為一體的心量。他說:

> 由大人,聖人之心量德量可擴至無限上說,則可與天地合其德,亦即與天和上帝同其德,人心可通於天心,接於上帝;天心和上帝,也不能只超越而外在於大人聖人之心。[17]

而心量的擴展,亦可理解為是人心境界的上提,以至於貫通神靈,使超越的神靈內在於人心。故天人合德、天人不二和天人合一,不宜作存有義理解。換句話說,所謂人的本心即天心神心,聖即是神,聖同於天,同於上帝,皆是從境界義或功能義上說的。同時再配合唐先生所指出的,若人從天心天性尚未全顯而有根於隱處看,則人之敬畏之情生,而有敬天敬神之義。又當人能謙卑自己時,亦會承認自家仁愛之心必有一終極的根源,更會視此根源為具無窮愛心之神。至於此根源宜視為人格神或無窮愛心之天心,唐

---

16 唐君毅:《中華人文與當今世界補編(上)》臺北:學生書局,1988年,全集初版,頁168。

17 同上註,頁185。

氏認為是不須多所辯論的，因為兩者皆是可說的。[18]所以，本心本性無異於天心天性，是不否認天心天性有其終極無窮之根源。只是此根源應以人格神或無窮愛心之天心來稱謂，東西方的宗教有不同的闡釋而已。

　　若從存有義說，既超越又內在的天是有其超越於人類的超越性與根源性的。而其內在性則主要是從境界義或功能義上說的，是天對人的價值與意義，故天人是不能分離為二的。若謂唐先生贊成天人同一性，亦只能從境界義或功能義的角度來理解，而不應從存有義的角度來解釋。最後，以唐先生的一段話作此節註腳，他說：

> 故此仁心仁性呈露時，吾人既直覺其內在於我，亦直覺其超越於我，非我所賴自己使之有，而為天所予我，天命之所賦。由是而吾人遂同時直覺：我之此仁心仁性，即天心天性。我之仁心仁性之生生不已之相續顯現於我，即天命之流行於我，天心天性之日生而日成於我。我遂由此益證天心天性之超越於我，而自有其高明之悠久一面。吾人之仁心仁性之顯於我所成之仁德，我皆可推讓之於天。而成為天之德。如是之天心、天性、天德，就其本身而言，即為一絕對普遍而客觀之形上實在。謂之為絕對生命精神、絕對精神、或神與上帝，皆無不可。就其內在於我，而為我之仁心仁性仁德，使我之生命、我之精神、我之人格之得日生而日成而言，則天心、天性、天德之全，又皆屬於我而未當外溢，以成就我之特殊性與主觀性。此即天之博厚、悠久而已。[19]

所以，在唐先生的人文宗教思想中，人天關係是以存有論或境界論來理解，是以人的仁心仁性的實踐和呈現為其轉換的關鍵。其間兩者的存有義不排斥境界義，境界義不否定存有義。

---

18 唐君毅：《生命存在與心靈境界（下）》臺北：學生書局，1986年，全集校訂版，頁345。

19 唐君毅：《中國文化之精神價值》臺北：正中書局，1981年3版，頁452-453。

論新時期小說不可靠敘事的諸種面相[*]

孫海燕

北京師範大學文學院

「不可靠敘述者」[1]自一九六一年被韋恩・布斯命名以來，相關理論得到迅猛發展。其實在文本實踐中，它長遠存在，在西方十四至十五世紀的作品中就已顯露端倪，在中國十八世紀成書的《紅樓夢》裡亦有鮮明體現。新時期以來，種種現代的敘述技巧湧入，「敘述者」的形態開始多樣化，恒定的、權威的「敘述者」逐漸被消解，某種意義上「敘述者的形象」開始撲朔迷離，「可靠性」受到挑戰。從追求敘事「真實性」，到「不可靠敘述者」的採用，解構敘事的真實性，這一過程使得敘述者的面相愈加複雜多變。

本文依據文本外不可靠性與文本內不可靠性的結合，梳理新時期小說「不可靠敘事」，對白癡、瘋癲、動物、鬼魂、多重人物敘述進行分析；同時關注「不可靠的敘述者」的採用，取得了怎樣的藝術效果。在類型研究基礎上，筆者嘗試對「不可靠敘述者」的文化意義和審美效果進行歸納。

一　何為「不可靠敘事」

在（中國）古典小說中，敘述者是全知全能，上知天文，下知地理，或是描繪，或是講述，或是品評，自始至終，一個調子，即說書人的調子……故事全由敘述者說，評價也全由敘述者下，聽眾和讀者就只有聽和讀的份，不容你有思考的餘地。[2]改寫階段的白話小說，因為多次改寫，敘述者的價值判斷已不可避免採用社會平均值，因而敘述

* 【基金項目】北京市社會科學基金青年項目「講述中國故事的方式：從京味小說到新世紀北京書寫」（227100038）；北京師範大學青年教師基金項目「論新時期文學中的不可靠敘事」（310422121）。

1 「不可靠的敘述者」由布斯在《小說修辭學》中提出：「任何閱讀體驗中都具有作者、敘述者、其他人物、讀者四者之間含蓄的對話。上述四者中，每一類人就其與其他三者中每一者的關係而言，都在價值的、道德的、認知的、審美的甚至是身體的軸心上，從同一到完全對立而變化不一。當敘述者為作品的思想規範（亦即隱含的作者的思想規範）辯護或接近這一準則行動時，我把這樣的敘述者稱之為可信的，反之，我稱之為不可信的。」這一概念後經理論家詹姆斯・費倫、塔瑪・雅克比、安斯加・紐寧、威廉・里甘、佩爾・克羅格・漢森等人的豐富和發展，在西方理論界影響廣泛，國內學者華明、胡曉蘇、周憲、申丹、尚必武、張麗等人也對其理論進行了介紹、翻譯和研究。

2 參見高行健：《現代小說技巧初探》廣州：花城出版社，1981年，頁5。

者高度可靠；白話小說創作期一開始，內在不可靠敘述出現如《金瓶梅》，十八世紀中國小說出現了更為複雜的不可靠敘述如《儒林外史》、《紅樓夢》[3]，在《紅樓夢》，作者開始有意同傳統說書人的調子有所區別，「作者自云：因曾歷過一番夢幻之後，故將真事隱去，而借『通靈』之說撰此《石頭記》一書也。故曰『甄士隱』云云……雖我不學，下筆無文，又無妨用假語村言，敷衍出一段故事來……故曰『賈雨村』云云。」[4]雖然採取「真事隱去」、「假語村言」，但作者直陳此事，「甄士隱」、「賈雨村」都只是障眼法，並沒有偏離作者的規範，縱然有些事情報導的不夠充分，有不可靠的因素在其中，但同現代的「不可靠敘事者」依然有所區別，因為敘述者並未有意同作者拉開距離，同時《紅樓夢》整體採用的還是「全知全能」的視角。

到了晚清，小說由於急於弘揚真理，鼓吹信念，過分直接的道德判斷控制全部敘述文本，敘述者的可靠性得到加強；大多數五四作品中敘述者與隱含作者保持相當大的距離，敘述者人物化之後，他的意見判斷並不比其他人物的聲音更具有權威性。[5]這裡需要注意的關節點是敘述者的人物化，在傳統小說中敘述者多是全知全能的說書人，而在二十世紀初，魯迅的作品《狂人日記》就在序言和正文之間，運用了不同的「視角」，正文部分以「狂人」作為「敘述者」，以「狂人」之口道出「吃人」的真相，而所謂正常人的世界不過依然在奉行「瞞和騙」，但小序中提到狂人「痊癒」之後，「赴某地候補」再次與眾人同流，「狂人」就是「不可靠敘述者」的典範。這一不可靠敘述者的出現與「五四」打開國門，積極借鑒外國小說的表現技巧相關。

在西方「不可靠敘述者」的誕生更是多重因素綜合作用的結果，十九世紀或以前的作家用傳統方法講故事，按照線性時間順序講故事，塑造了諸多經典之作。到了十九世紀末二十世紀初，傳統的因果鏈條被打破，現實越來越碎片化，面對變異的現實，作家不再滿足於沿襲傳統，正如羅伯·格里耶所言，「我們之所以採用不同於十九世紀小說家的形式寫作，並不是我們憑空想出了這一形式，首先是因為我們要描寫和表現的人的現實和十九世紀作家面臨的現實迥然不同。」[6]現代作家目光超越「故事」本身，更多聚焦於「講故事」，傳統的講故事的人面貌發生改變，敘述者面相更加複雜多變。敘述者可以是隱含作者，可以是故事人物，也可以是超然的旁觀者。敘述者可以是權威的，也可以是「不可靠的」。

不可靠的敘述者的選擇也許跟作家面對失序的現實無法提供一種清晰的介入現實的方式相關，現代作家好像再也沒有十九世紀作家真理在握的自信，敘述者在文本中某種程度上喪失了原來不證自明的權威，過於專斷的講述很容易引發讀者的抵制，相反一個

3　趙毅衡：《苦惱的敘述者》成都：四川出版集團，2013年，頁62-69。

4　曹雪芹：《紅樓夢》長沙：嶽麓書社，1987年，頁1。

5　趙毅衡：《苦惱的敘述者》成都：四川出版集團，2013年，頁62-69。

6　轉引自格非：《小說敘事研究》北京：清華大學出版社，2002年，頁9。

沒有道德、智力優越感的敘述者容易激發讀者的興趣，在不經意間喚起情感共鳴乃至更深的認同。不可靠敘述者內部的空洞與現代民主制度內部的空洞遙相呼應，空洞在此處意指民主制度內部權力的空虛場所，民主世界是一個沒有至高無上權力場所的世界，或者說這個場域必須被挖空，因此，與浪漫主義的藝術家不同，民主世界的作家也不能聲稱自己是先知，甚至也不能宣稱自己是革命或者解放的先鋒或預言家，而必須象徵性地將話語權的空心留空出來，[7]因而，敘事者的不可靠與一種代表性的斷裂相關。

　　不可靠性的形成還有一些其他理由，包括「敘述者所知有限、個人介入程度以及有問題的價值觀」。根據形成不可靠性的理由，可以區分出不同的不可靠敘述者類型，例如瘋子、幼稚的敘述者、偽君子、變態者、道德低下的敘述者、流浪漢、撒謊者、騙子、丑角，等等。這種分類「相當於已經語義化的不可靠敘述者的分類」，其基礎是社會和文學慣例。[8]里甘的著作提供了一個很好的例證。他劃分出四種敘述者，分別稱為「流浪漢」、「瘋子」、「天真者」、「丑角」。不難理解，這種類型劃分方式把文本與已經接受的文化模式或文學慣例聯繫起來了。[9]通過類型研究，對人物敘述者不可靠性的緣由進行探究，可進而探究生成不可靠敘述者的社會文化土壤。

　　在具體的文本閱讀中，筆者發現敘述者可靠與否往往與其語調有種隱秘的聯繫，比如《塵埃落定》（1998）土司二少爺的詩意口吻，《檀香刑》（2008）小甲的傻氣與孩子氣，《黃金洞》二憨的呆傻與陰冷，《堅硬如水》高愛軍的狂熱，《生死疲勞》西門鬧的怨氣沖天，《豹子最後的舞蹈》斧頭充滿戾氣。不可靠敘述者的語調鮮少客觀冷靜，往往沉浸於某種情感／情緒之中難以自拔，故事講述有充沛的情感動力，與現代小說中的「零度寫作」處於情感的兩極。具體行文中可依據「敘述內不可靠性」的標記進行確認，如敘述者前後矛盾，出現多種歧義，產生的不可靠性；多重人物敘述（以不同人稱PERSON 類型為特色的敘述，包括相同或不同的人物[10]）彼此之間的交織與矛盾，產生的「敘述的不可靠性」；同時關注在不同的闡釋框架下，敘述者怎樣變得「不可靠」，揭示不可靠敘事的共性或者呈現效果。

7　參見（法）魏簡著，潘律譯：〈民主現代主義：再探二十世紀早期中國與歐洲小說之政治〉，《中國現代文學研究叢刊》，2014年第6期。

8　安斯加‧F‧紐寧：《重構「不可靠敘述」概念：認知方法與修辭方法的綜合》，（美）詹姆斯‧費倫、彼得‧J‧拉比諾維茨主編，申丹、馬海良等譯：《當代敘事理論指南》北京：北京大學出版社，2007年，頁87。

9　同上註，頁89。

10　傑拉德‧普林斯著，喬國強、李孝弟譯：《敘述學詞典》（修訂版）上海：譯文出版社，2011年，頁131。

二　新時期「不可靠敘述者」的興起與發展

　　不可靠敘述者的使用，在中國成為一種風潮，與二十世紀八〇年代西方現代敘述技巧的湧入密切相關。李歐梵一九八〇年五月在中國作協演講時提到：「西方小說技巧，最強調的一點就是：這個故事是誰講的，也就是誰是敘述者。」[11]隨後高行健更是把敘述者的選擇視為現代小說藝術的重要特徵：「在小說藝術的幼年階段，由於藝術手段的貧乏，為了吸引讀者看下去，只得求助於情節，引人入勝的情節曾經是一篇小說藝術成敗的關鍵……在情節之外，現代小說（它）還找到了別的結構方式來吸引讀者。比方說，選擇一個固定的敘述角度，或是從一個特定的敘述者的身分出發，或是通過小說中某個人物的眼睛來看周圍的世界。細心的讀者就願意跟蹤不已，一同去看、去感受、去思考小說中展現的世界，以為這比一個能說會道的說話人的口氣要更為真實……國內有的小說不僅採用了多敘述角度，甚至有時讓各個敘述角度都匯聚在一起，像多聲部的合唱。」[12]高行健不僅在理論上積極倡導，更以自己的創作實踐《有只鴿子叫紅唇兒》（1981）[13]採用六個人物快快、公雞、正凡、燕萍、肖玲和小妹的話和來往信件，與敘述者的話彼此平行，雖然敘述者在其中依然不斷跳出來，對事物介紹、評點，但是他只與人物平行，失去統攝力量，成為小說中的第七個人物，或者說小說中的六個人物都是平等的敘述者，從自己的角度講述故事，這就使得整個敘述有了更多的棱面，多個角度熠熠生輝。

　　對敘述者的重視在其後先鋒派文學中得到更淋漓盡致的體現，「事實上，敘事方式的革命性轉換一直都是當代文學期待已久的變革，那些『新時期』神話的講述者不少人早已疲憊，只不過歷史的限定使他們絕大多數人無力擺脫這座『豐碑』的陰影。這種『變革』過去一直寄望於對『外來陰影』的模仿，現在則同時要依靠對個人存在的極端體驗。馬原以後的先鋒派（或稱之為『後新潮』），尤其是在蘇童、余華、格非、孫甘露、葉兆言等人那裡（以及在『新生代』的詩作裡），文學寫作根源於個人的經驗，那些苦心孤詣構造的敘事方式，那些想入非非的符號之流，那些無所顧忌的詩性祈禱，確實創造了我們時代最尖銳的藝術感覺方式，預示了文學觀念，特別是小說敘事向著『後現代主義』方面轉換。」[14]從「傷痕」到「反思」，到「尋根」，經歷種種艱難在文壇復出的作家，被視為文化英雄，自然成為焦點人物，知青作家因為其相對特殊的人生經歷，「上山下鄉」的人生體驗成為其創作源頭之一，那麼「是否能超越八〇年代初形成

11　李歐梵：〈關於文學創作問題〉，《編譯參考》，1980年第11期。

12　高行健：《現代小說技巧初探》廣州：花城出版社，1981年，頁74-75。

13　高行健：《有只鴿子叫紅唇兒》，《收穫》雜誌，1981年第1期。

14　陳曉明：《無邊的挑戰——中國先鋒文學的後現代性》（修訂版）北京：中國人民大學出版社，2015年，頁31-32。

的寫作觀念和方式，超越『復出』與『知青』的題材、主題、敘事模式，是能否保持創作活力的關鍵問題之一。」[15]可見，新時期作家對於「不可靠敘述者」的運用，亦與文壇的壓力，「影響的焦慮」相關，一定程度上也是一種追求奇觀化的策略，同時文壇的「向內轉」，對於故事「怎麼講」的關注，使得對「敘述者」的選擇有了前所未有的探索性和巨大的包容力。此外「不可靠敘事」除了文本中明顯的不可靠線索與標誌之外，還與作者與讀者的契約關係受到衝擊相關，當隱含作者的立場未必與讀者「嚴絲合縫」，或者說隱含作者、敘述者的立場自身就比較遊移，真實讀者會引入文本外的變數，不可靠亦由此滋生。

馬原《虛構》（1986年《收穫》第5期）開篇出手不凡，「我就是那個叫馬原的漢人，我寫小說。」接著坦承「我」要去麻風病村觀察幾天，編排一個聾人聽聞的故事，敘述者直接顯身，承認編造故事，自我暴露，戳破所謂「真實的神話」，這樣的寫法在當時令人耳目一新，元敘事給新時期文學的敘事方式帶來新的可能、新的召喚。格非的《褐色鳥群》（1988年《鐘山》第2期）敘述者「我」遊弋在「可靠」與「不可靠」之間，因為「我」所講述的「故事」在「故事的講述」中不斷被改寫。「我」在「水邊」寫一部書，要獻給曾經的戀人（她在三十歲生日的時候離我而去），偶遇一個女人。「我」認為她是「路人」，這個女人打破「我」的「裝蒜」，說她是棋，是「我」的相識，曾經在三個月前拜訪「我」，那麼我與這個女人是否相識，成為一個謎。「我」的認識一開始就被「棋」（路人）打破，挖出故事，講述的故事又被栗樹色靴子的女人「改寫」，最後整個故事再次被「棋」（路人）改寫。在一遍遍的改寫與重織中，「我」和「我的故事」面目可疑，懸念迭出，使得整個故事充滿無限可能和巨大張力，同時在懸念中，「我」漸漸向「不可靠軸線」靠近，「我」自身成為另一個故事。

形態各異的敘事實驗曾是「先鋒派」表達個人感覺、歷史感的有意味的載體，但是「過於極端的、硬性的形式結構和語言技巧，在損壞傳統規範的同時，也敗壞了自身的美學趣味」[16]。隨著先鋒派的實驗走向末路，敘述者的多樣性是先鋒派在文壇形式創新上的重要「收穫」，視野的開闊，技巧的翻新，使得作家在敘事者的選擇上有了更為廣闊的空間，「不可靠的敘述者」的使用在先鋒派之後，雖然不再是一種風潮，或者說隨著文學「轟動效應」的淡化，一些作家的創作轉型，很多敘事實驗難以為繼，但是「不可靠的敘述者」這一創作策略，依然通過一次又一次的藝術實踐給讀者帶來不同的體驗。

---

15 洪子誠：《當代文學史》（修訂版）北京：北京大學出版社，2007年，頁195。
16 陳曉明：〈最後的儀式：「先鋒派」的歷史及其評估〉，《文學評論》，1991年第5期。

三　不可靠敘事的諸種面相：白癡、瘋癲、動物、鬼魂

　　本文借鑒漢森關於「文本間不可靠性」的定義，參照里甘《流浪漢、瘋子、孩子、小丑：不可靠的第一人稱敘述者》的類型研究，依據沃爾對不可靠敘述者之「可靠對方」的預設[17]，從反面提出不可靠敘述者的分類，理性——非理性，白癡、瘋癲，人本主義——動物、鬼魂，同時關注不同敘述者觀點互相抵牾形成的不可靠性。白癡、瘋癲、動物、鬼魂這些類型依據「常識」和特定文化基礎而存在，並且憑藉自己先前的存在、塑型，導致讀者期待視野產生變化，引發對其可靠與否的警覺。需要注意的是，文中對敘述者類型的區分，是一種探索性的分類，旨在通過這種分類使得相關探討更加細緻和明晰，但其中互有交叉，在某種情況下，文本可能溢出分類。

　　不可靠的敘述者具有鮮明的特徵，他們往往不是時代變遷中的核心人物，選用不可靠的敘述者往往意味著選用旁觀者、或邊緣者的視角來看待變遷，描述時代變化的某個側面，使那些被忽略的、被壓抑人事浮出地表，因為講述亦是一種權力，邊緣者的講述在客觀上體現了某種平等的訴求。「不可靠的敘述者」往往也是免責的敘述者，他們不需要對其講述承擔道德責任，盡可以如實呈現世間、人性最私隱的一面，同時他們不再擔負對所敘述內容，進行解釋、提供意義的任務，這種道德、是非規範的留空，使文本一定程度上獲得了道德寬容和更大的「可寫性」。同時因為敘述者的不可靠，他們所塑造的故事世界並非堅不可摧，讀者繞過敘述者，探究隱含作者的意圖，有可能形成反對敘述者的講述，發現敘述者背後的故事，使得文本具有「雙重故事」效果。

　　白癡視角的選擇其實是一種「祛魅」的探索，去除理性之魅，呈現非理性世界的冰山一角。隨著相對主義思潮的興起與影響，洞見與遮蔽、智與愚之間的界限模糊。隱含作者把明顯的生理缺陷、智力上的欠缺、性格的怪異、行為的乖張賦予文本中的「白癡」敘述者，使其在承擔敘述者功能時難免力所難及，藉以拉開其與隱含作者、讀者的距離，導致其可靠性受損；同時通過文本符號之間的彼此攻訐，邀請讀者對文本中尚未言明的內容進行揣測，為文本開拓多重的意蘊空間。

　　阿來《塵埃落定》想要借助白癡視角，探幽土司覆亡前的秘史，但是這一任務過於重大，所以敘述者土司二少爺時而借助傻氣，揭破最隱秘的角落，時而神機妙算，成為人世力量的主宰，時而神靈附體，「全知全能」，洞曉一切。敘述者在傻子、智者、神靈附體之間不斷轉換，但這些轉換似乎無跡可尋，無跡可尋之處正是隱含作者強勢介入之處，從這一角度而言，《塵埃落定》是充滿實驗性的作品，作者借助傻子這一標籤，非常便捷地撕開一個缺口。閻連科《黃金洞》的獨特之處，在於作者讓傻子二憨來講述，

---

17 沃爾認為可靠敘述者「是一個『理性』的，展現自我的人本主義的主體，在該主體的世界裡，語言是一種能夠反映『真實』世界的透明中介」。參見（美）詹姆斯・費倫、彼得・J・拉比諾維茨主編，申丹、馬海良等譯：《當代敘事理論指南》北京：北京大學出版社，2007年，頁90。

為了金錢和欲望，父子反目，情人相爭，兄弟間彼此算計的故事。因為二憨的呆傻，身邊人都在他面前放下戒備，利用他、挑唆他來達到不可告人的目的。通過二憨的視角，隱含作者抵達了人性最深處的黑暗。二憨在小說中不僅僅是故事人物，更是一面「照妖鏡」，照出周圍人的陰暗與卑瑣，但是閻連科的狠勁還在於二憨並非無辜，他只能感受到自我的欲望，而對其他人事懵懵懂懂，他為了一己私欲，有意識參與作惡。二憨的所有敘述在欲望投影之下，狠絕到了極致，但從極致中泛出蒼白。

　　與白癡經常存在某種智力缺陷不同，瘋癲的衡量標準更複雜，它不僅僅是一種生理疾病，更多來自於社會認同的失調。傳統醫學從《黃帝內經》的「狂疾之始發，少臥而不饑，自高賢也，自辯智也，自倨貴也，妄笑好歌樂，妄行不休是也。癲疾始發，意不樂，僵僕直視」到清代唐容川《血證論》的「語言錯亂為癲……怒罵飛走為狂」，一直是從外部言行來進行癲狂界定。這種方式不可能有效解釋癲狂發生的原因。因此，在傳統文化中，癲狂亦常常與某種神秘的「天意」聯繫在一起，並因其不同流俗而被賦予某種否定世俗功利的超越性。[18]隨著五四以來科學的洗禮，癲狂成為一種精神疾患，它的生成原因社會壓抑機制密切相關，更多指向社會認同的焦慮，成為隱含作者的一種修辭策略。

　　賈平凹《秦腔》敘述者引生時而清醒，時而瘋癲，他吟唱的是鄉土的哀歌，他的「看見」需要借助種種神奇功能，神靈附體，諸般變化。其實採取一個瘋子進行敘事，也有奇觀化的考慮在內，就整體而言，《秦腔》對於「瘋癲敘述者」的使用有刻意為之的痕跡，對於技巧背後的文化意義挖掘不足，使得「引生」這一形象有些單薄。單薄的敘述者承載了過於繁重的敘述任務，隱含作者不得不頻繁使用越角敘述，使得《秦腔》這一文本成為「不可靠」敘述和「全知全能」敘述的調和品。就《堅硬如水》（閻連科）的敘述者而言，戲劇反諷產生於敘述者的古怪的價值觀同讀者的價值觀、規範標準之間的衝突。一方面，讀者聽「我」（高愛軍）講述革命鬥志，和紅梅感天動地的愛情，另一方面，讀者還聽到了敘述者沒有意識到的或是無意表達的，高愛軍在講述時，暴露了其道德上的缺陷，其話語內部的矛盾、大量的言行不一、怪異的用詞習慣、過於強烈的形容詞、感情詞，導致其可靠性受損。

　　探討動物敘事，需要注意的是，動物敘事是非常鮮明的「代言寫作」，如何使代言具有真實感？人類中心和自然中心如何權衡，敘述者、隱含作者、讀者在其中的倫理取位？陳應松《豹子最後的舞蹈》以豹子斧頭的瘋狂復仇，向「人類中心」提出警戒，但文本間的縫隙，隱含作者的困惑使得這篇小說擺脫了簡單的復仇模式。縱然豹子斧頭親疏有別，愛恨分明，但是隱含作者在鞭撻人類殘忍的同時，依然借由豹子之口，道出人類生存的窘境，避免了簡單的道德指控和是非評判。換而言之，豹子有其「差序格

18　黃曉華：《中國現代癲狂敘事的修辭策略與認同困境》，《文學評論》，2011年第6期。

局」，但隱含作者依然對豹子的天敵人類擁有悲憫情懷，這使得文中的差序格局變得紛亂、複雜。這樣的紛亂、複雜，傳達出隱含作者的困惑。

中國有悠久的鬼神志怪傳統，小說家借鬼魂言人事，對鬼魂的書寫，表面似乎與五四以來傾向形成的生命樂觀主義背道而馳，但對於鬼魂的推崇，一定意義上折射出另一藍圖。隱含作者讓鬼魂知曉前世今生，拓展敘事的疆域，是為了以彼岸的視角觀照此岸；但稍有不慎鬼魂視角很容易走入另一個誤區，通過彼岸世界的書寫完成對此岸世界的「否定」。《風景》中通過早逝的「小八子」視角講述「我」的父親母親、兄弟姐妹的人生，讓人對慘烈的現實不寒而慄，而鬼魂的「明徹」與「超然」蘊含的是對人世居高臨下的俯視和洞徹一切的虛無。《第七天》楊飛游走於生與死的邊境線，通過死無葬身之地的「後來者」讓前世一點點浮出水面，因而更加珍惜「死無葬身之地」的美好。隱含作者余華通過這樣的怪誕針砭人世的種種「不合人情」，通過建造一個充滿愛與溫存的亡靈世界，對他們在人世間的種種艱難困苦進行撫慰，但是這種撫慰與此岸無涉，處於與人世隔絕的狀態。

敘述間不可靠性是指一個敘述者所報導的事件與另一個或其他幾個敘述者所報導事件相反的情況。[19]在大多數的多視角文本中，通常以不同的視角為基礎建構一個「主敘事」（Master Tale，即具有優先權的敘事）是有可能的，但對同一個事件不同角度的敘述不具有任何的可比性，不存在一個版本的敘事比另一個版本的敘事更高級的情況……在這些敘述者中，沒有一個人擁有更優越的地位和知識來權威化自己的故事。在這種情況下，文本中相互衝突的多重視角建構，導致所有的敘述者都是不可靠的。[20]《花腔》圍繞中心事件「葛任之死」進行追尋，在不同的講述年代，三個敘述者白聖韜、趙耀慶、范繼槐各有立場，追尋者葛任後人也有其情感欲求，彼此立場、欲求各行其是，形成齟齬，暴露了其不可靠。《花腔》中每個敘述者各有其特定的敘事情境，為了自保或者為自我辯護，往往避重就輕，移花接木，但是彼此的攻訐，卻使得不可靠性呈現。

新時期不可靠敘事有諸種面向，讓不可能擔負起敘述全責的白癡講述歷史、洞察世相，是一項「不可能的」任務，也是一大創舉。塑造「聖愚」形象，賦予白癡通靈特質，使得「白癡」成為一種外在符號，遊移的能指，所指卻以其不斷獲得的神奇裝備洞穿一切，乃至走向「全知全能」，這就使人物敘述的「限知限能」與上帝視角的「全知全能」之間的壁壘有所鬆動，同時刷新了白癡敘述者的譜系。使用瘋癲敘事，使得瘋癲與時代症候的關聯更加突顯，瘋言瘋語傳達的是昔日的喧囂，往事的隱痛，當下的急切。動物敘事，不管是借「動物輪迴」之酒杯，澆自我之塊壘，還是以豹子的舞蹈質疑「人類中心」的狂妄，都對「天道」的變遷，人性的傾頹，發出另類的聲音。鬼魂視角

19 （丹麥）佩爾·克羅格·漢森著，尚必武譯：《不可靠敘述者之再審視》，《江西社會科學》，2008年第7期。
20 同上註。

描繪人世間的辛苦恣睢，揭穿種種騙局與罪惡，乃至在一個「隔絕」的，沒有現實性的彼岸世界重新打造「烏托邦」，縱然這一圖景蒼白單薄，頗多虛無意味，但是「這裡斷不是美的所在，不如讓給醜惡來開墾」的負氣中依然有對救贖的期盼。

四　結語

《紅樓夢》中有首小詩「滿紙荒唐言，一把辛酸淚。都云作者癡，誰解其中味？」「荒唐言」似乎是「不可靠的」，但「辛酸淚」卻是真實可感的。「荒唐言」中寄寓了作者關於人生意味的思考，「辛酸淚」表達的人生體悟與情感熱度。借由「荒唐言」和「辛酸淚」來思考敘述者的不可靠性，別有一番意趣。《檀香刑》（莫言）中小甲可以看到人的「本相」是荒誕無稽的，但是卻包含隱含作者對於人性的深層認知，在事實報導層面不可靠，但在「隱喻層面」上可靠。《秦腔》中引生是瘋子，時而瘋癲無狀，但他在有些事物的判斷、選擇上他與隱含作者驚人的一致。《花腔》中人人花言巧語，耍「花腔」，但卻契合了「隱含作者」對歷史的認識，歷史原本就是文本化的，是碎片的，是敘述出來的。就連典型的「疏離型不可靠敘述者」高愛軍，他的敘述目的和隱含作者閻連科的敘述目的背道而馳，自身成為反諷的對象，但在偶然間，依然會被他對夏紅梅的感情打動，至少關於愛情的講述，某些溫馨時刻是「可信的」。

運用「不可靠敘事」還涉及到「角色扮演」問題，白癡、瘋癲、動物、鬼魂都同理性的、人本主義的立場有較大距離，稍有不慎，就會露出扮演的馬腳。比如二憨過於生動貼切的隱喻體系，傻瓜小甲文縐縐的長篇大論，西門鬧轉世的豬十六城府頗深、野心勃勃，豹子斧頭偶爾宣稱自己是「一個人」，這些紕漏會使藏在敘述者背後的隱含作者顯身，造成敘述者語流的凝滯，使其形象的完整性受到損害。不過，新時期中國作家塑造「不可靠敘述者」，頗有創造力，記憶力強大、敘述有條不紊的白癡與福克納筆下明顯智商低下，只能使用簡單詞彙的白癡班基有天淵之別。中國的白癡格外聰明，乃至可以成王成聖，是因為在中國傳統中智與愚的界限並非涇渭分明，「大智若愚」、「大巧若拙」的轉化是中國哲學獨特的辯證法，白癡並不僅僅意味著智力缺陷，而是擁有普通人不曾開啟的世界。瘋癲在傳統文化中亦與某種神秘的「天意」相關，是天意在人世的顯形，或者本身是「天意」的奉行者，自然人世變化盡收眼底，常人難以企及。動物敘事中，「獸眼」作為一種裝置，內裡其實有一種「顛倒」。

需要關注的是，中國當代作家有時會選擇並不能完全勝任敘述或「反映」任務的敘述者成為文本中唯一的敘述者，這就給文本留下了很多縫隙，不得不賦予殘缺人物通靈的性質，使其成為全知全能敘述者，比如白癡二少爺（《塵埃落定》）可以洞穿歷史，趙小甲（《檀香刑》）可以看清人的本相，瘋子引生（《秦腔》）具有變化功能，可以聽懂鳥語、獸語、風聲、花聲，《生死疲勞》西門鬧經歷六世輪迴，以洞徹人世變遷。通靈的

獲得，有其特定的文化基因，中國不像基督教文化是「一神教」，上帝與人界限分明，在中國文化裡，人鬼神可以相通，在魏晉的志怪、唐朝的傳奇乃至清代的《聊齋志異》，人通過修煉可以成神變仙，人死之後也可能變成厲鬼，某些天賦異稟的人，自然就可以通靈。作家讓不可靠敘述者帶有通靈性質，會帶來許多便利，有些問題可以在象徵層面打開。但需要警惕的是，如果作者為了提高某些特殊效果，不惜傷害真實感，隨心所欲展示敘述者的通靈，往往引來「失真」的詬病。「鬼怪和魔幻的不同之處就在於『神秘性』，這種神秘性必須和現實交融，由此而從『現在』感受到古典的陰魂。換句話說，如果一味描述神仙鬼怪，可以把讀者帶入幻境，但不一定有『魔幻』或『神秘』的層次，而這種神秘感必須植根於一個國家的文化心理的『深層結構』裡……中國現代文學受現實主義的禁錮太深，如果不這麼『現實』的話，中國文化中的『陰暗面』足可以加強小說中的想像和象徵層面，而使作品中的『現實』更豐富，更有多面性……然而，『五四』以來，所揭示的是『清醒的』、社會性的、批判的現實主義，遂把這層文化上的神秘面以『迷信』之名去除了。」[21]在這種神秘面去除之後，人物的通靈若處理得不夠圓融，往往顯得非常突兀，似乎只是為了敘述的便利，脫離人物自身邏輯，臨時起意賦予的神奇功能。

　　綜上所述，「不可靠敘述者」開拓了一條隱秘的管道，最大限度調動讀者的參與，引發讀者對敘述者的講述始終保持警惕，對他的講述進行反覆思考，同時在閱讀中對自己的立場和感情不斷進行確認，使讀者和隱含作者親密接觸，更深入地進入小說情節的發展歷程[22]，超越敘述者的講述，生成自己對故事的認知和判斷。讀者可借由不可靠敘述者的通道，進入另外一個故事，形成雙重故事效果；通過聲音的縫隙，讀者可與敘述者拉開距離，形成抵制，敘述者成為反諷的中心。中國新時期作家運用「不可靠敘述者」，在「先鋒派」運動中曾經蔚為大觀，隨著「先鋒派」的沉寂，「不可靠敘述者」的運用出現頹勢，成為文學形象中的「散兵游勇」，成為個體作家的敘事選擇。但作家依然通過其堅實的文本實踐，對不可靠敘事理論形成了挑戰，本土化的「不可靠敘述者」有其鮮明的差異性。

21　李歐梵：《世界文學的兩個見證》，《中西文學的徊想》南京：江蘇教育出版社，2005年，頁201。

22　參見（美）布魯克斯沃倫著，主萬、草嬰等譯：《小說鑒賞》北京：世界圖書出版公司，2008年，頁215。

淺議馮銳與近代廣東糖業之發展

吳至通

香港中文大學歷史系

一　前言

關於廣東糖業在一九三〇年代發展歷史的相關研究不多。專著方面，甚少有學者關注廣東糖業在陳濟棠主政廣東期間由陳濟棠幕僚馮銳主導的「糖業復興運動」。[1]近年來出現不少對廣東近代糖業發展史有相關研究的論文如吳建新的《試析近代工業和近代農業的關係——以近代廣東的蔗糖業為例》，對陳濟棠與馮銳指導下的廣東糖業復興運動作出肯定，但本文認為其觀點尚可商榷。[2]香港大學的連浩鋈曾有《軍閥與商人：陳濟棠與廣東糖商個案研究》對這段歷史有較深入的探討，但其研究主要從陳濟棠的角度出發。[3]本文將會在其研究基礎上進行補充。

史料方面，關於一九三〇年代廣東糖業復興運動的資料，目前主要集中於三本民國時期留下來的資料。一是民國二十四年（1935）由林雲陔署名的《廣州區第一蔗糖營造場概況》（即後來的「廣州市頭糖廠」）。其中對當年廣州市頭糖廠的成立概況及製糖技術有著詳細的記錄。[4]其次是一本關於記錄馮銳事蹟與其一系列關於復興廣東糖業的遺作手冊《廣東糖業與馮銳》，當中的論述對馮銳基本持肯定態度。[5]同時，尚有馮銳自述的《廣東復興糖業之經過述略》，其內容與前者大體相若。[6]此外，當年曾在廣州市頭糖

1　關於中國糖業發展史的研究，較為常見的著作有：周正慶的《中國糖業的發展與社會生活研究——16世紀中葉與20世紀30年代》（上海：上海古籍出版社，2006年），但當中並無討論一九三〇年代後廣東糖業的歷史；季羨林的《糖史》（北京：新世界出版社，2016年）與前者一樣，主要討論中國傳統製糖技術及其文化，對近代中國尤其是廣東糖業的發展並無過多論述。

2　吳建新：〈試析近代工業和近代農業的關係——以近代廣東的蔗糖業為例〉，《華南農業大學學報》（社會科學版），2005年第1期，頁127-134。文章對陳濟棠與馮銳所宣導的糖業改革運動持較為正面的評述。

3　連浩鋈：〈軍閥與商人：陳濟棠與廣東糖商個案研究〉（Warlord and Merchants: A Case Study of Chen JiTang [1890-1954] and the Sugar Merchants of Guangdong），Journal of Oriental Study, Vol.39, No.1, Special Issue on Chinese Business History (June 2005), pp. 56-78.

4　林雲陔署：《廣州區第一蔗糖營造營造場概況》，民國二十四年八月（1935），出版社未知，現藏於中央圖書館臺灣分館。

5　未署名：《廣東糖業與馮銳》，出版年分未知，現藏於香港中文大學圖書館民國特藏館。

6　馮銳：《廣東復興糖業之經過述略》廣州：出版社不詳，1934年，現藏於香港中文大學圖書館民國特藏館。

廠任職的冼子恩曾有數篇關於一九三〇年代廣州糖業發展的回憶錄性質文章，一九八八年由廣東省政協整理出版，可能是受一九四九年後政治環境的影響，其觀點對陳濟棠及馮銳多有批評，但可以為本文討論馮銳主導的糖業復興運動提供來自不同立場的參考方向。[7] 此外，本文將會採用部分報章數據輔以討論。

　　以往的相關研究及部分史料對於一九三〇年代廣東糖業發展史的論述多從陳濟棠的角度出發而忽略馮銳在其中扮演的角色，本文將會採用文獻研究法，希望對馮銳在這短短幾年中的角色加以釐清。

二　馮銳提出「復興廣東糖業」的背景

　　製糖業作為中國傳統行業之一，在一九三〇年代以前，其製作方法大多以土法製糖為主。所謂「土法製糖」，即是以糖灶、糖鍋為基本工具，以畜力為動力。即使有研究表明，清末民初年間，廣東的潮汕地區雖有洋商開辦機器製糖廠，但仍未能改變這一時期中國的砂糖製造業屬於手工的性質。[8] 將傳統製糖業形容為「手工業」，[9] 可能意在說明中國傳統製糖業缺乏以蒸汽為動力的現代製糖技術。科戴維（David Faure）認為，在十九世紀的中國，推廣蒸汽技術困難重重，中國自身的環境也沒有發明蒸汽機的可能。[10] 技術的限制，成為傳統製糖業生產效率與產糖品質落後於近代西方製糖業的原因之一。

　　雖然明末清初以來，東成為商品糖的主要產地之一，也大規模對外省輸出，汕頭與廣州也是兩大產糖基地，但到了十九世紀八〇年代，隨著洋糖的輸入，本土糖在市場上逐漸失去了競爭優勢[11] 某些日本數據顯示，以廣東為例，一九〇五至一九〇九年間，廣東地區輸入白糖及精製糖總額分別為 156677 擔、279506 擔、255739 擔、165819 擔及 273631 擔；[12] 而潮汕地區的外糖輸入量也呈增長趨勢。[13] 面對這種情況，馮銳有一定的認識。他在其《廣東蔗糖事業三年計畫》中指出，廣東糖業之所以在近代以來衰落，是

7　冼子恩：〈陳濟棠辦糖廠經過及真象〉，《廣東文史資料》第11輯，中國人民政治協商會議廣東省委員會文史資料研究委員會編，1988年12月，頁107-130；中國人民政治協商會議廣東省委員會文史資料研究委員會編：〈廣東省營市頭糖廠〉，《廣東文史資料》第56輯，1988年12月，頁127-149。均藏於香港中文大學圖書館。

8　孫毓棠：《中國近代工業史資料1840-1895》第1輯，上冊，北京：科學出版社，1957年，頁80。

9　趙國壯：〈日本調查資料中清末民初的中國砂糖業——以《中國省別全志》及《領事報告資料》為中心〉，《中國經濟史研究》，2011年第1期，頁112-119。

10　科戴維著，周琳、李旭佳譯：《近代中國商業的發展》杭州：浙江大學出版社，2010年，頁182。

11　《中國近代工業史數據1840-1895》，頁121-122。

12　《南京、蘇州及廣東二於ケル砂糖狀況》，《通商匯纂》，第52號商業，1910年7月28日，頁34。マイクロ MF12875-61-51。載《日本調查資料中清末民初的中國砂糖業》，頁117。

13　《汕頭二於ケル砂糖狀況》，《通商匯纂》，第36號商業，1908年5月22日，頁11。マイクロ MF12867-53-43；載《日本調查資料中清末民初的中國砂糖業》，頁117。

因為「種植及製造方法不良所致」。[14]馮銳認為，種植上，潮汕地區將本應種植在山坡等艱難灌溉的地方的竹蔗種植在灌溉容易之地，且「粗放耕作」，「故產量不多」。[15]蔗糖製造技術上「依舊法」，「多用畜力旋轉石碌構成，不能將蔗汁完全榨出」，「木蔗含汁液百分之八十六，僅榨出百分之七十」。[16]此外，土法製糖的製作成本也不低，「每擔片糖成本連製造約需一十二元」[17]馮銳曾獲康奈爾大學農業經濟學博士學位，一九二九年與生物學家步毓森、蔣滌舊合著《農業常識》，一九二九年又著有《鄉村社會調查大綱》，[18]馮銳對廣東農業的情況有比較深入的了解，其對於廣東舊時蔗糖生產情況的分析還是較為可信的。另外，馮銳曾於一九三三年在菲律賓參加一個遠東農業科學會議，看到菲律賓糖業受世界經濟不景氣的影響，不少糖廠停工停產，有些糖廠被低價拍賣。他在菲律賓時曾表示：廣東的自然條件與菲律賓差不多，適宜種甘蔗，認為廣東有條件發展新式糖廠。[19]

　　於是借著陳濟棠所謂「為了於最短時期造成模範之新廣東」而提出的「三年施政計畫」，[20]馮銳提出了他關於復興廣東蔗糖的設想。雖然有數據顯示，陳濟棠在其最初的廣東發展大計中並沒有關於復興廣東糖業的構想，[21]但在時任廣東省政府主席林雲陔的指引下，作為嶺南大學農學院教授的馮銳及其起草的《廣東蔗糖事業三年計畫》收到了陳濟棠的青睞。馮銳旋即被任命為廣東建設廳農林局局長。主導廣東糖業的改革。

　　當然，馮銳後來的計畫得以順利實施，還有賴於一九三〇年代南京國民政府提出的關稅自主政策，以及陳濟棠對廣東軍政大權的掌握，均為馮銳提出的改革糖業計畫提供

---

14 載《廣州區第一蔗糖營造營造場概況》，頁117。

15 同上註。

16 同上註。

17 同上註。

18 《農業常識》封面冠有「中華平民教育促進會總會」，納入商務印書館「普及農業科學叢書」出版；《鄉村社會調查大綱》由「中華平民教育促進會總會出版」，為「中華平民教育促進會總會華北試驗區社會調查部社會調查部叢書之一」（此書翻印本藏於香港中文大學圖書館），載《廣東糖業與馮銳》，頁2。

19 冼子恩：《陳濟棠辦糖廠經過及真象》，頁109。

20 陳濟棠：〈改革陋習，刷新政治，造成模範新廣東〉，載廣東省檔案館編：《陳濟棠研究史料（1928-1926）》廣州：廣東省檔案館，1985年，頁136。

21 關於這點，有學者認為是陳濟棠不了解廣東農業情況而造成的。（載吳建新：〈試析近代工業和近代農業的關係──以近代廣東的蔗糖業為例〉，《華南農業大學學報》（社會科學版），2005年第1期，頁129。）但是本人較為認可連浩鋆的觀點：1932年夏，廣東省政府聘請一位外國製糖專家來粵作考察，提出：「我們發現甘蔗栽植零星地散布於省內各區，但沒有一處有足夠蔗田能供應充足原料給一個只是小型的新詩糖廠。農業現狀及時植甘蔗並不支持設立任何大型榨蔗廠。製糖業的大規模發展，超越了現時所能提供的保障。它必須建基於較佳的植蔗技術、較優越的蔗種、加倍施肥和防除害蟲病蟲。」Robert L. Pendleton, "The Sugar Industry in Kwangtung", The Far Eastern Review XXIX. 6:275,282(June 1933). 載《軍閥與商人：陳濟棠與廣東糖商個案研究》，頁57。

了政治便利。據冼子恩回憶，在海關進口稅則實施後，進口糖稅相當於當時上海、廣州市場糖價一倍以上，在中國辦糖廠，可以得到關稅保護，不怕沒有銷路。[22]而陳濟棠作為與南京政府分庭抗禮的軍閥，固然要以「推動實業」為由以獲取更多的政治、經濟利益，其認可並接納馮銳的糖業復興計畫也在情理之中。而關於稅收帶來的影響，下文還會提及。

三　新式糖廠的建設──以廣東省營市頭糖廠為中心

馮銳擬定的「復興廣東糖業三年計畫」，先就廣東省適宜發展蔗糖事業的地方，劃分成：廣州、惠陽、潮汕、徐聞、瓊崖等五個蔗糖營造區。首年先籌備成立廣州、惠陽、潮汕三個區。廣州區設立糖廠兩間；惠陽、潮汕各設一間製糖廠。他計畫這四個製糖廠每日共合榨三千噸蔗，製糖三百六十噸，共六千四百擔。並計畫以第一年所得利潤為第二年開辦徐聞、瓊崖各區的製糖廠所用。[23]廣東省政府與一九三三年六月九日通過了馮銳的建議。[24]到了十二月五日，馮銳又向省政府遞交關於「第一年開辦各區營造場臨時費預算表」，於翌年一月九日通過。[25]緊接著馮銳在嶺南大學演講時再次表明了廣東復興糖業計畫的原因與省政府對於復興糖業計畫的決心。[26]

馮銳計畫已行，廣東糖業的「復興運動」便開始了。廣州市的第一蔗糖營造場成為了馮銳的首選，而番禺也成為建造新式糖廠的選址。然而，根據前述中國傳統製糖行業的情況可知，即使是在廣東這個傳統製糖大省，在一九三〇年前，一無以蒸汽為動力的製糖概念，二無充足的財政支持，三更缺乏熟練的機械操作工人，但就是在這樣的情況下，馮銳還是在廣州主導建立了中國第一個以甘蔗製白糖的現代化大型製糖工廠。其中的原因值得思考。

（一）機器設備的採購

馮銳早前與美國糖業製造集團檀香山鐵工廠有一定的淵源，而市頭糖廠的建立背

22　同註18。

23　馮銳：《廣東復興糖業之經過述略》，頁2-4。

24　〈廣東省政府第6屆委員會第194次會議〉，載廣東省檔案館編：《民國時期廣東省政府檔案史料選編》（廣州：廣東省檔案館，1987-1989年），第3冊，頁380，轉引自連浩鋈：《軍閥與商人：陳濟棠與廣東糖商個案研究》，頁58。

25　〈廣東省政府第6屆委員會第242、251次會議記錄〉，轉引自《軍閥與商人：陳濟棠與廣東糖商個案研究》，頁58。

26　馮銳：〈復興廣東糖業與經濟建設〉，載《廣州民國日報》，1934年1月27-31日報導。轉引自：《軍閥與商人：陳濟棠與廣東糖商個案研究》，頁58。

景，適逢世界經濟不景氣，美方意圖趁糖價大跌，糖廠倒閉的情況下趁機向馮銳進行推
銷殘舊的製糖機械設備。[27]而馮銳原本的計畫，也意在讓檀香山鐵工廠承包所有糖廠的
機器設備。檀香山鐵工廠希望以其在菲律賓的一個分廠，承包糖廠的建築安裝及維修工
程和兼營船塢業務。它希望利用這個機會將菲律賓一些舊糖廠的機械翻新過後以賣給馮
銳。當時馮銳與檀香山鐵工廠簽訂購買計畫中的新造糖廠（番禺）和惠陽糖廠的全部機
械設備，總值達一百一十萬美元，對檀香山鐵工廠來說是一個既能拋售其廢舊設備，又
能賺錢的機會。但這引來另外一家來自捷克的斯可達工廠（SKODA）的競爭。斯可達
工廠早年與陳濟棠在軍火方面有業務往來，於是通過關係向省建設廳提出美日榨蔗一千
噸的機器設備及廠房建築的報價。必須指出一個前提是，斯可達工廠之所以與陳濟棠主
政的廣東省政府往來密切，是基於他們採用高額回傭的方式來爭奪市場。[28]根據當事人
回憶，斯可達工廠與檀香山鐵工廠與省政府簽訂的關於購置糖廠機械的合同有巨大差
別。一方面，在機械品質與保養上，斯可達保證除個別屬舊機械外，其餘設備都是新
的，保用一年，期間出現問題，賣方無償修理。而檀香山鐵工廠本身是及其製造廠，又
是承包商，故它供應的機器設備中，有一部分是自製的，有一部分是向其他廠商買進
的。在合同中規定只對自製機器設備保用一年，而對外購進的機器設備不負責保證。另
外，斯可達工廠的設備能力要比檀香山鐵工廠的能力要高，日榨能力為一千噸，遠遠超
過了馮銳原來的計畫：在廣州區第一區蔗糖營造場只建造一個新造糖廠，日榨能力五百
噸。這也導致後來有些員工發現斯可達工廠提供的設備有再擴大能力的潛力，到後來只
要增加一些設備，就能擴建為日榨能力二千七百五十噸的大型糖廠。在設備價格方面，
檀香山鐵工廠日榨能力五百噸的新造糖廠設備售價為八十七點五萬美元，日榨能力一千
噸的惠陽糖廠設備為七十多萬美元；反觀斯可達，出售市頭糖廠日榨能力一千噸的設備
為十五點八萬英鎊，折合六十六萬美元，比檀香山鐵工廠價格要低百分之五點七。而且
檀香山鐵工廠的售價是機器製造在出口港船上交貨價格。從出口到香港的運費及保費，
均有賣方負責。斯可達工廠的合同價格則是香港交貨價格。另外在付款條件方面，檀香
山鐵工廠規定在簽訂合同時先付價款的百分之十，在建成開榨前，先後分歧付款百分之
八十，共付百分之九十；斯可達工廠只要求在簽訂合同時先付百分之二，在開榨前分期
付款百分之四十。其餘百分之六十，在開榨後分期付清。檀香山鐵工廠的新造糖廠合同
規定，付款利率按周息八釐計算，而斯可達工廠規定按周息五釐計算，比檀香山鐵工廠
的利率低百分之八十七點五。但必須指出，還有一個重要的原因，一九三七至一九三八
年廣州淪陷前，廣東省建設廳回傭達百分之十八。[29]而這當中，馮銳自身是否在交易的

27　冼子恩：《廣東省營市頭糖廠》，頁126。

28　同上註，頁128-129。

29　同上註，頁129-131。

過程中獲取回傭，就很難判斷了。不過可以肯定，基於高額的回傭加上低廉的售價及付款利率，使得馮銳在計畫之外，與斯可達工廠合作建設一個比新造糖廠大一倍的製糖廠。而斯可達工廠也從檀香山鐵工廠手中競取了市頭糖廠、順德糖廠及東莞糖廠三個大型糖廠，榨蔗能力共三千噸。

（二）技術引進及技術人員

一九三四年三月，廣東省建設廳又與斯可達工廠簽訂承建市頭糖廠的製糖部分及酒精廠部分的建築工程合約。而工廠的建築工程轉包給了香港建築公司，機器設備轉包給美商。同時派技術人員到市頭糖廠進行指導施工。一九三四年十二月十日，市頭糖廠第一個投入生產，一九三五年四月四日，酒精廠部分竣工，五月十一日開始蒸餾酒精。中國有了第一間耕地白糖廠。[30]相比之下，檀香山鐵工廠承包的新造糖廠及惠陽糖廠的設備運作就差遠了，事故時有發生。而市頭糖廠既能用甘蔗直接生產耕地白糖，又能利用赤砂糖和土糖煉製精煉白糖，這使得斯可達工廠獲得了後來順的糖廠與東莞糖廠的建設合同。[31]到一九三六年，時任廣東蔗糖營造場總經理的馮銳，與斯可達工廠再簽增加機器合同，對市頭糖廠的建築工程進行再擴大。五月二十日開工，十二月投入生產，還建造一個十至十五噸方糖車間。市頭糖廠成為中國第一個具有從甘蔗直接製成白糖、精煉糖和方糖以及利益廢糖蜜製造酒精的現代化糖廠。[32]一九三五年的《廣東省政府廣州區第一蔗糖營造場概況》收錄了當時廣州市頭糖廠的手繪平面圖。（見附錄）[33]按照圖中顯示，並據當時的技術人員分析，市頭糖廠的製糖技術包括以下幾個特點：

一是機械化程度高，可以通過起重機將河運到場邊的甘蔗自動起重，並能自動磅重，節省勞動力。同時裝有兩臺蔗帶機，可以進行自動流水線式操作（步驟包括：整理甘蔗——切斷甘蔗——榨蔗）；二是電氣化程度高，除入爐水泵和第一列壓榨機用蒸汽機外，全場動力主要依靠電動機進行個別傳動，日榨量一七五〇噸的壓榨機也靠電力帶動；三是儀錶齊全，包括自動磅重每日入場的蔗量，壓榨機滲透水管的水錶，以及計算蔗汁重量的自動蔗汁磅，甚至有計算廢糖蜜的磅重表；四是蔗汁清淨、過濾設備齊全，不但可以用洗滌器過濾二氧化硫，且蔗汁經過袋濾機才進入蒸發罐，所有的糖漿都經過糖漿離心機處理，這樣生產出來的糖漿品質比其他糖廠的都要好。[34]

一九三〇年代，在馮銳的指導下，在廣東一共建立了六坐座式糖廠。從製糖技術而

30　同上註，頁131-132。

31　同上註，頁132。

32　同上註，頁132-133。

33　林雲陔署：《廣州區第一蔗糖營造營造場概況》，頁28-29。

34　冼子恩：《廣東省營市頭糖廠》，頁136。

言，這六座糖廠的基本設計都大體相近，主要包括雙亞硫酸法（用甘蔗生產耕地白糖）和石灰法（生產原料糖）。設備上，六座糖廠一共七套蔗刀機，除了市頭糖廠一個七百五十噸部分有兩套蔗刀機外，其餘六套都是一套蔗刀機。清靜設備上除惠陽糖廠用連續沉澱器外，其他各廠都用開口式沉澱箱框板式壓榨機處理泥汁。蒸發煮糖設備方面，都用多效式低溫蒸發罐和真空煮糖罐。動力設備方面各廠都有自備的發電機，燒蔗渣和燒煤則用不同型號的鍋爐。廠房都是鋼架結構高式設計，都預留了擴充時新裝蒸發罐的位置，為將來擴大生產留了餘地。而廠房的可擴大空間，都是按照馮銳的三年計畫來設計的。[35]

　　而由於中國本身缺乏熟練操作製糖機械的技術人員，為此馮銳一方面想盡辦法從國外挖來技術力量，另一方面使用特殊手段，增加工廠員工，並開辦培訓培養工人。

　　以市頭糖廠為例，工人在糖廠創辦時，大多是從香港的太古糖房和廣州的西村士敏土廠來的。開工以後就靠糖廠自己培訓工人。值得留意的是，一些回憶講述，這些由士敏土廠的工人轉來糖廠的方式頗有特點。當時廣州西村的士敏土廠工人因不滿廠方壓迫，準備罷工，而陳濟棠規定省營工業企業不准組織工會，不准罷工，導致工人辭職，因碰上市頭糖廠開工，遂轉到這邊來。這批人據說大概有兩三百人。[36]

　　而負責指導機器安裝及生產工作的斯可達工廠的工程師在承擔安裝工程的工人挑選八至十人參加而各車間的生產工作。這批人是從負責承包工程安裝的香港工程公司過來的臨時工，因為每個月工資在四十至五十元左右，比之前在香港每日港幣九角五分左右的工資高，於是留下來做正式工。這些工人技術相對熟練，與斯可達工廠的工程技術人員配合，成為開廠初期的技術骨幹。而製糖工人，出少數從香港太古糖房招來，大多由市頭糖廠自己培訓。[37]

　　馮銳自己也大力發動人脈關係，趁上海國民糖廠關閉的機會，到外省招工人。同時也把他在清華大學的同學及曾留美的同學周大瑤、沈鎮南等製糖專家邀請過來，又太古其在香港太古糖房工作的族人馮秋湘從太古挖來了幾位製糖師。進而陸續又有幾個從香港太古糖房回來的製糖技師參加工作。當其他幾間糖廠建立後，不少人又分散到其他糖廠。此外檀香山鐵工廠也拍了兩位工程師到第一區蔗糖營造場工作，不少留學生如留學法國學習專學釀造技術的李達欽、於升峰；留學比利時學機械工程的馮家諾等都到糖廠參與工作。同時國內又有不少大學畢業的青年技術員在各車間跟班學習，在此不一一介紹。另外，馮銳又開設省營糖廠人員訓練所，招收高中畢業生進行短期培訓並分配到市頭糖廠實習。這樣一來解決了技術人員短缺的問題。據說，市頭糖廠第一個季度技術人

35 冼子恩：《陳濟棠辦糖廠經過及真象》，頁111。

36 冼子恩：《廣東省營市頭糖廠》，頁138。

37 同上註。

員最多達八十八人，製糖工人一百六十八人，機械工人一百四十七人，化驗工人八人，酒精工人十六人，倉庫工人一百二十人，其他工人九十四人，共五百八十六人。[38]

在工人分工方式上，市頭糖廠按工種分成製糖、機械、酒精和化驗四類技術人員。這種方式一開始還可以應付生產方面出現的難題如機械維修等，但由於長期沒有變更這種分工方法，以致於在一九三八年日軍進入廣州時，仍保留這種方法，導致製糖工人不懂鉗工，不能兼具製糖操作與維修設備的技能。據說這種做法是為了使每部分操作可以由訓練技能相對較少的工人擔任，以方便解雇和撤換工人避免影響工廠生產效率。[39]但本文猜測，這樣做的原因可能與管理方實行不合理的勞動制度有關。因為根據數據顯示，以第一個榨季為例，機械工人平均工資比製糖工人高百分之四十八。[40]這些製糖工人人數較多，如遇不滿便向廠方發難時，廠方方便解雇工人，而就廠方而言，因為製糖工人相對其他技術工人較易培訓，入門門檻相對較低，所以廠方以這種方式來進行人力資源管理。而這種方式對於製糖工人來說，又因技術有限而顯得無可奈何了。

（三）領導方式

最後，至於糖廠的組織機構，則由馮銳負責主持制定。按照其「三年復興糖業計畫」，將全省適宜種甘蔗的地方劃分為五個營造區：番禺、東莞、順德、南海及三角洲為第一蔗糖營造區；惠陽為第二區；潮汕為第三區；粵西的徐聞為第四區；海南的瓊崖為第五區。而第一區即後來的「廣州區第一蔗糖營造場」，管理新造、市頭兩個糖廠，直接由省政府領導。[41]馮銳任第一區的總經理，自然，少不了安排自己的親信如其妹夫何威任管蔗處處長等。到了一九三六年陳濟棠倒臺後，馮銳自然也隨之結束自己在廣東製糖業中的地位，而新上任的領導班子當然也會換上自己的新人出任管理層，這些都不在話下。

但仍有幾個問題值得注意，一是建設糖廠的資金從何而來？馮銳自己肯定沒有這筆資金，單靠自身能力，一個大學教授、農林局局長很難籌得這些款項，這個前提是可以肯定的。第二是新的製糖體系建立後，其銷售方式如何展開，正如前文所述，之所以要推廣新式製糖業，是因為土糖受到了來自洋糖的衝擊，同時當然也有陳濟棠作為軍閥的自身利益考慮因素在裏面，那麼這些新建立起來的製糖體系，如何與洋糖、土糖進行競爭，在銷售的過程中，又出現一些什麼問題？是下文將會探討的問題。

38　同上註，頁139。

39　同上註，頁140。

40　同上註。

41　同上註，頁141-142。

四　關於「廣東糖業復興」的幾個問題

（一）資金來源問題

　　據前文所述，馮銳在與外商打交道的過程中選擇了設備售價較為低廉、付款利率相對寬鬆的承包商，但這一切仍需要錢以解決問題。馮銳沒錢，陳濟棠不一定有這麼多錢，省政府也不一定立即能拿出足夠的款項以供支付。當時開工廠的錢，主要來源於一下兩個方面。

　　一方面是靠國外資本解決。即前述在一九三〇年代初，國際經濟不景氣的環境下，原料價格下跌（據說糖價曾跌到每磅一美分），大量工廠倒閉，一些工廠的設備根本無法繼續運作，於是不少承包商趁機低價銷售舊機器設備給中方。以前文所述的捷克斯可達工廠為例，其提出銷售給市頭糖廠的設備總價在香港交貨時是十四萬三千英鎊，廠房建設用的鋼架及屋頂、廠房圍身的鋼材共一萬英鎊，折合美元不到七十萬元。[42]至於分期付款的利率，前文已有所述。雖然這個數字不一定準確，但這種壓價的交易緣由是可以相信的。此外，在分期付款時，檀香山鐵工廠要求中國銀行為其作為擔保，而斯可達工廠在簽合同是居然由當時在國際上沒有地位的廣東省銀行與廣州市立銀行為其擔保。這樣一來，檀香山鐵工廠感受到了危機，於是在於馮銳的信中曾表示退讓：「這次是本公司第一次接受沒有不可回收的信用證書擔保的分期付款合同。」[43]

　　然而，在實際付款的過程中，錢從哪來？據冼子恩回憶，這筆錢來自陳濟棠走私倒賣「無煙糖」而來。連浩鋆留意到一九三四年關於市頭、新造糖廠開榨而得公告，即這兩個糖廠作為最先開幕的糖廠，分別於一九三四年十二月十日及二十五日才開幕，但新造省營白糖居然在六月一日就上市了。[44]官方解釋是這批白糖是從海南購買過來再進行翻煉的白糖。[45]但事實並非如此。這批糖，實則由陳濟棠遣人去香港太古糖廠以每擔八點四元的價格購入軟細砂糖，通過秘密運輸後，躲過了中央政府的糧食進口稅，運回廣州，在新造糖廠的倉庫進行換包，換上印有「五羊牌新造糖廠出品」商標的包裝，以每擔十九元的價格銷售，而新造糖廠還沒開工，煙囪無煙，這批走私換包的糖得名「無煙糖」。[46]據說這批糖的純收益達三百四十五萬把錢餘元，[47]足以應付新造、市頭兩個糖廠的造價。

42　同上註，頁116。

43　同上註，頁116-117。

44　《民國廣州日報》，1934年5月9日，轉引自《軍閥與商人：陳濟棠與廣東糖商個案研究》，頁59。

45　《廣州國民日報》，5月9日，同上註。

46　冼子恩：《陳濟棠辦糖廠經過及真象》，頁117。

47　同上註。

（二）解決原料短缺問題

　　人力財力備足後，唯一缺的就是大量的原料。而所謂的原料來源，自然就是視乎產蔗的多少。《廣東省政府廣州區第一蔗糖營造場概況》中記錄了當年糖廠甘蔗的來源，即「貸款夠蔗」。[48]

　　「貸款夠蔗」前，省政府在馮銳的建議下開始以每畝蔗田每年可獲利四十元大力宣傳種植甘蔗。[49]於一九三四年一月成立「購蔗組」，著手進行原料的購買。[50]通過番禺農民銀行向廣東省銀行借錢，月息五釐，再以月息八釐轉借給農民，所得利潤作番禺農民銀行代理費用。這個政策使得銀行貸出大筆款項，但引起了政府的擔心。由於擔心貸款的蔗農不斷增加，一九三四年，政府請來上海商業銀行在廣東的分行進行合作，與廣東銀行共同代理。[51]貸款雖多，但隨著糖廠數量的增加和前述製糖機械的擴建，仍未能解決原料供應不足的問題。就連馮銳自己也不得不面對這一現實：部分糖廠停工，就連新造、市頭兩大糖廠在榨完第一批原料之後便停止了運作。[52]

　　關鍵時刻，馮銳的應對方法，自然是利用陳濟棠作為軍閥的政治條件，強行推行「土糖收購」政策（目的是要以土糖翻煉白糖）。要進行土糖收購，必須要進行「土糖登記」，就連平市商店裏銷售的土糖，都要被政府的行銷商收購。[53]即使這一政策引得輿論譁然，甚至有媒體報導此政策引起了民眾的強烈反對，但馮銳依舊以「洋糖傾銷」，「政府為保護土糖」的理由為政府的收購行為進行開脫。[54]在馮銳與政府的強行推行下，即使社會輿論反對的聲音再大，甚至連省參議院都建議政府取消此計畫，但在陳濟棠的強硬支持下，土糖收購依然進行。[55]可見，馮銳一系列的所謂「復興廣東糖業運動」，到頭來還須依靠陳濟棠作為軍閥施以強硬的政治手段才得以推行。而與原料的情況一樣，新糖廠生產出來的糖，在於洋糖和土糖的競爭過程中，其之所以可以廣開銷路，也得益於陳濟棠的政治手段。

---

48 林雲陔署：《廣州區第一蔗糖營造營造場概況》，頁67。
49 《廣州國民日報》，1933年12月12日，轉引自《軍閥與商人：陳濟棠與廣東糖商個案研究》，頁60。
50 同註48。
51 林雲陔署：《廣州區第一蔗糖營造營造場概況》，頁67-71。
52 冼子恩：《陳濟棠辦糖廠經過及真象》，頁123-125。
53 國民黨中央黨部經濟計畫委員會編：《十年來中國之經濟建設》南京：扶輪日報社，1937年，第9章，頁2。轉引自《軍閥與商人：陳濟棠與廣東糖商個案研究》，頁61。
54 《民國廣州日報》，1935年8月17日，轉引自《軍閥與商人：陳濟棠與廣東糖商個案研究》，頁61。
55 《申報》，1934年8月23日，轉引自《軍閥與商人：陳濟棠與廣東糖商個案研究》，頁62。

（三）產品銷售的問題

　　新糖廠在一九三〇年代中期的廣東可謂是個新角色，自然要面對來自洋糖與土糖的競爭。

　　對於與洋糖的競爭來說，對本土糖業的關稅保護政策自然就是關鍵的手段。一九三三年五月二十二日施行的國定海關進口稅則，是保護本地在國內的商品銷路的前提。就食糖而言，進口糖一律按照價格課稅百分之五十，並且大部分用從量稅。對銷售精製糖每公擔抽稅九點六個海關金單位（每一海關金相當於四角美元）；方糖每公擔抽進口稅二十個單位，冰糖每公擔十五個金單位。按照當時每金單位合約大洋一元七角計算，每公擔白糖進口稅達十六元大洋，相當於上海當時市價百分之五十左右。[56]這樣一來，洋糖的價格便失去了競爭優勢。雖不乏有洋糖商採取走私行為，但國內食糖市場價已經比實施國定稅則之前上漲了。而就廣東方面來說，在廣東辦糖廠的白糖成本，每公噸不超過一百六十八元左右，利潤之高，是洋糖不可匹敵的。[57]一九三三年五月十五日，廣東省政府開徵「舶來農產品、雜項專稅」，並在廣州、海口、潮梅、江門、廉江等地設立「專稅局」收稅。[58]一九三四年五月，當時進口廣東的香港太古白糖在港售價為每擔八點四元，但在廣州僅應付「專稅」就要徵收十點六八元每擔。[59]稅率之高使得洋糖的銷路受到巨大打擊。

　　至於對付本土糖，馮銳提出：「分散生產，集中銷售」，甚至提出「統制全省蔗糖，杜絕私糖」的統制銷售模式。[60]一九三三年開始，在馮銳主導下，廣東省政府開始頒行一系列的糖業生產統制法則，其中包括：一、廣東省民營糖廠取締暫行規程；二、廣東糖業營業處指導及監督民營糖廠施行細則；三、民營糖廠登記規則；四、民營糖廠登記應行聲敘事項表；五、廣東民營糖廠產品檢驗規則，等一系列全面管制土糖的法則。其中在《廣東省民營糖廠取締暫行規程》中就有這樣的要求：「民營糖廠資本額不得超過毫銀五萬元，每日出產糖量不得超過三頓」。[61]當然隨後還有一系列繁雜的條例，均是針對土糖而出臺。這樣一來，非官營的土糖，生存空間就非常有限了。

56　冼子恩：《陳濟棠辦糖廠經過及真象》，頁120-121。

57　同上註，頁120。

58　陳伯任等：〈財政和稅捐〉，《南天歲月——陳濟棠主粵時期見聞實錄》，頁298，轉引自《軍閥與商人：陳濟棠與廣東糖商個案研究》，頁67。

59　謝英明：〈省營工業概況憶述〉，《南天歲月——陳濟棠主粵時期見聞實錄》，頁230，轉引自《軍閥與商人：陳濟棠與廣東糖商個案研究》，頁67。

60　林雲陔署：《廣州區第一蔗糖營造營造場概況》，頁79。

61　冼子恩：《陳濟棠辦糖廠經過及真象》，頁122。

五　結語

　　在馮銳的宣導下，於一九三三年至一九三六年間在廣東省建立了約六家新式糖廠。單就糖廠而言，馮銳引進以電力為主要動力的現代化產糖技術是是還值得肯定的。然而，就其在廣東所宣導建立的「統制式」糖業經濟來說，一方面，對於扭轉一九三〇年代之前，土糖與洋糖在競爭中所處的劣勢地位，取得了正面的成效。但另一方面，顯而易見的是，馮銳所謂的「廣東糖業三年復興計畫」，如果沒有作為軍閥的陳濟棠的支持，顯然難以成功。尤其值得關注的是，這些新式糖廠及其統制銷售的模式下，其收入最終落入何處，對廣東省財政收入帶來多大幫助，這又是值得思考的問題。

附錄：市頭蔗糖廠全圖

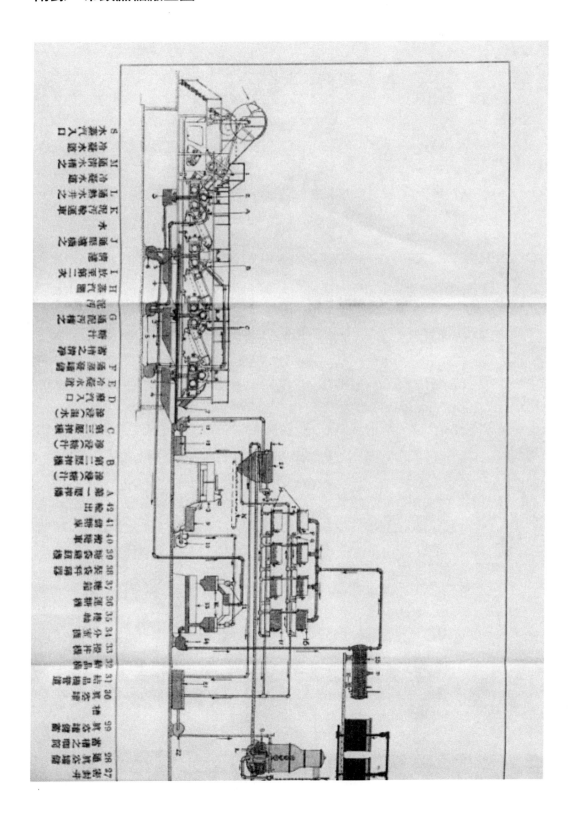

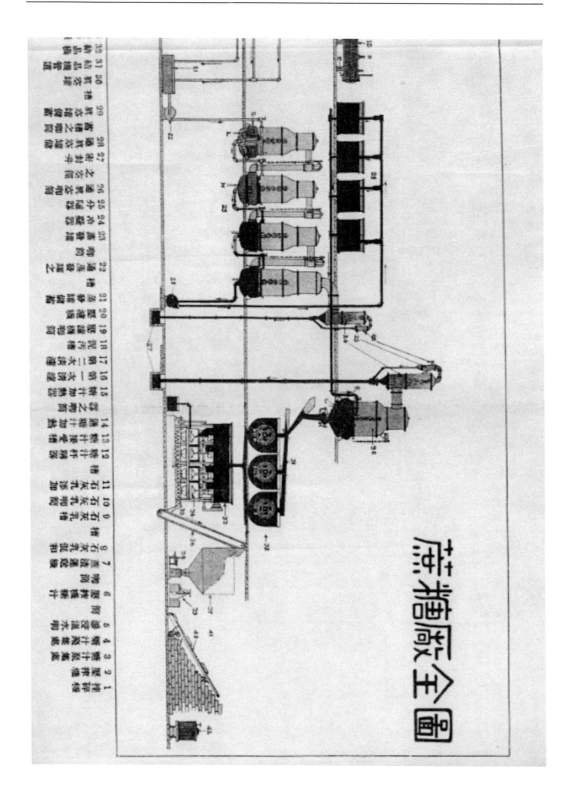

煮糖廠全圖

1 壓蔗車
2 煮糖輪轉
3 木槽承蔗汁
4 承蔗汁桶
5 蔗汁桶
6 蔗汁用鐵底
7 鐵管流蔗汁
8 石灰乳乳和糖汁
9 石灰乳乳
10 石灰乳乳和
11 石灰乳乳
12 糖汁加石灰
13 地盤加石灰糖汁
14 糖汁加石灰糖器
15 煮汁加石灰糖器
16 煮汁加石灰糖器
17 糖汁水汽加水桶
18 丙第二糖汁桶
19 丙第糖汁桶
20 壓壓糖汁桶
21 壓糖汁桶之
22 地楚圜承管之
23 其分蜜器之
24 冷蒸糖器
25 分蜜器
26 其糖器
27 其糖之蜜
28 糖糖糖之蜜器前
29 其灰糖汁分汁
30 其神糖汁
31 其蔗汁
32 蔗蔗道
33 糖蔗道

附錄

牟宗三先生的文化意識

鄧立光

香港中文大學

　　本文所說牟宗三先生的文化意識，不但屬於個人的修養內容，而且是民族文化傳承之所寄托。這裏面牽涉到時代背景、個人際遇、文化教養、精神心志的問題。牟先生對此有豐富敘述，這除了表現牟先生個人的思想器識以外，還流露出異常豐富的感情，真摯而動人。下文以節引牟先生著作相關語段，讓牟先生自己的文章見解，反映他自己的文化意識。

一　文化意識與文化承擔

　　我國從孔子起，即是文化意識強。「文王既歿，文不在茲乎？」、「天將以夫子為木鐸。」、「吾非斯人之徒與而誰與？」這些話都表示其對時代的擔當。孟子的文化意識也是一樣強烈。宋明理學即是從文化意識中提鍊出來的原則。……我們現在要以「時代使命」和「文化意識」二者來確定先立其大。（《人文講習錄・時代使命與文化意識》，頁59）[1]

　　念自廣西以來、昆明一年，重慶一年，大理二年，北碚一年，此五年間為吾最困扼之時，亦為抗戰最艱苦之時。國家之艱苦，吾個人之遭遇，在在皆足以使吾正視生命，從「非存在的」抽象領域，打倒到「存在的」具體領域。熊師的那原始生命之光輝與風姿，家國天下族類之感之強烈，實開吾生命之源而永有所嚮往而不至退墮之重大緣會。吾於此實體會了慧命之相續。熊師之生命實即一有光輝之慧命。當今之世，唯彼一人能直通黃帝堯舜以來之大生命而不隔。此大生命是民族生命與文化生命之合一。他是直頂著華族文化生命觀念方向所開闢的人生宇宙之本源而抒發其義理與情感。他的學問直下是人生的，同時也是宇宙的。（《生命的學問・我與熊十力先生》，頁149）[2]

　　說到我自己，實是病痛甚多，生命有駁雜。我的生活，有許多不足為訓，但就我們所處之時代，和我們擔負之使命言，人過於規行矩步，注重細節，亦見生命之拘束而推拓不開。現今之所需，是要有風力，要有突顯之氣象，要表現觀念之方向，否則不足以

1　牟宗三：《人文講習錄》〔蔡仁厚輯〕臺北：學生書局，1996年2月。
2　牟宗三：《生命的學問・我與熊十力先生》臺北：三民書局，2011年8月。

言負擔。（《人文講習錄‧師友之義與友道精神》，頁185）

　　由於我個人的遭遇，我正視我個人的存在的生命之艱難。由於國家的遭遇，我正視民族的存在的生命的艱難，我親切感到學風士習之墮落與鄙俗。我的生命的途徑必須暢達，民族生命的途徑必須暢達。（《生命的學問‧我與熊十力先生》，頁145-146）

　　我在一般社會人心的左右顛倒塌散中站住自己而明朗出來，是須要很大的苦鬥的。我的依據不是現實的任何一面，而是自己的國家，華族的文化生命。一切都有不是，而這個不能有不是，一切都可放棄、反對，而這個不能放棄，反對，我能撥開一切現實的牽連而直頂著這個文化生命之大流。（《五十自述‧客觀的悲情》，頁116）[3]

　　……我所肯定的，則是華族歷聖相承所表現的文化生命。不是文化的遺跡，是「滿腔子是惻隱之心，通體是德慧」的孔子所印證的既超越而又內在的生命之源，價值之源。（《五十自述‧客觀的悲情》，頁121）

　　吾之生命依據不在現實。現實一無所有矣。……吾所依據者華族之文化生命，孔孟之文化理想耳。（《五十自述‧客觀的悲情》，頁128）

二　牟先生評近代知識分子的生命形態

（一）評價王國維

　　王國維是一代國學大師，晚年鑽研甲骨文，殷周史，於考古學上有貢獻。然沒有進入中國文化的底蘊，於西方文化生命的來龍去脈亦未能抓住其綱要。自己生命的途徑，中國文化生命的途徑，皆未能知之確，信之堅，遂鬱悶以終，自殺了事。……清末民初留下的學人就是那樣清客式的典雅，而於天人之際，古今之變，則一無器識。（《五十自述‧生命之離其自己的發展》，頁26）

（二）評價梁啟超

　　梁任公是一代的風雲人物。戊戌政變，以及與蔡松坡合力討袁，都見他的風力，與風雲恢廓得開的才氣，然他的見識亦只是時代中橫剖面的政治變法之意識，立憲之意識，無論是就滿清帝國以立憲或是改中華民國後就五族共和以立憲。這自然是民主政治的意識，這是不錯的，然在中國要實現這個新政體，是要費大力的。這就要牽涉到文化生命的問題。他晚年感覺到徒政治之不足，要從講學起。因此他也成了一位國學大師，然因他的意識受滿清三百年的影響太深。光緒皇帝的知遇進入他的生命中，乾嘉的考據

3　牟宗三：《五十自述》臺北：鵝湖出版社，1989年。

學風，他不知是中華民族生命歪曲後而來的文化生命之歪曲，他把它當作一個正面的統緒承繼於其生命中。他簡別不出這其中的委曲。這就使他的學問與意識蒙上了一層雲翳而封住了他。他接不上中國的學統，他通不了中國文化生命的底蘊。還是那考據的興趣，爭博雅的清客學人之意識，三代漢唐宋明儒的大業，他根本接不上。結果是一部清淺而庸俗的《歷史研究法》。他的講學與他的政治事業中所養成的政治意識根本通不起。由他的學問見他的器識，是卑下了，他的政治意識因此也孤離了。只能說他有抓住屬於政體的時代現象的聰明。他的天資以及聰明才智都是被動的發洩在時代的圈套中。他自己生命的途徑，中國文化生命的途徑，他根本無所知。（《五十自述・生命之離其自己的發展》，頁26-27）

（三）新文化運動者的膚淺與擾亂

　　新文化運動這一個階段的那些人沒有甚麼頭腦，非常的膚淺，只會打倒孔家店，罵孔老夫子。孔子的名氣太大了，所以今天你能罵他幾句，明天你就成名了，就自以為代表一派思想。……說甚麼我是科學主義，我是主張民主自由，你們是反動、是落伍。可是你講科學，卻不懂科學，你主張自由民主，也不懂自由民主，只是靠著嘴巴講幾句門面話，討個便宜，以這討來的便宜便說自己是自成一派，代表一派思想。這不是很可憐嗎？不是個笑話嗎？而我們的社會卻是被這些笑話統治著。……第一階段的新文化運動，不成氣候，沒有一個光源，沒有一個思想家可站得住腳，卻都想要治國平天下，結果是擾亂天下。這不是很可悲嗎？（〈哲學的用處〉（講於1983年1月），見《時代與感受》，頁128）[4]

（四）民國以來的知識分子

　　……我一直就討厭那些沾沾自喜忘不了他那教授身分的一些教授們，一直就討厭那些以智識分子自居自矜，而其實一竅不通的近代秀才們之酸氣腐氣與驕氣，他們的心思膠著而且固定於他們的職業（咬文嚼字）。他們總忘不了他自己，他們鄙視一切其他生活形態。他們不能正視廣大的生活之海，不能正視生命之奧秘，人性的豐富，價值的豐富。他們僵化了他那乾枯的理智以自封，以自傲，然而實在是枯窘的，貧乏的，吊在半空中，……（《五十自述・在混沌中長成》，頁17）

　　……這時代的浮薄知識分子妄逞聰明，全不濟事。沒有一個是有根的，沒有一個能對他自己的生命負責，對民族生命負責，對國家負責，對文化負責，來說幾句有根有本

4　《時代與感受》臺北：鵝湖出版社，1984年。

的話。他們全是無守的，亦全是無堅定的生根的義理信念的，只是浮薄的投機取巧，互相耍著玩，來踐踏斲喪民族的生命。這就是我前面所說的新式的人禍。（《五十自述・生命之離其自己的發展》，頁37）

　　……當時學哲學的人實在於中國文化生命之根以及西方文化生命之根皆未接得上，只是漂浮在橫面的時尚中，在口耳之間襲取一些零碎浮辭。他們的生命只是現實的，片段的，並沒有通於文化生命之大流內而植根於其中。他們的聰明尚只在感覺狀態中，庸俗而平面的知解狀態中，並沒有接上中西學術道術的慧命。此不但學哲學的人如此，一般知識分子大抵皆然。所以一切皆是游離飄蕩，毫無生命途徑可言。（《五十自述・直覺的解悟》，頁44）

　　……社會上一般人對於歷史文化的哲學也並無多大的知識與意識，所以這方面並無真正的建樹與自覺可以作中流之砥柱，……沒有人能從文化生命上了悟中華民族之演進，以認識中國問題之所在，替自己民族找出生命之途徑。（《五十自述・架構的思辨》，頁64-65）

　　一般人只是停在平面的廣度的涉獵追逐的層面上。他們也知道學問無限，也知道自己有所不能，有所不知。但他們的這個知道只是屬於故實的、材料的、經驗的、知識的。……他們不承認有德性義理的學問，他們也不知道人格價值是有層級的。……他們所知的，只是某人有的多少考據知識，學問有多博，這和某人有錢，某人有權有位，是一樣，都是外在的、量的，平面的。所以他們可以看不起聖人，可以詬詆程朱陸王。這種卑陋無知，庸俗浮薄，實在是一種墮落。這癥結，我知道得很清楚。因為他們始終未感覺到有深度的問題。他們只是廣度的增加或減少。只有德性義理的學問才有深度的發展。他們不承認這種學問，所以他們沒有深度發展的感覺。他們的生命永遠是乾枯的、僵化的，外在化於材料中而吊在半空裡，他們永不落在「存在的」現實上，所以他們永不會正視現實，只藏在他那教授的乾殼中以自鳴清高。實則全無器識，全不知學問為何物。（《五十自述・客觀的悲情》，頁87-88）

　　夫以中國知識分子皆歧出而乖離，真可謂闃其室，無人矣。誰是炎黃之子孫？誰是真實之中國人？誰來給華族與中原河山作主人？有誰能直通黃帝堯舜以來之大生命而不隔？皆陷落於軀殼、習氣，窒息以死，而為行尸走肉，為偶奇之存在。生命已不暢通矣。而自五四以來，復假借科學與民主以自毀其根，自塞其源，是則窒息不通而益增其睽隔也。……夫一民族衍變既久，積習既深，若復順其習而下委，則只成一團習氣之墮性。稍有文物度數之沾溉者，則又沾著陳跡而玩物喪志，不能通文化生命之源也。沾嗶吟哦於詩詞典籍者，則又習焉而不察，徒為其黏牙嚼舌之資具。有終生讀中國典籍而與其生命無交涉者。稍有穎悟者，亦能就眼前積習風光而略得旨趣，然而不能深入底蘊而通文化生命之源也。此為感性之欣趣，而非思想慧命、德性光輝之遙契。又有較為穎悟者，亦能稍通義理之源，然而淺嘗捷取，不能資之深而左右逢源也。……故不能「大德

敦化」也。此皆為積習所限，不能撥陳跡而通慧命，故不能開拓變化，為民族生命立道路。此非有大才大智大信，強烈之原始生命，固難語於華族之慧命也。然則當今之世，未有如熊師者也。（《五十自述・客觀的悲情》，頁107-108）

　　數十年來，學問分門別類，以致經史子集在今天的國文系裡都不能講。經子義理歸諸哲學系，歷史歸諸史學系。集代表詞章，而真有文學天才的不能安於國文系作教授。國文系的傳統，只剩了小學，所謂詞章，也只剩了秘書的詞章，學問簡直不能說。……歷史系如只是考據，說不上了解歷史。哲學系的人，都有點小聰明，慣作理智的遊戲，他們對於天地間的事情，沒有一件能看得起，只是玩世不恭，故數十年來，哲學系裡亦出不了真正的思想家。因為他們缺乏文化意識，不肯向安身立命的學問上走，多只是乾枯的理智主義，虛無主義。古人講學，都重世道人心，最注意的，第一是做人，第二是以天下為己任，關心世風學風，關心世道人心，而今之哲學，只變成淺薄的遊戲的理智主義，所以在人生的根底上，都是黯淡的、灰色的。因為他們不能樹立起價值觀念，也不願接觸價值問題。故在此風氣下，欲望哲學系的人，對時代有擔當，亦不可能的。（《人文講習錄・反魔道與灰色》，頁8）

三　慧命相續

　　接通慧命是一縱貫的意識。但是只著眼於歷史之陳跡或過往之事件者，則並接通不了慧命，甚至根本不知有慧命這會事，他們也不承認「慧命」這個字有意義。如今之治歷史者，專以考據歷史之跡為能事，而且專以考據為史學，史學要排除任何程度的解析，如是者雖日治歷史，而並無歷史意識，亦更無文化意識。如司馬遷所說「究天人之際，通古今之變」，這種縱貫，方始真有歷史意識與文化意識者，如是方是真能由歷史之考究而接通慧命者。……所謂「通」者，必是在「事件」以外，能滲透引發這事件與貫穿事件的「精神實體」而後可能，而此精神實體卻即在「天人之際」處顯。所謂究天人之際即在透顯精神實體而深明乎精神發展之脈絡，這就是接上慧命了。（《五十自述・客觀的悲情》，頁104）

　　不能通過歷史陳跡而直透華族文化生命之源，不得謂接通華族之慧命。接不通慧命，不得謂為有本之學，其學亦不能大，不得謂為真實之中國人，其為中國人只是偶寄之習氣之存在。……不能接通慧命，不能為真實之中國人，吾華族即不能自盡其民族之性而創制建國。一個不能自盡其民族之性而創制建國的民族，是棄才也。（《五十自述・客觀的悲情》，頁105）

　　未有生命不通而可以有所建樹以自立者。……非直通文化生命之本源，不能立大信，昭慧命。（《五十自述・客觀的悲情》，頁107）

新亞師友雜憶

李金強*

香港浸會大學

　　錢穆（1895-1990）先生在本港創辦新亞書院及研究所，早於中學時已有知聞。及至回臺升學，就讀於師範大學（師大），時中國文化史一科，業師朱際鎰規定閱讀錢氏之《中國文化史導論》及《文化學大義》二書，並撰書評。對錢氏之學，由是有所認識而心領神會。一九六七年錢氏移居臺北，講學中國文化大學，並出版《朱子新學案》一書，繼而發表《朱子學提綱》，轟動士林。遂得閱讀《提綱》一書，讀後猶如對中國學術思發展，獲一全面性鳥瞰的認識，留下深刻印象，故已有畢業後回港投考研究所之志。

　　回港後，得悉師大學長歐陽鎰豪於一九七一年先行考入研究所，繼而同班雷家驥亦於一九七二年考入，時新亞書院及研究所均設於農圃道，而新亞中學則尚未開辦。其時余於中學任教，課餘即至農圃道，與鎰豪、家驥共聚，並因而得識全師漢昇之助理李龍華，研究所一九七〇年入學的廖伯源，及家驥同屆之梁國豪與劉楚華四位，並認識大學部歷史系四年級生陳懿行及何漢威二位。

　　龍華及漢威先後至澳洲國立大學（Australian National University）攻讀博士，余亦於稍後獲浸會停薪留職，並資助前赴澳大深造，得以重逢。時龍華已畢業，任職澳大遠東語文圖書館，而漢威則仍在學，時常往還。漢威記憶力驚人，中、西史學造詣至深，與其相交，獲益良多，其後畢業至臺灣中央研究院歷史語言研究所（史語所）任職至今。

　　而伯源及楚華二位則至法國巴黎第七大學攻讀博士，國豪則至京都大學深造，家驥返回臺北，至中國文化大學攻讀博士，今則在國立中正大學任教。伯源亦於法國畢業後，一度回所任教，現則任職於史語所。而楚華亦稍後來浸會大學中文系任教，成為同事。

　　余於一九七三年為研究所錄取入史學組，同屆尚有陳懿行及戴桂冠兩位，而與同年入學的翟志成交往較多，志成為中山大學之紅衛兵，文筆犀利，深得所中師長之喜愛，其後至美國加州大學柏克萊分校，隨杜維明攻讀博士學位。一九八五年與他在國立星加坡大學重遇，志成任職於該校之東亞哲學研究所，該所為星加坡政府鼓吹儒學之學術機關，今已結束。日後轉而任職臺北中央研究院近代史研究所（近史所）。

　　余入學時，研究所尚隸屬於中文大學，至一九七四年由於研究所諸師與中大校長李卓敏之辦學及學術理念有所不同，故決定離開中大，自行獨立，並接受臺灣教育部之資

---

* 李金強，香港浸會大學歷史系教授。

助，此研究所畢業生日後均能獲教育部頒授學位之由來。

其時研究所所長為唐師君毅，教務長為趙潛先生，所內共分文、史、哲、佛學四組。史學組導師為蘇師慶彬，任教中國史之老師，包括嚴耕望、全漢昇、王德昭、陳荊和、羅夢冊，孫國棟等數位。而余英時亦於此時出任新亞書院院長，皆一時之選。而研究所尤以唐君毅、牟宗三、徐復觀三師，為熊十力之弟子，最為著稱，新亞研究所亦因其三人而成為一九四九年後新儒家之學術重鎮。

史學組導師蘇慶彬原為魏晉南北史之專家，然其時開始從事編纂《清史稿》索引，並由同班戴桂冠協助。故研究所存有大量蘇師編纂索引之咭片，蔚為大觀。入學後，除需修讀英、日語文外，先後修讀耕望師、德昭師及復觀師三位任教之學科，而論文導師則由孫師國棟指導。諸師皆學問淵博，獲益匪淺。余於師大攻讀時，其初研究興趣在於近代史，而師大亦以此著稱，後受際鎰師研究魏晉南北朝史之影響，故亦對中古史多所用心，故入研究所後即修讀耕望師任教之科目──中古史研究及中國歷史地理兩科，所受教益最多，故先談耕望師。

耕望師為賓四先生國內任教時之弟子，獲中央研究院院士。以唐史、中國政治制度史著稱，並已自闢歷史地理研究之蹊徑。所講授中古史一科，上學期主要介紹中古史史料、治學方法及其生平所遇師友之學行，日後並將其課堂所講，擴充而成為《治史經驗談》，《治史答問》及《錢賓四先生與我》三本小書，實為治中國史入門的最佳讀物，耕望師之專史研究，實屬藏之名山之專門著述，讀之者少，知之者亦希矣。惟獨此三本小書，使其為史學界人所共知。而下學期則以其撰寫有關政治制度及歷史地理之專題論文，抽取若干篇講解其研究來由及心得。耕望師之史學，奠基於史料，故其研究創獲之光輝皆由史料而得。曾於課堂上自謂其歷年研究唐代交通路線後，最終發現了唐代的國界，此為其於唐史研究之發明，由此可見，耕望師史學研究之精細及真相發明之功力。

至於中國歷史地理一科為大學部之科目，然所修學生不多，蓋因耕望師之普通話，不易為香港學生所聽懂。當時一齊上課，尚有今中文大學歷史系主任蘇基朗，基朗於中大畢業後，亦至澳洲國立大學進修博士。耕望師所講歷史地理，起自史前，下迄唐宋，對疆域、氣候、物產、交通、城市，多所論述，余修此科，國史造詣由是大進。

余隨耕望師研習時，得以相知，一度邀余隨其研究中古之四川。然由於任教中學，工作量甚大，難以靜心細讀中古史料，故最後仍選取近代史作為碩士論文題目，至未能成為耕望師之入室弟子。然而研究所期間，受其教益最多，對於耕望師治史之學行品格，終生不忘，其所主張「讀人人能讀之書，講人人不能講之說話」，以及「工作隨時努力，生活隨遇而安」，至今尤奉為個人治史、處世之圭臬。

此外，在中古史一科，同班尚有屈啟秋及劉福注兩位，皆中大歷史系一九七三年畢業生。該年畢業生除前曾提及相識之陳懿行、何漢威外，日後浸會歷史系同事周佳榮及鮑紹霖兩位均為同屆。啟秋現為新亞中學校長。故余與中大歷史系七十三屆最具緣分。

不但先後成為同學、同事，亦多為好友。

德昭師早年任教師大之西洋史，並出版《國父革命思想研究》（1962）一書，早已著稱於臺灣史學界。余在師大之受業諸師如王爾敏、呂實強、王家儉、李國祁、李恩涵等，均曾受教於德昭師，故早已知其大名，德昭師後至南洋大學任教，再至中大，並出任文學院院長。時開「中國近代思想史」一科，以中國近代史上之改革及革命家思想作為講述內容，始於清中葉龔自珍而迄於五四之陳獨秀及李大釗，德昭師出身北大，留學哈佛，學兼中西，且口才卓越，聽其講課，娓娓道出，論述精彩，實為學思上之享受。德昭師時因章士釗病逝香港，參與扶靈，而被視為右派中之「變節」者，此冷戰時代，左右對立意識形態所導致。由於新亞研究所與臺灣國府關係密切，故德昭師與研究所之關係未能維持。余本擬隨其撰寫碩士論文，終因此而未能成功。

德昭師於中大研究院時，先後指導林啟彥、陳萬雄及周佳榮三位，後皆至日本廣島大學留學。佳榮、啟彥二位日後均來浸會任教，獨萬雄至商務印書館任職，而今成為出版界名人。由於皆曾受教於德昭師，而德昭師晚年致力於孫中山及辛亥革命研究，故我們皆先後受其影響，從事辛亥革命史之研究，此亦八〇年代浸大歷史系以此作為起家之研究課題。

德昭師於中文大學退休後，本擬專心著述，可惜不久即因腦溢血而去世，未能在史學研究及著述上留下更多成果，至為可惜。其臨終前一年，曾至浸大歷史系演講，時系主任劉家駒先生（研究所第六屆畢業）於演講前致辭，謂德昭師為本系老師之老師，德昭師頗為快慰，演講後並同至尖沙咀「鹿鳴春」京菜館午膳。該餐館為六〇至七〇年代新亞及香港學術文化界常至聚餐之地。師生至為言歡，然德昭師卻不久即行逝世，未竟其業。

復觀師被尊為當代新儒學大師，著作等身，然尤擅長撰寫政論文字，文字氣勢磅礴，《突破雜誌》故創刊人及主編蘇恩佩曾面告余，謂復觀師為香港撰寫時論之高手，中文尤佳絕。復觀師受聘於研究所後，講授《史記》及《文心雕龍》兩科，至為叫座。其後新開《漢書》，余即選讀，然講至〈後妃傳〉，因江青與四人幫專擅，話題一轉，竟然談論中共政治，直至學期結束。故該科實為漢書與當代中國政論合講，由於復觀師曾與中共領袖接觸，講論時栩栩如生，如見其人。復觀師於東海大學任教時弟子蕭欣義為其編刊文錄，其中一冊為《論中共》，即復觀師於堂上所講論者。

復觀師熱愛中國學術與文化，對儒家思想終將開拓中國民主，倡論尤多，一次研究所師生同游青山，復觀師侃侃而談儒家民本思想終將使中國與西方民主接軌，時余年少，起而論說，並謂中國政治文化中始終欠缺希臘城邦的民主投票及罷免制度，不易成事，致使復觀師頗為不悅。然復觀師對於傳統儒家思想的持守及更新之願望，至今尤在余中心留下難以磨滅的痕跡。處於廿一世紀的今天，所謂「全球化」而實為「西化」的華人學術界及社會中，益增對復觀師思念之情。

　　國棟師為余在研究所之論文導師，其初本擬隨德昭師撰寫論文，然因上述因素，君毅師代為安排由國棟師指導。國棟師為唐史專家，亦為本港華文史學界首先以計量方法研究唐宋之政治及社會史之學者，其《唐宋史論叢》一書，可見其研究之功力。國棟師時為新亞歷史系主任，行政工作十分忙碌，兼且余又研究清代福州城市發展，與其研究領域不同，故給予相當自由，自行探索。然國棟師建議，須向全漢昇師請益，此即日後旁聽其中國近代經濟史一科之由來。全師講授該科，以其生平部分著述，建構出一本中國近代經濟史講義，講書有條不紊、論述清晰，使余對明清經濟史上重要問題如絲銀貿易、米價、人口、新式工礦、交通企業獲得嶄新之知識，有助碩士論文之撰寫。及余論文完成，校內口試委員，即由孫、嚴、全三師主考。

　　研究所攻讀時，除上課、讀書、撰文外，尚有月會及於農圃道圓亭舉辦的中國文化講座演講會。其中最為難忘者乃曾出席兩次演講會。一為牟宗三師演講士在國史上之發展，牟師口若懸河，滔滔不絕，在兩小時的生動演說中，全面地勾勒出中國士階層的思想及其發展脈絡，令人折服。

　　另一則為余英時主講〈史學、史家與時代〉，余為其中一名記錄者。該演講始於說明蘭克（Leopold Von Ranke）之科學史學如何與清代乾嘉考證結合而形成當前考證史學的專題研究之風氣。繼而指出近日西方學術界對蘭克史學之反省而帶出史家、史學與時代具有密切關係，並指出當前我國史學界除注意專題的分析研究外，應投身撰寫通論的綜合研究，方能顯示史學「古為今用」之價值。余氏中西史學素養深厚，論述清晰而發人深省，演說辭日後刊登於《幼獅月刊》，並收入余氏《歷史與思想》一書。該文實為二十世紀我國新史學的重要文獻。

　　此外，尚有可一記者為研究所於開學禮時，例由君毅師率領全體師生，向大成至聖先師孔子像行三鞠躬禮。而每年春節諸生則必至研究所諸師家中拜年，藉以加深師生之感情，凡此種種皆可見研究所尊崇中國文化之精神意向。

　　五〇年代國變後研究所師生於殖民地共同致力於中國學問之情境，撰寫此文時，仍歷記在心頭。上列諸師雖或相繼離世，或已垂垂老矣，然新亞以民間學人發揚中國學術文化使薪火得以相傳，顯然已成為我們這一代及下一代的共同記憶，也許這是中國民族與文化仍能更生恒常不容忽略之原因。

（原載《當代史學》第7卷第3期，2006年3月）

葉德輝之一幀墨寶
——〈跋《李義山文集箋注十卷康熙戊子徐氏刻本》〉

何廣棪

香港新亞研究所

葉德輝（1864-1927），字煥彬，號郋園，湖南湘潭人，近代著名藏書家、文獻學家；學問淵博，著作富贍，貢獻卓絕。

余治學與葉德輝墨寶結緣頗早。上遡八年前，臺灣摯友宋緒康建築師從上海拍賣行以高價購得葉德輝〈致孫毓修〉書劄一疊，凡十通，內容多討論時在上海商務印書館編印《四部叢刊》之選書及徵用善本書等事項，書函甚具學術價值。承宋先生慨允，贈送該函影印本，余乃就所得資料，旁參相關文獻，並細加鑽研，乃撰成〈葉德輝《致孫毓修》未刊書劄十通考述〉一文；文末且附葉氏原件影本，俾可化身千萬，示之同好。拙文發表於二〇一二年五月《新亞學報》第三十卷上，最近又將該文收入臺灣花木蘭文化事業有限公司出版之《碩堂輯佚札叢》中，俾廣流布。

月來世界疫症流行，新亞研究所停課，家居讀書消日。偶檢閱北京中貿聖佳二〇一七秋季藝術品拍賣會之《萬卷——古籍善本專場》，書中編號1230收有「葉德輝舊藏《李義山文集》十卷（清）徐樹穀箋」書影二頁，另附葉德輝〈跋《李義山文集箋注十卷康熙戊子徐氏刻本》〉墨寶一幀，字為顏真卿體，寫得莊重謹飭，去塵脫俗。得親葉氏手澤，令人怡悅，不免推譽之為書法家。書影下有編者說明，記述詳實。其書拍賣價為人民幣三萬至五萬元，頗不菲也。

為使讀者詳悉拍賣品推介之狀況，謹將上述材料與葉氏跋文之影本附下，俾便參酌。

《李義山文集箋註》書影

自太極剖判而奇耦巳分八天下之物必有對
是奇而非耦者其於文也何獨不然九州攸同
宅則見於禹貢覩閱旣多受侮不少則見於邶風巢頹
諸樊關戕戴吳左氏堂其端文埋衆野武作虳歌班史
託其始此皆屬對精切聲病克諧騈儷之文溢暢於此
矣洎乎趯晉富麗爲工踵事增華茲風勿替子建孔璋
士衡安仁之流每作一篇中間字句駢儷居半至齊梁
而其體始絕其調益新迄徐庾而徵事彌博設色彌豔
世或以紫鄭目之而好之者終不絕也唐初四傑仍踵
斯軌雖燕許大手筆亦不廢對偶下迄元和文體始一

李義山文集卷第一

　　　　崑山徐樹穀藝初箋
　　　　　徐　炯章仲註

表上

　爲汝南公華州賀赦表

臣某言伏奉正月九日制書
爲某大赦天下者
禮以定天位
新曆象以

葉德輝題跋手跡

此為《四庫著錄》之本說詳摘要崑山徐氏刻書之精當時甲子天下此印

本雖稍後而字畫完整使讀者能免心疑目注文亦詳簡有法不隔面交窒

讀本中當推此為第一矣義山文尚不止此後有錢振倫奠甫文補編注皆此本

所無予並購得之吾家子弟有欲工玉谿體者可以窺全豹已

丙申九月下旬三日

麗廔主人記

萬卷——古籍善本專場

1230

葉德輝舊藏李義山文集十卷（清）徐樹谷箋

清康熙四十七年（1708）徐氏花溪草堂刻本
合訂1函2冊　竹紙　綫裝
鈐印：葉德輝奐彬甫藏閱書
提要：扉頁葉德輝跋稱"此爲四庫著錄之本，詳説提要。昆山徐氏刻書之精當時甲于天
下，此印本雖稍後而字劃完整，使讀者能賞心豁目。注文亦簡要有法，不隔斷文
義，讀本中當推此爲第一矣。義山文尚不止此，後有錢振倫《樊南文補編注》，皆
此本所無，予并購得之。吾家子弟有欲工玉溪體者，可以窺全豹已。丙申九月下旬
之三日，麗廔主人記"。
著錄：1.《中國古籍善本總目》集部唐五代別集P1216
　　　2.《郎園讀書志》卷七

25.5×16.5cm
RMB: 30,000-50,000

至葉跋釋文，茲亦加以句讀，詳載如次：

> 此為《四庫》著錄之本，說詳《提要》。崑山徐氏刻書之精，當時甲於天下。
> 此印本雖稍後，而字畫完整，使讀者能爽心豁目；注文亦詳簡有法，不隔斷文
> 意；讀本中當推此為第一矣！義山文尚不止此，後有錢振倫《樊南文補編注》，
> 皆此本所無，予並購得之。吾家子弟有欲工玉谿體者，可以窺全豹已。
> 丙申九月下旬之三日，麗廔主人記。

案：上引德輝題跋墨寶，其原件本黏貼於《李義山文集》扉頁。至葉氏所用之書乃
其舊藏，此觀書影右下角鈐有「葉德輝煥彬甫藏閱書」篆體白文方印即可為證。其書版
刻為清康熙四十七年戊子（1708）徐氏花溪草堂刻本，由徐樹谷箋、徐炯注。跋所署之
徐氏乃昆仲二人，名家子。有關徐氏兄弟行實，考商務印書館版、臧勵龢等編《中國人
名大辭典》「徐樹谷」條載：

> 徐樹谷，清乾學子。字藝初，康熙進士。官至監察御史，與弟同撰《李義山文集
> 箋注》。

此條所記言簡意賅，從中可藉悉徐氏兄弟宦歷及此書撰作情事；而條中之「乾學」，乃
康熙名臣，藏書極富，著有《傳是樓書目》，並助納蘭性德編《通志堂經解》者。

　　至葉跋文中則盛推徐刻之精，謂其書「字畫完整，使讀者能爽心豁目」；而箋注文字「亦詳簡有法，不隔斷文意」；跋語又謂在《李義山文集》眾多讀本中，「當推此為第一矣」。鄙意葉跋褒譽此書甚隆，然皆不離事實。其跋署年為「丙申九月下旬之三日」，即清德宗光緒二十二年（1896）九月廿三日，時德輝僅三十三歲。跋末所署「麗廔主人」，乃葉氏另一別號也。

　　又案：余其後嘗細參《萬卷——古籍善本專場》為此拍賣品所撰資料，發現編者於葉跋釋文之認字訛誤頗多。如「說詳」作「詳說」，「崑山」作「昆山」，「字畫」作「字劃」，「爽心」作「賞心」，「文意」作「文義」；其間有倒乙者，有錯辨者，多與原文不相吻合。場刊所撰資料如斯誤導讀者，殊屬不負責任，良難令人接受也。

　　至余初得讀葉氏此跋，即翻查華東師範大學二〇一〇年十二月印行之《葉德輝文集》；又檢閱中國人民大學出版社二〇一五年三月出版之《王先謙・葉德輝卷》，上引二書均不見收及此文，頗以為跋乃葉氏佚文，且竊自喜。其後再檢臺灣明文書局民國七十九年（1990）十二月影印出版之《郋園讀書志》，其書卷七有「《李義山文集箋注》十卷康熙戊子徐氏刻本」條，其條所撰讀書志文字，與葉氏此墨寶全同，始疑墨寶乃抄自《讀書志》。惟進一步細加考慮，則認為更有可能乃葉氏先撰墨寶，然後用之於《讀書志》。蓋墨寶寫成於光緒二十二年（1896），而《郋園讀書志》則成於德輝暮歲，其書且迄葉氏卒後之民國十七年（1928）始刊行於世。故讀者無妨翻檢《郋園讀書志》，用與墨寶相考究，而後裁奪兩者寫成之先後。

　　葉德輝乃晚清著名版本目錄學家，所撰《書林清話》、《郋園讀書志》、《觀古堂書目》等書，最負盛名而令人歆慕。余前既發表〈葉德輝《致孫毓修》未刊書劄十通考述〉，文中揭示葉氏協助商務印書館出版《四部叢刊》之貢獻；茲又再撰此文以談其墨寶，其事可謂有幸得與麗廔主人續結翰墨緣矣！

憶新亞研究所師友情誼

楊永漢

香港新亞文商書院

　　本篇的初稿寫於十年前，是《新亞論叢》第十期時的紀念文章。匆匆又十年，希望補上近十年研究所和師友的發展，作為印記。

　　我最初知道新亞研究所是中學畢業後，對前途一片迷惘。偶然在報攤看到唐君毅先生的文章，內心非常激動。適值國內文化大革命，傳統的價值觀完全被扭曲，因此，重執書本，回到校園。中六時，作文題目是「夢魘」，我就從夢見孔子開始，一直寫到現代的學者對我情懷的影響。當時班主任及中文老師廖杏玲老師寫了差不多半頁紙的評語。她勉勵我承傳中國文化，並說與我並肩而行。這種知遇之言，影響了我一生。

　　上世紀八〇年代，就讀樹仁期間，系主任湯定宇老師（1912-1999）經常在課堂上提到學術界幾位大師：錢穆先生（1895-1990）、全漢昇先生（1912-2001）、嚴耕望先生（1916-1996）等，都讚不絕口。尤其是全、嚴二師，湯老師經常用「不得了」來形容他們的學問。諸位先生的丰采已在腦海浮動，令人神往；內心已心儀新亞研究所的教學模式及師棣關係。由一九八二年進入新亞，到回校任教，現在繼任新亞文商書院院長，前後與新亞結下接近四十年的情誼，從沒間斷。

　　八〇年代初期，投考研究所，當時文、史、哲考生約五、六十人，包括韓國、臺灣等地的考生。筆試考兩日，文史哲的科目俱要參與，另外是自己的專業。題目的專業，不是普通學生應付得來，我記得當時史學就有一條問題是引名家書評，要考生指出論者所評的是哪本書籍，考生對此書的認識等。老實說，當時的我，只是估計是哪一本書，根本是靠運氣。筆試合格，繼而面試。面試通常是文、史、哲三組分開見面，會面時間約二、三十分鐘。當時尚未認識各位老師，其後才知道面試當天，自己竟在幾位史學大家面前，談論自己讀史的心得及對史事的見解。當時的重點問題是國共編寫的歷史的觀念不同，問我有何看法。七〇年代後，國內史學家多以唯物史觀作導引，我已不敢苟同，繼而趁勢大發議論。過後回想，實在有點汗顏。當時與我一起面試的還有哲組的陳沛然兄，他面試後面龐紅紅的，一臉尷尬，他說自己答得一塌糊塗。被新亞取錄為碩士生，自覺是學業上一大成就。第一時間就通知湯定宇老師，記得湯老師第一次跟我說笑：「要好好唸書，不要令新亞程度下降」。

　　當年所長是孫國棟教授（1922-2013），孫教授曾參加抗日戰爭，從軍前慷慨激昂，抱必赴死之心抗敵。戰後來港，師從錢穆先生，專志歷史研究。雖然我未認識孫所長，

但已有仰慕之心。筆直的腰肩，說話十足中氣，還宴請我們新入學的同學聚餐。直覺孫所長很有俠氣，不拘小節，往後從孫所長處理大是大非事情的手法，知道他磊落的胸襟。

日語和英語是必修科，此兩科最熱鬧，約有二十人選修，日文老師是陳志誠先生及蘇壽富美女士，英文是廖珍女士。陳老師說了很多日本就學的軼事，令同學十分嚮往。蘇壽富美老師是日本人，教我們的發音（其後才知道），有點女性化。廖老師注重中英翻譯，引不少經典文章給我們理解。同學之間的友誼，多在此時期建立。我們經常一起吃飯，一同論學。當時的同學，現在很多已成為學者，包括牟宗三老師（1909-1995）的高棣中文大學的陶國璋兄、盧雪琨學長、王錦輝中學校長陳偉佳兄、澳門大學教授鄭潤培兄、張偉保兄、樹仁大學周國良兄、香港大學李啟文兄、成功大學鄭永常兄、中正大學林燊祿兄、新加坡大學勞悅強兄等。

碩士課程我唸了四年，文史哲的課我也有選修，期間有很多難忘的片段。「文字學」是必修科，老師是陳紹棠教授，他師承潘重規先生（1908-2003），學養精醇。老師有很深近視，耳有重聽，因此說話時聲音響亮。老師和藹可親，視一班同學如師弟妹。講課時，經常勉勵同學，尤喜將新亞奮鬥的過程，作為材料。老師告訴我們，月會的報告很重要，因為顯示出你的老師的學養。當年新亞學長的勤力奮進，令我們肅然起敬。老師最初是研究哲學的，後來發覺連《莊子》的內容都解不清，便轉向研究文字學。每逢農曆新年，一班同學都會向老師拜年，共晉晚餐，直至老師移民，此聚會才終止。

記得上劉伍華先生的邏輯課，很動聽，但他抽煙的速度似乎比教書還要快。有一次，就為著一句詞語的表達內容的蓋涵性，竟與盧雪琨學長「對罵」起來，場面很尷尬。所引用例子，愈引愈過分，最終如何？我也忘記了，因為我離開了課室。

我經常旁聽牟宗三老師的課。牟先生曾任教多所著名大學，一九六〇年任教於香港大學，一九七四年自中文大學退休後，在研究所任教及指導碩、博士學生。經常往臺灣講學，一九八三年獲行政院文化獎。老師的課有很多不同背景的聽眾，包括牧師、和尚、大學講師等。有一次，老師問同學誰個相信基督教，坐在我旁邊的徐同學舉了手。老師再問是否認真虔誠？徐同學點頭。老師就說：「那你不必聽我的課。」全班靜了下來，徐同學沒有離開，老師也繼續講學。其後我請教哲組的同學，他們相信如果執信宗教，會難接受新知識，所以老師有這樣的說話。真實的理由，相信只有老師知道。

還有一次，牟老師說了某個命題，見大家沒有意見，生怕我們聽不懂，就指著坐在我旁邊的同學（是牟老師指導的學生），叫他將命題寫在黑板上。誰知那個同學很尷尬的說：「老師，其實我也聽不懂你說什麼？」當時我忍著笑聲，已夠我難受。最後，還是老師自己寫在黑板上。

牟老師很喜歡下圍棋，當時研究所是二十四小時開放的。有一次我正在看書。牟老師晚上八時許步進研究室，問我懂不懂圍棋。我說不懂。老師說：「讓我教你！」當時只有我一個在，其他的同學去了吃晚飯，惟有硬著頭皮和老師下棋。下棋的過程，基本

上我只是傀儡。老師一邊吃餅，一邊下棋。老師叫我怎樣放棋子，我便怎樣放，沒有異議。其後同學回來，我才放下「下棋的責任」。

我們一班同學都有自己的研究書檯，下課後，很多同學留下來看書；有同學還帶了睡袋來，看得疲倦就睡一睡。在這個研究室，有很多趣味。朱少璋兄很喜歡作詩和書法，經常將作品貼在牆上。哲組的同學很喜歡討論，有一次我加入討論「空」和「無」的分別。最難忘是連顯璋兄，學問很好，闡釋義理別樹一格，人也謙虛。林燊祿兄很容易罵人，常說我們不用功，相對於他，我也屬懶惰的一群。

有次我在研究室看書，唐師母（謝廷光女士，1916-2000）與蘇巧箏女士來訪，還即場為同學表演。唐師母與唐君毅老師於一九四三年結婚，一九四九年隨唐老師來港，他們的婚姻足為現代人的模範。蘇巧箏女士，是世界知名的古箏家，這是我第一次近距離聆聽世界級一流高手的演奏，她那次演奏，指尖飛快的舞動，超於想象，方知誰是高人，直如魄在九霄，魂在太虛，急速的旋律，令人透不過氣來。還有，琴社一班學長，偶然傳來琴聲，令研究所充滿優雅的感覺。

我們的總幹事趙潛先生（-1994）是很照顧同學的長者，有時會請我們吃晚飯，席間會談談當年經營新亞的艱苦和求學的樂趣。有關錢穆教授、唐君毅教授、麥仲貴先生等人的事蹟，都是從趙先生口中得知。錢穆先生叮囑同學不要隨便說別的學者學養不足；唐君毅先生大病時在二樓教學，但有時也苦撐上五樓跟其他教授打招呼；他亦曾提到麥仲貴先生是研究哲學的奇才，可惜後來患上情緒病。逯耀東教授亦曾告訴我麥先生的一二軼事，聽來只多一份唏噓。我看過麥先生的散文，寫得很優美。

在我記憶中，趙先生追憶往事時，忽然會唱起新亞的校歌，也曾流下淚來。因此，我知道新亞前賢的艱苦奮進，也激起我承傳文化的決心。還有，校務處職員，洪俠先生和昌叔（有同學也叫他做丘叔，他姓丘），每次上課，都好像會見老友一樣。洪先生沉默寡言，處事認真。昌叔入院，一班師兄弟還替他誦經，希望早日康復。圖書館劉小姐，永遠都是帶著笑容，我每次借書，都會跟她閒話家常。劉小姐退休，我請她吃飯，三十多年前我在圖書館的事，她還記得。

研究所希望同學，文史哲三組都選科修讀，因此我除上牟老師的課，哲學類還選修了霍韜晦先生（1940-2018）的「佛經選講」。霍老師是唐君毅老師的嫡系弟子，主張新人文主義與性情學。曾留學日本京都大谷大學，在香港中文大學教授中西哲學二十餘年，亦曾任香港法住文化書院院長、新加坡東亞人文研究所所長，在學術界有一定的名聲，當然也有一定的爭議。我任中學校長時，曾親往法住拜訪老師，他對我如子弟，將法住的發展及性情學的推行，頗仔細的介紹給我知，並邀請法住的骨幹成員與我見面。當年的會慶也邀請了我，可惜老師身體違和，取消了慶典。往後，我也邀請了法住的合唱團和教授到我校表演及演講。

霍老師主要解說唯識宗的經典，娓娓動聽，如天花時至。當時，馬少雄兄和陳沛然

兄都是同硯。課後有時會就一、兩條議題再私下討論，例如地獄道的鬼差，究竟什麼因緣而生地獄？生於地獄，又為何能掌管個別眾生的行為？我的結論是鬼差可能是菩薩的化身。霍老師在課堂上不時提到羅時憲老師（1914-1993）的見解，這催動我往謁羅老師的心，親自請益。其後更成為我每年暑假及新年的必然活動，羅老師也常將他的論文給我們看，同行多是趙國森兄及陳偉佳兄。直至羅老師謝世前數星期，我仍前往探望。老師彌留之際，仍記得我們喜歡喝的茶，吩咐招待我們，往事雖如煙，這份情卻繫在心裡。

其次修的是唐端正先生的「先秦諸子」，唐老師同樣是唐君毅老師高棣，長期任教於新亞書院及香港中文大學哲學系，著作甚豐，曾參與編輯《唐君毅全集》。唐端正老師是謙謙君子，我們的功課或討論表現較差時，他會要求我們個別吃晚飯。在席間討論我們的功課，免我們在課堂尷尬。他對我解說：「仁，是逸出個體形軀的感悟，對萬物產生共感，而有惻隱怵惕之心。」這個「仁心」，往後我在大學教先秦諸子，也是以此作詮釋。

文學我選了汪中先生（1925-2010）的「唐詩研究」，課程很吸引。汪中老師祖籍安徽省桐城縣，曾在臺師大受教於潘重規先生（1908-2003）。潘先生是章太炎、黃侃先生的嫡系弟子，著名文字學家、紅學家、敦煌學家，曾在研究所任教。故學生對與汪老師有一份特別情誼。汪老師是詩學大家，每解一詩，均有突破前人的見解。上汪老師的課，如沐春風，尤其是解說韓愈的佛教觀。我的功課是〈杜甫詩沉鬱論〉，老師評得不錯。

其後新亞禮聘張仁青先生、邱燮友先生、金榮華先生、曾永義先生到所講學，我都私下請益。我到臺灣搜集資料時，就得到曾永義老師的款待，並命我看看當地的「歌仔戲」，以增見聞。

張仁青老師（-2007），是駢文大家，當世無出其右。我唸大專時，對張老師的作品可謂「愛不釋手」。他每次到港，我都盡量邀請會面，論學討教，獲益匪淺。張老師喜歡喝酒，醉後可朗誦詩歌。曾與老師在臺北晚膳，一時高興，與老師同行高棣唱起古詩古詞來，在場還有倪啟華先生、陳偉佳兄、廖志強兄、和一眾中山大學同學。我們又比拼朗誦詩歌及高唱名曲，此情真的「成追憶」。倪先生唱〈彩雲追月〉，我則唱了粵語版的〈玉樓春〉。張老師已仙逝，追憶儀範，不勝感歎。

王韶生老師（1904-1998）是我慕名已久的老師，他曾在南洋各地教學。其後出任青年黨廣東省黨部負責人，抗戰勝利後，由青年黨推選為第一屆國大代表，參與制憲。一九四九年遷居香港，後來受聘香港中文大學崇基學院。一九七一年退休後，出任珠海書院文史研究所專任教授。老師桃李滿天下，學術研究、文藝創作、古文詩詞著述頗豐。經學、史地學、文學等涉及甚廣，早年撰有《國學概要》，晚年總結作品，出版《懷冰三集》。王韶生老師的課是在珠海書院上課的，因為這段因緣，令我與珠海同學多了一份親切感。王老師教經學，尤其是經義，每每闡發新義，老師又以個人經驗相印證，令人彷進入近代史的世界。老師退休，我每年都到老師家中拜年，請教對人對事的

態度，執弟子之禮，從不懈怠；老師謝世，我是負責扶靈的其中一人。老師對學生的習作批改很寬鬆，其實老師想多帶幾人進入文學之堂，讓人有發展的機會而已。

我選修嚴耕望老師的「中古史料研究」，嚴老師師從錢穆先生，歷任齊魯大學國學研究所助理員、中央研究院歷史語言研究所研究員、香港中文大學教授、香港中文大學中國文化研究所高級研究員、美國哈佛大學訪問學人、耶魯大學客座教授、中央研究院歷史語言研究所特約講座、東吳大學特約講座、香港新亞研究所所長、一九七〇年當選為中央研究院院士。可惜老師後來要到臺灣講學，功課就擱置了。其後我寫信給老師詢問有關論文的問題，老師很快便覆信，此信現在仍保留著。老師的國語帶有濃厚的鄉音，最初是很難明白的，但老師上課仍活潑投入，令人不得不全神貫注。最記得老師說學問如築牆，先建構大模樣，然後縫補缺點，日積月累，必能完善。嚴老師是我的博士論文其中一位評核委員，他從臺灣回港，大約只有一星期時間看我的論文。博士論文答辯時，老師申明他看的時間不足，未必能給我很好的意見。由此可見，老師對學術研究的認真態度。

我亦先後選修了逯耀東先生（1933-2006）、羅球慶先生和羅炳綿先生共開的「歷史專題研究」的課。每位老師各具自己風格，最吸引是逯耀東老師，尋找桃花源、從平城到洛陽等，都令我大開眼界。還有，老師很喜歡喝酒，聽了很多他的喝酒軼事。

羅夢冊老師（1906-1991）外表充滿學者氣息，那種四五十年代憤怒青年的神態仍熠耀眉間。老師曾留學倫敦大學，學習研究法律學及中外法制史。一九三〇年當時以三十歲之齡當選英國皇家學會院士，為當時最年輕的華人院士。一九四〇年出任河南大學法學院院長，更當選國民第三屆參政會參政及為中央研究院院士。一九四九年避走香港。

羅老師穿著整潔，皤皤白髮掩映著知識的泉源，英氣勃發。教授社會史，從人種來源說起，至社會的發展狀態。班上有同學負責整理筆記，課後影印給同學。羅老師的《孔子未王而王論》，膾炙人口，幾乎是社會思想史必讀的書籍。其後知道老師更多的軼事，更佩服老師。老師遊走於政治及學術之間，不阿曲求存，不奉承時勢，專論儒學者，亦未能及羅老師。牟宗三老師就曾在學生面激賞羅老師的作品。

國民黨與共產黨之爭中，老師成為兩方不討好的人物，五〇年代應周恩來之邀，探訪祖國，回港後所受的壓力不小。他所提出的「福利宣言」，不可謂不獨具慧眼。羅師母，馬德敏女士，蘊涵著傳統女性與知識分子的素質，永遠是不徐不速的跟你說話，雍容華貴。有次我在圖書館看書，師母問我的題目，我回答是有關晚明軍餉的。師母即說一定要看《度支奏議》，這是非常重要的書。師母的說話嚇了我一跳，心想師母的學問究竟有多深。

全漢昇老師是我的指導教授，世界知名經濟史學家，六〇年代曾赴美哈佛、芝加哥及哥倫比亞大學進修，跟隨 Abbott P. Usher, Shepherd B. Clough 及 John U. Nef 等經濟史大師研究。在研究唐宋帝國運河、白銀流動，海上絲路等領域上，成績震驚學界，一

九八四年當選中央研究院院士。老師課堂主要是開在星期六早上，選修人數約十多人，用國語授課，討論時則用粵語。小息後，全老師會與我們討論問題，每條問題，老師都細心作答，有時眉頭緊蹙，有時微露笑顏，但大部分時間老師都不苟言笑。

　　一九八三年，我開始撰寫論文，在選擇導師前，徵詢幾位學長的意見，林燊祿學兄說全老師很嚴格，一定能將我們訓練成才。聽說全老師曾責罵一位同學，令他痛哭不已；聽說老師將一份論文發還同學，不予評分；聽說老師細翻同學論文註釋，發現部分引文不正確而大發雷霆。這種種傳說令我既驚恐又嚮往，因此鼓起勇氣，拿了有關王安石的資料去見全老師，告訴他我想寫有關王安石變法的論文。老師沒有反對，並囑我先看漆俠的《王安石變法》及梁啟超、熊公哲諸學者的論著。

　　其後，我用了八、九個月時間看一手資料及有關論文，最後條目分明的寫了近百張資料卡，一心以為可動手寫文。見全老師當日，老師問我所看的資料及分析能否突破漆俠的研究？我回應不能。老師就直截了當的說：「那不要寫這題目了！你再在宋朝找題目吧！」。這刻真有晴天霹靂的感覺，大半年的心血，付與流水。

　　最後決定了以北宋財政收入作為研究重心，老師囑我多向學術前輩請益。我先探訪中文大學蘇基朗先生，蘇先生就我的題目提出很寶貴的意見。其後拜訪香港大學林天蔚先生，林老師告訴我他對北宋的研究不太深入，未必能幫忙，但其後他卻託人從臺灣帶了有關北宋的資料給我，又邀請我出席香港大學的「中古史料國際研討會」，使我能接觸當代各國名家，親自向他們請教，包括池田溫、田仲一成等大家。

　　對我特別照顧的是梁天錫老師，他是謙厚君子，以他的學養，我當及作他的弟子，可是梁先生始終對我以「學兄」尊稱，此事至今仍令我汗顏不止。他後期任教於能仁專上學院，每篇論文，都有卓見，的確是宋史大家。第一次見梁老師，他對宋史異常熟悉，侃侃而談。囑我以《宋會要輯稿》及李燾《續資治通鑑長編》為基石，研究北宋與遼的經濟關係。當日還與老師共晉晚餐，餐後老師親自送自己的著作，上款竟署「永漢兄」，驚倒之餘，不敢接受，但老師強我所難，還說我從未上過他的課，不能算是弟子，是師兄弟好了。其後，老師有新著作，都托人交到我手，其情誼如此，其風範至今仍難忘。以後有關宋代的歷史問題，我都會造訪老師討教，直至我轉向研究明代，接觸才減少。

　　先後得到幾位學者的教誨，才開始寫作論文。論文內容有一章是關於北宋田賦的，我寫了宋代田的分類及演變，自以為得意之作。老師看過後，眉頭皺起來說：「這些資料是不是看別人的著作而輯成？」我點頭承認，老師說：「那這一章不必寫在論文內，在緒論簡介可以了。」老師說凡是別人的學術成果，我們都不能掠美，就算複查了資料，也應寫出參考書名。我的心就沉了一沉，自以為鴻篇巨製，給老師看穿是東拼西湊的作品。這使我以後寫文，下筆較為謹慎。碩士論文始終寫得不太好，老師沒有當面罵過我，但記得他經常搖頭的動作，就知道自己的功力。碩士論文的評審教授團隊包括蘇

慶彬教授（1932-2016）、羅球慶教授。論文雖然過關，但很慚愧，真的沒有創見。

我申請就讀博士班時，與林燊祿兄商量，林兄建議我研究明代，因為很多資料尚待發掘；最後決定研究明代軍餉。老師囑我先看王毓銓先生《明代的軍屯》，再把《明實錄》翻一遍，自神宗以後就要仔細看及做筆錄。這樣，我開展了我忙碌的論文寫作。有一事，一直耿耿於懷，就是全老師囑我若有機會到北京，要親自拜訪王毓銓先生，以表達心意。我想老師與王先生從前定有交往，或是對學者出於真心的尊重。二〇〇〇年，我到北京進修，經常往返京港，卻沒有將此事在心，直至二〇〇三年接獲王先生逝世的消息，才猛然記起，真是失諸交臂。

同學們通常是一或兩星期會向老師請益，討論完畢，一班同學會和老師午飯。有次我叫張偉保兄一起用膳，他告訴其他同學是不敢邀請全老師午飯的。我說他們都弄錯了，與老師午飯是我所的傳統，這個傳統至今仍實踐著。記得有一次我談論胡適先生的「大膽假設，小心求證」會出現問題，如果假設達摩禪師沒有一百二十歲，那麼佛教史研究真的出現問題。老師只是微笑，何漢威先生忽然拍了我一下說：「胡先生是你的師祖，你可要小心說話。」老師也笑了起來。後來才知道，胡適先生在中央研究院特別看重全老師，任他為總幹事。老師很少談及學術界的人事關係，只間中提醒我誰人的學術高明，要多學習而已。

我幾次拿了有關遼東的第一手資料與老師討論，老師覺得我看得不透澈。有一次，老師忽然問我每月的開支。原來老師希望我放棄工作，專心完成論文，他願意支付我日常的開支。執筆至此，老師的神態，宛如目前，敦厚長者提攜後輩的心，昭然如日，使我終生感謝。我實在從未遇過與老師同一心態的學者，能不教人傾慕。

寫博士論文期間，我兩次到中研院看書。第一次到達，是廖伯源學長替我訂房，還說全老師早已找人通知他要照應我。閒話幾句，卻使我感動不已，從沒想過全老師會為我的事操心，更沒法想像老師會為我安排。在臺的兩個暑假，主要是看（明）畢自嚴《度支奏議》，是明代的版本，彌足珍貴。除《度支奏議》外，我先後看了很多明代第一手資料，包括畢自嚴《督餉疏草》、（明）汪汝淳《毛大將軍海上情形》等。二百多冊的《度支奏議》，看了兩個暑假，寫滿兩本筆記。首次到中研院，《度支奏議》尚未製成底片，全用手抄；第二次到達，已可透過儀器影印，省了很多抄寫工作。回港後，老師看過我的筆記，叫我用朱慶永及郭松義的論文作參考，著手寫文。

由於要動手寫論文，我向老師要求，先看《明實錄》神宗以後的資料。老師認為可以，但林燊祿兄卻罵了我一頓，林兄認為研究明代歷史而未看畢《明實錄》是不能接受。由於全老師容我先寫好論文再算，林兄也無可奈何的接受，並命我翻看明末清初所有現存的地方志。我翻看「天一閣藏明代地方志選刊」及續編，只得幾處地方有三餉的記錄，包括崇禎《吳縣志》。最後，林兄要我再看研究所所藏的地方志底片。我看了幾本，眼睛很疲倦，發覺並沒有資料，餘下的懶得去看，誰知《清江縣志》有三餉的記

錄。林兄問我是否已看畢所藏地方志，我硬說看完，他將資料遞給我，不住搖頭，這下子令我實在難堪，現在想起，臉還赤熱。以後做研究，看過說看過，沒看過說沒看過。一九九五年，我到英國唸教育學，全老師給我寫了一封信，其中一句勉勵我「有一分證據，說一分話；有七分證據，說七分話」，不知是否與此事有關？其後，我也根據《清江縣志》，寫了一篇關於三餉的論文。

全老師對學者非常尊重。張仁青老師從臺灣到港教學，全老師邀請了香港多位學者接風，包括單周堯教授、陳耀南教授等。還記得有一次王業鍵先生到香港，全老師致電我工作的地方，要我立即放下手頭工作，到尖沙咀向王先生請益。其後王先生亦是我論文的校外評審委員之一。

星期六下課後，全老師通常與同學一起午飯。我們為了表示勤力，很多時影印大量資料給全老師看，希望博他讚賞。有一回，他看過我的資料，輕聲說：「不要看這些，多看梁方仲先生的論著。」平時老師很嚴緊，說話小心，但當房間只有師徒兩人時，很多時直接了當的說不要花時間一些沒有建樹的論文上，功力不足的，最好不看；但對於有學養的學者，老師則推崇備至，例如老師曾說過嚴耕望老師的《唐代交通圖考》是「不得了」的鉅著。有次老師跟我說：「做研究是否有價值，是看別人與你做同一題目的研究，而必定要參考你的論文，這才算是學問」。我銘記於心，不濫竽充數。

博士論文的毛病與碩士論文一樣，太龐雜。林燊祿兄為我批閱初稿，他看了第一章，發覺我將王毓銓先生軍屯的分類都寫下來，怒不可遏，罵得我面無人色，繼而拒絕看我的論文。我解說是希望內文更豐富，總之，林兄不接受，還叮囑我要多引用清初地方志，否則他不看我的論文。誰知當年暑假，王業鍵先生從美國回來，要到內地開會。全老師希望我將初稿先給王先生看看，這下子真尷尬。惟有先將軍屯一章刪掉，直接寫萬曆期間至崇禎期間的收入，已沒有時間引入清初地方志。一星期後，王先生約我到酒店見面，他先指出我的論文矛盾之處，繼而與我討論如何取材，如何運用資料。我第一次與王老師見面約在論文完成前數年，那時我任教於中學，有次剛上課完畢，教務處要我即到校長室。當年的校長是張少坡修士，是我從未遇過如此謙厚的長者。張修士告訴我說全老師要我立即到尖沙咀，有位很重要的人物我要見。我正值上課，進退維谷，誰知張修士十分欣賞我仍進修博士學位，著我立即離校。我內心感激，張修士退休之日，我當眾拜師，從此結下師弟之緣。

全老師將論文交給何漢威先生批閱。何先生看得很仔細，包括圖表不足之處，缺乏橫面比較，分析不夠深入等，都向我提示。他舉例說英國的稅收很重，但為何沒有出現如明代流寇的情況？要小心比較考慮；甚至用字，何先生亦很用心的提示。前後多次與何先生見面討論，其實是教誨。最後，何先生覺得可以過關，才准我將論文給全老師修改。真的要多謝林燊祿兄及何漢威先生，不嫌我魯鈍，多方鼓勵引領。

博士論文通過後，全老師問我有否興趣到美國作「博士後研究」。我說要考慮，老

師就希望我留校研究，繼續研究三餉。是老師帶我進入研究學術之途，至此，只能說句感激多謝。

其後我任教大學或指導研究生，或多或少都存著新亞精神。尤其是全漢昇老師認真的教學及指導，使我從不馬虎對待我的學生。二○○一年，全老師在臺灣逝世。香港的追悼會，我帶領十多個學生一同向老師鞠躬，是感謝他的教誨，感謝他如同對子侄的情誼，亦為他終生奉獻學術界而鞠躬。

老師辭任所長回臺，我剛從英國回港，立即就忙於事務。身兼四間專上學院的講師，又在中學當輔導主任，但老師要我每年都要寫論文，則從未放棄過。其後，陳佐舜教授（1922-2002）繼任所長。陳教授曾任中文大學新亞書院秘書長、中文大學教務長、嶺南學院副校長及校長。一九九五年任新亞研究所所長。陳教授任所長時，曾約我見面，討論研究所的發展方向。我提出可向內地發展，所長認為時機未到。其後，他親到臺灣宣傳研究所，可謂盡心盡力。

往後，陳志誠教授及廖伯源教授先後執掌研究所，是時，香港大部分學校已開辦碩士及博士課程，研究所收生人數亦受到臺灣政府限制，舉步為艱。但我很肯定的說，像研究所以宋明書院制度的模式辦學，在香港是絕無僅有。我在其他大學亦曾指導學生論文，基本上老師是沒法選擇學生。曾在一所大學，有同學指名要跟隨我寫論文，但校方認為不可開先例，否則工作量不能平均分配，這個就是現代教育的遺憾。能與自己的學生經常見面，親傳心得及讀書方法，才是老師喜悅之處。我很幸運，接近四份一世紀跟隨名師，與新亞研究所結下接近四十年的情誼。現在我出任新亞文商院長，一定盡力而為，發展書院式教育。現任所長劉楚華教授，對研究所特別用心，出錢出力。

際此《新亞論叢》二十週年刊慶，用以書懷，並祝新亞精神薪火不絕，謹祝研究所蒸蒸日上。

羅夢冊教授的生平及其歷史應然論[*]

官德祥

香港新亞研究所

一　前言

　　羅夢冊教授已經離開我們差不多三十年了。他的生命雖然結束，但他遺留下來的道德文章，迄今仍散發光輝映照著中華大地。他的幾部超過半世紀的著作，時不時有學者從書海中發掘起來，而且大多表現得愛不釋手，如獲至寶。作者拜讀過夢冊師生前留下的翰墨，用「擲地有聲」四字來形容，絕不為過。他的思想總是圍繞著祖國前途和全人類福址，文字不時流露出大愛的精神。

　　一九八七年夏，作者考入新亞研究所史組碩士班。就於這年與夢冊師初次接觸。他在研究所共開了兩門課：一是《中國古代社會史》、另一是《中國古代社會思想史》。史組同期另有嚴耕望教授和全漢昇教授。他們皆赫赫有名的史學大家。研究所同學大都以學校擁有兩位中央研究院院士作教授為榮。對於嚴、全二氏，史組同學們都能對他們的學術地位、研究旨趣、專業範疇，甚或起居飲食都有若干程度的了解。不過，對於夢冊師的認識，則相對較淺。[1]事實上，夢冊師早在亞洲文商夜校草創期（新亞書院前身）已加盟教師之列，算做新亞研究所創所功臣之一。[2]

---

[*]　此文章曾在二〇〇九年發表於《新亞論叢》第十期，距今差不多十一年多。其間學界對於羅夢冊先生的著作關注程度與日俱增，身為學生見到如此氣象，心裡感到極其欣喜。故此，作者決定再為原文作出增訂，加入新近學人對先生的研究概況，並順便把原文的錯誤一併作出修正。

[1]　研究所前輩兼作者大學導師李金強教授向作者相告，其印象中早期夢冊師在研究所為人相當低調，開會時發言不多。另外，澳門大學鄭潤培教授回憶說：「八〇年代夢冊師所開的課目修讀人數並不多，跟隨他寫論文的更少。」在八〇年代末，據作者所知，修讀夢冊師的同門也不出十位。大家對他認識不深是可以理解的。

[2]　「於一九四九年秋季十月正式開學。時并無固定之校址，只租九龍偉晴街華南中學之課室三間，在夜間上課，故定名為『亞洲文商夜校』。又在附近炮台街租得一空屋，為學生宿舍。……」參見錢穆《新亞遺鐸》〈新亞書院創辦簡史〉北京：生活・讀書・新知三聯書店，2004年版，頁755。同見錢穆《八十憶雙親師友雜憶合刊》臺北：東吳大學出版社，1992年版，頁247。羅夢冊進入亞洲文商書院只是比張丕介等僅遲了一個月時間。

若排資論輩，夢冊師與錢穆先生是屬同輩。據悉夢冊師年輕時一度活躍政壇，五〇年代晚曾應周恩來總理到北京觀光。還知道他寫了一本《福利宣言》和一本關於孔子的書，名為《孔子未王而王論》。傳聞此書得到哲組牟宗三先生稱許。[3]作者對於夢冊師的早期印象僅止於此。[4]

二　羅夢冊的生平事蹟

作者為了方便介紹夢冊師的生平事蹟，粗略地把其分成四個階段說明，第一階段是「青年求學時期」，第二階段是「學而優則仕，從事行政實踐政治抱負」，第三階段是「中年徘徊政治與學術之間」，第四階段「晚年沉潛學問，生命之歸宿」。

第一階段：青年求學時期

上世紀三〇年代初，夢冊師時年廿多歲，在河南大學法學院跟隨杜元載、王毅齋兩先生學習，深受兩位老師讚賞。一九三二年，在國立北平大學攻讀教育學碩士，師從著名教育大家余家菊先生。杜、王、余三氏對夢冊師的思想塑成及個人事業發展都有一定影響力。

杜元載，湖南省漵浦人。一九二四年畢業於北京師範大學，美國明尼蘇達州立大學教育學碩士及西北大學法學博士。先後任教於河南大學、北京師範大學、北京大學、湖南與四川省立教育學院、中央大學、西南聯大、西北大學等院校，歷任教授、系主任、教務長、院長等。[5]夢冊師後來到英國留學，並獲選英國（倫敦）皇家院士，都是因為

3　查哲學大家牟宗三先生非首次向羅老師的作品表示贊賞，除正文中已提到《孔子未王而王論》一書外，牟先生曾對《中國社會根氐之天下體制、天下哲學》一文表示稱許，還鼓勵夢冊師多寫類似文章，詳見羅夢冊《透過戰國之讓國運動及秦漢之地下哲學看中國》一文，收載《新亞書院學術年刊》第十七期，頁143。此外，除牟宗三外，《孔子未王而王論外》亦受到哲學界的重視，李榮添先生便在其講授中國哲學主流思想中推許是書，其說「羅先生能洞悉孔子並非只是個老師宿儒，……其對孔子理解之深刻乃為同類著作之冠。」李氏對夢冊師此書評價甚高，詳見 http://phil.arts.cuhk.edu.hk/~cculture/courses/GEE2160B-1.htm。

4　補充一點，對於夢冊師的了解還可透過羅師母。師母馬德敏女士，時任新亞圖書館館長，為人和藹可親。作者唸歷史，常到圖書館找材料。師母為作者提供了很多次幫忙。師母談吐爾雅溫文，對晚輩態度懇切。作者有時找材料，找累了，便走到她辦公室和她聊天，話題多圍繞夢冊師。

5　杜氏曾投身國民黨政界，任三青團中央候補幹事，國民黨中央候補委員、中央委員。去臺後，任職於「考試院」考選部，後任「司法行政部」司長，一九五八年出任臺灣師範大學校長。後調任「退輔會」專業教育中心主任，國民黨中央黨史委員會副主任委員、主任委員，從事國民黨史料整理、出版工作。一九七五年逝世。

他能在法政專業取得卓越成就。[6]夢冊師學成歸國，其重返母校法學院，當上法學院長，這裡一切的「因」都是在河南大學本科追隨杜元載唸法學時所種下。[7]

夢冊師的另一位恩師是經濟學家王毅齋教授。王教授原名子豫。一九二三年起，先後在德國、奧地利留學，一九二八年底畢業於維也納大學，獲經濟學博士學位。一九三〇年他到河南大學經濟系任教授，從此夢冊師得以親聆王氏教晦，在王氏悉心指導下，他在世界經濟史領域打下了堅實基礎。[8]其後，在《福利宣言》一書，他表現出對西方經濟學瞭若指掌，並能嫻熟地運用材料，參互比較，與授業於王毅齋教授不無關係。

除了學術方面之外，王毅齋教授是非常愛國。他先天下之憂而憂，為國家願拋頭臚，灑熱血。他的愛國情懷感染眾多河南大學生，當中包括夢冊師。[9]後來，夢冊師在英國本已打好事業根基，學術地位漸次確立，卻仍願意放棄大好前途，返回祖國。這點或與其唸大學時親睹王毅齋教授從外地回歸，任教河大，報效祖國情況類近。

第三位對夢冊師有影響力的是唸教育碩士時期的指導教授余家菊先生。[10]余家菊字景陶，又字子淵，湖北黃陂研子崗大餘灣人。國家主義教育學派的著名教育思想家，著名教授。余教授在一九二二年二月赴英國留學，先後在倫敦大學、愛丁堡大學攻讀哲學、心理學、教育哲學。留學期間在法國結識曾琦、李璜等，並與李將各自所寫同類文章合編寄回國出版，書名《國家主義的教育》。一九二三年曾琦等在巴黎創建中國青年黨（一九二九年以前稱國家主義青年團）。[11]夢冊師在三〇年代留學英國，與余家菊教

6　英國皇家院士疑為倫敦大學皇家學院。另外，詳見梁耀強〈羅夢冊教授——站在二十世紀中途論析中國社會形態〉一文，載《北學南移：港臺文哲溯源學人卷II》。

7　夢冊師後來回母校當法學院院長，就是河南大學法學院。

8　參考張振光主編《薪火集：河南大學學人傳》河南：河南大學出版社，2002年版。

9　九一八事變後，他滿懷愛國熱情寫出慷慨激昂的《泣告河大同學書》，倡議組織「抗日救國敢死團」他常被邀請到公共場所作抗日救國演講，受到廣大愛國青年的熱烈擁護。為實現「挽國魂於童蒙」的願望，他於一九三二年創辦私立杞縣大同小學。兩年後增設中學，自任校長，自聘教師，自籌經費。他被河大解聘後，為維持學校正常上課，他變賣了僅有的家產，不得已又去求助劉鎮華（時任國民黨安徽省主席），謀到合肥煙酒稅務局長職務，他一人在外，省吃儉用，把節餘的錢全部獻給學校。他聘任的教師都是進步知識分子，不少是中地對學生進行抗日救國教育。為培養學生的革命意志，他又聘請了軍事教官和武術教員，要求學生學文習武，隨時準備保衛祖國。

10　余家菊從一九二二年起，開始研究國家主義教育，並撰寫文章宣傳國家主義教育，成為國家主義學說的代表人物。余家菊不僅是中國近代史上最早的鄉村教育的倡行者和理論構建者，而且是近代中國新式學校軍事訓練的最初提倡者，對兒童教育及兒童心理、義務教育、民族教育及國家主義教育等，均有自己獨到的見解並形成了相應的理論或主張。余在抗戰勝利後開始研究佛學，每日誦經不輟；晚年信奉天主教，去世前受洗。畢生勤勉筆耕，為國家主義主要理論家之一，對中國傳統文化也曾下功夫研究。著作頗豐，主要有：《國家主義概論》、《中國教育史要》、《孔子教育學說》、《孟子教育學說》、《荀子教育學說》、《陸象山教育學說》、《教育與人生》、《人生對話》、《中國倫理思想》、《大學通解》、《余家菊先生回憶錄》等。

11　參見中華民國史資料叢稿《中國青年黨》北京：中國社會科學院，1982年版，頁340。另詳見周淑真《中國青年黨在大陸和臺灣》北京：中國人民大學出版社，1993年版，頁26-27。

授背景相類。余教授是中國青年黨創建人之一。夢冊師參與政治，加入青年黨活動，當中受業師影響的因素皆不可忽略。[12]

　　值得一提的是，早在一九三一年，夢冊師大學剛畢業未幾，旋即受聘擔任河南大學附屬高中主任，當時他在政治領導方面，已嶄露頭角。根據張振江主編的《薪火集：河南大學學人傳》中有以下載述：

> ……他（夢冊師）在河南大學校長許心武先生的支持下，對附屬高中的教學資源如師資、圖書、儀器和設備等大加整頓和擴充，短期內使停辦四年之久的附屬高中順利恢復，……是年附屬高中招生，報考者逾五千人，從中擇優錄取二百二十人…學生來自全省、全國各地，……教師多數由教授、副教授以及能力較強的講師兼任。因此，附屬高中的教學質量極為可觀，畢業生升入大學者在95%以上。……[13]

夢冊師能成功整頓河南大學附屬高中，時年僅廿五歲，組織領導力出色令人印象深刻。年青時期的夢冊師無論在行政辦事能力及學術研究能力均有過人之處。這點對其後在政壇及學術上的發展方向起著決定性的作用。

第二階段：學而優則仕，從事行政實踐政治抱負

　　一九三九年抗日形勢刺激下，夢冊師毅然放棄英國優厚待遇，從英歸國。先後受聘擔任國立政治大學、重慶中央大學和國立河南大學教授，至於其在三間大學所任教時的詳細狀況，可詳見前引梁耀強之文。[14]不過，有一點值得注意，夢冊師在河南大學執教的同時曾擔任法學院院長職務。到了一九四五年，河南大學遷回開封辦學，夢冊師受聘擔任法學院院長。其當院長之職一直到一九四九年才辭去。另外，在一九四二年，夢冊師更被選為國民第三屆參政會參政員。此時此刻，夢冊師正走著傳統讀書人所嚮往之「學而優則仕」的路。用傳統的術語說，就是由「內聖」進而向「外王」的發展。

　　回顧夢冊師以法政學出身，其後當過四年法學院院長，成功競選參政員。他選擇了置身政治漩渦中，一伸治平之志，是其個人歷史的「應然發展」。又，中國抗日雖然成功，但國共內戰，國家意識形態上將一分成二。夢冊師置身在此歷史巨變中，如何處世立身，成為他和同時代人共同面對的最大抉擇。最後，夢冊師選擇離開國內，移居香

12　「中國青年黨是曾琦、左舜生、李璜、陳啟天、余家菊等……成立於1923年12月2日……」，參見李義彬編《中國青年黨》北京：中國社會科學出版社，1982年版。

13　參考張振光主編《薪火集：河南大學學人傳》河南：河南大學出版社，2002年版，頁140。

14　梁耀強〈羅夢冊教授——站在二十世紀中途論析中國社會形態〉一文，載《北學南移：港臺文哲溯源學人卷 II》。

港，正表示出在政治上對於國共兩方都保持一定程度的距離。事實上，他的抉擇並不是一時的衝動，而是經過深思熟慮的。他所持的抉擇理由，可以從一九五〇年出版的《福利宣言》找出端倪，關於此點後文再作交代。

第三階段：中年階段徘徊政治學術之間

上世紀五〇年代，夢冊師來到香港，他的《福利宣言》是由主流社出版，封面印著〈時代思潮研究所〉發行。由於時代久遠，資料缺乏，對於此兩個機構的歷史始末已無法弄清楚。唯一可以肯定的是，夢冊師來港後，曾辦過一本雜誌名為《主流》。他當主流月刊社長。[15]顧名思義，不難想像夢冊師是冀望他的政治理想可以成為當世的「主流」思潮。《福利宣言》的面世應在此背景下產生。至於《主流》是代表著夢冊師，這位正在海外飄搖的知識分子，對祖國政治仍深表關注，刊物本身遂成為闊別祖國後個人政治生命的延續和寄託。

另一方面，錢穆先生想在香港辦一所大學，冥冥中有其主載。一天，夢冊師的舊同事張丕介偕他與錢穆晤面。夢冊師後來在新亞及新亞研究所從事教學科研至其歸道山終，時間長達四十餘年，乃由上述錢氏、羅氏因緣和合而遂成。根據錢穆先生《新亞遺鐸》〈新亞書院創辦簡史〉載當時與夢冊師會晤的情狀如下：

> （亞洲文商）開學後不久（一九四九年秋十月），（張）丕介偕其在重慶政治大學之舊同事羅夢冊來晤面。余（錢穆）抗戰時赴重慶，曾與夢冊在政大有一席之談話。至是亞洲文商遂又獲一新同事。[16]

錢穆先生於抗戰時與夢冊師的一席談話具體內容，旁人不得而知。就錢穆先生的話，很顯然雙方都留下了不錯的印象。假若錢、羅二氏話不投機，就不可能有「亞洲文商遂又獲一新同事」，要知亞洲文商是一所具有文化承傳任務的書院，任重道遠。延聘之導師皆一時俊彥，大家必贊同學院的辦學宗旨，對學院的財務困境，亦多能諒解。[17]換到另一角度，從夢冊師方面看，自己剛從國內來到香港，人地倆生疏，總要找一落腳地方過新生活。事實上，張丕介與錢穆先生也是新相識，據錢穆回憶：「余即邀在廣州新識之

---

15 錢穆《新亞遺鐸》北京：生活・讀書・新知三聯書店，2004年版，頁35。

16 錢穆《新亞遺鐸》〈新亞書院創辦簡史〉北京：生活・讀書・新知三聯書店，2004年版，頁755。同見錢穆《八十憶雙親師友雜憶合刊》臺北：東吳大學出版社，1992年版，頁247。當時張丕介在港主編《民主評論》。另外，陳勇書把羅夢冊之「冊」字誤為「珊」字，未知是作者手民之誤抑或是植字者有錯，見氏著《國學宗師錢穆》北京：大學出版社，2007年版。

17 http://www.hkedcity.net/project/newasia/history.phtml

張丕介，時在港主編〈民主評論〉，懇其來兼經濟之課務。……」[18]夢冊師加盟亞洲文商是「志同道合」。夢冊師最終加盟亞洲文商及其後之新亞書院及研究所當教授，雖然薪金待遇不高，但在工作上總算獲得一穩定的歸宿。

剛抵香港的夢冊師仍未完全抽身離開其在國內早已開展的政治生涯，例如想專注辦《主流》月刊，夢冊師因此更辭新亞職務。[19]又參與青年黨活動。[20]留意「參與」一詞，與入了青年黨成黨員是有區別。這裡邊會產生了一個疑問，究竟夢冊師有沒有加入過中國青年黨？由於資料缺乏，作者在此只能做一點估測。

首先，夢冊師在攻讀北平師範大學教育碩士時，可能會受到中國青年黨骨幹余家菊教授的潛移默化，但不能作出肯定性判斷。又，夢冊師在《福利宣言》有反共論調，而青年黨「先天本質」就是反共，這能從旁證明中國青年黨與夢冊師思想相近而已。[21]

另外，根據網上資料載：「在一九五一年，青年黨領導人謝澄平與程思遠幾經交換意見，決定組織一個定期座談會，其成員中便有：羅夢冊、張國燾、程思遠、董時進、伍藻池、黃如今等。不久，張發奎、顧孟余又拉張國燾創辦《中國之聲》雜誌。謝澄平提出要邀請一些比較熟識的朋友舉行定期座談會，交換關於當前局勢的意見。」[22]座談會成員以夢冊師為榜首。不過，參加座談會者身分是否必定是青年黨員呢？這點值得懷疑。

此外，夢冊師在香港的政治活動，曾一度引起國民黨的注意。而國民黨人曾視其為民社黨或青年黨黨員。一九五〇年十月，雷震先生啣蔣介石之命赴香港，與港方各界反共人士接觸，回臺後曾就香港行的見聞向蔣介石報告，認為香港「第三勢力……不足重視」。[23]根據他的報告，集結在第三勢力下的，一為以《自由陣線》雜誌為中心的謝澄平的集團，僅有二十餘人；一為孫寶剛的集團，已無法維持；一為羅夢冊的集團，有學生十數人。雷震因此建議政府「採取不重視態度，則可睹其自生自滅」。[24]第三勢力，

18 錢穆《八十憶雙親師友雜憶合刊》臺北：東吳大學出版社，1992年版，頁247。
19 錢穆回憶「此後在港，即聞有一第三黨之醞釀，并有美國方面協款支持。屢有人來邀余出席會議，余終未敢一赴其會。一日，方將成立第三黨中之某君來訪，告余，有意與余共同辦學。新亞經費彼可獨力支持，并由余一人主辦。彼只求再辦一新亞附屬中學，與新亞採同一方針，同一步調進行，余亦緩卻之。彼後乃辦一雜誌，約夢冊主持，夢冊辭新亞職務。其時新亞同人生活難求澄溫飽，余亦正求為同人介紹生路，遂無法挽留。」，見錢穆《八十憶雙親師友雜憶》北京：生活‧讀書‧新知三聯書店，1998年版，頁285。
20 「截以一九四八年底，全國共有黨員三十萬人」，見陳啟天《寄園回憶錄》臺北：商務印書館，1965年版，頁305-307。
21 胡國偉《巴黎心影》〈前言〉臺北：菩提出版社，1964年版，頁1。
22 以張國燾為社長，李微塵為主編。《中國之聲》是一個反蔣的刊物。
23 詳見容啟聰〈民主社會主義在冷戰香港：從理論闡述到參與本地政治〉載《中國文化研究所學報》，2018年7月。
24 詳細可參考林淇瀁《由「侍從」在側到「異議」於外：論〈自由中國〉與國民黨黨國機器的合與分》原載《縱橫》1997年7期，注引《雷震全集》第27冊，頁1-7。

主要是民社黨與青年黨人。[25]

　　為了要解決夢冊師是否中國青年黨員此疑竇。作者奔走各大學圖書館翻查了十多種有關中國青年黨的研究書籍，當中包括李璜、陳啟天等中國青年黨的回憶文字，但無隻字提及夢冊師名字。[26]加上，夢冊師本人亦從沒有在研究生面前親口提及過有關中國青年黨的任何事情。作者認為夢冊師的中國青年黨黨員身分是不確定。而作者更傾向夢冊師是屬無黨派人士。但有一點可以肯定的是他與中國青年黨的關係曾經是密切，並有參與其舉辦的政治活動。

　　除了與中國青年黨相涉外，夢冊師在政治舞臺上還提出「新革命運動」。此運動卻引來左派人士的攻擊。根據在網上一篇署名《大公報人》李純青，題為在《質所謂新革命運動》一文便有以下對夢冊師的批評：

> 對「羅夢冊等十五位先生呼籲促成一個新革命運動的主張」表示質疑。……羅先生等「既說在蔣主席領導之下」又說「這個革命要超黨派、超宗派」雖然他們宣稱在「經濟方面」，「崇尚前進而溫和的社會主義……對落伍的資本主義，舊型的自由競爭」……[27]

此外，上文述及「崇尚前進而溫和的社會主義……反對落伍的資本主義，舊型的自由競爭」的論調，在夢冊師的《福利宣言》書中第二章〈時代的錯誤〉，對於社會主義及資本主義曾作出有力的批判。李純青針對夢冊師「新革命運動」，標榜其為「十五位先生」之群首非無的放矢。[28]

　　不過，正當夢冊師對現實政治失望，意興闌珊之際。忽然，收到中國總理周恩來的邀請到北京觀光。[29]是時，中國大陸剛處於大躍進運動時期。政治氣氛異常凝重。夢冊師卻欣然應邀。據作者於一九八九年探望老師，他提起此事仍念念不忘，只可惜當時作者並沒詳細追問其事始末。但得到一個訊息，是老師認同此行對新亞研究所來說無疑是件政治敏感的事情。

---

25 雷震先生對於夢冊師的政治活動有兩處地方值得關注。第一點是雷震認為青年黨人是第三勢力，另一點是雷震建議政府「採取不重視態度，則可睹其自生自滅」。關於第一點，夢冊師在其《福利宣言》中不斷強調資本主義和共產主義都是有嚴重缺陷，反對兩極化世界。他要提出革新的政治理想，要與志同道合者共同努力，這等便成為雷震眼中的所謂第三勢力。至於第二點，從後來中國青年黨的歷史發展看，雷震的預見是非常準確。中國青年黨在香港並未為中國政治帶來具影響力的改變。有學者剖析中國青年黨的失敗，是由於「老成凋謝，後繼無人」。見周淑真《中國青年黨在大陸和臺灣》北京：中國人民大學出版社，1993年版，頁300。

26 詳見陳啟天《寄園回憶錄》及李璜《學純室回憶錄》。

27 http://media.people.com.cn/BIG5/22114/104848/104849/6360429.html

28 羅夢冊《福利宣言》第五章〈通達自由之路〉香港：主流出版社，1950年版，頁6-21。

29 據新亞研究所學長楊永漢博士轉告作者，傳周恩來總理看過他的《福利宣言》後，遂有北京旅遊之邀。

　　夢冊師自一九四九年從河南移居香港,至此時已過了十年光景。他對於封閉的中國仍念茲在茲。畢竟,祖國為他青年時代留下許多美好回憶。十多年前仍是河南大學法學院院長,是參政議員,是立法委員,這都是一生難忘。加上,他並沒有明顯的國民黨包袱,回國內比較容易。對於夢冊師個人而言,如果周恩來總理是因為欣賞《福利宣言》,讀其書並想見其人的話。他的政治理想或許得到國家認同和實現。這豈不是中國傳統知識分子所共同懷抱的美好願景![30]此外,在香港他也多次參加河大香港校友聯誼活動,曾任河南大學香港校友會名譽會長,予人感覺他對祖國家鄉仍存有一份濃情。[31]

第四階段:晚年沉潛學問,生命之歸宿

　　北京之旅使夢冊師能重投闊別十年的祖國懷抱,並得以親近共產政權統治下的人民。在這次旅程,夢冊師憑其個人敏銳的觀察和體會,已意識到當下「實然」政治與其心目中的「應然」政治,南轅北轍。要彌縫理想和現實中的寬闊鴻溝,希望渺茫。因此,北京之旅僅此一次。往後日子,夢冊師再沒去北京。當然,北京政府也沒邀請他。回港後,他淡出現實政治,把生命完全灌注於學術研究中。

　　上世紀七〇年代,夢冊的傑作《孔子未王而王論》出版後,並把其個人不平凡的經歷轉化作研究的有力工具。他在《孔子未王而王論》中〈後序〉自覺地承認說:

> 本書之作,非出於一時的興會;今根於古,而通於古,且並可反照前古,個人親履的時代風霜雷雨,當會增進對往聖前哲的了解。[32]

此後,一連串的發表了四大篇鴻文,它們分別是:一九七一年發表之《說渾沌與諸子經傳之言大象》、一九七四年之《中國社會根氏之天下體制、天下哲學》、一九七五年之《透過戰國之讓國運動及秦漢之地下哲學看中國》和一九七六年之《中國歷史社會之行程與中國辯證哲學》。後三篇文章則環環緊扣,相互密切關聯,其份量之重幾可結集成一部專著。夢冊師亦由「學而優則仕」再轉到「仕而優則學」。他上世紀中寫下的不朽名篇,到今天仍為學界津津樂道。

---

30 羅老師到北京的具體日期不詳,查《周恩來年譜1949-1976》〈中卷〉載:「9月24日——和劉少奇接見歸國留學生」,疑周恩來是在此日接見羅老師,參見《周恩來年譜1949-1976》北京:中央文獻出版社,1997年版,頁200-275。

31 〈羅夢冊:享譽中西法學界的愛國教育家〉,見《河南日報》2012年8月24日。

32 羅夢冊《孔子未王而王論》之〈後序〉法國:巴黎第七大學東亞出版中心,1972年版,頁297。

三　羅夢冊教授於香港的著作

　　夢冊師一生著述主要圍繞著有三個範疇，第一個範疇是法政專業的文章，其高峰期在英國留學階段，皇家院士的美譽是此時獲取。第二個範疇是在政論方面，著作有《中國論》、《現時代的意義》、《現時代之思想論戰》、《主流》月刊等。[33]高峰之作為《福利宣言》。第三個範疇屬中國古代社會思想的範疇，此處以《孔子未王而王論》及上提四篇鴻文為代表作。上述所提作品各具千秋，乃夢冊師一生學問所在。對於夢冊師兩部在香港刊行的代表作，即五〇年代出版的《福利宣言》及七〇年代出版的《孔子未王而王論》，有幸得在香港、臺灣及外國流傳，使後人能從此兩書得能深入認識先生偉大的人格和理想。

　　夢冊師曾先後持贈兩書予作者，並簽名作留念。儘管作者水平有限，未能完全參透書中要核。無論如何，作者感到有責任在此推介夢冊師此兩部代表作。[34]

　　首先介紹五〇年代出版的《福利宣言》，此書是由夢冊師所主編的主流社擔任出版，全書目次如下：

　　　　第一章　一個新的宣告
　　　　第二章　時代的錯誤
　　　　第三章　推開哲學民主之門
　　　　第四章　站在輻射時代看真理
　　　　第五章　通達自由之路
　　　　第六章　人權經濟
　　　　第七章　福利政治
　　　　第八章　福利國家與自由社會

　　簡言之，夢冊師在《福利宣言》開宗明義認定共產主義及資本主義兩極化的世界為人類帶來嚴重災害。一切資本主義舊形態經濟和共產主義及其他舊式社會主義型態的經

33　國內學者葛兆光說：「另一本最重要的著作，現在很少有人讀，也很少有人提起，就是羅夢冊的《中國論》。他的這本《中國論》要說的話，和現在某些學者很像，就是論述中國是一個文明，既不像帝國也不像國家，我們這個文明就是大家在一起的。大家看這個《中國論》，再對比北宋石介的《中國論》，可以看到，將近一千年裡，有關中國的焦慮始終存在。這是第二次有關「中國」討論的熱潮。詳見2017年6月4日，復旦大學文史研究院葛兆光教授應邀到雲南大學作了題為《今天我們為什麼要談論「何為中國」》之文。另外，臺灣學者黃俊傑亦注意到先生的著作，在其《思想史視野中的東亞》序中便提到羅氏之論點，詳見黃氏書，臺灣大學出版中心，2016年版。

34　作者曾於1989年10月3日《華僑日報》副刊署名官少史，推介《孔子未王而王論》，並於翌年1990年11月23日《東方日報》〈好書欣賞〉版署名官德祥，推介《福利宣言》。今日看來兩篇推介內容和文字都不成熟，相距約廿年後的今日，再讀二書，對兩書內容的體會應較以前進了一步罷！

濟都是不民主的。[35]「走到自由社會，把人性實現，是要經過政治民主和經濟民主的手段才能達成。」[36]他強調「要民主，必須走民主之路，要自由必須走自由之路，要無虞匱乏，必須走無匱乏之路……通達自由社會之路。」[37]他在第二章〈時代的錯誤〉說明資本主義與共產主義的本身問題，表明要有第三條改造世界的路，故無怪乎前文載述有人質疑夢冊師集團是第三勢力。[38]

此外，在第五章〈通達自由之路〉宣報：「……吾輩人類今日應去，……不是那些往昔宗教教主們或某些哲學英雄們所慷慨賜予我們之那個可望而不可即的極樂世界，或十全十美的人間天堂，而只是一個素樸無華，適宜於人類居住或較適宜於人類居住的世界，進而以達人類的自由社會。」[39]又，「通達自由社會之路，必須經由政治民主與經濟民主，我們在此問所用的政治民主，已不是資產階段之舊型的政治民主，所用之經濟民主（亦已不是共產主義或舊型社會主義所稱之經濟民主）……的大道邁進，因為政治民主與經濟民主的獲得，才是人或人類在二十世紀六〇年代的勝利。」[40]在書中，他帶領著讀者步向他所憧憬著的福利世界之道。

新的福利世界是一個超政治無國家的理想世界。要達到此理想箇中關鍵是要：「……先結束此人統治人之權力政治的舊時代，另開人服務人之福利政治的新時代，再由此福利政治作階石，始可能走入超政治無國家之自由時代或世界」。

在書中他進一步敬告人類說道：「吾人今已置身於福利政治時代之門口」，強調新世代的革命出現。[41]想成功地開出新世代革命之花，達致到「人服務人之福利政治的新時代」，他說要把「理性人」、「經濟人」、「政治人」之綜合的一致的人格的實現起來。

大家可能會問《福利宣言》一書的影響力有多大？這點可以從《孔子未王而王論》臺灣新版〈自序〉中找到線索。其內容如下：

> ……五十年代，另一本拙作，Declar (a) tionon Human Welfare 一書出版之初，熱烈親切的反應即遠從萬里之外的英國頻頻傳來，已甚出乎我個人的意念，想不到更為新異的情況亦接踵而至。為了能夠對拙作出有系統的研討，迅達一致的理解，英國友人們曾於一九五三年的九月中旬，在牛津區、伊普斯敦（Ipsden, Oxfordshire）之布萊雪整合社會研究學院（Braziers Park Schoolof Integrative Social

---

35 羅夢冊《福利宣言》第五章〈通達自由之路〉香港：主流出版社，1950年版，頁56。

36 同上註，頁55。

37 同上註。

38 同上註，頁21。

39 同上註，頁54。

40 同上註，頁55。

41 同上註，頁130。

Research）舉行了一個夏令集會（A Summer School）。[42]

臺灣新版〈自序〉寫於一九八一年，這是一九七二年巴黎第七大學東亞版所沒有的。令人產生疑問的是，為何夢冊師在一九七二年版的〈序〉不記下上述事，反在一九八一年事隔約廿八年後才有此舉？筆者有著以下的推測：

　　在出版一九七二年巴黎第七大學東亞版時，夢冊師對其出版的《福利宣言》是具信心，認為必廣為流傳。就內容上而言，兩者根本屬不同課題，一本談人類新革命，一本談孔子，沒必要一併介紹，故在七二年的《序》沒有記述。但到了八〇年代，離《福利宣言》面世日子差不多三十年，夢冊師或者發現《福利宣言》的影響力非始料所及；一方面是料不到英國人對此書有正面影響，但另一方面亦自覺其書反在中國不流行，中國人對其作品不認識。他毫不諱言說道：「由於拙作未曾在國內出版發行，其與國人卻不無陌生之感……」。[43]因此，他在《孔子未王而王論》臺灣新版〈自序〉時為此舊作造了一些文字上的宣傳，賣了個小廣告。隨著中國與臺灣的政治學術漸次開放，許多臺灣及國內著作都在對方土地上刊行再版。可惜，夢冊師的兩部力作《福利宣言》及《孔子未王而王論》仍未見國內刊行或再版，這無疑是國內政治及學術界的損失。

　　第二部要介紹的書是《孔子未王而王論》。[44]

　　在未曾介紹此書內容時，必須介紹一位曾為是書的出版付出最多汗水的幕後英雄，若沒有這位熱心的人——李克曼博士，夢冊師的著作仍束諸高閣。

　　事實上，此書的撰寫已於一九五九年完成，夢冊師一直把之藏於名山約十年。在一九七一年二月，因緣際會，與李克曼博士 DRP Ryckmans 談及《孔子未王而王論》，李氏力主從速付印，並把稿寄往巴黎，接洽出版。[45]夢冊師對於李克曼這伯樂感激萬分，分別在巴黎第七大學版及臺灣版的後序和導言中提到李氏之功勞，並於兩次出版均邀李氏作序，惜第一次李氏病後小休，不勞其寫作。最終在臺灣版本中才見到李氏之序言。

　　夢冊師著《孔子未至而王論》時是以「……個人所親履的時代風霜雷雨，當會增進對往聖前哲的了解」[46]此書並不擬為孔子作任何辯護，只希望「以事實廓清近五六百年間中國舊王朝以師限聖的煙霧，略事恢復孔子的原來面目和行事，以及其對中國的真實影響」。

　　關於孔子的研究汗牛充棟，而對於孔子的真正面目的了解，夢冊師《孔子未至而王

---

42 詳見羅夢冊《孔子未王而王論》之〈自序〉臺北：學生書局，1982版。

43 同上註。

44 此書較《福利宣言》易找，加上主目錄及子目多，故在此從略，讀者可自行到各大書店查閱。

45 李克曼博士，筆名黎斯，比利時人，六〇年代初曾在新亞研究所修習中文，大概在「掛單」期間，師事副研究員羅夢冊先生，研習中國學術。

46 羅夢冊《孔子未王而王論》之〈後序〉法國：巴黎第七大學東亞出版中心，1972年版，頁297。

論》肯定是一部成功之力作，其見解之獨到，視角之新穎，受到學術界的重視。[47]

《孔子未至而王論》「承百代之流，中國歷史因受到漢人王孔子並神孔子的影響，已曾發生了「實然之史」和「應然之史」的分裂，且並作其對立性的發展。若只從其一面來看，此類對立的發展，由兩漢而魏晉，而隋唐，而宋元，再由明而清也，好像實然之史就要壓倒了應然之史，而將以專制帝王、世襲至朝、綱常王國之私有天下獨占一切而告終。[48]孔王之當王未王是應然之史敗於實然之史。「有聖人之德者應居王者之位，亦必居王者之位，而王位政權之傳遞，是以聖傳聖的禪讓，為其理想的形式」[49]，夢冊師心目中的王者是有聖人之德。而人人可以成聖人，聖人是可以贊天地之化者，與天地參。[50]

最後，想簡略介紹羅夢冊三篇鴻文，它們分別寫於一九七四年之《中國社會根氐之天下體制、天下哲學》、一九七五年之《透過戰國之讓國運動及秦漢之地下哲學看中國》和一九七六年之《中國歷史社會之行程與中國辯證哲學》。上述三篇文章都是羅老師一口氣連續三年時間構思並逐篇發表，三文內容聲氣互通，一步一步探索中國的歷史進程的真面目。可惜的是，自從在此三篇文章發表過後，再沒見到夢冊師的文章。當然，沒有文章發表，不表示他停止了任何學術研究。

現先談夢冊師的第一篇文章——《中國社會根氐之天下體制、天下哲學》，主旨在追尋「中國社會乃一天下形義的大社會」概念的孕育、演進和成長的歷史過程。[51]夢冊師大量爬疏史料，旁徵博引，提出「天下為均」、「天下為平」、「天下為政」等重要概念。首次揭示《禮記》〈禮運篇〉「大道之行，天下為公」的意義[52]。所謂：「天下為公」代表著「大道之行也」，而「天下為家」就反映出「今大道既隱」[53]，夢冊師認為古人是共同相信，大道之行也，天下為公。夢冊師找出許多歷史例子證明人們是眷懷「治著太平」，斥「今大道既隱」。[54]

第二篇是《透過戰國之讓國運動及秦漢之地下哲學看中國》，此文探討是繼前文再進一步，探索「大道之行也，天下為公」與「今大道既隱，天下為家」其說之由來，並

---

47 同上註，頁298。

48 「……此匹夫無德而王的王者與王朝，一開始即複沿著家天下的故道走」，詳見羅夢冊《孔子未王而王論》法國：巴黎第七大學東亞出版中心，1972年版，頁204。

49 同上註，頁152。

50 同上註，頁145。

51 羅夢冊《中國社會根氐之天下體制、天下哲學》載《新亞書院學術年刊》，1974年，第16期，頁354、357。

52 同上註，頁369。

53 同上註，頁375。

54 同上註，頁369。

為「有無其思想的或史實的前行者？……」作一全面的歷史勘察。[55]夢冊師對於秦孝公讓國予賢相衛鞅、魏惠王禪國於賢相惠施，有著驚人發現。他認為「此類讓國傳賢大事件一而再，再而三地出現於當時之頭等的強大國家，形成為一個政治運動，且能迅速地現其高潮，殊不尋常。」[56]夢冊師為這不尋常的政治運動賦予前人所未有的新發現。[57]他對於「讓國傳賢改制運動」，追始溯源，找尋出其前行思潮為《禮運篇》所先倡之「大道之行，天下為公」，此一政治思潮是中國歷史上頭等大事。[58]夢冊師認為讓國傳賢改制運動是「中國社會到了戰國時代，已能從事於自我反省之反映……。」[59]這「戰國自我反省新思潮」的看法是前所未見，新穎獨到，並且發人深省。

　　第三篇是《中國歷史社會之行程與中國辯證哲學》。誠如他在第二篇文中說：「透過戰國之讓國運動及秦漢地下哲學來看中國，來看中國之古今及未來，則中國文化、中國歷史社會之總的面貌和精神或即會為之丕變。……」[60]他利用大量的史料結合豐富的地下出土文物，如夢冊師所言，利用「唐虞禪」、「五帝官天下」地下發掘、經典史程、古代傳說三結合，得出以「正」、「反」、「合」辯證論來說明中國歷史社會的行程。[61]唐虞之世或五帝官天下為之「正」。夏商和西周三代為由「正」入「反」。[62]秦漢以來的社會為中國古代社會之「反」。然後，再由「反」之「反」達致其高級之「正」，亦即之「合」。[63]夢冊師的結論是上古為「正」，中古為「反」，今日明日為「合」。[64]這個「合」是前文所說的「大道之行也，天下為公，再度回返中國」，[65]正反合（反之反），大道之行，仍邏輯的必然。[66]最後，夢冊師抱寄望說：「『大道之行，天下為公』之能再還中國，亦即是為一種符合於中國歷史要求的民主制度之能運行於今後的中國，鋪好道路，當屬我們

55 羅夢冊《透過戰國之讓國運動及秦漢之地下哲學看中國》載《新亞書院學術年刊》第17期，頁143。

56 同上註，頁152。

57 同上註，頁146。

58 同上註，頁146、164。

59 羅老師認為戰國出現自我反省的思潮主要原因有三，一是百家之學已達其高層次的綜合，二是哲人才士之直接間接地從事政治，三是民間口傳之古史，若堯舜禪讓的事跡，已轉化為一代的新思潮。同上註，頁154。

60 同上註，頁146。

61 羅夢冊《中國歷史社會之行程與中國辯證哲學》載《新亞書院學術年刊》第18期，頁143-144。

62 夏後殷同繼，由選賢變為世襲，故視之為「反」，見羅夢冊《透過戰國之讓國運動及秦漢之地下哲學看中國》載《新亞書院學術年刊》第17期，頁186-187。

63 同上註，頁188。

64 羅夢冊《中國歷史社會之行程與中國辯證哲學》載《新亞書院學術年刊》第18期。

65 羅夢冊《中國社會根氐之天下體制、天下哲學》載《新亞書院學術年刊》第16期，1974年，頁375。

66 羅夢冊《中國歷史社會之行程與中國辯證哲學》載《新亞書院學術年刊》第18期，頁138-139。

這一代的中國人，應負的大責，不容旁貸。」[67]

四　結末語──羅夢冊老師心中的應然歷史世界

專精法律的人長於邏輯論證，兼能言善辯。深懂政治的人，敏於人事，且長袖善舞。夢冊師兩者兼備，但不流於世利俗套，為人光明正大，特立獨行。他年輕時專擅法政，從英返國學以致用，丹心一片報效祖國。中年時期，積極參與政治活動，以展其政治抱負，並寫出《福利宣言》；標誌著一個知識分子超越國界，站在人類發展前沿，高瞻遠矚的為新世界繪製改革的藍圖。看過此書，大家都會同意是書宏識巨議，用心於全人類的福祉，氣魄非凡。夢冊師到了「由知天命而耳順」的晚年，出版了《孔子未王而王論》，提出理想中的歷史，即歷史的民意造型，亦即「應然的歷史」。歷史該以「天下為公」為目標。[68]可惜的是，誠如夢冊師所言，實然之史壓倒應然之史。迄今，夢冊師已歸道山差不多三十年，「福利宣言」已出版也有大半個世紀，但「人統治人的權力政治」仍未有改善，我們仍生存在一個存有飢餓、戰爭危機和充斥獨裁者的世界，距離自由之路、人權經濟與及福利政治之「應然」之路還很遙遠。

夢冊師在《孔子未王而王論》對王陽明的評價。也許，反過來可以成為他自己的寫照。「然因王（王陽明）氏之學亦只是止於內聖未及外王，他雖有志於政治的改革，且為實際的從政者，而他對明代之實際的政治，亦缺乏顯著有力的影響。」[69]雖然歷史不許回頭走，假若夢冊師留在英國當他的院士，或留在中國當他的法學院長、立法委員，或依附任何一方權勢，他之官運亨通是可預期。但他卻選擇定居香港，獻身研究所傳業解惑，投入純學術研究，撰文倡導「天下為公」、「讓國傳賢」、「福利政治」等，為中國「應然的歷史」進程作出了無私的奉獻，夢冊師的理想精神應值得學生們銘記！

後記

上過夢冊師課的同學都知老師十分重視上課，衣著一絲不苟，結領帶和穿西裝，整體外型是英式紳士打扮。頭髮齊整，儀容端莊，謙謙君子，談吐儒雅。他教授作者時，年約八十歲，見他很費力勁一筆一劃的把黑板填得滿滿，待同學抄寫筆記之同時，他又

67　羅夢冊《中國社會根氏之天下體制、天下哲學》載《新亞書院學術年刊》第16期，1974年，頁375。

68　「上古時代乃是一個『天下為公』之『官天下』。」另見羅夢冊《孔子未王而王論》法國：巴黎第七大學東亞出版中心，1972年版，頁204。羅夢冊《孔子未王而王論》法國：巴黎第七大學東亞出版中心，1972年版，頁200。

69　羅夢冊《孔子未王而王論》法國：巴黎第七大學東亞出版中心，1972年版，頁270。

滔滔不斷解說心中的玄思妙想。此情此景下，同學們都不敢懈怠，專心聽課，努力抄寫。回憶羅老師最後的日子，大部分時間臥病在床，加上腿腫，走路都有困難。一九八九年一次登門探望羅老師，老師談到六四事件對他的病情如何打擊。此事反映老師對祖國政治的熱忱和關心從未變改。後來，又一次病重，被送到公立醫院留醫，由於醫院床位不足，老師被安排睡在走廊。作者探望時，不忍卒睹，曾與醫院交涉未果。前塵往事，一切歷歷在目，永世難忘！

附錄一：〈羅夢冊教授生平大事記〉[70]

1906(?)年	是年出世[71]
1927年	考入國立開封第五中山大學法科
1931年	畢業於河南大學法學院，獲法學學士學位，師從杜元載、王毅齋兩位先生受聘擔任河南大學附屬高中主任
1932年	考入國立北平師範大學攻讀教育學碩士學位，師從余家菊先生
1935年	以研究員身分派往英國倫敦大學留學
1938(?)年	被選為英國（倫敦？）皇家學院院士
1939-1942年	回到祖國，受聘擔任國立政治大學、重慶中央大學和國立河南大學教授。在河南大學擔任法學院院長
1942年	被選為國民第三屆參政會參政員
1945年	隨河南大學搬遷回開封辦學，受聘擔任法學院院長
1948年	當選為立法院立法委員
1949年	河南大學遷到蘇州，羅先生辭法學院院長職，走到香港，並創辦《主流》月刊，為主流月刊社長任教亞洲文商學院夜校
1950-1954年	任教新亞書院
1955-	任教新亞研究所
1959年	應周恩來總理邀請到北京觀光
1991年	病逝香港

---

[70] 參考張振光主編《薪火集：河南大學學人傳》河南：河南大學出版社，2002年版。錢穆《新亞遺鐸》〈新亞書院創辦簡史〉北京：生活‧讀書‧新知三聯書店，2004年版。陳勇《國學宗師錢穆》北京：北京大學出版社，2007年版。

[71] 對於羅夢冊先生生年有兩種說法：一說是1906年，另一說是1909年。此文曾獲夢冊師的公子羅文先生過目。羅公子亦曾回港與作者見面，當時在場還有李啟文教授。作者私底下亦與羅文先生電郵聯絡，但未聞其對本文持「1906年為夢冊師生年說」有異議。

附錄二：〈羅夢冊教授主要著作〉

1. 《現時代的意義》重慶：新評論社，1941年版。

2. 《中國論》北京：商務印書館，1943年版。

3. 《現時代之思想論戰》重慶：文化建設印務局，1944年版。

4. 主編《主流》月刊，1949年。

5. 《福利宣言》香港：主流出版社，1950年版

6. 《孔子未王而王論》法國：巴黎第七大學東亞出版中心，1972年版。

7. 〈說渾沌與諸子經傳之言大象〉（上）（下），《東方文化》，香港大學亞洲研究中心，第九卷第一期與第二期，1971年，香港：香港大學出版社，頁15-56與頁230-305。

8. 〈中國社會根氏之天下體制、天下哲學〉載《新亞書院學術年刊》，1974年，第16期。

9. 〈透過戰國之讓國運動及秦漢之地下哲學看中國〉載《新亞書院學術年刊》，1975年，第17期。

10. 〈中國歷史社會之行程與中國辯證哲學〉載《新亞書院學術年刊》，1976年，第18期。

我的兩位老師全漢昇教授和嚴耕望教授

鄭永常

成功大學歷史系退休教授、香港新亞研究所榮譽教授

　　一九八七年筆者參加新亞研究所博士班入學考試，筆試通過後取得面試資格。記得入學面試委員會是由全漢昇教授、嚴耕望教授、及中文大學蘇慶彬教授等三位組成；提問過後便談及指導教授的問題。我說：全先生、嚴先生都可以指導我的博士論文。由於我的研究範圍是「明初中越關係研究」，嚴先生最快反應說：「唐宋以後我不指導」，且順手指一指全先生。全先生急說：「越南歷史我不懂」，就這樣我們僵住在這話題上。最後蘇慶彬教授建議找我的碩士論文指導老師陳直夫教授，我說陳老師已九十歲，健康也不太好。三位老師認為在香港陳老師是最適合當我的指導教授，我回去向陳老師報告，他老人家一口便答應了。考試錄取公布，我考進新亞研究所博士班史學組就讀。

一　追思指導教授全漢昇先生

　　我入研究所時，全漢昇老師是研究所所長，他對我的特殊情況特別關心，時常詢問我的研究進度。一年後，陳老師因健康欠佳，長期住院治療，已不能指導我的論文。新亞研究所總幹事趙潛先生建議我懇請全老師指導，全老師便勉為其難當起我的博士論文指導教授。當時追隨全師門下都是研究經濟史的，我是唯一的例外。全師並沒有要求我修改研究方向，每次報告時他都努力在聽，對我多所鼓勵。

　　我選修了全師的「中國近代經濟史研究」一門課，全師系統地從明代講起至清代及民國以後的經濟研究專題。全師當時的經濟史研究集中在大航海時中西海洋貿易方面，而我對白銀貿易以及中國帆船扮演的角色特別有興趣，這也是我日後走上海洋史研究的指引。當時我的研究目標仍在明代中越關係上，我終於在一九九一年五月提出博士論文初稿《明洪武宣德年間中越關係研究》二十萬字左右。我很高興的交給全師批閱，一星期後全師不客氣的說：「字數這麼多，誰有時間看？」我當時愣住了，有點不知所措。全師語氣稍為緩和地說：「要 standard，readable」，便將論文掉在桌上。我默默地撿起論文，到圖書館借了十多本書回家修改。回家途中，在巴士上一股氣壓在胸口上，幾乎喘不過氣來，半小時候才逐漸消散。回家後，大刀闊斧將論文中的引文刪減及轉化為論述和分析性的文字，最後定稿約十四萬左右。我再將修改了的論文交給全師批閱，這一次他沒有退回來，我以為就過關了。然而後面還有一段難受的經歷。

　　我每星期六上午便到研究所上學，也會入所長室進見全師。每次進見全師，他便示意我坐下，一聲不響地翻閱我的論文稿，閱到有問題處便要我即時解釋，或突然提出相關問題，有時一個小時也不說一句話。我僵直在椅上動也不敢動，如是者，直至口試通過才告一段落。我的天，壓力太大了。何漢威學長說：全師年紀大了，現在脾氣比較好。星期六中午研究所同學最多，中午時候全師便和我們一起上茶樓飲茶，他很喜歡吃叉燒包，每次必吃。飲茶中同學們高談闊論，而全師卻一話不說，默默地吃著聽著。全師是一位木訥寡言的學人，但又不盡然，記得那年隨全師到中研院中山人文社會科學研究所參加第五屆中國海洋史會議，期間遇到來自美國的袁清教授，卻見他老人家十分興奮及滔滔不絕地追問和談起美國學術界之事。

　　一九九一年夏秋博士論文通過後，我以為我的讀書計畫結束了，從此可輕鬆過活。當時我在一所津貼中學教書，生活也算穩定。可是，新的問題來了，原來香港面對一九九七回歸，臺灣教育部為了加強香港僑教工作，提供四個博士後研究給新亞研究所培育研究人才，二位哲學二位史學。有位學長因工作關係不願從事博士後的工作，全師便對我說：「鄭永常您來當博士後，中學留給大學生教。不要為了少三千元（港幣）而不做學問。」我的天，全師好像不吃人間煙火，當時在香港要找一份穩定收入的教師工作，其實不容易。全師對我的期待，不忍拒絕，回家跟太太商議，請她給我二年時間，便回到中學教書。太太終於答應了，這是我的生命最重要的轉折。

　　我在新亞研究所有兩個職位，一是博士後研究，一是副研究員。博士後研究每年交出一篇學術論文；副研究員（副教授）在研究所開二門課，我開始踏入學術機構從事教學與研究工作。這兩年是我與全先生接觸最多的時間，每星期有三天在研究所，全師也會來三天。一星期總有二三天進見全師，談研究進度及讀書狀況。全師總會問幾本學術雜誌近一期有何文章，我不得不經常去翻閱一下，免得啞口無言。在當時，何炳棣教授與香港學人論戰，全師經常問起他們討論什麼課題，這也迫使我關心這方面的資訊。這兩年我追隨全師左右，全師說話多了，很多時候會交來一篇文章或一本書要我做報告，感覺上全老師有意無意間在培養我的學術基楚。博士後第二年，全師開始詢問來自臺灣的學者鄭永常是否有機會到臺灣發展，那一年中研院劉石吉教授來訪，全師隨口問中研院有沒有機會。劉教授說中研院夜長夢多，機會不多，其他大學可以一試。不久便收到劉教授告知成功大學歷史系招聘教授，我的履歷就這樣寄到成大。

　　在新亞研究所博士後二年，隨在全師身邊，由於全師是學術泰斗，德高望重，一些學者路過香港都會拜訪全師，很多時候我會敬陪末座。這也讓我認識多些學界先進。有一次，施建生教授過港，他是全師老同事和好朋友。全師設宴款待，我敬陪在側，閒談間施教授問我的博士論文及指導教授，我說：「是全老師」，施教授大笑起來朝著全師開玩笑說：「越南您也懂。」全先生當時的窘態，令我忍俊不已，但我實在委曲了他老人家。全師對明代中越關係的了解並不深刻，實在有點難為老師。這次之後，我開始思考

有機會應研究與全老師學門接近的題目，不過在新亞研究所博士後的工作仍然從事中越關係方面的研究。

一九九三年我有機會轉來臺南國立成功大學歷史系任教，在大學部開授「明史」、「東南亞史」、「東南亞華人史」的課。我重新把全師講授的「中國近代經濟史研究」與他對明清海外貿易的研究成果重讀，並與講授的課程連貫起來，讓我對東亞（包括東南亞）地區十六世紀以來的貿易發展有更深刻的體會。明代是中國走向近代化的重要時刻，已不能從傳統的角度去解釋當時的歷史，外在因素特別是對外貿易扮演著重要角色，全師對於大量白銀輸入中國的研究及貢獻，已為中外學術界肯定。全師比較少研究的是，明朝中國政府如何因應海外貿易的情勢變化而執行其貿易政策，這方面也許可以成為我的著力點。一九九八年《征戰與棄守：明代中越關係研究》出版後，隨即開始「明代海貿政策演變研究」的落實。當時全師已經退休且回到臺灣新竹定居，每年都有二次到新竹拜見全師。我曾將研究構思向全師報告，他十分贊成我的研究構思，並建議我多向相關前輩學者請教。經過七年多的努力，終於完成《來自海洋的挑戰：明代海貿政策演變研究》一書，並於二○○四年出版，然而老師已離我而去，只留下悵然的追思。全老師於二○○一年十一月二十九日在臺北辭世，寫下此詩悼念：

老師走了 // 靜靜的 // 從唐宋運河走來 // 畫一幅物價的曲線 //
引領航海者 // 從西方到東方//掛起輕柔的絲線//飄落在海面上 //
散發出白色的銀光 // 璀璨起亮黑的煤 // 從太行到衡山 //
滾動的齒輪 // 穿過歷史的儀軌//安祥地 // 走了

二　追思嚴耕望老師

記得就讀博士班時，選修了嚴耕望老師的課，填好修課表請嚴老師簽名時，老師親切的說：「您讀博士班，不必來上課，在家讀書，學期末交一份報告就可以了。」我跟嚴老師說：「考入新亞，就是希望來聽老師的課。」嚴老師笑笑說：「那您就來聽。」我共修了嚴老師兩門課，博一時修「三代兩漢人文地理研究」、博二修「魏晉南北朝隋唐人文地理研究」。嚴老師的國語鄉音很重，最初三個月仍是半懂不懂，還好老師以他的研究成果作講義，我們先看資料，上課時不至摸不著頭腦。之後的半年多，我們仍是半懂狀態，不過已懂得隨老師的笑話一起笑。當時修課的同學有碩士班的陳俊仁、官德祥、黃燦霖，還有誰？記不起來了。

修了嚴老師兩年課，跟老師稍為接近些。尤其是博士論文通過後，留在研究所當博後和開課，私底下會跟嚴老師請教、聊天的機會更多。由於我對中古史所知不深，因此都是向老師請教一些時事問題，如中國的改革開放、天安門事件、香港回歸、臺獨勢力

的發展等等，我發現嚴老師對這些當代問題頗有他的看法，時常侃侃而談，可見他老人家並不完全埋在古紙堆中，只是很少用文字或語言公開表達而已。有一次，我問老師九七後作何打算？想家嗎？老師說：「生活隨遇而安」，似未有離開香港的打算。老師說：「怕統戰，不回鄉。」老師的立場是十分堅定的。

一九九六年六月，嚴老師到臺北就醫，七月出席中研院院士會議。九月初到中研院拜望嚴老師時，老師精神還好，十分健談，並準備回香港。我以為嚴老師的病情已受到控制，然而十月九日噩耗傳來，嚴老師不幸仙逝，留下悵然的追思。記得申請國立成功大學教職時，那是一九九三年的四五月間，曾請嚴老師寫推薦信，老師十分嚴肅的一口拒絕，並抱怨近年為學生寫推薦信或應邀演講，結果都不成功，他不願意再寫推薦信了。老師似有一肚子氣。我很抱歉勾起老師的不愉快回憶，也感到十分難過。我向嚴老師解釋：現時臺灣大專院校的聘人辦法，都得經過系評會、院評會、校評會委員投票，各委員會都要三分之二贊成才算通過。系主任只有一票，並不一定能左右大局，現時求職推薦信幾乎是形式要求。我失望的跟嚴老師說：「我已請全漢昇老師、趙令揚教授寫推薦。嚴老師是我尊敬的老師，我當然希望老師為我寫推薦，如果老師感覺為難，我便另一位老師好了。」我正想起身告辭，嚴老師忽然又親切的說：「好吧，您過兩天來拿。」嚴老師做事講求原則，但愛護學生之心是真摯的。

我收到成功大學歷史系聘書的傳真通知時，嚴老師已經赴美。來不及向老師辭行，我便應聘前往臺灣教書，這是我人生中最大的轉折。一九九三年九月四日，離我正式上課還有十多天，我寫了一信給嚴老師報告在成大的情況。老師語重心長的回了信，言簡意賅，字字雋永。他說：「亦聞與相競者有中文大學李君，其人成績遠在您之上，故此次成功實屬幸運，當珍惜此一絕佳機會，努力上進。」老師的坦率明白，使我一直警惕，好好把握這次機會。嚴老師在教學上叮嚀：「惟初次教學，經驗不足，上課前須作充份準備，上課時始能應付裕如。」他特別關心我的國語說：「再有一點，國語太差，與學生溝通可能有困難，亦須加強學習，以使講授不能如我一般。」嚴老師的擔心是我要面對的現實。幾年下來，我的廣東腔調仍然很重，同學們慢慢適應及習慣了我的廣東國語。嚴老師的叮嚀，讓我認真工作，充分備課，近幾年都當選為系上優良老師，且曾榮獲全校傑出教師獎，從前嚴老師的擔憂，亦可放下了。嚴師從做人態度到教學研究，對我都有所教誨，而在為學方面，得益特別大。嚴老師一針見血的說：「你學術基礎尚弱，以前所寫論文，惟新亞學位論文有相當功力，其餘一般報章雜誌所發表者，多不登大雅之堂，宜當努力，走上真正學術路徑。好在年輕稟性樸質，亦當少外務。今日生活既能安定，若能埋頭苦學十年，當能有望真實成就，是所至盼也。」又吩咐我「暇時可取拙作《錢穆先生與我》下篇，仔細看看，可能有益。」嚴老師對我是有期許的，十年前老師的訓誨，已成我的座右銘。雖不能說「苦學」，但在學術研究上仍知所努力。

一九九四年元旦寄賀卡問候老師，嚴老師回信時仍關心說：「教學生活，頭一兩年

勢必以全幅精神應付教學課程……稍後便可以部分時間補充教材，大部分時間做自己研究工作，而研究工作自亦有助於課堂講授。」這是教學與研究的互動關係，是老師經驗之談，我基本上依循嚴老師的指示，安排教學與研究工作。不過，嚴老師更重視精神層面，他指出「目前教育學術界，風氣不佳，大家只想出名，交際應酬，謀居高位，不務實學，此甚難真有成就。」嚴老師訓誡說：「今能獲此良好機會，正可沉潛努力。只要堅決持恆，將來不論如何，總有相當成果，可預卜也。」嚴老師的諄諄告誡，可讓我安頓下來教學做研究。然而有時也會受到外在環境的干擾，如臺灣的政治情勢變化及家人的不太適應等等。一九九六年初寄嚴老師賀年卡，稍提及不如歸去的念頭。嚴老師回賀卡時特別提醒我：「年青人以事業前途為重，任何地方，皆當適應，不能拘於故里也。」這也是老師一生經驗之談。

　　以上是嚴老師與我的一段師生情緣。嚴老師雖然不是我的指導教授，我的研究方向與他亦無所關涉。他老人家跟我談的人生大道理，是老師對學生的訓勉與期許，這種師生情，是一種感受。對我來說嚴老師的偉大處不在學問上的成就，更重要的是指導後學的為學做人的原則。嚴老師走了，再沒有人以老師身分來訓誡我了。我已忝為人師多年，隨我寫論文的學生又如何看待他們的老師？嚴老師留下的諄諄告誡，仍活在我的生活中。

（本文曾刊登於《國文天地》第33卷第1期，2017年）

附件

（一）嚴耕望先生的親筆信兩封

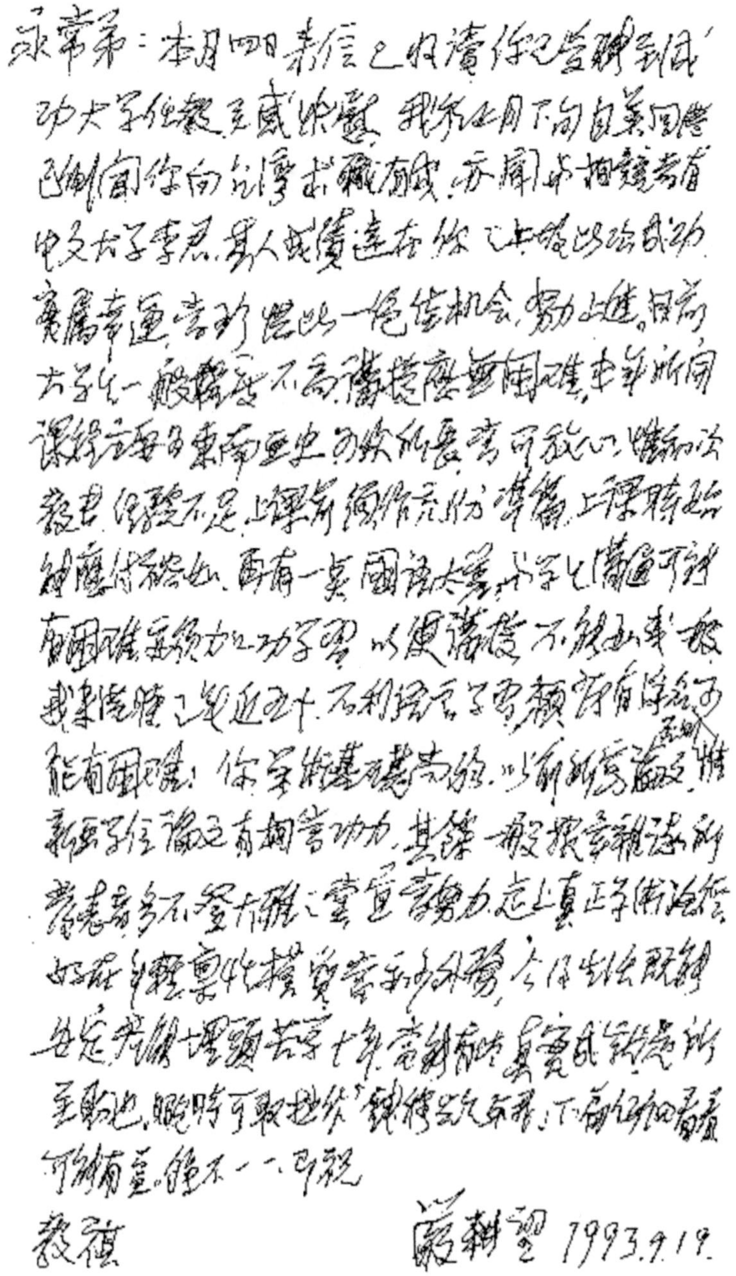

永常弟：

　　來卡已收到，謝。

　　你初入大學任教數月之後適應甚吐建
教學化頭，兩年費心當以全副精神應付教
學課程，除非是自己名著之作，又擅於言辭可以
例外。精神俱可另奇少時向補充教材，大部分
時向放在自己研究之增，則研究工作自必大有助於
課堂講學。

　　目前臺灣、香港學風事不佳，大家只想出名，
交際應酬、謀居高位，只務虛榮，以書桂專有
成就。你肯專是個願意寫書，不院浮薄今
辭境得良好机会，正可沈潛著述，只要堅決
持恆，將來不論如何，但應相信成果可頂
卜也。餘不一，祝

儀祺，新年百吉

　　　　　　　　　　　　嚴耕望
　　　　　　　　　　　　1994.1.18.

（二）一九八八年新亞研究所慶祝孔子聖誕暨研究所校慶師生合照

（三）逝者如斯乎？　　　　　鄭永常

冰河解凍之後
恐龍死了
大西洋城堡也沉下。
　　　×　　×
流水淙淙
大海蕩蕩的戈壁湖上
曾幾何時
已是黃沙遍野。
　　　×　　×
斯人去後
那條路上更是蒼涼

苦寒——
　　　　×　　　×
你背負憂患而來
騎著悲憤而去
　只留下
你那汨汨瀝血
的心房
見證
國族
　之
無
窮
願
……

*1982/4/18刊於新晚報副刊，以筆名海漢發表，為追思徐復觀先生仙逝而作。

（四）紀念全漢昇教授　　　　鄭永常

老師走了　靜靜的
也許太累了
從唐宋帝國運河一路走來
畫一幅中國的物價曲線圖
引領航海的人　從西方到東方
吊掛起輕柔的絲　飄散在海面上
銀白色的光
璀璨起黑色的煤　從太行山到衡山
滾動的鐵軌　嗚嗚地
穿過　五千年的脈絡
安祥地
走了

*本詩原刊於鄭永常著《來自海洋的挑戰：明代海貿政策演變研究》扉頁。
全老師於2001/11/29在臺北辭世，寫下此詩悼念。

我印象中的嚴耕望教授[*]

官德祥

香港新亞研究所

一　引言

　　我報考新亞研究所主要是受香港浸會大學李金強教授的影響。在大學上課時，李先生時常提到新亞研究所，文、史、哲三組巨星雲集，是中國南方學術的重鎮。[1]我被此深深吸引，為能親炙眾位大師，大學畢業便毅然報考研究所碩士班，僥倖考上，其時為一九八七年，距今已三十二載。

　　初次見到嚴先生面，就是入學面試當天。[2]若非總幹事趙潛先生介紹，我根本不知道跟前就是鼎鼎大名中央研究院院士嚴耕望教授。[3]在互聯網世界未發達前，此情況雖不罕見，也得怪己之孤陋寡聞。其時，先生年剛七十一，正處「從心所欲，不踰矩」階段。我則一名乳臭未乾小伙子，還差六年才達「三十而立」。師生年齡差距半百，學問高低天懸地隔。對我來說，先生簡直是學問上的巨人，讓人高山仰止。然而，他與學生相處，半點架子也沒有。只要是學術問題，他有研究的，都願意傾囊相授。他肯花寶貴時間寫《治史答問》和《治史經驗談》，並堅持以平價方式售賣，便是他關懷青年人的最佳明證。[4]

　　就嚴先生所發表過的著作，他是公認的「中國地方行政制度史」及「唐代歷史人文地理」專家。他對文章發表有一套原則，守之極嚴。凡非其專長，絕不輕易發表文章。[5]我說不輕易，因為有例外。在本文第二節〈通識教授〉，我便介紹先生的通識及兩篇「例

---

[*]　此文曾刊於鮑兆霖等編《北學南移》〈學人卷Ⅱ〉臺北：秀威科技公司，2015年版，頁71-83。現再把一些錯字、病句重新修訂，主要內容則無大變動。

[1]　李金強：〈新亞研究所師友雜憶〉載《新亞論叢》，2009年總10期，頁171-172。

[2]　研究所傳統習慣稱老師為先生，不稱教授。我亦入鄉隨俗。

[3]　嚴耕望先生，號歸田，安徽桐城縣人，民國五年（1916）生。先生國立武漢大學畢業。曾任齊魯大學國學研究所助理員，中央研究歷史語言研究所研究員，香港中文大學中國史教授、中國文化研究所研究員，新亞研究所教授，美國哈佛大學訪問學人，耶魯大學訪問教授，民國五十九年當選中央研究院院士。上海古籍出版社編輯寫其在一九一八年生乃誤，見《嚴耕望史學論文集》上冊〈出版說明〉上海：上海古籍出版社，2009年版。他是一九六四年來香港中文大學新亞書院研究所任教，見氏著《錢穆賓四先生與我》臺北：商務印書館，1992年版，頁80。

[4]　王壽南：〈懷念歸田師〉，載嚴耕望先生紀念集編輯委員會《充實而有光輝──嚴耕望先生紀念集》臺北：稻禾出版社，1997年版，頁53。

[5]　劉健明〈獨立奮鬥　盡我所能──追憶嚴耕望先生〉及思果都說過，他是百科全書式史學家。

外」文章。而說到「例外」中的「例外」，更不得不提到三十年前關於一篇先生的「學運反思」訪問稿，此在第三節〈史家旁觀當今政治〉中將有詳細交代。另外，先生愛形容自己是「工兵」，又把國內歷史地理學家譚其驤先生形容為「將軍」，成鮮明比對。關於此點，我會在第四節〈工兵史家與將軍地圖〉作出交代。最後，我想在第五節〈先生晚年心境與生活〉談談先生在研究所最後十餘年的心路歷程。

二　通識教授

認識嚴先生學問的人，先生的精專無須贅言。不過，先生除了精專之外，他是相當「通識」。思果先生，原名蔡濯堂，在其《翻譯研究》〈序〉中便用「博學」來形容先生。[6]思果先生非歷史圈中人，對先生都有此印象，必有其特殊理由。認識先生的人，固然知道他的學術功力深厚，但我仍不嫌其煩，談談兩篇我認為非一般的「例外」作品，以見先生專精學問中的「博通深識」。

關於上古三代考古學的文章，先生是很少撰寫和發表，而有關二里頭的文章應該是其中「例外」。事實上，先生早明言其對考古學有相當濃厚興趣，此與其身處史語所的環境不無關係。[7]再者，他曾在中文大學開「上古人文地理」課，對上古三代課題有相當基礎。此二里頭考古文章就是先生厚積薄發的「例外」產物。

一九七八年，嚴先生就其四年前秋天所寫之夏代講義加工，作為〈夏代都居與二里頭文化〉一文，並且在《大陸雜誌》第六十一卷第五期發表，主要用的是鋤頭考古學資料與文獻資料相配合。文章曾為當時考古界所重視。[8]文章內容於此不贅，我想談談先生何以寫考古文章。

嚴先生一向與史語所考古組室關係密切。先生自己也承認「史語所有歷史、語言、考古、人類學、甲骨文五個組室，研究範圍包含廣泛，……但就所內成員的研究工作而言，不無好處。因為各組研究的問題各異，方法有別，但大家在一塊，耳濡目染，只要自己開朗一點，自可互相影響，擴大眼界。……」[9]事實上，先生與史語所全人的情誼向來不錯，跨科際的相互交流是自然不過的美事。

我在《傳薪有斯人》一書便看到夏鼐、高去尋、張光直彼此通訊均提及先生。當中更有一封信論及香港嚴曉松寄夏鼐《侯家莊1001號大墓》報告。[10]曉松是先生女公子，

6　思果《翻譯新究》〈序〉北京：中國對外翻譯出版公司，2001年版。

7　嚴耕望先生：《治史答問》臺北：商務印書館，1986年2版，頁21。

8　同上註，頁20。

9　同上註，頁20-21。

10　詳見夏鼐於1983年4月7日寄張光直信函及4月17日張光直覆函，載《傳薪有斯人》——李濟、凌純聲、高去尋、夏鼐與張光直通信集，北京：生活‧讀書‧新知三聯書店，2005年版，頁213、273。

報告應是代先生寄出。從信件內容可反映先生與史語所考古人類學家們關係融洽。最有趣的是曉松初被夏鼐誤為曉梅兄弟輩，引起夏鼐及張光直作了一場小考證，考證關鍵點是曉松來信的地址，最終由先生確認曉松為其閨女，結束考證。此事反映史語所學人隨了嗜好考證外，即使因公出國，彼此間都緊密聯繫，互通消息。[11]

　　除了二里頭考古文章是「非一般例外」，我認為先生一篇名為〈佛藏中之世俗史料〉中提出的「地球形」說，又是另一個「通識例外」。

　　我在研究所唸第二年，報讀了先生開的〈中國中古史料研究〉課。嚴先生說：「研究歷史，無論採取什麼方法，都以史料為基礎；不能充分掌握史料，再好的方法，都不能取得真實的成果」。[12]課堂中，先生利用十種不同類型的史料教授諸生。每種史料都輔以他本人所撰的專文闡釋。我對先生「竭澤而漁」的功夫略有傳聞，到了課堂先生現身說法，愈益堅信。李金強先生曾對我說：「能以己之不同專文作範例，恐今杏壇未有幾人能辦得到！」在此十個堂課中，我如劉姥姥入大觀園，眼界大開。其中以〈佛藏中之世俗史料〉一課印象最深。先生說：「研究佛教史的人對世俗歷史認識往往不夠，只是孤立的研究佛教史……而研究世俗史的人又把佛教經典摒於史料之外……」。[13]我曾受先生此話的鼓舞，課後跑到位於一樓的研究所圖書館借《大藏經》〈史傳部〉和〈事彙部〉回家細讀。此一經驗很寶貴，助我拓寬尋找史料的視野。

　　嚴先生〈佛藏中之世俗史料〉一文，包括許多面向，有（一）政治；（二）外交；（三）人口；（四）產業生計；（五）交通與都市；（六）商業；（七）社會生活與禮俗；（八）道教史料；（九）人物品題；（十）魔術雜伎之東傳；（十一）癘疫流行　毒藥戰爭；（十二）古書輯佚資料；（十三）僧傳所記梵唄聲樂與唱導藝術；（十四）佛藏所見之稽胡地理分布區；（十五）佛藏所見之一地球形說，這都是先生提倡「看到人人看不到」的親身示範。[14]

　　當中我記憶最深者就是第（十五）佛藏所見之一「地球形說」。嚴格上說，這屬於

11　嚴耕望先生〈夏代都居與二里頭文化〉一文初稿1974年，增訂於1980年。其間得讀張光直的〈殷商文明起源研究上的一個關鍵問題〉（1976），先生認為其文可與己文相互補助。後來張光直先生在1983年一篇名為〈夏代考古問題〉的文章終承認「二里頭類型文化是夏文化的可能性，在空間上是全合，在時間上是很可以說得通。但是我們還需要更多的碳14年代，……加以進一步的證實」，詳見張光直《青銅揮塵》上海：文藝出版社，2000年版，頁23-27。嚴先生所提出二里頭類型文化是夏文化，主線是從「空間」和「時間」兩方面切入，嚴說：「蓋從時間與空間，一縱一橫之兩種角度觀察，此類中原新石器最末期文化，非夏代文化莫屬也」，詳見先生〈夏代都居與二里頭文化〉載《嚴耕望史學論文集》中冊，上海：上海古籍出版社，2009年版，頁455-485。

12　嚴耕望先生：〈佛藏中之世俗史料〉，載《嚴耕望史學論文集》下冊，上海：上海古籍出版社，2009年版，頁1004。

13　同上註。

14　同上註，頁1004-1032。

科學史範圍，又屬另一「例外」。先生卻能獨具慧眼，從《長阿含經》、《起世經》檢出幾條天文史料，最後還運用上述史料作計算，並化為畫圖，結果發現大地形狀乃一個球形體。傳統言地圓說不能早於元代。是次，先生透過佛藏差不多把地圓說的年分推前不少於八九百年。我認為這是先生做學問，既博通兼精專，才能有此新發見。從浩翰佛藏中找到地圓說已非簡單，能深入分析，綜合出前人所沒有的結論，先生絕對是「通識」專才。[15]

說到先生非一般的「例外」，除了上述外。還有以下一段三十年前的訪問稿，這更是「例外」中的「例外」。

三　史家旁觀當今政治

一九八九年一場發生在北京的學生運動正蘊釀著，遠在香港的同胞前仆後繼的去聲援學生。記得一天研究所同學們義憤填膺，手握林燊祿學長用很工整隸書所寫成的抗議橫額，浩浩蕩蕩遊行到灣仔。我除了參加遊行外，還在北京鎮壓學生後兩天，向嚴先生做了一個「史無前例」的學運訪問。我對於先生會否接受訪問，尤其當今政治寄望不大，因為平日先生很少與學生談當代政治。後來問先生意見，他竟一口答應受訪，令我喜出望外。

平時先生與我只閒話家常，或談論文問題。這次訪問先生，月旦當今政治，感覺格外特別。訪問時間長約一小時，主題先集中學運緣起，然後論中共領導層，再談及國家法治，旁通臺灣和香港經濟，最後以個人如何貢獻國家作結尾。此文章刊登於一九八九年七月四日〈華僑日報〉〈人文版〉，篇名為〈學運反思〉。[16]

八九學運距今廿五載，當日嚴先生的看法，今日重溫仍有值得細嚼地方。以下是文章的梗概：

首先，先生認為「『六四學運』本不應是嚴重問題，學運對政府的要求並不高，若政府能夠開明與溫和，這是很容易解決的。李鵬與學生領袖對話不歡而散，形勢轉壞。趙紫陽到天安門誠懇地勸學生結束絕食，形勢又轉好。但想不到當天晚上，政府態度大變宣布採用大力鎮壓的方式，形勢變得不可收拾。」先生短短數語，便把學運歷史發展的輪廓，很清晰的鉤勒出來，實是史家本色。

先生再進一步對當政者的暴力鎮壓手法作出批評。他認為「當政者以為這樣顯示政府的實力與鎮壓的決心，但這是很近視的看法。……老百姓對政府不支持，則此一政府

---

15 李約瑟認為地圓說，不能早於元明時期。轉引自嚴耕望〈佛藏中之世俗史料〉，載《嚴耕望史學論文集》下冊，上海：上海古籍出版社，2009年版，頁1029。

16 官德祥（少史乃筆名）筆錄，被訪者：嚴耕望教授，篇名：〈學運反思〉，刊載於〈華僑日報〉1989年7月4日〈人文版〉。

不能長久維持下去」。他認為「平民老百姓看似沒有甚麼力量，其實人民潛在力量是無形的，也是無限的，政府的軍事力量政治力量是有限的」。他舉出國共爭衡歷史例子，說明「百姓……是決定性的因素」。

之後，他逐一點評共產領導層。他評毛澤東「英雄主義太濃，沒有把國家民族社會人群放在心上」。再評鄧小平「由救世主的形象轉變為萬人唾罵的屠夫」。他總結歷史教訓，說道：「在歷史上，做皇帝做久了必出毛病，鄧小平也跳不出這框框……」。對於中共政府的獨裁行為，先生看法較樂觀，憧憬「民主」政治的終會來臨。他表示「民主指日可待，但需時間和耐性去等待」。

至於國家的路向，嚴先生提到「法治精神，過去歷史只強調『道德觀』。法治是一種制度，也是一種習慣。法治仍需要政治方面得到穩定，然後慢慢發展起來。加上，世界潮流及老百姓貿易要求，法治更形重要，貿易才有法律保障。中國現在也不可能閉關自守，希望第二代第三代的中國領導層能把法治習慣培養起來」。

八九學運後，中國政府大力發展經濟成功崛起。先生認為「香港是大陸南方一個窗口，香港能在經濟投資方面影響大陸。而臺灣在政治示範上發揮作用超過香港」。至於「民主」仍如先生言，要耐心地等，而「法治」則誠如先生所言，要由中國領導層培養其成習慣。只可惜，三十年後的今日，兩個核心問題仍未完全達標。政治發展遠遠落後於經濟發展。至於臺灣與香港，時移勢易。臺灣的政治亂局自顧不暇，削弱其作示範的效能。香港經濟九七後受挫，地位今非昔比；這已是先生身後之事了。

四　工兵史家與將軍地圖

年青時我沒有認真讀過多少嚴先生的著作，但與先生接觸，對他淵博的學問十分佩服。雖然他已達七十歲高齡，頭腦反應奇快，講話一語中的。他喜歡用《中國地方行政制度史》的成果來鼓勵學生。先生常勸諸生說，只要「肯花時間，肯用心思，肯用笨方法，不取巧，不貪快，任何中人之資的研究生五六年或六七年之內都可寫得出來。」[17]先生寥寥數語，道盡青年人常犯錯誤，如：「不肯花時間」、「不花心思」、「走捷徑」、「取巧」和「貪快」等弊病。不過，他的「任何中人之資……都可寫得出來」一話則極具鼓舞，年青人聽了後十分受落，對歷史研究充滿著無限憧憬。

先生為加強我們做研究的信心，他會說些例子強調個人力量的不可低估。他曾說：「只有在史語所的最後兩三年，有一位書記幫我抄錄……至於撰寫，更是沒有一個字假手他人。我的工作完全由自己一人擔負，不但是由於無力請人協助，而且縱然有人協助，我也不會要。我在史語所工作的最後一年，擔任國科會設立的研究講座，照章可講

---

17 嚴耕望先生：《治史經驗談》臺北：商務印書館，1985年4版，頁76。

兩人協助，一人就用原來的書記，另一請一位助理研究員，但也只請他代我節譯幾篇日本學人論文，並未請他為我搜集材料。因為我認為文科研究，一定要一點一滴的都通過自己的腦海；就是材料，也必須自己去看。因為同樣看一卷書，程度不同，所了解的深度也不一樣，也許有極重要材料，程度不夠，往往就看不出來，所以我不假手於人。……」[18]先生解釋任何事件，理由總很充分，說服力強，令人不得不折服。

說到「不假手於人」，還有一段令同學們津津樂道的小插曲。傳日本人以為先生之宏偉巨著《唐代交通圖考》，其背後必有一大團隊支援協助。事實上，先生只憑一人之力完成。《圖考》是先生超過半世紀有系統、有恆心、有毅力，辛勤耕耘下的成果。每說到此，他都以自己比喻為一個戰場上的「工兵」，單人匹馬，衝鋒陷陣，說時右手還握緊拳頭，手臂前後揮動，有著「雖千萬人吾往矣」的氣勢，此情此景迄今難忘。

先生自比「工兵」同時，又會講出另一個將軍的比喻。比喻為將軍的是《中國歷史地圖集》的譚其驤先生。他說譚先生是一個善於管理和領兵的將軍，《地圖集》的面世，就是在他英明的領導下所竣工。先生預言《地圖集》將來對中國歷史研究者貢獻極大，必會成為人手一本的工具書。

查上世紀八〇年代《圖集》問世前，楊守敬《歷代輿地圖》一直是中國歷史地圖中的權威。《圖集》的面世是學術界的一大工程。要「編繪一部符合歷史地理桌要求、內容詳確的中國歷史地圖集，僅僅依靠沿革地理成果和傳統技術是遠遠不夠的，還必須有歷史地理各分支學科特別是疆域、政區、地名、水系、海陸變遷等方面的研究成果，以及現代技術精確測繪而成的今地圖，更需要大批專業人員長期通力合作。這些條件在廿十世紀五〇至六〇年代逐步具備。」[19]在一九五四年，毛澤東批准吳晗重編楊守敬《歷代輿地圖》，使《中國歷史地圖集》得以開展。范文瀾、吳晗、尹達曾先後領導這項工作，由譚其驤主編，復旦大學、中央民族學院、南京大學、雲南大學以及中國科學院的歷史、考古、民族和近代史研究所等單位百餘人共同參加了編繪。[20]總之，《圖集》的編繪最先始於五〇年代，定稿於六〇年代末至七〇年代切，修訂并正式出版於八〇年

18　嚴耕望先生：《治史經驗談》臺北：商務印書館，1985年4版，頁156。

19　葛劍雄：《後而立之》上海：復旦大學出版社，2010年版，頁262-263。

20　同上註，頁263。蔡美彪在其一篇名為〈歷史地理學的巨大成果──《中國歷史地圖集》評介〉一文中說道：「早在1954年，已故歷史學家范文瀾、吳晗即依據毛澤東的建議組織歷史工作者和地圖工作者改繪楊圖。次年，組成重編改繪楊圖委員會，委託復旦大學譚其驤教授主持編繪。工作過程，事實上已成為重編一部新型的中國歷史地圖集，楊圖只是作為前人成果提供參考。編繪工作由吳晗、尹達負責組織領導……於1973年完成圖集的初稿八冊，作為內部試行本印行。1981年起，在中國社會科學院主持下，由譚其驤教授組織參加單位的歷史學家對試行本作了全面的修訂，并增繪或改繪了大部分朝代全圖，……」詳見蔡氏《學林舊事》北京：中華書局，2012年版，頁129-136。

代。一九七五年以中華地圖學社名義出版。[21]

　　先生對於《圖集》的面世，常讚道：「譚（其驤）先生蓋強於學術行政之領導能力，故能於艱難歲月中凝聚群賢，完成《圖集》之編輯工作，厥功其偉⋯⋯。」[22]有一次，我探望嚴先生，帶了一本內容談到《圖集》緣起的書籍給先生看（書名已忘記）。內容說到毛澤東批示重編地圖云云，故才有不同單位合作，成其創舉。先生恍然大悟，說道：「怪不得譚先生能有此本事！」但無論如何，譚先生於《圖集》的面世，居功厥偉，這點是得到嚴先生正面肯定。

　　一般人都想當「將軍」，覺得很威風。先生則以「工兵」自許，這應與他的做人哲學有關。先生心目中的「工兵」是腳踏實地，緊守崗位，不求名，不求利的人。這思路與先生向來「安貧樂道」和「隨遇而安」的宗旨一脈相承。最重要的是，先生能一直守持這種人生哲理到晚年，殊非輕易。無論是做人，求學問，先生都強調要達到高的境界，這點會在下面一節關於先生晚年心境與生活有所詳細。[23]

五　先生晚年心境與生活

　　先生在《治史經驗談》中說：「個人以為，要想在學術上有較大成就，尤其是史學，若只在學術工作本身下功夫，還嫌不夠，尤當從日常生活與人生修養方面鍛鍊自己，成為一個堅強純淨的『學術人』」。[24]本節〈先生晚年心境與生活〉，作者只求片面深刻去為先生「學術」和「生活」間之互動作一點闡釋。如何定義「晚年」，我是以先生七十歲（1986）算起，他在一九九六年逝世，晚年是指他最後的十年。

　　就在先生差不多踏入七十歲時，在《唐代交通圖考》〈序言〉中先生寫了以下一段話，對了解他晚年心境提供了重要線索。其話如下：

> 只為讀史治史者提供一磚一瓦之用，⋯⋯不別寓任何心聲意識，如謂有「我」，不過強毅謹密之敬業精神與任運適性不假外求之生活情操而已。[25]

---

21 葛劍雄：《往事和近事》北京：生活‧讀書‧新知三聯書店，1996年版，頁6。

22 嚴耕望先生〈漢書地志縣名首書者即郡國治所辨〉〈附記二〉，載《嚴耕望史學論文集》中冊，上海：上海古籍出版社，2009年版，頁620。

23 先生很常強調「境界」的高與低，他說《中國地方行政制度史》，中資之材五至七年內可完成，境界並不高，但其《唐僕尚丞郎表》則「轉彎抹角辨析入微」。有時他談到唐代的詩人，也喜以評議他們詩的境界。

24 嚴耕望先生：《治史經驗談》臺北：商務印書館，1985年4版，頁157。

25 先生在〈序言〉後面記錄著「（一九八五年）五月九日三校定稿。時在七十歲駒隙中⋯⋯」，見嚴耕望先生《唐代交通圖考》第一卷〈序言〉，見氏著《唐代交通圖考》上海：上海古籍出版社，2007年版，頁8-9。同見錢樹棠〈紀念嚴耕望兄〉，載嚴耕望先生紀念集編輯委員會《充實而有光輝——嚴耕望先生紀念集》臺北：稻禾出版社，1997年版，頁12。

先生的謙虛是眾所周知，他說「一磚一瓦之用」當是謙虛表現，同時亦是實話。事實上，先生認為歷史問題絕非單憑一人之力可解決。不過，每個個體都可以憑其堅定不移的意志力，奉獻一生歷史研究，做出成績來。他提到「敬業精神」與其後所說「工作隨時努力」之話，實是異曲同工。「敬業精神」就是「工作」的原動力，而「強毅謹密」便是「隨時努力」的實踐要素。

「工作隨時努力，生活隨遇而安」。在工作上的努力，先生作品字數遠超四百萬以上，這是有目共賭。我反而想對其前一句「生活隨遇而安」多作點闡述。談到「生活隨遇而安」，先生對物質要求並不高。新亞研究所教授們的薪水比標準低很多。老師們為了減輕研究所的經濟負擔，大都收取微薄薪酬。這點在先生對錢穆一段話得到證實。其內容如下：

> 我在香港有自置寓所，環境頗佳，新亞研究所雖然待遇微薄，但自己也另有一點經常收入，已很足夠支持我的儉僕生活，所以不想再動……。[26]

此時大家可能會對「另有一點經常收入」有疑問或好奇。我以為嚴先生所指的「收入」應是其在中研院的退休金。[27]這點在其致湯承業先生信函（一九九五年四月八日）中有如下記載：[28]

> 我前次退休，採取此（月退金）方式，自謂甚為得計，月入雖少，但細水長流，總較有保障。

如果把前引先生對錢穆說的一番話與致湯承業先生信函合起來看，兩者關係自明。更重要的是先生之「不想再動」，應是指安於穩定的生活，這對做學問有利。[29]當中誠然汲取了昔日胡適及顧頡剛兩位先生應酬過多的教訓。[30]再者，先生「不想再動」還可能包括了其意識到自己年事已高，與及對「客居香江」的心態有所轉變等因素有關。在此或容許我在「客居地」一詞再多費點唇舌。

先生的女公子曉松說先生「旅居香港三十年」。[31]此話出自其女口，意義特殊。這

---

26 嚴耕望先生《錢穆賓四先生與我》下〈從師問學六十年〉臺北：商務印書館，1992年版，頁119。

27 先生從三部小書所獲取的版權費，應不屬於「經常收入」之列。

28 嚴先生致湯承業先生信函（一九九五年四月八日）收載於嚴耕望先生紀念集編輯委員會《充實而有光輝──嚴耕望先生紀念集》〈附錄〉臺北：稻禾出版社，1997年版，頁281。

29 我曾在一九九〇年考慮轉職大專，先生來信勸說大專職位乃短期合約，不穩定，宜留中學，利用安穩的生活多讀點書，多作研究。

30 見官德祥《〈顧頡剛日記（1941-48）〉中所載的嚴耕望先生及其夫人段婉蘭女士》，載《書目季刊》2011年第45卷第2期，頁73-89。

31 嚴曉松〈永懷父親〉，載嚴耕望先生紀念集編輯委員會《充實而有光輝──嚴耕望先生紀念集》臺北：稻禾出版社，1997年版，頁3。

是否暗示先生一向視香港為旅（客）居地，這點無從考證得知。肯定的是，先生對「旅居香港」的身分，在其來港之初則非常顯明。這點可以從以下兩句話（先生習慣文章後必標明撰作日期、修改日子版次或含感想）見之。

（a）「民國五十七年十一月二十一日初稿，時客香江。……遷逝懷鄉，今逢何世，有不知其所以悽愴傷心者矣！」[32]

（b）文末寫「民國五十七年十月十七日，時客香港」[33]

先生於一九六四年來港，時年四十八。到了先生七十歲後，其在香港生活超過廿年了。當中對香港的身分認同或有變化。上引先生說「我在香港有自置寓所，環境頗佳……」，而「時客香江」等語不復再現。[34]

據悉，先生當初是不想離開史語所，為報效業師錢穆先生，應其要求，答允來港。豈料，旋即收到錢穆先生決意離開新亞消息。先生也不想反覆，遂來新亞教學，自此與新亞研究所結下「宿世」不解緣。既來之，則安之。先生未幾在九龍塘自置物業，隨時間歲月積累，研究所自然而然成了他的歸宿地。不過，也成為先生晚年心力消耗的其中一因。這點可以從先生與早期研究所學長譚宗義的書雁往來中找到端倪。譚學長在其追悼先生撰文時寫道：「然而晚年力撐新亞研究所殘局，……。對此一學術研究機構，礙於環境，日走下坡，先生不止一次在給我的信中述其痛心疾首之情，先生不克享高壽，在學術研究上能有更多的研究成果，此當亦為原因之一，正是明知其不可為而為之，心力交瘁，損其健康也。」[35]無論如何，嚴先生對於新亞研究所是有一份報答錢穆師恩的情懷，加上先生一向責任心重，惦念所務發展。我贊同研究所之衰落可能對先生健康有所打擊。

先生離世前幾年，患有耳水不平衡，頭暈目眩等病狀，或者是腦中風的前期癥兆。這時候先生的狀況與初見他七十歲比，精神差很遠。在探望他時，他語帶唏噓對我說，往後恐怕不能再作研究，甚至連書都不能看。這點他在給章群先生的信有很清楚的表達。其信內文如下：

---

32 嚴耕望先生：《唐史研究叢稿》〈序言〉香港：新亞研究所，1969年版，頁5。

33 〈括地志序略都督府管州考〉，收錄於嚴耕望先生《唐史研究叢稿》香港：新亞研究所，1969年版，頁284。

34 由寓居心態到定居「一九八五年十二月下旬，我自中研院退休返港。……我在香港有自置寓所，環境頗佳，新亞研究所雖然待遇微薄，但自己也另有一點經常收入，已很足夠支持我的儉樸生活，所以不想再動。……又有些朋友關心『九七』後的香港。我對於香港前途一向樂觀，認為不會有什麼大動亂。……」嚴耕望先生：〈錢穆賓四先生與我〉臺北：商務印書館，1992年版，頁117-118。

35 譚宗義乃嚴先生早年研究所學生，詳見〈星沉大地——敬悼恩師桐城嚴耕望歸田先生〉，載嚴耕望先生紀念集編輯委員會《充實而有光輝——嚴耕望先生紀念集》臺北：稻禾出版社，1997年版，頁56。

> ……我輩書生亦惟讀書寫作以樂餘年。否則心神無所措置，必致徬徨頹廢失去生
> 機矣！惟望已年近八十，精力顯見日衰，頗羨吾兄差較十餘年尚能開拓新論題
> 也！[36]

對於不能完成餘下的寫作計畫，先生絕望的心情躍然紙上，寫道：「有書可讀，萬事
足；任何榮辱享受，都其次又其次」[37]，除了顯示出先生一輩讀書人的高風亮節外，更
可從其話中體會到先生身體漸走下坡的無奈。

　　最後，我想把先生去世前一年寫給湯承業先生的信（1995.4.8）作結，以說明先生
的最晚心境。其信如下：

> ……人生際遇各有不同，弟大志不遂亦只得任之，一切隨緣可也。我已步入八十
> 歲過程中，稍前自述生平云：
>
> 　　「勞我體智，逸我心境，
>
> 　　　靜閱世變，冷避參乘；迹
>
> 　　　我行守獨，狂不角勝，
>
> 　　　勤學自適，亦以獻奉。」
>
> 　　復作說偈曰：
>
> 「萬事平常，空有皆虛，
>
> 諸般隨緣，無多歡呼！」
>
> 前八句自謂已大體做到，說偈所期，尚未全做到。……[38]

先生步入八十高齡，病魔頻襲，精神萎靡，深感前路未卜。惟有回顧己之前生，作一總
評。首二句「勞我體智，逸我心境」，此話反映先生滿意一生所辛勤勞動下的收獲。第
三、四句「靜閱世變，冷避參乘」，蠡測先生想表達史家客觀探究歷史變化的特質。研
究歷史，甘淡泊名利，長坐冷板凳。「我行守獨，狂不角勝」。「我行守獨」可理解成孤
單一人之感，因為先生的良師錢穆先生和摯友楊聯陞先生，皆於一九九〇年前後同歸道
山。先生一時頓失「兩大精神之柱」，對其內心打擊無可估測。[39]另外，「我行守獨」或
指先生「工兵」作風，強調個人力量的最大發揮。從不與人較量勝負，與世無爭。當

---

36 章群〈追思〉〈附錄二〉載嚴耕望先生紀念集編輯委員會《充實而有光輝──嚴耕望先生紀念集》
　臺北：稻禾出版社，1997年版，頁19。

37 嚴耕望先生紀念集編輯委員會《充實而有光輝──嚴耕望先生紀念集》〈附錄〉臺北：稻禾出版
　社，1997年版，頁277。

38 同上註，頁281。

39 先生說：「現在賓四師、蓮生的言行狀貌歷歷在目，我則不但頓失兩大精神支柱，而且我留在他們
　兩人心目中的形像意趣已完全幻滅了，是猶我已向死亡邁近了一步，豈僅孤單之感而已！」，見嚴耕
　望先生：〈錢穆賓四先生與我〉臺北：商務印書館，1992年版，頁134-135。

然，「勤學自適，亦以獻奉」，即如前述「強毅謹密之敬業精神」與「任運適性不假外求之生活情操」，這就是「殉道者」的精神，把一生奉獻給歷史研究。

至於先生寫下四句〈說偈〉，其曰：「萬事平常，空有皆虛，諸般隨緣，無多歡呼！」〈說偈〉充滿佛家語，我對佛教思想所知極膚淺。估測先生當時面對著「老」、「病」、「死」等人生問題，寫作計畫驟然停頓。[40]空有萬千資料盈箱，亦要束之高閣。究竟何時才能賡續前業？此問題或是一直困惑著先生，終造成「求不得」苦。

先生以佛教思想從根本處去解脫世間的「苦」。他寫「萬事平常」，意是用「平常心」面對一切「人生無常」，包括面對學術生命的挫頓、肉身由旺轉衰和外境不就等等。先生借佛家「空」和「有」，說明人生一切鏡花水月，「空有皆虛」，不必因執著而生苦。人生只能「隨順因緣」。因緣來，順之；因緣去，不強求。總之，面對無常，過份悲傷和歡呼都不對，求中道，故有「無多歡呼」之語。又，佛理可視作一種精神慰籍，所謂「萬法唯心造」。面對不幸的病，先生或許作〈說偈〉以調節己的心。先生說他「尚未全做到」，指的應是其撰作計畫之未能「放下」。對先生而言，此工作目標非為己，乃為別人。放不下，是「執著」。但我以為先生此執，乃儒家之擇善固執。

六　結末語

嚴先生的學問高深淵博，把學術注入生命，把生命融進學術。先生自一九六四年來香港開課授業，差不多三十載，桃李天下滿。比我更熟識先生的，大有人在，上文所寫僅為我過去「求師問學」的總印象。我之不揣鄙陋，撰此文，僅為紀念先生教導之恩。先生早歸道山，等身著作，仍有願未遂。春蠶到死絲未盡，惟待有緣人賡續先生未圓的夢！[41]

---

40 嚴先生致信章群，信中說到病對他的打擊，「工作勇氣盡失，除家務瑣細每週兩次授課外，儘求閒散無所事事，頗感無奈。欲如吾兄每日仍能工作三四小時，何可得耶！……」，詳見章群〈追思〉〈附錄一〉載嚴耕望先生紀念集編輯委員會《充實而有光輝──嚴耕望先生紀念集》臺北：稻禾出版社，1997年版，頁17。

41 先生著作不可謂少，可參見李啟文補訂〈嚴耕望先生著作目錄〉，詳見嚴耕望先生紀念集編輯委員會《充實而有光輝──嚴耕望先生紀念集》臺北：稻禾出版社，1997年版，頁251-272。先生許多遺稿，幸得李啟文學長輯錄嘉惠學林。

隱世的學者
——懷念麥仲貴先生

潘秀英

香港新亞研究所

一　引言

　　新亞研究所校友會計畫在《新亞論叢》這期介紹過往研究所教職員。我思考了一陣子，牟宗三先生、唐君毅先生、錢穆先生、徐復觀先生等已有不少專書介紹，稍晚的學者如嚴耕望先生、全漢昇先生……等等也有不少文章或專書介紹。想了一陣子後，突然起在研究所讀碩士期間，在研究所內有一位老先生，他每晚最後一位離開，負責鎖門。他常獨自坐在進入研究所大門右邊的第一間房子內，內面有桌子和椅子，桌子上放著舊式的暖水壺。這位老先生也會走出房間在研究所中央的走廊度步，也會坐在走廊盡頭的椅子上，椅子旁放了一個舊式電話，當寫字樓職員已放工後，他便會在這裏接聽電話。每次返回研究所上課前總是看到他坐在那裏，我也主動地向他打招呼，他每次微笑地問「返學呀？」心裏甚為奇怪，為甚麼每次問同樣問題？在旁晚時份，準備進入課室，不上課還可做甚麼？上課至中段時，經常聽到他在走廊邊度步邊說話，初時以為他與別人對話，後才知到他是自言自語。這位經常微笑的老伯怎會是位精神病患者？當年我不知他是誰，聽同學稱他為貴叔，我也跟隨稱他為貴叔。日子久了，每進入研究所習慣看看貴叔在不在，中段小休時，也會跟他閒聊，他多是問非所答，簡單問題例如吃了飯未，他能答，再多一點便不能答，間中他會鼓勵我說「畀心機讀書呀」等，雖然如此，心中感到溫暖，他的微笑依然常存在腦海。及後到圖書館借書，跟圖書館管理員李太談起貴叔，李太感慨地說，他本是唐君毅先生的得意弟子，成績很好，可惜患了精神病。心中想，他可能未畢業便得了精神病，實在可惜！有一天，我們又談起貴叔，李太讓我看看放在目錄櫃上的論文記錄冊，發現他一九六八年碩士畢業，指導教授是唐君毅先生，原來他是碩士，這位碩士怎會變成看門的叔叔呢？多年後，於是決定寫寫關於這位老先生，讓世人認識有這樣的一位隱世學者。

二　生平事蹟簡介

　　貴叔原名麥仲貴，筆名扎克。原籍廣東台山，《瑩社同學錄》稱他鄉音甚重，由此推測他可能在台山出生，後移居香港，據研究所校友會同學說他有一弟弟，其餘關於他

的身世所知不多。由於未能查看麥仲貴先生的資料，只能靠一九五六年培正中學的《瑩社同學錄》、一九六三年的《新亞書院校友通訊錄》、一九六九、一九七〇年兩本的《新亞書院教職員通訊錄》以及他的四本著作，包括於一九六八年出版《宋元理學家著述生卒年表》、一九七〇年出版《草窗隨筆》、一九七三年出版《王門諸子致良知學之發展》、一九七七年出版《明清儒學家著述生卒年表》等推測麥先生的生平。據培正中學的《畢業同學錄》麥先生應是一九五六年高中畢業，估計他畢業那年是十九歲，他在二〇〇九年去世，他去世那年應是七十二歲。他的生卒年應是一九三七年至二〇〇九年。據一九六三年《新亞書院校友通訊錄》麥仲貴先生是第十屆中文系畢業，應是一九六一年，從一九六二年起至一九六八年轉修哲學碩士，主要是跟隨唐君毅先生。據《王門諸子致良知學之發展》的〈自序〉中言，此書是一九六八年卒業的哲學畢業論文，他應是一九六八年碩士畢業。據《記憶中的哲人——敬悼唐君毅老人》[1]文中記載，他本在新亞書院讀中文系，因喜愛哲學，想中途轉讀哲學系，寫信給唐君毅先生，經唐先生的勸告，他繼續讀中文系。後因太仰慕唐先生，大學業後，再以書信懇求，感動了唐先生，終在研究所轉讀哲學系。一九六八年哲學碩士畢業後，一九七一年更獲得哈佛燕京學社的獎學金，先後赴臺灣及日本兩地研究所蒐集資料，同時更獲得哈佛燕京學社資助把碩士論文出版，一九六九年至一九七一年間任新亞研究所任編輯。據鄺先生說麥先生在一九七七年後精神漸漸出問題，不能從事編輯工作，轉而從事文書工作，之後他病情惡化，轉而負責看守門戶等工作。在《宋元理學家著述生卒年表》及《王門諸子致良知學之發展》兩書均有唐君毅先生的序言。現節錄《王門諸子致良知學之發展》一書唐先生的〈序〉：

> 麥仲貴，初治文史，後從予治哲學，而及於宋明儒學……以王門諸子論學之精微要眇，今欲明其同異，觀其會通，為之綜論，而期其圓融周遍，無所不及，自尚非麥君之意。麥君之文，因強探力索之事多；深造自得之功，容尚有所未逮。然麥君之為此書，於王門諸子之原著，可搜求得者，無不遍覽。凡見其與明儒學案所錄，有出入者，一語一字之微，皆一一條記；於明儒學案之論之傳承之體例，既有所商榷；於王門諸子之生平，亦本史傳，於明儒學案所述者，有所補正。其功力可謂勤矣。……麥君此著，可謂能對王門諸子之學，通觀其大體；於其宗旨之同異，亦能本歷史文獻，加以疏通而證明之。此較之黃梨洲之為明儒學案之偏尊江右，及近人之偏尊所謂左派王學，於明儒之李卓吾之流，加以盛稱者，實可謂更能為一客觀之論述，足以為來學之士所資。[2]

1　麥仲貴：《記憶中的哲人——敬悼唐君毅老人》原載於《華僑日報‧人文雙周刊》1680期。

2　麥仲貴：《王門諸子致良知學之發展》中唐君毅先生撰寫的〈序〉香港：中文大學，1973年12月，頁5-6。

據上文，可見唐先生對麥仲貴先生《王門諸子致良知學之發展》評價甚高。以下再引述唐君毅先生在《宋元理學家著述生卒年表》的〈序言〉：

> 疑慮叢生，遂從吾治哲學，欲藉義理以養心；乃廣讀宋明儒書，亦嘗慨然有求道之志。吾因告以為己之學，固當為本；然居今之世，為人之學，亦不可少；無妨兼本所素習，試為宋元明清諸儒之儒學編年之著，既以自勵，亦便來學。麥生乃往就教於錢賓四、牟潤孫、及嚴耕望諸先生。錢先生更告以編年之著，宜有一年表之書為先，逾二年而麥生遂有此書之成，其用力可謂矣。吾於史事，素極疏陋，對麥生此書，愧無所益。觀其所辨証，雖或有異議，其所採擇，亦容有未備；然要可為治宋元之學者，即其所備列之事跡，以觀學術之流變者，有所取資；其有益於世，應無疑義。[3]

綜合唐先生對麥先生的評價是很用功，重視文獻的資料，對於哲學深造之功未逮，撰寫時偏重於史學多於哲學。這位先習文後習哲的學者，為學用功刻苦，一字一句材料無不放過，他的研究集中於宋明理學，用功於文獻資料的整理及人物綜合論述，對於後學屬於資料性的範疇。觀今天的學人，能如他這樣刻苦用功者不多。數十年前，電腦未普及前，互聯網未建設時，蒐集資料不容易，往往要翻閱厚厚書本，逐頁細心閱讀，每有合用的立刻以卡片記下，其艱苦情況，不是今天青年士子可想像。

三　散文集《草窗隨筆》中的麥仲貴先生

　　《草窗隨筆》是麥仲貴先生一九七〇出版的散文集，以筆名扎克撰寫，是在一九六〇年代前撰寫，部分作品曾刊登於《星島日報》的副刊上。從這文集中可略知麥仲貴先生的性格及他的內心世界或個人理想。據酈先生說他入讀大學時文學興趣甚濃，稱為文藝青年，愛作詩寫散文，《草窗隨筆》之〈序〉中說花很多時間在讀書及寫作，把作品寫好後放在抽屜內，現引述《草窗隨筆》中的〈致夏天〉可知他平日用功的情況：

> 噢，我期待你，我喜愛你，我甚至懷戀你了，為甚麼我這般瘋狂呢？是的，我是有理由的。然而，我的理由很簡單，一句話，你帶來一個可以給我自由閱讀的暑假。你也可以設想到：在暑假裏，我是多麼自由自在呢？我無須替自製定一個比康德教授還要嚴密謹慎的時間表。我無須七點半鐘起身，然後匆促地走到車站排隊，上了車在車廂裏侷促的瑟縮著，然後又轉上另一輛車到校去上課，化費了足足三刻趕路時間；我無須做著自己不喜歡的功課和習作，我可以靜靜地讀著斯賓

3　麥仲貴：《宋元理學家著述生卒年表》，中唐君毅先生撰寫的〈序〉香港：新亞研究所，1968年9月。

挪莎（Spinoza）的《倫理學》，讀著《韓非子》，讀著康德（Kant）的《純理性
批評（判）》，讀著《蘇東坡集》。然後夜來了，我就時安靜地坐到書桌旁邊，扭
亮了枱燈，寫我的《草窗隨筆》，或許寫些給海外朋友問候信。……這樣，日子
不是很寧靜，很自由的麼？[4]

據上文，麥先生在暑假期間已把他的讀書計畫排得密密麻麻，並以此為樂，享受每天的
讀書生活，他選讀的書不是般的小說、散文，而是《倫理學》、《純理性的批判》等一般
認為艱澀難明的書。返觀今天青年，試問有誰可像麥先生在暑假輕鬆日子裏還把讀書計
畫排得密密。但他仍感到輕鬆自在，可想像到暑假過後，上課的日子裏，他讀書時間更
多，更用功。《草窗隨筆》於一九六〇年已完成初稿，那時麥先生只有二十三歲，相當
年輕，他已立志成為哲學家。在其中一篇〈橋〉散文中言道：

> 然而，為了完善，為了聖潔，為了生命的真理和永恆的存在，這些意念——在我
> 的心靈升起了。因此，我要做一個像基督一樣的生命，我要戴上荊棘的皇冠；我
> 要做一個像欣然飲鴆的蘇格拉底；我要做一個像被人活活燒死的亞理士多
> 德。……呵，做一個真真正正的探討人生真理的哲學家。[5]

他認為這些偉大的哲人有著不朽的靈魂與崇高的德行，以他們為目標，超越肉體上的滿
足，追求心寧上的永恆。只有二十三歲的他已滿懷理想，大學畢業後以至誠的態度懇請
唐君毅先生收他為哲學學生。黃俊東先生在《草窗隨筆》的〈序〉中說：

> 《草窗隨筆》的文章，扎克雖然自稱「隨筆」，其實都是出色的散文和散文詩，它
> 的風格清新雋逸，沒有俗氣，不過其中有些頗有沉鬱的意味，那是他的氣質和寫
> 作時的惡劣心情所影響。大概廚川白所謂「苦悶的象徵」，便是指這種情形吧！

我個人也有以上同感，麥先生的文章好像寫詩，充滿了詩意，對美好事物的執著，對世
人的愛堅持，不管愛情、友情、親情。他的理想是從哲學中追尋成為學者，解決人世種
種苦惱。但他卻認為自己的愚笨，難於在哲學上有所突破而困頓，他下定決心，以辛勤
衝破愚笨，於是過著修士式的生活，每天強修苦讀。但他的內心深處追尋是跳脫的、是
自我的、是熱情的。字裏行間流露出沉鬱，刻意地經營美麗的詞藻，不夠自然。他本愛
文學，轉讀哲學本無衝突，可惜他理想太高，希冀成為出色的哲人，以為用功可補。一
位出色的哲學家對世情要有一種抽離感，從宏觀與理性地看世情，他卻熱情地投入世
情，包括人和事，乃至宇宙萬物，這注定他內心深處的痛苦。以下引述他數段充滿詩意
的散文：

4　扎克：《草窗隨筆》香港：桑榆書屋，1970年，頁38-39。
5　同上註，頁109-110。

〈致自然〉

你是那麼廣大遼闊，那麼豐美多彩，那麼壯麗雄偉，那麼動人心魂。呵，你蠱惑人的魔力，你半透明的星體，你輝耀著光芒的珠石，你紫色雲的碧玉，你高貴迷人的芬芳，你瑰麗燦亮的花雷，你群鳥飛舞的遙空，你詩人謳歌讚頌的寧馨兒。我來到了，我已敬誠虔心的站在你慈愛的面前。呵！你慈心的，讓我擁抱著你吧！[6]

麥先生對自然的頌讚，投入了很多個人的感情，用了不少美麗字句，如「輝耀著光芒的珠石」形容天上的星星，「紫色雲的碧玉」猜想是形容天空上一片片的雲。麥先生希望以美麗而創新的詞藻描寫大自然。

〈最後一課〉

在十字街頭上，在蠢擁的人叢裏。呵，你看得眼花撩亂了。那些奇裝異服的身段，那些艷抹濃塗的臉孔，那些妖冶的媚眼，那些搖盪得可怕的渾圓的胸脯，那些洋溢著淫惑的笑謔的聲浪；呵，還有那些多麼貪婪無饜的目光炯炯的注視著，哎唷……

哦，這有甚麼奇怪的呢？有些人在這世界上簡直就是為了甚麼舞王甚麼歌王而活著呵！他們並不關心甚麼社會問題，甚麼人生問題，甚麼十字街頭的紛擾問題。他們所關心的祇是「香蕉船」（Banana Boat Song），「七個寂寞的日子」（Seven Lonely Days），「三個銅錢在噴泉」（Three coins in the Fountain），……

哪！那是剛才進來的那位男孩點唱的。你討厭的望著他，你或許甚至憎恨他；但是，這又怎可以呢？人們是自由動物，而且越有錢的動物也就自由了，你怎可以妒忌別人的自由……「真討厭的！」你站起來付了賬，立刻就消失在門外了。[7]

上文看出麥先生在繁華都市中的苦悶，對於世俗人只顧追求個人享樂感到煩厭。他想逃離這令他窒息的城市，想找尋令他寧靜而充滿公義的理想國度。看他描寫街頭上的男男女女，皆以負面的措詞，甚麼「妖冶的媚眼」、「淫惑的笑謔」、「貪婪無饜的目光」等等。他孤高的性格，在都市中顯得格外孤獨，但他確實難於逃離，看他細心的地對各色人的描繪，便知他是多麼的投入這都市中，一切在他身邊發生的事，他皆注視著，甚至投入感情。他在另一篇文章〈十字街頭序曲〉中言道：

如今在十字街頭的紛擾和雜擾擾，種種不同的臉譜上流出的歡笑和結鬱，各式各樣的爭吵、角鬥、欺詐、奸巧、險惡，以及許多不幸的人間底辛酸和血淚的悲劇，卻依然一樣流行。

6　同上註，頁15。

7　同上註，頁29-32。

噢，慈愛的造物者！我該怎樣說呢？我原是只該讚頌文明，謳歌人生；然而，如
今我面對這充滿罪惡與酸淚的十字街頭，我能夠毫不感動麼？我能夠再流出讚美
的呼喚麼？我哭泣了！[8]

由此看他對現實環境中世人的苦痛，無奈感到悲痛，十字街頭正象徵了他人生的十字路
口，在文學中研習，以詩句、小說、散文等等表達出人生的悲涼，還是從哲學中解脫人
生之苦。最後他決定從哲學中鑽研，「做一個真真正正的探討人生真理的哲學家」

〈愛情的象徵〉

如一朵天邊的白雲，沉靜的躺臥著，悠然的俯視人間。

如一瓣湖上的白蓮，清麗絕俗的亭亭玉立在碧水之中，傲視庸俗的塵寰。

如一潔白的石膏像，雄偉沉鍊直矗立在書櫥上面，而仰視那永遠莊嚴高峻的蒼
穹。[9]

整篇文章中用了許多如詩的字句，美麗詞藻頌讚愛情，甚至認為愛情比之於宇宙穹蒼的
偉大和恆久：

我知道，憑我的良心說，山可平，海可枯，而我們的愛情之火，仍然照遍天地，
與天地共始終的。……世界上只有這種偉大的愛情，纔值得我們費神去凝思牠
的，也只有這種壯美愛情，纔值得我們去神往。[10]

明顯地他的愛情觀是受西方影響，如沙士比亞的《十四行詩》，這種愛情觀並非世俗的
情與欲，而是超越的，永恆的。麥先生也經歷了一段難以忘懷的戀情。在《草窗隨筆》
放在首篇便是寫他的戀愛

〈琴戀〉

然而，妳彈著，妳終於彈完了這首歌曲。但是，妳卻呆呆的坐著，彷彿整個靈魂
已跌落在遙遠的憂思裏。

我瞧著妳輕輕地拍幾下手。但出乎意料之外的，妳似乎聽不到我讚美的掌聲，動
也不動的沉思著。……

我怪妳薄情、殘酷、忍心，為甚麼不早告訴我呢？雖然，這裏沒有灞橋，也沒有
長亭為我們帳飲訴別；但是，這裏是有機場碼頭給我們揚巾吻別的。然而妳終於
一聲不響地走了，走得更遠了。以後，年年月月，漫漫長夜，我對著那具永遠無

8　同上註，頁81-85。

9　同上註，頁52-56。

10　同上註。

法再奏出妳心聲，那具永遠為我愛戀的鋼琴，我將何以自處？[11]

上文中看到麥先生無法忘記慧子，在另一篇文章〈祝福〉中透露了慧子黯然辭世。慧子在麥先生心中無可取代，之後他專注於學問上，選擇了孤獨的過他的一生。當我讀到這一段時，想不到在研究所的負責鎖門的老先生竟是如此多情，寫出對愛情浪漫的詩句。

從麥先生《草窗隨筆》中看到他內心深處的感覺，他的愛情觀，他追求的目標。也可窺見他的為人，他處事嚴謹，多情而浪漫，對理想追求的執著，因此他非常用功於學問上的努力。在《瑩社同學錄》[12]中介紹麥仲貴先生時中評他文章冠絕全班，擅作新詩，可見他早年是甚喜愛文學。現引述他的《閔亂賦》：

> 登鑪峰以游目兮，覽上下乎四荒，既顛沛以流離兮，每徘徊而悲傷。
> 念先哲之遠逝兮，惟簡冊而留芳，自三代以遞降兮，歷興廢而滅亡。
> 何桀紂之無道兮，賴周文而復昌，七雄爭以稱霸兮，秦遂蠶食而稱皇。
> 二世立而不悔兮，又昏庸而亂常，既漢興而禍平兮，及獻帝而多殃。
> 歎生民之不辰兮，逢疫癘與佳兵，豈天道之固然兮，繼紛亂以治平。
> 唐脩明而康樂兮，欣貞觀之盛名，惟晚代之不脩兮，藩鎮紛起以相傾。
> 亦脩道之不誠兮，運乃衰而數更，迫宋明以寖降兮，紛夷狄之構釁。
> 嗟至今而尤烈兮，烽煙舉而國震，哀吾生之多艱兮，屢回首而自哀。
> 何惜日之盛德兮，悲今世之衰頹，亦王霸之不同兮，好貪婪而自私。
> 憫生靈之塗炭兮，既離散而紛披，傷貧病以流亡兮，思歸鄉之無期。
> 樹欲靜而風不息兮，子欲養而親永離，何報恩之可言兮，惟搔首而涕洟。[13]

以上之賦是他剛畢業後不久所寫，《新亞心聲》中有列出麥先當年是二十六歲，因此這詩應是寫於一九六三年，這賦題目是《閔亂賦》，他登上港島最高峰太平山，回想自身從家鄉到香港活。當年大陸政治運動多，人民生活艱苦，回望歷史多難，盛世日子不多，在離亂中回鄉無期，至親離世也未能侍奉在側，那種悲歎為有搔首流涕。詩中看到他對自身漂泊的感歎及對故國多難的悲哀，同時看到他能把數千年歷史的變動，用廿多句詩已表達出來，且能寫出歷代興衰變幻的情況，可見他對歷史的熟悉及用字之精確。

筆者曾粗略整理過他的藏書，發現他的藏書中以文學為主，當中有不少是日本文學，其中芥川龍之介的小說，同一小說有三個不同版本，另外有川端康成，三島由紀夫等等同樣是藏了很多。外國小說、詩篇等為數也不少。後轉讀哲學，主力研究宋明理學，藏書中有關宋明理學數量也不少。藏書中，歷史書比例最少，這可能跟他個人喜好

11 同上註，頁1-4。
12 培正書院1956年畢業同學錄。
13 《新亞心聲》香港：新亞書院，缺出版年分，頁6。

有關。他極希望成為理想的哲人。他自知非是讀哲學的材料，他便以刻苦來補不足，他說「我必須勤奮的生活，我必須刻苦的工作。」因此他讀書非常用功。《草窗隨筆》撰寫時只得二十三歲的麥先生，文章中也引用不少名著，同時在每篇文章起首時必引用哲學家或文學家的名言，作為他寫這文章的寓意，例如上文引過的〈愛情的象徵〉便引桑塔雅那「我們的尊貴並不在乎做甚麼，而在乎我們了解甚麼」又例如〈十字街頭序曲〉引用小仲馬「為了靈魂的苦悶和疫病的磨難，有些人盼望早離世；可是看到了別的幸福，也鼓舞起來願意活下去」麥先生這形式，可說是為了他的文章作引言或註腳，也顯示了他的讀書之多。後來他也拿取了哈佛燕京的獎學金，到日本、臺灣等地參考宋明理學的資料。

四　宋明理學的研究

麥仲貴先生在大學畢業後全副精神在研習哲學，在他的藏書中有西哲、中哲、也有入門書，邏輯學等等，西哲中有柏拉圖、亞里士多德、康德、海德格、尼采、卡謬等等。其中康德和存在主義的書占的份量最多。中國哲學方面以宋明理學占最多，還有孔孟儒家哲學、道家哲學等，其餘的占不多。麥先生的碩士論文《王門諸子致良知學之發展》仍論王學之各流派及發展，唐君毅先生更認為此文章較黃梨洲（宗羲）的《明儒學案》更客觀，王陽明歿後分作七派，麥先生參考了極多文獻，從各種文獻一一疏理考訂，並加以評述。明代王學為主流，麥先生十分推崇王陽明，他認為：

> 陽明乃言致知之事，必一方去私欲，一方存天理，以為善去惡而成其格物之事。此即陽明之唯教人能於其應事接物之際，恆體其天理之本然，而未嘗少以私欲害之，然後能見天理良知之諸派者。[14]

在此書中麥先生先論述從宋代理學的發展由北宋的濂、洛、關至南宋的閩派，乃至陸九淵等五派，陸九淵至南宋後漸無聞，獨盛朱學，朱學之盛與結合了考試制度很大關係。元代以後，科舉以朱子學為主要考試內容。[15] 麥先生從文獻中疏理從陸象山至王陽明間的學術發展，找出王陽明之學的源流。王陽明之後，王學成為主流，麥先生把王學後的各派的脈絡、義理內容、發展等等一一闡述，十分詳盡，後由劉蕺山（宗周）集大成。其內容有論也有述。因此獲得很高的評價。

麥先生先於《王門諸子致良知學之發展》一書出版前便出版了《宋元理學家著述生卒年表》，麥先生花了很多精力為此書蒐集資料。其〈序言〉說：

14　麥仲貴：《王門諸子致良知學之發展》香港：中文大學，1973年12月，頁18。

15　據《元史‧選舉志》朱熹的《四書集註》為主要的科舉考試主要的內容，因此朱學成為元代理學的主流。

> 愚從 業師唐君毅先生治哲學，始屬意宋明理學，間嘗與 唐先生談及宋元明清學
> 案等書，皆以人為主，而未以年為綱，並悉二十餘年前已有劉汝霖之《兩漢學術
> 編年》、《魏晉南北朝學術編年》二書。嘗取而讀之，雖稍病其採擇未備，體例尚
> 可商者，然亦固已導夫先路。劉著止於南北朝，尚未及於隋唐；而吾之所學，則
> 偏在宋明儒學。故欲為理學學術編年一書，自宋迄清，都為四朝。[16]

據上文麥先生原打算出宋、元、明、清四朝的理學家著術生卒年表。可能基於材料及精
力先出版宋元理學部分，作為試金石，蒐集更多材料時便出版明清那部分，明清那部分
資料更為豐富，分上下兩冊。麥先生除了因為上述所言繼《魏晉南北朝學術編年》後欲
編撰理學編年外，更主要是透過編撰理學家著術生卒年表能看到學術的演變遞嬗之跡。
對於後世很有參考價值，此書便在一九六八年出版。翻查記錄，麥先生碩士畢業時正是
一九六八年，這書正是他畢業時出版，他邊撰畢業論文，邊撰寫這書，可見他驚人的研
究能力及用功程度。麥先生出版這書時正是三十一歲。

　　他得了哈佛燕京學社的資助，到日本及臺灣找資料。日本理學研究相當精，至今還
有王陽明研究學會。自甲午戰爭後，自日來華的學者、商人甚多，學者購了很多宋版書
藏在日本的寺院及研究院中，他便憑著資助親往日本參考有關宋明理學的資料。據《王
門諸子致良知學之發展》的〈自序〉中說：

> 吾於一九七一年幸獲美國哈佛燕京學社之資助，曾先後前往臺灣及日本兩地方，
> 蒐輯有關明清儒學資料，以備編撰寫明清儒學年表之需。[17]

《明清儒學家著述生卒年表》一書則在一九七七年出版，麥先生的老師唐君毅於一九七
八年二月病逝，這書出版時，唐先生已病重，因此未能為此書作序，只有自己一篇撰
序。由於資料比前豐富，此書分為兩冊，所載的人物甚多。可見麥先生為此書確實下了
很多苦功。現引述麥先生的序言：

> 余自一九六八年編撰《宋元理學家著述生卒年表》一書後，即擬將理學擱置一
> 端，而暫移他業。其間亦嘗稍讀明清儒書，而尤重明儒學案。殆明儒學案讀畢，
> 余之鈔輯之資料，亦愈豐富。是年，余以再入中文大學研究院，攻讀其哲學部之
> 碩士學位，復重讀明儒學案，以從事於陽明致良知學發展之研究，並撰寫一畢業
> 論文。越一年，畢業論文寫竟，余始再有意於編輯一明清儒學家著述生卒年表之
> 務。一九七○年秋，余承 業師唐君毅先生之美意，推薦於哈佛燕京學社，得領
> 受其獎學金，先後前赴臺灣與日本，入進一步之研究。余於是始得籍此廣讀明清

---

16 麥仲貴《宋元理學家著述生卒年表》之〈序〉香港：1968年9月，缺頁數。
17 麥仲貴：《王門諸子致良知學之發展》，頁12。

儒書，而尤重諸儒之文集及年譜，搜羅撷拾，增益其所不足，以為編輯此書之助。余於一九七三年八月杪，由日本反回香港，始專事編纂此書。回顧自屬稿迄今，已六易寒暑，乃竟其編寫之功。然以繁瑣之業，用力雖勤，其中舛謬必多。惠而教之，則有待博雅君子也。[18]

據上文，麥先生是唐君毅先生推薦於一九七一年得哈佛燕京的獎學金，曾赴臺灣及日本蒐集有關宋明理學資料。一九七一年的《新亞書院教職員通訊錄》，當年麥先生的職業是新亞研究所研究員。其間他專心研究明清儒學家著述生卒年表。他會把研究結果逐一刊登在《華僑日報》的〈人文〉專欄。他用六年時間撰《明清儒家著述生卒年表》，似乎是已把他原有的計畫改了，他原先打算研究宋、元、明、清四朝的理學家著術生卒年表，然而這書名由理學改為儒家，是否他學習取向改變？當然不是，他參考了更多資料後認為清代的理學已非主流，主流乃是樸學，但這些儒學人物平日生活仍操持理學的方式，至清中葉以後，倡經世致用之學，清末列強入侵，乃倡中學為體，西學為用，而理學則似乎止於明末清初。故此，麥先生書名有所更改。然而，他不認為理學止於明末，到了清代乃是潛流，他在〈序言〉：

> 以明代理學之盛，而觀清儒之學，則清儒自若無理學可言。然若從清儒之學，初由明代學演變而來，故理學雖非清學之主流，而仍為其潛流，亦非虛說。由此而吾人於明儒之學，其下逮於清儒之學，相因相承，亦未嘗不可以相貫而言，以成一學術演變之編年。則此兩朝儒者，其論學與行誼，因襲影響，學脈承傳，出處仕宦，交游著述，生卒年月，亦當考之文獻，徵之史傳，為之表出，以綜觀此兩朝儒學演變之跡。此即本年表所以寫作之由也。[19]

上文提到理學雖非主流，理學之為學處世之態度卻影響著清儒，所謂「論學與行誼，因襲影響，學脈承傳」正是此義。麥先生不單留意了理學在時代上的轉變，以年表方式讓後學者清楚明白學術上的轉變。綜合兩書結構，皆以年為主，逐年考證每位儒學者所發生的事。年表的好處是從年分看出事情的轉變，因此古代史書中不乏年表，著名的有司馬遷《史記》中的年表，他在《史記》用年表體例有達八篇，其作用是「紀年紀事，聚於一幀」後世學者，研究人物、學術流變等等會用表。用表好處是清晰，讀者可一目瞭然，麥先生欲補《明儒學案》及《宋元學案》之不足，以年表方式說明理學乃至清儒學的流變，為後學者提供資鑑，其志向宏大。須知年表不易做，一方面資料考據要很嚴謹，尤其年分的考證，用字不可太繁，但要精確。他在大學時主修中文系，碩士才轉讀哲學，然而《宋元理學家著述生卒年表》及《明清儒家著述生卒年表》兩書的體例近史

---

18 麥仲貴：《明清儒家著述生卒年表》之〈自敍〉臺北：學生書局，1977年9月，頁2。
19 同上註。

學多於哲學，並且以年表方式編寫，而他不過是靠錢穆先生提供資料，牟潤孫先生、嚴
耕望先生的指導下完成這兩套著作。而《宋元理學家著述生卒年表》更在一九六八年出
版，當時他的碩士論文剛好完成，他卻要學習非本科的寫作方式，可見其用功之深，令
人心感配服。

五　結語

　　據一九六九、一九七〇年兩本的《新亞書院教職員通訊錄》麥先生在新亞研究所任
職，職位是編輯員，他最後出版之書正是在一九七七年出版的《明清儒家著述生卒年
表》，因此推測他一九七七年仍在新亞研究所任職編輯員。八〇年代後他是否仍是編輯
員，就不得而知。有學長言，他很早已患病，研究所安排他擔任文書工作，為學生登
記，寫收據等工作。我入讀研究所時已是一九九八年，他當時的工作有點像保安員（看
更）之職，專責待學生放學後鎖門。他每天穿同一款式衣服，即白恤衫，深灰色長褲，
冬天加一件襖。初以為他只是保安員，且是有精神病的保安員，當時這樣想為何研究所
請一個有病的員工？據當時圖書館管理員告訴我，他是很有學問的人，後來為了追隨唐
君毅先生，放棄讀文學轉而讀哲學。前管員告知我是因為他才能是文學，勉強轉讀哲
學，他感受到壓力而引發精神病。從一九七七年至一九九八年，這二十一年間他發生了
甚麼事導致他患上了精神病？是愛情？事業？學術研究？從他的學習認真程度，不管是
寫隨筆、學術研究、撰寫論文等都顯示他力求完善。他的字體很工整，從他的手稿中看
到他的手跡如印版，有說見字如見人；從字體可大概知道那人的性格，他寫字工整，可
估計他為人嚴謹且要求高，做事力臻完美，對他構成壓力也是極有可能。《草窗隨筆》
中提到苦心經營每一字詞，用字追求美如詩的境界，因此欠缺自然，同時每一篇流露出
沉鬱之感，從他的藏書中看到很多文學作品，尤以日本文學最多，川端康成的意識流作
品，及三島由紀夫的悲情是否影響他？他以追求如詩人般的生活，轉向了埋首於文獻研
究這等慎密的思考，對他是否構成影響而令他患病？我不是專家，很難準確地得到答
案。斯人已逝，即使能追查到他患病的因由也沒有用。他的作品已鮮為世人知曉，有人
說他的研究於當世作用不大，今天的科技至上的年代，要追查古人的生卒年，按一下電
腦上的鍵盤，甚麼資料也齊備，何需甚麼年表。在沒有互聯網的年代，他的研究確實提
供了很多資料，如細心研究儒學家中某人著作的年分，這兩套書可提供詳細的資料，可
惜今人尚即食文化，鮮有願意花時間細讀內文，每有疑難上網找尋，麥先生治學實令後
人所欽服。這位印象難忘的老先生，他的音容、他的聲音常在腦海中浮現。《新亞論
叢》要出一期介紹新亞研究所的人物，不其然便想到麥先生，透過近日翻閱他的作品，
他的藏書，彷彿他如小說中的絕世高人，可惜被隱在研究所內作最卑微的工作。

《新亞論叢》文章體例

一、每篇論文需包括如下各項：

（一）題目（正副標題）

（二）作者姓名、服務單位、職務簡介

（三）正文

（四）註腳

二、各級標題按「一、」、「（一）」、「1.」、「（1）」順序表示，儘量不超過四級標題.

三、標點

1. 書名號用《》，篇名號用〈〉，書名和篇名連用時，省略篇名號，如《莊子・逍遙遊》。

2. 中文引文用「」，引文內引文用『』；英文引文用" "，引文內引文用' '。

3. 正文或引文中的內加說明，用全型括弧（）。

例：哥白尼的大體模型與第谷大體模型只是同一現象模型用不同的（動態）坐標系統的表示，兩者之間根本毫無衝突，無須爭執。

四、所有標題為新細明體、黑體、12號；正文新細明體、12號、2倍行高；引文為標楷體、12

五、漢譯外國人名、書名、篇名後須附外文名。書名斜體；英文論文篇名加引號" "，所有英文字體用 Times New Roman。

例：此一圖式是根據亞伯拉姆斯（M. H. Abrams）在《鏡與燈》（*The Mirror and The Lamps*）一書中所設計的四個要素。

六、註解採腳註（footnote）方式。

1. 如為對整句的引用或說明，註解符號用阿拉伯數字上標標示，寫在標點符號後。如屬獨立引文，整段縮排三個字位；若需特別引用之外文，也依中文方式處理。

七、註腳體例

（一）中文註腳

1. 專書、譯著

例：莫洛亞著，張愛珠、樹君譯：《生活的智慧》北京：西苑出版社，2004年，頁106。

2. 期刊論文

例：陳小紅：〈汕頭大學學生通識教育的調查及分析〉，《汕頭大學學報（人文社會科學版）》，2005年第4期，頁20。

3. 論文集論文

例（1）：唐君毅：〈人之學問與人之存在〉，收入《中華人文與當今世界》台北：學
　　　　生書局，1975年，頁65-109。

4. 再次引用

　　（1）緊接上註，用「同上註」，或「同上註，頁4」。

　　（2）如非緊接上註，則舉作者名、書名或篇名和頁碼，無需再列出版資料。

　　例：唐君毅：〈人之學問與人之存在〉，頁80。

5. 徵引資料來自網頁者，需加註網址以及所引資料的瀏覽日期。網址用〈　〉括起。

　　例：〈www.cuhk.edu.hk/oge/rcge〉，瀏覽日期：2007年5月14日。

（二）英文註腳

　　所有英文人名，只需姓氏全拼，其他簡寫為名字 Initial 的大寫字母。如多於一位作
者，按代表名字的字母排序。

1. 專書

例（1）：J. S. Stark and L. R. Lattuca, *Shaping the College Curriculum: Academic Plans in
　　　　Action* (Boston: Allyn and Bacon, 1997), 194-195.

例（2）：R. C. Reardon, J. G. Lenz, J. P. Sampon, J. S. Jonston, and G. L. Kramer, *The
　　　　"Demand Side" of General Education—A Review of the Literature: Technical
　　　　Report Number 11* (Education Resources Information Centre, 1990),www.career.
　　　　fsu.edu/documents/technicalreports.

2. 會議文章

例：J. M. Petrosko, "Measuring First-Year College Students on Attitudes towards General
　　Education Outcomes," paper presented at the annual meeting of the Mid-South
　　Educational Research Association, Knoxville, TN, 1992.

3. 期刊論文

例：D. A. Nickles, "The Impact of Explicit Instruction about the Nature of Personal
　　Learning Style on First-Year Students' Perceptions 259 of Successful Learning," *The
　　Journal of General Education* 52.2 (2003): 108-144.

4. 論文集文章

例：G. Gorer, "The Pornography of Death," in Death: Current Perspective, 4th ed., eds. J. B.
　　Williamson and E. S. Shneidman (Palo Alto: Mayfield, 1995), 18-22.

5. 再次引用

　　（1）緊接上註，用「同上註」，或「同上註，頁4」。

　　（2）舉作者名、書名或篇名和頁碼，無需再列出版資料。

　　例：G. Gorer, "The Pornography of Death," 23.

大學叢書·新亞論叢　1703006

新亞論叢　第二十期

主　　編	《新亞論叢》編輯委員會
責任編輯	楊家瑜

發 行 人	陳滿銘
總 經 理	梁錦興
總 編 輯	陳滿銘
副總編輯	張晏瑞
編 輯 所	萬卷樓圖書股份有限公司
排　　版	林曉敏
印　　刷	博創印藝文化事業有限公司
封面設計	斐類設計工作室

發　　行　萬卷樓圖書股份有限公司
地址　臺北市羅斯福路二段 41 號 6
樓之 3
電話　(02)23216565
傳真　(02)23218698
電郵　SERVICE@WANJUAN.COM.TW

大陸經銷　廈門外圖臺灣書店有限公司
電郵　JKB188@188.COM

香港經銷　香港聯合書刊物流有限公司
電話　(852)21502100
傳真　(852)23560735

ISBN 978-986-478-338-0（臺灣發行）

ISSN 1682-3494（香港發行）

2019 年 12 月初版一刷

定價：新臺幣 960 元

如何購買本書：

1. 劃撥購書，請透過以下郵政劃撥帳號：
   帳號：15624015
   戶名：萬卷樓圖書股份有限公司
2. 轉帳購書，請透過以下帳戶
   合作金庫銀行　古亭分行
   戶名：萬卷樓圖書股份有限公司
   帳號：0877717092596
3. 網路購書，請透過萬卷樓網站
   網址　WWW.WANJUAN.COM.TW

大量購書，請直接聯繫我們，將有專人為
您服務。客服：(02)23216565 分機 610

如有缺頁、破損或裝訂錯誤，請寄回更換

版權所有·翻印必究

Copyright©2019 by WanJuanLou Books CO., Ltd.

All Right Reserved　　　　　**Printed in Taiwan**

國家圖書館出版品預行編目資料

新亞論叢. 第二十期 / 《新亞論叢》編輯委
員會主編. -- 初版. -- 臺北市：萬卷樓,
2019.12　　面；　公分. -- (大學叢書；
1703006)

年刊

ISBN 978-986-478-338-0(平裝)

1.期刊

051　　　　　　　　　　　　108022853